Holt Online Learning

Toda la ayuda que necesitas, cuando la necesitas.

go.hrw.com

¡Cientos de videos en línea!

¡Los videos de tutoría de la lección muestran videos interesantes y enriquecedores que ilustran cada ejemplo de tu libro de texto!

Edición en línea
- Edición completa del estudiante
- Videos de tutoría para cada lección (videos para cada ejemplo)
- Curso 1: 279 videos
- Curso 2: 294 videos
- Curso 3: 333 videos
- Práctica interactiva con comentarios

Práctica adicional
- Ayuda en línea para tareas
- Ejercicios de intervención y enriquecimiento
- Práctica para el examen del estado

Herramientas en línea
- Calculadora gráfica
- Explicación paso a paso sobre cómo utilizar las teclas en la calculadora de gráficas
- Manipulativos virtuales
- Glosario multilingüe

Conéctate a **www.go.hrw.com** para encontrar los recursos de Holt

Para los padres
- Recursos en línea para los padres

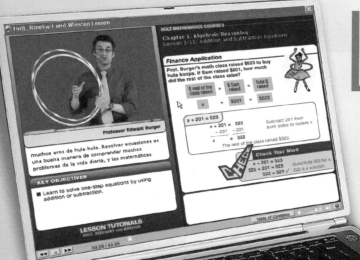

HOLT

Matemáticas

Curso 1

Jennie M. Bennett

Edward B. Burger

David J. Chard

Audrey L. Jackson

Paul A. Kennedy

Freddie L. Renfro

Janet K. Scheer

Bert K. Waits

HOLT, RINEHART AND WINSTON

A Harcourt Education Company

Orlando • Austin • New York • San Diego • London

Curso 1 Resumen del contenido

MANUAL DEL ESTUDIANTE

Printed in the United States of America

ISBN 0-03-078272-4

2 3 4 5 073 09 08 07

Foto de tapa: Exterior del American Airlines Arena Miami © Arcaid/Alamy

AUTORES

Jennie M. Bennett, Ph.D. is a mathematics teacher at Hartman Middle School in Houston, Texas. Jennie is past president of the Benjamin Banneker Association, the Second Vide-President of de NCSM, and a former board member of the NCTM.

Paul A. Kennedy, Ph.D. is a professor in the Department of Mathematics at Colorado State University. Dr. Kennedy is a leader on mathematics education. His research focuses on developing algebraic thinking by using multiple representations and technology. He is the author of numerous publications.

Edward B. Burger, Ph.D. is Professor of Mathmatics and Chair at William College and is the authors of numerous articles, books and videos. He has won several of the most prestigious writing and teaching awards offered by the Mathematical Association of America. Dr. Burguer has appeared on NBC TV, National Public Radio and given innumerable mathematical performances around the world.

Freddie L. Renfro, MA, has 35 years of experience in Texas education as a classroom teacher and director/coordinator of Mathematics PreK-12 for school districts in the Houston area. She has served as TEA TAAS/TAKS reviewer, team trainer for Texas Math Institutes, TEKS Algebra Institute Writer, and presenter at math workshops.

David J. Chard, Ph.D., is an Associate Dean of Curriculum and Academic Programs at the University of Oregon. He is the President of the Division for Research at the Council for Exceptional Children, is a member of the International Academy for Research on Learning Disabilities, and is the Principal Investigator on two major research projects for the U.S. Department of Education.

Janet K. Scheer, Ph.D., Executive Director of Create A Vision™, is a motivational speaker and provides customized K-12 math staff development. She has taught internationally and domestically at all grade levels.

Audrey Jackson M. Ed., is on the Board of Directors for NCTM. She is the Program Coordinator for Leadership Development with the St. Louis, public schools and is a former school administrator for the Parkway School District.

Bert K. Waits, Ph.D., is a Professor Emeritus of Mathematics at The Ohio State University and co-founder of T³ (Teachers Teaching with Technology), a national professional development program.

Autores Colaboradores

Linda Antinone
Fort Worth, TX
Ms. Antinone teaches mathematics at R. L. Paschal High School in Fort Worth, Texas. She has received the Presidential Award for Excellence in Teaching Mathematics and the National Radio Shack Teacher award. She has coauthored for Texas Instruments on the use of technology in mathematics.

Carmen Whitman
Pflugerville, TX
Ms. Whitman travels nationally helping improve mathematics education. She has been program coordinator of the mathematics team at the Charles A. Dana Center, and has served as secondary math specialist for the Austin Independent School District.

Revisores

Marilyn Adams
Mathematics Department Chair
Eanes ISD
Austin, TX

Thomas J. Altonjy
Assistant Principal
Robert R. Lazar Middle School
Montville, NY

Jane Bash, M.A.
Math Education
Eisenhower Middle School
San Antonio, TX

Charlie Bialowas
District Math Coordinator
Anaheim Union High School District
Anaheim, CA

Lynn Bodet
Math Teacher
Eisenhower Middle School
San Antonio, TX

Chandra Budd
Mathematics Teacher
Amarillo ISD
Amarillo, TX

Terry Bustillos
Mathematics Teacher
El Paso ISD
El Paso, TV

Louis D'Angelo, Jr.
Math Teacher
Archmere Academy
Claymont, DE

Troy Deckebach
Math Teacher
Tredyffrin-Easttown Middle School
Berwyn, PA

Linda Foster
Mathematics Department Chair
Abilene ISD
Abilene, TX

Mary Gorman
Math Teacher
Sarasota, FL

Brian Griffith
Supervisor of Mathematics, K-12
Mechanicsburg Area School District
Mechanicsburg, PA

Ruth Harbin-Miles
District Math Coordinator
Instructional Resource Center
Olathe, KS

Jo Ann Hawkins
Mathematics Department Chair
Lake Travis ISD
Austin, TX

Kim Hayden
Math Teacher
Milford Jr. High School
Milford, OH

Susan Howe
Math Teacher
Lime Kiln Middle School
Fulton, MD

Emily Hyatt
Mathematics Teacher, retired
Klein ISD
Klein, TX

Paula Jenniges
Austin, TX

Ronald J. Labrocca
District Mathematics Coordinator
Manhasset Public Schools
Plainview, NY

Victor R. Lopez
Math Teacher
Washington School
Union City, NJ

George Maguschak
Math Teacher/Building Chairperson
Wilkes-Barre Area
Wilkes-Barre, PA

Dianne McIntire
Math Teacher
Garfield School
Kearny, NJ

Kenneth McIntire
Math Teacher
Lincoln School
Kearny, NJ

Francisco Pacheco
Math Teacher
IS 125
Bronx, NY

Vivian Perry
Edwards, IL

Vicki Perryman Petty
Math Teacher
Central Middle School
Murfreesbro, TN

Teresa Roy
Mathematics Curriculum Specialist
Round Rock ISD
Round Rock, TX

Jennifer Sawyer
Math Teacher
Shawboro, NC

Russell Sayler
Math Teacher
Longfellow Middle School
Wauwatosa, WI

Raymond Scacalossi
Math Chairperson
Hauppauge Schools
Hauppauge, NY

Richard Seavey
Math Teacher–Retired
Metcalf Jr. High
Eagan, MN

Sherry Shaffer
Math Teacher
Honeoye Central School
Honeoye Falls, NY

Dianne Shaver
Mathematics Department Chair
Round Rock ISD
Round Rock, TX

Gail M. Sigmund
Math Teacher
Charles A. Mooney Preparatory School
Cleveland, OH

Jonathan Simmons
Math Teacher
Manor Middle School
Killeen, TX

Jeffrey L. Slagel
Math Department Chair
South Eastern Middle School
Fawn Grove, PA

Karen Smith, Ph.D.
Math Teacher
East Middle School
Braintree, MA

Melba Smithwick
Mathematics Department Chair
Corpus Christi ISD
Corpus Christi, TX

Bonnie Thompson
Math Teacher
Tower Heights Middle School
Dayton, OH

Mary Thoreen
Mathematics Subject Area Leader
Wilson Middle School
Tampa, FL

Paul Turney
Math Teacher
Ladue School District
St. Louis, MO

Lori Van Houten
Mathematics Teacher
Abilene ISD
Abilene, TX

Pam Walker
Curriculum Teacher Specialist
Nacogdoches ISD
Nacogdoches, TX

Preparación para los exámenes estandarizados

El ***Curso 1*** de ***Holt Matemáticas*** te da muchas oportunidades de prepararte para los exámenes estandarizados.

Ejercicios de preparación para el examen

Usa los ejercicios de preparación para el examen para practicar diariamente las preguntas del examen estandarizado en varios formatos.

Opción múltiple—Elige tu respuesta.

Respuesta gráfica—Escribe tu respuesta en una gráfica y completa los círculos correspondientes.

Respuesta breve—Escribe respuestas abiertas que reciben 2 puntos.

Respuesta desarrollada—Escribe respuestas abiertas que reciben 4 puntos.

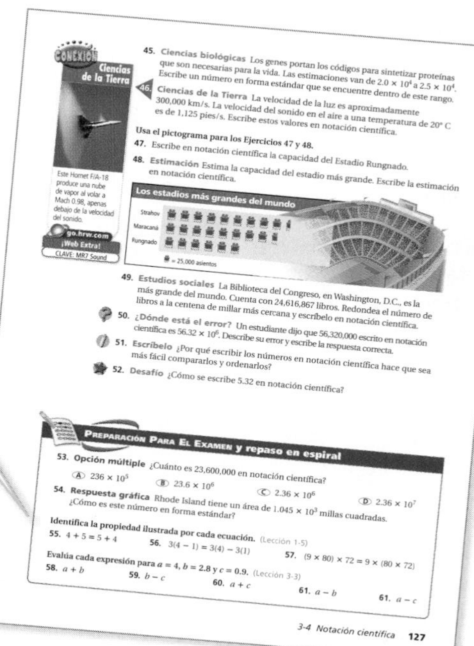

CONEXIÓN Ciencias de la Tierra

Este Hornet F/A-18 produce una nube de vapor al volar a Mach 0.98, apenas debajo de la velocidad del sonido.

go.hrw.com ¡Web Extra! CLAVE: MR7 Sound

45. **Ciencias biológicas** Los genes portan los códigos para sintetizar proteínas que son necesarias para la vida. Las estimaciones van de 2.0×10^4 a 2.5×10^4. Escribe un número en forma estándar que se encuentre dentro de este rango.

46. **Ciencias de la Tierra** La velocidad de la luz es aproximadamente 300,000 km/s. La velocidad del sonido en el aire a una temperatura de 20° C es de 1,125 pies/s. Escribe estos valores en notación científica.

Usa el pictograma para los Ejercicios 47 y 48.

47. Escribe en notación científica la capacidad del Estadio Rungnado.

48. **Estimación** Estima la capacidad del estadio más grande. Escribe la estimación en notación científica.

49. **Estudios sociales** La Biblioteca del Congreso, en Washington, D.C., es la más grande del mundo. Cuenta con 24,616,867 libros. Redondea el número de libros a la centena de millar más cercana y escríbelo en notación científica.

50. **¿Dónde está el error?** Un estudiante dijo que 56,320,000 escrito en notación científica es 56.32×10^6. Describe su error y escribe la respuesta correcta.

51. **Escríbelo** ¿Por qué escribir los números en notación científica hace que sea más fácil compararlos y ordenarlos?

52. **Desafío** ¿Cómo se escribe 5.32 en notación científica?

Preparación para el examen y repaso en espiral

53. **Opción múltiple** ¿Cuánto es 23,600,000 en notación científica?
Ⓐ 236×10^5 Ⓑ 23.6×10^6 Ⓒ 2.36×10^6 Ⓓ 2.36×10^7

54. **Respuesta gráfica** Rhode Island tiene un área de 1.045×10^3 millas cuadradas. ¿Cómo es este número en forma estándar?

Identifica la propiedad ilustrada por cada ecuación. (Lección 1-5)

55. $4 + 5 = 5 + 4$ 56. $3(4 - 1) = 3(4) - 3(1)$ 57. $(9 \times 80) \times 72 = 9 \times (80 \times 72)$

Evalúa cada expresión para $a = 4$, $b = 2.8$ y $c = 0.9$. (Lección 3-3)

58. $a + b$ 59. $b - c$ 60. $a + c$ 61. $a - b$ 61. $a - c$

3-4 Notación científica 127

Ayuda para examen

Usa la Ayuda para examen para familiarizarte con las estrategias para exámenes y practicarlas.

La primera página de este apartado explica y muestra un ejemplo de estrategia para exámenes.

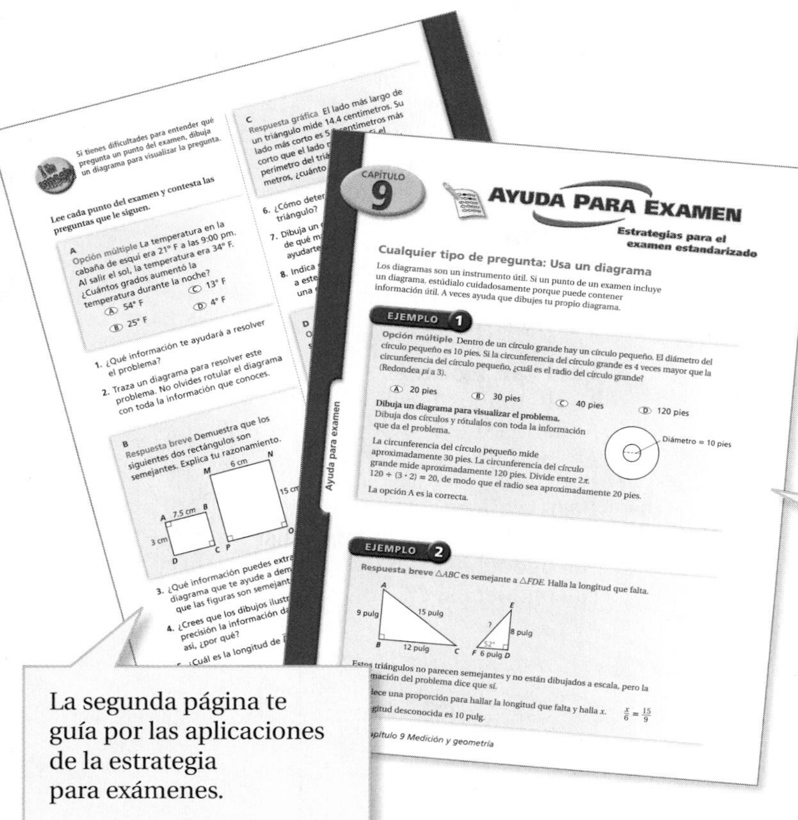

CAPÍTULO 9

AYUDA PARA EXAMEN

Estrategias para el examen estandarizado

Cualquier tipo de pregunta: Usa un diagrama

Los diagramas son un instrumento útil. Si un punto de un examen incluye un diagrama, estúdialo cuidadosamente porque puede contener información útil. A veces ayuda que dibujes tu propio diagrama.

EJEMPLO 1

Opción múltiple Dentro de un círculo grande hay un círculo pequeño. El diámetro del círculo pequeño es 10 pies. Si la circunferencia del círculo grande es 4 veces mayor que la circunferencia del círculo pequeño, ¿cuál es el radio del círculo grande? (Redondea pi a 3).

Ⓐ 20 pies Ⓑ 30 pies Ⓒ 40 pies Ⓓ 120 pies

Dibuja un diagrama para visualizar el problema. Dibuja dos círculos y rótulos con toda la información que da el problema.

La circunferencia del círculo pequeño mide aproximadamente 30 pies. La circunferencia del círculo grande mide aproximadamente 120 pies. Divide entre 2π. $120 \div (3 \cdot 2) = 20$, de modo que el radio sea aproximadamente 20 pies.

La opción A es la correcta.

EJEMPLO 2

Respuesta breve $\triangle ABC$ es semejante a $\triangle FDE$. Halla la longitud que falta.

Si tienes dificultades para entender qué pregunta un punto del examen, dibuja un diagrama para visualizar la pregunta.

Lee cada punto del examen y contesta las preguntas que le siguen.

A **Opción múltiple** La temperatura en la cabaña de esquí era 21° F a las 9:00 pm. Al salir el sol, la temperatura era 34° F. ¿Cuántos grados aumentó la temperatura durante la noche?
Ⓐ 54° F Ⓑ 25° F Ⓒ 13° F Ⓓ 4° F

1. ¿Qué información te ayudará a resolver el problema?

2. Traza un diagrama para resolver este problema. No olvides rotular el diagrama con toda la información que conoces.

B **Respuesta breve** Demuestra que los siguientes dos rectángulos son semejantes. Explica tu razonamiento.

La segunda página te guía por las aplicaciones de la estrategia para exámenes.

Preparación para los exámenes estandarizados

Usa la Preparación para los exámenes estandarizados para aplicar las estrategias para exámenes.

En ¡Un consejo! se dan sugerencias para que tengas éxito en tus exámenes.

Estas páginas incluyen ejercicios de práctica para el examen con preguntas de opción múltiple, respuesta gráfica, respuesta breve y respuesta desarrollada.

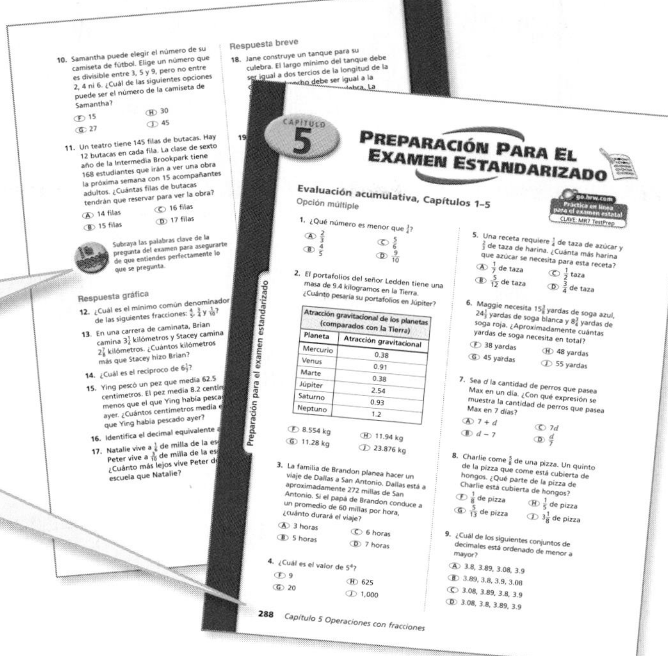

10. Samantha puede elegir el número de su camiseta de fútbol. Elige un número que es divisible entre 3, 5 y 9, pero no entre 2, 4 ni 6. ¿Cuál de las siguientes opciones puede ser el número de la camiseta de Samantha?
    - (F) 15
    - (G) 27
    - (H) 30
    - (J) 45
11. Un teatro tiene 145 filas de butacas. Hay 12 butacas en cada fila. La clase de sexto año de la Intermedia Brookpark tiene 168 estudiantes que irán a ver una obra la próxima semana con 15 acompañantes adultos. ¿Cuántas filas de butacas tendrán que reservar para ver la obra?
    - (A) 14 filas
    - (B) 15 filas
    - (C) 16 filas
    - (D) 17 filas

Subraya las palabras clave de la pregunta del examen para asegurarte de que entiendes perfectamente lo que se pregunta.

Respuesta gráfica

12. ¿Cuál es el mínimo común denominador de las siguientes fracciones: $\frac{4}{5}$, $\frac{3}{4}$ y $\frac{1}{10}$?
13. En una carrera de caminata, Brian camina $3\frac{1}{4}$ kilómetros y Stacey camina $2\frac{7}{8}$ kilómetros. ¿Cuántos kilómetros más que Stacey hizo Brian?
14. ¿Cuál es el recíproco de $6\frac{1}{3}$?
15. Ying pescó un pez que medía 62.5 centímetros. El pez medía 8.2 centí... menos que el que Ying había pesca... ayer. ¿Cuántos centímetros medía e... que Ying había pescado ayer?
16. Identifica el decimal equivalente ...
17. Natalie vive a $\frac{1}{6}$ de milla de la es... Peter vive a $\frac{3}{10}$ de milla de la es... ¿Cuánto más lejos vive Peter d... escuela que Natalie?

Respuesta breve

18. Jane construye un tanque para su culebra. El largo mínimo del tanque debe ser igual a dos tercios de la longitud de la ...

CAPÍTULO 5

PREPARACIÓN PARA EL EXAMEN ESTANDARIZADO

Evaluación acumulativa, Capítulos 1–5

Opción múltiple

go.hrw.com Práctica en línea para el examen estatal CLAVE: MR7 TestPrep

1. ¿Qué número es menor que $\frac{3}{4}$?
    - (A) $\frac{2}{3}$
    - (B) $\frac{4}{5}$
    - (C) $\frac{5}{6}$
    - (D) $\frac{9}{10}$
2. El portafolios del señor Ledden tiene una masa de 9.4 kilogramos en la Tierra. ¿Cuánto pesaría su portafolios en Júpiter?

Atracción gravitacional de los planetas (comparados con la Tierra)	
Planeta	Atracción gravitacional
Mercurio	0.38
Venus	0.91
Marte	0.38
Júpiter	2.54
Saturno	0.93
Neptuno	1.2

    - (F) 8.554 kg
    - (G) 11.28 kg
    - (H) 11.94 kg
    - (J) 23.876 kg
3. La familia de Brandon planea hacer un viaje de Dallas a San Antonio. Dallas está a aproximadamente 272 millas de San Antonio. Si el papá de Brandon conduce a un promedio de 60 millas por hora, ¿cuánto durará el viaje?
    - (A) 3 horas
    - (B) 5 horas
    - (C) 6 horas
    - (D) 7 horas
4. ¿Cuál es el valor de 5^4?
    - (F) 9
    - (G) 20
    - (H) 625
    - (J) 1,000
5. Una receta requiere $\frac{1}{4}$ de taza de azúcar y $\frac{2}{3}$ de taza de harina. ¿Cuánta más harina que azúcar se necesita para esta receta?
    - (A) $\frac{1}{7}$ de taza
    - (B) $\frac{5}{12}$ de taza
    - (C) $\frac{1}{2}$ taza
    - (D) $\frac{3}{4}$ de taza
6. Maggie necesita $15\frac{3}{8}$ yardas de soga azul, $24\frac{1}{3}$ yardas de soga blanca y $8\frac{3}{4}$ yardas de soga roja. ¿Aproximadamente cuántas yardas de soga necesita en total?
    - (F) 38 yardas
    - (G) 45 yardas
    - (H) 48 yardas
    - (J) 55 yardas
7. Sea d la cantidad de perros que pasea Max en un día. ¿Con qué expresión se muestra la cantidad de perros que pasea Max en 7 días?
    - (A) $7 + d$
    - (B) $d - 7$
    - (C) $7d$
    - (D) $\frac{d}{7}$
8. Charlie come $\frac{5}{8}$ de una pizza. Un quinto de la pizza que come está cubierta de hongos. ¿Qué parte de la pizza de Charlie está cubierta de hongos?
    - (F) $\frac{1}{8}$ de pizza
    - (G) $\frac{5}{13}$ de pizza
    - (H) $\frac{1}{5}$ de pizza
    - (J) $3\frac{1}{8}$ de pizza
9. ¿Cuál de los siguientes conjuntos de decimales está ordenado de menor a mayor?
    - (A) 3.8, 3.89, 3.08, 3.9
    - (B) 3.89, 3.8, 3.9, 3.08
    - (C) 3.08, 3.89, 3.8, 3.9
    - (D) 3.08, 3.8, 3.89, 3.9

Preparación para el examen estandarizado

288 Capítulo 5 Operaciones con fracciones

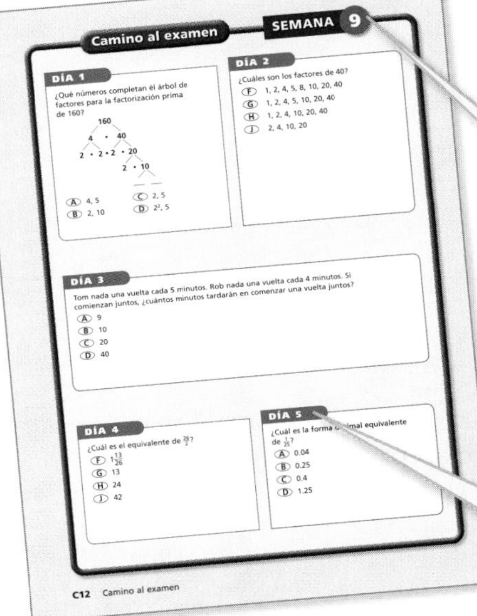

Camino al examen SEMANA 9

DÍA 1

¿Qué números completan él árbol de factores para la factorización prima de 160?

- (A) 4, 5
- (B) 2, 10
- (C) 2, 5
- (D) 2^2, 5

DÍA 2

¿Cuáles son los factores de 40?

- (F) 1, 2, 4, 5, 8, 10, 20, 40
- (G) 1, 2, 4, 5, 10, 20, 40
- (H) 1, 2, 4, 10, 20, 40
- (J) 2, 4, 10, 20

DÍA 3

Tom nada una vuelta cada 5 minutos. Rob nada una vuelta cada 4 minutos. Si comienzan juntos, ¿cuántos minutos tardarán en comenzar una vuelta juntos?

- (A) 9
- (B) 10
- (C) 20
- (D) 40

DÍA 4

¿Cuál es el equivalente de $\frac{26}{2}$?

- (F) $1\frac{13}{26}$
- (G) 13
- (H) 24
- (J) 42

DÍA 5

¿Cuál es la forma ...imal equivalente de $\frac{1}{25}$?

- (A) 0.04
- (B) 0.25
- (C) 0.4
- (D) 1.25

C12 Camino al examen

Camino al examen

Usa Camino al examen para practicar para tu examen estatal todos los días.

Hay 24 páginas de práctica para tu examen estatal. Cada página está diseñada para que la uses durante una semana, de modo que puedas completar toda la práctica antes de presentarte al examen estatal.

En la página de cada semana, hay cinco preguntas de práctica para el examen, una para cada día de la semana.

Sugerencias para los exámenes ¡Un consejo!

- La noche anterior al examen, asegúrate de dormir bien. Una mente descansada piensa más claramente y no sentirás que te duermes mientras das el examen.
- Si el problema no incluye una figura, dibuja una. Si el problema incluye una figura, escribe todos los detalles necesarios del problema en la figura.
- Lee cada problema atentamente. Cuando termines de resolver cada problema, vuelve a leerlo para asegurarte de que tu respuesta es razonable.
- Repasa la hoja de fórmulas que recibirás con el examen. Asegúrate de que sabes cuándo usar cada fórmula.
- En primer lugar, resuelve los problemas que sabes cómo resolver. Si no sabes cómo resolver un problema, saltéalo y vuelve a intentarlo cuando hayas resuelto los otros.
- Usa otras estrategias para exámenes que puedas hallar en el libro, como trabajar en sentido inverso y eliminar opciones de respuesta.

CAMINO AL EXAMEN

SEMANA 1

DÍA 1

La clase del maestro Johnson anotó la cantidad de lluvia que cayó cada día de la semana pasada. Ordena la cantidad de pulgadas de menor a mayor.

Día	L	M	Mi	J	V
Lluvia (pulg)	0.1	0.05	1.2	1.04	0.021

(A) 0.1, 0.021, 1.2, 1.04, 0.05

(B) 0.05, 0.021, 0.1, 1.04, 1.2

(C) 0.021, 0.05, 0.1, 1.04, 1.2

(D) 0.021, 0.05, 0.1, 1.2, 1.04

DÍA 2

La clase de ciencias de Eric cultivó plantas de semillas de frijol. En la tabla se muestra cuánto creció la planta de cada estudiante en dos semanas. Ordena las plantas de la que menos creció a la que más creció.

Estudiante	Miguel	Eric	Jane	Trisha	Cindy
Altura de la planta (pulg)	$\frac{1}{2}$	$\frac{5}{12}$	$\frac{3}{16}$	$\frac{1}{8}$	$\frac{4}{5}$

(F) $\frac{1}{2}, \frac{5}{12}, \frac{3}{16}, \frac{1}{8}, \frac{4}{5}$

(G) $\frac{1}{8}, \frac{3}{16}, \frac{5}{12}, \frac{1}{2}, \frac{4}{5}$

(H) $\frac{1}{2}, \frac{4}{5}, \frac{1}{8}, \frac{5}{12}, \frac{3}{16}$

(J) $\frac{1}{2}, \frac{1}{8}, \frac{3}{16}, \frac{4}{5}, \frac{5}{12}$

DÍA 3

La directora Meyers acomoda las sillas en un gimnasio para una reunión. Coloca 11 sillas en una fila y forma 17 filas. ¿Cuántas sillas hay en el gimnasio aproximadamente?

(A) 100

(B) 150

(C) 500

(D) 200

DÍA 4

Sarah dedicó 0.025 de hora a estudiar matemáticas, 0.38 de hora a estudiar estudios sociales, 0.1 de hora a estudiar ciencias y 0.5 de hora a leer la tarea. ¿A qué materia dedicó más tiempo?

(F) lectura

(G) estudios sociales

(H) ciencias

(J) matemáticas

DÍA 5

James compró un modelo de avión a $0.75, una pelota de goma a $0.18, un muñeco de colección a $0.39 y un auto de juguete a $0.61. ¿Qué juguete fue el más barato?

(A) auto

(B) muñeco de colección

(C) modelo de avión

(D) pelota de goma

Camino al examen

SEMANA 2

DÍA 1

En la tabla se muestra la cantidad de personas que asistieron a cada función de una obra de teatro de la escuela. Redondea a la centena más cercana para hallar la cantidad de personas que asistieron durante todo el fin de semana.

Asistencia a la obra de teatro	
Función	**Asistencia**
Viernes a la noche	289
Sábado a la noche	412
Domingo a la tarde	162
Domingo a la noche	347

(A) 1,000
(B) 1,200
(C) 1,400
(D) 1,600

DÍA 2

Después del partido, el entrenador lleva al equipo al restaurante más cercano. En la siguiente tabla se muestra la distancia desde el campo de béisbol hasta cada restaurante. ¿A qué restaurante va el equipo?

Distancia desde el campo de béisbol	
Restaurante	**Distancia (mi)**
Diversión helada	$3\frac{1}{4}$
Bonanza de hamburguesas	$2\frac{7}{8}$
La cabaña del hot dog	$2\frac{3}{5}$
El palacio de la pizza	$2\frac{2}{10}$

(F) Diversión helada
(G) Bonanza de hamburguesas
(H) La cabaña del hot dog
(J) El palacio de la pizza

DÍA 3

En la competencia de natación, el mejor tiempo de Latisha al nadar una vuelta es 38.64 segundos. En la competencia de natación anterior, su mejor tiempo fue 40.73 segundos. ¿Cuánto mejor es su nuevo tiempo, aproximadamente?

(A) 1 segundo
(B) 2 segundos
(C) 4 segundos
(D) 9 segundos

DÍA 4

Jill trazó un diagrama de su habitación. ¿Cuál es el área de la habitación de Jill?

8 pies
10 pies

(F) 18 pies cuadrados
(G) 36 pies cuadrados
(H) 40 pies cuadrados
(J) 80 pies cuadrados

DÍA 5

Michael tiene 4 pares de calcetines rojos y 5 pares de calcetines blancos. ¿Cuántos calcetines tiene en total?

(A) 9 calcetines
(B) 11 calcetines
(C) 18 calcetines
(D) 20 calcetines

Camino al examen SEMANA 3

DÍA 1

En la tabla se muestra la cantidad de personas que compitieron cada año en la carrera anual de bicicletas. Redondea a la centena más cercana para hallar cuántas personas compitieron aproximadamente en los cinco años de carreras.

Carrera anual de bicicletas	
Año	**Cantidad de carreras**
2001	8,432
2002	5,711
2003	6,204
2004	7,377
2005	7,114

Ⓐ 30,500
Ⓑ 31,000
Ⓒ 33,000
Ⓓ 34,800

DÍA 2

En la tabla se muestra la estatura de cinco estudiantes de la clase de la maestra Dawkin. Ordena los estudiantes del más bajo al más alto.

Estudiante	Estatura (cm)
Dani	75.15
Erica	75.1
Greg	75.7
Mika	75.3
Tom	74.9

Ⓕ Greg, Mika, Dani, Erica, Tom
Ⓖ Dani, Erica, Greg, Mika, Tom
Ⓗ Tom, Erica, Greg, Mika, Dani
Ⓙ Tom, Erica, Dani, Mika, Greg

DÍA 3

Simón quiere saber cuál es el área del patio de recreo. ¿Qué fórmula debe usar para hallarla?

Ⓐ $\ell + \ell + a + a$
Ⓑ $2\ell a$
Ⓒ $\ell \times a$
Ⓓ $\frac{1}{2}bh$

DÍA 4

¿Cuál será la siguiente figura del patrón?

 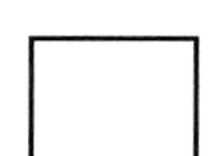 

Ⓕ octágono
Ⓖ cuadrado
Ⓗ pentágono
Ⓙ hexágono

DÍA 5

Evalúa la siguiente expresión.

$$27 - (2 \times 7) + 14$$

Ⓐ 0
Ⓑ 14
Ⓒ 27
Ⓓ 55

Camino al examen

SEMANA 4

DÍA 1

Chuck mide 2 pulgadas menos que su hermana Jan. Si j es la altura de Jan, ¿cuál de las siguientes opciones es c, la altura de Chuck?

- (A) $j + 2 = c$
- (B) $c - j = 2$
- (C) $c = j - 2$
- (D) $c = 2j$

DÍA 2

Cara quiere cubrir una pared con tela. La pared mide 19 pies por 49 pies. ¿Aproximadamente cuánta tela debería comprar Cara?

19 pies

49 pies

- (F) 450 pies cuadrados
- (G) 600 pies cuadrados
- (H) 850 pies cuadrados
- (J) 1,000 pies cuadrados

DÍA 3

David bebió 6.25 onzas de jugo de naranja y su hermana bebió 6.05 onzas. Janine bebió 6.025 onzas y su hermano bebió 6.2 onzas. ¿Quién bebió la menor cantidad de jugo de naranja?

- (A) David
- (B) Janine
- (C) La hermana de David
- (D) El hermano de Janine

DÍA 4

Cheryl compró 3 libros a $5.25 cada uno. Además, compró hojas de cartulina a $3.99. ¿Cuántos dólares gastó Cheryl en total?

- (F) $9.24
- (G) $15.75
- (H) $19.74
- (J) $27.72

DÍA 5

Matt anotó la temperatura máxima de cada día durante una semana. ¿Cuál es la temperatura del lunes en grados Celsius?

Día	L	M	Mi	J	V
Temperatura (° F)	68	70	77	81	80

- (A) 15
- (B) 20
- (C) 25
- (D) 30

Camino al examen — SEMANA 5

DÍA 1

El hámster de Keith tiene 2.1 onzas de alimento en su tazón. Después de que el hámster comió, quedaron 1.3 onzas de alimento. ¿Qué ecuación podría usar Keith para hallar la cantidad de alimento x que comió su hámster?

Ⓐ $x + 2.1 = 1.3$
Ⓑ $x - 1.3 = 2.1$
Ⓒ $x = 2.1 - 1.3$
Ⓓ $x = 2.1 + 1.3$

DÍA 2

En Montreal, Canadá, el martes hizo –10° C Al día siguiente, la temperatura aumentó 10° C. ¿Cuál fue la temperatura el miércoles en grados Fahrenheit?

Ⓕ 0
Ⓖ 15
Ⓗ 23
Ⓙ 32

DÍA 3

Kris tiene cuatro tortugas de mascota. La semana pasada las midió. ¿Cuál es el orden de las tortugas de la más corta a la más larga?

Ⓐ Carly, Patty, Bennie, Charley
Ⓑ Patty, Bennie, Charley, Carly
Ⓒ Patty, Carly, Bennie, Charley
Ⓓ Bennie, Patty, Carly, Charley

Tortuga	Longitud (pulg)
Bennie	5.67
Charley	5.75
Patty	5.07
Carly	5.5

DÍA 4

¿Cuál es el área de la región sombreada?

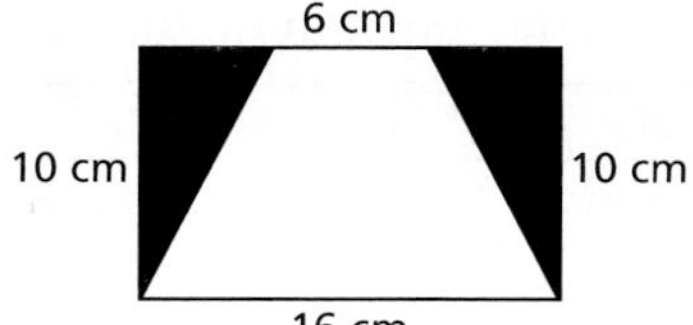

Ⓕ 25 centímetros cuadrados
Ⓖ 50 centímetros cuadrados
Ⓗ 110 centímetros cuadrados
Ⓙ 160 centímetros cuadrados

DÍA 5

Suki creó el siguiente patrón. ¿Cuál es el número que sigue en el patrón de Suki?

12	15	14	17	16	19	18	?

Ⓐ 13
Ⓑ 17
Ⓒ 20
Ⓓ 21

Camino al examen

SEMANA 6

DÍA 1

¿Cuál es el producto de 5.45 y 3.5? Redondea los factores a la décima más cercana.

Ⓐ 18.9

Ⓑ 19.075

Ⓒ 19.25

Ⓓ 20

DÍA 2

¿Cuál es el equivalente de 25.00 como número cabal?

Ⓕ 2.500

Ⓖ 25

Ⓗ 250

Ⓙ 2,500

DÍA 3

Si Sarah quiere comprar una docena de rosas y dos docenas de lirios, ¿cuántos dólares gastará?

Precio de las flores (por docena)	
Rosas	$15.99
Lirios	$6.75

Ⓐ $9.24

Ⓑ $22.74

Ⓒ $29.49

Ⓓ $31.98

DÍA 4

¿Cuál es el equivalente de $\frac{1}{50}$ en forma decimal?

Ⓕ 0.02

Ⓖ 0.05

Ⓗ 0.2

Ⓙ 5.0

DÍA 5

Jon creció 4.25 pulgadas en dos años. Su hermano Ben creció 3.575 pulgadas. ¿Cuántas pulgadas más que su hermano creció Jon?

Ⓐ 0.6 pulgadas

Ⓑ 0.675 pulgadas

Ⓒ 6.75 pulgadas

Ⓓ 7.825 pulgadas

Camino al examen

SEMANA 7

DÍA 1

Sam plantó una planta de tomates en su jardín. La semana pasada, sacó un tomate con una masa de 213.5 gramos y otro con una masa de 190.62 gramos. ¿Cuál es la diferencia de masa de los dos tomates?

(A) 22.43 gramos
(B) 22.88 gramos
(C) 23.05 gramos
(D) 23.12 gramos

DÍA 2

Michael compró materiales para su clase de pintura. Gastó $3.98 en un pincel, $20.08 en pinturas, $10.49 en diluyente y $17.47 en algunos lienzos. ¿Cuánto gastó Michael en materiales?

(F) $48.62
(G) $50.09
(H) $52.02
(J) $52.74

DÍA 3

¿Cuál es la factorización prima de 90?

(A) $2 \times 3 \times 5$
(B) $2^2 \times 3 \times 5$
(C) $2 \times 3^2 \times 5$
(D) $2 \times 6 \times 3 \times 5$

DÍA 4

¿Cuál es la suma de $2\frac{3}{5}$ y $7\frac{1}{3}$? Redondea al número cabal más cercano.

(F) 5
(G) 9
(H) 10
(J) 11

DÍA 5

En la tabla se muestran las distancias que caminó Margo durante una semana. ¿Cuántas millas caminó en total?

Día	L	M	Mi	J	V
Distancia caminada (mi)	0.725	0.7	0.62	0.665	0.71

(A) 2.71
(B) 2.79
(C) 3.37
(D) 3.42

Camino al examen

SEMANA 8

DÍA 1

Usa la tabla de las tareas domésticas de Andrea. ¿Cuántas horas tarda Andrea en completar las tres tareas?

Tareas domésticas de Andrea	
Tarea	**Tiempo (horas)**
Cortar el césped	1.35
Lavar los platos	0.25
Limpiar la habitación	0.9

(A) 1.6 horas

(B) 1.7 horas

(C) 2.5 horas

(D) 2.6 horas

DÍA 2

Para preparar galletas, Lilly necesita 16.45 onzas de mantequilla. Para preparar panecillos, necesita 9.7 onzas de mantequilla. ¿Cuántas onzas más de mantequilla necesita para preparar galletas que para preparar panecillos?

(F) 6.75 onzas

(G) 7.38 onzas

(H) 16.35 onzas

(J) 26.15 onzas

DÍA 3

¿Cuánto es 16.377 ÷ 4.1? Redondea el dividendo y el divisor a la décima más cercana.

(A) 3.8

(B) 3.9

(C) 4

(D) 4.1

DÍA 4

¿Cuál es el equivalente de 305 en forma decimal?

(F) 0.305

(G) 3.05

(H) 30.5

(J) 305.0

DÍA 5

¿Cuál es el equivalente de $12\frac{5}{8}$ en forma decimal?

(A) 0.625

(B) 7.5

(C) 12.4

(D) 12.625

Camino al examen

SEMANA 9

DÍA 1

¿Qué números completan él árbol de factores para la factorización prima de 160?

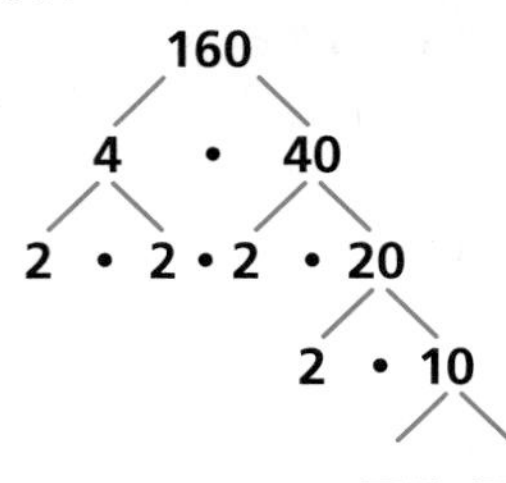

(A) 4, 5
(B) 2, 10
(C) 2, 5
(D) 2^2, 5

DÍA 2

¿Cuáles son los factores de 40?

(F) 1, 2, 4, 5, 8, 10, 20, 40
(G) 1, 2, 4, 5, 10, 20, 40
(H) 1, 2, 4, 10, 20, 40
(J) 2, 4, 10, 20

DÍA 3

Tom nada una vuelta cada 5 minutos. Rob nada una vuelta cada 4 minutos. Si comienzan juntos, ¿cuántos minutos tardarán en comenzar una vuelta juntos?

(A) 9
(B) 10
(C) 20
(D) 40

DÍA 4

¿Cuál es el equivalente de $\frac{26}{2}$?

(F) $1\frac{13}{26}$
(G) 13
(H) 24
(J) 42

DÍA 5

¿Cuál es la forma decimal equivalente de $\frac{1}{25}$?

(A) 0.04
(B) 0.25
(C) 0.4
(D) 1.25

Camino al examen

SEMANA 10

DÍA 1

Jack comió $\frac{1}{2}$ de una pizza. Andy comió $\frac{1}{4}$ de una pizza. ¿Qué figura representa correctamente la cantidad de pizza que los chicos comieron en total?

Ⓐ 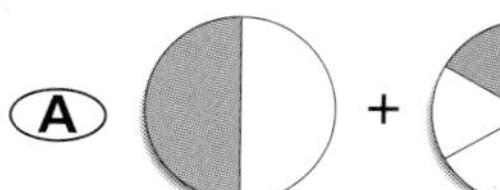 + 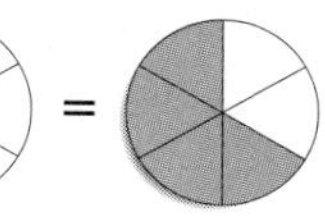

Ⓒ 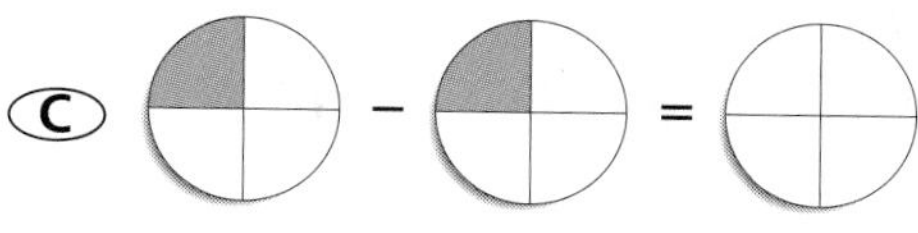

Ⓑ 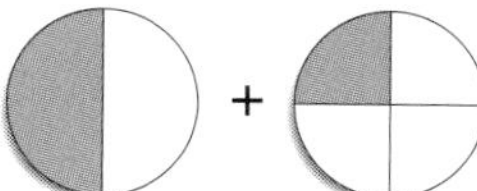

Ⓓ

DÍA 2

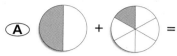

En la tabla se muestran los resultados de una encuesta que se hizo a 40 personas sobre su fruta preferida. ¿Qué fracción muestra la cantidad de personas que prefieren la fresa?

Fruta	Cantidad de personas
Manzana	18
Naranja	10
Fresa	12

Ⓕ $\frac{1}{4}$

Ⓗ $\frac{9}{20}$

Ⓖ $\frac{3}{10}$

Ⓙ $\frac{11}{20}$

DÍA 3

¿Cuáles son los factores de 26?

Ⓐ 1, 2, 3, 6, 13, 26

Ⓑ 1, 2, 26

Ⓒ 1, 2, 13, 26

Ⓓ 1, 2, 4, 6, 13, 26

DÍA 4

¿Cuál es la forma decimal equivalente de $\frac{17}{20}$?

Ⓕ 0.008

Ⓖ 0.08

Ⓗ 0.8

Ⓙ 12.15

DÍA 5

En el dibujo, se muestra un modelo a escala de una serpiente. ¿Cuál es la longitud en pies de la serpiente real?

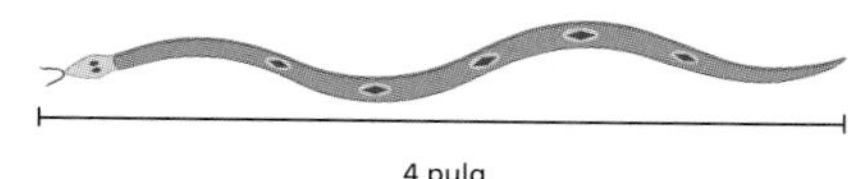

Ⓐ 2 pies

Ⓑ 4 pies

Ⓒ 6 pies

Ⓓ 8 pies

Camino al examen

SEMANA 11

DÍA 1

Allison tiene $16\frac{1}{3}$ años. Su hermana Miriam tiene $4\frac{1}{2}$ años menos. ¿Qué expresión usarías para determinar la edad de Miriam?

- (A) $16\frac{1}{3} - 4\frac{1}{2}$
- (B) $16\frac{1}{3} + 4\frac{1}{2}$
- (C) $4\frac{1}{2} - 16\frac{1}{3}$
- (D) $4\frac{1}{2} + 16\frac{1}{3}$

DÍA 2

Peter tiene $\frac{4}{5}$ de yarda de tela. Robert tiene $\frac{3}{7}$ de yarda de tela. ¿Cuánta tela más que Robert tiene Peter?

- (F) $\frac{1}{35}$ de yarda
- (G) $\frac{7}{35}$ de yarda
- (H) $\frac{13}{35}$ de yarda
- (J) $\frac{1}{2}$ yarda

DÍA 3

Una clase de ciencias armó una pecera. Helen agregó $4\frac{1}{4}$ tazas de agua a la pecera; Luke agregó $5\frac{2}{3}$ tazas de agua y Karen agregó $3\frac{4}{5}$ tazas más. ¿Qué expresión representa correctamente la cantidad total de tazas de agua que los tres estudiantes agregaron a la pecera?

- (A) $3\frac{4}{5} + 5\frac{2}{3} - 4\frac{1}{4}$
- (B) $5\frac{2}{3} - 4\frac{1}{4} - 3\frac{4}{5}$
- (C) $5\frac{2}{3} - 4\frac{1}{4} + 3\frac{4}{5}$
- (D) $4\frac{1}{4} + 5\frac{2}{3} + 3\frac{4}{5}$

DÍA 4

Jeff dibujó este modelo de un avión con una escala de 1 pulgada:5 pies. ¿Cuál es la longitud real del ala?

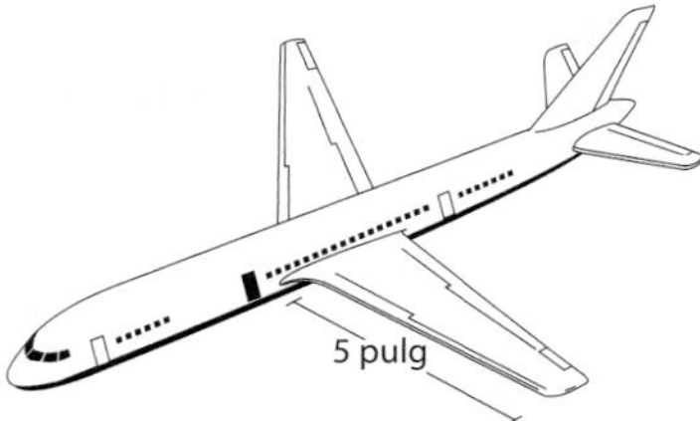

- (F) 5 pies
- (G) 10 pies
- (H) 25 pies
- (J) 30 pies

DÍA 5

Tomás tiene $8\frac{5}{10}$ pies de sedal y Mike tiene $2\frac{8}{16}$ pies de sedal. ¿Cuántos pies de sedal tienen entre los dos?

- (A) 6
- (B) 10
- (C) $10\frac{1}{2}$
- (D) 11

DÍA 1

Para preparar una ensalada, se necesitan $\frac{3}{4}$ de libra de pepinos, $\frac{1}{2}$ libra de zanahorias y $\frac{1}{4}$ de libra de cebollas. ¿Cuál de las siguientes opciones describe cuántas libras de vegetales se necesitan para la ensalada?

(A) tres tercios más un medio más un cuarto

(B) tres cuartos más un medio más un cuarto

(C) tres cuartos más un tercio más un cuarto

(D) tres quintos más un medio más un cuarto

DÍA 2

Jill y Frances tejen bufandas. Jill tejió $\frac{2}{3}$ metros y Frances tejió $\frac{3}{4}$ metros. ¿Cuál de las siguientes opciones describe la diferencia entre las longitudes de las bufandas que tejieron?

(F) un tercio menos tres cuartos

(G) dos tercios menos tres cuartos

(H) tres cuartos menos dos tercios

(J) tres y un cuarto menos dos y un tercio

DÍA 3

Cara tiene $\frac{5}{8}$ de yarda de tela. Usó $\frac{1}{2}$ yarda de la tela para hacer un vestido de muñeca. ¿En qué figura se muestra correctamente la cantidad de tela que le sobró?

(A) 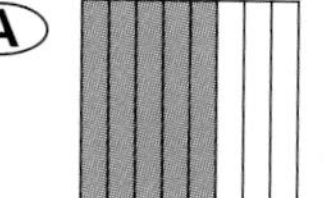 − 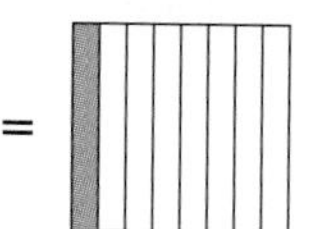

(C) 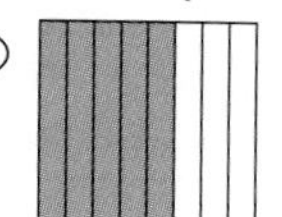 − =

(B) 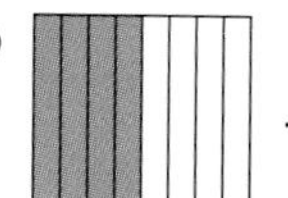 + =

(D) 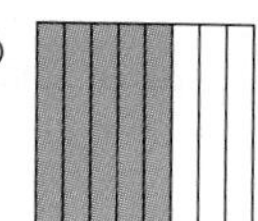 + =

DÍA 4

Si para preparar 3 pasteles se necesitan 24 manzanas, ¿cuántas manzanas se necesitan para preparar 2 pasteles?

(F) 8

(H) 14

(G) 12

(J) 16

DÍA 5

El factor de escala de un mapa es 1 cm:200 km. En el mapa, Boston está aproximadamente a 1.5 centímetros de Nueva York. ¿A qué distancia está Boston de Nueva York ?

(A) 150 kilómetros

(B) 200 kilómetros

(C) 300 kilómetros

(D) 350 kilómetros

SEMANA 13

DÍA 1

¿Cuál es la factorización prima de 84?

(A) $3 \times 4 \times 7$

(B) $2 \times 3^2 \times 7$

(C) $2^2 \times 3 \times 7$

(D) $2^3 \times 3 \times 7$

DÍA 2

La semana pasada, el señor Lee usó 18 galones de gasolina para recorrer 415 millas con su motocicleta. ¿Cuál es la mejor estimación de la cantidad de millas por galón de gasolina que recorre la motocicleta?

(F) 10 millas por galón

(G) 20 millas por galón

(H) 30 millas por galón

(J) 40 millas por galón

DÍA 3

En la tabla se muestra la cantidad de personas que asistieron a un concierto. Redondea a la centena más cercana para hallar aproximadamente cuántas personas asistieron al concierto en total.

Día	L	M	Mi	J	V
Cantidad de personas	789	805	643	595	821

(A) 2,800

(B) 3,200

(C) 3,600

(D) 4,200

DÍA 4

Sandy compró 2.75 litros de jugo de arándano, 3.5 litros de jugo de piña y 4.2 litros de jugo de naranja para preparar el ponche para una fiesta. ¿Cuántos litros de ponche preparará?

(F) 3.52 litros

(H) 9.45 litros

(G) 7.7 litros

(J) 10.45 litros

DÍA 5

En un concurso de salto de ranas, la rana de Ben saltó 20.75 centímetros y la rana de Billy saltó 24.09 centímetros. ¿Cuántos centímetros más saltó la rana de Billy que la de Ben?

(A) 2.34 centímetros

(B) 3.34 centímetros

(C) 3.35 centímetros

(D) 4.66 centímetros

Camino al examen

SEMANA 14

DÍA 1

Mia tiene $\frac{5}{8}$ de pan de harina de maíz y $\frac{4}{5}$ de pan de harina de maíz con jalapeño. ¿En cuál de las siguientes opciones se describe la cantidad de panes que Mia tiene en total?

(A) cinco y ocho décimas más cuatro y cinco décimas

(B) cinco octavos más cuatro quintos

(C) cinco octavos más cuatro cincos

(D) cuatro octavos más cuatro quintos

DÍA 2

Una semana, Karl comió $\frac{1}{3}$ de una docena de naranjas y su hermana comió $\frac{1}{4}$ de una docena de naranjas. ¿En qué figura se representa correctamente la cantidad de naranjas que comieron Karl y su hermana?

(F)  + =

(G)  − =

(H)  + =

(J)  − =

DÍA 3

¿Cuáles son los factores de 24?

(A) 1, 2, 4, 6, 12, 24

(B) 1, 2, 3, 4, 6, 8, 12, 24

(C) 1, 2, 3, 8, 12, 24

(D) 1, 2, 3, 4, 6, 12, 24

DÍA 4

En la clase de la maestra Kendall, $\frac{17}{20}$ de los estudiantes prefieren el tenis antes que el básquetbol. ¿Qué decimal representa la parte de la clase que prefiere el tenis antes que el básquetbol?

(F) 0.085

(G) 0.85

(H) 1.25

(J) 8.5

DÍA 5

¿Qué número cabal es el equivalente de $\frac{216}{12}$?

(A) 8

(B) 10

(C) 18

(D) 204

Camino al examen

SEMANA 15

DÍA 1

Janet tenía 6 rodajas de pan y alimentó a los gorriones con $2\frac{1}{3}$ rodajas. ¿Cuál de las siguientes expresiones puede usar Janet para determinar cuántas rodajas de pan le quedan?

Ⓐ $6 + 2\frac{1}{3}$

Ⓑ $\frac{6}{6} - \frac{2}{3}$

Ⓒ $6 - 2\frac{1}{3}$

Ⓓ $2\frac{1}{3} - 6$

DÍA 2

Chris compró $\frac{7}{8}$ de libra de cacahuates y comió $\frac{3}{4}$ de libra. ¿Cuántas libras de cacahuates le quedan?

Ⓕ $\frac{1}{8}$ de libra

Ⓗ $\frac{1}{2}$ libra

Ⓖ $\frac{4}{8}$ de libra

Ⓙ $\frac{2}{3}$ de libra

DÍA 3

En la tabla se muestra el crecimiento de un almácigo por día durante cinco días. ¿En cuál de las siguientes expresiones se muestra cuánto creció el almácigo el martes y el miércoles?

Ⓐ cuatro quintos más cinco sextos de pulgada

Ⓑ siete décimos menos cinco sextos de pulgada

Ⓒ cinco octavos menos cuatro quintos de pulgada

Ⓓ cinco sextos menos siete décimos de pulgada

Día	L	M	Mi	J	V
Crecimiento (pulg)	$\frac{4}{5}$	$\frac{5}{6}$	$\frac{7}{10}$	$\frac{5}{8}$	$\frac{4}{5}$

DÍA 4

¿Qué número es un múltiplo de 14?

Ⓕ 58

Ⓖ 70

Ⓗ 92

Ⓙ 138

DÍA 5

Mientras cocinaba, Sue usó $3\frac{2}{8}$ tazas de leche, $2\frac{4}{16}$ tazas de agua y $\frac{1}{2}$ taza de jugo de naranja. ¿Cuántas tazas de líquido usó?

Ⓐ 5 tazas

Ⓑ $5\frac{3}{4}$ tazas

Ⓒ 6 tazas

Ⓓ $6\frac{1}{4}$ tazas

SEMANA 16

DÍA 1

El señor Morgan compró un paquete con 6 panecillos. Comió $3\frac{1}{2}$ panecillos. ¿En qué figura se representa correctamente la cantidad de panecillos que le quedan?

 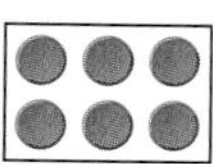

 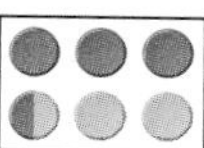

DÍA 2

Un árbol mide $16\frac{3}{8}$ pies de altura. Un columpio cuelga de una rama que está a $12\frac{1}{3}$ pies de la parte superior del árbol. ¿Qué descripción indica cómo puedes hallar la distancia entre la rama y el suelo?

Ⓕ doce y un tercio más dieciséis y tres octavos

Ⓖ dieciséis y tres octavos menos doce y un tercio

Ⓗ dieciséis y tres octavos más doce y un tercio

Ⓙ doce y un tercio menos dieciséis y tres octavos.

DÍA 3

Un pez pesa tres décimos de libra y otro pez pesa cuatro séptimos de libra. ¿En cuál de las siguientes opciones se representa el peso combinado de los dos peces?

Ⓐ $\frac{4}{7} - \frac{3}{100}$

Ⓑ $\frac{3}{100} + \frac{4}{7}$

Ⓒ $\frac{4}{7} + \frac{3}{10}$

Ⓓ $\frac{3}{10} - \frac{4}{7}$

DÍA 4

¿Cuál es la cantidad media de velas vendidas por mes?

Ⓕ 25

Ⓖ 35

Ⓗ 40

Ⓙ 45

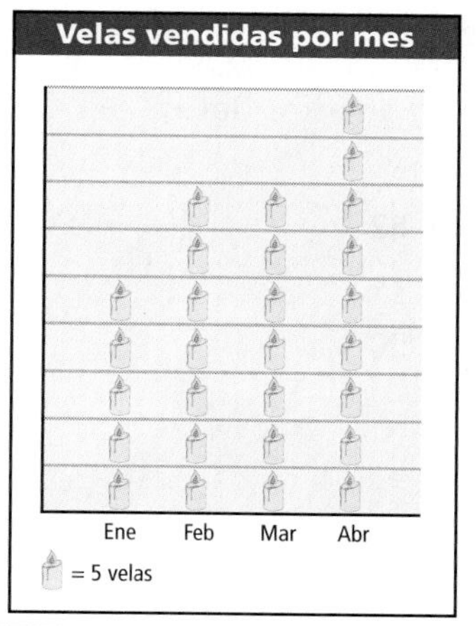

DÍA 5

¿Cuántos valores son mayores que 33?

1	0 5 9
2	4 6 6 7
3	1 3 3 5 6
4	1 2 2 4 8
5	3 5 5 9

Clave: 1|0 significa 10.

Ⓐ 10

Ⓑ 11

Ⓒ 12

Ⓓ 13

Camino al examen

SEMANA 17

DÍA 1

Joan contó la cantidad de petirrojos que vio en el jardín de su casa cada día de la semana. ¿Cuál es la mediana de su conjunto de datos?

10, 6, 4, 7, 6, 8, 9

(A) 4
(B) 6
(C) 7
(D) 10

DÍA 2

¿Cuál es el producto de 2.3 y 6.7? Redondea los factores al número cabal más cercano.

(F) 12
(G) 14
(H) 16.8
(J) 21

DÍA 3

Kirsten hace un pictograma que muestra la cantidad de personas que vieron la obra de teatro de la escuela cada día de la semana. En el pictograma, cada figura representa 5 personas que vieron la obra. Si 30 personas vieron la obra el lunes, ¿qué pictograma debería dibujar para el lunes?

(A)  5 figuras
(B)  6 figuras
(C)  15 figuras
(D)  30 figuras

DÍA 4

¿Cuál es la moda de este conjunto de datos?

0	2 3 6 7
1	4 6 6 6 9
2	5 7 7

Clave: 1|4 significa 14.

(F) 2
(G) 14
(H) 16
(J) 27

DÍA 5

Frank obtuvo los siguientes puntajes en sus exámenes: 90, 82, 90, 93, 85. ¿Cuál es el rango de estos datos?

(A) 5
(B) 82
(C) 11
(D) 90

Camino al examen

SEMANA 18

DÍA 1

¿Qué punto se ubica en (3, 5) en este plano cartesiano?

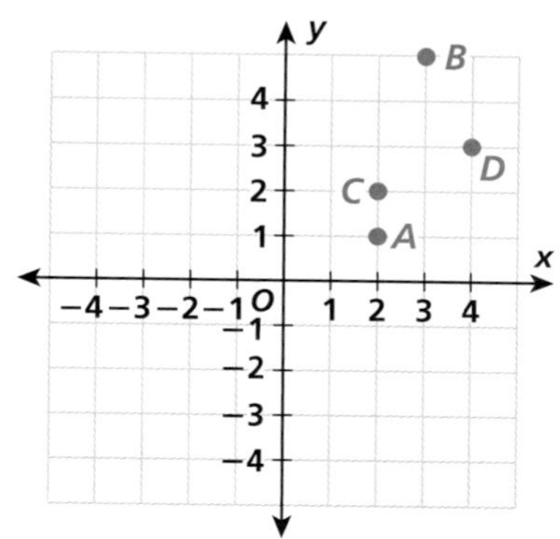

Ⓐ A
Ⓑ B
Ⓒ C
Ⓓ D

DÍA 2

¿Cuáles son las coordenadas del punto B en este plano cartesiano?

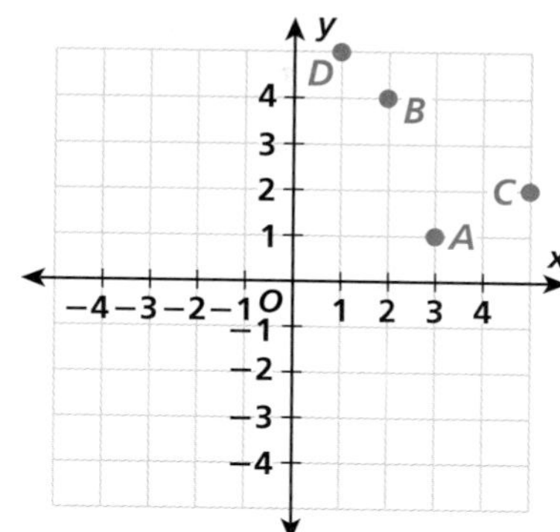

Ⓕ (2, 4)
Ⓖ (5, 2)
Ⓗ (1, 5)
Ⓙ (3, 1)

DÍA 3

Sherri hizo una encuesta sobre las edades de los niños que visitaron el consultorio del doctor el martes. ¿Qué diagrama de tallo y hojas representa correctamente este conjunto de datos?

12, 9, 8, 15, 10, 13, 12

Ⓐ

0	8 9
1	10 12 13 15

Ⓑ

0	8 9
1	0 2 2 3 5

Ⓒ

0	8 9
1	0 2 3 5

Ⓓ

0	8 9 0
1	2 2 3 5

DÍA 4

Ari tarda 40 minutos en caminar 2 millas. ¿Cuántos minutos tardará en caminar 4 millas?

Ⓕ 60 minutos
Ⓖ 70 minutos
Ⓗ 80 minutos
Ⓙ 90 minutos

DÍA 5

¿Cuál es la media de la cantidad de televisores reparados en junio, julio y agosto?

Ⓐ 14
Ⓑ 21
Ⓒ 28
Ⓓ 63

Camino al examen

SEMANA 19

DÍA 1

En la clase de Derek, 18 de los 25 estudiantes pertenecen a un club de actividades extraescolares. ¿En cuál de las siguientes opciones se describe la razón de los estudiantes que **no** pertenecen a un club a los estudiantes que pertenecen a un club?

(A) $\frac{7}{18}$

(B) 18 a 25

(C) 25:18

(D) $\frac{7}{25}$

DÍA 2

Sharon compró $4\frac{5}{8}$ onzas de té verde. Además, compró $2\frac{1}{4}$ onzas de té negro. ¿Qué expresión muestra la cantidad de té que tiene Sharon?

(F) $4\frac{5}{8} + 2\frac{1}{4}$

(G) $2\frac{1}{4} - 4\frac{5}{8}$

(H) $2\frac{1}{4} + 4\frac{5}{8}$

(J) $4\frac{5}{8} - 2\frac{1}{4}$

DÍA 3

En el dibujo se muestra la cantidad de camisetas que tiene Teresa. ¿Cuál es la razón de camisetas rojas a camisetas azules?

(A) 3 a 9

(B) 9 a 6

(C) 6 a 3

(D) 6 a 9

DÍA 4

¿Cuál es la mediana de este conjunto de datos?

22, 39, 42, 21, 35, 22, 39, 38, 40

(F) 21

(G) 22

(H) 38

(J) 39

DÍA 5

Si 30 autobuses transportan 1,500 personas, ¿cuántas personas transportan 5 autobuses?

(A) 200

(B) 250

(C) 500

(D) 750

Camino al examen

SEMANA 20

DÍA 1

¿Cuál es el valor de *n*?

2	3	4	5	6
30	45	60	75	*n*

(A) 80
(B) 85
(C) 90
(D) 95

DÍA 2

¿Qué expresión representa mejor el valor de *y*?

x	2	4	6	8	10
y	1	2	3	4	5

(F) $x - 1$
(G) $2x$
(H) $\frac{x}{2}$
(J) $x + 1$

DÍA 3

En la clase de Katie, el 65% de los estudiantes tiene una mascota. ¿Qué fracción de la clase NO tiene una mascota?

(A) $\frac{7}{50}$
(B) $\frac{7}{20}$
(C) $\frac{1}{2}$
(D) $\frac{13}{20}$

DÍA 4

¿Qué número falta en esta proporción?

$\frac{5}{8} = \frac{■}{48}$

(F) 6
(G) 30
(H) 35
(J) 40

DÍA 5

Si Pat tarda 4 horas en tejer un gorro para niño, ¿cuánto tardará en tejer 3 gorros?

4 horas

? horas

(A) 6 horas
(B) 8 horas
(C) 10 horas
(D) 12 horas

DÍA 1

¿Cuál de los siguientes ángulos es agudo?

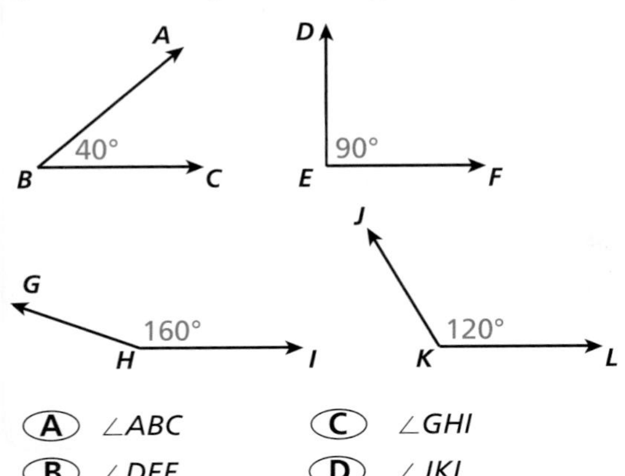

Ⓐ ∠ABC Ⓒ ∠GHI
Ⓑ ∠DEF Ⓓ ∠JKL

DÍA 2

¿Cuál es la medida del ángulo que falta en la figura?

Ⓕ 40°
Ⓖ 55°
Ⓗ 60°
Ⓙ 80°

DÍA 3

George necesita medir la longitud del gimnasio de su escuela. ¿Cuál es la mejor unidad de medida que puede usar?

Ⓐ centímetros
Ⓑ pies
Ⓒ pulgadas
Ⓓ kilómetros

DÍA 4

¿Cuál es el equivalente decimal de 89%?

Ⓕ 0.089
Ⓖ 0.89
Ⓗ 8.9
Ⓙ 89.0

DÍA 5

Mark quiere enmarcar una pintura. Si la pintura mide 2.75 pies por 4.25 pies, ¿cuál es la mejor estimación de la cantidad de pies de madera que necesita?

Ⓐ 7 pies
Ⓑ 12 pies
Ⓒ 14 pies
Ⓓ 16 pies

DÍA 1

¿Cuál es el radio del círculo dado?

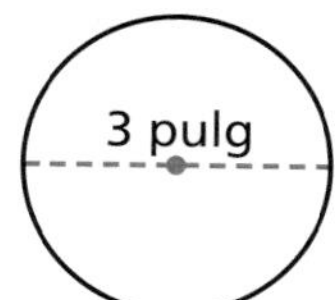

(A) 1.5 pulgadas
(B) 3 pulgadas
(C) 6 pulgadas
(D) 9.42 pulgadas

DÍA 2

Ed planta un jardín rectangular. Si el jardín mide 4 metros por 7 metros, ¿cuánta cerca necesita comprar Ed?

(F) 11 metros
(G) 22 metros
(H) 28 metros
(J) 30 metros

DÍA 3

Jim corrió 0.82 millas. ¿Qué distancia en pies corrió Jim?

(A) 0.0001 pies
(B) 433 pies
(C) 4,329.6 pies
(D) 6,439 pies

DÍA 4

¿Cuál es la medida del ángulo que falta en este triángulo?

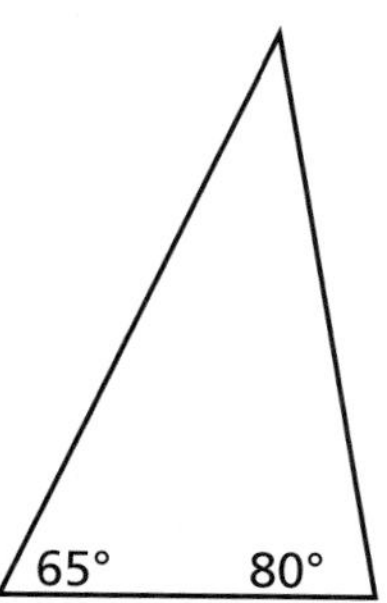

(F) 35°
(G) 40°
(H) 45°
(J) 50°

DÍA 5

¿Cuál es el perímetro de este triángulo?

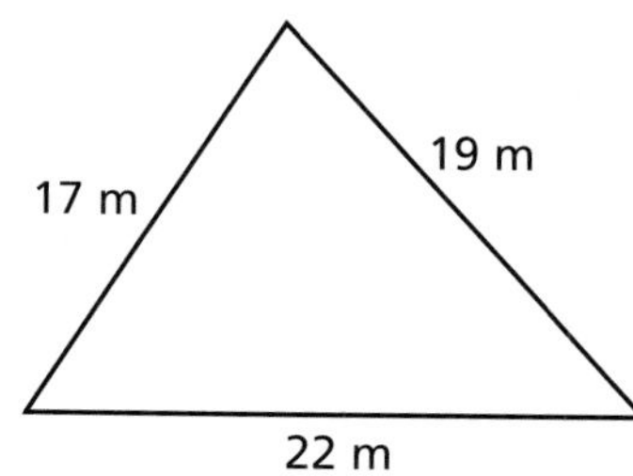

(A) 29 metros
(B) 116 metros
(C) 58 metros
(D) 374 metros

DÍA 1

Si divides la circunferencia de cualquier círculo entre su diámetro, ¿qué resultado obtienes?

- (A) aproximadamente 2.12
- (B) aproximadamente 3.14
- (C) aproximadamente 4.5
- (D) aproximadamente 6.26

DÍA 2

Si el radio de un círculo mide 4.5 pulgadas, ¿cuál es la circunferencia del círculo? Usa 3.14 para π.

- (F) 9 pulgadas
- (G) 14.13 pulgadas
- (H) 28.26 pulgadas
- (J) 63.59 pulgadas

DÍA 3

¿Cuál es el área de esta figura? Usa 3.14 para π.

- (A) 127.68 yardas cuadradas
- (B) 146.52 yardas cuadradas
- (C) 542.16 yardas cuadradas
- (D) 1,125 yardas cuadradas

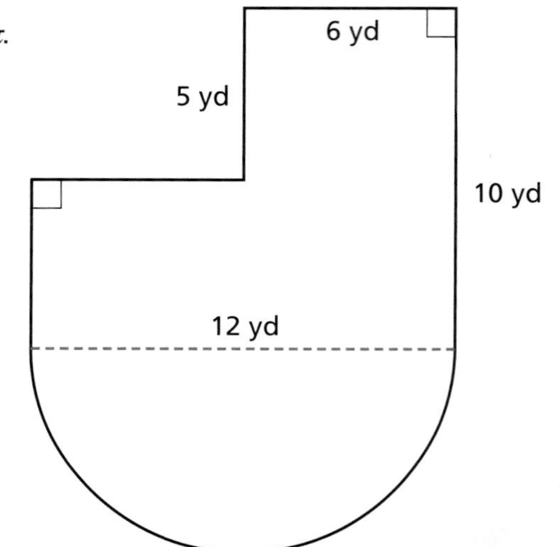

DÍA 4

El círculo A tiene un radio de 1.74 centímetros. El círculo B tiene un radio que mide el doble que el del círculo A. ¿Cuál es el diámetro del círculo B?

- (F) 0.87 centímetros
- (G) 3.48 centímetros
- (H) 6.96 centímetros
- (J) 13.92 centímetros

DÍA 5

¿Cuál es la circunferencia de este círculo? Usa 3.14 para π.

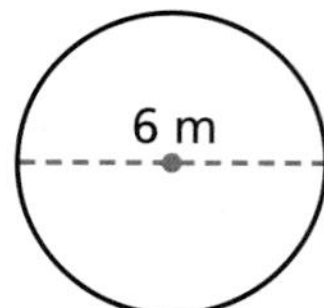

- (A) 3 metros
- (B) 9.14 metros
- (C) 15.7 metros
- (D) 18.84 metros

Camino al examen

SEMANA 24

DÍA 1

Sandra necesita llenar una jardinera con tierra. Si mide los lados de la jardinera en centímetros, ¿qué unidad de capacidad debe usar?

(A) milímetros cúbicos
(B) centímetros
(C) centímetros cuadrados
(D) centímetros cúbicos

DÍA 2

Joe quiere colocar un zócalo alrededor de toda la habitación que se muestra en el diagrama. ¿Cuánta madera debe comprar?

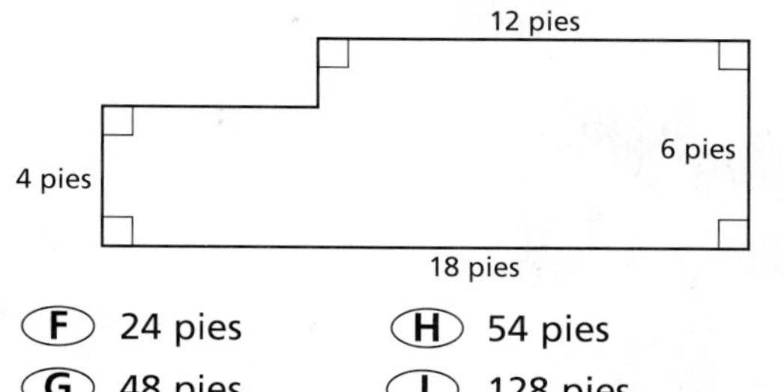

(F) 24 pies
(G) 48 pies
(H) 54 pies
(J) 128 pies

DÍA 3

¿Cuál es la circunferencia de un círculo cuyo diámetro mide 10 pulgadas?

(A) 0.314 pulgadas
(B) 3.14 pulgadas
(C) 31.4 pulgadas
(D) 314 pulgadas

DÍA 4

Ted quiere construir una fuente pequeña en su jardín. En el diagrama se muestran las dimensiones de la fuente. ¿Cuánta agua necesitará Ted para llenar la fuente?

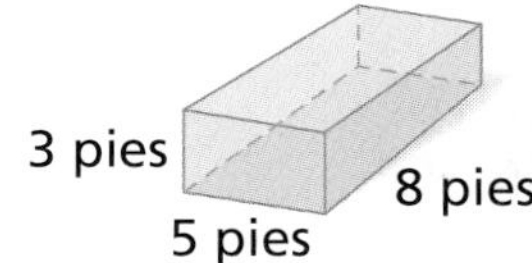

(F) 18 pies cúbicos
(H) 40 pies cúbicos
(G) 80 pies cúbicos
(J) 120 pies cúbicos

DÍA 5

¿Cuál es la circunferencia de un círculo cuyo radio mide 2.5 centímetros?

(A) 5 centímetros
(B) 7.85 centímetros
(C) 15.7 centímetros
(D) 23.55 centímetros

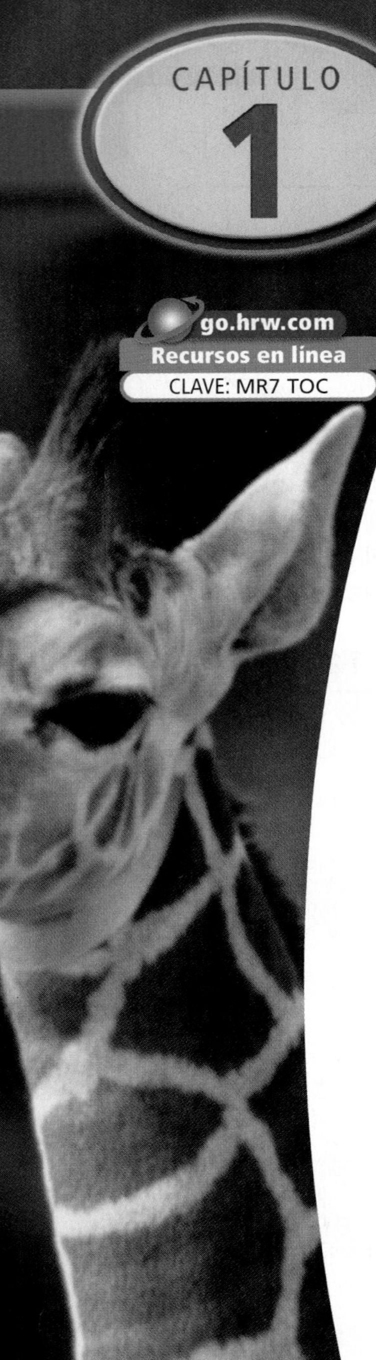

Números cabales y patrones

Herramientas para el éxito

Introducción al álgebra

Tabla de contenidos

Profesión: Ingeniero de tránsito

Herramientas para el éxito

CAPÍTULO 3

Decimales

Profesión: Cronista deportivo

Herramientas para el éxito

Teoría de los números y fracciones

CAPÍTULO 4

go.hrw.com
Recursos en línea
CLAVE: MR7 TOC

Profesión: Plomero

Herramientas para el éxito

Operaciones con fracciones

go.hrw.com
Recursos en línea
CLAVE: MR7 TOC

Profesión: Pintora

Herramientas para el éxito

Recopilar y presentar datos

CAPÍTULO 6

go.hrw.com
Recursos en línea
CLAVE: MR7 TOC

Profesión: Meteoróloga

Herramientas para el éxito

Relaciones proporcionales

go.hrw.com
Recursos en línea
CLAVE: MR7 TOC

Profesión: Biólogo marino

Herramientas para el éxito

Relaciones geométricas

CAPÍTULO 8

go.hrw.com
Recursos en línea
CLAVE: MR7 TOC

Profesión: Artista plástico

Herramientas para el éxito

Medición y geometría

Profesión: Matemática

Herramientas para el éxito

Medición: área y volumen

CAPÍTULO 10

go.hrw.com
Recursos en línea
CLAVE: MR7 TOC

Profesión: Arquitecta paisajista

Herramientas para el éxito

Enteros, gráficas y funciones

Herramientas para el éxito

Probabilidad

CAPÍTULO 12

go.hrw.com
Recursos en línea
CLAVE: MR7 TOC

Profesión: Consultora de finanzas

Herramientas para el éxito

CONEXIONES INTERDISCIPLINARIAS

Muchos campos de estudio requieren el conocimiento de las destrezas y los conceptos de matemáticas que se enseñan en el ***Curso 1 de Holt Matemáticas.*** Los ejemplos y ejercicios que aparecen en todo el libro resaltan los conocimientos matemáticos que necesitarás comprender para estudiar otras asignaturas, como artes o finanzas, o para desarrollar una profesión, en campos como la medicina o la arquitectura.

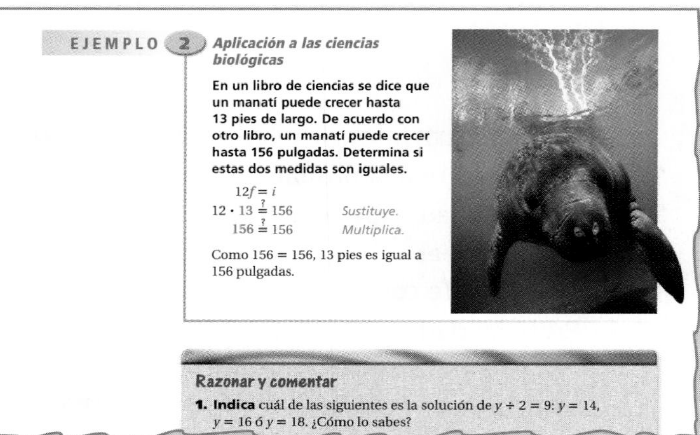

EJEMPLO 2 *Aplicación a las ciencias biológicas*

En un libro de ciencias se dice que un manatí puede crecer hasta 13 pies de largo. De acuerdo con otro libro, un manatí puede crecer hasta 156 pulgadas. Determina si estas dos medidas son iguales.

$12f = i$

$12 \cdot 13 \stackrel{?}{=} 156$ *Sustituye.*

$156 \stackrel{?}{=} 156$ *Multiplica.*

Como 156 = 156, 13 pies es igual a 156 pulgadas.

Razonar y comentar

1. Indica cuál de las siguientes es la solución de $y \div 2 = 9$: $y = 14$, $y = 16$ ó $y = 18$. ¿Cómo lo sabes?

Ciencias

Artes del lenguaje

Salud y estado físico

Estudios sociales

Economía

Bellas artes y artes interpretativas

¿Para Qué Sirven Las Matemáticas?

A lo largo del texto, las conexiones con temas interesantes de aplicación, como el entretenimiento, la música y la tecnología, te ayudarán a ver cómo se usan las matemáticas en el mundo real. Algunas de estas conexiones contienen información y actividades adicionales en go.hrw.com. Si deseas ver una lista completa de todos los problemas del mundo real del ***Curso 1 de Holt Matemáticas,*** consulta la página 815 del Índice.

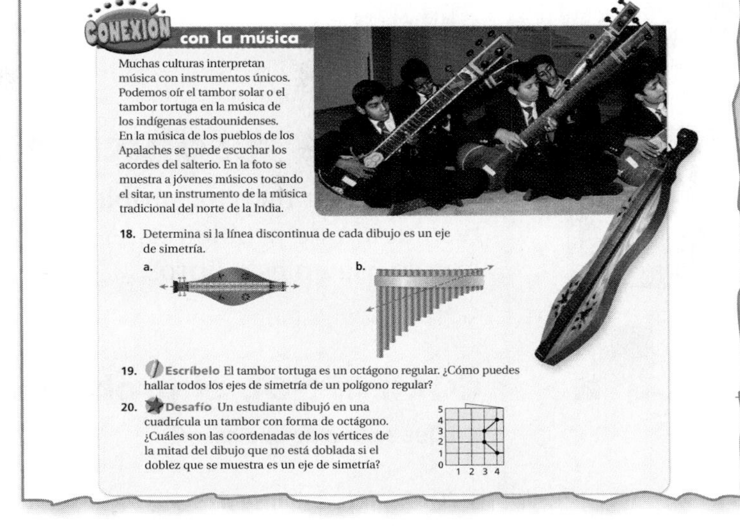
CONEXIÓN con la música
Muchas culturas interpretan música con instrumentos únicos. Podemos oír el tambor solar o el tambor tortuga en la música de los indígenas estadounidenses. En la música de los pueblos de los Apalaches se puede escuchar los acordes del salterio. En la foto se muestra a jóvenes músicos tocando el sitar, un instrumento de la música tradicional del norte de la India.
18. Determina si la línea discontinua de cada dibujo es un eje de simetría.
a.
b.
19. Escríbelo El tambor tortuga es un octágono regular. ¿Cómo puedes hallar todos los ejes de simetría de un polígono regular?
20. Desafío Un estudiante dibujó en una cuadrícula un tambor con forma de octágono. ¿Cuáles son las coordenadas de los vértices de la mitad del dibujo que no está doblada si el doblez que se muestra es un eje de simetría?

CONEXIONES

con el mundo real

CONEXIÓN **Meteorología**

El Servicio Nacional de Meteorología estimó que la velocidad del viento de Mitch alcanzó 180 mi/h. Por esto, Mitch fue un huracán de categoría 5, la categoría más alta.

go.hrw.com

¡Web Extra!
CLAVE: MR7 Hurricane

CONEXIÓN **Pasatiempos**

En un juego de ajedrez, cada jugador tiene 318,979,564,000 posibilidades de hacer los primeros cuatro movimientos.

CONEXIÓN **Profesión**

El riesgo de muerte al incendiarse una casa se reduce hasta 50% si se cuenta con una alarma detectora de humo que funcione.

Enfoque en resolución de problemas

Plan de resolución de problemas

Para resolver bien un problema, primero necesitas un buen plan de resolución de problemas. A continuación, se explica en detalle el plan que se usa en este libro.

COMPRENDE el problema

- **¿Qué se te pide que halles?** Escribe la pregunta con tus propias palabras.
- **¿Qué información se da?** Identifica los datos del problema.
- **¿Qué información necesitas?** Determina qué datos son necesarios para responder a la pregunta.
- **¿Se da toda la información?** Determina si se dan todos los datos.
- **¿Se da información que no usarás?** Determina qué datos, si los hay, no son necesarios para resolver el problema.

Haz un PLAN

- **¿Alguna vez has resuelto un problema semejante?** Piensa en otros problemas como éste que hayas resuelto bien.
- **¿Qué estrategia o estrategias puedes usar?** Determina una estrategia que puedas usar y cómo la usarás.

RESUELVE

- **Sigue tu plan.** Muestra los pasos de tu solución. Escribe tu respuesta como un enunciado completo.

REPASA

- **¿Has respondido a la pregunta?** Asegúrate de haber respondido a lo que te pide la pregunta.
- **¿Es razonable tu respuesta?** Tu respuesta debe ser razonable en el contexto del problema.
- **¿Hay otra estrategia que puedas usar?** Resolver el problema con otra estrategia es una buena manera de comprobar tu trabajo.
- **¿Aprendiste algo al resolver este problema que pueda ayudarte a resolver problemas semejantes en el futuro?** Trata de recordar los problemas que has resuelto y las estrategias que usaste para resolverlos.

Cómo usar el plan de resolución de problemas

Durante las vacaciones de verano, Nicholas visitará primero a su primo y luego a su abuela. Estará fuera 5 semanas y 2 días, y estará 9 días más con su primo que con su abuela. ¿Cuánto tiempo se quedará con cada uno?

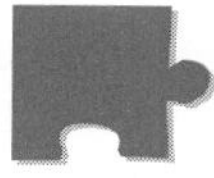

COMPRENDE el problema

Haz una lista con la información importante.

- Las visitas de Nicholas durarán en total 5 semanas y 2 días.
- Estará 9 días más con su primo que con su abuela.

La respuesta será el tiempo que se quedará con cada uno.

Haz un PLAN

Puedes **dibujar un diagrama** para mostrar cuánto tiempo se quedará Nicholas de visita. Usa recuadros para el tiempo de cada visita. La longitud de cada recuadro representará el tiempo de cada visita.

RESUELVE

Razona: Hay 7 días en una semana, por lo tanto, 5 semanas y 2 días son en total 37 días. Tu diagrama podría ser como el siguiente:

Primo	? días	9 días	= 37 días
Abuela	? días		

Primo	14 días	9 días	$37 - 9 = 28$	*Resta 9 días de la cantidad total de días.*
Abuela	14 días		$28 \div 2 = 14$	*Divide este número entre 2 para los dos lugares que él visitará.*

Por lo tanto, Nicholas se quedará con su primo 23 días y con su abuela 14 días.

REPASA

Veintitrés días es 9 días más que 14. El total de las dos visitas es 23 + 14, ó 37 días, que es lo mismo que 5 semanas y 2 días. Esta solución concuerda con la descripción del viaje de Nicholas que se da en el problema.

Cómo Usar Tu Libro Con Éxito

Este libro contiene muchos apartados diseñados para ayudarte a aprender y estudiar matemáticas. Si te familiarizas con estos apartados, estarás preparado para tener más éxito en tus exámenes.

Aprende

Lee por anticipado los términos nuevos de cada lección. **vocabulario** que aparecen al principio de todas las lecciones.

Halla la **Ayuda para el estudiante** con pistas y recordatorios.

Estudia los **ejemplos** para aprender las nuevas ideas y destrezas matemáticas. Los ejemplos incluyen soluciones paso a paso.

Practica

Repasa los ejemplos de la lección para resolver los ejercicios de la **Práctica guiada.**

Si no puedes avanzar, recurre a la **Ayuda en línea para tareas** de nuestro sitio de Internet.

Repasa

Estudia y repasa el **vocabulario** del capítulo entero.

Ponte a prueba con los **problemas de práctica** de todas las lecciones del capítulo.

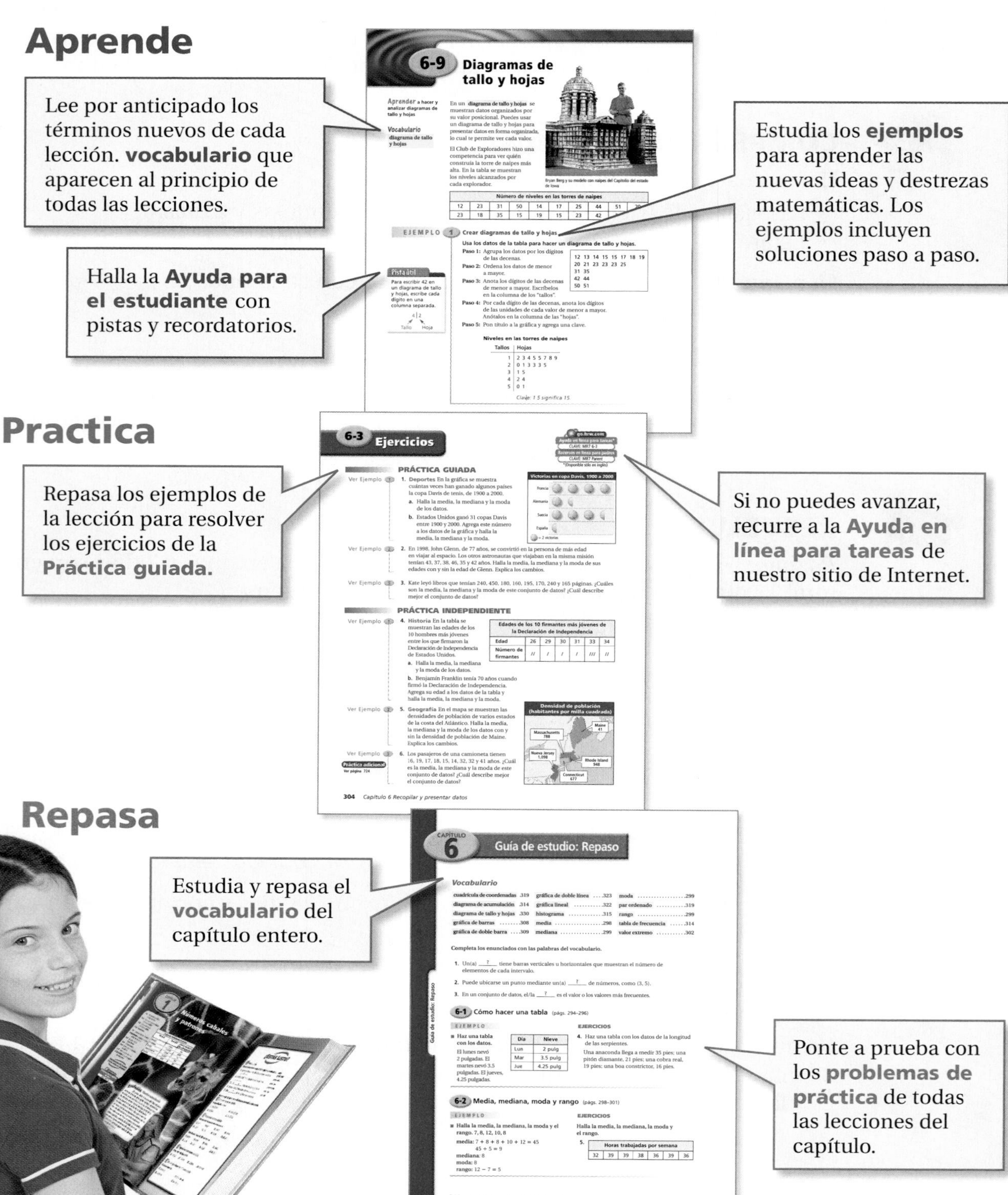

Cacería de letras

Holt Matemáticas es tu recurso para alcanzar el éxito. Usa esta cacería de letras para descubrir algunas de las muchas herramientas que Holt te ofrece para ayudarte a ser un estudiante independiente. En una hoja aparte, contesta cada una de las siguientes preguntas completando los espacios en blanco.

1. ¿Cuál es el primer término de **vocabulario** clave de la Guía de estudio: Avance del Capítulo 6?

2. ¿Qué se te pide que resuelvas en la sección **¡Vamos a jugar!** del Capítulo 4?

3. ¿De qué pasatiempos se habla en la **Resolución de problemas en lugares** del Capítulo 12?

4. ¿Cuál es el último término de **vocabulario** clave en la Guía de estudio: Repaso del Capítulo 6?

5. ¿Para qué punto del examen estandarizado sirven las estrategias que se dan en la **Ayuda para examen** del Capítulo 5?

6. ¿Qué asignatura de la escuela se relaciona con matemáticas en la **Conexión** de la página 419?

7. ¿Qué clave usarías para la **Ayuda en línea para tareas** de la Lección 7-1?

8. ¿Qué **profesión** se destaca en la página 412?

9. ¿Qué **estrategia de estudio** se describe en la página 485?

CAPÍTULO 1

Números cabales y patrones

PREPARACIÓN DE VARIOS PASOS PARA EL EXAMEN

go.hrw.com
Presentación del capítulo en línea
CLAVE: MR7 Ch1

Animales herbívoros de África

Animal	Peso (lb)	Consumo diario de alimento (lb)
Búfalo	1,500	45
Elefante	11,000	660
Jirafa	2,500	75
Hipopótamo	5,500	90
Cebra	950	30

Profesión *Técnica veterinaria*

¿Te gusta cuidar a los animales? Los técnicos veterinarios hacen junto con los médicos veterinarios muchas tareas parecidas a las de las enfermeras con los doctores. Además hacen investigaciones útiles para ayudar a los animales. Para cuidarlos, los técnicos veterinarios deben saber qué comen los animales y cómo se comportan con otras especies. Los animales herbívoros grandes, muchos de los cuales viven en África, necesitan comer ciertas clases de pastos y árboles. En la tabla de arriba se muestra el peso aproximado de algunos animales y la cantidad aproximada de alimento que consumen a diario.

¿Estás listo?

Vocabulario

Elige de la lista el término que mejor complete cada enunciado.

valor posicional
estimación
producto
desarrollada
estándar
periodo

1. En un problema de multiplicación, la respuesta se llama ___?___.
2. 5,000 + 400 + 70 + 5 es un número escrito en forma ___?___.
3. Un(a) ___?___ indica una cantidad aproximada.
4. El número 70,562 está escrito en forma ___?___.
5. El/La ___?___ de 4 en 42,801 es decenas de millar.

Resuelve los ejercicios para practicar las destrezas que usarás en este capítulo.

Comparar números cabales

Compara. Escribe < , > ó =.

6. 245 ▢ 219
7. 5,320 ▢ 5,128
8. 64 ▢ 67
9. 784 ▢ 792

Redondear números cabales

Redondea cada número a la centena más cercana.

10. 567
11. 827
12. 1,642
13. 12,852
14. 1,237
15. 135
16. 15,561
17. 452,801

Redondea cada número al millar más cercano.

18. 4,709
19. 3,399
20. 9,825
21. 26,419
22. 12,434
23. 4,561
24. 11,784
25. 468,201

Operaciones con números cabales

Suma, resta, multiplica o divide.

26. 18×22
27. $135 \div 3$
28. $247 + 96$
29. $358 - 29$

Evaluar expresiones con números cabales

Evalúa cada expresión.

30. $3 \times 4 \times 2$
31. $20 + 100 - 40$
32. $5 \times 20 \div 4$
33. $6 \times 12 \times 5$

CAPÍTULO 1

Guía de estudio: Avance

De dónde vienes

Antes,

- comparaste y ordenaste números cabales hasta cientos de millares.
- usaste el orden de las operaciones sin exponentes.
- buscaste patrones.

En este capítulo

Estudiarás

- cómo comparar y ordenar números cabales hasta miles de millones.
- cómo usar el orden de las operaciones, incluyendo exponentes.
- cómo reconocer y continuar sucesiones.
- cómo usar propiedades para calcular mentalmente operaciones con números cabales.
- cómo representar números cabales mediante exponentes.

Adónde vas

Puedes usar las destrezas aprendidas en este capítulo

- para expresar números en notación científica y en forma estándar en clases de ciencias.
- para reconocer y continuar sucesiones geométricas.

Vocabulario/Key Vocabulary

base (en numeración)	base
evaluar	evaluate
exponente	exponent
expresión numérica	numerical expression
orden de las operaciones	order of operations
propiedad asociativa	Associative Property
propiedad conmutativa	Commutative Property
propiedad distributiva	Distributive Property
sucesión	sequence
término (en una sucesión)	term

Conexiones de vocabulario

Considera lo siguiente para familiarizarte con algunos de los términos de vocabulario del capítulo. Puedes consultar el capítulo, el glosario o un diccionario si lo deseas.

1. La palabra *evaluar* significa "determinar el valor de algo". ¿Qué crees que **tendrás que evaluar** en este capítulo?
2. El *orden* es el modo en que las cosas se ubican una a continuación de la otra. ¿Cómo crees que el **orden de las operaciones** te ayudará a resolver problemas de matemáticas?
3. La palabra *numérico(a)* significa "de números". La palabra *expresión* puede referirse a un símbolo matemático o a una combinación de símbolos. ¿Qué crees que es una **expresión numérica?**
4. Una *sucesión* es una lista o disposición que está en determinado orden. ¿Qué clase de **sucesiones** esperas ver en este capítulo?

Estrategia de lectura: Usa tu libro con éxito

Comprender cómo está organizado tu libro de texto te ayudará a encontrar y usar información útil.

A medida que lees un problema con ejemplos, presta atención a las notas al margen como las de Leer matemáticas, Escribir matemáticas, Pista útil y ¡Atención! Estas notas te ayudarán a entender conceptos y evitar errores comunes.

Leer matemáticas
Un grupo de cuatro ra con una raya cruzada significa *cinco.*

Escribir matemáticas
Para escribir un decimal periódico, puedes poner tres

Pista útil
Si haces una estimación antes de sumar o restar

¡Atención!
Cuando escribas u expresión para los datos de una tabl

EL glosario se encuentra al final de tu libro de texto. Úsalo como recurso cuando necesites la definición de una palabra o propiedad que no te resulte familiar.

El índice se encuentra al final de tu libro de texto. Úsalo para ubicar la página donde se enseña un concepto en particular.

El banco de destrezas se encuentra al final de tu libro de texto. En estas páginas se repasan conceptos de cursos previos de matemáticas, como las destrezas de geometría.

Glosario/Glossar

A

SPANISH

valor absoluto Distancia a la que está un número de 0 en una recta numérica. El símbolo del valor absoluto es | |

Banco de destrezas

Valor posicional: De cen a cienmilésimas

Puedes usar una tabla de valor

Inténtalo

Usa tu libro de texto.

1. Usa el glosario para hallar las definiciones de *bisectriz* y *árbol de factores.*
2. ¿En qué parte del banco de destrezas puedes repasar cómo redondear números cabales y decimales?
3. Usa el manual de resolución de problemas para hacer una lista de los cuatro pasos del plan y dos estrategias diferentes de resolución de problemas.
4. Usa el índice para hallar las páginas donde aparecen *ángulos* e *histograma.*

Cómo comparar y ordenar números cabales

Aprender a comparar y ordenar números cabales mediante el valor posicional o con una recta numérica

A mediados del año 1995, la población mundial era de 5,694,418,460 habitantes. Se proyecta que para mediados del año 2015, la población será de 7,202,516,136 habitantes.

Puedes usar el valor posicional para leer y comprender números largos. En la tabla de valor posicional que sigue, 1 tiene un valor de 1 decena de millar o 1 centena, dependiendo de la posición que ocupa en el número.

Fuente: Oficina de Censo de EE.UU., Base de Datos Internacional 2005

Valor posicional

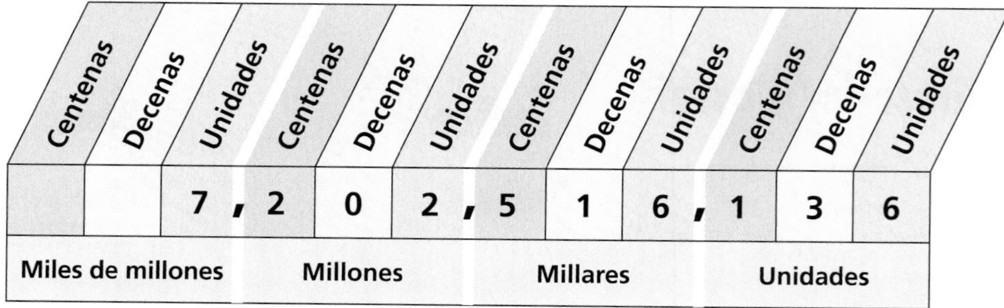

Forma estándar: 7,202,516,136

Forma desarrollada: 7,000,000,000 + 200,000,000 + 2,000,000 + 500,000 + 10,000 + 6,000 + 100 + 30 + 6

Con palabras: siete mil doscientos dos millones, quinientos dieciséis mil, ciento treinta y seis

EJEMPLO 1 Usar el valor posicional para comparar números cabales

La población de Bélgica en el año 2005 era de 10,364,388 habitantes. La población de la República Checa era de 10,241,138 habitantes. ¿Qué país tenía más habitantes?

Bélgica:	1 0, 3 6 4, 3 8 8
República Checa:	1 0, 2 4 1, 1 3 8

Comienza a la izquierda y compara los dígitos con el mismo valor posicional. Busca la primera posición en la que los valores son diferentes.

200 millares es menor que 300 millares.
10,241,138 es menor que 10,364,388.
Por lo tanto, Bélgica tenía más habitantes.

Para ordenar los números, compáralos mediante su valor posicional y luego escríbelos en orden de menor a mayor. También puedes representarlos gráficamente en una recta numérica. Al leerlos de izquierda a derecha, los números estarán en orden de menor a mayor.

EJEMPLO 2 Usar una recta numérica para ordenar números cabales

Ordena los números de menor a mayor.
923; 835; 1,266

Representa gráficamente los siguientes números en una recta numérica:
El número 923 está entre 900 y 1,000.
El número 835 está entre 800 y 900.
El número 1,266 está entre 1,200 y 1,300.

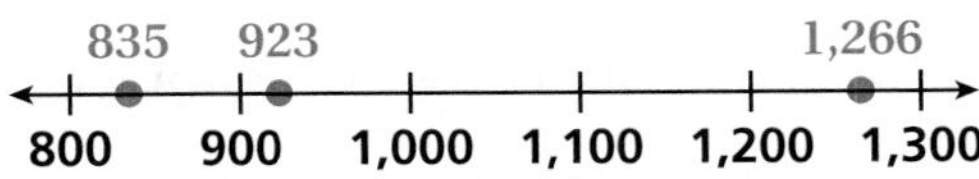

Los números están ordenados al leer la recta numérica de izquierda a derecha.

Los números ordenados de menor a mayor son: 835, 923 y 1,266.

¡Recuerda!

$<$ significa "es menor que".
$3 < 5$ $120 < 504$
$>$ significa "es mayor que".
$17 > 9$ $212 > 83$

Razonar y comentar

1. **Da** el valor posicional del dígito 3 en cada uno de los siguientes números: 2,037,912; 2,370,912; 2,703,912.
2. **Lee** los siguientes números: 937,052; 3,012,480; 8,135,712,004.
3. **Observa** la gráfica de barras al comienzo de la lección. ¿En qué años estaba la población entre 5,500,000,000 y 6,500,000,000?

1-1 Ejercicios

go.hrw.com
Ayuda en línea para tareas*
CLAVE: MR7 1-1
Recursos en línea para padres
CLAVE: MR7 Parent
*(Disponible sólo en inglés)

PRÁCTICA GUIADA

Ver Ejemplo 

1. **Geografía** El monte McKinley, en Alaska, tiene una altura de 20,320 pies. El monte Aconcagua, en Argentina, tiene una altura de 22,834 pies. ¿Qué monte es más alto?
2. El área del mar Caribe es 971,400 millas cuadradas. El área del mar Mediterráneo es 969,100 millas cuadradas. ¿Qué mar tiene el área más pequeña?

Ver Ejemplo 

Ordena los números de menor a mayor.

3. 726; 349; 642
4. 513; 915; 103
5. 497; 1,264; 809
6. 672; 1,421; 1,016
7. 982; 5,001; 3,255
8. 4,079; 9,976; 2,951

PRÁCTICA INDEPENDIENTE

Ver Ejemplo 

9. La asistencia en el año 1999 a un parque temático fue de 17,459,000 personas. La asistencia en el año 1999 a un parque acuático fue de 15,200,000 personas. ¿Qué parque tuvo la mayor asistencia?
10. De acuerdo con la tabla, ¿qué río es más largo: el Missouri o el Mississippi?
11. Un campo de golf en la ciudad de Nueva York informó que el año pasado sus clientes usaron 413,497 pelotas de golf. Un campo en Filadelfia informó que sus clientes usaron 408,959 pelotas de golf. ¿En qué campo se usaron más pelotas de golf?

Longitud del río (mi)	
Mississippi	2,340
Missouri	2,315
Ohio	618
Red	1,290
Río Grande	1,900

Ver Ejemplo 

Ordena los números de menor a mayor.

12. 367; 597; 279
13. 619; 126; 480
14. 946; 705; 810
15. 423; 1,046; 805
16. 1,523; 2,913; 111
17. 1,764; 1,359; 666
18. 742; 777; 711
19. 4,228; 1,502; 978
20. 6,704; 5,902; 2,792

PRÁCTICA Y RESOLUCIÓN DE PROBLEMAS

Práctica adicional
Ver página 714

Compara. Escribe $<$, $>$ ó $=$.

21. 46,495 ■ 46,594
22. 162,648 ■ 126,498
23. 3,654 ■ 3,654
24. 512,105 ■ 512,099
25. 29,448 ■ 29,488
26. 913,203 ■ 913,600
27. 23,172,458 ■ 231,724
28. 21,782 ■ 21,782
29. 1,556,982 ■ 1,556,983

Ordena los números de mayor a menor.

30. 591; 924; 341
31. 601; 533; 823; 149
32. 291; 911; 439; 747
33. 2,649; 3,461; 1,947
34. 5,349; 5,389; 5,480
35. 7,467; 7,239; 7,498
36. Los estadounidenses tienen alrededor de 74,000,000 de perros y 90,000,000 de gatos como mascotas. ¿Tienen más perros o más gatos?

Hace mucho tiempo, se usaba el ábaco para resolver problemas de matemáticas. Las varillas representan el valor posicional y las cuentas sirven como contadores.

go.hrw.com
¡Web Extra!
CLAVE: MR7 Abacus

37. **Geografía** Los tres estados más grandes en el territorio continental de Estados Unidos son: California, con 159,869 millas cuadradas; Montana, con 147,047 millas cuadradas; y Texas, con 267,277 millas cuadradas. Escribe los estados en orden del área menor al área mayor.

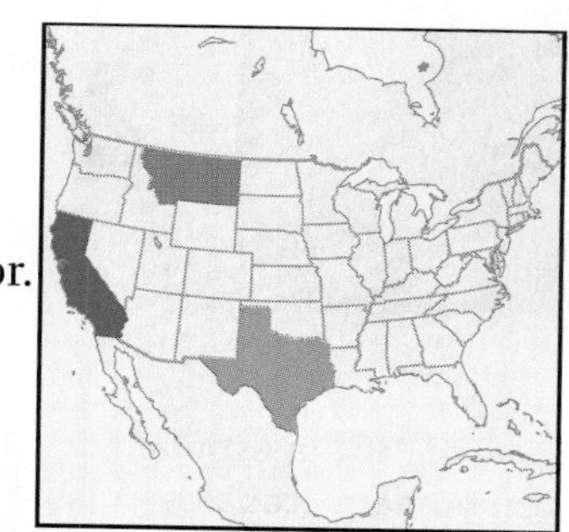

38. **Historia** En los dos dibujos se muestra otra forma de representar números. La varilla de la izquierda en cada dibujo representa la posición de las centenas de millar. La cantidad de cuentas en una varilla indica el valor posicional. ¿Qué dibujo representa el número mayor?

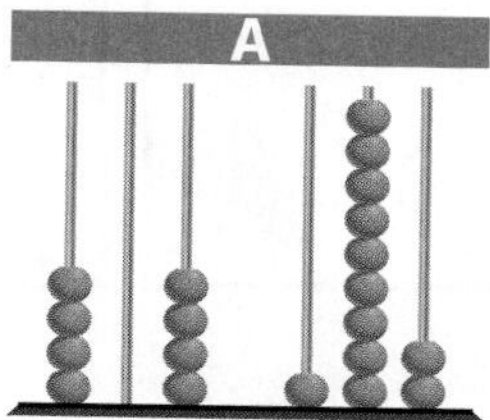

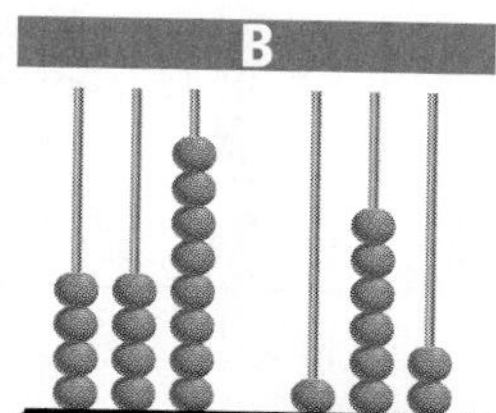

39. **¿Dónde está el error?** Un estudiante dijo que 19,465,405 es mayor que 19,465,425. Explica el error. Escribe correctamente el enunciado.

40. **Escríbelo** Explica cómo compararías 19,465,146 y 19,460,146.

41. **Desafío** En números romanos, las letras representan números. Por ejemplo, I = 1, V = 5, X = 10, L = 50 y C = 100. Las letras de los números romanos se escriben una junto a la otra; así es como se muestra el valor de los números. Para leer los números siguientes, suma los valores de todas las letras. ¿Qué números representan?

a. CLX **b.** LVI **c.** CIII

Preparación para el examen y repaso en espiral

42. **Opción múltiple** ¿En qué lista se muestran los números ordenados de menor a mayor?

Ⓐ 101; 10,001; 1,001
Ⓑ 9,428; 9,454; 9,478
Ⓒ 502; 205; 5,002
Ⓓ 2,123; 2,078; 2,055

43. **Opción múltiple** En el año 2000, la población de cuatro ciudades importantes de Texas era la siguiente: Amarillo, 17,627; Brownsville, 139,722; Laredo, 176,576; y Lubbock, 199,564. ¿Qué ciudad tenía más habitantes?

Ⓕ Amarillo Ⓖ Brownsville Ⓗ Laredo Ⓙ Lubbock

Escribe cada número con palabras. (Curso previo)

44. 1,645 **45.** 24,498 **46.** 306,927 **47.** 4,605,926

Escribe el valor del dígito en rojo de cada número. (Curso previo)

48. 649,809 **49.** 349,239 **50.** 27,463 **51.** 16,239

1-2 Cómo estimar con números cabales

Aprender a estimar con números cabales

Vocabulario

número compatible

estimación baja

estimación alta

En matemáticas, a veces no necesitamos una respuesta exacta y en su lugar podemos hacer una estimación. Las estimaciones son cercanas a la respuesta exacta pero se calculan de manera más fácil y rápida.

Al hacer una estimación, se redondean los números del problema a *números compatibles.* Los **números compatibles** son números cercanos a los números del problema y sirven para hacer cálculos mentales.

EJEMPLO 1 Estimar una suma o diferencia por redondeo

Estima cada suma o diferencia por redondeo al valor posicional indicado.

A **5,439 + 7,516; a millares**

5,000	*Redondea 5,439 hacia abajo.*
+ 8,000	*Redondea 7,516 hacia arriba.*
13,000	

La suma es aproximadamente 13,000.

B **62,167 − 47,511; a decenas de millar**

60,000	*Redondea 62,167 hacia abajo.*
− 50,000	*Redondea 47,511 hacia arriba.*
10,000	

La diferencia es aproximadamente 10,000.

¡Recuerda!

Al redondear, fíjate en el dígito que está a la derecha de la posición a la que redondeas.

- Si es 5 ó mayor, redondea hacia arriba.
- Si es menor que 5, redondea hacia abajo.

Una **estimación baja** es menor que la respuesta exacta.

Una **estimación alta** es mayor que la respuesta exacta.

EJEMPLO 2 Estimar un producto por redondeo

La maestra Escobar está planificando una fiesta de graduación para todo el octavo grado. Hay 9 clases de 27 estudiantes. Estima cuántos vasos necesita comprar la maestra Escobar para los estudiantes si todos asisten a la fiesta.

Halla la cantidad de estudiantes del octavo grado.

$9 \times 27 \rightarrow 9 \times 30$ *Haz una **estimación alta** de la cantidad de estudiantes.*

$9 \times 30 = 270$ *El número real de estudiantes es **menor que** 270.*

Si la maestra Escobar compra 270 vasos, tendrá suficientes vasos para todos los estudiantes.

EJEMPLO 3 Estimar un cociente mediante números compatibles

La Sra. Byrd conducirá 120 millas para llevar a Becca a la feria del estado. Si conduce a 65 mi/h, ¿cuánto durará el viaje?

Para hallar cuánto durará el viaje, divide las millas que tiene que recorrer la Sra. Byrd entre las millas por hora que puede conducir.

millas ÷ millas por hora

$120 \div 65 \rightarrow 120 \div 60$ *120 y 60 son números compatibles.*
*Haz una **estimación baja** de la velocidad.*

$120 \div 60 = 2$ *Como se hizo una **estimación baja** de la velocidad, el tiempo real será de **menos de** 2 horas.*

La Sra. Byrd tardará aproximadamente dos horas en llegar a la feria del estado.

Razonar y comentar

1. **Supongamos** que vas a comprar artículos para una fiesta y tienes $50. ¿Sería mejor hacer una estimación alta o una estimación baja del costo de los artículos?
2. **Supongamos** que tu automóvil recorre entre 20 y 25 millas con un galón de gasolina. Quieres hacer un viaje de 100 millas. ¿Sería mejor hacer una estimación alta o una estimación baja de la cantidad de millas por galón que puede recorrer tu automóvil?
3. **Describe** situaciones en las que podrías hacer una estimación.

1-2 Ejercicios

go.hrw.com
Ayuda en línea para tareas*
CLAVE: MR7 1-2
Recursos en línea para padres
CLAVE: MR7 Parent
*(Disponible sólo en inglés)

PRÁCTICA GUIADA

Ver Ejemplo 1 **Estima cada suma o diferencia por redondeo al valor posicional indicado.**

1. 4,689 + 2,469; a millares

2. 50,498 − 35,798; a decenas de millar

Ver Ejemplo 2

3. En la gráfica se muestra el número de botellas de agua que se usaron en las carreras de bicicleta del año pasado. Si cada año participa el mismo número de ciclistas, estima las botellas necesarias para las carreras de mayo de los siguientes cinco años.

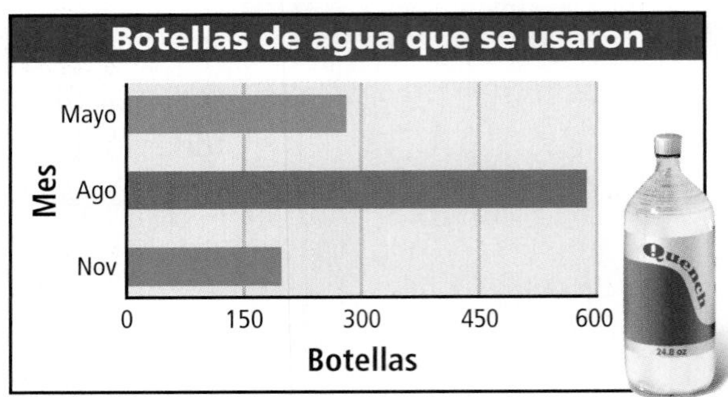

Ver Ejemplo 3

4. Si una compañía local proporcionó la mitad del agua embotellada necesaria para la carrera de agosto, ¿aproximadamente cuántas botellas dio la compañía?

5. Carla viaja 80 millas en su escúter. Si su escúter rinde unas 42 millas por galón de gasolina, ¿aproximadamente cuánta gasolina usó?

PRÁCTICA INDEPENDIENTE

Ver Ejemplo  **Estima cada suma o diferencia por redondeo al valor posicional indicado.**

6. 6,570 + 3,609; a millares

7. 49,821 − 11,567; a decenas de millar

8. 3,912 + 1,269; a millares

9. 37,097 − 20,364; a decenas de millar

Ver Ejemplo 

10. El centro de recreación ha entregado pelotas cada año a la liga de softbol de la ciudad. Usa la tabla para estimar las pelotas de sóftbol que usará la liga en 5 años.

Pelotas que entregó el centro de recreación

Deporte	Número de pelotas
Básquetbol	21
Golf	324
Softbol	28
Tenis de mesa	95

Ver Ejemplo 

11. El centro de recreación tiene un equipo de golf de chicas con 8 integrantes. ¿Aproximadamente cuántas pelotas de golf tendrá cada chica del equipo?

12. Si el centro de recreación pierde alrededor de 4 pelotas de tenis de mesa por año y no las repone, ¿aproximadamente en cuántos años se quedará sin ninguna?

PRÁCTICA Y RESOLUCIÓN DE PROBLEMAS

Práctica adicional
Ver página 714

Estima cada suma o diferencia por redondeo al mayor valor posicional.

13. 152 + 269 **14.** 797 − 234 **15.** 242 − 179

16. 6,152 − 3,195 **17.** 9,179 + 2,206 **18.** 10,982 + 4,821

19. 82,465 − 38,421 **20.** 38,347 + 17,039 **21.** 51,201 + 16,492

22. 639,069 + 283,136 **23.** 777,060 − 410,364 **24.** 998,927 − 100,724

con los estudios sociales

Usa la gráfica de barras para los Ejercicios del 25 al 31.

25. En un día de verano hubo 2,824 veleros en el lago Erie. Estima las millas cuadradas disponibles para cada velero.

26. Si se redondearan las áreas de los Grandes Lagos al millar más cercano, ¿qué dos lagos tendrían el área más parecida?

27. ¿Aproximadamente por cuánto sobrepasa el lago Hurón al lago Ontario?

28. Los Grandes Lagos se llaman "grandes" por la enorme cantidad de agua dulce que contienen. Haz una estimación del área total de los Grandes Lagos juntos.

29. **¿Cuál es la pregunta?** El lago Erie es aproximadamente 50,000 millas cuadradas menor. ¿Cuál es la pregunta?

30. **Escríbelo** Explica cómo estimarías las áreas de los lagos Hurón y Michigan para comparar su tamaño.

31. **Desafío** Estima el área promedio de los Grandes Lagos.

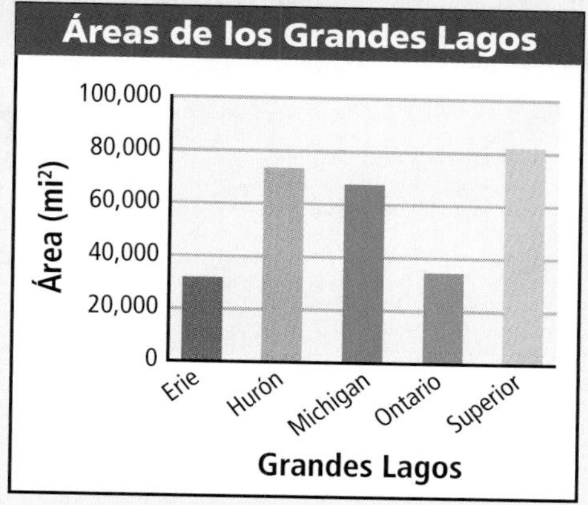

Las áreas comprenden la superficie acuática y las cuencas de desagüe de Estados Unidos y Canadá.

Preparación Para El Examen y repaso en espiral

32. Opción múltiple ¿Qué número es la mejor estimación de 817 + 259?

Ⓐ 10,000 Ⓑ 2,000 Ⓒ 1,100 Ⓓ 800

33. Respuesta breve La Liga Nacional de Fútbol Americano exige que los equipos locales tengan 36 pelotas nuevas para cada partido en campo abierto y 24 pelotas nuevas para los partidos bajo techo. Estima cuántas pelotas deben comprar los Washington Redskins para 8 partidos en campo abierto. Explica cómo determinaste tu estimación.

Halla cada producto o cociente. (Curso previo)

34. 148 ÷ 4 **35.** 523 × 5 **36.** 1,054 ÷ 31 **37.** 312 × 8

Escribe cada número en forma desarrollada. (Lección 1-1)

38. 269 **39.** 1,354 **40.** 32,498 **41.** 416,703

1-3 Exponentes

Aprender a representar los números mediante exponentes

Vocabulario

exponente

base

forma exponencial

Desde 1906, la altura del monte Vesubio, en Italia, ha aumentado 7^3 pies. ¿Cuántos pies son?

El número 7^3 está escrito con un exponente. Un **exponente** indica cuántas veces se multiplica la **base** que se usa como factor.

La erupción más reciente del monte Vesubio ocurrió en 1944.

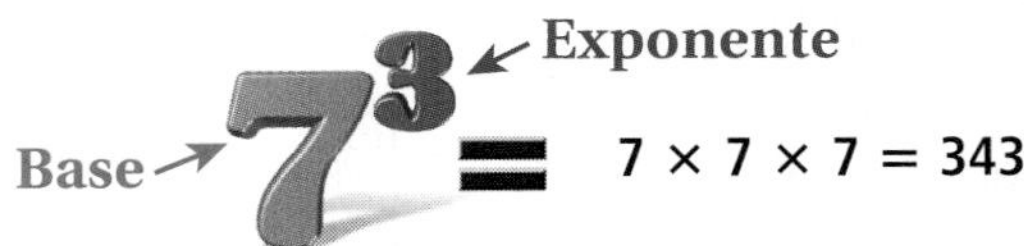

$7^3 = 7 \times 7 \times 7 = 343$

Por lo tanto, la altura del monte Vesubio ha aumentado 343 pies.

Un número se encuentra en **forma exponencial** cuando se escribe con una base y un exponente.

Forma exponencial	Quiere decir	Multiplicación	Valor
10^1	"10 a la primera potencia"	10	10
10^2	"10 al cuadrado" ó "10 a la segunda potencia"	10 × 10	100
10^3	"10 al cubo" ó "10 a la tercera potencia"	10 × 10 × 10	1,000
10^4	"10 a la cuarta potencia"	10 × 10 × 10 × 10	10,000

EJEMPLO 1 Escribir números en forma exponencial

Escribe cada expresión en forma exponencial.

A $4 \times 4 \times 4$

4^3 *4 es factor 3 veces.*

B $9 \times 9 \times 9 \times 9 \times 9$

9^5 *9 es factor 5 veces.*

EJEMPLO 2 Hallar el valor de los números en forma exponencial

Halla cada valor.

A 2^7

$2^7 = 2 \times 2 \times 2 \times 2 \times 2 \times 2 \times 2$
$= 128$

B 6^4

$6^4 = 6 \times 6 \times 6 \times 6$
$= 1{,}296$

EJEMPLO 3

APLICACIÓN A LA RESOLUCIÓN DE PROBLEMAS

RESOLUCIÓN DE PROBLEMAS

Si cierra la escuela de Dana, se organiza un árbol de llamadas para comunicarse con la familia de cada estudiante. La secretaria llama a 3 familias, cada familia llama a otras 3 familias y así sucesivamente. ¿A cuántas familias se notificará en la 6ta ronda de llamadas?

1 Comprende el problema

La **respuesta** será el número de familias notificadas en la 6ta ronda.

Haz una lista con la **información importante:**

- La secretaria llama a 3 familias.
- Cada familia llama a 3 familias.

2 Haz un plan

Puedes dibujar un diagrama para ver cuántas llamadas se hacen en cada ronda.

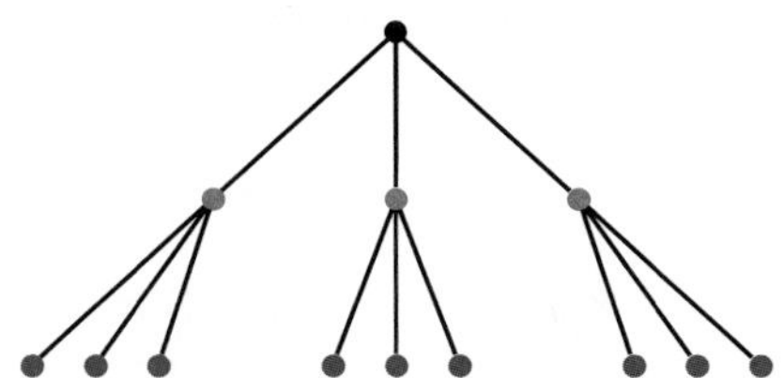

Secretaria

1ra ronda: 3 llamadas

2da ronda: 9 llamadas

3 Resuelve

Observa que, en cada ronda, el número de llamadas es una potencia de 3.

1ra ronda: 3 llamadas $= 3 = 3^1$

2da ronda: 9 llamadas $= 3 \times 3 = 3^2$

Así, en la 6ta ronda habrá 3^6 llamadas.

$3^6 = 3 \times 3 \times 3 \times 3 \times 3 \times 3 = 729$

En la 6ta ronda de llamadas, se notificará a 729 familias.

4 Repasa

Dibujar un diagrama ayuda a visualizar el patrón, pero los números se hacen muy largos para que quepan después de la tercera ronda de llamadas. Es más fácil y rápido resolver el problema con exponentes.

Razonar y comentar

1. **Lee** cada número: 4^8, 12^3, 3^2.
2. **Da** el valor de cada número: 7^1, 13^2, 3^3.

1-3 Ejercicios

*(Disponible sólo en inglés)

PRÁCTICA GUIADA

Ver Ejemplo 1 **Escribe cada expresión en forma exponencial.**

1. $8 \times 8 \times 8$ **2.** 7×7 **3.** $6 \times 6 \times 6 \times 6 \times 6$

4. $4 \times 4 \times 4 \times 4$ **5.** $5 \times 5 \times 5 \times 5 \times 5$ **6.** 1×1

Ver Ejemplo 2 **Halla cada valor.**

7. 4^2 **8.** 3^3 **9.** 5^4 **10.** 8^2 **11.** 7^3

Ver Ejemplo 3 **12.** En la escuela de Russell, una persona llamará a 4 personas, cada una de ellas llamará a otras 4 personas y así sucesivamente. ¿A cuántas personas van a llamar en la quinta ronda?

PRÁCTICA INDEPENDIENTE

Ver Ejemplo 1 **Escribe cada expresión en forma exponencial.**

13. $2 \times 2 \times 2 \times 2 \times 2 \times 2$ **14.** $9 \times 9 \times 9 \times 9$ **15.** 8×8

16. $1 \times 1 \times 1$ **17.** $6 \times 6 \times 6 \times 6 \times 6$ **18.** $5 \times 5 \times 5$

19. $7 \times 7 \times 7 \times 7 \times 7 \times 7 \times 7$ **20.** $3 \times 3 \times 3 \times 3$ **21.** 4×4

Ver Ejemplo 2 **Halla cada valor.**

22. 2^4 **23.** 3^5 **24.** 6^2 **25.** 9^2 **26.** 7^4

27. 8^3 **28.** 1^4 **29.** 16^2 **30.** 10^8 **31.** 12^2

Ver Ejemplo 3 **32.** Para ahorrar dinero para comprar un videojuego, guardas un dólar en un sobre. Cada día, durante 5 días, duplicas los dólares que había en el sobre el día anterior. ¿Cuánto dinero guardarás en el sobre el quinto día?

PRÁCTICA Y RESOLUCIÓN DE PROBLEMAS

Práctica adicional
Ver página 714

Escribe cada expresión como una multiplicación repetida.

33. 16^3 **34.** 22^2 **35.** 31^6 **36.** 46^5 **37.** 50^3

38. 4^1 **39.** 1^9 **40.** 17^6 **41.** 8^5 **42.** 12^4

Halla cada valor.

43. 10^6 **44.** 73^1 **45.** 9^4 **46.** 80^2 **47.** 10^5

48. 19^2 **49.** 2^9 **50.** 57^1 **51.** 5^3 **52.** 11^3

Compara. Escribe $<$, $>$ ó $=$.

53. 6^1 ▢ 5^1 **54.** 9^2 ▢ 20^1 **55.** 10^1 ▢ $1{,}000{,}000^1$

56. 7^3 ▢ 3^7 **57.** 5^5 ▢ 25^1 **58.** 100^2 ▢ 10^4

CONEXIÓN con las ciencias biológicas

Creces porque tu cuerpo produce células nuevas. Las células nuevas se producen cuando las células viejas se dividen. Los organismos unicelulares, como las bacterias, se dividen por *fisión binaria,* lo que significa que "se parten en dos". Un ciclo es el espacio de tiempo que necesita un tipo de célula para dividirse.

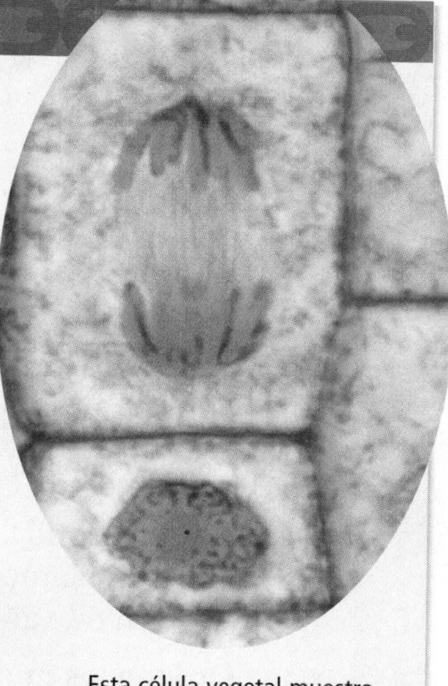

Esta célula vegetal muestra la etapa de anafase de la mitosis. La mitosis es el proceso de división del núcleo en células complejas llamadas eucariotes.

59. En el laboratorio de ciencias, Carol tiene una muestra con 4^5 células. ¿Cuántas células representa este número?

60. Cierta colonia de bacterias triplica su longitud cada 15 minutos. Su longitud es ahora 1 mm. ¿Cuánto medirá en 1 hora? (*Pista:* Hay cuatro ciclos de 15 minutos en una hora).

Usa la gráfica de barras para los Ejercicios del 61 al 64.

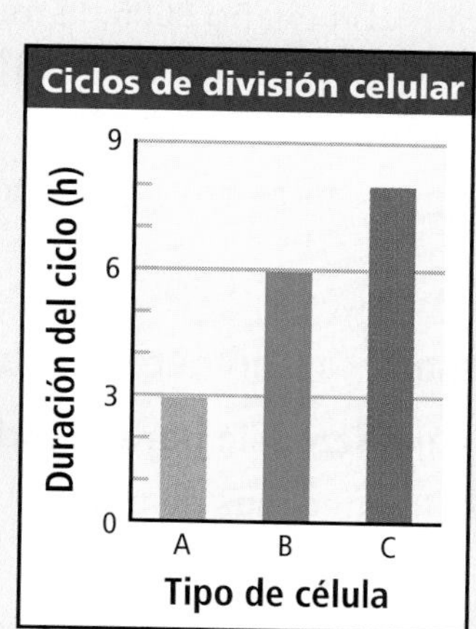

61. Determina cuántas veces se dividen en 24 horas las células tipo A. Si comienzas con una célula tipo A, ¿cuántas células se producirán en 24 horas?

62. **Varios pasos** Si comienzas con una célula tipo B y una célula tipo C, ¿cuál es la diferencia entre el número de células tipo B y el de células tipo C que se producirán en 24 horas?

63. **Escríbelo** Explica cómo hallar el número de células tipo A que se producen en 48 horas.

64. **Desafío** ¿Cuántas horas tardará una célula tipo C en dividirse al menos entre 100 células tipo C?

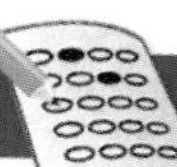

PREPARACIÓN PARA EL EXAMEN y repaso en espiral

65. **Opción múltiple** ¿En cuál de las siguientes opciones se muestra la expresión $4 \times 4 \times 4$ en forma exponencial?

Ⓐ 64 Ⓑ 444 Ⓒ 3^4 Ⓓ 4^3

66. **Opción múltiple** ¿Qué expresión tiene el mayor valor?

Ⓕ 2^5 Ⓖ 3^4 Ⓗ 4^3 Ⓙ 5^2

Ordena los números de menor a mayor. (Lección 1-1)

67. 8,452; 8,732; 8,245 **68.** 991; 1,010; 984 **69.** 12,681; 11,901; 12,751

Estima cada suma o diferencia por redondeo al valor posicional indicado. (Lección 1-2)

70. 12,876 + 17,986; a millares **71.** 72,876 − 15,987; a decenas de millar

SECCIÓN 1A

Prueba de las Lecciones 1-1 a 1-3

1-1 Cómo comparar y ordenar números cabales

Compara. Escribe <, > ó =.

1. 12,563,284 ■ 12,587,802

2. 783,100,570 ■ 780,223,104

3. En el año 2006, una universidad vendió 1,981,299 boletos para sus partidos de fútbol americano. En el año 2005, la misma universidad vendió 1,881,702 boletos. ¿En qué año se vendieron más boletos?

Ordena los números de menor a mayor.

4. 1,052; 1,803; 1,231

5. 4,344; 3,344; 3,444

6. 10,463; 14,063; 10,643

1-2 Cómo estimar con números cabales

Estima cada suma o diferencia por redondeo al valor posicional indicado.

7. 61,582 + 13,281; a decenas de millar

8. 86,125 − 55,713; a decenas de millar

9. 7,903 + 2,654; a millares

10. 34,633 − 32,087; a millares

11. 1,896,345 + 3,567,194; a centenas de millar

12. 56,129,482 − 37,103,758; a decenas de millones

13. Marcus quiere hacer un camino de piedras en su jardín. Será un camino rectangular de 3 pies de ancho y 18 pies de largo. Cada piedra de 2 por 3 pies cubre un área de 6 pies cuadrados. ¿Cuántas piedras necesitará Marcus?

14. La clase de sexto grado de Jenna va en autobús al zoológico, a 156 millas de la escuela. Si el autobús viaja a un promedio de 55 mi/h, ¿aproximadamente cuánto tardará la clase en llegar al zoológico?

1-3 Exponentes

Escribe cada expresión en forma exponencial.

15. $7 \times 7 \times 7$

16. $5 \times 5 \times 5 \times 5$

17. $3 \times 3 \times 3 \times 3 \times 3 \times 3$

18. $10 \times 10 \times 10 \times 10$

19. $1 \times 1 \times 1 \times 1 \times 1$

20. $4 \times 4 \times 4 \times 4$

Halla cada valor.

21. 3^3

22. 2^4

23. 6^2

24. 8^3

25. Para empezar a leer una novela para la clase de inglés, Sara leyó 1 página. En cada uno de los 4 días siguientes lee el doble de las páginas que leyó el día anterior. ¿Cuántas páginas leerá el cuarto día?

Enfoque en resolución de problemas

Resuelve

• Elige la operación: suma o resta

Lee el problema completo antes de tratar de resolverlo. Determina qué acción se desarrolla en el problema. Luego, decide si necesitas sumar o restar para resolverlo.

Si necesitas combinar o juntar números, debes sumar.
Si necesitas quitar o comparar números, debes restar.

Acción	Operación	Representación gráfica
Combinar o juntar	Suma	
Separar o quitar	Resta	
Comparar o hallar la diferencia	Resta	

Lee cada problema. Determina la acción que se desarrolla en cada uno. Elige una operación para resolver el problema y resuélvelo.

La mayoría de los huracanes que aparecen sobre el océano Atlántico, el mar Caribe o el golfo de México lo hacen entre junio y noviembre. Desde 1886, un huracán ha aparecido cada mes, excepto en abril.

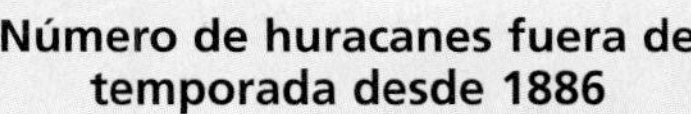

Número de huracanes fuera de temporada desde 1886

Mes	Número
Ene	1
Feb	1
Mar	1
May	14
Dic	10

Usa la tabla para los Problemas 1 y 2.

1. ¿Cuántos huracanes han aparecido fuera de temporada?
2. ¿Por cuántos sobrepasan los huracanes que aparecieron en mayo a los que aparecieron en diciembre?
3. Durante la temporada de huracanes del año 2000, recibieron nombre 14 tormentas. Ocho se convirtieron en huracanes y otras tres en huracanes mayores. ¿Cuántas de estas tormentas no se convirtieron en huracanes ni en huracanes mayores?

Explorar el orden de las operaciones

Para usar con la Lección 1-4

go.hrw.com
Recursos en línea para el laboratorio
CLAVE: MR7 Lab1

Observa la expresión $3 + 2 \cdot 8$. Para evaluar esta expresión, decide si primero tienes que sumar o multiplicar. Es importante saber el *orden de las operaciones* correcto. Si no lo sabes, puedes obtener un resultado incorrecto.

Actividad 1

Usa papel y lápiz para evaluar $3 + 2 \cdot 8$ de dos maneras distintas.

Primero suma y luego multiplica por 8.	$3 + 2 = 5$ $5 \cdot 8 = 40$
Primero multiplica y luego suma 3.	$2 \cdot 8 = 16$ $16 + 3 = 19$

Evalúa $3 + 2 \cdot 8$ con una calculadora de gráficas o científica.

El resultado, 19, muestra que la calculadora primero multiplicó, aun cuando la suma aparece antes en la expresión.

Si no hay paréntesis, la multiplicación y la división se hacen antes que la suma o resta. Si la suma debe hacerse primero, se *debe* usar paréntesis.

Cuando se evalúa $(3 + 2) \cdot 8$ con una calculadora, el resultado es 40. Debido a los paréntesis, la calculadora suma antes de multiplicar.

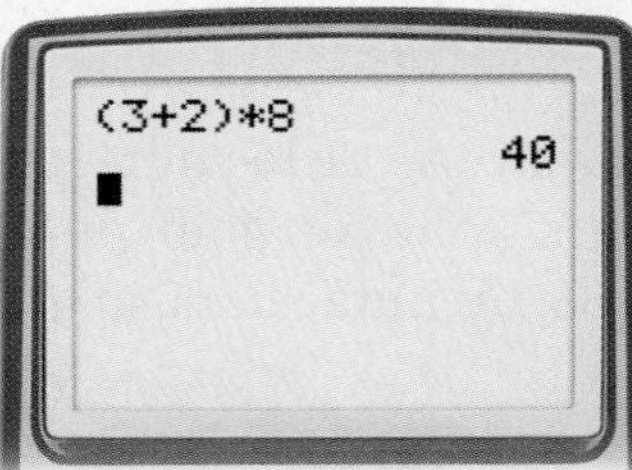

Las calculadoras de gráficas y científicas siguen un sistema lógico llamado orden algebraico de las operaciones. El orden de las operaciones indica que se debe multiplicar y dividir antes de sumar o restar.

Razonar y comentar

1. En $4 + 15 \div 5$, ¿qué operación se realiza primero? ¿Cómo lo sabes?

2. Indica el orden en que realizarías las operaciones de la expresión $8 \div 2 + 6 \cdot 3 - 4$.

Inténtalo

Evalúa cada expresión con lápiz y papel. Comprueba tus respuestas con una calculadora.

1. $4 \cdot 12 - 7$ **2.** $15 \div 3 + 10$ **3.** $4 + 2 \cdot 6$ **4.** $10 - 4 \div 2$

Actividad 2

¿Qué se debe hacer si la misma operación aparece dos veces en una expresión? Usa una calculadora para decidir qué resta se hace primero en la expresión $7 - 3 - 2$.

Si se hace primero $7 - 3$, el valor de la expresión es $4 - 2 = 2$.

Si se hace primero $3 - 2$, el valor de la expresión es $7 - 1 = 6$.

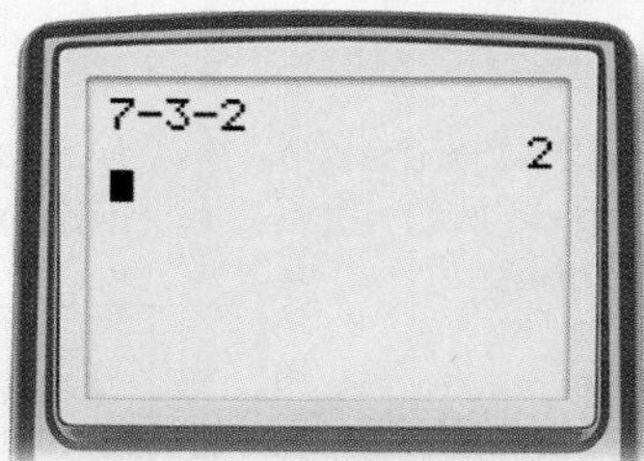

En la calculadora, el valor de $7 - 3 - 2$ es 2. Se hace primero la resta de la izquierda: $7 - 3$.

La suma y la resta (o la multiplicación y la división) se hacen de izquierda a derecha.

Razonar y comentar

1. En $15 + 5 + 4$, ¿importa qué operación se hace primero? Explica.
2. ¿Importa qué operación se hace primero en $15 - 5 + 4$? Explica.

Inténtalo

Evalúa cada expresión. Comprueba tus respuestas con una calculadora.

1. $8 - 6 - 1$
2. $20 \div 5 \div 2$
3. $3 \cdot 6 \cdot 2$
4. $19 + 6 + 5$

Actividad 3

Sin paréntesis, la expresión $8 + 2 \cdot 10 - 3$ es igual a 25. Agrega paréntesis para hacer que el valor de la expresión sea 22.

¿Qué ocurre si primero sumas?	¿Qué ocurre si primero restas?
$(8 + 2) \cdot 10 - 3$	$8 + 2 \cdot (10 - 3)$
$10 \cdot 10 - 3$	$8 + 2 \cdot 7$
$100 - 3$	$8 + 14$
97	22

Para que la expresión sea igual a 22, primero se debe restar.

Razonar y comentar

1. Para evaluar $13 + 5 \cdot 255$ en una calculadora, escribes $13 + 5$ y luego oprimes la tecla [x]. ¡Pero antes de que puedas escribir 255, la pantalla cambiará a 18!
   a. ¿Sigue la calculadora el orden correcto de las operaciones? ¿Por qué?
   b. ¿Cómo usarías la calculadora para evaluar $13 + 5 \cdot 255$?

Inténtalo

Agrega paréntesis para hacer que el valor de cada expresión sea 12.

1. $56 - 40 + 4$
2. $3 - 1 \cdot 10 - 4$
3. $18 \div 2 + 1 + 6$
4. $100 + 8 \div 2 \cdot 2+5$

1-4 El orden de las operaciones

Aprender a usar el orden de las operaciones

Vocabulario

expresión numérica

evaluar

orden de las operaciones

Una **expresión numérica** es una frase matemática que tiene sólo números y símbolos de operaciones.

Expresiones numéricas	$4 + 8 \div 2 \times 6$	$371 - 203 + 2$	$5{,}006 \times 19$

Al **evaluar** una expresión numérica, se halla su valor.

Erika y Jamie evaluaron $3 + 4 \times 6$. Sus respectivos trabajos son los siguientes. ¿Quién tiene la respuesta correcta?

Cuando una expresión tiene más de una operación, debes saber qué operación se hace primero. Para asegurarse de que todos obtengan la misma respuesta, se usa el **orden de las operaciones.**

¡Recuerda!

Las primeras letras de estas palabras pueden ayudarte a recordar el orden de las operaciones.

Procura *Paréntesis*
Enviar *Exponentes*
Mis *Multiplicar/*
Datos *Dividir*
Siempre *Sumar/*
Rápido *Restar*

EL ORDEN DE LAS OPERACIONES

1. Realiza las operaciones entre **paréntesis.**
2. Halla los valores de los números con **exponentes.**
3. **Multiplica** o **divide** de izquierda a derecha como aparece en el problema.
4. **Suma** o **resta** de izquierda a derecha como aparece en el problema.

$3 + 4 \times 6$ *No hay paréntesis ni exponentes. Primero, multiplica.*

$3 + 24$ *Suma.*

27 *Erika tiene la respuesta correcta.*

EJEMPLO 1 Usar el orden de las operaciones

Evalúa cada expresión.

A $9 + 12 \times 2$

$9 + 12 \times 2$ *No hay paréntesis ni exponentes.*

$9 + 24$ *Multiplica.*

33 *Suma.*

Evalúa cada expresión.

B $\mathbf{7 + (12 \times 3) \div 6}$

$7 + (12 \times 3) \div 6$	
$7 + 36 \div 6$	*Realiza las operaciones entre paréntesis.*
$7 + 6$	*Divide.*
13	*Suma.*

EJEMPLO 2 Usar el orden de las operaciones con exponentes

Evalúa cada expresión.

A $\mathbf{3^3 + 8 - 16}$

$3^3 + 8 - 16$	*No hay paréntesis.*
$27 + 8 - 16$	*Halla los valores de los números con exponentes.*
$35 - 16$	*Suma.*
19	*Resta.*

B $\mathbf{8 \div (1 + 3) \times 5^2 - 2}$

$8 \div (1 + 3) \times 5^2 - 2$	
$8 \div 4 \times 5^2 - 2$	*Realiza las operaciones entre paréntesis.*
$8 \div 4 \times 25 - 2$	*Halla los valores de los números con exponentes.*
$2 \times 25 - 2$	*Divide.*
$50 - 2$	*Multiplica.*
48	*Resta.*

EJEMPLO 3 *Aplicación para el consumidor*

Regina compró 5 cuentas de madera labrada a $3 cada una y 8 cuentas de vidrio a $2 cada una. Evalúa $5 \times 3 + 8 \times 2$ para hallar cuánto gastó Regina en cuentas.

$5 \times 3 + 8 \times 2$

$15 + 16$

31

Regina gastó $31 en cuentas.

Razonar y comentar

1. **Explica** por qué $6 + 7 \times 10 = 76$, pero $(6 + 7) \times 10 = 130$.
2. **Indica** cómo agregar paréntesis a la expresión numérica $2^2 + 5 \times 3$ para que 27 sea la respuesta correcta.

1-4 Ejercicios

go.hrw.com
Ayuda en línea para tareas*
CLAVE: MR7 1-4
Recursos en línea para padres
CLAVE: MR7 Parent
*(Disponible sólo en inglés)

PRÁCTICA GUIADA

Ver Ejemplo 

Evalúa cada expresión.

1. $36 - 18 \div 6$ **2.** $7 + 24 \div 6 \times 2$ **3.** $62 - 4 \times (15 \div 5)$

Ver Ejemplo 

4. $11 + 2^3 \times 5$ **5.** $5 \times (28 \div 7) - 4^2$ **6.** $5 + 3^2 \times 6 - (10 - 9)$

Ver Ejemplo 

7. Después del partido, el entrenador Milner compró para el equipo 24 porciones de pollo a \$4 cada una y 7 hamburguesas a \$6 cada una. Evalúa $24 \times 4 + 7 \times 6$ para hallar el costo de la comida.

PRÁCTICA INDEPENDIENTE

Ver Ejemplo 

Evalúa cada expresión.

8. $9 + 27 \div 3$ **9.** $2 \times 7 - 32 \div 8$ **10.** $45 \div (3 + 6) \times 3$

11. $(6 + 2) \times 4$ **12.** $9 \div 3 + 6 \times 2$ **13.** $5 + 3 \times 2 + 12 \div 4$

Ver Ejemplo 2

14. $4^2 + 48 \div (10 - 4)$ **15.** $100 \div 5^2 + 7 \times 3$ **16.** $6 \times 2^2 + 28 - 5$

17. $6^2 - 12 \div 3 + (15 - 7)$ **18.** $21 \div (3 + 4) \times 9 - 2^3$ **19.** $(3^2 + 6 \div 2) \times (36 \div 6 - 4)$

Ver Ejemplo 3

20. El parque tiene un grupo de 5 leones adultos y 3 cachorros. Los adultos comen 8 lb de carne a diario y los cachorros, 4 lb. Evalúa $5 \times 8 + 3 \times 4$ para hallar la cantidad de carne que consumen a diario los leones.

21. Angie leyó 4 libros con 150 páginas y 2 libros con 325 páginas, cada uno. Evalúa $4 \times 150 + 2 \times 325$ para hallar el total de páginas que leyó Angie.

PRÁCTICA Y RESOLUCIÓN DE PROBLEMAS

Evalúa cada expresión.

22. $12 + 3 \times 4$ **23.** $25 - 21 \div 3$ **24.** $1 + 7 \times 2$

25. $60 \div (10 + 2) \times 4^2 - 23$ **26.** $10 \times (28 - 23) + 7^2 - 37$ **27.** $(5 - 3) \div 2$

28. $72 \div 9 - 2 \times 4$ **29.** $12 + (1 + 7^2) \div 5$ **30.** $25 - 5^2$

31. $(15 - 6)^2 - 34 \div 2$ **32.** $(2 \times 4)^2 - 3 \times (5 + 3)$ **33.** $16 + 2 \times 3$

Agrega paréntesis para que cada ecuación sea correcta.

34. $2^3 + 6 - 5 \times 4 = 12$ **35.** $7 + 2 \times 6 - 4 - 3 = 53$

36. $3^2 + 6 + 3 \times 3 = 36$ **37.** $5^2 - 10 + 5 + 4^2 = 36$

38. $2 \times 8 + 5 - 3 = 23$ **39.** $9^2 - 2 \times 15 + 16 - 8 = 11$

40. $5 + 7 \times 2 - 3 = 21$ **41.** $4^2 \times 3 - 2 \div 4 = 4$

42. **Razonamiento crítico** Jon dice que la respuesta a $1 + 3 \times (6 + 2) - 7$ es 25. Julie dice que la respuesta es 18. ¿Quién tiene razón? Explica.

CONEXIÓN con los estudios sociales

Los arqueólogos estudian las culturas del pasado al descubrir objetos de ciudades antiguas. Una arqueóloga eligió un sitio en México para las próximas excavaciones de su equipo. Divide el lugar en parcelas rectangulares con un nombre para poder identificar los objetos descubiertos según la parcela donde fueron hallados.

Arqueólogos descubren piezas de cerámica en La Ventilla, México.

43. La arqueóloga debe ordenar una cubierta para la parcela en la que trabaja el equipo. Evalúa la expresión $3 \times (2^2 + 6)$ para hallar el área de la parcela en metros cuadrados.

44. En la primera semana, el equipo arqueológico excava 2 metros y remueve cierta cantidad de tierra. Evalúa la expresión $3 \times (2^2 + 6) \times 2$ para hallar el volumen de tierra removida de la parcela en la primera semana.

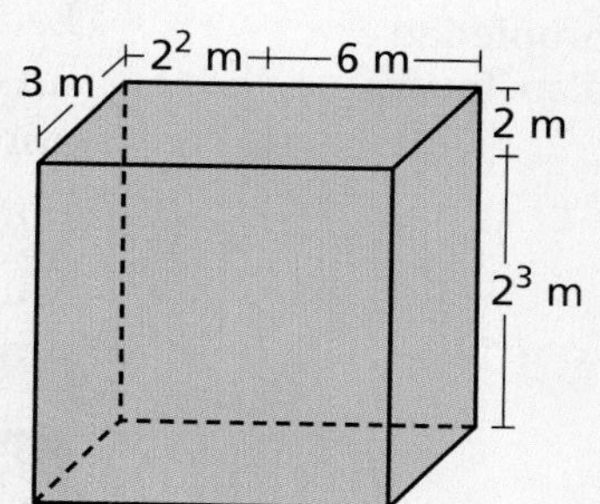

45. Durante las dos semanas siguientes, el equipo arqueológico excava otros 2^3 metros. Evalúa la expresión $3 \times (2^2 + 6) \times (2 + 2^3)$ para hallar el volumen total de tierra removida de la parcela luego de 3 semanas.

46. **Escríbelo** Explica por qué la arqueóloga debe seguir el orden de las operaciones para determinar el área de cada parcela.

47. **Desafío** Escribe una expresión para el volumen de tierra que se habría removido si el equipo de la arqueóloga hubiera excavado otros 3^2 metros después de las primeras tres semanas.

PREPARACIÓN PARA EL EXAMEN y repaso en espiral

48. **Opción múltiple** ¿Qué operación debes realizar primero para evaluar la expresión $81 - (6 + 30 \div 2) \times 5$?

Ⓐ Suma Ⓑ División Ⓒ Multiplicación Ⓓ Resta

49. **Opción múltiple** ¿Qué expresión NO tiene un valor de 5?

Ⓕ $2^2 + (3 - 2)$ Ⓖ $(2^2 + 3) - 2$ Ⓗ $2^2 + 3 - 2$ Ⓙ $2^2 - (3 + 2)$

50. **Respuesta gráfica** ¿Cuál es el valor de la expresión $3^2 + (9 \div 3 - 2)$?

Escribe cada número en forma estándar. (Lección 1-1)

51. 3,000 + 200 + 70 + 3 **52.** 10,000 + 500 + 20 + 1 **53.** 70,000 + 7

Halla cada valor. (Lección 1-3)

54. 8^5 **55.** 5^3 **56.** 3^8 **57.** 4^4 **58.** 7^2

1-5 Cálculo mental

Aprender a usar las propiedades de los números para hacer cálculos mentales

Vocabulario

propiedad conmutativa

propiedad asociativa

propiedad distributiva

Cálculo mental significa "hacer las operaciones matemáticas en tu mente". Shakuntala Devi es extremadamente buena para los cálculos mentales. Cuando se le pidió multiplicar 7,686,369,774,870 por 2,465,099,745,779, ¡tardó sólo 28 segundos en hacer el cálculo mental y dar la respuesta correcta de 18,947,668,177,995,426,462,773,730!

La mayoría de las personas no pueden hacer un cálculo mental como ése, pero se puede aprender a resolver algunos problemas muy rápido mentalmente.

Muchas estrategias de cálculo mental usan las propiedades de los números que ya conoces.

PROPIEDAD CONMUTATIVA (Orden)

Con palabras	Con números
Puedes sumar o multiplicar los números en cualquier orden.	$18 + 9 = 9 + 18$ $15 \times 2 = 2 \times 15$

PROPIEDAD ASOCIATIVA (Agrupación)

Con palabras	Con números
Cuando sólo sumas o multiplicas, puedes agrupar los números que quieras.	$(17 + 2) + 9 = 17 + (2 + 9)$ $(12 \times 2) \times 4 = 12 \times (2 \times 4)$

EJEMPLO 1 Usar las propiedades para sumar y multiplicar números cabales

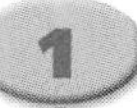

A Evalúa 12 + 4 + 18 + 46.

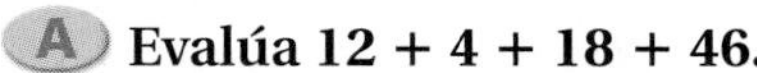

$12 + 4 + 18 + 46$	*Busca las sumas que sean múltiplos de 10.*
$12 + 18 + 4 + 46$	*Usa la propiedad conmutativa.*
$(12 + 18) + (4 + 46)$	*Usa la propiedad asociativa para*
$30 + 50$	*agrupar números compatibles.*
80	*Suma mentalmente.*

B **Evalúa** $5 \times 12 \times 2$.

$5 \times 12 \times 2$	*Busca productos que sean múltiplos de 10.*
$12 \times 5 \times 2$	*Usa la propiedad conmutativa.*
$12 \times (5 \times 2)$	*Usa la propiedad asociativa para agrupar números compatibles.*
12×10	
120	*Multiplica mentalmente.*

PROPIEDAD DISTRIBUTIVA

Con palabras	Con números
Cuando multiplicas un número por una suma, puedes:	
• hallar primero la suma y luego multiplicar o bien	$6 \times (10 + 4) = 6 \times 14 = 84$
• multiplicar por cada número de la suma y luego sumar.	$6 \times (10 + 4) = (6 \times 10) + (6 \times 4) = 60 + 24 = 84$

Cuando multiplicas dos números, puedes "separar" uno de ellos en una suma y luego usar la propiedad distributiva.

Pista útil

Separa el mayor factor en una suma que contenga un múltiplo de 10 y un número de un dígito. Puedes sumar y multiplicar mentalmente estos números.

EJEMPLO 2 Usar la propiedad distributiva para multiplicar

Usa la propiedad distributiva para hallar cada producto.

A 4×23

$4 \times 23 = 4 \times (20 + 3)$	*"Separa" 23 en 20 + 3.*
$= (4 \times 20) + (4 \times 3)$	*Usa la propiedad distributiva.*
$= 80 + 12$	*Multiplica mentalmente.*
$= 92$	*Suma mentalmente.*

B 8×74

$8 \times 74 = 8 \times (70 + 4)$	*"Separa" 74 en 70 + 4.*
$= (8 \times 70) + (8 \times 4)$	*Usa la propiedad distributiva.*
$= 560 + 32$	*Multiplica mentalmente.*
$= 592$	*Suma mentalmente.*

Razonar y comentar

1. Da ejemplos de la propiedad conmutativa y la propiedad asociativa.

2. Identifica algunas situaciones en las que podrías usar el cálculo mental.

1-5 Ejercicios

go.hrw.com
Ayuda en línea para tareas*
CLAVE: MR7 1-5
Recursos en línea para padres
CLAVE: MR7 Parent
*(Disponible sólo en inglés)

PRÁCTICA GUIADA

Ver Ejemplo 1 **Evalúa.**

1. $13 + 9 + 7 + 11$ **2.** $19 + 18 + 11 + 32$ **3.** $25 + 7 + 13 + 5$

4. $5 \times 14 \times 4$ **5.** $4 \times 16 \times 5$ **6.** $5 \times 17 \times 2$

Ver Ejemplo 2 **Usa la propiedad distributiva para hallar cada producto.**

7. 5×24 **8.** 8×52 **9.** 4×39 **10.** 6×14

11. 3×33 **12.** 2×78 **13.** 9×12 **14.** 2×87

PRÁCTICA INDEPENDIENTE

Ver Ejemplo  **Evalúa.**

15. $15 + 17 + 3 + 5$ **16.** $14 + 7 + 16 + 13$ **17.** $6 + 21 + 14 + 9$

18. $5 \times 25 \times 2$ **19.** $2 \times 32 \times 10$ **20.** $6 \times 12 \times 5$

Ver Ejemplo 2 **Usa la propiedad distributiva para hallar cada producto.**

21. 3×36 **22.** 4×42 **23.** 6×71 **24.** 2×94 **25.** 6×23

26. 5×25 **27.** 6×62 **28.** 7×21 **29.** 8×41 **30.** 2×94

PRÁCTICA Y RESOLUCIÓN DE PROBLEMAS

Usa el cálculo mental para hallar cada suma o producto.

31. $8 + 13 + 7 + 12$ **32.** $2 \times 25 \times 4$ **33.** $4 + 22 + 16 + 18$

34. $5 \times 8 \times 12$ **35.** $5 + 98 + 95$ **36.** $6 \times 5 \times 14$

37. $11 + 75 + 25$ **38.** $8 \times 11 \times 5$ **39.** $19 + 1 + 11 + 39$

40. Paul escribe un artículo para el periódico escolar sobre el diseño de jardín que hizo su clase. Los estudiantes plantaron 15 enredaderas, 12 setos, 8 árboles y 35 plantas florales. ¿Cuántas plantas se usaron en el proyecto?

41. **Ciencias de la Tierra** El domingo, la temperatura fue de 58° F. Se pronostica que el lunes aumentará 4° F, otros 2° F el martes y 6° F más el sábado. ¿Qué temperatura se pronostica para el sábado?

42. **Varios pasos** Janice quiere ordenar discos para su computadora. Tiene que hallar el costo total, incluyendo el envío. Si Janice ordena 7 discos, ¿cuál será el costo total?

Descripción	Cantidad	Costo unitario con impuestos	Precio
Discos para computadora	7	$24.00	
		Envío	$7.00
		Total	

Esta rana azul venenosa pertenece a la familia *Dendrobatidae*, que abarca unas 170 especies. Muchas tienen colores brillantes.

Multiplica mediante la propiedad distributiva.

43. 9 × 17 **44.** 4 × 27 **45.** 11 × 18 **46.** 7 × 51

47. 2 × 28 **48.** 9 × 42 **49.** 5 × 55 **50.** 3 × 78

51. 4 × 85 **52.** 6 × 36 **53.** 8 × 24 **54.** 11 × 51

55. Ciencias biológicas Las ranas venenosas se crían bajo el agua y las hembras ponen de 4 a 30 huevos. ¿Cuál sería el número total de huevos si cuatro ranas venenosas pusieran 27 huevos cada una?

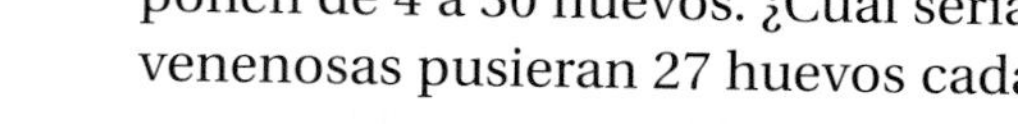

Usa la tabla para los Ejercicios 56 y 57.

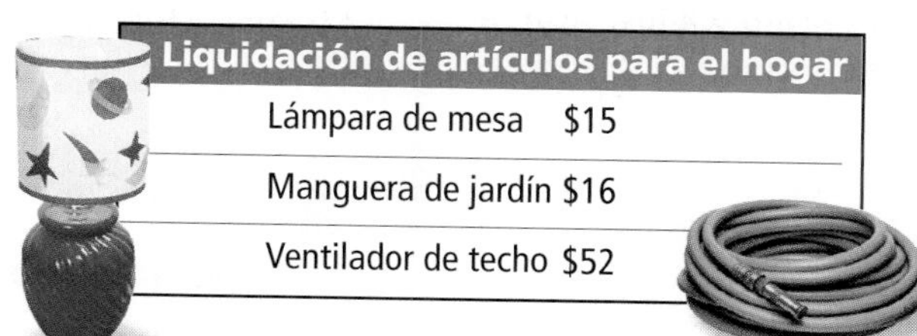

Liquidación de artículos para el hogar	
Lámpara de mesa	$15
Manguera de jardín	$16
Ventilador de techo	$52

56. Rickie quiere comprar tres mangueras de jardín en la venta de liquidación de la tienda de artículos para el hogar. ¿Cuánto costarán?

57. Los chicos de la familia de Josh están ahorrando para comprar cuatro ventiladores de techo en la venta de la tienda de artículos para el hogar. ¿Cuánto tienen que ahorrar?

58. Razonamiento crítico Escribe un problema que puedas simplificar mediante las propiedades conmutativa y asociativa. Luego, muestra los pasos para resolverlo y rotula estas propiedades.

59. ¿Dónde está el error? Un estudiante escribió 5 + 24 + 25 + 6 = 5 + 25 + 24 + 6 al usar la propiedad asociativa. ¿Qué error cometió?

60. Escríbelo ¿Por qué puedes simplificar 5(50 + 3) mediante la propiedad distributiva? ¿Por qué no puedes simplificar 5(50) + 3 mediante la propiedad distributiva?

61. Desafío Explica cómo hallarías el producto de 5^2 × 112 mediante la propiedad distributiva. Evalúa la expresión.

Preparación para el examen y repaso en espiral

62. Opción múltiple ¿Qué expresión NO tiene el mismo valor que 7 × (4 + 23)?

Ⓐ 7 × 27 Ⓑ (7 × 4) + (7 × 23) Ⓒ 7 × 4 + 23 Ⓓ 28 + (7 × 23)

63. Respuesta gráfica Michelle voló 1,240 millas de Los Ángeles a Dallas, y otras 718 millas de Dallas a Atlanta. Desde Atlanta, voló 760 millas a la ciudad de Nueva York. ¿Cuántas millas voló Michelle en total?

Estima cada suma o diferencia por redondeo al millar más cercano. (Lección 1-2)

64. 5,237 − 1,586 **65.** 915,178 + 451,836 **66.** 39,187 − 24,999

Evalúa cada expresión. (Lección 1-4)

67. 4 × 14 + 12 ÷ 2 **68.** 16 ÷ 4^2 + 15 − 2 **69.** 62 + 14 − (5 × 4)

Cómo elegir el método de cálculo

Destreza de resolución de problemas

Aprender a elegir un método apropiado de cálculo y a justificar la elección

La Tierra tiene una luna. Los científicos han determinado que otros planetas de nuestro Sistema Solar tienen hasta 63 lunas. Mercurio y Venus no tienen lunas.

EJEMPLO 1 *Aplicación a la astronomía*

Elige un método de resolución y resuelve. Explica tu elección.

A **¿Cuántas lunas se conocen en nuestro Sistema Solar?**

Es difícil manejar todos estos números si se suma mentalmente, pero los números en sí son pequeños. Puedes usar lápiz y papel.

Planeta	Lunas
Mercurio	0
Venus	0
Tierra	1
Marte	2
Júpiter	63
Saturno	56
Urano	27
Neptuno	13

Fuente: The Planetary Society, 2006

$$\begin{array}{r} 1 \\ 2 \\ 63 \\ 56 \\ 27 \\ +\ 13 \\ \hline 162 \end{array}$$

Se conocen 162 lunas en nuestro Sistema Solar.

B **La temperatura promedio en la Tierra es 59° F. La temperatura promedio en Venus es 867° F. ¿Por cuánto es mayor la temperatura promedio en Venus?**

temperatura en Venus − **temperatura en la Tierra**

867 − 59

Estos números son pequeños y 59 está cerca de un múltiplo de 10. Se puede usar el cálculo mental.

$(867 + 1) - (59 + 1)$ *Razona: Suma 1 a 59 para obtener 60. Suma 1 a 867 para compensar.*

$868 - 60$

808

La temperatura promedio en Venus es 808° F mayor que la temperatura promedio en la Tierra.

Elige un método de resolución y resuelve. Explica tu elección.

C **Las cámaras a bordo de la Estación Espacial Internacional toman unas 115 fotografías de la Tierra por día. ¿Cuántas fotografías toman en un año?**

fotos por día	×	días del año
115	×	365

Razona: Hay 365 días en un año.

Estos números no son compatibles. Por lo tanto, el cálculo mental no es una buena elección.

Puedes usar papel y lápiz, pero para hallar el producto de números con 3 dígitos se necesitan varios pasos. Probablemente sea más rápido usar una calculadora.

Anota con cuidado los números en la calculadora. Copia el producto.

115 × 365 = 41,975

Cada año, la Estación Espacial Internacional toma unas 41,975 fotografías de la Tierra.

Razonar y comentar

1. **Da un ejemplo** de una situación en la que usarías el cálculo mental para resolver un problema. ¿Cuándo usarías papel y lápiz?
2. **Indica** cómo usarías el cálculo mental en el Ejemplo 2 si el problema fuera 867 + 59.

1-6 Ejercicios

go.hrw.com
Ayuda en línea para tareas*
CLAVE: MR7 1-6
Recursos en línea para padres
CLAVE: MR7 Parent
*(Disponible sólo en inglés)

PRÁCTICA GUIADA

Ver Ejemplo 1

Elige un método de resolución y resuelve. Explica tu elección.

1. **Astronomía** ¿Cuántos astronautas en total tienen experiencia de vuelo espacial?

EE.UU.	Alemania	Francia	Canadá	Japón	Italia	Rusia
244	9	8	7	5	3	88

2. **Deportes** En los Juegos Olímpicos del año 2004, se entregaron 929 medallas. El equipo estadounidense ganó el mayor número: 103. ¿Cuántas medallas no ganó el equipo estadounidense?

3. Una fábrica produce 126 pelotas de golf por minuto. ¿Cuántas pelotas de golf puede producir en 515 minutos?

PRÁCTICA INDEPENDIENTE

Ver Ejemplo 1

Elige un método de resolución y resuelve. Explica tu elección.
Usa el diagrama de la derecha para los Ejercicios 4 y 5.

6	9	5
10	20	8
3	7	4

4. El puntaje más alto es el total de todos los cuadrados del tablero. ¿Qué puntaje es?
5. ¿Qué puntaje es más alto: el total de cuadrados de la fila del medio o el de la columna del medio?
6. Si en cada sucursal de una cadena de 108 mueblerías se venden 135 sofás por año, ¿cuántos sofás se venden en total?

PRÁCTICA Y RESOLUCIÓN DE PROBLEMAS

Práctica adicional
Ver página 715

Evalúa cada expresión e indica qué método de cálculo usaste.

7. $5 + 24 + 7 + 1 + 64 + 2 + 8$ 8. $16 + 2 + 4 + 13 + 5 + 1 + 14$

9. 828×623 10. $742 - 167$ 11. $41 + 169$ 12. $499 - 201$ 13. $338 + 12$

14. Un satélite viaja 985,200 millas por año. ¿Cuántas millas viajará si permanece en el espacio durante 12 años?

15. **¿Cuál es la pregunta?** Un astronauta ha practicado en un tanque que simula la falta de gravedad los siguientes minutos: 2, 15, 5, 40, 10 y 55. La respuesta es 127. ¿Cuál es la pregunta?

16. **Escríbelo** Explica cómo puedes decidir entre usar lápiz y papel, cálculo mental o una calculadora para resolver un problema de resta.

17. **Desafío** Dos comisiones redujeron una lista de posibles astronautas. La primera comisión eligió a 93 personas para que llenaran por escrito una forma. La segunda eligió a 31 de estas personas para que se presentaran a una entrevista. Si a 837 no se les pidió que llenaran la forma, ¿cuántas personas había en la lista original?

PREPARACIÓN PARA EL EXAMEN y repaso en espiral

18. **Opción múltiple** Marte completa en 687 días una vuelta alrededor del Sol. Venus da la vuelta al Sol en 225 días. ¿Cuántos días más que Venus tarda Marte en completar una vuelta alrededor del Sol?

Ⓐ 462 días Ⓑ 500 días Ⓒ 900 días Ⓓ 912 días

19. **Respuesta breve** Héctor recorrió 13 millas en bicicleta cada lunes, miércoles y viernes durante 24 semanas. Halla la cantidad total de millas que Héctor recorrió en las 24 semanas. Explica tu respuesta.

Evalúa cada expresión. (Lección 1-4)

20. $(2 + 7 - 5) \div 2$ 21. $10(6 - 3)$ 22. $5 + 8 \times 7 - 1$ 23. $5 + (8 + 2) - 3$

Identifica la propiedad ilustrada por cada ecuación. (Lección 1-5)

24. $3 + (4 + 5) = (3 + 4) + 5$ 25. $19(24) = 19(20) + 19(4)$ 26. $2(13) = 13(2)$

1-7 Patrones y sucesiones

Aprender a hallar patrones y a reconocer, describir y continuar patrones en sucesiones

Vocabulario

sucesión

término

sucesión aritmética

Cada mes, Eva elige 3 nuevos DVD de su club de DVD.

Los DVD de Eva	
Mes	DVD
1	3
2	6
3	9
4	12

Posición ⇒ Mes; DVD ⇐ Valor del término; +3, +3, +3

La cantidad de DVD de Eva después de cada mes muestra un patrón: sumar 3. Este patrón puede escribirse como una sucesión. 3, 6, 9,12, 15, ...

Una **sucesión** es un conjunto ordenado de números. Cada número de la sucesión se llama **término.** En esta sucesión, 3 es el primer término, 6 es el segundo y 9 es el tercero.

Cuando los términos de una sucesión cambian en la misma cantidad cada vez, la sucesión se llama **sucesión aritmética.**

EJEMPLO 1 Continuar sucesiones aritméticas

Pista útil

Observa la relación entre el primer término y el segundo. Comprueba si la relación se mantiene entre el segundo término y el tercero, y así sucesivamente.

Identifica un patrón en cada sucesión aritmética y luego halla los términos que faltan.

A 3, 15, 27, 39, ■, ■, . . .

Busca un patrón.

Un patrón es sumar 12 a cada término para obtener el siguiente término.

3, 15, 27, 39, ■, ■, . . .
+12 +12 +12 +12 +12

$39 + 12 = 51 \quad 51 + 12 = 63$

Por lo tanto, 51 y 63 son los términos que faltan.

B 12, 21, 30, 39, ■, ■, . . .

Usa una tabla para hallar un patrón.

Posición	1	2	3	4	5	6
Valor del término	12	21	30	39	■	■

+ 9 + 9 + 9 + 9 + 9

Un patrón es sumar 9 a cada término para obtener el siguiente término.

$39 + 9 = 48 \qquad 48 + 9 = 57$

Por lo tanto, 48 y 57 son los términos que faltan.

No todas las sucesiones son aritméticas.

Sucesiones aritméticas		Sucesiones no aritméticas	
2, 4, 6, 8,...	20, 35, 50, 65,...	1, 3, 6, 10,...	2, 6, 18, 54,...
+2 +2 +2	+15 +15 +15	+2 +3 +4	×3 ×3 ×3

En las sucesiones no aritméticas, busca patrones que usen la multiplicación o la división. Algunas sucesiones pueden ser incluso combinaciones de distintas operaciones.

EJEMPLO 

Completar otras sucesiones

Identifica un patrón en cada sucesión y escribe los términos que faltan.

A **4, 15, 8, 19, 12, 23, 16, ■, ■, ■, . . .**

4 15 8 19 12 23 16 ■ ■ ■

+11 −7 +11 −7 +11 −7 +11 −7 +11

Un patrón es sumar 11 a un término y restar 7 del siguiente.

$16 + 11 = 27$ $27 - 7 = 20$ $20 + 11 = 31$

Por lo tanto, 27, 20 y 31 son los términos que faltan.

B

Posición	1	2	3	4	5	6	7	8	9
Valor del término	1	6	2	12	■	24	8	■	16

Posición	1	2	3	4	5	6	7	8	9
Valor del término	1	6	2	12	■	24	8	■	16

×6 ÷3 ×6 ÷3 ×6 ÷3 ×6 ÷3

Un patrón es multiplicar un término por 6 y dividir el siguiente entre 3.

$12 \div 3 = 4$ $8 \times 6 = 48$

Por lo tanto, 4 y 48 son los términos que faltan.

Razonar y comentar

1. **Indica** cómo comprobarías si los dos siguientes términos de la sucesión aritmética 5, 7, 9, 11, . . . son 13 y 15.
2. **Explica** cómo hallar el siguiente término de la sucesión 16, 8, 4, 2, ■, ...
3. **Explica** cómo determinar si 256, 128, 64, 32, ... es una sucesión aritmética o no aritmética.

1-7 Ejercicios

go.hrw.com
Ayuda en línea para tareas*
CLAVE: MR7 1-7
Recursos en línea para padres
CLAVE: MR7 Parent
*(Disponible sólo en inglés)

PRÁCTICA GUIADA

Ver Ejemplo 1 **Identifica un patrón en cada sucesión aritmética y luego halla los términos que faltan.**

1. 12, 24, 36, 48, ▒, ▒, ▒, . . .

2. 105, 90, 75, 60, 45, ▒, ▒, ▒, . . .

3.

Posición	1	2	3	4	5	6
Valor del término	7	18	29	40	▒	▒

4.

Posición	1	2	3	4	5	6
Valor del término	44	38	32	26	▒	▒

Ver Ejemplo 2 **Identifica un patrón en cada sucesión y escribe los términos que faltan.**

5. 2, 9, 7, 14, ▒, ▒, . . .

6. 80, 8, 40, 4, ▒, 2, 10, ▒, . . .

7.

Posición	1	2	3	4	5	6	7	8
Valor del término	1	6	3	18	▒	54	27	▒

PRÁCTICA INDEPENDIENTE

Ver Ejemplo 1 **Identifica un patrón en cada sucesión aritmética y luego halla los términos que faltan.**

8. 9, 19, 29, 39, 49, ▒, ▒, ▒, . . .

9. 98, 84, 70, 56, 42, ▒, ▒, ▒, . . .

10.

Posición	1	2	3	4	5	6
Valor del término	45	38	31	24	▒	▒

11.

Posición	1	2	3	4	5	6
Valor del término	8	11	14	17	▒	▒

Ver Ejemplo 2 **Identifica un patrón en cada sucesión y escribe los términos que faltan.**

12. 50, 40, 43, 33, ▒, 26, ▒, . . .

13. 7, 28, 24, 45, ▒, ▒, ▒, . . .

14.

Posición	1	2	3	4	5	6	7
Valor del término	120	60	180	90	▒	▒	405

15.

Posición	1	2	3	4	5	6	7
Valor del término	400	100	200	50	▒	▒	50

PRÁCTICA Y RESOLUCIÓN DE PROBLEMAS

Práctica adicional
Ver página 715

Usa el patrón para escribir los primeros cinco términos de la sucesión.

16. Comienza con 1; multiplica por 3. **17.** Comienza con 5; suma 9.
18. Comienza con 100; resta 7.

19. Estudios sociales El calendario lunar chino se basa en un ciclo de 12 años. Cada año lleva el nombre de un animal diferente. El año 2006 es el año del perro.
- **a.** ¿Cuál será el siguiente año del perro?
- **b.** ¿Cuál fue el último año del perro?
- **c.** ¿Será el año 2030 un año del perro? Explica.

Identifica si cada una de las sucesiones dadas podría ser aritmética. Si no lo son, identifica el patrón de la sucesión.

20. 10, 16, 22, 28, 34, . . . **21.** 60, 56, 61, 57, 62, . . . **22.** 111, 121, 131, 141, 151, . . .

23. Elige una estrategia El * muestra dónde falta una pieza en el patrón. ¿Qué pieza falta?

Ⓐ y Ⓑ B Ⓒ y Ⓓ Y

24. Los números cabales elevados a la segunda potencia se llaman cuadrados perfectos. Esto se debe a que pueden representarse mediante objetos ordenados en forma de cuadrado. Los cuadrados perfectos pueden escribirse como la sucesión 1, 4, 9, 16, . . .
- **a.** Halla los siguientes dos cuadrados perfectos de la sucesión.
- **b.** ¿Cómo puedes saber si un número es un cuadrado perfecto? Explica.

25. Escríbelo Explica cómo se puede determinar si una sucesión es aritmética.

26. Desafío Halla los términos que faltan en la siguiente sucesión:

▢, 2^3, 27, 4^3, 125, ▢, 343, . . .

PREPARACIÓN PARA EL EXAMEN y repaso en espiral

27. Opción múltiple Identifica el patrón en la sucesión 6, 11, 16, 21, 26, . . .

Ⓐ Sumar 5 Ⓑ Sumar 6 Ⓒ Multiplicar por 5 Ⓓ Multiplicar por 6

28. Respuesta desarrollada Identifica el primer término y el patrón de la sucesión 5, 8, 11, 14, 17, . . . ¿Es una sucesión aritmética? Explica por qué sí o por qué no. Halla los tres términos siguientes de la sucesión.

Usa el cálculo mental para hallar cada suma o producto. (Lección 1-5)

29. 13 + 6 + 17 + 24 **30.** 4 × 11 × 5 **31.** 45 + 11 + 35 + 29

Elige un método de resolución y resuelve. Explica tu elección. (Lección 1-6)

32. Desde 2005, Hank Aaron encabezó la lista de la Liga Mayor de Béisbol con 755 jonrones. Sadaharu Oh encabezó la lista del béisbol japonés con 868 jonrones. ¿Cuántos más jonrones hizo Oh que Aaron?

Hallar un patrón en sucesiones

Para usar con la Lección 1-7

go.hrw.com
Recursos en línea para el laboratorio
CLAVE: MR7 Lab1

Los números 4, 7, 10, 13, 16, 19, … forman una sucesión aritmética. Para continuarla, identifica el patrón. Un posible patrón es el siguiente:

$$4, \quad 4 + 3 = 7, \quad 7 + 3 = 10, \quad 10 + 3 = 13, \ldots$$

Actividad

Usa una hoja de cálculo para generar los primeros siete términos de la sucesión anterior.

Para comenzar con 4, escribe **4** en la celda A1.

Para sumar 3 al valor de la celda A1, escribe **=A1 + 3** en la celda B1.

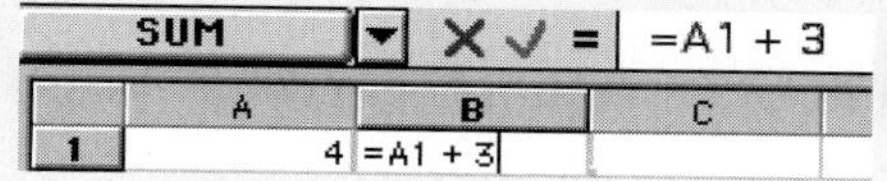

Oprime ENTER.

Para continuar la sucesión, haz clic en el cuadro de la esquina inferior derecha de la celda B1 y, sin soltar el botón del ratón, arrastra el cursor hasta la celda G1.

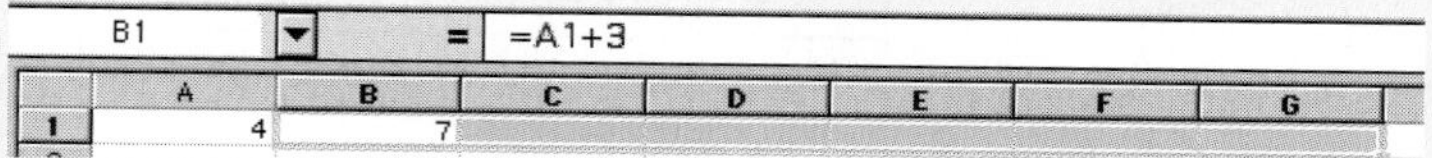

Cuando sueltes el botón del ratón, aparecerán los primeros siete términos de la sucesión en las celdas de la A1 a la G1.

B1 = =A1+3

	A	B	C	D	E	F	G
1	4	7	10	13	16	19	22

Razonar y comentar

1. ¿Cómo usas el patrón de una sucesión cuando usas tu hoja de cálculo para generar los términos?

Inténtalo

Identifica un patrón en cada sucesión. Luego, genera en una hoja de cálculo los primeros 12 términos.

1. 9, 14, 19, 24, 29, 34, …

2. 7, 13, 19, 25, 31, 37, …

3. 105, 98, 91, 84, 77, 70, ...

4. 21, 29, 37, 45, 53, 61, …

5. 150, 174, 198, 222, 246, 270, …

6. 600, 550, 500, 450, 400, 350, ...

SECCIÓN 1B

Prueba de las Lecciones 1-4 a 1-7

1-4 El orden de las operaciones

Evalúa cada expresión.

1. $3 \times 4 \div (10 - 4)$
2. $5^2 + 10 \div 2 - 1$
3. $4 + (12 - 8) \times 6$
4. $(2^3 + 2) \times 10$
5. La Sra. Webb compra 7 tarjetas a $2 cada una, 3 plumas metálicas a $1 cada una y 1 libreta de notas a $4. Evalúa $7 \times 2 + 3 \times 1 + 1 \times 4$ para hallar cuánto gasta en total la Sra. Webb.

1-5 Cálculo mental

Evalúa.

6. $4 + 21 + 9 + 6$
7. $5 \times 17 \times 2$
8. $45 + 19 + 1 + 55$
9. $2 \times 17 \times 10$

Usa la propiedad distributiva para hallar cada producto.

10. 5×62
11. 9×41
12. 4×23
13. 7×14
14. 5×34

¿Listo para seguir?

1-6 Cómo elegir el método de cálculo

Elige un método de resolución y resuelve. Explica tu elección.

15. ¿Cuántos parques estatales de Texas se muestran en la tabla?
16. ¿Cuántos parques más hay en la región de Prairies and Lakes que en la región de Big Bend?

Parques estatales de Texas

Región	Cantidad de parques
Big Bend	7
Gulf Coast	11
Hill Country	11
Panhandle Plains	12
Pineywoods	13
Prairies and Lakes	22
South Texas Plains	5

1-7 Patrones y sucesiones

Identifica un patrón en la sucesión aritmética y luego halla los términos que faltan.

17.

Posición	1	2	3	4	5	6	7
Valor del término	5	14	23	32	■	■	■

Identifica un patrón en cada sucesión y escribe los términos que faltan.

18. 4, 20, 15, 31, ■, ■, 37…
19. 16, 32, 8, 16, ■, 8, 2, ■, 1, …
20. En una sala de conciertos, hay 5 asientos en la primera fila, 9 asientos en la segunda fila, 13 asientos en la tercera fila y 17 asientos en la cuarta fila. Si este patrón continúa, ¿cuántos asientos hay en la sexta fila?

Preparación de varios pasos para el examen

¡Vamos por el oro! En la tabla se muestra la cantidad de medallas que ganó Estados Unidos en cuatro Juegos Olímpicos de Verano.

1. Halla la cantidad total de medallas que ganó Estados Unidos en cada Olimpíada. Luego, ordena las sedes olímpicas de mayor a menor, de acuerdo con la cantidad de medallas ganadas.

2. Estima la cantidad total de medallas de oro que ganó Estados Unidos en las cuatro Olimpíadas. Explica cómo hiciste tu estimación.

Medallas olímpicas obtenidas por atletas estadounidenses

Año	Sede	Oro	Plata	Bronce
1992	Barcelona	37	34	37
1996	Atlanta	44	32	25
2000	Sydney	40	24	33
2004	Atenas	35	39	29

3. Para comparar el desempeño de los atletas estadounidenses en las diferentes Olimpíadas, Jocelyn asigna 3 puntos a cada medalla de oro, 2 puntos a cada medalla de plata y 1 punto a cada medalla de bronce. Para hallar el puntaje total de Estados Unidos en las Olimpíadas de Barcelona, escribe la expresión $3 \times 37 + 2 \times 34 + 1 \times 37$. Explica cómo evaluar esta expresión y después halla el puntaje total.

4. En 1996, Rumania ganó 2^2 medallas de oro, 7^1 medallas de plata y 3^2 medallas de bronce. ¿Cuántas medallas ganó Rumania de cada metal? Halla la diferencia entre la cantidad de medallas que ganó Estados Unidos y la que ganó Rumania en 1996.

5. La cantidad total de medallas que ganó Estados Unidos en todas las Olimpíadas desde 1896 es $3^7 + 2$. ¿Cuántas medallas más deben ganar los atletas estadounidenses para alcanzar las 2,200?

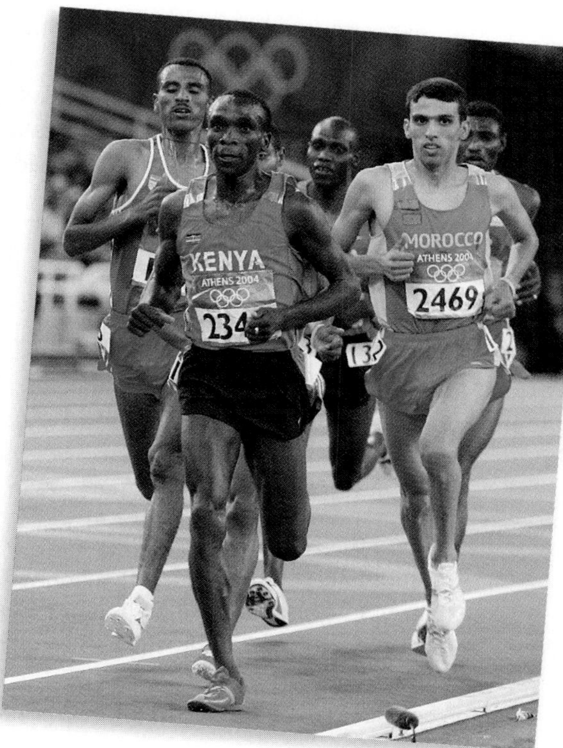

¡Vamos a jugar!

Los palíndromos

Un *palíndromo* es una palabra, frase o número que se lee igual hacia adelante que hacia atrás.

Ejemplos:
Ave Eva Amor a Roma 3710173

Con este truco, puedes convertir casi cualquier número en un palíndromo.

Piensa en cualquier número.
Suma el número al revés.

$$\begin{array}{r} 283 \\ +\,382 \\ \hline 665 \end{array}$$

Con esa suma repite el paso anterior.
Repite hasta que la suma final sea un palíndromo.

$$\begin{array}{r} 665 \\ +\,566 \\ \hline 1{,}231 \end{array}$$

$$\begin{array}{r} 1{,}231 \\ +\,1{,}321 \\ \hline 2{,}552 \end{array}$$

Sólo se necesitan tres pasos para crear un palíndromo, comenzando con el número 283. ¿Qué pasa si comienzas con el número 196? ¿Crees que conseguirás un palíndromo si comienzas con el 196? Un hombre comenzó con 196 y repitió los pasos hasta que obtuvo un número de 70,928 dígitos, ¡y todavía no había formado un palíndromo!

Gana un millón

El objetivo de este juego es crear el número que más se acerque a 1,000,000.

Por turnos, hagan girar la rueda y escriban el número en su tabla de valor posicional. No pueden mover el número una vez que lo han ubicado.

Después de seis rondas, el jugador que tenga el número más cercano a un millón gana la ronda y se anota un punto. El primer jugador que obtenga cinco puntos gana el juego.

go.hrw.com
¡Vamos a jugar! Extra
CLAVE: MR7 Games

La copia completa de las reglas y las piezas del juego se encuentran disponibles en línea.

Materiales
• caja de DVD de plástico
• cartón de colores
• marcadores
• tijeras
• barrita de pegamento
• sobre para tarjetas
• tarjetas
• cierre de latón
• clip grande
¡Está en la bolsa!

PROYECTO La rueda matemática

Haz un juego con una caja de DVD vacía para repasar los conceptos de este capítulo.

Instrucciones

1. Recorta un trozo de cartón que puedas doblar a la mitad y acomodar dentro de la caja de DVD. Extiende el cartón dentro de la caja y dibuja el camino de casilleros de un juego de mesa. No olvides incluir una salida y una llegada. **Figura A**

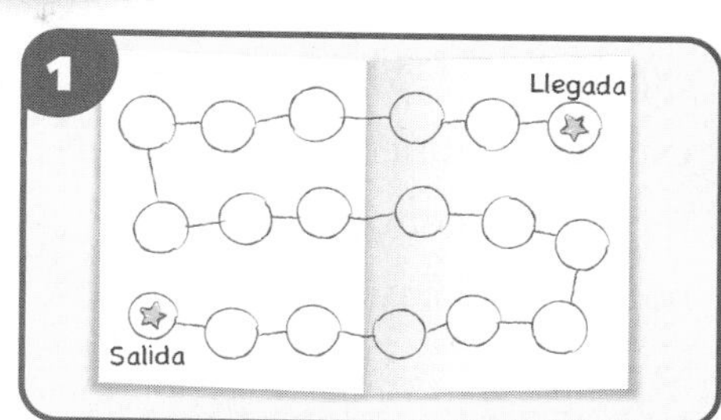

2. Cierra el tablero y decora su frente. Luego, pega allí el sobre donde colocarás las tarjetas. **Figura B**

3. En las tarjetas, escribe problemas que puedan resolverse aplicando los conceptos de matemáticas de este capítulo. Coloca las tarjetas en el sobre.

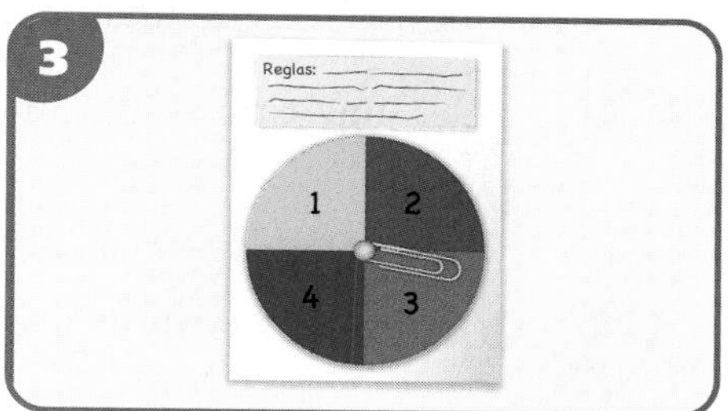

4. Recorta un trozo de cartón que se corresponda con el otro lado de la caja de DVD. En la parte de arriba pega las instrucciones del juego; en la parte de abajo, haz una rueda giratoria del tamaño de un DVD. Coloca el cierre de latón en el centro de la rueda y luego sujeta un clip al cierre. **Figura C**

Matemáticas en acción

Juega con un compañero usando botones o monedas. Túrnense para hacer girar la rueda giratoria. Para poder avanzar, deberán resolver los problemas correctamente.

CAPÍTULO 1

Guía de estudio: Repaso

Vocabulario

Completa los enunciados con las palabras del vocabulario.

1. Un conjunto ordenado de números se llama __?__. Cada número de una sucesión se llama __?__.
2. En la expresión 8^5, 8 es el/la __?__ y 5, el/la __?__.
3. El/la __?__ es un conjunto de reglas para evaluar una expresión que contenga más de una operación.
4. Al __?__ una expresión numérica, se halla su valor.

1-1 Cómo comparar y ordenar números cabales (págs. 6–9)

EJEMPLO

■ **Ordena los números de menor a mayor.**
4,913; 4,931; 4,391

4,913
4,931 *4,913 < 4,931*

4,931
4,391 *4,391 < 4,931*

4,913
4,391 *4,391 < 4,913*

4,391 < 4,913 < 4,931

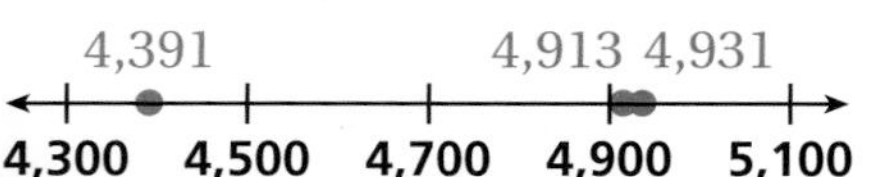

EJERCICIOS

Ordena los números de menor a mayor.

5. 8,731; 8,737; 8,735; 8,740
6. 53,341; 53,337; 53,456; 53,452
7. 87,091; 8,791; 87,901; 81,790
8. 26,551; 25,615; 2,651; 22,561
9. 96,361; 96,631; 93,613; 91,363
10. 10,101; 11,010; 10,110; 11,110

1-2 Cómo estimar con números cabales (págs. 10–13)

EJEMPLO

- **Estima la suma 837 + 710 por redondeo a la posición de las centenas.**
  800 + 700 = 1,500
  La suma es aproximadamente 1,500.

- **Estima el cociente de 148 entre 31.**
  150 ÷ 30 = 5
  El cociente es aproximadamente 5.

EJERCICIOS

Estima cada suma o diferencia por redondeo al valor posicional indicado.

11. 4,671 − 3,954; a millares

12. 3,123 + 2,987; a millares

13. 53,465 − 27,465; a decenas de millar

14. Ralph tiene 38 hojas en su álbum de fotos con 22 estampas de béisbol en cada una. ¿Aproximadamente cuántas estampas tiene?

1-3 Exponentes (págs. 14–17)

EJEMPLO

- **Escribe 6 × 6 en forma exponencial.**
  6^2 *6 es factor 2 veces.*

Halla cada valor.

- 5^2
  $5^2 = 5 \times 5$
  $= 25$

- 6^3
  $6^3 = 6 \times 6 \times 6$
  $= 216$

EJERCICIOS

Escribe cada expresión en forma exponencial.

15. 5 × 5 × 5 **16.** 3 × 3 × 3 × 3

17. 7 × 7 × 7 × 7 × 7 **18.** 8 × 8

19. 4 × 4 × 4 × 4 **20.** 1 × 1 × 1

Halla cada valor.

21. 4^4 **22.** 2^4 **23.** 6^3

24. 3^3 **25.** 1^5 **26.** 7^4

27. 5^3 **28.** 10^2 **29.** 9^2

1-4 El orden de las operaciones (págs. 22–25)

EJEMPLO

- **Evalúa $8 \div (7 - 5) \times 2^2 - 2 + 9$.**

$8 \div (7 - 5) \times 2^2 - 2 + 9$

$8 \div 2 \times 2^2 - 2 + 9$ *Resta lo que está entre paréntesis.*

$8 \div 2 \times 4 - 2 + 9$ *Simplifica el exponente.*

$4 \times 4 - 2 + 9$ *Divide.*

$16 - 2 + 9$ *Multiplica.*

$14 + 9$ *Resta.*

23 *Suma.*

EJERCICIOS

Evalúa cada expresión.

30. 9 × 8 − 13

31. 21 ÷ 3 + 4

32. 6 + 4 × 5

33. 19 − 12 ÷ 6

34. 30 ÷ 2 − 5 × 2

35. $(7 + 3) \div 2 \times 3^2$

36. $8 \times (7 + 5) \div 4^2 + 9 \div 3$

37. $3^2 \times 5 \div (10 \times 3 \div 2)$

1-5 Cálculo mental (págs. 26–29)

EJEMPLO

Evalúa.

- **4 + 13 + 6 + 7**
  4 + 6 + 13 + 7
  (4 + 6) + (13 + 7)
  10 + 20
  30

- **5 × 9 × 6**
  5 × 6 × 9
  (5 × 6) × 9
  30 × 9
  270

- **Usa la propiedad distributiva para hallar 3 × 16.**
  3 × 16 = 3 × (10 + 6)
  = (3 × 10) + (3 × 6)
  = 30 + 18
  = 48

EJERCICIOS

Evalúa.

38. 9 + 5 + 1 + 15
39. 8 × 13 × 5
40. 31 + 16 + 19 + 14
41. 6 × 12 × 15
42. 17 + 12 + 8 + 3
43. 16 × 5 × 4
44. 11 + 23 + 27 + 39
45. 13 × 5 × 2

Usa la propiedad distributiva para hallar cada producto.

46. 7 × 24
47. 9 × 15
48. 6 × 34
49. 8 × 19
50. 8 × 27
51. 5 × 33

1-6 Cómo elegir el método de cálculo (págs. 30–32)

EJEMPLO

- **Elige un método de resolución y resuelve. Explica tu elección.**

  El promedio anual de precipitación pluvial en Washington, D.C., es 39 pulgadas. ¿Cuál es el promedio de precipitación pluvial en Washington, D.C., en 8 años?

  Los números no son tan largos como para usar una calculadora. Usa lápiz y papel para hallar la respuesta. 39 × 8 = 312 pulgadas

EJERCICIOS

Elige un método de resolución y resuelve. Explica tu elección.

52. La temperatura máxima promedio en Washington, D.C., en enero es 42° F. La temperatura máxima registrada en esa ciudad es 104° F. ¿Por cuánto sobrepasa la temperatura máxima registrada a la temperatura promedio máxima de enero?

1-7 Patrones y sucesiones (págs. 33–36)

EJEMPLO

Identifica un patrón en la sucesión y escribe los términos que faltan.

- 1, 3, 5, 7, ▒, ▒, . . .
  +2 +2 +2 +2 +2

  El patrón es sumar 2 a cada término. Los términos que faltan son 9 y 11.

- 6, 12, 11, 22, ▒, 42, ▒, . . .
  ×2 −1 ×2 −1 ×2 −1

  El patrón es multiplicar un término por 2 y restar 1 del siguiente. Los términos que faltan son 21 y 41.

EJERCICIOS

Identifica el patrón de cada sucesión y luego halla los términos que faltan.

53. 4, 9, 14, 19, ▒, ▒, . . .
54. 21, 19, 17, 15, ▒, ▒, . . .

Identifica un patrón en cada sucesión y escribe los términos que faltan.

55. 16, 20, 18, 22, ▒, 24, ▒, . . .
56. 1, 3, 9, 27, ▒, ▒, . . .
57. 65, 70, 68, 73, ▒, 76, ▒, . . .

Compara. Escribe $<$, $>$ ó $=$.

1. 3,241 ▒ 324 **2.** 16,880,953 ▒ 16,221,773 **3.** 22,481,093 ▒ 23,662,840

Ordena los números de menor a mayor.

4. 801; 798; 921 **5.** 4,835; 7,505; 4,310 **6.** 10,101; 101; 1,001

Estima cada suma o diferencia por redondeo al valor posicional indicado.

7. 8,743 + 3,198; a millares **8.** 62,524 − 17,831; a decenas de millar

Estima.

9. La familia de Kaitlin planea hacer un viaje de Washington, D.C., a la ciudad de Nueva York. La ciudad de Nueva York está a 227 millas de Washington, D.C., y la familia puede conducir a un promedio de 55 mi/h. ¿Aproximadamente cuánto durará el viaje?

Escribe cada expresión en forma exponencial.

10. $4 \times 4 \times 4 \times 4 \times 4$ **11.** $10 \times 10 \times 10$ **12.** $6 \times 6 \times 6 \times 6$

Halla cada valor.

13. 2^3 **14.** 5^2 **15.** 4^4 **16.** 11^2 **17.** 9^3

Evalúa cada expresión.

18. $12 + 8 \div 2$ **19.** $3^2 \times 5 + 10 - 7$ **20.** $12 + (28 - 15) + 4 \times 2$

Evalúa.

21. $15 + 23 + 47 + 5$ **22.** $5 \times 48 \times 2$ **23.** $2 \times 5 \times 11$ **24.** $44 + 18 + 12 + 6$

Usa la propiedad distributiva para hallar cada producto.

25. 3×32 **26.** 52×6 **27.** 24×5 **28.** 81×6 **29.** 6×21

Elige un método de resolución y resuelve. Explica tu elección.

30. A las 5:00 am, la temperatura era de 41° F. Al mediodía, era de 69° F. ¿Cuántos grados aumentó la temperatura?

Identifica un patrón en cada sucesión y escribe los términos que faltan.

31. 8, 22, 36, 50, ▒, ▒, ▒, . . . **32.** 2, 10, 7, 15, ▒, 20, ▒, . . .

33. Un patrón de fichas tiene 1 ficha en la primera fila, 3 fichas en la segunda fila y 5 fichas en la tercera fila. Si este patrón continúa, ¿cuántas fichas hay en la quinta fila?

CAPÍTULO 1

AYUDA PARA EXAMEN

Estrategias para el examen estandarizado

Ayuda para examen

Opción múltiple: Elimina opciones de respuesta

Puedes resolver algunos problemas de matemáticas sin hacer cálculos detallados. Puedes usar el cálculo mental, la estimación o el razonamiento lógico para eliminar opciones de respuesta y ahorrar tiempo.

EJEMPLO 1

¿Qué número es la estimación más cercana de 678 + 189?

(A) 700

(B) 900

(C) 1,000

(D) 5,000

Puedes emplear el razonamiento lógico para eliminar la opción A porque es demasiado pequeña. La suma estimada tiene que ser mayor que 700 porque 678 + 189 es mayor que 700.

La opción D también puede eliminarse porque el valor es demasiado alto. La suma estimada será menor que 5,000.

Redondea 678 a 700 y 189 a 200. Luego, halla la suma de 700 y 200: 700 + 200 = 900. Puedes eliminar la opción C porque es mayor que 900.

La opción B es la estimación más cercana.

EJEMPLO 2

¿Cuál de los siguientes números es la forma estándar de cuatro millones, seiscientos ocho mil quince?

(F) 468,015

(G) 4,608,015

(H) 4,068,150

(J) 4,600,815,000

Se puede usar el razonamiento lógico para eliminar opciones. Los números con un valor posicional en los millones deben tener por lo menos siete dígitos, pero no más de nueve. Las opciones F y J se pueden eliminar porque no tienen el número correcto de dígitos.

Las opciones G y H tienen el número correcto de dígitos, de modo que hay que seguir eliminando. El número debe terminar en 15. La opción H termina en 50, de modo que no puede ser correcta. Elimínala.

La opción de respuesta correcta es G.

Algunas opciones de respuesta, llamadas distractores, pueden parecer correctas porque se basan en errores de cálculo comunes.

Lee cada recuadro y contesta las preguntas que le siguen.

A

¿Qué número es el mayor?

Ⓐ 599,485 Ⓒ 5,569,003

Ⓑ 5,571,987 Ⓓ 5,399,879

1. ¿Hay algunas opciones de respuesta que puedas eliminar de inmediato? Si las hay, ¿cuáles son y por qué?
2. Describe cómo puedes hallar la respuesta correcta.

Poblaciones de escuelas intermedias de la ciudad	
Intermedia Central	652
Intermedia Eastside	718
Intermedia Northside	663
Intermedia Southside	731
Intermedia Westside	842

B

El distrito escolar recibe $30 diarios de fondos estatales por cada estudiante matriculado en una escuela pública. Halla el número aproximado de estudiantes que asisten a todas las escuelas intermedias de la ciudad.

Ⓕ 2,000 Ⓗ 3,600

Ⓖ 3,300 Ⓙ 4,000

3. ¿Se puede eliminar F? ¿Por qué?
4. ¿Se puede eliminar H? ¿Por qué?
5. Explica cómo usar el cálculo mental para resolver este problema.

C

¿Qué expresión NO tiene el mismo valor que $8 \times (52 + 12)$?

Ⓐ 8×64

Ⓑ $(8 \times 52) + (8 \times 12)$

Ⓒ $8(60) + 8(4)$

Ⓓ $8 \times 52 + 12$

6. ¿Qué opción de respuesta puede eliminarse de inmediato? Explica.
7. Explica cómo puedes usar la propiedad distributiva para resolver este problema.

D

Stacey comenzará un nuevo programa de ejercicios. Planea recorrer en bicicleta 2 kilómetros el primer día. Cada día duplicará la cantidad de kilómetros que hizo el día anterior. ¿Qué expresión indica cuántos kilómetros recorrerá el sexto día?

Ⓕ 2×6 Ⓗ 2^6

Ⓖ $2 + 2 + 2 + 2 + 2 + 2$ Ⓙ 6^2

8. ¿Hay opciones de respuesta que puedas eliminar de inmediato? Si las hay, ¿cuáles son y por qué?
9. Explica cómo puedes usar una tabla para resolver este problema.

E

James va en automóvil a la casa de su tía. Si conduce a unas 55 millas por hora durante 5 horas, ¿aproximadamente cuántas millas habrá recorrido?

Ⓐ 12 millas Ⓒ 60 millas

Ⓑ 300 millas 600 millas

10. ¿Qué opción u opciones pueden eliminarse de inmediato y por qué?
11. Explica cómo resolver este problema.

CAPÍTULO 1

PREPARACIÓN PARA EL EXAMEN ESTANDARIZADO

go.hrw.com
Práctica en línea para el examen estatal
CLAVE: MR7 Test Prep

EVALUACIÓN ACUMULATIVA, CAPÍTULO 1

Opción múltiple

1. Jonah tiene 31 cajas de estampas de béisbol. Si cada caja contiene 183 estampas, ¿aproximadamente cuántas estampas tiene Jonah en su colección?

(A) 3,000 estampas (C) 9,000 estampas
(B) 6,000 estampas (D) 12,000 estampas

2. ¿Cuál de las siguientes opciones NO tiene un valor de 27?

(F) 3^3 (H) $3 \times 3 + 18$
(G) $3^2 + 3 \times 7$ (J) $9^2 \div 3$

3. ¿Cuáles son los siguientes dos términos de la siguiente sucesión?

6, 3, 12, 6, 24, ...

(A) 3, 12 (C) 12, 48
(B) 6, 36 (D) 18, 72

4. ¿En cuál de las siguientes opciones se muestra correctamente el uso de la propiedad distributiva para hallar el producto de 64 y 8?

(F) $64 \times 8 = (8 \times 60) + (8 \times 4)$
(G) $64 \times 8 = 8 \times 64$
(H) $64 \times 8 = 8 + (60 + 4)$
(J) $64 \times 8 = (8 \times 4) \times 60$

5. ¿Cuál de las siguientes opciones es la forma estándar de cinco mil doscientos cincuenta y dos millones, seiscientos mil trescientos once?

(A) 5,252,603,011 (C) 5,252,600,311
(B) 52,526,311 (D) 5,252,060,311

6. En la siguiente tabla se muestra la asistencia a una biblioteca local. ¿Cuántas personas visitaron la biblioteca la semana pasada?

Asistencia de la semana pasada	
Domingo	Cerrada
Lunes	78
Martes	125
Miércoles	122
Jueves	96
Viernes	104
Sábado	225

(F) 450 (H) 650
(G) 550 (J) 750

7. ¿Qué número es el mayor?

(A) 5,432,873 (C) 5,221,754
(B) 5,201,032 (D) 5,332,621

8. ¿Cuál de las siguientes opciones es la forma exponencial de $6 \times 6 \times 6 \times 6$?

(F) 24^4
(G) 1,296
(H) 6^4
(J) 1000 + 200 + 90 + 6

9. ¿De qué propiedad es ejemplo la expresión $6 \times 3 \times 4 = 3 \times 6 \times 4$?

(A) asociativa (C) distributiva
(B) conmutativa (D) exponencial

10. ¿Qué lista de números está ordenada de menor a mayor?

   (F) 1,231; 1,543; 1,267; 1,321

   (G) 3,210; 3,357; 3,366; 3,401

   (H) 4,321; 4,312; 4,211; 4,081

   (J) 5,019; 5,187; 5,143; 5,314

11. Hay 2,347 butacas en el teatro de la ciudad. La entrada para el concierto del viernes por la noche cuesta $32. ¿Qué método de cálculo habría que usar para hallar cuánto recaudará el teatro si se venden todas las entradas?

   (A) lápiz y papel

   (B) calculadora

   (C) cálculo mental

   (D) estimación

Cuando leas un problema planteado con palabras, subraya la información que necesitas para contestar la pregunta.

Respuesta gráfica

12. ¿Qué valor tiene $3 + 8 \times 6 - (12 \div 4)$?

13. ¿Qué valor tiene 2^4?

14. Martha caminó 4 minutos el lunes, 7 minutos el martes y 10 minutos el miércoles. Si el patrón continúa, ¿cuántos minutos caminará el sábado?

15. A las 2:00 pm, la temperatura del agua de la piscina era de 88° F. A las 10:00 pm, la temperatura del agua era de 75° F. ¿Cuántos grados bajó la temperatura del agua?

16. Estima la suma de 3,820 y 4,373 por redondeo al millar más cercano.

17. ¿Cuál es la base de 6^3?

Respuesta breve

18. Megan depositó $2 en su cuenta de ahorros el primer viernes del mes. Cada semana, deposita el doble de la semana anterior.

   a. Si el patrón continúa, ¿cuánto depositará en la semana 4?

   b. ¿Cuánto dinero hay en la cuenta de Megan después del cuarto depósito? Explica cómo hallaste la respuesta.

19. Crea una expresión numérica que pueda simplificarse en cuatro pasos. Incluye un conjunto de paréntesis y un exponente. No puedes usar la misma operación matemática más de dos veces. Muestra cómo evaluar tu expresión.

Respuesta desarrollada

20. En la siguiente tabla se muestra la población estudiantil en la Intermedia Southside.

Población estudiantil de la Intermedia Southside		
	Chicos	**Chicas**
6° grado	98	102
7° grado	89	105
8° grado	123	117

   a. Usa la información de la tabla para hallar el total de estudiantes que asisten a la Intermedia Southside. Muestra tu trabajo.

   b. ¿Aproximadamente cuántas más chicas que chicos asisten a la escuela? Muestra tu trabajo. Explica cómo hallaste la respuesta.

   c. La junta escolar quiere que en la escuela haya un maestro cada 20 estudiantes. Si hay ocho maestros de sexto grado, ¿necesita la escuela contratar a más maestros de sexto? Si es así, ¿a cuántos más? Explica tu respuesta.

CAPÍTULO 2

Introducción al álgebra

PREPARACIÓN DE VARIOS PASOS PARA EL EXAMEN

go.hrw.com
Presentación del capítulo en línea
CLAVE: MR7 Ch2

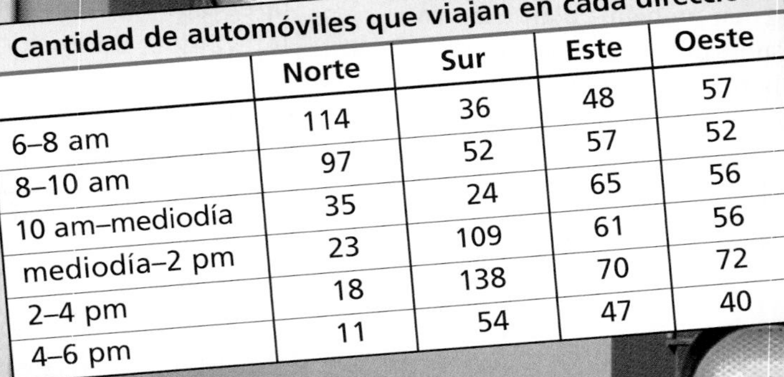

Cantidad de automóviles que viajan en cada dirección

	Norte	Sur	Este	Oeste
6–8 am	114	36	48	57
8–10 am	97	52	57	52
10 am–mediodía	35	24	65	56
mediodía–2 pm	23	109	61	56
2–4 pm	18	138	70	72
4–6 pm	11	54	47	40

Profesión *Ingeniero de tránsito*

¿Te has preguntado por qué el tránsito avanza rápidamente en una intersección pero con lentitud en otra? Los ingenieros de tránsito programan las luces de los semáforos para que los vehículos avancen sin problemas por las intersecciones. Hay muchas variables en una intersección de tránsito: cuántos vehículos pasan, la hora del día y la dirección de cada vehículo, por ejemplo. Los ingenieros de tránsito usan esta información para controlar el cambio de luces de los semáforos. En la tabla se anotan los movimientos del tránsito por una intersección durante cierto día de la semana.

¿ESTÁS LISTO?

Vocabulario

Elige de la lista el término que mejor complete cada enunciado.

1. La multiplicación es el/la ___?___ de la división.
2. El/La ___?___ de 12 y 3 es 36.
3. El/La ___?___ de 12 y 3 es 15.
4. La suma, la resta, la multiplicación y la división son ___?___.
5. La respuesta a un problema de división se llama ___?___.

dividendo
factor
inverso
operaciones
producto
cociente
suma

Resuelve los ejercicios para practicar las destrezas que usarás en este capítulo.

Operaciones de multiplicación

Multiplica.

6. 7×4	**7.** 8×9	**8.** 9×6	**9.** 7×7
10. 6×5	**11.** 3×8	**12.** 5×5	**13.** 2×9

Operaciones de división

Divide.

14. $64 \div 8$	**15.** $63 \div 9$	**16.** $56 \div 7$	**17.** $54 \div 6$
18. $49 \div 7$	**19.** $30 \div 5$	**20.** $32 \div 4$	**21.** $18 \div 3$

Operaciones con números cabales

Suma, resta, multiplica o divide.

22. $\begin{array}{r} 28 \\ +\ 15 \\ \hline \end{array}$	**23.** $\begin{array}{r} 71 \\ +\ 38 \\ \hline \end{array}$	**24.** $\begin{array}{r} 1{,}218 \\ +\ 430 \\ \hline \end{array}$	**25.** $\begin{array}{r} 2{,}218 \\ +\ 1{,}135 \\ \hline \end{array}$
26. $\begin{array}{r} 72 \\ -\ 35 \\ \hline \end{array}$	**27.** $\begin{array}{r} 98 \\ -\ 45 \\ \hline \end{array}$	**28.** $\begin{array}{r} 1{,}642 \\ -\ 249 \\ \hline \end{array}$	**29.** $\begin{array}{r} 3{,}408 \\ -\ 1{,}649 \\ \hline \end{array}$
30. 6×13	**31.** 8×15	**32.** 16×22	**33.** 20×35
34. $9\overline{)72}$	**35.** $7\overline{)84}$	**36.** $16\overline{)112}$	**37.** $23\overline{)1{,}472}$

CAPÍTULO 2

Guía de estudio: Avance

De dónde vienes

Antes,

- escribiste expresiones numéricas con números cabales.
- resolviste problemas mediante la suma, la resta, la multiplicación y la división de números cabales.

En este capítulo

Estudiarás

- cómo escribir expresiones algebraicas que contengan números cabales.
- cómo resolver ecuaciones de un paso con números cabales mediante la suma, la resta, la multiplicación y la división.
- cómo determinar si un número es la solución de una ecuación.

Adónde vas

Puedes usar las destrezas aprendidas en este capítulo

- para resolver ecuaciones de un paso con decimales y fracciones.
- para resolver desigualdades de un paso.

Vocabulario/Key Vocabulary

constante	constant
ecuación	equation
expresión algebraica	algebraic expression
solución de una ecuación	solution of an equation
variable	variable

Conexiones de vocabulario

Considera lo siguiente para familiarizarte con algunos de los términos de vocabulario del capítulo. Puedes consultar el capítulo, el glosario o un diccionario si lo deseas.

1. *Álgebra* es un tipo de matemáticas que usa letras para representar números. La palabra *algebraico* significa "relacionado con el álgebra". ¿Qué crees que contiene una **expresión algebraica?**
2. Cuando algo es *constante,* no cambia. Si en una expresión hay una **constante**, ¿crees que ese número cambia? Explica.
3. Cuando algo es *variable,* puede variar o cambiar. ¿Qué crees que puede hacer una **variable** en una expresión?
4. Una *ecuación* muestra que dos expresiones son iguales. ¿Qué símbolo matemático crees que verás en una **ecuación?**

Guía de estudio: Avance

Estrategia de redacción: Usa tus propias palabras

A veces, cuando lees sobre un nuevo concepto de matemáticas por primera vez en un libro de texto, te resulta difícil de comprender.

A medida que avanzas en cada lección, haz lo siguiente:

- Busca las ideas clave.
- Vuelve a escribir las explicaciones que aparecen como párrafos en forma de pasos o en una lista.
- Siempre que sea posible, agrega un ejemplo.

Lo que Lupe lee

Para ordenar números, puedes compararlos usando el valor posicional y después escribirlos en orden de menor a mayor.

Lo que Lupe escribe

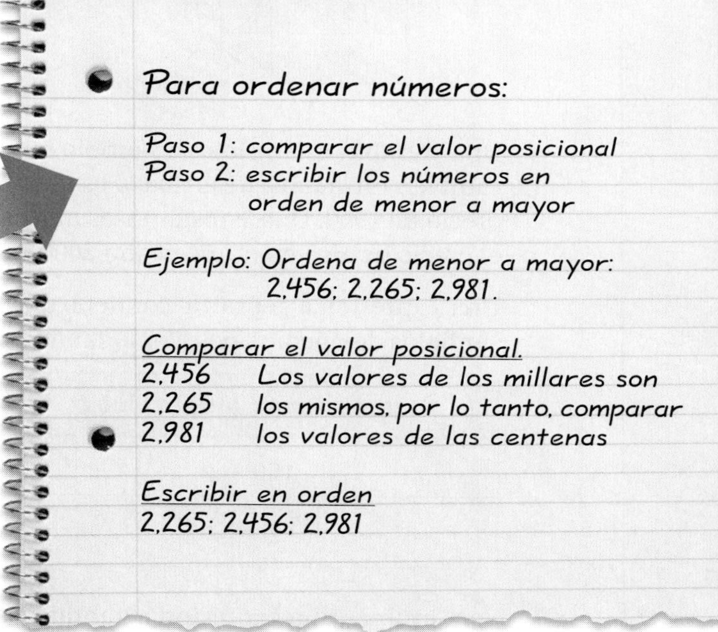

Para ordenar números:
Paso 1: comparar el valor posicional
Paso 2: escribir los números en orden de menor a mayor
Ejemplo: Ordena de menor a mayor: 2,456; 2,265; 2,981.
Comparar el valor posicional.
2,456 Los valores de los millares son
2,265 los mismos, por lo tanto, comparar
2,981 los valores de las centenas
Escribir en orden
2,265; 2,456; 2,981

Leer y escribir matemáticas

Inténtalo

Vuelve a escribir el párrafo con tus propias palabras.

1. En matemáticas, a veces no necesitas una respuesta exacta. En cambio, puedes usar una estimación. Las estimaciones se acercan a la respuesta exacta, pero suele ser más fácil y rápido hallarlas. Para estimar, puedes redondear los números del problema a números compatibles. Los números compatibles se acercan a los del problema y te pueden ayudar a hacer el cálculo mentalmente.

2-1 Variables y expresiones

Aprender a identificar y evaluar expresiones

Vocabulario

variable

constante

expresión algebraica

La inflación es el aumento de precios al pasar el tiempo. Por ejemplo, en el año 2000 pagabas unos $7 por algo que costaba apenas $1 en 1950.

Con esta información, puedes convertir precios de 1950 en sus equivalentes del año 2000.

1950	2000
$1	$7
$2	$14
$3	$21
$$p$	$$p \times 7$

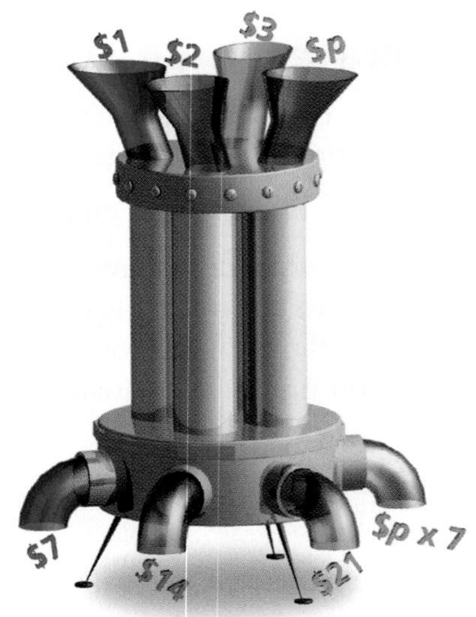

Una **variable** es una letra o símbolo que representa una cantidad que puede cambiar. En la tabla de arriba, p es una variable que representa cualquier precio de 1950. Una **constante** es una cantidad que no cambia. Por ejemplo, el precio de algo en el año el año 2000 es siempre el precio de 1950 por 7.

Una **expresión algebraica** contiene una o más variables y puede contener símbolos de operaciones. Por lo tanto, $p \times 7$ es una expresión algebraica.

Expresiones algebraicas	Expresiones NO algebraicas
$150 + y$	$85 \div 5$
$35 \times w + z$	$10 + 3 \times 5$

Para evaluar una expresión algebraica, sustituye la variable por un número y halla su valor.

EJEMPLO 1 Evaluar expresiones algebraicas

Evalúa cada expresión para hallar los valores que faltan en la tabla.

w	$w \div 11$
55	5
66	
77	

Sustituye w en $w \div 11$.

$w = 55;\ 55 \div 11 = 5$

$w = 66;\ 66 \div 11 = 6$

$w = 77;\ 77 \div 11 = 7$

Los valores que faltan son 6 y 7.

Evalúa cada expresión para hallar los valores que faltan en la tabla.

B

n	$4 \times n + 6^2$
1	40
2	▇
3	▇

Sustituye n en $4 \times n + 6^2$.
Usa el orden de las operaciones.
$n = 1; 4 \times 1 + 36 = 40$
$n = 2; 4 \times 2 + 36 = 44$
$n = 3; 4 \times 3 + 36 = 48$

Los valores que faltan son 44 y 48.

Escribir matemáticas

Cuando multiplicas un número por una variable, el número se escribe primero. Escribe "$3x$" y no "$x3$". $3x$ se lee "tres x".

Puedes escribir las expresiones con multiplicación y división sin los símbolos × y ÷.

En lugar de . . .	Puedes escribir . . .
$x \times 3$	$x \cdot 3 \quad x(3) \quad 3x$
$35 \div y$	$\frac{35}{y}$

EJEMPLO 2 Evaluar expresiones con dos variables

Un rectángulo mide 2 unidades de ancho. ¿Cuántas unidades cuadradas cubre el rectángulo si su largo es 4, 5, 6 ó 7 unidades?

Puedes multiplicar largo y ancho para hallar la cantidad de unidades cuadradas. Sea ℓ el largo y a el ancho.

ℓ	a	$\ell \times a$
4	2	8
5	2	▇
6	2	▇
7	2	▇

Haz una tabla para hallar la cantidad de unidades cuadradas para cada longitud.
$\ell = 4; 4 \times 2 = 8$ *unidades cuadradas*
$\ell = 5; 5 \times 2 = 10$ *unidades cuadradas*
$\ell = 6; 6 \times 2 = 12$ *unidades cuadradas*
$\ell = 7; 7 \times 2 = 14$ *unidades cuadradas*

El rectángulo cubrirá 8, 10, 12 ó 14 unidades cuadradas.

Comprueba

Dibuja un rectángulo de 2 unidades de ancho. Luego halla la cantidad total de unidades cuando el rectángulo mide 4, 5, 6 y 7 unidades de largo.

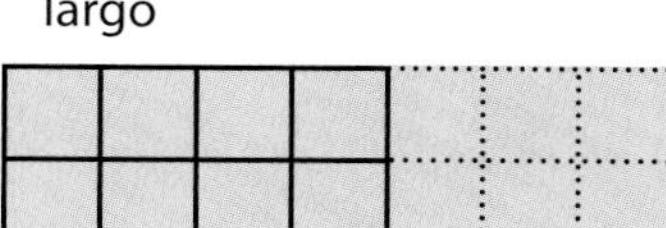

Razonar y comentar

1. **Menciona** una cantidad que sea una variable y una cantidad que sea una constante.
2. **Explica** por qué $45 + x$ es una expresión algebraica.

2-1 Ejercicios

go.hrw.com
Ayuda en línea para tareas*
CLAVE: MR7 2-1
Recursos en línea para padres
CLAVE: MR7 Parent
*(Disponible sólo en inglés)

PRÁCTICA GUIADA

Ver Ejemplo 1

Evalúa cada expresión para hallar los valores que faltan en las tablas.

1.

n	$n + 7$
38	45
49	
58	

2.

x	$12x + 2^3$
8	104
9	
10	

Ver Ejemplo 

3. Un rectángulo mide 4 unidades de ancho. ¿Cuántas unidades cuadradas cubre si mide 6, 7, 8 ó 9 unidades de largo?

PRÁCTICA INDEPENDIENTE

Ver Ejemplo 

Evalúa cada expresión para hallar los valores que faltan en las tablas.

4.

x	$4x$
50	200
100	
150	

5.

n	$2n - 3^2$
10	11
16	
17	

Ver Ejemplo 

6. Un constructor diseña un patio rectangular de 12 unidades de longitud. Halla la cantidad total de unidades cuadradas que cubrirá el patio si su ancho es 4, 5, 6 ó 7 unidades.

PRÁCTICA Y RESOLUCIÓN DE PROBLEMAS

Práctica adicional
Ver página 716

7. **Estimación** Bobby conduce un camión a una velocidad de 50 a 60 millas por hora.
  a. ¿Aproximadamente qué distancia recorre en 2, 3, 4 y 5 horas?
  b. Bobby planea hacer un viaje de 8 horas, incluyendo una parada de 1 hora para el almuerzo. ¿Qué distancia razonable puede recorrer Bobby?

8. **Varios pasos** En cada mesa de la cafetería se pueden sentar 8 personas. Halla la cantidad total de personas que se pueden sentar si hay 7, 8, 9 y 10 mesas. Si la cuenta promedio por persona es $12, ¿cuánto dinero puede ganar la cafetería con 7, 8, 9 y 10 mesas que no tienen sillas vacías?

9. **Medición** Cuando viaja por Europa, Jessica convierte la temperatura de grados Celsius a Fahrenheit mediante la expresión $9x \div 5 + 32$, donde x es la temperatura en Celsius. Halla la temperatura en grados Fahrenheit cuando hace 0° C, 10° C y 25° C.

10. **Geometría** Para hallar el área de un triángulo, puedes usar la expresión $b \times h \div 2$, donde b es la base del triángulo y h la altura. Halla el área de un triángulo de base 5 y altura 6.

Dinero

¿Por qué una moneda de Polonia muestra Australia y un canguro? Esta moneda honra a Pawel Edmund Strzelecki, un polaco que recorrió y trazó mapas de gran parte de Australia.

¡Web Extra!

CLAVE: MR7 Money

Evalúa cada expresión para el valor dado de la variable.

11. $3h + 2$ para $h = 10$
12. $2x^2$ para $x = 3$
13. $t - 7$ para $t = 20$
14. $4p - 3$ para $p = 20$
15. $\frac{c}{7}$ para $c = 56$
16. $10 + 2r$ para $r = 5$
17. $3x + 17$ para $x = 13$
18. $5p$ para $p = 12$
19. $s^2 - 15$ para $s = 5$
20. $14 - 2c$ para $c = 2$
21. $10x$ para $x = 11$
22. $4j + 12$ para $j = 9$

23. **Dinero** La moneda de Polonia es el zloty. En 2005, 1 dólar estadounidense valía 3 zlotys. ¿Cuántos zlotys eran equivalentes a 8 dólares?

24. Usa la gráfica para completar la tabla.

Tazas de agua	Cantidad de limones
8	
12	
16	
a	

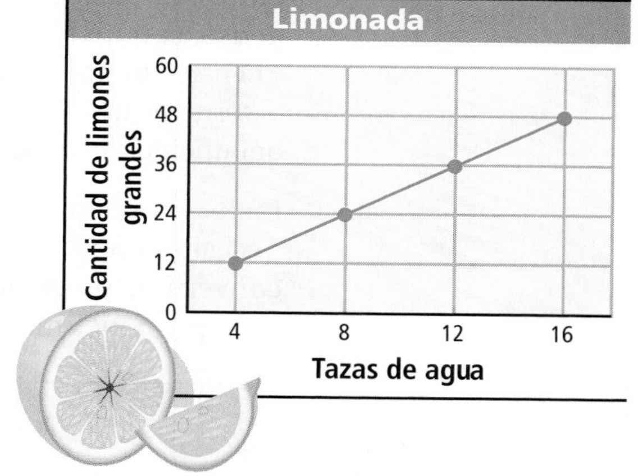

25. **¿Dónde está el error?** Una estudiante evaluó la expresión $x \div 2$ para $x = 14$ y dio una respuesta de 28. ¿Qué error cometió?

26. **Escríbelo** ¿Cómo evaluarías la expresión $2x + 5$ para $x = 1, 2, 3$ y 4?

27. **Desafío** Con la expresión algebraica $3n - 5$, ¿cuál es el menor valor en números cabales de n que dará un resultado mayor que 100?

Preparación Para El Examen y repaso en espiral

28. **Opción múltiple** Evalúa $8m - 5$ para $m = 9$.

(A) 67 (B) 83 (C) 84 (D) 94

29. **Respuesta gráfica** Evalúa la expresión $4p + 18$ para $p = 5$.

Escribe cada expresión en forma exponencial. (Lección 1-3)

30. $3 \times 3 \times 3$
31. $5 \times 5 \times 5 \times 5 \times 5 \times 5$
32. $10 \times 10 \times 10 \times 10$

Elige un método de resolución y resuelve. Explica tu elección. (Lección 1-6)

33. Alberto gana $16 por hora por su trabajo en una fábrica. Trabaja 32 horas por semana y le pagan cada dos semanas. De cada cheque que recibe, le hacen una deducción de $105 por impuestos. ¿Cuánto cobra Alberto después de la deducción?

2-2 Cómo convertir entre expresiones con palabras y expresiones matemáticas

Destreza de resolución de problemas

Aprender a convertir entre palabras y expresiones matemáticas

El núcleo de la Tierra se divide en dos partes. El núcleo interno es sólido y denso, con un radio de 1,228 km. Sea c el espesor en kilómetros del núcleo externo líquido. ¿Cuál es el radio total del núcleo de la Tierra?

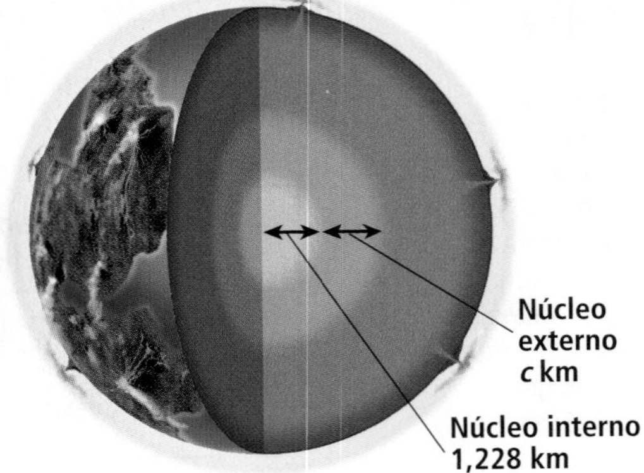

En los problemas con palabras, necesitas identificar la acción para convertir expresiones con palabras en expresiones matemáticas.

Acción	Juntar o combinar	Hallar cuánto más o menos	Juntar grupos de partes iguales	Separar en grupos iguales
Operación	Sumar	Restar	Multiplicar	Dividir

Para resolver este problema, necesitas *juntar* las medidas del núcleo interno y el núcleo externo. Para juntar, sumas.

$$1{,}228 + c$$

El radio total del núcleo de la Tierra es $1{,}228 + c$ km.

EJEMPLO 1 ***Aplicación a los estudios sociales***

A **El Río Grande es uno de los ríos más largos de Estados Unidos. Forma el límite entre Texas y México. El río Rojo forma un límite entre Texas y Oklahoma y mide 1,290 millas de largo. Escribe una expresión para mostrar por cuánto sobrepasa el Río Grande al río Rojo.**

Para *hallar por cuánto sobrepasa uno al otro,* resta a la longitud del Río Grande la longitud del río Rojo.

$$n \quad - \quad 1{,}290$$

El Río Grande es $n - 1{,}290$ millas más largo que el río Rojo.

B **Sea s el número de senadores que tiene cada uno de los 50 estados en el Senado de EE.UU. Escribe una expresión para el número total de senadores.**

Para *juntar 50 grupos iguales de s,* multiplica s por 50 s.

$$50s$$

Hay $50s$ senadores en el Senado de EE.UU.

Hay varias formas de escribir expresiones matemáticas con palabras.

Operación	+	−	×	÷
Expresión numérica	37 + 28	90 − 12	8 × 48 u 8 · 48 u (8)(48) u 8(48) u (8)48	327 ÷ 3 ó $\frac{327}{3}$
Con palabras	• 28 se suma a 37 • 37 más 28 • la suma de 37 y 28 • 28 más que 37	• 12 se resta de 90 • 90 menos 12 • la diferencia de 90 y 12 • 12 menos que 90 • quítale 12 a 90	• 48 por 8 • 48 multiplicado por 8 • el producto de 8 y 48 • 8 grupos de 48	• 327 dividido entre 3 • el cociente de 327 y 3
Expresión algebraica	$x + 28$	$k - 12$	$8 \cdot w$ u $(8)(w)$ u $8w$	$n \div 3$ ó $\frac{n}{3}$
Con palabras	• 28 se suma a x • x más 28 • la suma de x y 28 • 28 más que x	• 12 se resta de k • k menos 12 • la diferencia de k y 12 • 12 menos que k • quítale 12 a k	• w por 8 • w multiplicado por 8 • el producto de 8 y w • 8 grupos de w	• n dividido entre 3 • el cociente de n y 3

EJEMPLO  2 Convertir palabras en expresiones matemáticas

Escribe cada frase como una expresión numérica o algebraica.

 A **287 más 932**

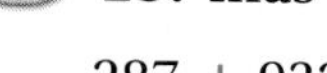

287 + 932

 B ***b* dividido entre 14**

$b \div 14$ ó $\frac{b}{14}$

EJEMPLO  3 Convertir expresiones matemáticas en palabras

Escribe dos frases para cada expresión.

 A $a - 45$

- a menos 45
- quítale 45 a a

 B (34)(7)

- el producto de 34 y 7
- 34 multiplicado por 7

Razonar y comentar

1. **Indica** cómo escribir cada una de las siguientes frases como expresión numérica o algebraica: 75 menos que 1,023; el producto de 125 y z.
2. **Da** dos ejemplos de "$a \div 17$" expresados con palabras.

2-2 Ejercicios

go.hrw.com
Ayuda en línea para tareas*
CLAVE: MR7 2-2
Recursos en línea para padres
CLAVE: MR7 Parent
*(Disponible sólo en inglés)

PRÁCTICA GUIADA

Ver Ejemplo 

1. **Estudios sociales** La isla de Hawai es la más grande de las islas hawaianas, con un área de 4,028 mi^2. La sigue por su tamaño la isla de Maui. Sea m el área de Maui. Escribe una expresión para la diferencia entre las dos áreas.

Ver Ejemplo 

Escribe cada frase como una expresión numérica o algebraica.

2. 279 menos 125
3. el producto de 15 y x
4. 17 más 4
5. p dividido entre 5
6. la suma de 8 y q
7. 149 por 2

Ver Ejemplo 3

Escribe dos frases para cada expresión.

8. $r + 87$
9. 345×196
10. $476 \div 28$
11. $d - 5$

PRÁCTICA INDEPENDIENTE

Ver Ejemplo 

12. **Estudios sociales** En 2005, California tuvo 21 escaños más en el Congreso de EE.UU que Texas. Si t representa el número de escaños de Texas, escribe una expresión para el número de escaños de California.
13. Sea x el número de episodios de los programas de televisión que se graban en una temporada. Escribe una expresión para el número de episodios que se graban en 5 temporadas.

Ver Ejemplo 

Escribe cada frase como una expresión numérica o algebraica.

14. 25 menos que k
15. el cociente de 325 y 25
16. 34 por w
17. 675 sumado a 137
18. la suma de 135 y p
19. quítale 14 a j

Ver Ejemplo 

Escribe dos frases para cada expresión.

20. $h + 65$
21. $243 - 19$
22. $125 \div n$
23. $342(75)$
24. $\frac{d}{27}$
25. $45 \cdot 23$
26. $629 + c$
27. $228 - b$

PRÁCTICA Y RESOLUCIÓN DE PROBLEMAS

Práctica adicional
Ver página 716

Convierte cada frase en una expresión numérica o algebraica.

28. 13 menos que z
29. 15 dividido entre d
30. 874 por 23
31. m multiplicado por 67
32. la suma de 35, 74 y 21
33. 319 menos que 678
34. **Razonamiento crítico** A Paula y a Manda les pidieron que escribieran una expresión para hallar la cantidad total de zapatos que hay en un clóset. Sea s la cantidad de pares de zapatos. Paula escribió s y Manda escribió $2s$. ¿Quién tiene razón? Explica.

35. **Escríbelo** Escribe una situación que pueda representarse con la expresión $x + 5$.

con las ciencias

En la gráfica se muestran las misiones estadounidenses de exploración espacial entre 1961 y 2005.

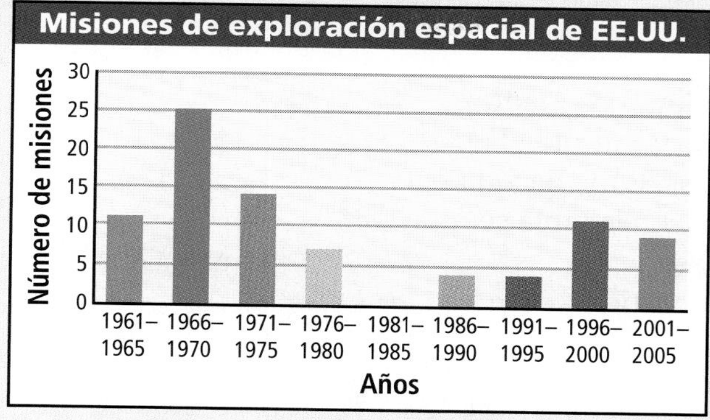

36. Entre 1966 y 1970, la Unión Soviética lanzó m misiones espaciales menos que Estados Unidos. Escribe una expresión algebraica para esta situación.

37. Sea d el número de dólares que gastó Estados Unidos en las misiones espaciales de 1986 a 1990. Escribe una expresión para el costo por misión.

38. **Escribe un problema** Usa los datos de la gráfica y escribe un problema con palabras para resolverlo con una expresión numérica o algebraica.

39. **Razonamiento crítico** Sea p el número de misiones tripuladas entre 1996 y 2000. ¿Qué operación usarías para escribir una expresión para el número de misiones no tripuladas? Explica.

40. **Desafío** Escribe una expresión para lo siguiente: dos más que el número de misiones de 1971 a 1975, menos el número de misiones de 1986 a 1990. Luego, evalúa la expresión.

Preparación para el examen y repaso en espiral

41. **Opción múltiple** ¿Qué expresión representa el producto de 79 y x?

Ⓐ $79 + x$ Ⓑ $x - 79$ Ⓒ $79x$ Ⓓ $\frac{x}{79}$

42. **Respuesta desarrollada** Tim conduce desde Ames, Iowa, hasta Canton, Ohio. A 280 millas de Ames, se detiene a cargar gasolina. Escribe una expresión en la que representes la cantidad de millas que le falta conducir. Explica. Convierte tu expresión en dos frases diferentes.

Usa el cálculo mental para hallar cada suma o producto. (Lección 1-5)

43. $8 \times 5 \times 9$ **44.** $49 + 26 + 11 + 14$ **45.** $4 \times 15 \times 6$

Evalúa cada expresión para el valor dado de la variable. (Lección 2-1)

46. $2y + 6$ para $y = 4$ **47.** $\frac{z}{5}$ para $z = 40$ **48.** $7r - 3$ para $r = 18$ **49.** $\frac{p}{7} + 12$ para $p = 28$

2-3 Cómo convertir entre tablas y expresiones

Aprender a escribir expresiones para tablas y sucesiones

En 2004, el Maestro Internacional de Ajedrez Andrew Martin superó un récord mundial al jugar 321 partidas simultáneas. Cada partida requería 32 piezas de ajedrez. En la tabla se muestra la cantidad de piezas necesarias para distintas cantidades de partidas.

Partidas	Piezas
1	32
2	64
3	96
n	$32n$

La cantidad de piezas es siempre la cantidad de partidas por 32. Para n partidas, la expresión $32n$ indica la cantidad de piezas necesarias.

EJEMPLO 1 Escribir una expresión

Escribe una expresión para el valor que falta en cada tabla.

A

La edad de Reilly	La edad de Ashley
9	11
10	12
11	13
12	14
n	

La edad de Ashley es la edad de Reilly más 2.

$9 + 2 = 11$

$10 + 2 = 12$

$11 + 2 = 13$

$12 + 2 = 14$

$n + 2$

Cuando Reilly tiene n años, Ashley tiene $n + 2$.

B

Huevos	Docenas
12	1
24	2
36	3
48	4
e	

La cantidad de docenas es la cantidad de huevos dividida entre 12.

$12 \div 12 = 1$

$24 \div 12 = 2$

$36 \div 12 = 3$

$48 \div 12 = 4$

$e \div 12$

Cuando hay e huevos, la cantidad de docenas es $e \div 12$ ó $\frac{e}{12}$.

Puedes buscar un patrón en una tabla para escribir una expresión.

EJEMPLO 2 Escribir una expresión para una sucesión

Escribe una expresión para la sucesión de la tabla.

Posición	1	2	3	4	5	n
Valor del término	3	5	7	9	11	■

Busca una relación entre las posiciones y los valores de los términos en la sucesión. Calcula y comprueba.

Calcula $2n$.
Comprueba sustituyendo por 3.
$2 \times 3 \neq 7$ ✗

Calcula $2n + 1$.
Comprueba sustituyendo por 3.
$2 \times 3 + 1 = 7$ ✓

La expresión $2n + 1$ funciona para toda la sucesión.
$2 \times 1 + 1 = 3$, $2 \times 2 + 1 = 5$, $2 \times 3 + 1 = 7$,
$2 \times 4 + 1 = 9$, $2 \times 5 + 1 = 11$

La expresión para la sucesión es $2n + 1$.

¡Atención!
Cuando escribas una expresión para los datos de una tabla, comprueba que la expresión funcione para *todos* los datos de la tabla.

EJEMPLO 3 Escribir una expresión para el área de una figura

Un triángulo tiene una base de 8 pulgadas. En la tabla se muestra el área del triángulo para diferentes alturas. Escribe una expresión que sirva para hallar el área del triángulo cuando la altura es *h* pulgadas.

Base (pulg)	Altura (pulg)	Área (pulg^2)
8	1	4
8	2	8
8	3	12
8	4	16
8	h	■

$8 \times 1 = 8$, $8 \div 2 = 4$
$8 \times 2 = 16$, $16 \div 2 = 8$
$8 \times 3 = 24$, $24 \div 2 = 12$
$8 \times 4 = 32$, $32 \div 2 = 16$
$8 \times h = 8h$, $8h \div 2$

En cada fila de la tabla, el área es la mitad del producto de la base por la altura. La expresión es $\frac{8h}{2}$ ó $4h$.

Razonar y comentar

1. **Describe** cómo escribir una expresión para una sucesión dada en una tabla.
2. **Explica** por qué es importante comprobar tu expresión para todos los datos de una tabla.

2-3 Ejercicios

go.hrw.com
Ayuda en línea para tareas*
CLAVE: MR7 2-3
Recursos en línea para padres
CLAVE: MR7 Parent
*(Disponible sólo en inglés)

PRÁCTICA GUIADA

Ver Ejemplo 1 **Escribe una expresión para el valor que falta en la tabla.**

1.

Carritos	1	2	3	4	n
Ruedas	4	8	12	16	

Ver Ejemplo 2 **Escribe una expresión para la sucesión de la tabla.**

2.

Posición	1	2	3	4	5	n
Valor del término	9	10	11	12	13	

Ver Ejemplo 

3. Un rectángulo mide 5 pulgadas de largo. En la tabla se muestra el área del rectángulo para diferentes anchos. Escribe una expresión que puedas usar para hallar el área del rectángulo si su ancho es a pulgadas.

Largo (pulg)	Ancho (pulg)	Área (pulg^2)
5	2	10
5	4	20
5	6	30
5	8	40
5	a	

PRÁCTICA INDEPENDIENTE

Ver Ejemplo  **Escribe una expresión para el valor que falta en cada tabla.**

4.

Jugadores	Equipos de fútbol
22	2
44	4
66	6
88	8
n	

5.

Semanas	Días
4	28
8	56
12	84
16	112
n	

Ver Ejemplo  **Escribe una expresión para la sucesión de la tabla.**

6.

Posición	1	2	3	4	5	n
Valor del término	7	12	17	22	27	

Ver Ejemplo 

7. En la tabla se muestra el área de cuadrados con lados de diferente largo. Escribe una expresión que puedas usar para hallar el área de un cuadrado si sus lados miden l pies.

Largo (pies)	2	4	6	8	l
Área (pies^2)	4	16	36	64	

PRÁCTICA Y RESOLUCIÓN DE PROBLEMAS

Práctica adicional
Ver página 716

Haz una tabla para cada sucesión. Luego escribe una expresión para la sucesión.

8. 2, 4, 6, 8, . . . **9.** 6, 7, 8, 9, . . . **10.** 10, 20, 30, 40, . . .

11. Ciencias de la Tierra Mercurio tarda 88 días en completar una órbita alrededor del Sol. En la tabla se muestra la cantidad de órbitas y la cantidad de días que tarda en hacer esas órbitas. Escribe una expresión para la cantidad de días que tarda Mercurio en completar n órbitas.

Órbitas	Días
1	88
2	176
3	264
n	

12. Varios pasos La entrada a una feria del condado cuesta \$10. Cada vuelta en un juego de la feria cuesta \$2. En la tabla se muestra el costo total de dar distintas cantidades de vueltas. Escribe una expresión para el costo de v vueltas. Luego usa la expresión para hallar el costo de 12 vueltas.

Cantidad de vueltas	1	3	5	8	10	v
Costo total (\$)	12	16	20	26	30	

13. Razonamiento crítico Escribe dos expresiones diferentes que describan la relación de la tabla.

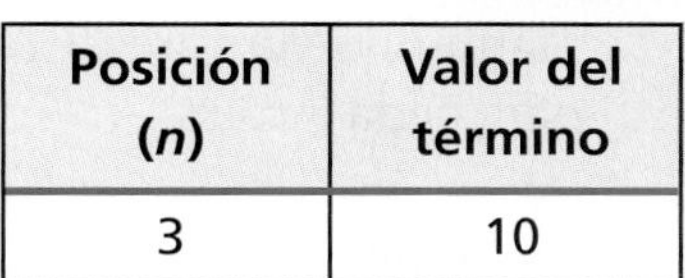

Posición (n)	Valor del término
3	10

14. Escríbelo Explica cómo se puede hacer una tabla de valores para la expresión $4n + 3$.

15. Desafío ¿Puede haber más de una expresión que describa un conjunto de datos de una tabla? Explica.

PREPARACIÓN PARA EL EXAMEN y repaso en espiral

16. Opción múltiple ¿Qué expresión describe la sucesión de la tabla?

Posición	1	2	3	4	5	n
Valor del término	6	11	16	21	26	

Ⓐ $n + 5$ Ⓑ $5n + 1$ Ⓒ $6n$ Ⓓ $6n - 1$

17. Opción múltiple Halla el valor que falta en la sucesión 1, 3, 5, ▒, 9, ...

Ⓕ 6 Ⓖ 7 Ⓗ 8 Ⓙ 9

Evalúa cada expresión. (Lección 1-4)

18. $14 + 8 \times 2$ **19.** $6^2 - (4 + 3)$ **20.** $5 \times 8 \div (3 + 1)$ **21.** $45 \div 3^2 + 16$

Usa la propiedad distributiva para hallar cada producto. (Lección 1-5)

22. 3×21 **23.** 7×35 **24.** 6×19 **25.** 2×63

Explorar el área y el perímetro de un rectángulo

Para usar con la Lección 2-3

go.hrw.com
Recursos en línea para el laboratorio
CLAVE: MR7 Lab2

RECUERDA
- El perímetro es la distancia alrededor de una figura.
- El área es la cantidad de espacio que cubre una figura. Se mide en unidades cuadradas.

Puedes usar papel cuadriculado para hacer un modelo del área de diferentes rectángulos.

Actividad 1

Sarita está excavando para hacer jardines rectangulares de verduras. Para impedir que crezca maleza, cubrirá cada jardín con una malla metálica del tamaño exacto del jardín antes de plantar las verduras. Completa la tabla para hallar el tamaño de la malla que se necesita para cada jardín.

Cada malla tendrá el mismo tamaño que el jardín que cubre. Completa la tabla de la derecha para mostrar el área de cada jardín.

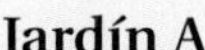
Jardín A

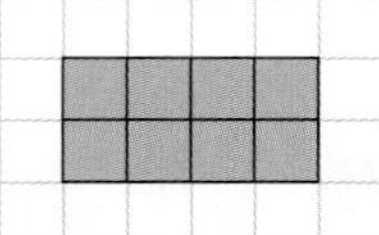

Jardín B

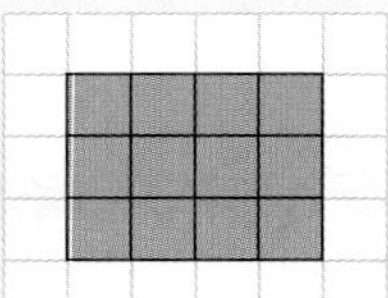

Jardín C

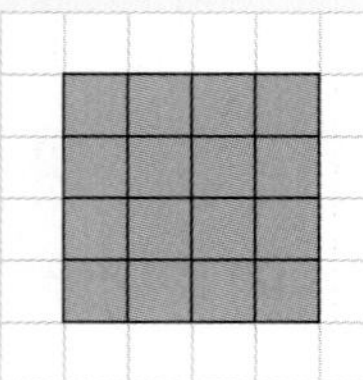

Jardín D

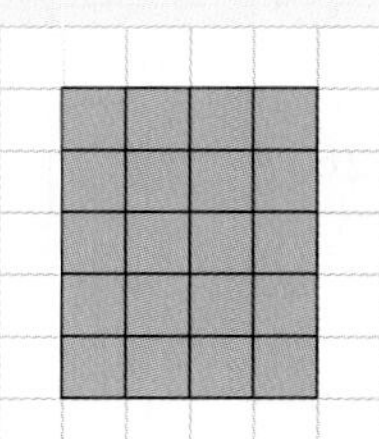

Áreas de los jardines

Jardín	Longitud (ℓ)	Ancho (a)	Área (A)
A	4	2	8
B	4	3	
C			
D			

Razonar y comentar

1. Si tuvieras un jardín con una longitud de 4 y un área de 24, ¿cuál sería su ancho? ¿Cómo hallaste la respuesta?
2. El área de cada jardín equivale a su longitud por su ancho. Usando las variables ℓ y a, ¿qué expresión puedes usar para hallar el área de un rectángulo? $A =$ _______.

Inténtalo

Completa una tabla como la de la Actividad 1 para hallar el área de cada rectángulo.

1. longitud = 10, ancho = 5
2. longitud = 10, ancho = 6
3. longitud = 10, ancho = 7

Puedes usar papel cuadriculado para hacer un modelo de los perímetros de diferentes rectángulos.

Actividad 2

La familia de Jorge regresó recientemente de sus vacaciones. Tomaron muchas fotos que quieren enmarcar y decidieron fabricar sus propios marcos. Completa la tabla para hallar la cantidad de madera que se necesita para cada marco.

La cantidad de madera que se necesita para cada marco es el perímetro del marco. Completa la tabla de la derecha para mostrar el perímetro de cada marco.

Marco A

Marco B

Marco C

Marco D

Perímetro de los marcos de las fotos

Marco	Longitud (ℓ)	Ancho (a)	Perímetro (P)
A	4	2	12
B	4	3	■
C	■	■	■
D	■	■	■

Razonar y comentar

1. ¿Cómo hallaste el perímetro de cada marco?
2. Un rectángulo tiene un par de lados con la misma medida, llamada longitud, y otro par de lados con la misma medida, llamada ancho. Podemos decir que dos longitudes y dos anchos equivalen al perímetro. Usando las variables ℓ y a, ¿qué expresión puedes usar para hallar el perímetro de un rectángulo?
   $P =$ ________.

Inténtalo

Completa una tabla como la de la Actividad 2 para hallar el perímetro de cada rectángulo.

1. longitud = 8, ancho = 3
2. longitud = 20, ancho = 4
3. longitud = 7, ancho = 7

CAPÍTULO 2

¿LISTO PARA SEGUIR?

SECCIÓN 2A

Prueba de las Lecciones 2-1 a 2-3

2-1 Variables y expresiones

Evalúa cada expresión para hallar los valores que faltan en las tablas.

1.

y	$23 + y$
17	40
27	■
37	■

2.

w	$w \times 3 + 10$
4	22
5	■
6	■

3. En la carpeta de discos compactos de Stephanie caben 6 discos por página. ¿Cuántos discos tiene Stephanie si completa 2, 3, 4 ó 5 páginas?

2-2 Cómo convertir entre expresiones con palabras y expresiones matemáticas

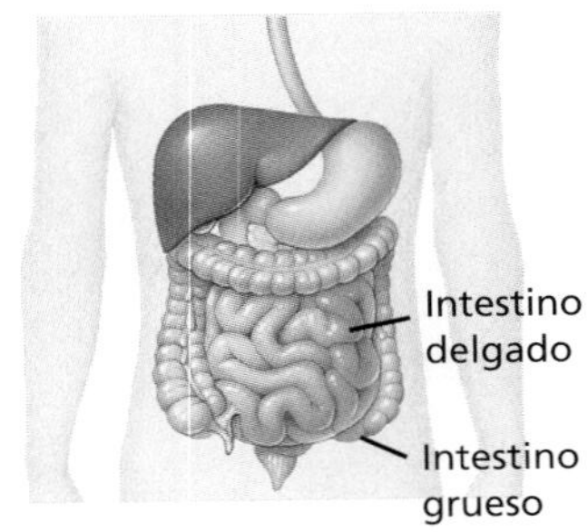

4. El intestino delgado y el intestino grueso forman parte del aparato digestivo. El intestino delgado es más largo que el intestino grueso. Sea n la longitud en pies del intestino delgado. El intestino grueso mide 5 pies de largo. Escribe una expresión para mostrar por cuánto sobrepasa la longitud del intestino delgado a la del grueso.

5. Sea h el número de veces que late tu corazón en 1 minuto. Escribe una expresión para el número total de latidos en 1 hora. (*Pista:* 1 hora = 60 minutos)

Escribe cada frase como una expresión numérica o algebraica.

6. 719 más 210
7. t multiplicada por 7
8. la suma de n y 51

Escribe dos frases para cada expresión.

9. $n + 19$
10. $12 \cdot 13$
11. $72 - x$
12. $\frac{t}{12}$
13. $15s$

2-3 Cómo convertir entre tablas y expresiones

Escribe una expresión para la sucesión de la tabla.

14.

Posición	1	2	3	4	5	n
Valor del término	8	16	24	32	40	■

Haz una tabla para cada sucesión. Luego escribe una expresión para la sucesión.

15. 3, 4, 5, 6, . . .
16. 4, 7, 10, 13, . . .

Enfoque en resolución de problemas

Comprende el problema

• Identifica si tienes demasiada o poca información

A menudo, los problemas dan demasiada información o muy poca. Debes decidir si tienes información suficiente para resolver el problema.

Lee el problema e identifica los datos que se dan. ¿Puedes usar estos datos para llegar a una respuesta? ¿Hay datos en el problema que no son necesarios para hallar la respuesta? Estas preguntas te sirven para determinar si tienes demasiada o poca información.

Si no puedes resolver el problema con la información que tienes, decide qué información necesitas. Luego, vuelve a leer el problema para asegurarte de que no salteaste información.

Copia cada problema. Encierra en un círculo los datos importantes. Subraya los datos que no sean necesarios para responder a la pregunta. Si no hay suficiente información, anota qué te falta.

1. La pitón reticulada es una de las serpientes más largas del mundo. En 1912 se encontró una en Indonesia que medía 33 pies de largo. Al nacer, la pitón reticulada mide 2 pies. Supongamos que una pitón adulta tiene una longitud de 29 pies. Sea p los pies que creció la pitón desde el nacimiento. ¿Cuál es el valor de p?

2. La bandera más grande del mundo mide 7,410 pies cuadrados y pesa 180 libras. En total, tiene 13 franjas horizontales. Sea h la altura de cada franja. ¿Cuál es el valor de h?

3. El monte McKinley tiene una altitud de 20,320 pies. Los que escalan el monte toman un vuelo al campamento de la base que está a 7,200 pies. De ahí, comienzan el ascenso, que puede durar 20 días o más. Sea d la distancia del campamento a la cumbre del monte. ¿Cuál es el valor de d?

4. Sea c el costo de cierta computadora en 1981. Seis años después, en 1987, el precio de la computadora había aumentado a $3,600. ¿Cuál es el valor de c?

2-4 Ecuaciones y sus soluciones

Aprender a decidir si un número es una solución de una ecuación

Vocabulario

ecuación

solución

Una **ecuación** es un enunciado matemático en el que dos cantidades son iguales. Una ecuación correcta es como una balanza equilibrada.

Las ecuaciones pueden contener variables. Si un valor de una variable hace verdadera la ecuación, ese valor es una **solución** de la ecuación.

Puedes comprobar si un valor es una solución de una ecuación sustituyendo la variable por el valor.

Leer matemáticas

El símbolo ≠ significa "no es igual a".

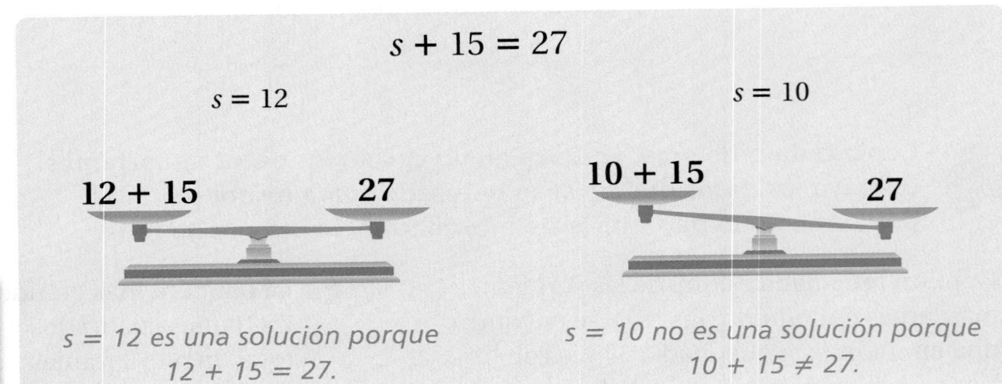

$s = 12$ es una solución porque $12 + 15 = 27$.

$s = 10$ no es una solución porque $10 + 15 \neq 27$.

EJEMPLO 1 **Determinar soluciones de ecuaciones**

Determina si el valor que se da para la variable es una solución.

A $\boldsymbol{a + 23 = 82}$ **para** $\boldsymbol{a = 61}$

$a + 23 = 82$

$61 + 23 \stackrel{?}{=} 82$ *Sustituye a por 61.*

$84 \stackrel{?}{=} 82$ *Suma.*

Como $84 \neq 82$, 61 no es una solución de $a + 23 = 82$.

Determina si el valor que se da para la variable es una solución.

B $60 \div c = 6$ **para** $c = 10$

$$60 \div c = 6$$

$$60 \div 10 \stackrel{?}{=} 6 \quad \textit{Sustituye c por 10.}$$

$$6 \stackrel{?}{=} 6 \quad \textit{Divide.}$$

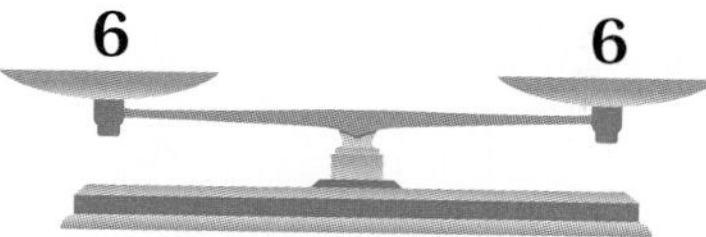

Como $6 = 6$, 10 es una solución de $60 \div c = 6$.

Puedes usar ecuaciones para comprobar si las medidas que se dan en unidades diferentes son iguales.

Por ejemplo, en un pie hay 12 pulgadas. Si tienes una medida en pies, multiplica por 12 para hallar la medida en pulgadas:
$12 \cdot \text{pies} = \text{pulgadas}$, o bien $12f = i$.

Si tienes una medida en pies y otra en pulgadas, comprueba si los dos números hacen verdadera la ecuación $12f = i$.

EJEMPLO 2 *Aplicación a las ciencias biológicas*

En un libro de ciencias se dice que un manatí puede crecer hasta 13 pies de largo. De acuerdo con otro libro, un manatí puede crecer hasta 156 pulgadas. Determina si estas dos medidas son iguales.

$$12f = i$$

$$12 \cdot 13 \stackrel{?}{=} 156 \quad \textit{Sustituye.}$$

$$156 \stackrel{?}{=} 156 \quad \textit{Multiplica.}$$

Como $156 = 156$, 13 pies es igual a 156 pulgadas.

Razonar y comentar

1. **Indica** cuál de las siguientes es la solución de $y \div 2 = 9$: $y = 14$, $y = 16$ ó $y = 18$. ¿Cómo lo sabes?
2. **Da** un ejemplo de una ecuación con una solución de 15.

2-4 Ejercicios

go.hrw.com
Ayuda en línea para tareas*
CLAVE: MR7 2-4
Recursos en línea para padres
CLAVE: MR7 Parent
*(Disponible sólo en inglés)

PRÁCTICA GUIADA

Ver Ejemplo 1

Determina si el valor que se da para la variable es la solución.

1. $c + 23 = 48$ para $c = 35$

2. $z + 31 = 73$ para $z = 42$

3. $96 = 130 - d$ para $d = 34$

4. $85 = 194 - a$ para $a = 105$

5. $75 \div y = 5$ para $y = 15$

6. $78 \div n = 13$ para $n = 5$

Ver Ejemplo 

7. **Estudios sociales** En un almanaque se dice que la cascada Minnehaha de Minnesota tiene una altura de 53 pies. Un guía de excursiones dijo que la cascada tiene una altura de 636 pulgadas. Determina si estas dos medidas son iguales.

PRÁCTICA INDEPENDIENTE

Ver Ejemplo 

Determina si el valor que se da para la variable es la solución.

8. $w + 19 = 49$ para $w = 30$

9. $d + 27 = 81$ para $d = 44$

10. $g + 34 = 91$ para $g = 67$

11. $k + 16 = 55$ para $k = 39$

12. $101 = 150 - h$ para $h = 49$

13. $89 = 111 - m$ para $m = 32$

14. $116 = 144 - q$ para $q = 38$

15. $92 = 120 - t$ para $t = 28$

16. $80 \div b = 20$ para $b = 4$

17. $91 \div x = 7$ para $x = 12$

18. $55 \div j = 5$ para $j = 10$

19. $49 \div r = 7$ para $r = 7$

Ver Ejemplo 

20. **Dinero** Kent gana \$6 por hora en su trabajo después de la escuela. Una semana, trabajó 12 horas y le pagaron \$66. Determina si le pagaron la cantidad correcta. (*Pista:* \$6 · horas = pago total)

21. **Medición** La Torre Eiffel en París, Francia, mide 300 metros de alto. En una hoja informativa se dice que la Torre Eiffel mide 30,000 centímetros de alto. Determina si estas dos medidas son iguales. (*Pista:* 1 m = 100 cm)

PRÁCTICA Y RESOLUCIÓN DE PROBLEMAS

Práctica adicional
Ver página 717

Determina si el valor que se da para la variable es la solución.

22. $93 = 48 + u$ para $u = 35$

23. $112 = 14 \times f$ para $f = 8$

24. $13 = m \div 8$ para $m = 104$

25. $79 = z - 23$ para $z = 112$

26. $64 = l - 34$ para $l = 98$

27. $105 = p \times 7$ para $p = 14$

28. $94 \div s = 26$ para $s = 3$

29. $v + 79 = 167$ para $v = 88$

30. $m + 36 = 54$ para $m = 18$

31. $x - 35 = 96$ para $x = 112$

32. $12y = 84$ para $y = 7$

33. $7x = 56$ para $x = 8$

34. **Estimación** Una pizza grande tiene 8 porciones. Determina si 6 pizzas grandes alcanzan para un grupo de 24 personas si cada persona come de 2 a 3 porciones.

35. **Varios pasos** Rebeca tiene 17 billetes de un dólar. Courtney tiene 350 monedas de cinco centavos. ¿Tienen las dos chicas la misma cantidad de dinero? (*Pista:* Calcula primero cuántas monedas de cinco centavos suman un dólar).

Reemplaza cada ■ con un número que haga correcta la ecuación.

36. $4 + 1 = ■ + 2$

37. $2 + ■ = 6 + 2$

38. $■ - 5 = 9 - 2$

39. $5(4) = 10(■)$

40. $3 + 6 = ■ - 4$

41. $12 \div 4 = 9 \div ■$

42. **Razonamiento crítico** Linda construye una casa de juguete rectangular. El ancho es x pies. La longitud es $x + 3$ pies. La distancia alrededor de la base de la casa de juguete es 36 pies. ¿Es 8 el valor de x? Explica.

43. **Elige una estrategia** ¿Con qué debes sustituir el signo de interrogación para que la balanza esté equilibrada?

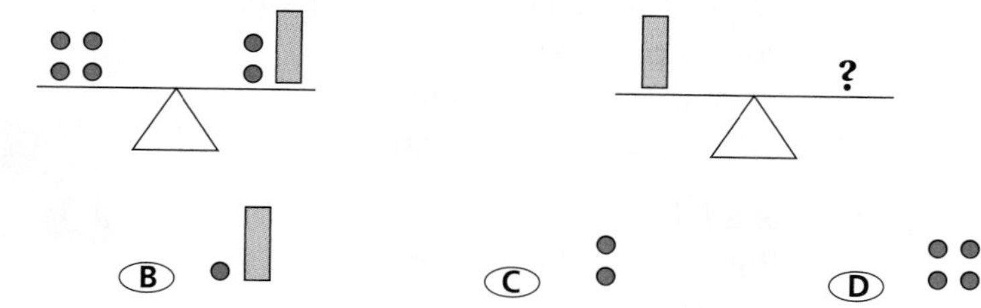

44. **Escríbelo** Explica cómo determinar si un valor es una solución de una ecuación.

45. **Desafío** ¿Es $n = 4$ una solución de $n^2 + 79 = 88$? Explica.

PREPARACIÓN PARA EL EXAMEN y repaso en espiral

46. **Opción múltiple** ¿De qué ecuación es $b = 8$ una solución?

Ⓐ $13 - b = 8$ Ⓑ $8 + b = 21$ Ⓒ $b - 13 = 21$ Ⓓ $b + 13 = 21$

47. **Opción múltiple** Cuando Paul consiga 53 postales, tendrá 82 postales en su colección.

Resuelve la ecuación $n + 53 = 82$ para hallar cuántas postales tiene Paul ahora.

Ⓕ 135 Ⓖ 125 Ⓗ 29 Ⓙ 27

Escribe cada expresión en forma exponencial. (Lección 1-3)

48. $3 \times 3 \times 3 \times 3 \times 3$

49. $9 \times 9 \times 9 \times 9$

50. $13 \times 13 \times 13$

51. 8×8

Escribe una expresión para la sucesión de la tabla. (Lección 2-3)

52.

Posición	1	2	3	4	5	n
Valor del término	4	7	10	13	16	■

2-5 Ecuaciones con sumas

Aprender **a resolver ecuaciones con sumas de números cabales**

Algunos surfistas recomiendan que la longitud de una tabla para principiantes tenga 14 pulgadas más que la estatura del surfista. Si una tabla de surf mide 82 pulgadas, ¿qué estatura debe tener el surfista para usarla?

La estatura del surfista *combinada* con 14 pulgadas es igual a 82 pulgadas. Para combinar cantidades, necesitas sumar.

Sea h la estatura del surfista. Puedes usar la ecuación $h + 14 = 82$.

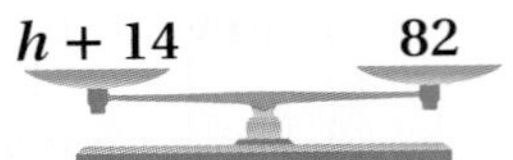

La ecuación $h + 14 = 82$ puede representarse como una balanza equilibrada.

Para hallar el valor de h, necesitas que h esté sola en un lado de la balanza equilibrada.

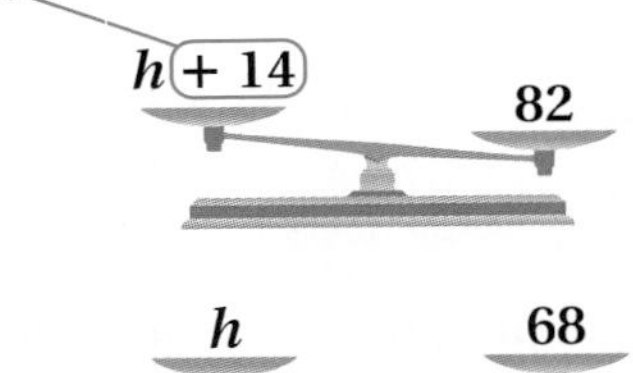

Para dejar sola la h, quita primero 14 del lado izquierdo de la balanza. Ahora la balanza está desequilibrada.

h 68

Para volver a equilibrar la balanza, quita 14 del otro lado.

Quitar 14 de los dos lados de la balanza es lo mismo que restar 14 de los dos lados de la ecuación.

$$\begin{aligned} h + 14 &= 82 \\ -14 \quad & \quad -14 \\ h \quad &= 68 \end{aligned}$$

Para usar una tabla de 82 pulgadas, un surfista debe tener una estatura de 68 pulgadas.

La resta es la operación inversa, u opuesta, de la suma. Si una ecuación tiene una suma, resuélvela restando de ambos lados para "cancelar" la suma.

EJEMPLO 1 Resolver ecuaciones con sumas

Resuelve cada ecuación. Comprueba tus respuestas.

A $x + 62 = 93$

$$\begin{aligned} x + 62 &= 93 \\ -62 &\quad -62 \\ x &= 31 \end{aligned}$$

Se suma 62 a x.
Resta 62 de ambos lados para cancelar la suma.

Comprueba $x + 62 = 93$

$31 + 62 \stackrel{?}{=} 93$ *Sustituye x por 31 en la ecuación.*

$93 \stackrel{?}{=} 93$ ✔ *31 es la solución.*

B $81 = 17 + y$

$$\begin{aligned} 81 &= 17 + y \\ -17 &\quad -17 \\ 64 &= y \end{aligned}$$

Se suma 17 a y.
Resta 17 de ambos lados para cancelar la suma.

Comprueba $81 = 17 + y$

$81 \stackrel{?}{=} 17 + 64$ *Sustituye y por 64 en la ecuación.*

$81 \stackrel{?}{=} 81$ ✔ *64 es la solución.*

EJEMPLO 2 *Aplicación a los estudios sociales*

Dyersberg, Newton y St. Thomas se encuentran a lo largo de la Autopista Ventura, como se muestra en el mapa. Halla la distancia *d* entre Newton y Dyersberg.

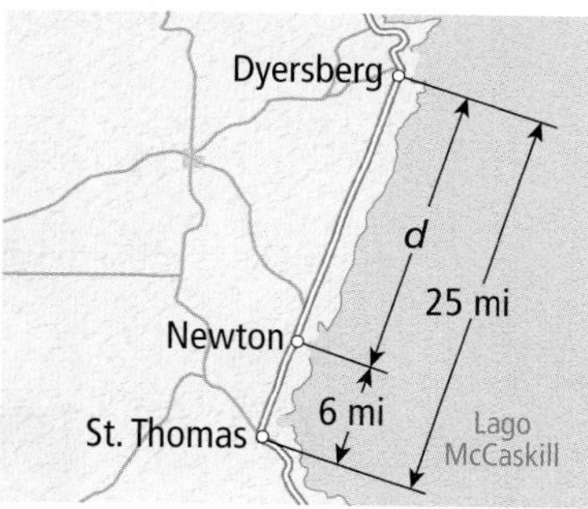

distancia entre Dyersberg y St. Thomas	=	distancia entre Newton y St. Thomas	+	distancia entre Newton y Dyersberg
25	=	6	+	*d*

$$\begin{aligned} 25 &= 6 + d \\ -6 &\quad -6 \\ 19 &= d \end{aligned}$$

Se suma 6 a d.
Resta 6 de ambos lados para cancelar la suma.

La distancia entre Newton y Dyersberg es 19 millas.

Razonar y comentar

1. **Indica** si la solución de $c + 4 = 21$ será menor o mayor que 21. Explica tu respuesta.
2. **Describe** cómo comprobarías tu respuesta al Ejemplo 2.

2-5 Ejercicios

go.hrw.com
Ayuda en línea para tareas*
CLAVE: MR7 2-5
Recursos en línea para padres
CLAVE: MR7 Parent
*(Disponible sólo en inglés)

PRÁCTICA GUIADA

Ver Ejemplo 1

Resuelve cada ecuación. Comprueba tus respuestas.

1. $x + 54 = 90$ **2.** $49 = 12 + y$ **3.** $n + 27 = 46$

4. $22 + t = 91$ **5.** $31 = p + 13$ **6.** $c + 38 = 54$

Ver Ejemplo 2

7. Lou, Michael y Georgette viven en la calle Mulberry, como se muestra en el mapa. Lou vive a 10 cuadras de Georgette. Georgette vive a 4 cuadras de Michael. ¿A cuántas cuadras de Lou vive Michael?

PRÁCTICA INDEPENDIENTE

Ver Ejemplo 1

Resuelve cada ecuación. Comprueba tus respuestas.

8. $x + 19 = 24$ **9.** $10 = r + 3$ **10.** $s + 11 = 50$

11. $b + 17 = 42$ **12.** $12 + m = 28$ **13.** $z + 68 = 77$

14. $72 = n + 51$ **15.** $g + 28 = 44$ **16.** $27 = 15 + y$

Ver Ejemplo 2

17. ¿Cuál es la longitud de una orca?

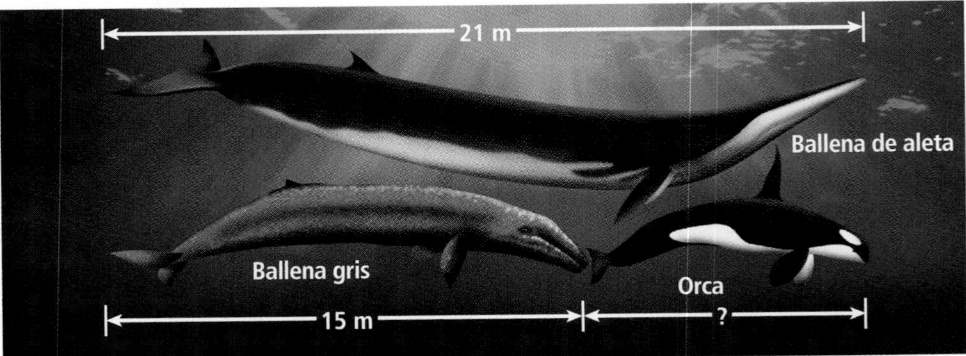

PRÁCTICA Y RESOLUCIÓN DE PROBLEMAS

Práctica adicional
Ver página 717

Resuelve cada ecuación.

18. $x + 12 = 16$ **19.** $n + 32 = 39$ **20.** $23 + q = 34$

21. $52 + y = 71$ **22.** $73 = c + 35$ **23.** $93 = h + 15$

24. $125 = n + 85$ **25.** $87 = b + 18$ **26.** $12 + y = 50$

27. $t + 17 = 43$ **28.** $k + 9 = 56$ **29.** $25 + m = 47$

Ciencias físicas

Las pelotas y los anillos que indican el humor de una persona se hacen con materiales sensibles al calor. Los cambios de la temperatura hacen que estos materiales cambien de color.

Escribe una ecuación para cada enunciado.

30. La cantidad de huevos h aumentada en 3 es igual a 14.

31. La cantidad de fotos f tomadas, sumada a 20, es igual a 36.

32. Ciencias físicas La temperatura puede medirse en grados Fahrenheit, Celsius o Kelvin. Para convertir de grados Celsius a Kelvin, suma 273 a la temperatura en grados Celsius. Completa la tabla.

	Kelvin (K)	° C + 273 = K	Celsius (° C)
Punto de congelación	273	° C + 273 = 273	
Temperatura corporal	310		
Punto de ebullición	373		

33. Historia En 1520, el explorador Fernando de Magallanes trató de medir la profundidad del océano. Puso un lastre a una cuerda de 370 m y la hundió en el mar. La cuerda no alcanzó a tocar el fondo. Supongamos que la profundidad en ese lugar fuera de 1,250 m. ¿Cuánto más larga debió haber sido la cuerda de Magallanes para llegar al fondo del océano?

34. Escribe un problema Usa datos de tu libro de ciencias para escribir un problema que pueda resolverse mediante una ecuación con sumas. Resuelve el problema.

35. Escríbelo ¿Por qué la suma y la resta se consideran operaciones inversas?

36. Desafío En el cuadrado mágico de la derecha, cada fila, columna y diagonal da la misma suma. Halla los valores de x, y y z.

7	61	x
y	37	1
31	z	67

Preparación para el examen y repaso en espiral

37. Opción múltiple Pauline hizo 6 jonrones más que Danielle. Pauline hizo 18 jonrones. ¿Cuántos hizo Danielle?

Ⓐ 3 Ⓑ 12 Ⓒ 18 Ⓓ 24

38. Opción múltiple ¿Cuál es la solución de la ecuación $79 + r = 118$?

Ⓕ $r = 39$ Ⓖ $r = 52$ Ⓗ $r = 79$ Ⓙ $r = 197$

Ordena los números de menor a mayor. (Lección 1-1)

39. 798; 648; 923 **40.** 1,298; 876; 972 **41.** 1,498; 2,163; 1,036

Evalúa cada expresión para hallar los valores que faltan en las tablas. (Lección 2-1)

42.

x	5	6	7	8
$9x$	45			

43.

y	121	99	77	55
$y \div 11$	11			

2-6 Ecuaciones con restas

Aprender **a resolver ecuaciones con restas de números cabales**

Cuando John F. Kennedy se convirtió en presidente de Estados Unidos, tenía 43 años de edad. Era 8 años menor que Abraham Lincoln cuando Lincoln se convirtió en presidente. ¿Qué edad tenía Lincoln cuando se convirtió en presidente?

Sea e la edad de Abraham Lincoln.

Kennedy fue presidente de 1961 a 1963.

Lincoln fue presidente de 1861 a 1865.

edad de Abraham Lincoln	−	8	=	edad de John F. Kennedy
e	−	8	=	43

Recuerda que la suma y la resta son operaciones inversas. Cuando una ecuación contiene una resta, usa la suma para "cancelar" la resta. Recuerda sumar la misma cantidad a ambos lados de la ecuación.

$$\begin{aligned} e - 8 &= 43 \\ \underline{+8} \quad & \quad \underline{+8} \\ e \quad &= 51 \end{aligned}$$

Abraham Lincoln tenía 51 años cuando se convirtió en presidente.

EJEMPLO 1 **Resolver ecuaciones con restas**

A **Resuelve $p - 2 = 5$. Comprueba tu respuesta.**

$$\begin{aligned} p - 2 &= 5 \\ \underline{+2} \quad & \quad \underline{+2} \\ p \quad &= 7 \end{aligned}$$

Se resta 2 de p.
Suma 2 a ambos lados para cancelar la resta.

Comprueba $p - 2 = 5$

$7 - 2 \stackrel{?}{=} 5$ *Sustituye p por 7 en la ecuación.*

$5 \stackrel{?}{=} 5$ ✔ *7 es la solución.*

B **Resuelve $40 = x - 11$. Comprueba tu respuesta.**

$$\begin{array}{rcl} 40 &=& x - 11 \\ \underline{+\,11} & & \underline{+\,11} \\ 51 &=& x \end{array}$$

Se resta 11 de x.
Suma 11 a ambos lados para cancelar la resta.

Comprueba $40 = x - 11$

$40 \stackrel{?}{=} 51 - 11$ — *Sustituye x por 51 en la ecuación.*

$40 \stackrel{?}{=} 40$ ✔ — *51 es la solución.*

C **Resuelve $x - 56 = 19$. Comprueba tu respuesta.**

$$\begin{array}{rcl} x - 56 &=& 19 \\ \underline{+\,56} & & \underline{+\,56} \\ x &=& 75 \end{array}$$

Se resta 56 de x.
Suma 56 a ambos lados para cancelar la resta.

Comprueba $x - 56 = 19$

$75 - 56 \stackrel{?}{=} 19$ — *Sustituye x por 75 en la ecuación.*

$19 \stackrel{?}{=} 19$ ✔ — *75 es la solución.*

Razonar y comentar

1. Indica si la solución de $b - 14 = 9$ será menor o mayor que 9. Explica.

2. Explica cómo sabes qué número sumar a ambos lados de una ecuación que contiene una resta.

2-6 Ejercicios

*(Disponible sólo en inglés)

PRÁCTICA GUIADA

Ver Ejemplo  1

Resuelve cada ecuación. Comprueba tus respuestas.

1. $p - 8 = 9$ **2.** $3 = x - 16$ **3.** $a - 13 = 18$

4. $15 = y - 7$ **5.** $n - 24 = 9$ **6.** $39 = d - 2$

PRÁCTICA INDEPENDIENTE

Ver Ejemplo 1

Resuelve cada ecuación. Comprueba tus respuestas.

7. $y - 18 = 7$ **8.** $8 = n - 5$ **9.** $a - 34 = 4$

10. $c - 21 = 45$ **11.** $a - 40 = 57$ **12.** $31 = x - 14$

13. $28 = p - 5$ **14.** $z - 42 = 7$ **15.** $s - 19 = 12$

PRÁCTICA Y RESOLUCIÓN DE PROBLEMAS

Práctica adicional
Ver página 716

Resuelve cada ecuación.

16. $r - 57 = 7$ **17.** $11 = x - 25$ **18.** $8 = y - 96$

19. $a - 6 = 15$ **20.** $q - 14 = 22$ **21.** $f - 12 = 2$

22. $18 = j - 19$ **23.** $109 = r - 45$ **24.** $d - 8 = 29$

25. $g - 71 = 72$ **26.** $p - 13 = 111$ **27.** $13 = m - 5$

28. Geografía El monte Rainier, en Washington, es más alto que el monte Shasta. La diferencia entre sus alturas es 248 pies. ¿Cuál es la altura del monte Rainier? Escribe una ecuación y resuélvela.

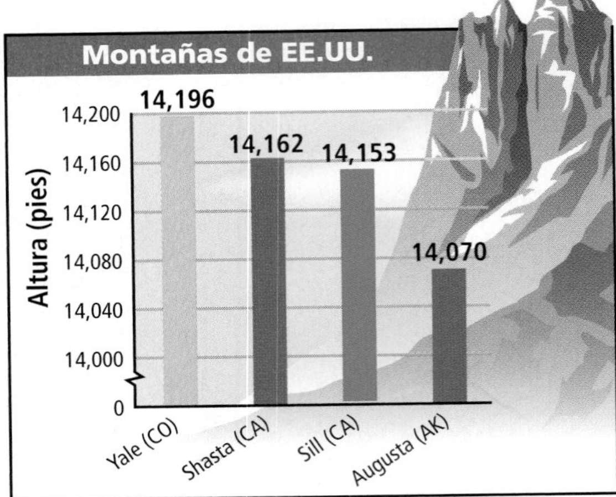

29. Estudios sociales En 2004, la población de la Ciudad de Nueva York era de 5 millones de habitantes menos que la población de Shanghai, China. La población de la Ciudad de Nueva York era de 8 millones. Resuelve la ecuación $8 = s - 5$ para hallar la población de Shanghai.

30. Escríbelo Supongamos que $n - 15$ es un número cabal. ¿Qué puedes decir acerca del valor de n? Explica.

31. ¿Dónde está el error? Mira a la derecha la hoja del estudiante. ¿Qué error cometió? ¿Cuál es la respuesta correcta?

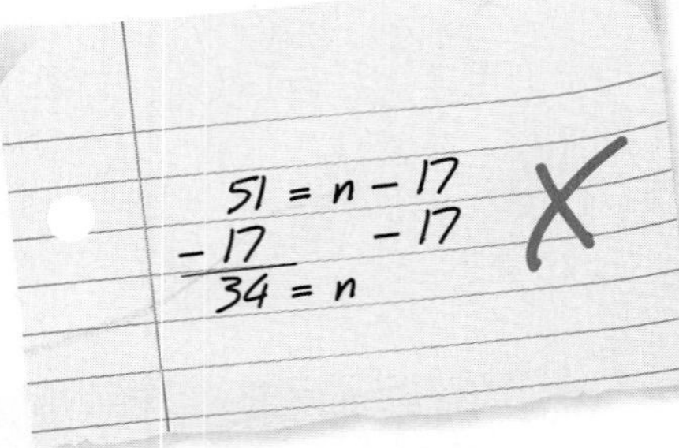

32. Desafío Escribe "la diferencia entre n y 16 es 5" como ecuación algebraica. Luego, halla la solución.

PREPARACIÓN PARA EL EXAMEN y repaso en espiral

33. Opción múltiple ¿Cuál es la solución de la ecuación $j - 39 = 93$?

Ⓐ $j = 54$ Ⓑ $j = 66$ Ⓒ $j = 93$ Ⓓ $j = 132$

34. Respuesta breve Cuando se resta 17 de un número, el resultado es 64. Escribe una ecuación que puedas usar para hallar el número original. Luego halla ese número original.

Evalúa cada expresión. (Lección 1-4)

35. $81 - 4 \times 3 + 18 \div (6 + 3)$ **36.** $17 \times (5 - 3) + 16 \div 8$ **37.** $3^2 - (15 - 8) + 4 \times 5$

Resuelve cada ecuación. (Lección 2-5)

38. $a + 3 = 18$ **39.** $y + 7 = 45$ **40.** $x + 16 = 71$ **41.** $87 = b + 31$

2-7 Ecuaciones con multiplicaciones

Aprender a resolver ecuaciones con multiplicaciones de números cabales

Los armadillos de nueve bandas nacen siempre en grupos de 4. Si cuentas 32 bebés, ¿cuántas madres armadillo hay?

Para reunir grupos iguales de 4, multiplica. Sea m el número de madres armadillo. Habrá m grupos iguales de 4.

Puedes usar la ecuación $4m = 32$.

La división es la operación inversa de la multiplicación. Para resolver una ecuación que contiene una multiplicación, usa la división para "cancelar" la multiplicación.

¡Atención!

$4m$ significa "$4 \times m$".

$$4m = 32$$

$$\frac{4m}{4} = \frac{32}{4}$$

$$m = 8$$

Hay 8 madres armadillo.

EJEMPLO 1 Resolver ecuaciones con multiplicaciones

Resuelve cada ecuación. Comprueba tus respuestas.

A $3x = 12$

$3x = 12$ — *Se multiplica x por 3.*

$\frac{3x}{3} = \frac{12}{3}$ — *Divide ambos lados entre 3 para cancelar la multiplicación.*

$x = 4$

Comprueba $3x = 12$

$3(4) \stackrel{?}{=} 12$ — *Sustituye x por 4 en la ecuación.*

$12 \stackrel{?}{=} 12$ ✔ — *4 es la solución.*

B $8 = 4w$

$8 = 4w$ — *Se multiplica w por 4.*

$\frac{8}{4} = \frac{4w}{4}$ — *Divide ambos lados entre 4 para cancelar la multiplicación.*

$2 = w$

Comprueba $8 = 4w$

$8 \stackrel{?}{=} 4(2)$ — *Sustituye w por 2 en la ecuación.*

$8 \stackrel{?}{=} 8$ ✔ — *2 es la solución.*

EJEMPLO  APLICACIÓN A LA RESOLUCIÓN DE PROBLEMAS

El área de un rectángulo es 36 pulgadas cuadradas. Su longitud es 9 pulgadas. ¿Cuál es su ancho?

1 Comprende el problema

La **respuesta** será el ancho del rectángulo en pulgadas.

Haz una lista de la **información importante:**

- El área del rectángulo es 36 pulgadas cuadradas.
- La longitud del rectángulo es 9 pulgadas.

Dibuja un diagrama para representar esta información.

9

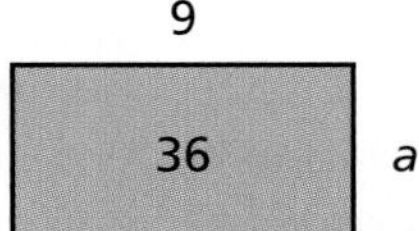

a

2 Haz un plan

Puedes escribir y resolver la ecuación con la fórmula del área. Para hallar el área de un rectángulo, multiplica su ancho por su largo.

$$A = \ell a$$
$$36 = 9a$$

a

ℓ

3 Resuelve

$36 = 9a$ *Se multiplica a por 9.*

$\frac{36}{9} = \frac{9a}{9}$ *Divide ambos lados entre 9 para cancelar la multiplicación.*

$4 = a$

Por lo tanto, el ancho del rectángulo es 4 pulgadas.

 Repasa

Acomoda 36 cuadrados idénticos en un rectángulo. La longitud es 9, por lo tanto, alinea los cuadrados en filas de 9. Como puedes formar 4 filas de 9, el ancho del rectángulo es 4.

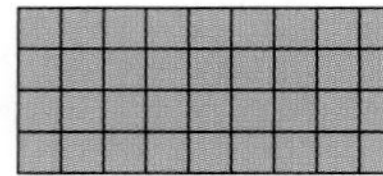

Razonar y comentar

1. Indica qué número usarías para dividir ambos lados de la ecuación $15x = 60$.

2. Indica si la solución de $10c = 90$ es menor o mayor que 90. Explica.

2-7 Ejercicios

go.hrw.com
Ayuda en línea para tareas*
CLAVE: MR7 2-7
Recursos en línea para padres
CLAVE: MR7 Parent
*(Disponible sólo en inglés)

PRÁCTICA GUIADA

Ver Ejemplo 

Resuelve cada ecuación. Comprueba tus respuestas.

1. $7x = 21$ **2.** $27 = 3w$ **3.** $90 = 10a$

4. $56 = 7b$ **5.** $3c = 33$ **6.** $12 = 2n$

Ver Ejemplo 

7. El área de una terraza rectangular es 675 pies cuadrados. El ancho de la terraza es 15 pies. ¿Cuál es su largo?

PRÁCTICA INDEPENDIENTE

Ver Ejemplo 

Resuelve cada ecuación. Comprueba tus respuestas.

8. $12p = 36$ **9.** $52 = 13a$ **10.** $64 = 8n$

11. $20 = 5x$ **12.** $6r = 30$ **13.** $77 = 11t$

14. $14s = 98$ **15.** $12m = 132$ **16.** $9z = 135$

Ver Ejemplo 

17. Marcy despliega una manta para picnic con forma rectangular y un área de 24 pies cuadrados. El ancho es 4 pies. ¿Cuál es el largo?

PRÁCTICA Y RESOLUCIÓN DE PROBLEMAS

Práctica adicional
Ver página 717

Resuelve cada ecuación.

18. $5y = 35$ **19.** $18 = 2y$ **20.** $54 = 9y$ **21.** $15y = 120$

22. $4y = 0$ **23.** $22y = 440$ **24.** $3y = 63$ **25.** $z - 6 = 34$

26. $6y = 114$ **27.** $161 = 7y$ **28.** $135 = 3y$ **29.** $y - 15 = 3$

30. $81 = 9y$ **31.** $4 + y = 12$ **32.** $7y = 21$ **33.** $a + 12 = 26$

34. $10x = 120$ **35.** $36 = 12x$ **36.** $s - 2 = 7$ **37.** $15 + t = 21$

38. Estimación Colorado es casi un rectángulo perfecto. Su frontera de este a oeste mide aproximadamente 387 mi y su área es aproximadamente 104,247 mi^2. Estima la longitud de la frontera de Colorado de norte a sur. (Área = longitud × ancho)

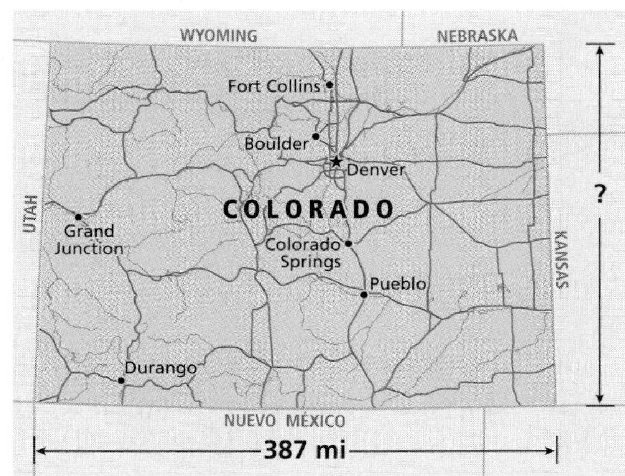

con las ciencias biológicas

Una mosca común amplificada 12 veces su tamaño real.

Los artrópodos forman el grupo más grande de animales de la Tierra. Incluyen insectos, arañas, cangrejos y ciempiés. Los artrópodos tienen cuerpos segmentados. En los ciempiés y los milpiés, todos los segmentos son idénticos.

39. Los ciempiés tienen 2 patas por segmento. Pueden tener de 30 a 354 patas. Halla un rango para el número de segmentos que puede tener un ciempiés.

40. Los milpiés tienen 4 patas por segmento. El mayor número de patas que se halló en un milpiés es 752. ¿Cuántos segmentos tenía este milpiés?

Muchos artrópodos tienen ojos compuestos que están formados por grupos diminutos de células idénticas sensibles a la luz.

41. Una libélula tiene 7 veces más células sensibles a la luz que una mosca común. ¿Cuántas de estas células tiene la mosca común?

42. Halla por cuánto sobrepasan las células sensibles a la luz que tiene una libélula a las que tiene una mariposa.

43.  **Escríbelo** Una araña doméstica puede jalar con una fuerza 140 veces mayor que su propio peso. ¿Qué otra información necesitas para hallar el peso de la araña? Explica.

44. **Desafío** Hay unos 6 mil millones de seres humanos en el mundo. Los científicos estiman que hay un trillón de artrópodos en el mundo. ¿Aproximadamente por cuánto sobrepasa la población de artrópodos a la de los seres humanos?

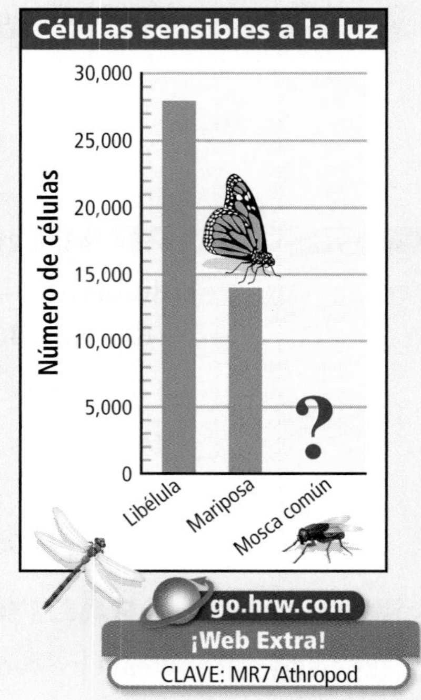

go.hrw.com
¡Web Extra!
CLAVE: MR7 Athropod

Preparación Para El Examen y repaso en espiral

45. Opción múltiple Resuelve la ecuación $25x = 175$.

Ⓐ $x = 5$ Ⓑ $x = 6$ Ⓒ $x = 7$ Ⓓ $x = 8$

46. Opción múltiple El área de un rectángulo es 42 pulgadas cuadradas. Mide 6 pulgadas de ancho. ¿Cuál es su largo?

Ⓕ 5 pulgadas Ⓖ 7 pulgadas Ⓗ 9 pulgadas Ⓙ 11 pulgadas

Estima cada suma o diferencia por redondeo al valor posicional indicado. (Lección 1-2)

47. 4,798 + 2,118; a millares **48.** 49,169 − 13,919; a decenas de millar

Resuelve cada ecuación. (Lecciones 2-5 y 2-6)

49. $b + 53 = 95$ **50.** $a - 100 = 340$ **51.** $n - 24 = 188$ **52.** $w + 20 = 95$

2-8 Ecuaciones con divisiones

Aprender a resolver ecuaciones con divisiones de números cabales

Los recolectores de perlas japoneses se sumergen hasta 165 pies en busca de perlas. A esa profundidad, la presión sobre un buzo es mucho mayor que en la superficie del agua. La presión del agua se puede describir con ecuaciones que contengan divisiones.

La multiplicación es la operación inversa de la división. En una ecuación con una división, multiplicas para "cancelar" la división.

EJEMPLO 1 Resolver ecuaciones con divisiones

Resuelve cada ecuación. Comprueba tus respuestas.

A $\frac{y}{5} = 4$

$\frac{y}{5} = 4$ — *Se divide y entre 5.*

$5 \cdot \frac{y}{5} = 5 \cdot 4$ — *Multiplica ambos lados por 5 para cancelar la división.*

$y = 20$

Comprueba

$\frac{y}{5} = 4$

$\frac{20}{5} \stackrel{?}{=} 4$ — *Sustituye y por 20 en la ecuación.*

$4 \stackrel{?}{=} 4$ ✔ — *20 es la solución.*

B $12 = \frac{z}{4}$

$12 = \frac{z}{4}$ — *Se divide z entre 4.*

$4 \cdot 12 = 4 \cdot \frac{z}{4}$ — *Multiplica ambos lados por 4 para cancelar la división.*

$48 = z$

Comprueba

$12 = \frac{z}{4}$

$12 \stackrel{?}{=} \frac{48}{4}$ — *Sustituye z por 48 en la ecuación.*

$12 \stackrel{?}{=} 12$ ✔ — *48 es la solución.*

EJEMPLO 2 ***Aplicación a las ciencias físicas***

Presión es la cantidad de fuerza que se ejerce sobre un área. La presión se mide en libras por pulgada cuadrada, o lb/pulg^2.

La presión en la superficie del agua es la mitad que a 30 pies de profundidad.

presión en la superficie $= \dfrac{\textbf{presión a 30 pies de profundidad}}{\textbf{2}}$

La presión en la superficie es 15 lb/pulg^2. ¿Cuál es la presión del agua a 30 pies de profundidad?

Sea p la presión a 30 pies de profundidad.

$15 = \dfrac{p}{2}$ *Sustituye la presión en la superficie por 15. Se divide p entre 2.*

$2 \cdot 15 = 2 \cdot \dfrac{p}{2}$ *Multiplica ambos lados por 2 para cancelar la división.*

$30 = p$

La presión del agua a 30 pies de profundidad es 30 lb/pulg^2.

Razonar y comentar

1. **Indica** si la solución de $\frac{c}{10} = 70$ será menor o mayor que 70. Explica.
2. **Describe** cómo comprobarías tu respuesta al Ejemplo 2.
3. **Explica** por qué $13 \cdot \frac{x}{13} = x$.

2-8 Ejercicios

go.hrw.com
Ayuda en línea para tareas*
CLAVE: MR7 2-8
Recursos en línea para padres
CLAVE: MR7 Parent
*(Disponible sólo en inglés)

PRÁCTICA GUIADA

Ver Ejemplo 1

Resuelve cada ecuación. Comprueba tus respuestas.

1. $\frac{y}{4} = 3$
2. $14 = \frac{z}{2}$
3. $\frac{r}{9} = 7$
4. $\frac{s}{10} = \frac{4}{40}$
5. $12 = \frac{j}{3}$
6. $9 = \frac{x}{5}$
7. $\frac{f}{12} = 5$
8. $\frac{g}{2} = 1$

Ver Ejemplo 2

9. Irene podó el pasto y plantó flores. El tiempo que tardó en podar el pasto fue un tercio del que dedicó a plantar flores. Tardó 30 minutos en podar el pasto. Halla el tiempo que Irene dedicó a plantar flores.

PRÁCTICA INDEPENDIENTE

Ver Ejemplo 1

Resuelve cada ecuación. Comprueba tus respuestas.

10. $\frac{d}{3} = 12$ **11.** $\frac{c}{2} = 13$ **12.** $7 = \frac{m}{7}$ **13.** $\frac{g}{7} = 14$

14. $6 = \frac{f}{4}$ **15.** $\frac{x}{12} = 12$ **16.** $\frac{j}{20} = 10$ **17.** $9 = \frac{r}{9}$

Ver Ejemplo 2

18. El área del jardín de Danielle es un doceavo del área de todo su patio. El jardín tiene un área de 10 pies cuadrados. Halla el área del patio.

PRÁCTICA Y RESOLUCIÓN DE PROBLEMAS

Práctica adicional
Ver página 717

Halla el valor de *c* en cada ecuación.

19. $\frac{c}{12} = 8$ **20.** $4 = \frac{c}{9}$ **21.** $\frac{c}{15} = 11$ **22.** $c + 21 = 40$

23. $14 = \frac{c}{5}$ **24.** $\frac{c}{4} = 12$ **25.** $\frac{c}{4} = 15$ **26.** $5c = 120$

27. Varios pasos El edificio Empire State mide 381 m de alto. En el lugar más ancho del Gran Cañón, el Empire State cabría 76 veces de lado a lado. Escribe y resuelve una ecuación para hallar el ancho del Gran Cañón en ese punto.

28. Ciencias de la Tierra Puedes estimar la distancia en kilómetros de una tormenta si cuentas el número de segundos entre el relámpago y el trueno y lo divides entre 3. Si una tormenta está a 5 km de distancia, ¿cuántos segundos contarás entre el relámpago y el trueno?

29. Escribe un problema Escribe un problema de dinero que se pueda resolver con una ecuación con divisiones.

30. Escríbelo Usa un ejemplo numérico para explicar cómo se cancelan una a otra la multiplicación y la división.

31. Desafío Un número dividido por la mitad y luego dividido de nuevo por la mitad es igual a 2. ¿Cuál era el número original?

PREPARACIÓN PARA EL EXAMEN y repaso en espiral

32. Opción múltiple Carl tiene una colección de n muñecos. Quiere colocarlos en 6 cajones, con 12 muñecos en cada uno. Resuelve la ecuación $\frac{n}{6} = 12$ para determinar cuántos muñecos tiene Carl.

(A) $n = 2$ (B) $n = 6$ (C) $n = 18$ (D) $n = 72$

33. Opción múltiple ¿Para qué ecuación $k = 28$ NO es la solución?

(F) $\frac{k}{14} = 2$ (G) $\frac{k}{7} = 4$ (H) $\frac{k}{28} = 1$ (J) $\frac{k}{6} = 12$

Identifica un patrón en cada sucesión y escribe los siguientes tres términos. (Lección 1-7)

34. 3, 10, 17, 24, . . . **35.** 5, 10, 15, 20, . . . **36.** 1, 4, 2, 5, 3, . . .

Resuelve cada ecuación. (Lección 2-7)

37. $4r = 52$ **38.** $8k = 128$ **39.** $81 = 9p$ **40.** $119 = 17q$

SECCIÓN 2B

Prueba de las Lecciones 2-4 a 2-8

2-4 Ecuaciones y sus soluciones

Determina si el valor que se da para la variable es una solución.

1. $c - 13 = 54$ para $c = 67$ **2.** $5r = 65$ para $r = 15$ **3.** $48 \div x = 6$ para $x = 8$

4. Brady compra 2 libretas de notas y debe recibir $3 de vuelto. El cajero le da 12 monedas de 25 centavos. Determina si Brady recibió la cantidad correcta de vuelto.

2-5 Ecuaciones con sumas

Resuelve cada ecuación. Comprueba tus respuestas.

5. $p + 51 = 76$ **6.** $107 = 19 + j$ **7.** $45 = s + 27$

8. Una parte importante de la Gran Muralla china original está hoy en ruinas. Actualmente, la muralla mide unos 6,350 kilómetros de longitud. Si se incluye la parte que está en ruinas, la longitud total es 6,850 kilómetros aproximadamente. Escribe y resuelve una ecuación para hallar la longitud aproximada de la parte de la Gran Muralla que hoy está en ruinas.

¿Listo para seguir?

2-6 Ecuaciones con restas

Resuelve cada ecuación. Comprueba tus respuestas.

9. $k - 5 = 17$ **10.** $150 = p - 30$ **11.** $n - 24 = 72$

12. La montaña rusa Kingda Ka en Six Flags® Great Adventure, Nueva Jersey, es más alta que la montaña rusa Top Thrill Dragster en Cedar Point™, Ohio. La diferencia entre las alturas es 36 pies. La montaña rusa Top Thrill Dragster mide 420 pies de alto. Escribe y resuelve una ecuación para hallar la altura de Kingda Ka.

2-7 Ecuaciones con multiplicaciones

Resuelve cada ecuación. Comprueba tus respuestas.

13. $6f = 18$ **14.** $105 = 5d$ **15.** $11x = 99$

16. Taryn compra 8 vasos idénticos. La cantidad total que debe pagar antes de impuestos es $48. Escribe y resuelve una ecuación para hallar cuánto le cuesta a Taryn cada vaso.

2-8 Ecuaciones con divisiones

Resuelve cada ecuación. Comprueba tus respuestas.

17. $10 = \frac{j}{9}$ **18.** $5 = \frac{t}{6}$ **19.** $\frac{r}{15} = 3$

20. Paula está horneando pasteles de durazno para una venta. Necesita 2 libras de duraznos para cada pastel y hornea 6 pasteles. Escribe y resuelve una ecuación para hallar cuántas libras de duraznos tuvo que comprar Paula.

PREPARACIÓN DE VARIOS PASOS PARA EL EXAMEN

¡Calamar gigante! Durante siglos, los marineros han contado historias de barcos capturados por calamares gigantescos. Tal vez sólo se trate de mitos, pero los científicos han llegado a la conclusión de que un calamar gigante puede llegar a medir hasta 60 pies.

En la figura se muestran distintas maneras de medir un calamar.

1. En 1887, las corrientes arrastraron un calamar gigante a la costa de Nueva Zelanda. Tenía una longitud total de 55 pies. Algunas fuentes informaron que medía 660 pulgadas. Determina si estas dos medidas son iguales. Explica.

2. La longitud total de 55 pies del calamar era 49 pies más que la longitud del manto. ¿Qué ecuación podrías usar para hallar la longitud del manto? Resuélvela.

3. La diferencia entre la longitud estándar y la longitud del manto de este calamar era de 10 pies. Explica qué operación usarías en una ecuación para hallar la longitud estándar del calamar y luego halla esa longitud.

4. Supongamos que el calamar gigante tenía 240 ventosas en cada brazo. Sea n la cantidad de brazos. ¿Qué expresión podrías usar para hallar la cantidad total de ventosas de un calamar gigante? Explica.

5. El calamar gigante tenía 1,920 ventosas. ¿Cuántos brazos tenía?

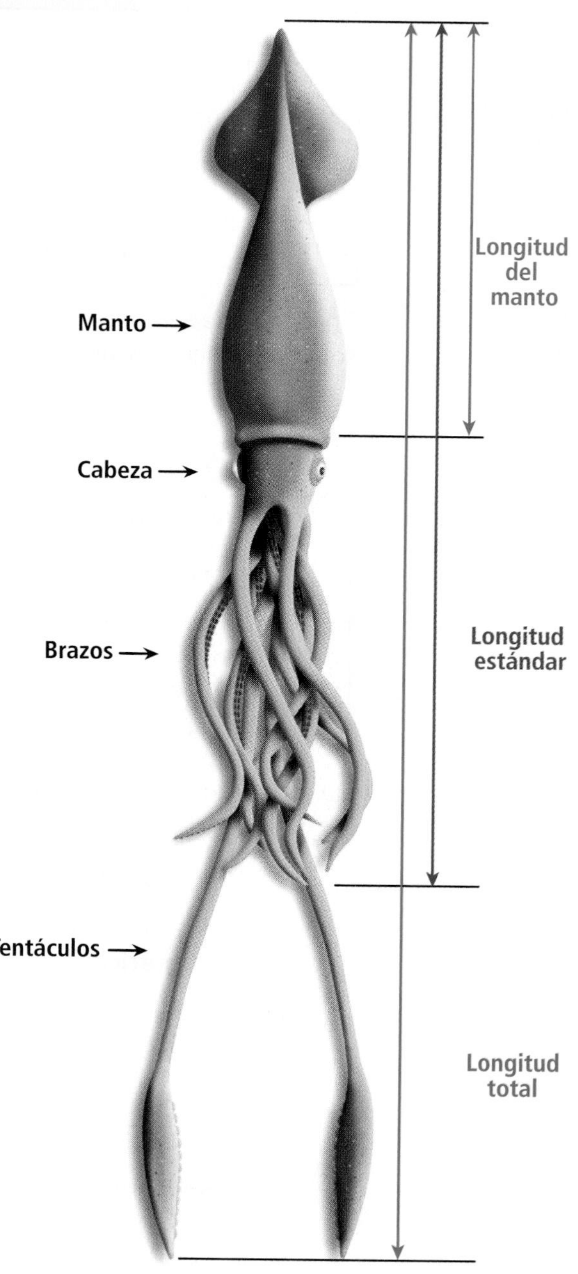

EXTENSIÓN

Desigualdades

Aprender a resolver y representar gráficamente desigualdades de números cabales

Vocabulario

desigualdad

Pista útil

$<$ significa "menor que".
$>$ significa "mayor que".
$\leq$ significa "menor que o igual a".
$\geq$ significa "mayor que o igual a".

Una **desigualdad** es un enunciado en el que dos cantidades no son iguales.

$15 > 3$ $\qquad$ $12 \leq 29$ $\qquad$ $41 \geq 18$ $\qquad$ $17 < 90$

Una desigualdad puede contener una variable, como en la desigualdad $x > 3$. Los valores de la variable que hacen que la desigualdad sea verdadera son soluciones de la desigualdad.

x	$x > 3$	¿Es la solución?
0	$0 \overset{?}{>} 3$	No; 0 **no es** mayor que 3, así que 0 no es la solución.
3	$3 \overset{?}{>} 3$	No; 3 **no es** mayor que 3, así que 3 no es la solución.
4	$4 \overset{?}{>} 3$	Sí; 4 es mayor que 3, así que 4 es la solución.
12	$12 \overset{?}{>} 3$	Sí; 12 es mayor que 3, así que 12 es la solución.

En esta tabla se muestra que una desigualdad puede tener más de una solución. Puedes usar una recta numérica para mostrar todas las soluciones.

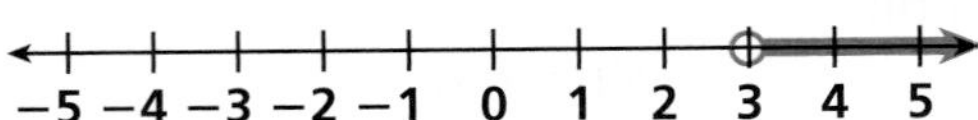

EJEMPLO  1

Representar gráficamente desigualdades

Representa las soluciones de $w \leq 4$ en una recta numérica.

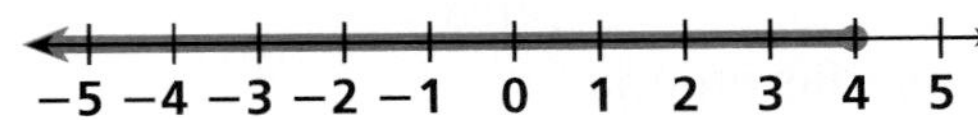

El círculo lleno sobre el punto 4 muestra que 4 es una solución.

Puedes resolver las desigualdades de la misma manera que las ecuaciones.

EJEMPLO  2

Resolver y representar gráficamente desigualdades

Resuelve cada desigualdad. Representa las soluciones en una recta numérica.

A $y + 7 < 9$

$y + 7 < 9$ *Se suma 7 a y.*

$\underline{-7} \quad \underline{-7}$ *Resta 7 de ambos lados para cancelar la suma.*

$y < 2$

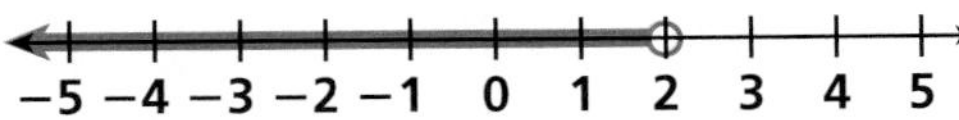

El círculo abierto (vacío) sobre el punto 2 muestra que 2 no es una solución.

Resuelve cada desigualdad. Representa las soluciones en una recta numérica.

B $\mathbf{2m \geq 12}$

$2m \geq 12$ — *Se multiplica m por 2.*

$\frac{2m}{2} \geq \frac{12}{2}$ — *Divide ambos lados entre 2 para cancelar la multiplicación.*

$m \geq 6$

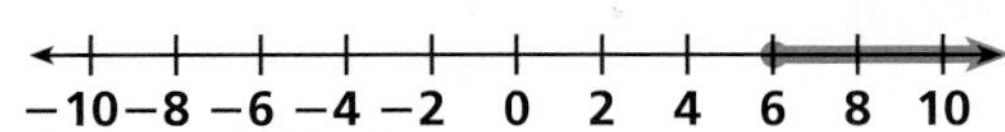

El círculo lleno sobre el punto 6 muestra que 6 es una solución.

EXTENSIÓN Ejercicios

Representa las soluciones de cada desigualdad en una recta numérica.

1. $w \leq 0$ **2.** $x > 5$ **3.** $z \geq 9$ **4.** $g < 4$

5. $7 < t$ **6.** $m > 2$ **7.** $4 \geq q$ **8.** $h \leq 10$

9. $a \leq 8$ **10.** $6 > x$ **11.** $y < 3$ **12.** $1 \geq j$

Resuelve cada desigualdad.

13. $3t \leq 27$ **14.** $y - 5 \geq 0$ **15.** $4x < 16$

16. $x + 4 < 10$ **17.** $2c > 2$ **18.** $s + 2 \leq 10$

19. $\frac{d}{6} \geq 1$ **20.** $r + 9 \leq 23$ **21.** $p - 4 > 2$

22. $15n < 75$ **23.** $4 + r \leq 7$ **24.** $\frac{j}{2} \leq 4$

25. $f - 11 > 16$ **26.** $2k < 8$ **27.** $3q \geq 9$

Escribe una desigualdad para cada enunciado. Luego, represéntala gráficamente.

28. c es menor que o igual a dos. **29.** p es mayor que 11.

30. 2 por r es menor que 14. **31.** s más 2 es mayor que o igual a 5.

32. En algunos lagos, los pescadores deben devolver al agua las truchas que miden menos de 10 pulgadas de largo. Escribe una desigualdad que represente las longitudes de las truchas que pueden conservarse.

33. Geografía El monte McKinley es el punto más elevado de Estados Unidos, con una altura de 20,320 pies. Sea a la altura de otro lugar de Estados Unidos. Escribe una desigualdad en la que relaciones a con la altura del monte McKinley.

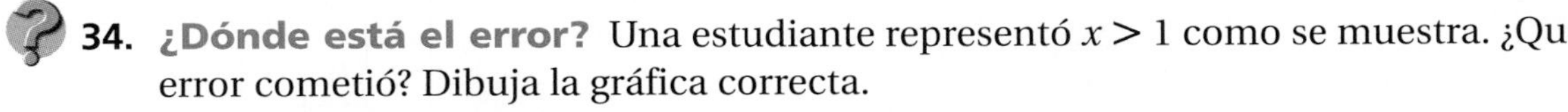

34. ¿Dónde está el error? Una estudiante representó $x > 1$ como se muestra. ¿Qué error cometió? Dibuja la gráfica correcta.

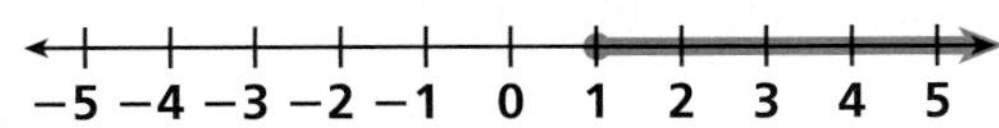

¡Vamos a jugar!

Magia matemática

Adivina lo que piensan tus amigos con este truco de magia matemática.

Copia las siguientes tablas de números.

1	10	19
2, 2	11, 11	20, 20
4	13	22
5, 5	14, 14	23, 23
7	16	25
8, 8	17, 17	26, 26

3	12	21
4	13	22
5	14	23
6, 6	15, 15	24, 24
7, 7	16, 16	25, 25
8, 8	17, 17	26, 26

9	15	21, 21
10	16	22, 22
11	17	23, 23
12	18, 18	24, 24
13	19, 19	25, 25
14	20, 20	26, 26

Paso 1: Pídele a un amigo o amiga que piense en un número del 1 al 26.
Ejemplo: Tu amigo o amiga piensa en el 26.

Paso 2: Muéstrale a tu amigo o amiga la primera tabla y pregúntale cuántas veces aparece el número que escogió. Recuerda su respuesta.
Te dice que el número que eligió aparece dos veces en la primera tabla.

2

Paso 3: Muéstrale la segunda tabla y hazle la misma pregunta. Multiplica la respuesta por 3. Suma tu resultado a la respuesta del paso 2. Recuerda esta respuesta.
Te dice que el número que eligió aparece dos veces. La respuesta del paso 2 es 2.

$3 \cdot 2 = 6$
$6 + 2 = 8$

Paso 4: Muéstrale la tercera tabla y hazle la misma pregunta. Multiplica la respuesta por 9. Suma tu resultado a la respuesta del paso 3. El resultado es el número de tu amigo o amiga.
Te dice que el número que eligió aparece dos veces. La respuesta del paso 3 es 8.

$9 \cdot 2 = 18$
$18 + 8 = 26$

El número de tu amigo o amiga

¿Cómo funciona este truco?

El número de tu amigo o amiga será el siguiente:

(respuesta del paso 2) + (3 • respuesta del paso 3) + (9 • respuesta del paso 4)

Ésta es una expresión con tres variables: $a + 3b + 9c$. Un número estará en una tabla en particular 0, 1 ó 2 veces, de modo que a, b y c siempre serán 0, 1 ó 2. Con estos valores, puedes escribir expresiones para todos los números del 1 al 26.

a	b	c	$a + 3b + 9c$
1	0	0	$1 + 3(0) + 9(0) = \mathbf{1}$
2	0	0	$2 + 3(0) + 9(0) = \mathbf{2}$
0	1	0	$0 + 3(1) + 9(0) = \mathbf{3}$

¿Puedes completar la tabla para los números del 4 al 26?

PROYECTO Ecuaciones de tres lados

¡Usa una carpeta de color para hacer una figura de tres lados y repasar álgebra!

Instrucciones

1. Cierra la carpeta. Pliega uno de los lados hacia el borde plegado. Da vuelta la carpeta y pliega el otro lado hacia el borde plegado. **Figura A**

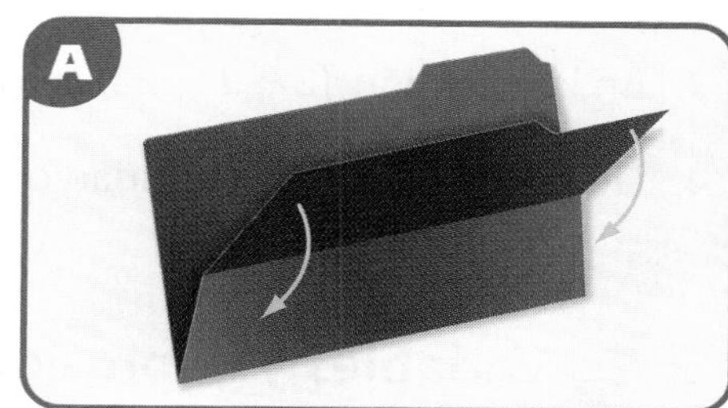

2. Abre la carpeta. Estará dividida en cuatro secciones. En la sección superior, corta $\frac{1}{4}$ de pulgada de cada borde. En el ángulo superior izquierdo y en el ángulo superior derecho de la sección inferior, haz una ranura en diagonal de 1 pulgada. **Figura B**

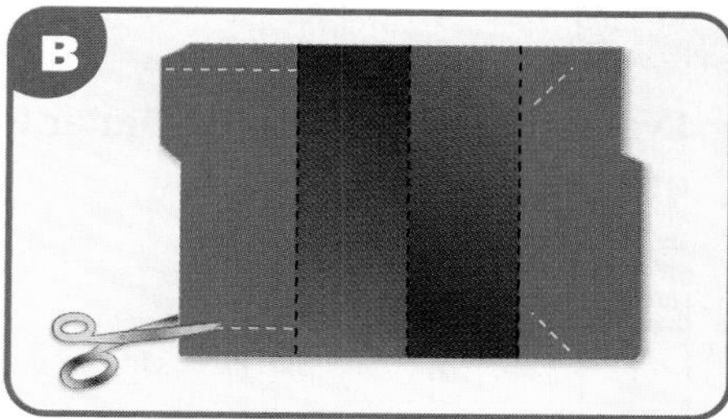

3. Pliega la carpeta de manera que las esquinas de la sección superior más pequeña entren en las ranuras. De esta manera, formarás una carpeta de tres lados para guardar notas. **Figura C**

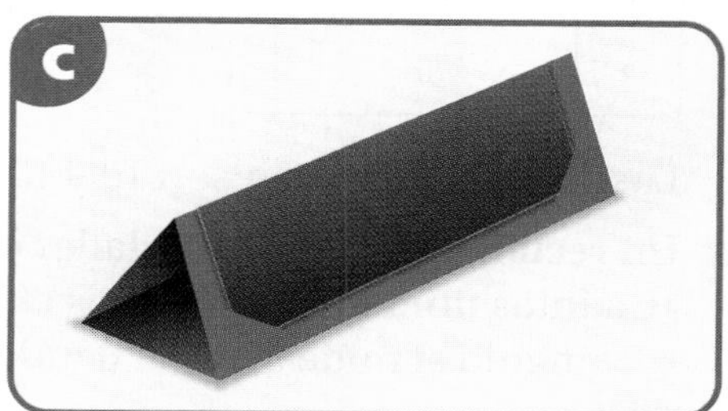

4. Escribe la definición de una ecuación en un lado de tu carpeta para notas. En el otro lado, escribe el orden de las operaciones. Escribe ejemplos de expresiones en el tercer lado.

Tomar notas de matemáticas

Pega un pequeño bolsillo hecho con cartón o cartulina, en cada lado de tu carpeta para notas. En trozos rectangulares de cartulina, escribe problemas en los que demuestres lo que sabes de las ecuaciones, el orden de las operaciones y las expresiones. Guarda las tarjetas con notas en los bolsillos correspondientes.

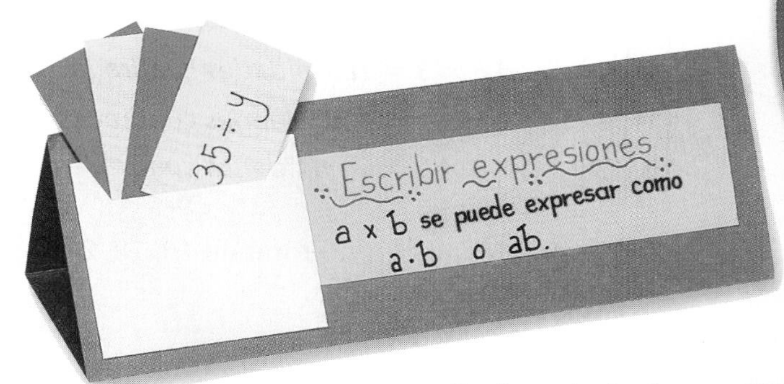

CAPÍTULO 2

Guía de estudio: Repaso

Vocabulario

Completa los enunciados con las palabras del vocabulario.

1. Una __?__ contiene una o más variables.
2. Una __?__ es un enunciado matemático en el que dos cantidades son iguales.
3. En la ecuación $12 + t = 22$, t es una __?__.
4. Una __?__ es una cantidad que no cambia.

2-1 Variables y expresiones (págs. 54–57)

EJEMPLO

■ **Evalúa la expresión para hallar los valores que faltan en la tabla.**

n	$3n + 4$
1	7
2	■
3	■

$n = 1;\ 3 \times 1 + 4 = 7$

$n = 2;\ 3 \times 2 + 4 = 10$

$n = 3;\ 3 \times 3 + 4 = 13$

Los valores que faltan son 10 y 13.

■ **Un rectángulo mide 3 unidades de ancho. ¿Cuántas unidades cuadradas cubre el rectángulo si mide 5, 6, 7 u 8 unidades de largo?**

ℓ	a	$\ell \times a$
5	3	15
6	3	■
7	3	■
8	3	■

*$5 \times 3 =$ **15** unidades cuadradas*

*$6 \times 3 =$ **18** unidades cuadradas*

*$7 \times 3 =$ **21** unidades cuadradas*

*$8 \times 3 =$ **24** unidades cuadradas*

El rectángulo cubrirá un total de 15, 18, 21 ó 24 unidades cuadradas.

EJERCICIOS

Evalúa cada expresión para hallar los valores que faltan en las tablas.

5.

y	$y \div 7$
56	8
49	■
42	■

6.

k	$k \times 4 - 6$
2	2
3	■
4	■

7. Un rectángulo mide 9 unidades de largo. ¿Cuántas unidades cuadradas cubre si mide 1, 2, 3 ó 4 unidades de ancho?
8. Karen compra 3 ramos de flores. ¿Cuántas flores compró si cada ramo contiene 10, 11, 12 ó 13 flores?
9. Ron compra 5 bolsas de canicas. ¿Cuántas canicas compra si cada bolsa tiene 15, 16, 17 ó 18 canicas?

2-2 Cómo convertir entre expresiones con palabras y expresiones matemáticas (págs. 58–61)

EJEMPLO

Escribe cada frase como una expresión numérica o algebraica.

- 617 menos 191
  $617 - 191$
- d multiplicado por 5
  $5d$ ó $5 \cdot d$ ó $(5)(d)$

Escribe dos frases para cada expresión.

- $a \div 5$
  - a dividido entre 5
  - el cociente de a y 5
- $67 + 19$
  - la suma de 67 y 19
  - 19 más que 67

EJERCICIOS

Escribe cada frase como una expresión numérica o algebraica.

10. 15 más b

11. el producto de 6 y 5

12. 9 por t

13. el cociente de g y 9

Escribe dos frases para cada expresión.

14. $4z$

15. $15 + x$

16. $54 \div 6$

17. $\frac{m}{20}$

18. $3 - y$

19. $5{,}100 + 64$

20. $y - 3$

21. $g - 20$

2-3 Cómo convertir entre tablas y expresiones (págs. 62–65)

EJEMPLO

- **Escribe una expresión para la sucesión de la tabla.**

Posición	1	2	3	4	n
Valor del término	9	18	27	36	■

Para pasar de la posición al valor del término, multiplica la posición por 9. La expresión es $9n$.

EJERCICIOS

Escribe una expresión para la sucesión de cada tabla.

22.

Posición	1	2	3	4	n
Valor del término	4	7	10	13	■

23.

Posición	1	2	3	4	n
Valor del término	0	1	2	3	■

2-4 Ecuaciones y sus soluciones (págs. 70–73)

EJEMPLO

- **Determina si el valor que se da para la variable es una solución.**

$f + 14 = 50$ para $f = 34$

$34 + 14 \stackrel{?}{=} 50$ *Sustituye f por 34.*

$48 \neq 50$ *Suma.*

34 no es una solución.

EJERCICIOS

Determina si el valor que se da para cada variable es una solución.

24. $28 + n = 39$ para $n = 11$

25. $12t = 74$ para $t = 6$

26. $y - 53 = 27$ para $y = 80$

27. $96 \div w = 32$ para $w = 3$

2-5 Ecuaciones con sumas (págs. 74–77)

EJEMPLO

- **Resuelve la ecuación $x + 18 = 31$.**

$$\begin{array}{rcl} x + 18 & = & 31 \\ -18 & & -18 \\ \hline x & = & 13 \end{array}$$

Se suma 18 a x.
Resta 18 de ambos lados para cancelar la suma.

EJERCICIOS

Resuelve cada ecuación.

28. $4 + x = 10$
29. $n + 10 = 24$
30. $c + 71 = 100$
31. $y + 16 = 22$
32. $44 = p + 17$
33. $94 + w = 103$
34. $23 + b = 34$
35. $56 = n + 12$
36. $39 = 23 + p$
37. $d + 28 = 85$

2-6 Ecuaciones con restas (págs. 78–80)

EJEMPLO

- **Resuelve la ecuación $c - 7 = 16$.**

$$\begin{array}{rcl} c - 7 & = & 16 \\ +7 & & +7 \\ \hline c & = & 23 \end{array}$$

Se resta 7 de c.
Suma 7 a cada lado para cancelar la resta.

EJERCICIOS

Resuelve cada ecuación.

38. $28 = k - 17$
39. $d - 8 = 1$
40. $p - 55 = 8$
41. $n - 31 = 36$
42. $3 = r - 11$
43. $97 = w - 47$
44. $12 = h - 48$
45. $9 = p - 158$

2-7 Ecuaciones con multiplicaciones (págs. 81–84)

EJEMPLO

- **Resuelve la ecuación $6x = 36$.**

$6x = 36$ — *Se multiplica x por 6.*

$\frac{6x}{6} = \frac{36}{6}$

$x = 6$

Divide ambos lados entre 6 para cancelar la multiplicación.

EJERCICIOS

Resuelve cada ecuación.

46. $5v = 40$
47. $27 = 3y$
48. $12c = 84$
49. $18n = 36$
50. $72 = 9s$
51. $11t = 110$
52. $7a = 56$
53. $8y = 64$

2-8 Ecuaciones con divisiones (págs. 85–87)

EJEMPLO

- **Resuelve la ecuación $\frac{k}{4} = 8$.**

$\frac{k}{4} = 8$ — *Se divide k entre 4.*

$4 \cdot \frac{k}{4} = 4 \cdot 8$ — *Multiplica ambos lados por 4 para cancelar la división.*

$k = 32$

EJERCICIOS

Resuelve cada ecuación.

54. $\frac{r}{7} = 6$
55. $\frac{t}{5} = 3$
56. $6 = \frac{y}{3}$
57. $12 = \frac{n}{6}$
58. $\frac{z}{13} = 4$
59. $20 = \frac{b}{5}$
60. $\frac{n}{11} = 7$
61. $10 = \frac{p}{9}$

EXAMEN DEL CAPÍTULO

CAPÍTULO 2

Evalúa cada expresión para hallar los valores que faltan en las tablas.

1.

a	$a + 18$
10	28
12	▒
14	▒

2.

y	$y \div 6$
18	3
30	▒
42	▒

3.

n	$n \div 5 + 7$
10	9
20	▒
30	▒

4. En una camioneta hay lugar para 6 personas. ¿Cuántas personas pueden viajar en 3, 4, 5 y 6 camionetas?

5. Un rectángulo mide 5 unidades de ancho. ¿Cuántas unidades cuadradas cubre el rectángulo si mide 10, 11, 12 ó 13 unidades de largo?

Escribe una expresión para el valor que falta en cada tabla.

6.

Paquetes	Panecillos
1	8
2	16
3	24
4	32
p	▒

7.

Estudiantes	Grupos
5	1
10	2
15	3
20	4
s	▒

Escribe una expresión para la sucesión de la tabla.

8.

Posición	1	2	3	4	5	n
Valor del término	4	7	10	13	16	▒

9. Hay más especies de reptiles que de anfibios. Hay 3,100 especies vivas de anfibios. Escribe una expresión para mostrar por cuánto sobrepasan las especies de reptiles a las de anfibios.

Escribe cada frase como una expresión numérica o algebraica.

10. 26 más que n

11. g multiplicado por 4

12. el cociente de 180 y 15

Escribe dos frases para cada expresión.

13. $(14)(16)$

14. $n \div 8$

15. $p + 11$

16. $s - 6$

Determina si el valor que se da para la variable es una solución.

17. $5d = 70$ para $d = 12$

18. $29 = 76 - n$ para $n = 46$

19. $108 \div a = 12$ para $a = 9$

20. $15 + m = 27$ para $m = 12$

Resuelve cada ecuación.

21. $a + 7 = 25$

22. $121 = 11d$

23. $3 = t - 8$

24. $6 = \frac{k}{9}$

25. Por lo común, el aire tiene unas 4,000 bacterias por metro cúbico. Si tu habitación tiene 30 metros cúbicos, ¿cuántas bacterias habrá en el aire de tu habitación?

CAPÍTULO 2

PREPARACIÓN PARA EL EXAMEN ESTANDARIZADO

go.hrw.com
Práctica en línea para el examen estatal
CLAVE: MR7 TestPrep

EVALUACIÓN ACUMULATIVA, CAPÍTULOS 1–2

Opción múltiple

1. ¿Cuál de las siguientes opciones es una expresión algebraica del producto de 15 y x?

(A) $15 - x$
(B) $15x$
(C) $x + 15$
(D) $15 \div x$

2. Max ganó $560 arreglando jardines. Si trabajó 80 horas en total, ¿qué expresión puede usarse para hallar cuánto ganó por hora de trabajo?

(F) $560 - 80$
(G) $560 \div 80$
(H) $560 + 80$
(J) $560 \cdot 80$

3. Halla la expresión de la tabla.

x	■
3	9
8	19
11	25
15	33

(A) $3x$
(B) $x + 18$
(C) $2x + 3$
(D) $3x - 5$

4. Un salón de clase rectangular tiene un área de 252 pies cuadrados. El ancho del salón es 14 pies. ¿Qué longitud tiene?

(F) 14 pies
(G) 16 pies
(H) 18 pies
(J) 20 pies

5. ¿Cuál es la diferencia entre 82,714 y 54,221 redondeada a la centena más cercana?

(A) 28,500
(B) 27,700
(C) 26,900
(D) 26,000

6. ¿Cuál es el valor de 8^3?

(F) 11
(G) 24
(H) 192
(J) 512

7. Esta semana, Zane recorrió 23 millas en bicicleta, 8 millas más que la semana pasada. Resuelve la ecuación $x + 8 = 23$ para hallar cuántas millas recorrió Zane la semana pasada.

(A) 15 millas
(B) 23 millas
(C) 31 millas
(D) 33 millas

8. ¿Qué equipo vendió la mayor cantidad de productos para obtener fondos?

Resultados de la recaudación por equipo	
Equipo	**Productos vendidos**
Atletismo	6,019
Fútbol	6,421
Golf	6,536
Natación	6,879

(F) Equipo de fútbol
(G) Equipo de golf
(H) Equipo de natación
(J) Equipo de atletismo

9. ¿Qué ecuación es un ejemplo de la propiedad asociativa?

(A) $3 + (4 + 6) = (3 + 4) + 6$
(B) $(42 + 6) + 18 = (42 + 18) + 6$
(C) $(3 \times 20) + (3 \times 4) = 3 \times 24$
(D) $8(2 \times 6) = (8 \times 2) + (8 \times 6)$

10. Nicole tiene 15 años. Es 3 años menor que su hermana Jan. Resuelve la ecuación $j - 3 = 15$ para hallar la edad de Jan.

(F) 18 años
(G) 17 años
(H) 12 años
(J) 5 años

11. Ling creó una sucesión aritmética que empieza con 5 y después suma 8. Halla el 6to término de esta sucesión.

(A) 30
(B) 38
(C) 40
(D) 45

Para ver qué valores hacen verdadera una ecuación, sustituye en ella los valores que aparecen en las respuestas.

Respuesta gráfica

12. Usa la tabla para hallar el valor desconocido.

t	$11 \times t + 3$
5	58
8	▒

13. ¿Cuál es el valor de $5^2 - (18 \div 6) \times 7$?

14. Scott pasa 16 minutos en la piscina flotando en posición vertical durante su práctica de natación. Esto es $\frac{1}{3}$ de su tiempo de práctica. ¿Cuántos minutos practica Scott en total?

15. Una caja de lápices cuesta $15. Si el equipo académico gasta $135 en lápices para el torneo escolar, ¿cuántas cajas compró?

16. ¿Qué valor de x hace que cada una de las siguientes expresiones sea igual a 12?

$$2x + 4 \qquad 5x - 8$$

17. ¿Cuál es la solución de la ecuación $8a = 48$?

Respuesta breve

18. Cada semana, Brandi corre 7 millas más que su hermana Jamie.

a. Escribe una expresión para la cantidad de millas que corre Brandi cada semana. Identifica la variable.

b. Evalúa tu expresión para hallar la cantidad de millas que corre Brandi cuando Jamie corre 5 millas.

19. Un tour de vacaciones cuesta $450. Cada paseo adicional cuesta $25. En la tabla se muestra el costo total de los paseos adicionales.

Paseos	1	2	3	n
Costo total ($)	475	500	525	▒

Escribe una expresión para el costo de n paseos. Usa la expresión para hallar cuánto cuesta un tour con 5 paseos.

Respuesta desarrollada

20. Chrissy y Kathie son hermanas. Chrissy nació el día del cumpleaños de Kathie y es exactamente 8 años menor. Chrissy celebró su 16to cumpleaños el 8 de diciembre de 2005.

a. Completa la tabla para mostrar las edades de las hermanas en los años 2005, 2008 y 2011.

Año	Edad de Kathie	Edad de Chrissy
2005	▒	▒
2008	▒	▒
2011	▒	▒

b. Escribe una ecuación que se pueda usar para hallar la edad de Kathie en el año 2011. Identifica la variable en la ecuación.

c. Resuelve la ecuación. Muestra tu trabajo. Compara tu respuesta con el valor de la tabla. ¿Son iguales las dos soluciones? Explica tu respuesta.

Resolución de problemas en lugares

PENSILVANIA

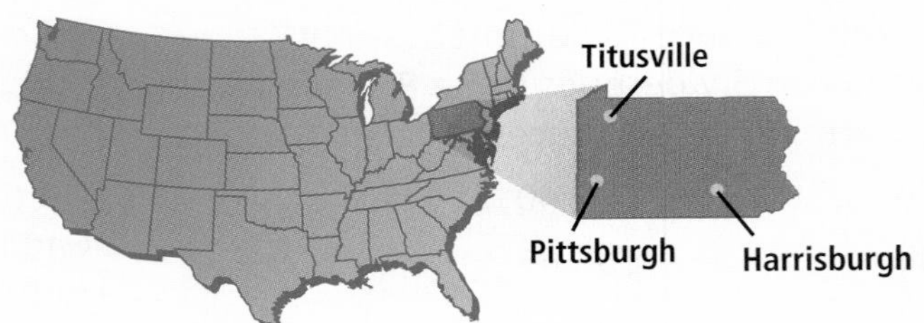

La primera supercarretera

La carretera de peaje de Pensilvania fue la primera autopista diseñada para los viajes modernos de larga distancia. La autopista se terminó en 1940 y atraviesa las montañas Allegeny, entre Harrisburg y Pittsburgh. Acortó en 3 horas el tiempo de viaje entre estas ciudades.

Elige una o más estrategias para resolver cada problema.

1. En los primeros 4 días, 24,000 vehículos utilizaron la autopista. Después de 7 días, la habían utilizado 42,000. Si la tendencia continuaba, ¿cuántos vehículos habrían utilizado la autopista en los primeros 18 días?

2. Por el camino anterior, llevaba $5\frac{1}{2}$ horas viajar de Harrisburg a Pittsburgh. Una conductora quiere hacer el viaje por la autopista y llegar a Pittsburgh a las 4:00 pm. ¿A qué hora debe salir de Harrisburg si quiere tomarse un descanso de 15 minutos durante el viaje?

Usa el mapa para el Ejercicio 3.

3. Valley Forge está a 24 millas de Filadelfia. La distancia entre Blue Mountain y Valley Forge es 100 millas más que la distancia entre Valley Forge y Filadelfia. ¿A qué distancia está Pittsburgh de Filadelfia?

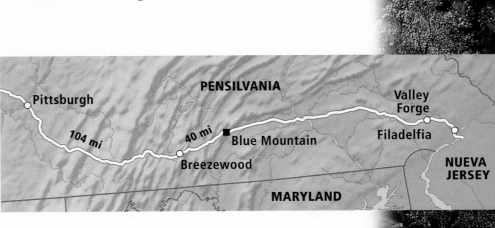

Estrategias de resolución de problemas

Dibujar un diagrama
Hacer un modelo
Calcular y poner a prueba
Trabajar en sentido inverso
Hallar un patrón
Hacer una tabla
Resolver un problema más sencillo
Usar el razonamiento lógico
Representar
Hacer una lista organizada

El primer pozo petrolero

En 1859, Edwin L. Drake perforó el primer pozo de petróleo del mundo junto a Oil Creek, cerca de Titusville, Pensilvania.

Antes de que Drake perforara su pozo, las personas recogían pequeñas cantidades de petróleo que se filtraba del suelo cerca de Oil Creek. El pozo de Drake producía aproximadamente 210 veces más petróleo por día del que se podía recoger en la superficie.

Elige una o más estrategias para resolver cada problema.

1. El éxito del pozo de Drake atrajo a la zona a muchas personas. En la época de Drake, Titusville tenía unos 10,000 habitantes. Los residentes permanentes superaban en 2,000 a los residentes temporales. ¿Cuántos residentes temporales había?

2. La superficie del suelo en el pozo de Drake está a 1,200 pies sobre el nivel del mar. Para llegar hasta el petróleo, Drake primero perforó a través de la grava hasta un punto a 1,168 pies sobre el nivel del mar. Luego perforó otros 38 pies atravesando el esquisto. ¿Qué profundidad total alcanzó el pozo?

3. En la superficie se podían recoger unos 5 galones de petróleo por día. Si en un barril hay 42 galones, halla cuántos barriles producía el pozo de Drake cada día.

4. En 3 días, el pozo de Drake producía petróleo por un valor de $1,500. ¿Cuál era el valor del petróleo producido en una semana?

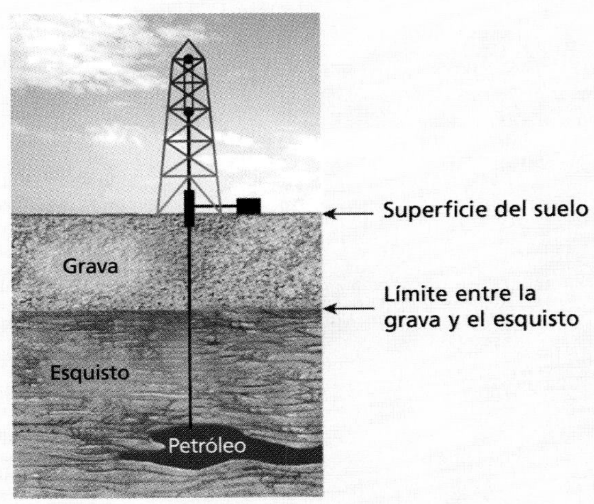

CAPÍTULO

3

Decimales

go.hrw.com
Presentación del capítulo en línea
CLAVE: MR7 Ch3

Marcas de los ganadores de los Juegos Olímpicos				
Año	100 metros femeninos (s)	Disco femenino (m)	100 metros masculinos (s)	Disco masculino (m)
1900	–	36.04	12.0	–
1928	12.2	39.62	10.8	47.32
1952	11.5	51.4	10.4	55.02
1988	10.54	72.3	9.92	68.81
2000	10.75	68.4	9.87	69.29

Profesión *Cronista deportivo*

¿Se rompen las marcas porque los atletas corren más rápido o saltan más lejos y alto? Siempre queda un registro de las marcas de los deportes para profesionales y amateurs. Muchas escuelas registran las marcas del rendimiento de sus atletas y equipos. Registrar este tipo de marcas es tarea de los cronistas deportivos. Uno de los registros más completos es el de los Juegos Olímpicos. En la tabla se muestran los cambios del siglo pasado en las marcas de los ganadores de algunos deportes olímpicos femeninos y masculinos.

Vocabulario

Elige de la lista el término que mejor complete cada enunciado.

cociente
decenas
diferencia
dividendo
divisor
ecuación
unidades

1. El primer valor posicional a la izquierda del punto decimal es la posición de las ___?___ , y el valor posicional dos posiciones a la izquierda del punto decimal es la posición de las ___?___
2. En la expresión 72 ÷ 9, 72 es el/la ___?___ y 9 es el/la ___?___.
3. La respuesta a una expresión con una resta es un(a) ___?___.
4. El/La ___?___ es un enunciado matemático que establece que dos cantidades son iguales.

Resuelve los ejercicios para practicar las destrezas que usarás en este capítulo.

Valor posicional de los números cabales

Identifica el valor posicional de cada dígito subrayado.

5. $1\underline{5}2$
6. $\underline{7},903$
7. $\underline{1}45,072$
8. $4,8\underline{9}3,025$
9. $1\underline{3},796,020$
10. $1\underline{4}5,683,032$

Sumar y restar números cabales

Halla cada suma o diferencia.

11. \$425 − \$75
12. 532 + 145
13. 160 − 82

Multiplicar y dividir números cabales

Halla cada producto o cociente.

14. \$320 × 5
15. 125 ÷ 5
16. 54 × 3

Exponentes

Halla cada valor.

17. 10^3
18. 3^6
19. 10^5
20. 4^5
21. 8^3
22. 2^7

Resolver ecuaciones con números cabales

Resuelve cada ecuación.

23. $y + 382 = 743$
24. $n - 150 = 322$
25. $9x = 108$

CAPÍTULO 3

Guía de estudio: Avance

De dónde vienes

Antes,

- comparaste y ordenaste números cabales.
- escribiste números cabales grandes en forma estándar.
- redondeaste números a un valor posicional dado.
- resolviste problemas mediante la suma, la resta, la multiplicación y la división de números cabales.

En este capítulo

Estudiarás

- cómo leer, escribir, comparar y ordenar decimales.
- cómo escribir números cabales grandes en notación científica.
- cómo usar el redondeo para estimar respuestas a problemas que contienen decimales.
- cómo resolver ecuaciones decimales.

Adónde vas

Puedes usar las destrezas aprendidas en este capítulo

- para resolver ecuaciones de dos pasos con decimales en clases de matemáticas de niveles superiores, como álgebra 1.
- para resolver problemas mediante la notación científica en clases de ciencias, como astronomía.

Vocabulario/Key Vocabulary

aproximación	clustering
estimación por partes	front-end estimation
notación científica	scientific notation

Conexiones de vocabulario

Considera lo siguiente para familiarizarte con algunos de los términos de vocabulario del capítulo. Puedes consultar el capítulo, el glosario o un diccionario si lo deseas.

1. Cuando estimas, te aproximas al valor de algo. ¿Qué parte de un decimal crees que usas para hacer una **estimación por partes?**
2. La *notación* es una manera de expresar algo. ¿En qué otras clases crees que usarás la **notación científica?**
3. Una *aproximación* es una agrupación cercana de objetos parecidos. ¿Cuándo crees que una **aproximación** puede ser un buen método de estimación?

Guía de estudio: Avance

Estrategia de redacción: Escribe un diario de matemáticas

Escribir un diario de matemáticas te permitirá mejorar tus destrezas de redacción y razonamiento. Al poner por escrito tus pensamientos, podrás entender conceptos de matemáticas confusos.

También puedes anotar lo que pensaste en cada lección y reflexionar acerca de lo que aprendiste. Tu diario se convertirá en un libro de consulta de matemáticas personal en el que podrás estudiar.

Entrada del diario:
Lee lo que escribió Jaime en su diario de matemáticas acerca de la conversión entre expresiones matemáticas y expresiones con palabras.

Entrada del diario — *2 de octubre*

La clase de hoy trató sobre cómo convertir entre expresiones con palabras y expresiones matemáticas. Entiendo que una expresión matemática como 18 × 2 puede escribirse como "18 multiplicado por 2". Sin embargo, me confundo cuando tengo que usar un símbolo al convertir de expresiones con palabras a expresiones matemáticas. El maestro me sugirió que hiciera una lista de los términos más comunes y sus símbolos.

Palabras	Símbolos
suma, sumado, más	+
diferencia, menos	−
producto, por	× ó ·
dividir, cociente	÷

¡Ahora lo entiendo!
Esta lista me ayudará a saber la palabra correcta para cada símbolo.

Inténtalo

Empieza un diario de matemáticas. Escribe una entrada todos los días durante una semana. Usa estas ideas para empezar tus anotaciones. No olvides poner la fecha de cada entrada.

- Lo que ya sé sobre esta lección es…
- Las destrezas que usé para completar esta lección fueron…
- ¿Qué dificultades tuve? ¿Cómo las resolví?
- Lo que me gustó/no me gustó de esta lección…

Modelos de decimales

Para usar con la Lección 3-1

go.hrw.com
Recursos en línea para el laboratorio
CLAVE: MR7 Lab3

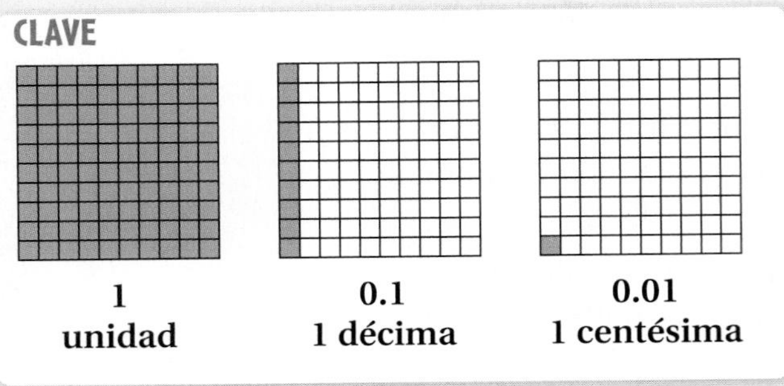

Puedes usar cuadrículas de decimales para hacer modelos de decimales. La cuadrícula se divide en 100 cuadrados pequeños. Un cuadrado representa una centésima, ó 0.01. Diez cuadrados forman una columna, que representa una décima, ó 0.1. Diez columnas llenan la cuadrícula y representan un entero, ó 1. Al sombrear centésimas, décimas o cuadrículas completas, puedes hacer un modelo de números decimales.

Actividad 1

Escribe el decimal que está representado por cada modelo.

a. 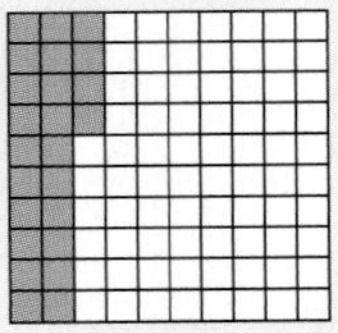 *Están sombreados 24 cuadrados o centésimas.*

Por lo tanto, el modelo representa 0.24.

b. 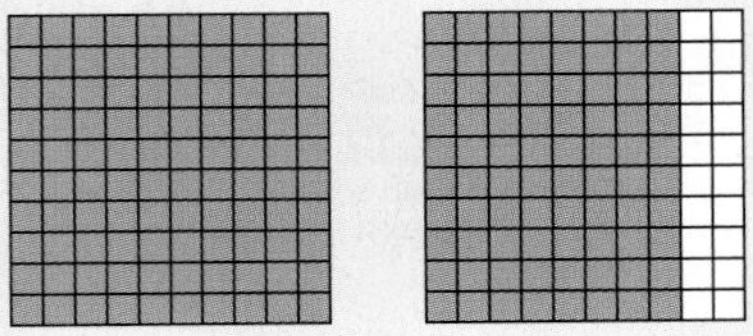 *Están sombreadas una cuadrícula entera y 8 columnas.*

Por lo tanto, el modelo representa 1.8.

c. 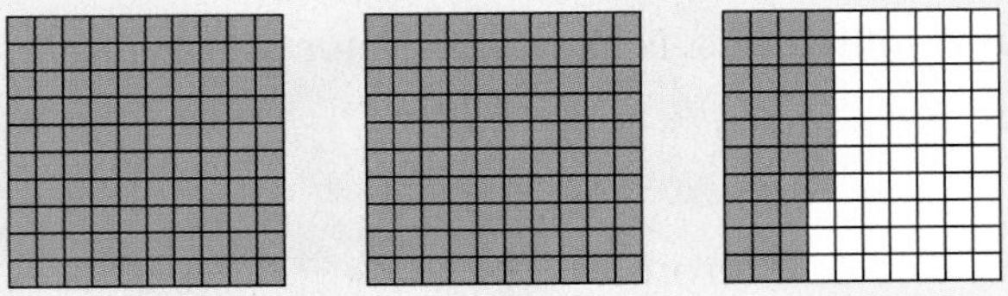 *Están sombreadas dos cuadrículas enteras y 37 centésimas.*

Por lo tanto, el modelo representa 2.37.

Razonar y comentar

1. Explica cómo se muestra en una cuadrícula de decimales que 0.30 = 0.3.

Inténtalo

Escribe el decimal que está representado por cada modelo.

1. 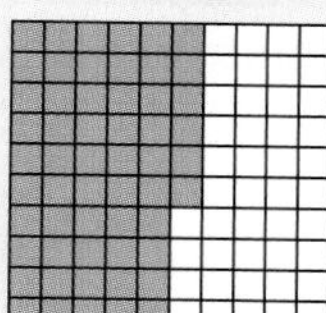

2. 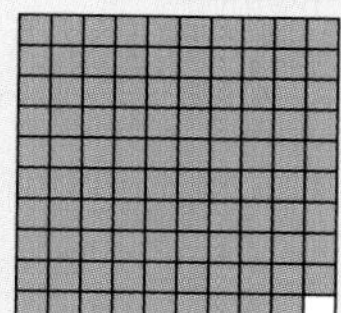

3. 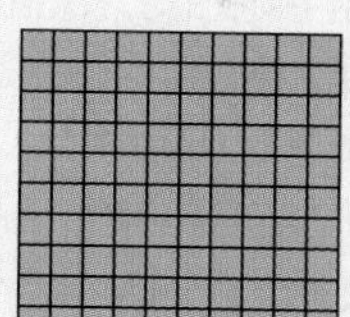 

Actividad 2

Haz un modelo de cada decimal con una cuadrícula de decimales.

a. 0.42

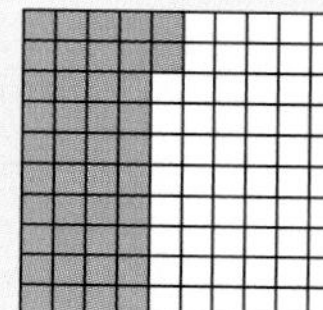

Sombrea 42 cuadrados de centésimas.

b. 1.88

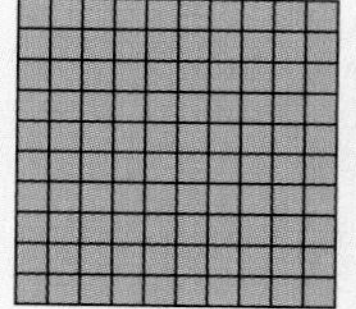 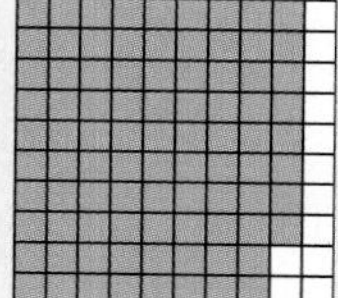

Sombrea 1 cuadrícula entera, 8 columnas y 8 cuadrados pequeños.

c. 2.75

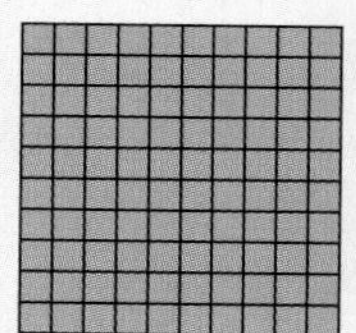 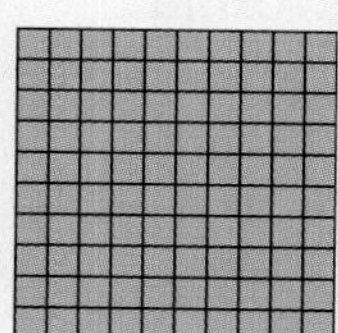 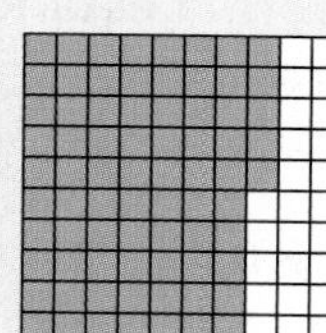

Sombrea 2 cuadrículas enteras, 7 columnas y 5 cuadrados pequeños.

Razonar y comentar

1. Explica cómo se hace un modelo de 0.46 sombreando sólo 10 secciones de la cuadrícula. (*Pista:* Una sección es una cuadrícula, columna o cuadrado pequeño.)

Inténtalo

Haz un modelo de cada decimal con una cuadrícula de decimales.

1. 1.02 **2.** 0.04 **3.** 0.4 **4.** 2.14 **5.** 0.53

3-1 Cómo representar, comparar y ordenar decimales

Aprender a escribir, comparar y ordenar decimales mediante el valor posicional y la recta numérica

Cuanto menor es la magnitud aparente de una estrella, más brillante se ve desde la Tierra. En la tabla se anotan como decimales las magnitudes aparentes de algunas estrellas.

Magnitud aparente de algunas estrellas	
Estrella	**Magnitud**
Procyon	0.38
Próxima Centauri	11.0
Wolf 359	13.5
Vega	0.03

Los números decimales representan combinaciones de números cabales y números entre números cabales.

El valor posicional te sirve para escribir y comparar números decimales.

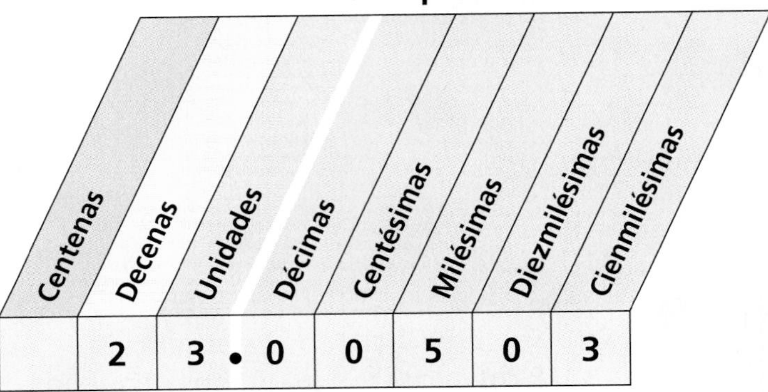

EJEMPLO 1 Leer y escribir decimales

Leer matemáticas

Lee el punto decimal como "y".

Escribe cada decimal en forma estándar, forma desarrollada y con palabras.

A **1.05**

Forma desarrollada: 1 + 0.05
Con palabras: uno *y* cinco centésimas

B **0.05 + 0.001 + 0.0007**

Forma estándar: 0.0517
Con palabras: quinientas diecisiete diezmilésimas

C **dieciséis y nueve centésimas**

Forma estándar: 16.09
Forma desarrollada: 10 + 6 + 0.09

Puedes usar el valor posicional para comparar decimales.

EJEMPLO 2 Aplicación a las ciencias de la Tierra

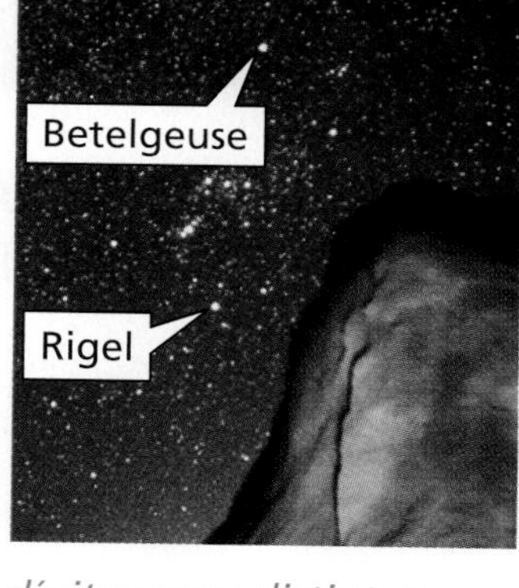

Rigel y Betelgeuse son dos estrellas de la constelación Orión. La magnitud aparente de Rigel es 0.12. La magnitud aparente de Betelgeuse es 0.50. ¿Qué estrella tiene la menor magnitud? ¿Cuál se ve más brillante?

0.12	*Alinea los puntos decimales. Comienza por la izquierda y compara los dígitos.*
0.50	*Busca la primera posición en que los dígitos sean distintos.*

1 es menor que 5.
$0.12 < 0.50$

Rigel tiene una magnitud aparente menor que Betelgeuse. La estrella con la menor magnitud se ve más brillante. Vistas desde la Tierra, Rigel se ve más brillante que Betelgeuse.

EJEMPLO  Comparar y ordenar decimales

Pista útil

Escribir ceros al final de un decimal no cambia su valor.

0.3 = 0.30 = 0.300

Ordena los decimales de menor a mayor.
14.35, 14.3, 14.05

14.35 14.30	$14.30 < 14.35$	*Compara dos de los números cada vez. Escribe 14.3 como "14.30".*
14.35 14.05	$14.05 < 14.35$	*Comienza desde la izquierda y compara los dígitos.*
14.30 14.05	$14.05 < 14.30$	*Busca la primera posición en que los dígitos sean distintos.*

Representa los números en una recta numérica.

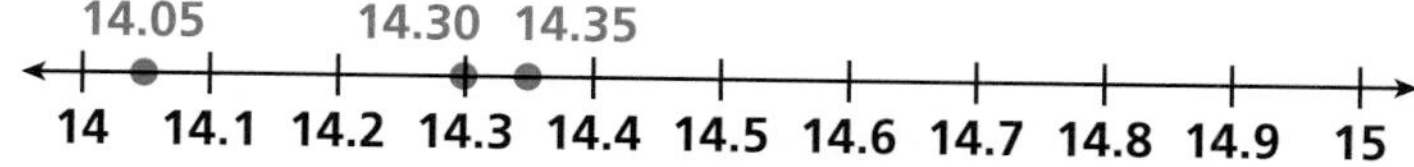

Los números están ordenados cuando se lee la recta numérica de izquierda a derecha. Los números de menor a mayor son 14.05, 14.3 y 14.35.

Razonar y comentar

1. **Explica** por qué 0.5 es mayor que 0.29 aunque 29 sea mayor que 5.
2. **Identifica** el decimal con el menor valor: 0.29, 2.09, 2.009, 0.029.
3. **Identifica** tres números entre 1.5 y 1.6.

3-1 Ejercicios

go.hrw.com
Ayuda en línea para tareas*
CLAVE: MR7 3-1
Recursos en línea para padres
CLAVE: MR7 Parent
*(Disponible sólo en inglés)

PRÁCTICA GUIADA

Ver Ejemplo 1

Escribe cada decimal en forma estándar, desarrollada y con palabras.

1. 1.98 **2.** diez y cuarenta y un milésimas

3. 0.07 + 0.006 + 0.0005 **4.** 0.0472

Ver Ejemplo 

5. Ciencias físicas El osmio y el iridio son metales preciosos. La densidad del osmio es 22.58 g/cm^3 y la densidad del iridio es 22.56 g/cm^3. ¿Cuál es el metal más denso?

Ver Ejemplo 3

Ordena los decimales de menor a mayor.

6. 9.5, 9.35, 9.65 **7.** 4.18, 4.1, 4.09 **8.** 12.39, 12.09, 12.92

PRÁCTICA INDEPENDIENTE

Ver Ejemplo 1

Escribe cada decimal en forma estándar, desarrollada y con palabras.

9. 7.0893 **10.** 12 + 0.2 + 0.005

11. siete y quince centésimas **12.** 3 + 0.1 + 0.006

Ver Ejemplo 

13. Astronomía Dos meteoritos cayeron en México. El que se encontró en Bacuberito pesó 24.3 toneladas y el que se encontró en Chupaderos pesó 26.7 toneladas. ¿Qué meteorito pesó más?

Ver Ejemplo 

Ordena los decimales de menor a mayor.

14. 15.25, 15.2, 15.5 **15.** 1.56, 1.62, 1.5 **16.** 6.7, 6.07, 6.23

PRÁCTICA Y RESOLUCIÓN DE PROBLEMAS

Práctica adicional
Ver página 718

Escribe cada número con palabras.

17. 9.007 **18.** 5 + 0.08 + 0.004 **19.** 10.022 **20.** 4.28

21. 142.6541 **22.** 0.001 + 0.0007 **23.** 0.92755 **24.** 1.02

Compara. Escribe <, > ó =.

25. 8.04 ■ 8.403 **26.** 0.907 ■ 0.6801 **27.** 1.246 ■ 1.29

28. uno y cincuenta y dos diezmilésimas ■ 1.0052

29. diez y una centésima ■ 10.100

Escribe el valor del dígito en rojo de cada número.

30. 3.026 **31.** 17.53703 **32.** 0.000598 **33.** 425.1055

Ordena los números de mayor a menor.

34. 32.525, 32.5254, 31.6257 **35.** 0.34, 1.43, 4.034, 1.043, 1.424

36. 1.01, 1.1001, 1.101, 1.0001 **37.** 652.12, 65.213, 65.135, 61.53

CONEXIÓN con la astronomía

Próxima Centauri, la estrella más cercana a la Tierra después del Sol, se descubrió en 1913. Una nave espacial que viajara desde la Tierra a 25,000 mi/h tardaría aproximadamente 115,000 años en llegar a Próxima Centauri.

Usa la tabla para los Ejercicios del 38 al 44.

38. Ordena las estrellas Sirio, Luyten 726-8 y Lalande 21185 de la más cercana a la más lejana de la Tierra.

39. ¿Qué estrella de la tabla es la más lejana de la Tierra?

40. ¿A qué distancia de la Tierra en años luz se encuentra Ross 154? Escribe la respuesta con palabras y en forma desarrollada.

41. Haz una lista de las estrellas que están a menos de 5 años luz de la Tierra.

42. **¿Dónde está el error?** Un estudiante escribió que la distancia de la Tierra a Próxima Centauri es "cuatrocientos y veintidós centésimas". Explica el error. Escribe la respuesta correcta.

43. **Escríbelo** ¿Qué estrella está más cerca de la Tierra: Alfa Centauri o Próxima Centauri? Explica cómo compararías las distancias de esas estrellas y luego responde a la pregunta.

Distancia de la Tierra a algunas estrellas

Estrella	Distancia (años luz)
Alfa Centauri	4.35
Estrella de Barnard	5.98
Lalande 21185	8.22
Luyten 726-8	8.43
Próxima Centauri	4.22
Ross 154	9.45
Sirio	8.65

44. **Desafío** Wolf 359 se localiza a 7.75 años luz de la Tierra. Si las estrellas de la tabla se anotaran en orden de la más cercana a la más lejana de la Tierra, ¿entre qué estrellas quedaría situada Wolf 359?

PREPARACIÓN PARA EL EXAMEN y repaso en espiral

45. **Opción múltiple** ¿Cuál es la forma estándar de "cinco y trescientos veintiuna cienmilésimas"?

Ⓐ 5.321 Ⓑ 5.0321 Ⓒ 5.00321 Ⓓ 5.000321

46. **Respuesta gráfica** Escribe $30 + 2 + 0.8 + 0.009$ en forma estándar.

Estima cada suma o diferencia por redondeo al valor posicional indicado. (Lección 1-2)

47. $6,832 + 2,078$; a millares

48. $52,854 - 25,318$; a decenas de millar

Resuelve cada ecuación. (Lección 2-6)

49. $n - 52 = 71$

50. $30 = k - 15$

51. $c - 22 = 30$

3-2 Cómo estimar decimales

Aprender a estimar sumas, restas, productos y cocientes de decimales

Vocabulario

aproximación

estimación por partes

La clase de salud de Beth trata sobre condición física y nutrición. En la tabla se muestra el número aproximado de calorías que quema alguien que pesa 90 libras.

Actividad (45 min)	Calorías quemadas (aprox.)
Ciclismo	198.45
Hockey sobre hielo	210.6
Patinaje	324
Esquí acuático	194.4

Cuando los números tienen más o menos el mismo valor, puedes usar la *aproximación* para estimar. La **aproximación** consiste en redondear los números al mismo valor.

EJEMPLO  1 ***Aplicación a la salud***

Beth quiere andar en bicicleta, jugar hockey sobre hielo y esquiar. Si Beth pesa 90 libras y dedica 45 minutos a cada actividad, ¿*aproximadamente* cuántas calorías quemará en total?

198.45	→	200	*Los sumandos se aproximan a 200.*
210.6	→	200	*Para hacer la estimación del total de*
+ 194.4	→	+ 200	*calorías, redondea cada sumando a 200.*
		600	*Suma.*

Beth quemará aproximadamente 600 calorías.

EJEMPLO 2 **Redondear decimales para estimar sumas y restas**

Estima por redondeo al valor posicional indicado.

¡Atención!

Observa el dígito a la derecha de la posición a la que quieres redondear.

- Si es *5 ó mayor,* redondea hacia *arriba.*
- Si es *menor que 5,* redondea hacia *abajo.*

A **3.92 + 6.48; a unidades**

3.92 + 6.48 — *Redondea al número cabal más cercano.*

4 + 6 = 10 — *La suma es aproximadamente 10.*

B **8.6355 − 5.039; a centésimas**

8.6355	8.64	*Redondea a centésimas.*
− 5.039	− 5.04	*Alinea los decimales.*
	3.60	*Resta.*

EJEMPLO 3 Usar números compatibles para estimar productos y cocientes

¡Recuerda!

Los números compatibles se acercan a los números de un problema y son útiles para resolverlo mentalmente.

Estima cada producto o cociente.

A **26.76 × 2.93**

25 × 3 = 75 *25 y 3 son compatibles.*

Por lo tanto, 26.76 × 2.93 es aproximadamente 75.

B **42.64 ÷ 16.51**

45 ÷ 15 = 3 *45 y 15 son compatibles.*

Por lo tanto, 42.64 ÷ 16.51 es aproximadamente 3.

También puedes usar la *estimación por partes* para estimar con decimales. La **estimación por partes** consiste en usar sólo la parte entera del decimal.

EJEMPLO  Usar la estimación por partes

Estima un rango para la suma.

9.99 + 22.89 + 8.3

Usa la estimación por partes.

9.99	➤	9	*Suma sólo números cabales.*
22.89	➤	22	*Los números cabales de los decimales*
+ 8.30	➤	+ 8	*son menores que los números completos,*
	al menos	39	*así que la respuesta es una estimación baja.*

La respuesta exacta de 9.99 + 22.89 + 8.3 es mayor que 39.

Puedes estimar un rango para la suma ajustando la parte decimal de los números. Redondea los decimales a 0.5 ó 1.

0.99	➤	1.00	*Suma la parte decimal ajustada de los números.*
0.89	➤	1.00	*Suma la estimación del número*
+ 0.30	➤	+ 0.50	*cabal y esta suma.*
		2.50	*Los decimales ajustados son mayores que*
39.00 + **2.50** = 41.50			*los decimales completos, por lo tanto,*
			41.50 es una estimación alta.

El rango estimado para la suma está entre 39.00 y 41.50.

Razonar y comentar

1. Indica a qué número se aproximan los siguientes decimales: 34.5, 36.78 y 35.234.

2. Determina si una estimación por partes sin ajustes es siempre una estimación baja o alta.

3-2 Ejercicios

go.hrw.com
Ayuda en línea para tareas*
CLAVE: MR7 3-2
Recursos en línea para padres
CLAVE: MR7 Parent
*(Disponible sólo en inglés)

PRÁCTICA GUIADA

Ver Ejemplo 

1. Elba corre todos los lunes, miércoles y viernes. La semana pasada corrió 3.62 millas el lunes, 3.8 millas el miércoles y 4.3 millas el viernes. ¿Aproximadamente cuántas millas corrió en la semana?

Ver Ejemplo 

Estima por redondeo al valor posicional indicado.

2. 2.746 − 0.866; a décimas
3. 6.735 + 4.9528; a unidades
4. 10.8071 + 5.392; a centésimas
5. 5.9821 – 0.48329; a diezmilésimas

Ver Ejemplo 

Estima cada producto o cociente.

6. 38.92 ÷ 4.06
7. 14.51 × 7.89
8. 22.47 ÷ 3.22

Ver Ejemplo 

Estima un rango para cada suma.

9. 7.8 + 31.39 + 6.95
10. 14.27 + 5.4 + 21.86

PRÁCTICA INDEPENDIENTE

Ver Ejemplo 

11. **Varios pasos** Antes de un viaje, el odómetro del auto de Mike señalaba 146.8 millas. Manejó 167.5 millas hasta la casa de un amigo y 153.9 millas hasta la playa. ¿Aproximadamente cuántas millas señalaba el odómetro cuando llegó a la playa?

12. La precipitación pluvial de julio, agosto y septiembre fue de 16.76 cm, 13.97 cm y 15.24 cm, respectivamente. ¿Aproximadamente cuántos centímetros de precipitación se registraron en los tres meses?

Ver Ejemplo 

Estima por redondeo al valor posicional indicado.

13. 2.0993 + 1.256; a décimas
14. 7.504 − 2.3792; a centésimas
15. 0.6271 + 4.53027; a milésimas
16. 13.274 − 8.5590; a décimas

Ver Ejemplo 

Estima cada producto o cociente.

17. 9.64 × 1.769
18. 11.509 ÷ 4.258
19. 19.03 ÷ 2.705

Ver Ejemplo 

Estima un rango para cada suma.

20. 17.563 + 4.5 + 2.31
21. 1.620 + 10.8 + 3.71

PRÁCTICA Y RESOLUCIÓN DE PROBLEMAS

Práctica adicional
Ver página 718

Estima por redondeo al número cabal más cercano.

22. 8.456 + 7.903
23. 12.43 × 3.72
24. 1,576.2 − 150.50

25. Estima el cociente de 67.55 y 3.83.

26. Estima $84.85 dividido entre 17.

Usa la tabla para los Ejercicios del 27 al 31.

Costo por llamada de larga distancia en EE.UU.	
País	**Costo por minuto (¢)**
Venezuela	22
Rusia	9.9
Japón	7.9
Estados Unidos	3.7

27. **Dinero** Redondea cada costo de la tabla al centavo más cercano. Escribe tu respuesta con el signo de dólar y el punto decimal.

28. ¿Aproximadamente cuánto cuesta una llamada de 8 minutos a Rusia?

29. ¿Aproximadamente por cuánto sobrepasa el costo de una llamada de 12 minutos a Japón al costo de una llamada de 18 minutos dentro de Estados Unidos?

30. ¿El costo de una llamada de 30 minutos a alguien dentro de Estados Unidos será mayor o menor que $1.20? Explica tu respuesta.

31. **Varios pasos** Kim está en Nueva York. Llama a su abuela que vive en Venezuela y habla con ella 20 minutos. Luego, llama a un amigo en Japón durante 15 minutos y por último llama a su madre en San Francisco y habla 30 minutos. Estima el costo total de sus llamadas.

32. **Salud** La cantidad diaria recomendada de hierro es 15 mg/día para una adolescente. Julie come una hamburguesa que contiene 3.88 mg de hierro. ¿Aproximadamente cuántos más miligramos de hierro necesita para cumplir el requerimiento diario?

33. **Escribe un problema** Escribe un problema con tres números decimales que den una suma entre 30 y 32.5.

34. **Escríbelo** ¿Cómo ajustarías una estimación por partes? ¿Para qué se hace?

35. **Desafío** Coloca el punto decimal a cada número de manera que su suma esté entre 124 y 127: 1059 + 725 + 815 + 1263.

Preparación Para El Examen y repaso en espiral

36. **Opción múltiple** ¿Cuál es la diferencia estimada de 34.45 − 24.71 redondeada al número cabal más cercano?

Ⓐ 11 Ⓑ 10 Ⓒ 9 Ⓓ 8

37. **Respuesta breve** En la ciudad de Oklahoma, el promedio de precipitación pluvial es 2.8 pulgadas en abril, 5.3 pulgadas en mayo y 4.3 pulgadas en junio. Un meteorólogo predice que en un año las precipitaciones duplicarán el promedio en abril y mayo y que caerán a la mitad del promedio en junio. Estima la precipitación prevista para cada mes a la pulgada más cercana.

Resuelve cada ecuación. (Lección 2-5)

38. $83 + n = 157$ **39.** $x + 23 = 92$ **40.** $25 + c = 145$

Ordena los decimales de menor a mayor. (Lección 3-1)

41. 8.304, 8.009, 8.05 **42.** 5.62, 15.34, 1.589 **43.** 30.211, 30.709, 30.75

Explorar la suma y resta de decimales

Para usar con la Lección 3-3

go.hrw.com
Recursos en línea para el laboratorio
CLAVE: MR7 Lab3

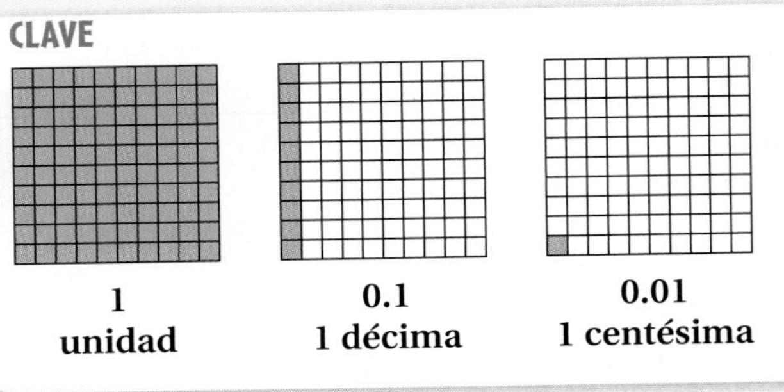

Puedes hacer modelos de la suma y la resta de decimales con cuadrículas de decimales.

Actividad 1

Usa las cuadrículas de decimales para hallar cada suma.

a. 0.24 + 0.32

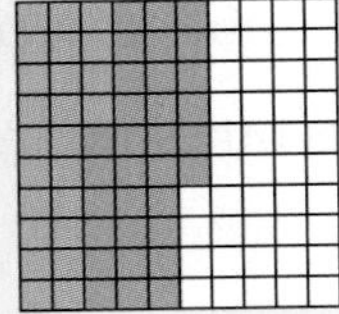

Para representar 0.24, sombrea 24 cuadrados.

Para representar 0.32, sombrea 32 cuadrados con otro color.

Hay 56 cuadrados sombreados, que representan 0.56.

0.24 + 0.32 = 0.56

b. 1.56 + 0.4

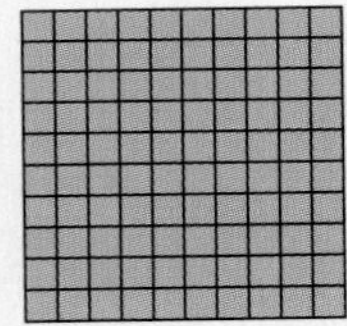 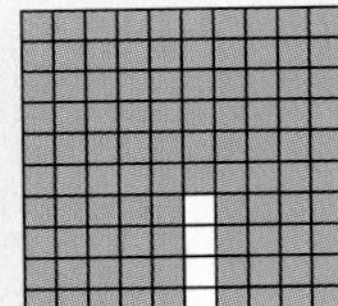

Para representar 1.56, sombrea una cuadrícula entera y 56 cuadrados de otra.

Para representar 0.4, sombrea 4 columnas con otro color.

Hay una cuadrícula entera y 96 cuadrados sombreados.

1.56 + 0.4 = 1.96

c. 0.75 + 0.68

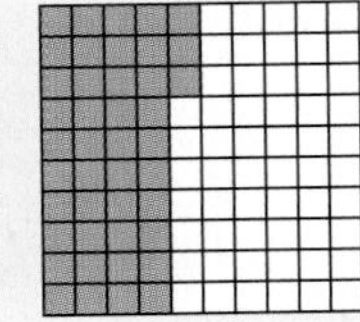

Para representar 0.75, sombrea 75 cuadrados.

Para representar 0.68, sombrea 68 cuadrados con otro color. Tendrás que usar otra cuadrícula.

Hay una cuadrícula entera y 43 cuadrados sombreados.

0.75 + 0.68 = 1.43

Razonar y comentar

1. ¿Cómo sombrearías una cuadrícula de decimales para representar 0.2 + 0.18?

Inténtalo

Usa las cuadrículas de decimales para hallar cada suma.

1. 0.2 + 0.6
2. 1.07 + 0.03
3. 1.62 + 0.08
4. 0.45 + 0.29
5. 0.88 + 0.12
6. 1.29 + 0.67
7. 0.07 + 0.41
8. 0.51 + 0.51
9. 1.01 + 0.23

Actividad 2

Usa las cuadrículas de decimales para hallar cada diferencia.

a. 0.6 − 0.38

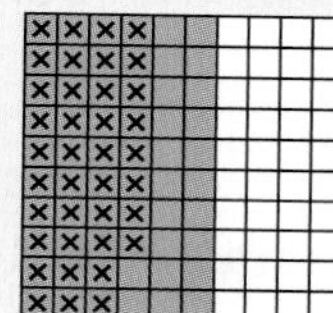

Para representar 0.6, sombrea 6 columnas.

Para restar 0.38, quita 38 cuadrados.

Quedan 22 cuadrados.

0.6 − 0.38 = 0.22

b. 1.22 − 0.41

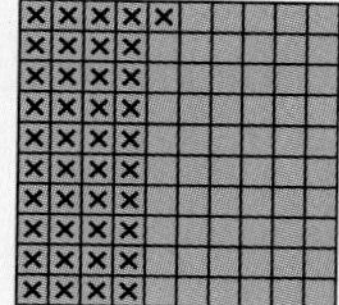
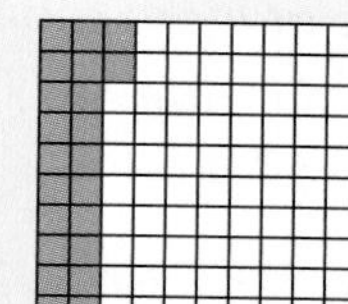

Para representar 1.22, sombrea una cuadrícula entera y 22 cuadrados.

Para restar 0.41, quita 41 cuadrados.

Quedan 81 cuadrados.

1.22 − 0.41 = 0.81

Razonar y comentar

1. ¿Cómo sombrearías una cuadrícula de decimales para representar 1.3 − 0.6?

Inténtalo

Usa las cuadrículas de decimales para hallar cada diferencia.

1. 0.9 − 0.3
2. 1.2 − 0.98
3. 0.6 − 0.41
4. 1.6 − 0.07
5. 0.35 − 0.03
6. 2.12 − 0.23
7. 2.0− 0.86
8. 0.78 − 0.76
9. 1.06 − 0.55

3-3 Cómo sumar y restar decimales

Aprender a sumar y restar decimales

En el campeonato de gimnasia de Estados Unidos de 2004, Carly Patterson y Courtney Kupets empataron en el primer lugar.

Puntuación preliminar de Carly Patterson	
Prueba	**Puntos**
Ejercicios de piso	9.7
Barra de equilibrio	9.7
Caballo	9.3
Barras asimétricas	9.45

Para hallar la calificación total, suma todas las puntuaciones.

Carly Patterson ganó también una medalla de oro en gimnasia individual femenina en las Olimpíadas de 2004.

EJEMPLO 1 *Aplicación a los deportes*

Pista útil

Si haces una estimación antes de sumar o restar, puedes comprobar si tu respuesta es razonable.

A **¿Cuál fue la calificación preliminar total de Carly Patterson en el campeonato estadounidense de 2004?**

Primero estima la suma de 9.7, 9.7, 9.3 y 9.45.

$$9.7 + 9.7 + 9.3 + 9.45$$

$$10 + 10 + 9 + 9 = 38$$

Estima por redondeo al número cabal más cercano.

El total es aproximadamente 38 puntos.

Luego suma.

$$\begin{array}{r} 9.70 \\ 9.70 \\ 9.30 \\ +\ 9.45 \\ \hline 38.15 \end{array}$$

Alinea los puntos decimales.

Agrega ceros.

Suma. Luego, coloca el punto decimal.

Como 38.15 se acerca a la estimación de 38, la respuesta es razonable. La puntuación preliminar total de Carly Patterson fue de 38.15 puntos.

B **¿Cuántos puntos más necesitaba Patterson en las barras asimétricas para tener una calificación perfecta de 10?**

Halla la diferencia entre 10 y 9.45.

$$\begin{array}{r} 10.00 \\ -\ 9.45 \\ \hline 0.55 \end{array}$$

Alinea los puntos decimales.

Agrega ceros.

Resta. Luego, coloca el punto decimal.

Patterson necesitaba otros 0.55 puntos para tener una calificación perfecta.

EJEMPLO 2 Usar el cálculo mental para sumar y restar decimales

Halla cada suma o diferencia.

A $1.6 + 0.4$

$1.6 + 0.4$ *Razona: 0.6 + 0.4 = 1*

$1.6 + 0.4 = 2$

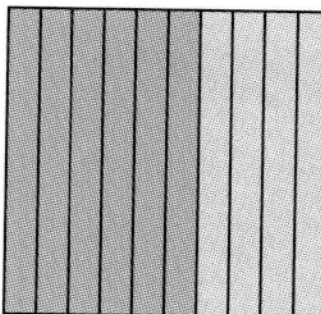

B $3 - 0.8$

$3 - 0.8$ *Razona: ¿Qué número sumado a 0.8 es 1? 0.8 + 0.2 = 1*

$3 - 0.8 = 2.2$ *Por lo tanto, 1 − 0.8 = 0.2.*

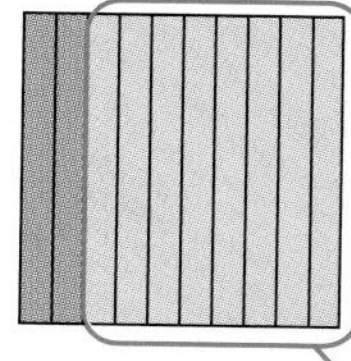

EJEMPLO 3 Evaluar expresiones con decimales

Evalúa 7.52 − *s* para cada valor de *s*.

¡Recuerda!

Puedes poner cuantos ceros quieras al final de un número decimal sin cambiar su valor.

A $s = 2.9$

$7.52 - s$

$7.52 - 2.9$ *Sustituye s por 2.9.*

$$\begin{array}{r} 7.52 \\ -\ 2.90 \\ \hline 4.62 \end{array}$$

Alinea los puntos decimales.
Agrega un cero.
Resta.
Coloca el punto decimal.

B $s = 4.5367$

$7.52 - s$

$7.52 - 4.5367$ *Sustituye s por 4.5367.*

$$\begin{array}{r} 7.5200 \\ -\ 4.5367 \\ \hline 2.9833 \end{array}$$

Alinea los puntos decimales.
Agrega dos ceros.
Resta.
Coloca el punto decimal.

Razonar y comentar

1. **Muestra** cómo escribirías 2.678 + 124.5 para hallar la suma.
2. **Indica** por qué es mejor hacer una estimación de la respuesta antes de sumar y restar.
3. **Explica** cómo usar el cálculo mental para hallar cuántos puntos más habría necesitado Carly Patterson para tener una calificación perfecta de 10 en los ejercicios de piso.

3-3 Ejercicios

go.hrw.com
Ayuda en línea para tareas*
CLAVE: MR7 3-3
Recursos en línea para padres
CLAVE: MR7 Parent
*(Disponible sólo en inglés)

PRÁCTICA GUIADA

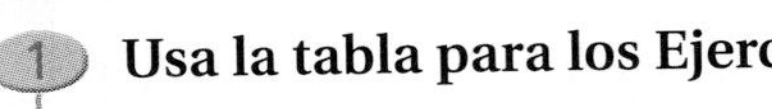

Ver Ejemplo 1 **Usa la tabla para los Ejercicios del 1 al 3.**

1. ¿Cuántas millas en total abarca el entrenamiento de Rea para el triatlón?

2. ¿Cuántas millas corrió y nadó Rea en total?

3. ¿Por cuánto sobrepasa la distancia que recorrió en bicicleta a la que nadó?

Entrenamiento de Rea para el triatlón	
Deporte	**Distancia (mi)**
Ciclismo	14.25
Carrera	4.35
Natación	1.6

Ver Ejemplo 2 **Halla cada suma o diferencia.**

4. 2.7 + 0.3 **5.** 6 − 0.4 **6.** 5.2 + 2.8 **7.** 8.9 − 4

Ver Ejemplo 3 **Evalúa 5.35 − m para cada valor de m.**

8. $m = 2.37$ **9.** $m = 1.8$ **10.** $m = 4.7612$ **11.** $m = 0.402$

PRÁCTICA INDEPENDIENTE

Ver Ejemplo 1

12. Deportes Durante una competencia de clavados, Phil realizó dos inversos y dos en posición de parado de manos. Recibió las siguientes calificaciones: 8.765, 9.45, 9.875 y 8.025. ¿Cuál fue la calificación total de Phil?

13. Brad trabaja al salir de la escuela en una tienda de comestibles. ¿Cuánto ganó en total durante el mes de octubre?

Ingresos de Brad en octubre				
Semana	1	2	3	4
Ingresos	$123.48	$165.18	$137.80	$140.92

Ver Ejemplo 2 **Halla cada suma o diferencia.**

14. 7.2 + 1.8 **15.** 8.5 − 7 **16.** 3.3 + 0.7 **17.** 15.9 + 2.1

18. 7 − 0.6 **19.** 7.55 − 3.25 **20.** 21.4 + 3.6 **21.** 5 − 2.7

Ver Ejemplo 3 **Evalúa 9.67 − x para cada valor de x.**

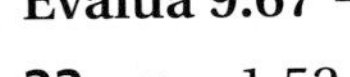

22. $x = 1.52$ **23.** $x = 3.8$ **24.** $x = 7.21$ **25.** $x = 0.635$

26. $x = 6.9$ **27.** $x = 1.001$ **28.** $x = 8$ **29.** $x = 9.527$

PRÁCTICA Y RESOLUCIÓN DE PROBLEMAS

Práctica adicional
Ver página 718

Suma o resta.

30. 5.62 + 4.19 **31.** 10.508 − 6.73 **32.** 13.009 + 12.83

33. Halla la suma de 0.0679 y 3.75. **34.** Resta 3.0042 de 7.435.

35. Deportes Terin Humphrey obtuvo el tercer puesto en el campeonato estadounidense de gimnasia de 2004, con un puntaje de 75.45. ¿Qué diferencia hubo entre su puntaje y el que obtuvieron Courtney Kupet y Carly Patterson de 76.45?

El riesgo de muerte al incendiarse una casa se reduce hasta 50% si se cuenta con una alarma detectora de humo que funcione.

Evalúa cada expresión.

36. $8.09 - a$ para $a = 4.5$

37. $7.03 + 33.8 + n$ para $n = 12.006$

38. $b + (5.68 - 3.007)$ para $b = 6.134$

39. $(2 \times 14) - a + 1.438$ para $a = 0.062$

40. $5^2 - w$ para $w = 3.5$

41. $100 - p$ para $p = 15.034$

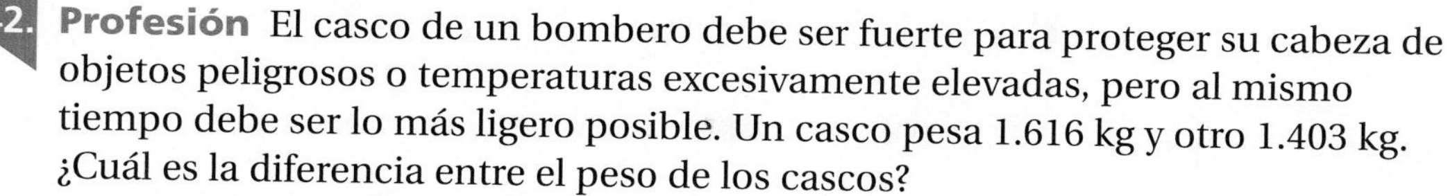

42. Profesión El casco de un bombero debe ser fuerte para proteger su cabeza de objetos peligrosos o temperaturas excesivamente elevadas, pero al mismo tiempo debe ser lo más ligero posible. Un casco pesa 1.616 kg y otro 1.403 kg. ¿Cuál es la diferencia entre el peso de los cascos?

43. Varios pasos Logan quiere comprar una bicicleta nueva que cuesta $135.00. Abrió su cuenta de ahorros con $14.83. La semana pasada depositó $15.35 y hoy depositó $32.40. ¿Cuánto dinero le falta para comprar la bicicleta?

44. Deportes Con un tiempo de 60.35 segundos, Martina Moracova rompió la marca mundial de Jennifer Thompson en los 100 metros con relevos. ¿Por cuántos segundos fue más rápida Thompson que Moracova el año siguiente, cuando recuperó la marca con un tiempo de 59.30 segundos?

45. Deportes El mayor promedio de bateo de un beisbolista profesional es 0.366. Bill Bergen terminó con un promedio de 0.170. ¿A qué distancia se encuentra el promedio de Bergen del mayor promedio?

46. ¿Cuál es la pregunta? Una taza de arroz contiene 0.8 mg de hierro y una taza de frijoles contiene 4.4 mg de hierro. Si la respuesta es 6 mg, ¿cuál es la pregunta?

47. Escríbelo ¿Por qué es importante alinear los puntos decimales antes de sumar o restar números decimales?

48. Desafío Evalúa $(5.7 + a) \times (9.75 - b)$ para $a = 2.3$ y $b = 7.25$.

Preparación para el examen y repaso en espiral

49. Opción múltiple ¿Cuánto es 24.91 más 35.8?

Ⓐ 28.49 Ⓑ 59.99 Ⓒ 60.71 Ⓓ 60.99

50. Opción múltiple El peso atómico del plomo es 207.19. El peso atómico del mercurio es 200.6. ¿Cuánto mayor es el peso atómico del plomo que el del mercurio?

Ⓕ 6.59 Ⓖ 7.41 Ⓗ 7.59 Ⓙ 187.13

Resuelve cada ecuación. (Lección 2-6)

51. $s - 47 = 23$

52. $73 = a - 78$

53. $823 = t - 641$

Estima cada producto o cociente. (Lección 3-2)

54. 15.72×4.08

55. 14.87×3.78

56. $53.67 \div 9.18$

¿LISTO PARA SEGUIR?

SECCIÓN 3A

Prueba de las Lecciones 3-1 a 3-3

3-1 Cómo representar, comparar y ordenar decimales

Escribe cada decimal en forma estándar, desarrollada y con palabras.

1. 4.012

2. diez y cincuenta y cuatro milésimas

3. El lunes, Jamie corrió 3.54 millas. El miércoles, corrió 3.6 millas. ¿Qué día corrió más?

Ordena los decimales de menor a mayor.

4. 3.406, 30.08, 3.6

5. 10.10, 10.01, 101.1

6. 16.782, 16.59, 16.79

7. 62.0581, 62.148, 62.0741

8. 123.05745, 132.05628, 123.05749

3-2 Cómo estimar decimales

9. Matt manejó 106.8 millas el lunes, 98.3 el martes y 103.5 el miércoles. ¿Aproximadamente cuántas millas manejó en total?

Estima.

10. $8.345 - 0.6051$; redondea a centésimas

11. $16.492 - 2.613$; redondea a décimas

12. 18.79×4.68

13. $71.378 \div 8.13$

14. 52.055×7.18

Estima un rango para cada suma.

15. $7.42 + 13.87 + 101.2$

16. $1.79 + 3.45 + 7.92$

3-3 Cómo sumar y restar decimales

17. Las puntuaciones de Greg en cuatro competencias de gimnasia fueron 9.65, 8.758, 9.884 y 9.500. ¿Cuál fue su puntuación total en las cuatro competencias?

18. La señora Henry compra comestibles todas las semanas y usa una planilla electrónica para llevar la cuenta de lo que gasta. ¿Cuánto gastó en total en diciembre?

Gasto en comestibles en diciembre				
Semana	1	2	3	4
Cantidad gastada ($)	52.35	77.97	90.10	42.58

19. Sally caminó 1.2 millas el lunes, 1.6 millas el miércoles y 2.1 millas el viernes. ¿Cuántas millas caminó en total?

Halla cada suma o diferencia.

20. $0.47 + 0.03$

21. $8 - 0.6$

22. $2.2 + 1.8$

Evalúa $8.67 - s$ para cada valor de s.

23. $s = 3.4$

24. $s = 2.0871$

25. $s = 7.205$

¿Listo para seguir?

Enfoque en resolución de problemas

Resuelve

• Escribe una ecuación

Lee el problema completo antes de tratar de resolverlo. A veces, hay que resolver un problema en más de un paso.

Lee el problema. Determina cuáles son los pasos necesarios para resolverlo.

Brian compró gomas y plumas para él y 4 estudiantes de su clase. Las gomas costaron \$0.79 cada una y las plumas \$2.95 cada una. ¿Cuánto gastó en total Brian en gomas y plumas?

Ésta es una manera de resolver el problema.

costo de 5 gomas	costo de 5 plumas
5 • \$0.79	5 • \$2.95

$(5 \cdot \$0.79) + (5 \cdot \$2.95)$

Lee cada problema. Decide si necesitas más de un paso para resolverlo. Anota los pasos posibles. Luego, elige una ecuación para resolver el problema.

1. Joan hace algunos disfraces. Corta tres trozos de tela, cada uno de 3.5 m de largo, y le quedan 5 m de tela. ¿Qué ecuación usarías para hallar t, la cantidad de tela que tenía al principio?

   (A) $(3 \cdot 3.5) + 5 = t$
   (B) $3 + 3.5 + 5 = t$
   (C) $(5 \times 3.5) \div 3 = t$
   (D) $5 - (3 \cdot 3.5) = t$

2. Mario compra 4 sillas y una mesa y gasta en total \$245.99. Si cada silla cuesta \$38.95, ¿qué ecuación usarías para hallar M, el costo de la mesa?

   (F) $4 + \$245.99 + \$38.95 = M$
   (G) $(4 \cdot \$38.95) + \$245.99 = M$
   (H) $\$245.99 - (4 \cdot \$38.95) = M$
   (J) $\$245.99 \div (4 \cdot \$38.95) = M$

3. Mya esquía tres veces en Ego Bowl y dos veces en Fantastic. La longitud de Ego Bowl es 5.85 km y la de Fantastic es 8.35 km. ¿Qué ecuación usarías para estimar d, la distancia total que esquía Mya?

   (A) $(6 \cdot 3) + (8 \cdot 2) = d$
   (B) $(6 + 8) + (3 + 2) = d$
   (C) $3(6 + 8) = d$
   (D) $(6 \div 3) + (8 \div 2) = d$

3-4 Notación científica

Los puntos de esta pintura miden aproximadamente 1⁄16 pulg. Seurat tardó cerca de dos años en terminar el cuadro.

Aprender a escribir números grandes con la notación científica

Vocabulario

notación científica

El artista Georges Seurat usó la técnica llamada *puntillismo* en su pintura de 1884 *Un domingo de verano en la Grande Jatte.*

En el puntillismo, el artista dibuja muchos puntos pequeños unos junto a otros para crear su pintura. La pintura de Seurat está compuesta por aproximadamente 3,456,000 puntos.

Puedes escribir números grandes como 3,456,000 como el producto de un número y una potencia de 10. Busca un patrón en la siguiente tabla.

Número	×	Potencia de 10	Producto	Número de posiciones que se mueve el punto decimal
3.456	×	10	34.56	1
3.456	×	100	345.6	2
3.456	×	1,000	3,456	3
3.456	×	10,000	34,560	4

EJEMPLO 1 Multiplicar por potencias de diez

Halla cada producto.

A **4,325 × 1,000**

4,325.000 — *Hay 3 ceros en 1,000.*
Para multiplicar, mueve el punto decimal 3 posiciones a la derecha y agrega 3 ceros.

= 4,325,000

B **2.54 × 10,000**

2.5400 — *Hay 4 ceros en 10,000.*
Para multiplicar, mueve el punto decimal 4 posiciones a la derecha y agrega 2 ceros.

= 25,400

La **notación científica** es un método abreviado para escribir números grandes.

Un número escrito en notación científica tiene dos números que se multiplican.

$$4.123 \times 10^5$$

La primera parte es un número mayor que o igual a 1 y menor que 10.

La segunda parte es una potencia de 10.

EJEMPLO 2 **Escribir números en notación científica**

Escribe 8,296,000 en notación científica.

8,296,000

8,296,000 — *Mueve el punto decimal 6 posiciones a la izquierda. La potencia de 10 es 6.*

$8{,}296{,}000 = 8.296 \times 10^6$

Puedes escribir en forma estándar un número grande escrito en notación científica. Observa la potencia de 10 y mueve el punto decimal tantas posiciones a la derecha como indique la potencia.

EJEMPLO 3 **Escribir números en forma estándar**

Escribe 3.2×10^7 en forma estándar.

3.2×10^7 — *La potencia de 10 es 7.*

3.2000000 — *Mueve el punto decimal 7 posiciones a la derecha y agrega ceros.*

$3.2 \times 10^7 = 32{,}000{,}000$

EJEMPLO 4 ***Aplicación al arte***

Escribe en notación científica la cantidad de puntos del cuadro de Seurat *Un domingo de verano en la Grand Jatte:* 3,456,000.

3,456,000 — *Mueve el punto decimal a la izquierda para formar un número mayor que 1 y menor que 10.*

3,456,000 — *Multiplica ese número por una potencia de 10.*

3.456×10^6 — *La potencia de 10 es 6 porque el punto decimal se movió 6 posiciones a la izquierda.*

El número de puntos en el cuadro de Seurat es 3.456×10^6.

Razonar y comentar

1. **Explica** cómo puedes comprobar si un número está escrito correctamente en notación científica.
2. **Indica** por qué 782.5×10^8 no está escrito correctamente en notación científica.
3. **Indica** las ventajas de escribir un número en notación científica en lugar de la forma estándar. Explica las desventajas.

3-4 Ejercicios

PRÁCTICA GUIADA

Ver Ejemplo  **Halla cada producto.**

1. 5,937 × 100
2. 719.25 × 1,000
3. 6.0912 × 100,000

Ver Ejemplo  **Escribe cada número en notación científica.**

4. 62,000
5. 500,000
6. 6,913,000

Ver Ejemplo  **Escribe cada número en forma estándar.**

7. 6.793×10^6
8. 1.4×10^4
9. 3.82×10^5

Ver Ejemplo 

10. **Geografía** El área total del océano Atlántico es de 31,660,000 millas cuadradas. Escribe el área total del océano Atlántico en notación científica.

PRÁCTICA INDEPENDIENTE

Ver Ejemplo  **Halla cada producto.**

11. 278 × 1,000
12. 74.1 × 100
13. 381.8 × 10,000
14. 1.97 × 10,000
15. 4.129 × 100
16. 62.4 × 1,000

Ver Ejemplo  **Escribe cada número en notación científica.**

17. 90,000
18. 186,000
19. 1,607,000
20. 240,000
21. 6,000,000
22. 16,900,000

Ver Ejemplo  **Escribe cada número en forma estándar.**

23. 3.211×10^5
24. 1.63×10^6
25. 7.7×10^3
26. 2.14×10^4
27. 4.03×10^6
28. 8.1164×10^8

Ver Ejemplo 

29. **Entretenimiento** *La Guerra de las Galaxias: Episodio III, La venganza de los Sith* recaudó $6,200,000 en sus exhibiciones de estreno a medianoche. Escribe esta cantidad en notación científica.

PRÁCTICA Y RESOLUCIÓN DE PROBLEMAS

Práctica adicional
Ver página 718

Escribe cada número en forma estándar.

30. 7.21×10^3
31. 1.234×10^5
32. 7.200×10^2
33. 2.08×10^5
34. 6.954×10^3
35. 5.43×10^1

Escribe cada número en notación científica.

36. 112,050
37. 150,000
38. 4,562
39. 652
40. 1,000
41. 65,342
42. 95
43. 28,001

44. **Tecnología** En el año 2005 había en el mundo aproximadamente mil millones de computadoras. Escribe este número en forma estándar y notación científica.

45. **Ciencias biológicas** Los genes portan los códigos para sintetizar proteínas que son necesarias para la vida. Las estimaciones van de 2.0×10^4 a 2.5×10^4. Escribe un número en forma estándar que se encuentre dentro de este rango.

Este Hornet F/A-18 produce una nube de vapor al volar a Mach 0.98, apenas debajo de la velocidad del sonido.

¡Web Extra!

CLAVE: MR7 Sound

46. **Ciencias de la Tierra** La velocidad de la luz es aproximadamente 300,000 km/s. La velocidad del sonido en el aire a una temperatura de 20° C es de 1,125 pies/s. Escribe estos valores en notación científica.

Usa el pictograma para los Ejercicios 47 y 48.

47. Escribe en notación científica la capacidad del Estadio Rungnado.

48. **Estimación** Estima la capacidad del estadio más grande. Escribe la estimación en notación científica.

49. **Estudios sociales** La Biblioteca del Congreso, en Washington, D.C., es la más grande del mundo. Cuenta con 24,616,867 libros. Redondea el número de libros a la centena de millar más cercana y escríbelo en notación científica.

50. **¿Dónde está el error?** Un estudiante dijo que 56,320,000 escrito en notación científica es 56.32×10^6. Describe su error y escribe la respuesta correcta.

51. **Escríbelo** ¿Por qué escribir los números en notación científica hace que sea más fácil compararlos y ordenarlos?

52. **Desafío** ¿Cómo se escribe 5.32 en notación científica?

Preparación para el examen y repaso en espiral

53. **Opción múltiple** ¿Cuánto es 23,600,000 en notación científica?

Ⓐ 236×10^5 Ⓑ 23.6×10^6 Ⓒ 2.36×10^6 Ⓓ 2.36×10^7

54. **Respuesta gráfica** Rhode Island tiene un área de 1.045×10^3 millas cuadradas. ¿Cómo es este número en forma estándar?

Identifica la propiedad ilustrada por cada ecuación. (Lección 1-5)

55. $4 + 5 = 5 + 4$
56. $3(4 - 1) = 3(4) - 3(1)$
57. $(9 \times 80) \times 72 = 9 \times (80 \times 72)$

Evalúa cada expresión para $a = 4$, $b = 2.8$ y $c = 0.9$. (Lección 3-3)

58. $a + b$
59. $b - c$
60. $a + c$
61. $a - b$
61. $a - c$

Explorar la multiplicación y división de decimales

Para usar con las Lecciones 3-5 y 3-6

go.hrw.com
Recursos en línea para el laboratorio
CLAVE: MR7 Lab3

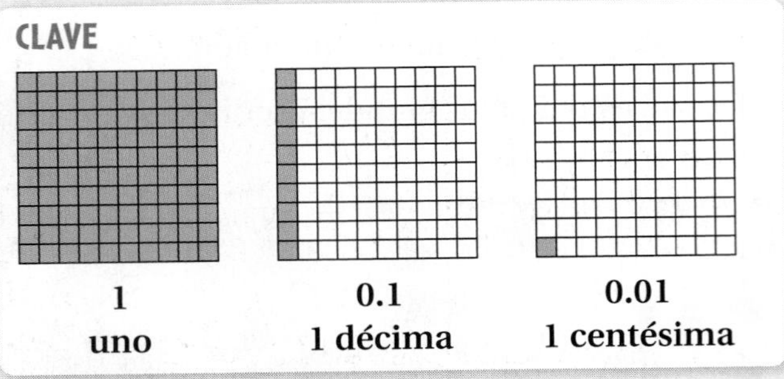

Puedes usar cuadrículas de decimales para hacer modelos de multiplicación y división de decimales.

Actividad 1

Usa cuadrículas de decimales para hallar cada producto.

a. 3 • 0.32

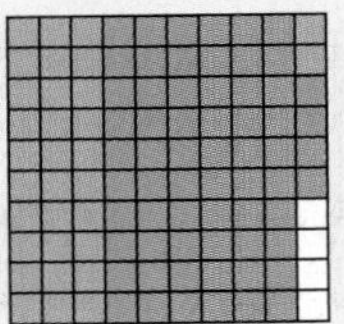

Para representar 3 • 0.32, sombrea 32 cuadrados pequeños tres veces.

Usa un color diferente para sombrear cada grupo de 32 cuadrados.

Hay 96 cuadrados sombreados.

3 • 0.32 = 0.96

b. 0.3 • 0.5

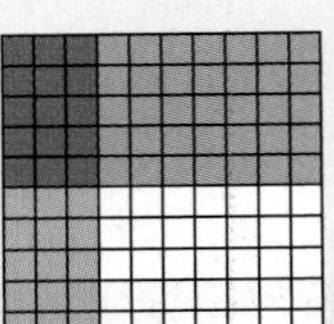

Para representar 0.3, sombrea 3 columnas.

Para representar 0.5, sombrea 5 filas con otro color.

Hay 15 cuadrados en la región donde se superponen los sombreados.

0.3 • 0.5 = 0.15

Razonar y comentar

1. ¿Cuál es la diferencia entre multiplicar un decimal por un decimal y multiplicar un decimal por un número cabal?

2. ¿Por qué sombreas 5 filas para representar 0.5?

Inténtalo

Usa cuadrículas de decimales para hallar cada producto.

1. 3 • 0.14 **2.** 5 • 0.18 **3.** 0.7 • 0.5 **4.** 0.6 • 0.4

5. 4 • 0.25 **6.** 0.2 • 0.9 **7.** 9 • 0.07 **8.** 8 • 0.15

Actividad 2

Usa cuadrículas de decimales para hallar cada cociente.

a. 3.66 ÷ 3

Para representar 3.66, sombrea 3 cuadrículas y 66 cuadrados pequeños.

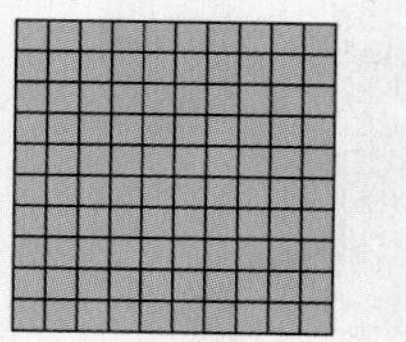
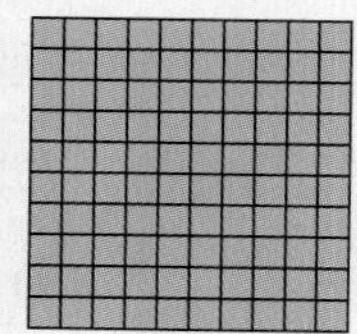
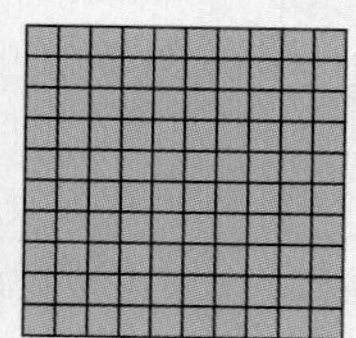
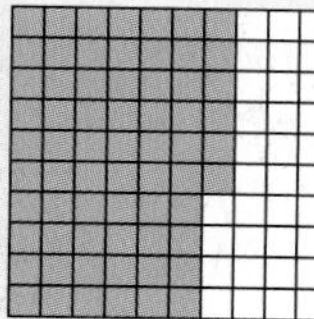

Divide los cuadrados sombreados en 3 grupos iguales. Corta con tijeras las 66 centésimas en 3 grupos iguales.

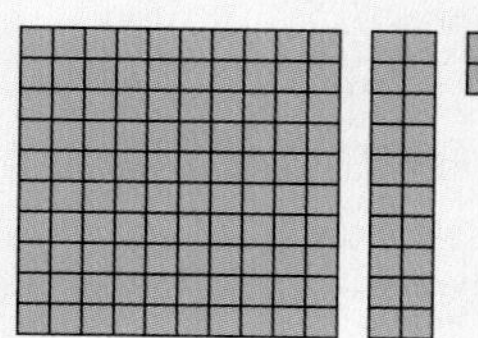
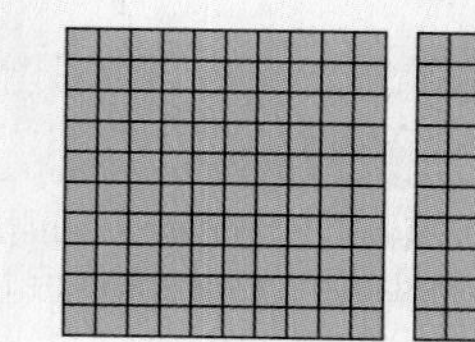
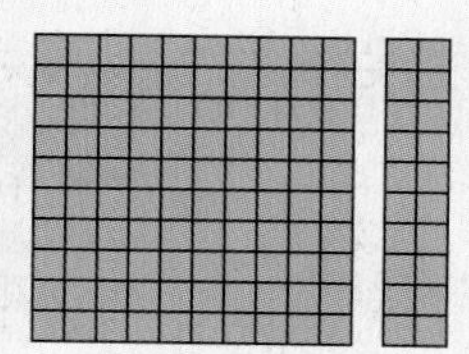

3.66 ÷ 3 = 1.22 *En cada grupo hay una cuadrícula entera y 22 cuadrados pequeños.*

b. 3.6 ÷ 1.2

Para representar 3.6, sombrea 3 cuadrículas y 6 columnas de una cuarta cuadrícula. Separa las 6 décimas.

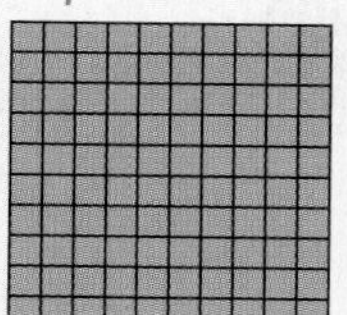
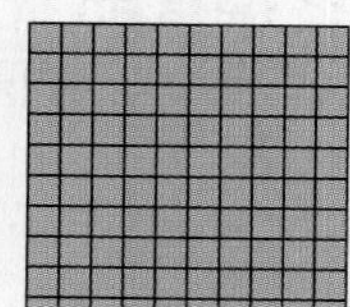
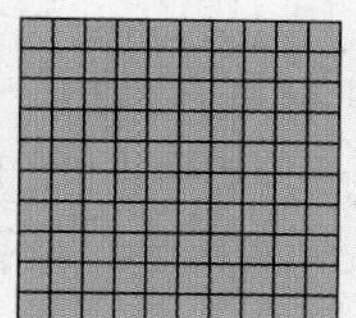
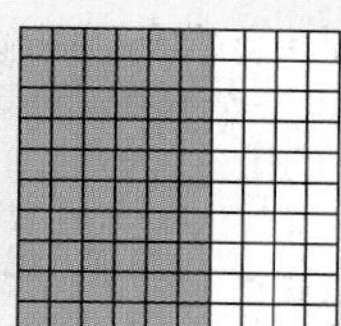

Divide las cuadrículas y las décimas en grupos iguales de 1.2.

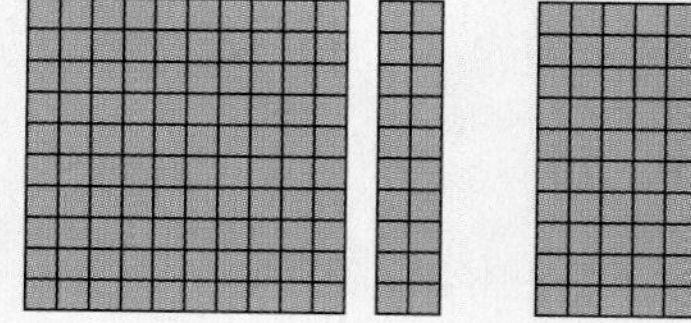
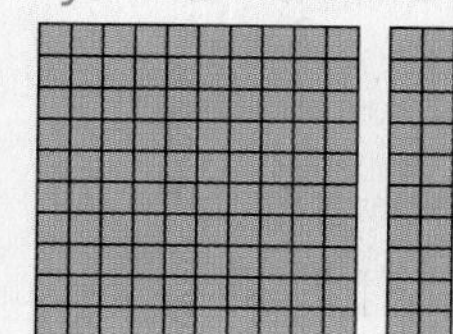
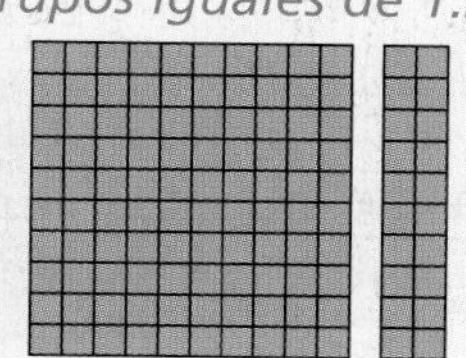

3.6 ÷ 1.2 = 3 *Hay 3 grupos iguales de 1.2.*

Razonar y comentar

1. Halla 36 ÷ 12. ¿En qué se parecen este problema y su cociente a 3.6 ÷ 1.2?

Inténtalo

Usa cuadrículas de decimales para hallar cada cociente.

1. 4.04 ÷ 4 **2.** 3.25 ÷ 5 **3.** 7.8 ÷ 1.3 **4.** 5.6 ÷ 0.8

5. 6.24 ÷ 2 **6.** 5.1 ÷ 1.7 **7.** 5.7 ÷ 3 **8.** 5.4 ÷ 0.9

3-5 Cómo multiplicar decimales

Aprender a multiplicar decimales por números cabales y por decimales

La gravedad en la Tierra es aproximadamente seis veces mayor que la gravedad en la superficie de la Luna.

Como la Luna tiene menos masa que la Tierra, tiene un efecto gravitacional menor. Un objeto que pesa 1 libra en la Tierra pesa sólo 0.17 libras en la Luna.

Puedes multiplicar el peso de un objeto en la Tierra por 0.17 para hallar su peso en la Luna.

Para multiplicar decimales, primero multiplica igual que con los números cabales. Luego, para colocar el punto decimal, halla el total de posiciones decimales que hay en los factores. El producto tendrá la misma cantidad de posiciones decimales.

EJEMPLO 1 *Aplicación a las ciencias*

Una bandera pesa 3 libras en la Tierra. ¿Cuánto pesa en la Luna?

3 × 0.17 Como 1 libra en la Tierra equivale a 0.17 libras en la Luna, multiplica 3 por 0.17.

$$\begin{array}{r} 17 \\ \times\ 3 \\ \hline 51 \end{array}$$

Multiplica igual que con los números cabales.

Para colocar el punto decimal, suma las posiciones decimales que hay en los números multiplicados.

Comprueba

$$\begin{array}{r} 0.17 \\ \times\ \ 3 \\ \hline 0.51 \end{array}$$

2 posiciones decimales
+ 0 posiciones decimales
2 posiciones decimales

Una bandera de 3 lb en la Tierra pesa 0.51 lb en la Luna.

EJEMPLO 2 Multiplicar un decimal por un decimal

Pista útil

Puedes usar una cuadrícula de decimales para hacer un modelo de la multiplicación de decimales.

Halla cada producto.

A 0.2×0.6

Multiplica y coloca el punto decimal.

$$\begin{array}{r} 0.2 \\ \times\ 0.6 \\ \hline 0.12 \end{array}$$

1 posición decimal
+ 1 posición decimal
2 posiciones decimales

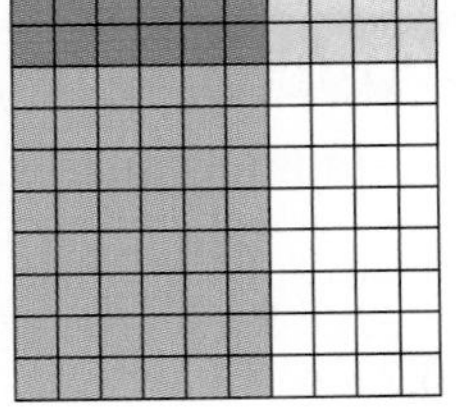

Halla cada producto.

B 3.25×4.8

$3 \times 5 = 15$ — *Estima el producto. Redondea cada factor al número cabal más cercano.*

Multiplica y coloca el punto decimal.

$$\begin{array}{r} 3.25 \\ \times\ 4.8 \\ \hline 2600 \\ 13000 \\ \hline 15.600 \end{array}$$

2 posiciones decimales
+ 1 posición decimal
3 posiciones decimales

15.600 se aproxima a la estimación de 15. La respuesta es razonable.

C 0.05×0.9

$0.05 \times 1 = 0.05$ — *Estima el producto. 0.9 se aproxima a 1.*

Multiplica y coloca el punto decimal.

$$\begin{array}{r} 0.05 \\ \times\ 0.9 \\ \hline 0.045 \end{array}$$

2 posiciones decimales
+ 1 posición decimal
3 posiciones decimales; agrega un cero.

0.045 se aproxima a la estimación de 0.05. La respuesta es razonable.

EJEMPLO 3 Evaluar expresiones decimales

Evalúa 3*x* para cada valor de *x*.

A $x = 4.047$

$3x = 3(4.047)$ — *Sustituye x por 4.047.*

$$\begin{array}{r} 4.047 \\ \times\ \ \ 3 \\ \hline 12.141 \end{array}$$

3 posiciones decimales
+ 0 posiciones decimales
3 posiciones decimales

B $x = 2.95$

$3x = 3(2.95)$ — *Sustituye x por 2.95.*

$$\begin{array}{r} 2.95 \\ \times\ \ \ 3 \\ \hline 8.85 \end{array}$$

2 posiciones decimales
+ 0 posiciones decimales
2 posiciones decimales

¡Recuerda!

Estas notaciones significan lo mismo: multiplicar 3 veces *x*.

$3 \cdot x$ $3x$ $3(x)$

Razonar y comentar

1. **Indica** cuántas posiciones decimales hay en el producto de 235.2 y 0.24.
2. **Indica** cuál es mayor, 4×0.6 ó 4×0.006.
3. **Describe** en qué se parecen los productos de 0.3×0.5 y 3×5. ¿En qué son diferentes?

3-5 Ejercicios

go.hrw.com
Ayuda en línea para tareas*
CLAVE: MR7 3-5
Recursos en línea para padres
CLAVE: MR7 Parent
*(Disponible sólo en inglés)

PRÁCTICA GUIADA

Ver Ejemplo 

1. Una lata de alimento para gatos cuesta \$0.28. ¿Cuánto cuestan 6 latas?
2. Jorge compra 8 pelotas de béisbol a \$9.29 cada una. ¿Cuánto gasta en total?

Ver Ejemplo 

Halla cada producto.

3. 0.6×0.4
4. 0.008×0.5
5. 3.0×0.07
6. 0.12×0.6

Ver Ejemplo 

Evalúa $5x$ para cada valor de x.

7. $x = 3.304$
8. $x = 4.58$
9. $x = 7.126$
10. $x = 1.9$

PRÁCTICA INDEPENDIENTE

Ver Ejemplo 

11. Todas las mañanas, Gwenyth saca a pasear a su perro. Si camina 0.37 kilómetros cada mañana, ¿cuántos kilómetros habrá caminado en una semana?
12. **Matemáticas para el consumidor** Se venden manzanas a \$0.49 la libra. ¿Cuál es el precio de 4 libras de manzanas?

Ver Ejemplo 

Halla cada producto.

13. 0.9×0.03
14. 4.5×0.5
15. 0.31×0.7
16. 1.6×0.08
17. 0.007×0.06
18. 0.04×3.0
19. 2.0×0.006
20. 0.005×0.003

Ver Ejemplo 3

Evalúa $7x$ para cada valor de x.

21. $x = 1.903$
22. $x = 2.461$
23. $x = 3.72$
24. $x = 4.05$
25. $x = 0.164$
26. $x = 5.89$
27. $x = 0.3702$
28. $x = 1.82$

PRÁCTICA Y RESOLUCIÓN DE PROBLEMAS

Práctica adicional
Ver página 719

Multiplica.

29. 0.3×0.03
30. 1.4×0.21
31. 0.06×1.02
32. 8.2×4.1
33. 12.6×2.1
34. 3.04×0.6
35. 0.66×2.52
36. 3.08×0.7
37. $0.2 \times 0.94 \times 1.3$
38. $1.54 \times 3.05 \times 2.6$
39. $1.98 \times 0.4 \times 5.2$
40. $1.7 \times 2.41 \times 0.5$
41. $2.5 \times 1.52 \times 3.7$
42. $6.5 \times 0.15 \times 3.8$

Evalúa.

43. $6n$ para $n = 6.23$
44. $5t + 0.462$ para $t = 3.04$
45. $8^2 - 2b$ para $b = 0.95$
46. $4^3 + 5c$ para $c = 1.9$
47. $3h - 15 + h$ para $h = 5.2$
48. $5^2 + 6j + j$ para $j = 0.27$

con las ciencias físicas

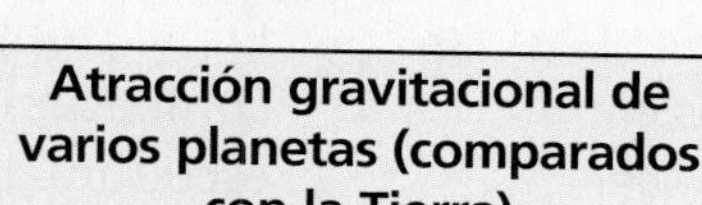

Saturno es el segundo planeta más grande del Sistema Solar. Saturno está cubierto de nubes espesas. La densidad de Saturno es muy baja. Supongamos que pesas 180 libras en la Tierra. Si pudieras pararte sobre Saturno, sólo pesarías 165 libras. Para hallar el peso de un objeto en otro planeta, multiplica su peso en la Tierra por la atracción gravitacional que se muestra en la tabla.

Atracción gravitacional de varios planetas (comparados con la Tierra)	
Planeta	**Atracción gravitacional**
Mercurio	0.38
Venus	0.91
Marte	0.38
Júpiter	2.54
Saturno	0.93
Neptuno	1.2

49. Christopher encontró una roca que pesa 5 libras sobre la Tierra. ¿Cuánto pesaría la roca en Saturno?

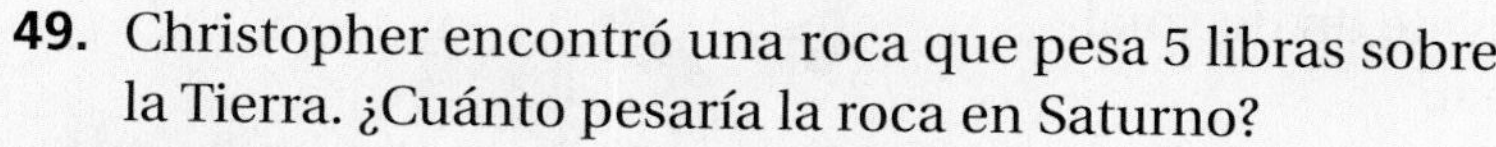

50. ¿Cuáles son los dos planetas donde el peso de un objeto sería el mismo?

51. **Varios pasos** Un objeto pesa 9 libras en la Tierra. ¿Cuánto más pesaría en Neptuno que en Marte?

52. **Escribe un problema** Con los datos de la tabla, escribe un problema con palabras que pueda resolverse evaluando una expresión con multiplicación. Resuelve tu problema.

53. **¿Dónde está el error?** Un estudiante dijo que su hermano recién nacido, que pesa 10 libras, pesaría 120 libras en Neptuno. ¿Dónde está el error? Escribe la respuesta correcta.

54. **Desafío** Un objeto pesa entre 2.79 y 5.58 libras en Saturno. Da un rango del peso del objeto en la Tierra.

Galileo Galilei fue el primero que observó Saturno a través de un telescopio. Pensó que había grupos de estrellas a cada lado del planeta, pero más tarde se determinó que él había visto los anillos de Saturno.

go.hrw.com
¡Web Extra!
CLAVE: MR7 Saturn

Preparación para el examen y repaso en espiral

55. **Opción múltiple** Max usa 1.6 litros de gasolina por hora cortando pasto. ¿Cuánta gasolina usa en 5.8 horas?

Ⓐ 7.4 litros Ⓑ 9.28 litros Ⓒ 92.8 litros Ⓓ 928 litros

56. **Opción múltiple** ¿Cuál es el valor de $5x$ cuando $x = 3.2$?

Ⓕ 16 Ⓖ 1.6 Ⓗ 0.16 Ⓙ 8.2

Resuelve cada ecuación. (Lección 2-8)

57. $\frac{x}{8} = 4$ **58.** $\frac{y}{12} = 5$ **59.** $3 = \frac{t}{17}$ **60.** $2 = \frac{s}{21}$

Escribe cada decimal en forma desarrollada. (Lección 3-1)

61. 1.23 **62.** 0.45 **63.** 26.07 **64.** 116.2 **65.** 80.002

3-6 Cómo dividir decimales entre números cabales

Aprender a dividir decimales entre números cabales

Ethan y dos amigas suyas van a compartir los gastos al hacer una escultura para la feria del arte.

Para hallar cuánto pagará cada uno por los materiales, divide un decimal entre un número cabal.

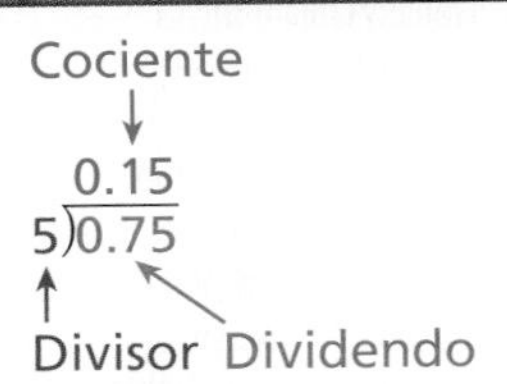

EJEMPLO 1 Dividir un decimal entre un número cabal

Halla cada cociente.

A $0.75 \div 5$

$$\begin{array}{r} 0.15 \\ 5\overline{)0.75} \\ -5 \\ \hline 25 \\ -25 \\ \hline 0 \end{array}$$

Coloca el punto decimal en el cociente, arriba del punto decimal del dividendo.

Divide igual que con los números cabales.

B $2.52 \div 3$

$$\begin{array}{r} 0.84 \\ 3\overline{)2.52} \\ -2\,4 \\ \hline 12 \\ -12 \\ \hline 0 \end{array}$$

Coloca el punto decimal en el cociente, arriba del punto decimal del dividendo.

Divide igual que con los números cabales.

EJEMPLO 2 Evaluar expresiones decimales

Evalúa $0.435 \div x$ para cada valor de x.

A $x = 3$

$0.435 \div x$

$0.435 \div 3$ *Sustituye x por 3.*

$$\begin{array}{r} 0.145 \\ 3\overline{)0.435} \\ -3 \\ \hline 13 \\ -12 \\ \hline 15 \\ -15 \\ \hline 0 \end{array}$$

Divide igual que con los números cabales.

B $x = 15$

$0.435 \div x$

$0.435 \div 15$ *Sustituye x por 15.*

$$\begin{array}{r} 0.029 \\ 15\overline{)0.435} \\ -0 \\ \hline 43 \\ -30 \\ \hline 135 \\ -135 \\ \hline 0 \end{array}$$

A veces necesitas agregar un cero.

15 > 4, por lo tanto, coloca un cero en el cociente y divide 15 entre 43.

EJEMPLO 3 *Aplicación a matemáticas para el consumidor*

Ethan y dos amigas hacen una escultura de papel maché con globos, tiras de papel y pintura. Los materiales cuestan $11.61. Si comparten el costo por partes iguales, ¿cuánto debe pagar cada persona?

Hay que dividir $11.61 en tres grupos iguales. Divide $11.61 entre 3.

$$\begin{array}{r} 3.87 \\ 3\overline{)11.61} \\ -9 \\ \hline 2\,6 \\ -2\,4 \\ \hline 21 \\ -21 \\ \hline 0 \end{array}$$

Coloca el punto decimal en el cociente, arriba del punto decimal del dividendo.

Divide igual que con los números cabales.

Comprueba

3.87 × 3 = 11.61

Cada persona debe pagar $3.87.

¡Recuerda!

La multiplicación puede "cancelar" la división.
Para comprobar tu respuesta a un problema de división, multiplica el divisor por el cociente.

Razonar y comentar

1. **Indica** cómo sabes dónde colocar el punto decimal en el cociente.
2. **Explica** por qué puedes multiplicar para comprobar tu respuesta a un problema de división.

3-6 Ejercicios

go.hrw.com
Ayuda en línea para tareas*
CLAVE: MR7 3-6
Recursos en línea para padres
CLAVE: MR7 Parent

*(Disponible sólo en inglés)

PRÁCTICA GUIADA

Ver Ejemplo  **Halla cada cociente.**

1. 1.38 ÷ 6 **2.** 0.96 ÷ 8 **3.** 1.75 ÷ 5 **4.** 0.72 ÷ 4

Ver Ejemplo  **Evalúa 0.312 ÷ x para el valor dado de x.**

5. $x = 4$ **6.** $x = 6$ **7.** $x = 3$ **8.** $x = 12$

Ver Ejemplo 

9. Matemáticas para el consumidor El señor Richards compró 8 camisetas para el equipo de voleibol. El costo total de las camisetas fue de $70.56. ¿Cuánto costó cada camiseta?

PRÁCTICA INDEPENDIENTE

Ver Ejemplo 1 **Halla cada cociente.**

10. $0.91 \div 7$ **11.** $1.32 \div 6$ **12.** $4.68 \div 9$ **13.** $0.81 \div 3$

Ver Ejemplo 2 **Evalúa $0.684 \div x$ para el valor dado de x.**

14. $x = 3$ **15.** $x = 4$ **16.** $x = 18$ **17.** $x = 9$

Ver Ejemplo 3 **18. Matemáticas para el consumidor** Charles, Kate y Kim almuerzan en un restaurante. La cuenta es $27.12. Si reparten equitativamente el pago de la cuenta, ¿cuánto pagará cada persona?

PRÁCTICA Y RESOLUCIÓN DE PROBLEMAS

Práctica adicional
Ver página 719

Halla el valor de cada expresión.

19. $(0.49 + 0.0045) \div 5$ **20.** $(4.9 - 3.125) \div 5$ **21.** $(13.28 - 7.9) \div 4$

Evalúa la expresión $x \div 4$ para cada valor de x.

22. $x = 0.504$ **23.** $x = 0.944$ **24.** $x = 57.484$ **25.** $x = 1.648$

26. Varios pasos En la tienda de comestibles, una bolsa de 6 lb de naranjas cuesta $2.04. ¿Es mayor o menor el precio que se anuncia en el mercado de los agricultores?

27. Razonamiento crítico ¿Cómo podrías usar el redondeo para comprobar tu respuesta al problema $5.58 \div 6$?

28. Elige una estrategia Sarah tenía $1.19 en monedas. Jeff le pidió cambio de un dólar, pero ella no tenía el cambio exacto. ¿Qué monedas tenía?

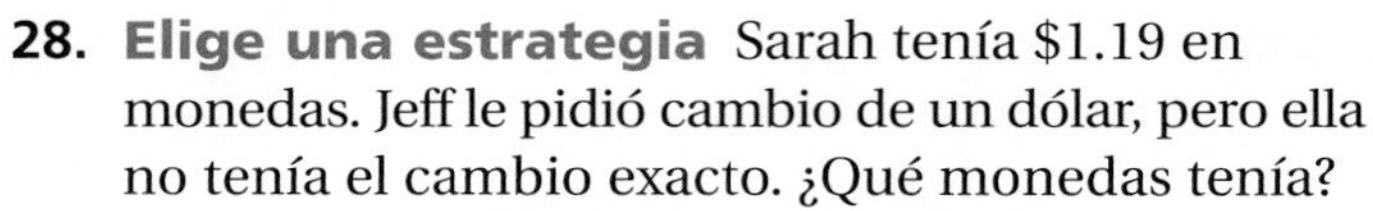

29. Escríbelo ¿Cuándo debes agregar un cero en el cociente?

30. Desafío Evalúa la expresión $x \div 2$ para los siguientes valores de $x = 520$, 52 y 5.2. Trata de predecir el valor de la misma expresión para $x = 0.52$.

PREPARACIÓN PARA EL EXAMEN y repaso en espiral

31. Opción múltiple ¿Cuál es el valor de $0.98 \div x$ cuando $x = 2$?

(A) 49 (B) 4.9 (C) 0.49 (D) 0.049

32. Respuesta gráfica Danika gastó $89.24 en dos pares de zapatos. Los dos pares costaron lo mismo. ¿Cuánto costó cada par en dólares?

Identifica un patrón en cada sucesión y escribe el término que falta. (Lección 1-7)

33. 85, 80, 75, 70, 65, ___, … **34.** 2, 6, 5, 9, 8, ___, … **35.** 10, 17, 12, 19, 14, ___, …

Escribe cada número en forma estándar. (Lección 3-4)

36. 6.479×10^3 **37.** 0.208×10^2 **38.** 13.507×10^4 **39.** 7.1×10^5

3-7 Cómo dividir entre decimales

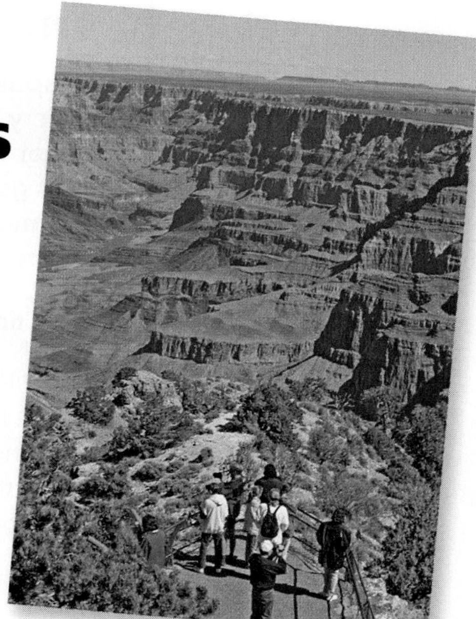

Aprender a **dividir números cabales y decimales entre decimales**

Julie y su familia viajaron al Gran Cañón. Se detuvieron a llenar el tanque con 13.4 galones de gasolina después de recorrer 368.5 millas.

Para hallar el número de millas que recorrieron por galón, debes dividir un decimal entre otro decimal.

EJEMPLO 1 **Dividir un decimal entre un decimal**

Pista útil

Si se multiplican el divisor y el dividendo por el mismo número, el cociente no cambia.

$$42 \div 6 = 7$$
$$\times 10 \downarrow \quad \times 10 \downarrow$$
$$420 \div 60 = 7$$

$$42 \div 6 = 7$$
$$\times 100 \downarrow \quad \times 100 \downarrow$$
$$4{,}200 \div 600 = 7$$

Halla cada cociente.

A **3.6 ÷ 1.2**

$1.2\overline{)3.6}$ — *Multiplica el divisor y el dividendo por la misma potencia de diez.*

$$\begin{array}{r} 3 \\ 12\overline{)36} \\ -\,36 \\ \hline 0 \end{array}$$

Hay una posición decimal en el divisor.
Multiplica por 10^1, o sea 10.
Razona: $1.2 \times 10 = 12 \quad 3.6 \times 10 = 36$
Divide.

$3.6 \div 1.2 = 3$

B **42.3 ÷ 0.12**

$0.12\overline{)42.3}$ — *Para convertir el divisor en un número cabal, multiplica el divisor y el dividendo por 10^2, o sea 100.*
Razona: $0.12 \times 100 = 12 \quad 42.3 \times 100 = 4{,}230$

$$\begin{array}{r} 352.5 \\ 12\overline{)4230.0} \\ -\,36 \\ \hline 63 \\ -\,60 \\ \hline 30 \\ -\,24 \\ \hline 6\,0 \\ -\,6\,0 \\ \hline 0 \end{array}$$

Coloca el punto decimal en el cociente.
Divide.

Cuando hay residuo, coloca un cero después del punto decimal en el dividendo y continúa la división.

$42.3 \div 0.12 = 352.5$

EJEMPLO 2 APLICACIÓN A LA RESOLUCIÓN DE PROBLEMAS

Después de manejar 368.5 millas, Julie y su familia volvieron a llenar el tanque de su auto con 13.4 galones de gasolina. En promedio, ¿cuántas millas recorrieron por galón?

 **Comprende el problema**

La **respuesta** será el promedio de millas por galón.

Haz una lista de la **información importante:**

- Recorrieron 368.5 millas.
- Consumieron 13.4 galones de gasolina.

 **Haz un plan**

Resuelve un problema más sencillo al cambiar los decimales del problema por números cabales.

Si recorrieron 10 millas con 2 galones de gasolina, su promedio fue de 5 millas por galón. Para resolver el problema, tienes que dividir millas entre galones.

3 Resuelve

Primero, estima la respuesta. Puedes usar números compatibles.

$368.5 \div 13.4 \longrightarrow 360 \div 12 = 30$

$13.4\overline{)368.5}$ *Multiplica el divisor y el dividendo por 10.*
Razona: 13.4 × 10 = 134   368.5 × 10 = 3,685

$$
\begin{array}{r}
27.5 \\
134\overline{)3685.0} \\
-\,268 \\
\hline
1005 \\
-\,938 \\
\hline
67\,0 \\
-\,67\,0 \\
\hline
0
\end{array}
$$

Coloca el punto decimal en el cociente.
Divide.

Julie y su familia recorrieron 27.5 millas por galón.

 **Repasa**

Como 27.5 se aproxima a la estimación de 30, la respuesta es razonable.

Razonar y comentar

1. **Indica** en qué se parecen el cociente de 48 ÷ 12 y el cociente de 4.8 ÷ 1.2. ¿En qué son diferentes?

3-7 Ejercicios

go.hrw.com
Ayuda en línea para tareas*
CLAVE: MR7 3-7
Recursos en línea para padres
CLAVE: MR7 Parent
*(Disponible sólo en inglés)

PRÁCTICA GUIADA

Ver Ejemplo 

Halla cada cociente.

1. $6.5 \div 1.3$ **2.** $20.7 \div 0.6$ **3.** $25.5 \div 1.5$

4. $5.4 \div 0.9$ **5.** $13.2 \div 2.2$ **6.** $63.39 \div 0.24$

Ver Ejemplo 

7. Marcus manejó 354.9 millas en 6.5 horas. En promedio, ¿cuántas millas por hora manejó?

8. **Matemáticas para el consumidor** Anthony gasta $87.75 en camarones. Una libra de camarones cuesta $9.75. ¿Cuántas libras de camarones compra Anthony?

PRÁCTICA INDEPENDIENTE

Ver Ejemplo 

Halla cada cociente.

9. $3.6 \div 0.6$ **10.** $8.2 \div 0.5$ **11.** $18.4 \div 2.3$

12. $4.8 \div 1.2$ **13.** $52.2 \div 0.24$ **14.** $32.5 \div 2.6$

15. $49.5 \div 4.5$ **16.** $96.6 \div 0.42$ **17.** $6.5 \div 1.3$

Ver Ejemplo 

18. Jen gasta $5.98 en listón. Un metro de listón cuesta $0.92. ¿Cuántos metros de listón compra Jen?

19. La familia de Kyle hizo un viaje de 329.44 millas. Kyle calculó que el auto recorrió 28.4 millas por galón de gasolina. ¿Cuántos galones de gasolina usó el auto?

20. **Matemáticas para el consumidor** Peter ahorra $4.95 por semana para comprar un DVD que cuesta $24.75, incluido el impuesto. ¿Durante cuántas semanas tendrá que ahorrar?

PRÁCTICA Y RESOLUCIÓN DE PROBLEMAS

Práctica adicional
Ver página 719

Divide.

21. $2.52 \div 0.4$ **22.** $12.586 \div 0.35$ **23.** $0.5733 \div 0.003$

24. $10.875 \div 1.2$ **25.** $92.37 \div 0.5$ **26.** $8.43 \div 0.12$

Evalúa.

27. $0.732 \div n$ para $n = 0.06$ **28.** $73.814 \div c$ para $c = 1.3$

29. $b \div 0.52$ para $b = 6.344$ **30.** $r \div 4.17$ para $r = 10.5918$

Halla el valor de cada expresión.

31. $6.35 \times 10^2 \div 0.5$ **32.** $8.1 \times 10^2 \div 0.9$ **33.** $4.5 \times 10^3 \div 4$

34. $20.1 \times 10^3 \div 0.1$ **35.** $2.76 \times 10^2 \div 0.3$ **36.** $6.2 \times 10^3 \div 8$

37. **Varios pasos** Halla el valor de $6.45 \times 10^6 \div 0.3$. Escribe tu respuesta en notación científica.

La Ley de Acuñación de 1792 estableció la Casa de Moneda de Estados Unidos. Las primeras monedas eran de cobre y se hicieron en Filadelfia.

38. **Ciencias de la Tierra** El año de un planeta es el tiempo que tarda en dar una vuelta alrededor del Sol. En Marte, un año es igual a 1.88 años terrestres. Si tienes 13 años, ¿cuántos años tendrías en Marte?

39. **Historia** La Tesorería de Estados Unidos imprimió papel moneda por primera vez en 1862. El papel moneda que se usa hoy tiene un espesor de 0.0043 pulgadas. Estima cuántos billetes necesitarías para hacer una pila de 1 pulgada. Si usas billetes de 20 dólares, ¿cuánto dinero habría en la pila?

Usa el mapa para los Ejercicios 40 y 41.

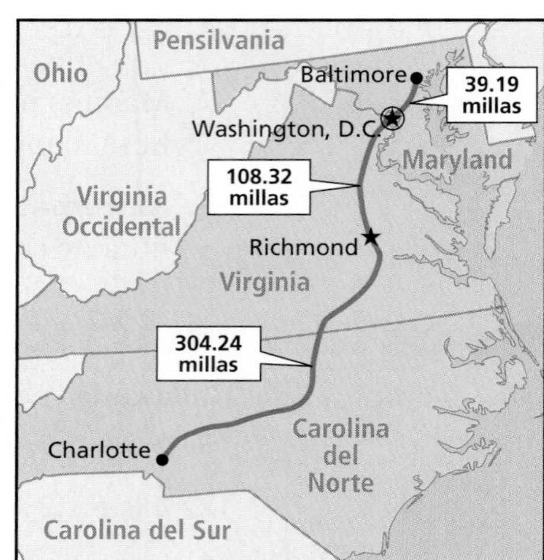

40. **Varios pasos** Bill manejó de Washington, D.C., a Charlotte en 6.5 horas. ¿Cuál fue su velocidad promedio en millas por hora?

41. **Estimación** Betty manejó un camión de Richmond a Washington, D.C., y tardó aproximadamente 2.5 horas. Estima la velocidad promedio a la que manejó.

42. **¿Dónde está el error?** Un estudiante respondió de manera incorrecta al problema que sigue. Explica el error y escribe el cociente correcto.

$$0.004\overline{)53.824} = 13.456$$

43. **Escríbelo** Explica cómo sabrías dónde poner el punto decimal en el cociente cuando divides entre un número decimal.

44. **Desafío** Halla el valor de *a* en el problema de división.

$$4a3\overline{)0.41713} = 1.01$$

Preparación para el examen y repaso en espiral

45. **Opción múltiple** Nick compró 2.5 libras de palomitas de maíz a $8.35. ¿Cuánto pagó por cada libra de palomitas?

Ⓐ $20.88 Ⓑ $3.43 Ⓒ $3.34 Ⓓ $33.40

46. **Respuesta desarrollada** En la temporada 2004–2005 de la NBA, el salario de Tracy McGrady fue de $14,487,000. Jugó en 78 partidos durante un promedio de 40.8 minutos por partido. ¿Cuánto dinero ganó Tracy McGrady por cada minuto que jugó? Redondea la respuesta al dólar más cercano. Explica cómo resolviste el problema.

Compara. Escribe $<$, $>$ ó $=$. (Lección 1-1)

47. 56,902 ■ 56,817 48. 14,562 ■ 14,581 49. 1,240,518 ■ 1,208,959

Evalúa 4*y* para cada valor de *y*. (Lección 3-5)

50. $y = 2.13$ 51. $y = 4.015$ 52. $y = 3.6$ 53. $y = 0.78$ 54. $y = 1.4$

3-8 Interpretar el cociente

Destreza de resolución de problemas

Aprender a resolver problemas interpretando el cociente

En el laboratorio de ciencias, Kim aprendió a hacer una sustancia pegajosa con maicena, agua y colorante vegetal comestible. Tenía 0.87 kg de maicena y la receta para una bolsa de esta sustancia requiere 0.15 kg. Para hallar el número de bolsas que puede hacer Kim, debes dividir.

EJEMPLO 1 *Aplicación a las mediciones*

¡Recuerda!

Para dividir decimales, escribe primero el divisor como número cabal. Multiplica el divisor y el dividendo por la misma potencia de diez.

Kim usará 0.87 kg de maicena para hacer bolsas de una sustancia pegajosa que regalará a sus amigos. Si cada bolsa requiere 0.15 kg de maicena, ¿cuántas bolsas de esta sustancia puede hacer?

En el problema se pregunta cuántas bolsas enteras de esta sustancia pegajosa se pueden hacer si la maicena se divide en grupos de 0.15 kg.

$0.87 \div 0.15 = ?$

$87 \div 15 = 5.8$

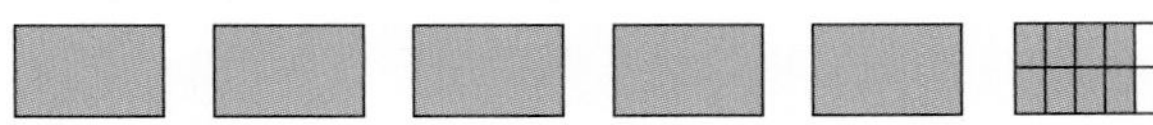

Razona: El cociente muestra que no hay suficiente para llenar 6 bolsas de la sustancia con 0.15 kg de maicena cada una. Sólo alcanza para 5 bolsas. No es necesaria la parte decimal del cociente para la respuesta.

Kim puede hacer 5 bolsas de sustancia pegajosa para regalar.

EJEMPLO 2 *Aplicación a la fotografía*

En sexto grado hay 246 estudiantes. Si la maestra Lee compra rollos de película de 24 exposiciones cada uno, ¿cuántos rollos necesita para tomar una fotografía de cada estudiante?

En el problema se pregunta cuántos rollos completos se necesitan para tomar una fotografía de cada estudiante.

$246 \div 24 = ?$

$246 \div 24 = 10.25$

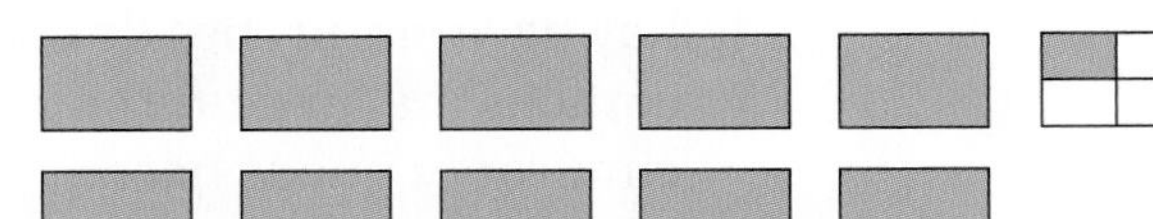

Razona: Diez rollos de película no son suficientes para tomar las fotos de todos los estudiantes. La maestra Lee tendrá que comprar otro rollo. El cociente debe redondearse al siguiente número cabal.

La maestra Lee necesita 11 rollos de película.

EJEMPLO 3 *Aplicación a los estudios sociales*

Marissa dibuja una línea cronológica de la Edad de Piedra. Piensa incluir 6 secciones iguales, dos para cada periodo: Paleolítico, Mesolítico y Neolítico. Si tiene 7.8 metros de papel, ¿de qué tamaño será cada sección?

En el problema se pregunta cuánto medirá exactamente cada sección al dividir el papel en seis secciones.

$7.8 \div 6 = 1.3$ *Razona: Se pide una respuesta exacta, así que no estimes. Usa el cociente completo.*

Cada sección tendrá 1.3 metros de largo.

Si la pregunta es	→ Debes
¿Cuántos grupos completos se hacen al dividir?	→ Suprimir la parte decimal del cociente.
¿Cuántos grupos enteros se necesitan para poner todos los elementos del dividendo en un grupo?	→ Redondear el cociente al siguiente número cabal.
¿Cuál es el número exacto al dividir?	→ Tomar el cociente completo como respuesta.

Razonar y comentar

1. Indica cómo interpretarías el cociente: un grupo de 27 estudiantes viajará en camionetas donde caben 12 estudiantes. ¿Cuántas camionetas se necesitan?

3-8 Ejercicios

*(Disponible sólo en inglés)

PRÁCTICA GUIADA

Ver Ejemplo 

1. Kay hace cinturones de cuentas para sus amigas con 6.5 metros de cordel. Para un cinturón se requieren 0.625 metros de cordel. ¿Cuántos cinturones puede hacer?

Ver Ejemplo 

2. Julius tiene que llevar los vasos para una fiesta de 136 personas. Si los vasos se venden en paquetes de 24, ¿cuántos paquetes necesita?

Ver Ejemplo 

3. Miranda se ocupa de la decoración para una fiesta. Tiene 13 globos y 29.25 metros de listón. Quiere atar un listón del mismo tamaño a cada globo. ¿De qué tamaño debe ser cada listón?

PRÁCTICA INDEPENDIENTE

Ver Ejemplo 1
4. Hay 0.454 kg de maicena en un recipiente. ¿Cuántas porciones de 0.028 kg hay en el recipiente?

Ver Ejemplo 2

5. Tina necesita 36 flores para su siguiente proyecto. Las flores se venden en ramos de 5. ¿Cuántos ramos necesita?

Ver Ejemplo 3

6. El objetivo de Bobby es correr 27 millas por semana. Si corre la misma distancia 6 días por semana, ¿cuántas millas tendría que correr cada día?

PRÁCTICA Y RESOLUCIÓN DE PROBLEMAS

Práctica adicional
Ver página 719

7. Nick quiere escribir notas de agradecimiento a 15 amigos suyos. Las tarjetas se venden en paquetes de 6. ¿Cuántos paquetes necesita comprar Nick?

8. **Varios pasos** El maestro de ciencias tiene 7 paquetes de semillas y 36 estudiantes. Si los estudiantes deben sembrar el mismo número de semillas, ¿cuántas puede sembrar cada uno?

9. **Razonamiento crítico** ¿Cómo sabes cuándo debes redondear tu respuesta al siguiente numero cabal?

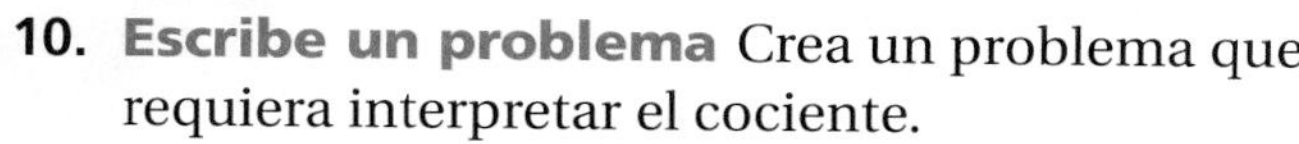
10. **Escribe un problema** Crea un problema que requiera interpretar el cociente.

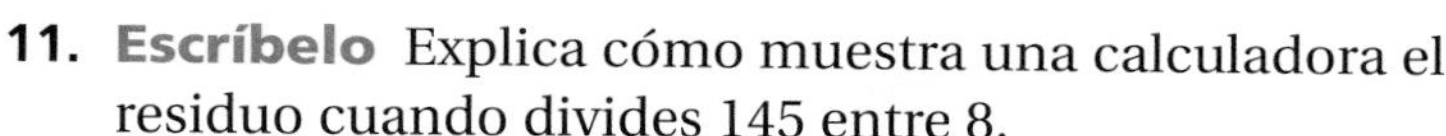
11. **Escríbelo** Explica cómo muestra una calculadora el residuo cuando divides 145 entre 8.

12. **Desafío** Leonard quiere poner una valla a ambos lados de un pasillo de 10 metros. Si pone un poste en cada extremo y uno más cada 2.5 metros, ¿cuántos postes usará?

PREPARACIÓN PARA EL EXAMEN y repaso en espiral

13. **Opción múltiple** En una excursión viajarán 375 estudiantes. En cada autobús pueden ir 65 estudiantes. ¿Cuántos autobuses se necesitan para la excursión?

Ⓐ 4 Ⓑ 5 Ⓒ 6 Ⓓ 7

14. **Opción múltiple** La maestra Neal tiene 127 calcomanías. Quiere dar a cada uno de sus 22 estudiantes la misma cantidad de calcomanías. ¿Qué expresión se puede usar para hallar cuántas recibirá cada uno?

Ⓕ $127 - 22$ Ⓖ $127 \div 22$ Ⓗ $127 + 22$ Ⓙ 127×22

Halla *y*. (Lecciones 2-4, 2-5, 2-6)

15. $y - 23 = 40$ 16. $14y = 168$ 17. $36 + y = 53$ 18. $\frac{y}{5} = 7$

Halla cada cociente. (Lección 3-7)

19. $45.5 \div 5$ 20. $103.7 \div 2$ 21. $35 \div 2.5$ 22. $4.25 \div 0.25$

3-9 Cómo resolver ecuaciones decimales

Aprender a resolver ecuaciones que contengan decimales

Felipe ganó \$45.20 podando el césped de sus vecinos. Quiere comprar unos patines en línea que cuestan \$69.95. Escribe y resuelve una ecuación para hallar cuánto dinero le falta a Felipe para comprar los patines.

Sea m el dinero que necesita Felipe
$\$45.20 + m = \$69.95$

Puedes resolver ecuaciones con decimales mediante operaciones inversas, así como resuelves ecuaciones con números cabales.

$$\begin{aligned} \$45.20 + m &= \$69.95 \\ \underline{-\ \$45.20} \qquad &\ \ \underline{-\ \$45.20} \\ m &= \$24.75 \end{aligned}$$

A Felipe le faltan \$24.75 para comprar los patines.

EJEMPLO 1 **Resolver ecuaciones de un paso con decimales**

¡Recuerda!

Usa operaciones inversas para dejar sola la variable en un lado de la ecuación.

Resuelve cada ecuación. Comprueba tu respuesta.

A $g - 3.1 = 4.5$

$g - 3.1 = 4.5$ *Se resta 3.1 de g.*

$\underline{+\ 3.1} \quad \underline{+\ 3.1}$ *Suma 3.1 a ambos lados para cancelar la resta.*

$g = 7.6$

Comprueba

$g - 3.1 = 4.5$

$7.6 - 3.1 \stackrel{?}{=} 4.5$ *Sustituye g por 7.6 en la ecuación.*

$4.5 \stackrel{?}{=} 4.5$ ✔ *7.6 es la solución.*

B $3k = 8.1$

$3k = 8.1$ *Se multiplica k por 3.*

$\frac{3k}{3} = \frac{8.1}{3}$ *Divide ambos lados entre 3 para cancelar la multiplicación.*

$k = 2.7$

Comprueba

$3k = 8.1$

$3(2.7) \stackrel{?}{=} 8.1$ *Sustituye k por 2.7 en la ecuación.*

$8.1 \stackrel{?}{=} 8.1$ ✔ *2.7 es la solución.*

Resuelve cada ecuación. Comprueba tu respuesta.

C $\frac{m}{5} = 1.5$

$\frac{m}{5} = 1.5$ — *Se divide m entre 5.*

$\frac{m}{5} \cdot 5 = 1.5 \cdot 5$ — *Multiplica ambos lados por 5 para cancelar la división.*

$m = 7.5$

Comprueba

$\frac{m}{5} = 1.5$

$\frac{7.5}{5} \stackrel{?}{=} 1.5$ — *Sustituye m por 7.5 en la ecuación.*

$1.5 \stackrel{?}{=} 1.5$ ✔ — *7.5 es la solución.*

EJEMPLO 2 *Aplicación a las mediciones*

¡Recuerda!

El área de un rectángulo es su longitud por su ancho.

$A = \ell a$

A **El área del piso de la recámara de Jonah es de 28 metros cuadrados. Si su longitud es 3.5 metros, ¿cuál es el ancho de la recámara?**

área	=	longitud	·	ancho	
28	=	3.5	·	*a*	*Escribe una ecuación.*

$28 = 3.5a$ — *Sea a el ancho de la recámara. Se multiplica a por 3.5.*

$\frac{28}{3.5} = \frac{3.5a}{3.5}$ — *Divide ambos lados entre 3.5 para cancelar la multiplicación.*

$8 = a$

El ancho de la recámara de Jonah es 8 metros.

B **Jonah está alfombrando su recámara. El costo de la alfombra es $22.50 por metro cuadrado. ¿Cuál es el costo total de alfombrar la recámara?**

costo total = área · costo de la alfombra por metro cuadrado

$C = 28 \cdot 22.50$ — *Sea C el costo total. Escribe una ecuación.*

$C = 630$ — *Multiplica.*

El costo de alfombrar la recámara es $630.

Razonar y comentar

1. **Explica** si el valor de m será menor o mayor que 1 al resolver $5m = 4.5$.
2. **Indica** cómo comprobarías la respuesta del Ejemplo 2A.

3-9 Ejercicios

go.hrw.com
Ayuda en línea para tareas*
CLAVE: MR7 3-9
Recursos en línea para padres
CLAVE: MR7 Parent
*(Disponible sólo en inglés)

PRÁCTICA GUIADA

Ver Ejemplo 1

Resuelve cada ecuación. Comprueba tu respuesta.

1. $a - 2.3 = 4.8$ **2.** $6n = 8.4$ **3.** $\frac{c}{4} = 3.2$

4. $8.5 = 2.49 + x$ **5.** $\frac{d}{3.2} = 1.09$ **6.** $1.6 = m \cdot 4$

Ver Ejemplo 2

7. La longitud de una ventana es 10.5 metros y su ancho es 5.75 metros. Resuelve la ecuación $a \div 10.5 = 5.75$ para hallar el área de la ventana.

8. Gretchen quiere agregar una guarda de papel de empapelar a lo largo de la parte superior de las paredes de su recámara cuadrada. La distancia alrededor de su recámara es 20.4 metros.

a. ¿Cuál es la longitud de cada pared de la recámara de Gretchen?

b. El precio de la guarda de papel de empapelar es $1.25 por metro. ¿Cuál es el costo total?

PRÁCTICA INDEPENDIENTE

Ver Ejemplo 1

Resuelve cada ecuación. Comprueba tu respuesta.

9. $b - 5.6 = 3.7$ **10.** $1.6 = \frac{p}{7}$ **11.** $3r = 62.4$

12. $9.5 = 5x$ **13.** $a - 4.8 = 5.9$ **14.** $\frac{n}{8} = 0.8$

15. $8 + f = 14.56$ **16.** $5.2s = 10.4$ **17.** $1.95 = z - 2.05$

Ver Ejemplo 2

18. **Geometría** El área de un rectángulo es de 65.8 unidades cuadradas. La longitud es 7 unidades. Resuelve la ecuación $7 \cdot a = 65.8$ para hallar el ancho del rectángulo.

19. Ken quiere cercar su jardín cuadrado. Necesita 6.4 metros de alambre para encerrar los cuatro lados del jardín.

a. ¿Cuál es la longitud de cada lado del jardín?

b. El precio de cercar es 2.25 por metro. ¿Cuál es el costo total para cercar el jardín de Ken?

PRÁCTICA Y RESOLUCIÓN DE PROBLEMAS

Práctica adicional
Ver página 719

Resuelve cada ecuación. Comprueba tu respuesta.

20. $9.8 = t - 42.1$ **21.** $q \div 2.6 = 9.5$ **22.** $45.36 = 5.6 \cdot m$

23. $1.3b = 5.46$ **24.** $4.93 = 0.563 + m$ **25.** $\frac{a}{5} = 2.78$

26. $w - 64.99 = 13.044$ **27.** $6.205z = 80.665$ **28.** $74.2 = 38.06 + c$

29. **Geometría** El lado más corto del triángulo mide 10 unidades.

a. ¿Cuál es la longitud de los otros dos lados?

b. ¿Cuál es el perímetro del triángulo?

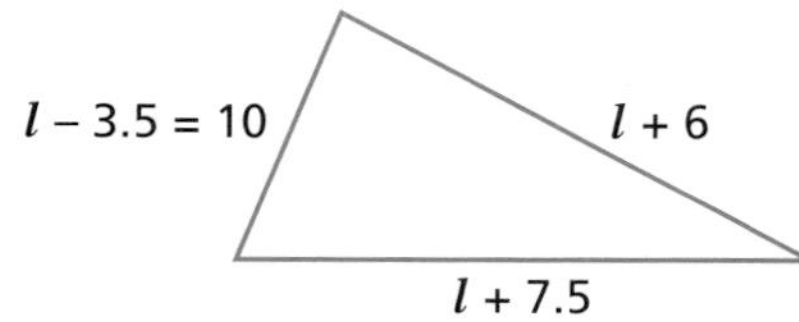

El London Eye es la rueda de la fortuna más grande del mundo. Usa la tabla para los Ejercicios del 30 al 42.

30. Escribe la altura de la rueda en kilómetros.

31. **Varios pasos** Hay 1,000 kilogramos en una tonelada métrica. ¿Cuál es el peso de la rueda en kilogramos escrito en notación científica?

32. **a.** ¿Cuántos segundos tarda una revolución de la rueda?

b. La rueda se mueve a una velocidad de 0.26 metros por segundo. Usa la ecuación $d \div 0.26 = 1,800$ para hallar la distancia de una revolución.

33. En cada compartimiento pueden ir 25 pasajeros. ¿Cuántos compartimientos se necesitan para llevar a 210 pasajeros?

Peso de la rueda	1,900 toneladas métricas
Tiempo de revolución	30 minutos
Altura de la rueda	135 metros

34. Quince boletos de adulto para el London Eye cuestan £187.50 (aproximadamente $356.25). ¿Cuánto cuesta un boleto? Escribe tu respuesta en libras esterlinas (£) y en dólares.

35. **¿Dónde está el error?** Al resolver la ecuación $b - 12.98 = 5.03$, una estudiante dijo que $b = 7.95$. Describe el error. ¿Cuál es el valor correcto de b?

36. **Escríbelo** Explica cómo resolverías una ecuación como $2.3a = 4.6$ utilizando la multiplicación.

37. **Desafío** Resuelve $1.45n \times 3.2 = 23.942 + 4.13$.

PREPARACIÓN PARA EL EXAMEN y repaso en espiral

38. **Opción múltiple** Resuelve la ecuación $d \div 4 = 6.7$ para d.

Ⓐ $d = 26.8$ Ⓑ $d = 10.7$ Ⓒ $d = 2.7$ Ⓓ $d = 1.675$

39. **Opción múltiple** Kelly compró 2.8 libras de carne de res a $5.04. ¿Cuánto pagó por cada libra?

Ⓕ $18.00 Ⓖ $7.84 Ⓗ $1.80 Ⓙ $0.18

Escribe cada frase como una expresión numérica o algebraica. (Lección 2-2)

40. 103 menos que 739 **41.** el producto de 7 y z **42.** la diferencia entre 12 y n

Halla cada cociente. (Lección 3-6)

43. $25.5 \div 5$ **44.** $44.7 \div 3$ **45.** $96.48 \div 6$ **46.** $0.0378 \div 9$

SECCIÓN 3B

Prueba de las Lecciones 3-4 a 3-9

3-4 Notación científica

Halla cada producto.

1. 516 × 10,000 **2.** 16.82 × 100 **3.** 5,217 × 1,000

Escribe cada número en notación científica.

4. 102,000 **5.** 5,480,000 **6.** 100,000,000

3-5 Cómo multiplicar decimales

Evalúa $5x$ para cada valor de x.

7. $x = 1.025$ **8.** $x = 6.2$ **9.** $x = 2.64$

10. La atracción gravitacional de Neptuno es 1.2 veces la de la Tierra. ¿Cuánto pesará en Neptuno un objeto que en la Tierra pesa 15 libras?

3-6 Cómo dividir decimales entre números cabales

Halla cada cociente.

11. 17.5 ÷ 5 **12.** 11.6 ÷ 8 **13.** 23.4 ÷ 6 **14.** 35.5 ÷ 5

15. Cinco manzanas cuestan $4.90. ¿Cuánto cuesta cada manzana?

3-7 Cómo dividir entre decimales

Halla cada cociente.

16. 2.226 ÷ 0.42 **17.** 13.49 ÷ 7.1 **18.** 35.34 ÷ 6.2 **19.** 178.64 ÷ 81.2

20. Peri gastó $21.89 en tela para una falda. La tela costó $3.98 por yarda. ¿Cuántas yardas compró Peri?

3-8 Interpretar el cociente

21. Hoy se gradúan 352 estudiantes en la secundaria. Una fotógrafa toma una fotografía de cada estudiante en el momento en que recibe su diploma. Si la fotógrafa tiene 36 exposiciones en cada rollo de película, ¿cuántos rollos tiene que comprar para tomar todas las fotografías?

3-9 Cómo resolver ecuaciones decimales

Resuelve cada ecuación.

22. $t - 6.3 = 8.9$ **23.** $4h = 20.4$ **24.** $\frac{p}{7} = 4.6$ **25.** $d + 2.8 = 9.5$

Preparación de varios pasos para el examen

¡Léelo! La mayoría de los estadounidenses lee un periódico por lo menos una vez a la semana. De hecho, en Estados Unidos se venden 55 millones de periódicos cada día. En la tabla se muestra la circulación diaria aproximada de algunos de los periódicos más populares del país.

1. Ordena los periódicos según su circulación, de menor a mayor.
2. Estima la circulación total de los ocho periódicos. Explica cómo hiciste tu estimación.
3. El *Wall Street Journal*, el *New York Post* y el *New York Times* se publican en Nueva York. ¿Cuál es la circulación total de estos tres periódicos?
4. Escribe la circulación del *Wall Street Journal* en notación científica. (*Pista:* 2.09 millones es lo mismo que 2,090,000.)
5. La circulación del *USA Today* es aproximadamente 4.2 veces la del *San Francisco Chronicle.* Halla la circulación del *USA Today.*
6. La circulación diaria del *Los Angeles Times* es unas 3 veces la del *Orange County Register.* Escribe y resuelve una ecuación para hallar la circulación diaria del *Orange County Register.*

Circulación de periódicos de Estados Unidos

Periódico	Circulación diaria (en millones)
Chicago Tribune	0.681
Dallas Morning News	0.51
Houston Chronicle	0.553
Los Angeles Times	0.915
New York Post	0.652
New York Times	1.12
San Francisco Chronicle	0.513
Wall Street Journal	2.09

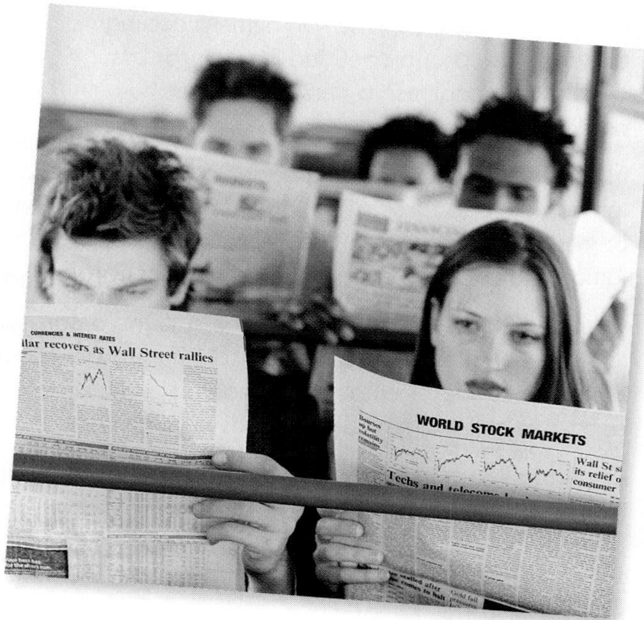

¡Vamos a jugar!

Revoltijo

¿Sabes cuánto es once más dos?

Evalúa cada expresión con una calculadora. Conserva las letras debajo de cada expresión con las respuestas que obtengas. Luego, ordena las respuestas de menor a mayor y escribe las letras en ese orden. Obtendrás la respuesta al acertijo. (Nota: las palabras del acertijo están en inglés.)

$4 - 1.893$	$0.21 \div 0.3$	$0.443 - 0.0042$	$4.509 - 3.526$	$3.14 \cdot 2.44$	$1.56 \cdot 3.678$
E	**L**	**E**	**V**	**E**	**N**
$6.34 \div 2.56$	$1.19 + 1.293$	$8.25 \div 2.5$	$7.4 - 2.356$		
P	**L**	**U**	**S**		
$0.0003 + 0.003$	$0.3 \cdot 0.04$	$2.17 + 3.42$			
T	**W**	**O**			

Haz un dólar

El objeto del juego es ganar el mayor número de puntos sumando números decimales, de modo que la suma se acerque a $1.00 pero no lo rebase.

Casi todas las cartas tienen un número decimal que representa una cantidad de dinero. Las otras son comodines: la persona que recibe un comodín decide cuánto vale.

El que reparte da a cada jugador cuatro cartas. Por turnos, los jugadores suman los números de su mano. Si la suma es menos de $1.00, el jugador puede tomar una carta de la parte superior de la baraja o pasar.

Cuando todos los jugadores tomaron su turno o pasaron, el que tenga la suma que más se acerque a $1.00 sin rebasarlo gana un punto. Si varios jugadores empatan, ganan un punto cada uno. Las cartas se apartan y se reparten cuatro cartas nuevas a cada jugador.

Cuando se han jugado todas las cartas, gana el jugador que tenga más puntos.

La copia completa de las reglas y las piezas del juego se encuentran disponibles en línea.

¡Está en la bolsa!
Materiales
• 2 hojas de plástico para guardar diapositivas
• cuadrados de cartón
• cinta adhesiva transparente
• marcador permanente

PROYECTO Decimales transparentes

Practica la lectura de decimales con este soporte transparente para decimales.

Instrucciones

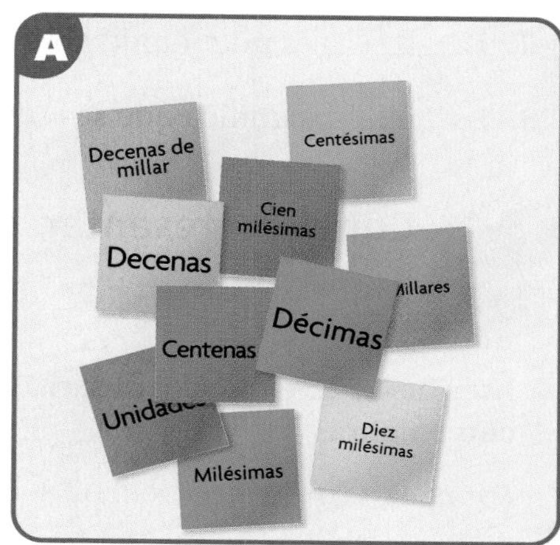

1. Recorta unos 40 cuadrados pequeños de cartón de color. Toma diez de los cuadrados y escribe en ellos "Unidades", "Decenas", "Centenas", "Millares", "Decenas de millar", "Décimas", "Centésimas", "Milésimas", "Diezmilésimas" y "Cienmilésimas". **Figura A**

2. En cada uno de los cuadrados restantes escribe un número del 0 al 9.

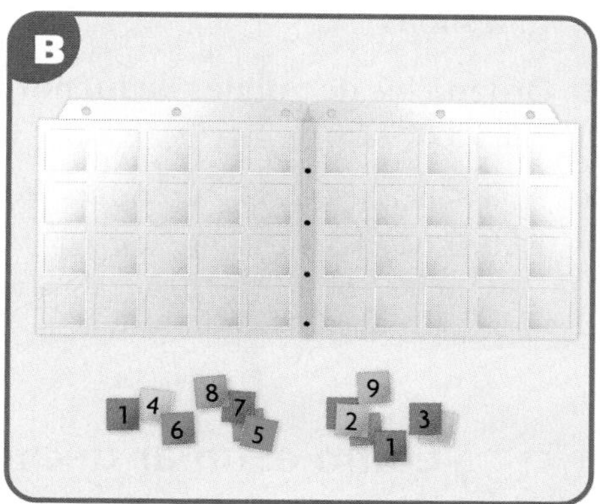

3. Une las dos hojas para diapositivas con cinta adhesiva transparente. Dibuja con un marcador permanente puntos decimales en el medio, donde están unidas las hojas. **Figura B**

4. Coloca los cuadrados con los nombres de los valores posicionales en los lugares adecuados de la fila superior.

Matemáticas en acción

Coloca cuadrados numerados en los lugares restantes. Trabaja con un compañero y practiquen leer los decimales que se forman. Mezclen los cuadrados numerados y repitan el proceso varias veces, usando a veces todos los lugares de una fila y formando otras veces decimales más cortos.

CAPÍTULO 3

Guía de estudio: Repaso

Vocabulario

Completa los enunciados con las palabras del vocabulario.

1. Cuando se hace una estimación sólo con la parte entera de los decimales, se hace una __?__.
2. La __?__ es un método abreviado para escribir números grandes.
3. La __?__ significa que se redondean todos los números al mismo valor.

3-1 Cómo representar, comparar y ordenar decimales (págs. 108–111)

EJEMPLO

- **Escribe 4.025 en forma desarrollada y con palabras.**

  Forma desarrollada: 4 + 0.02 + 0.005

  Con palabras: cuatro y veinticinco milésimas

- **Ordena los decimales de menor a mayor. 7.8, 7.83, 7.08**

  7.08 < 7.80 < 7.83 *Compara los números.*

  7.08, 7.8, 7.83 *Luego, ordena los números.*

EJERCICIOS

Escribe cada número en forma desarrollada y con palabras.

4. 5.68
5. 1.0076
6. 1.203
7. 23.005
8. 71.038
9. 99.9999

Ordena los decimales de menor a mayor.

10. 1.2, 1.3, 1.12
11. 11.17, 11.7, 11.07
12. 0.3, 0.303, 0.033
13. 5.009, 5.950, 5.5
14. 101.52, 101.25, 101.025

3-2 Cómo estimar decimales (págs. 112–115)

EJEMPLO

- **Estima.**

  5.35 − 0.7904; redondea a décimas

  5.4 *Alinea los decimales.*

  − 0.8 *Resta.*

  4.6

- **Estima 49.67 × 2.88.**

  49.67 × 2.88

  50 × 3 = 150

EJERCICIOS

Estima.

15. 8.0954 + 3.218; redondea a centésimas
16. 6.8356 − 4.507; redondea a décimas
17. 9.258 + 4.97; redondea a unidades

Estima cada producto o cociente.

18. 21.19 × 4.23
19. 53.98 ÷ 5.97
20. 102.89 × 19.95

3-3 Cómo sumar y restar decimales (págs. 118–121)

EJEMPLO

■ **Halla la suma.**

7.62 + 0.563

7.620	*Alinea los puntos decimales.*
+ 0.563	*Agrega un cero.*
8.183	*Suma. Coloca el punto decimal.*

EJERCICIOS

Halla cada suma o diferencia.

21. 7.08 + 4.5 + 13.27 **22.** 6 − 0.7

23. 6.21 + 5.8 + 21.01 **24.** 7.001 − 2.0785

25. 5.1 + 7.98 + 19.25 **26.** 15.704 − 1.08

Evalúa 6.48 s para cada valor de s.

27. $s = 3.9$ **28.** $s = 3.6082$

29. $s = 5.01$ **30.** $s = 0.057$

31. $s = 4.48$ **32.** $s = 1.65$

3-4 Notación científica (págs. 124–127)

EJEMPLO

■ **Halla el producto.**

326 × 10,000	*Mueve el punto decimal 4*
= 326.0000	*posiciones a la derecha.*
= 3,260,000	*Agrega 4 ceros.*

■ **Escribe el número en notación científica.**

60,000	*Mueve el punto decimal 4 posiciones a la izquierda.*
$= 6.0 \times 10^4$	

■ **Escribe cada número en forma estándar.**

$\mathbf{7.18 \times 10^5}$	
= 718,000	*Mueve el punto decimal 5 posiciones a la derecha.*

EJERCICIOS

Halla cada producto.

33. 12.6 × 10,000 **34.** 546 × 100

35. 67 × 100,000 **36.** 180.6 × 1000

37. 4.2 × 1,000 **38.** 78.9 × 100

Escribe cada número en notación científica.

39. 550,000 **40.** 7,230

41. 1,300,000 **42.** 14.8

43. 902.4 **44.** 891,402,000

Escribe cada número en forma estándar.

45. 3.02×10^4 **46.** 4.293×10^5

47. 1.7×10^6 **48.** 5.39×10^3

49. 6.85×10^2 **50.** 1.45×10^7

3-5 Cómo multiplicar decimales (págs. 130–133)

EJEMPLO

■ **Halla el producto.**

0.3	*1 posición decimal*
× 0.08	*+2 posiciones decimales*
0.024	*3 posiciones decimales*

EJERCICIOS

Halla cada producto.

51. 4 × 2.36 **52.** 0.5 × 1.73

53. 0.6 × 0.012 **54.** 8 × 3.052

55. 1.2 × 0.45 **56.** 9.7 × 1.084

57. 9 × 1.08 **58.** 7.2 × 5.49

3-6 Cómo dividir decimales entre números cabales (págs. 134–136)

EJEMPLO

- **Halla el cociente.**

0.95 ÷ 5

Coloca el punto decimal arriba del punto decimal del dividendo. Luego, divide.

$$5\overline{)0.95} = 0.19$$

EJERCICIOS

Halla cada cociente.

59. 6.18 ÷ 6 **60.** 2.16 ÷ 3

61. 34.65 ÷ 9 **62.** 20.72 ÷ 8

63. Si cuatro personas comparten el pago de una factura de $14.56, ¿cuánto debe pagar cada una?

3-7 Cómo dividir entre decimales (págs. 137–140)

EJEMPLO

- **Halla el cociente.**

9.65 ÷ 0.5

Convierte el divisor en número cabal. Coloca el punto decimal en el cociente.

$$5\overline{)96.5} = 19.3$$

EJERCICIOS

Halla cada cociente.

64. 4.86 ÷ 0.6 **65.** 1.85 ÷ 0.3

66. 34.89 ÷ 9 **67.** 62.73 ÷ 1.2

68. Ana corta un madero de 3.75 metros de largo en 5 piezas de la misma longitud. ¿Cuánto mide cada pieza?

3-8 Interpretar el cociente (págs. 141–143)

EJEMPLO

- **La maestra Ald necesita 26 calcomanías para su clase de preescolar. Las calcomanías se venden en paquetes de 8. ¿Cuántos paquetes debe comprar?**

26 ÷ 8 = 3.25

3.25 está entre 3 y 4.
3 paquetes no serán suficientes.

La maestra Ald debe comprar 4 paquetes de calcomanías.

EJERCICIOS

69. Billy tiene 3.6 litros de jugo. ¿Cuántos recipientes de 0.25 L puede llenar?

70. Salen de excursión 34 personas. Si en cada auto caben 4 personas, ¿cuántos autos necesitan para el viaje?

3-9 Cómo resolver ecuaciones decimales (págs. 144–147)

EJEMPLO

- **Resuelve $4x = 20.8$.**

$4x = 20.8$ *Se multiplica x por 4.*

$\frac{4x}{4} = \frac{20.8}{4}$ *Divide ambos lados entre 4.*

$x = 5.2$

EJERCICIOS

Resuelve cada ecuación.

71. $a - 6.2 = 7.18$ **72.** $3y = 7.86$

73. $n + 4.09 = 6.38$ **74.** $\frac{p}{7} = 8.6$

75. Jasmine compra 2.25 kg de manzanas a $11.25. ¿Cuánto cuesta 1 kg de manzanas?

EXAMEN DEL CAPÍTULO

1. La Orquesta Filarmónica de Nueva York toca en el Avery Fisher Hall de la ciudad de Nueva York, que tiene 2,738 butacas. La Orquesta Sinfónica de Boston toca en el Symphony Hall de Boston, Massachusetts, con capacidad para 2,625 personas. ¿Qué sala tiene mayor capacidad?

Ordena los decimales de menor a mayor.

2. 12.6, 12.07, 12.67
3. 3.5, 3.25, 3.08
4. 0.10301, 0.10318, 0.10325

Estima por redondeo al valor posicional indicado.

5. 6.178 − 0.2805; a centésimas
6. 7.528 + 6.075; a unidades

Estima.

7. 21.35×3.18
8. $98.547 \div 4.93$
9. 11.855×8.45

Estima un rango para cada suma.

10. 3.89 + 42.71 + 12.32
11. 20.751 + 2.55 + 17.4
12. 4.987 + 28.27 + 0.098
13. Britney quiere asistir a una clase de step. En la clase usan el step de 4 pulgadas durante 15 minutos y el de 6 pulgadas durante 15 minutos. ¿Cuántas calorías quemará Britney en total?

Altura del step (pulg)	Calorías quemadas en 15 minutos
4	67.61
6	82.2
8	96

Evalúa.

14. 0.76 + 2.24
15. 7 − 0.4
16. 0.12×0.006
17. $5.85 \div 3.9$

Halla cada producto.

18. $516 \times 10{,}000$
19. 16.82×100
20. $521.7 \times 100{,}000$
21. $423.6 \times 1{,}000$

Escribe cada número en notación científica.

22. 16,900
23. 180,500
24. 3,190,000

Escribe cada número en forma estándar.

25. 3.08×10^5
26. 1.472×10^6
27. 2.973×10^4

Resuelve cada ecuación.

28. $b - 4.7 = 2.1$
29. $5a = 4.75$
30. $\frac{y}{6} = 7.2$
31. $c + 1.9 = 26.04$
32. La banda de la escuela participará en una competencia local. En la banda tocan 165 estudiantes. Si cada autobús lleva 25 estudiantes, ¿cuántos autobuses se necesitarán?
33. Seis chicas se fueron de compras. Todos los suéteres estaban en oferta al mismo precio y cada chica compró uno. La cuenta total fue de $126.24. ¿Cuánto costó cada suéter?

AYUDA PARA EXAMEN

Estrategias para el examen estandarizado

Respuesta breve: Escribir respuestas breves

Cuando en un examen te piden una "respuesta breve", tienes que dar una solución al problema y mostrar lo que hiciste para llegar a esa solución. Las preguntas de "respuesta breve" se evalúan según una tabla de 2 puntos. Más abajo hay un ejemplo de una tabla de puntaje.

EJEMPLO

Respuesta breve El entrenador Mott debe comprar chaquetas para el equipo masculino de básquetbol. Cada chaqueta cuesta $28.75. El equipo tiene $125 de la última recaudación de fondos para esta compra. Si hay 10 jugadores en el equipo, ¿cuánto debe entregar cada jugador por su chaqueta al entrenador Mott para poder hacer el pedido? Explica.

Criterios de puntaje

2 puntos: El estudiante responde a la pregunta correctamente, muestra todo su trabajo y da una explicación completa y correcta.

1 punto: El estudiante responde a la pregunta correctamente, pero no muestra todo su trabajo o no da una explicación completa; o el estudiante comete errores de poca importancia y, por eso, da una solución incorrecta, pero muestra todo su trabajo y da una explicación completa.

0 puntos: El estudiante da una respuesta incorrecta y no muestra su trabajo ni da una explicación, o no da respuesta alguna.

Respuesta de 2 puntos:

Costo de una chaqueta: $28.75
Costo total de las chaquetas (10 jugadores):
$28.75 × 10 = $287.50

Se resta del costo total la cantidad que ya tiene el equipo.
$287.50 − $125 = $162.50

Se divide el costo restante entre la cantidad de jugadores del equipo.
$162.50 ÷ 10 = $16.25

Cada jugador debe entregar $16.25 al entrenador Mott para que pueda hacer el pedido de las chaquetas.

Respuesta de 1 punto:

($287.50 − $125) ÷ $10 = $16.25
Necesitará $16.25 de cada jugador.

El estudiante resolvió correctamente el problema, pero no mostró todo su trabajo o no dio una explicación.

Respuesta de 0 puntos:

$16.25

El estudiante dio una respuesta correcta, pero no mostró su trabajo ni dio una explicación.

En el examen, nunca dejes en blanco la respuesta a una pregunta de respuesta breve. Mostrar tu trabajo y dar una explicación razonable te dará por lo menos algún punto.

Lee cada punto del examen y responde a las preguntas siguientes usando el criterio de puntaje que se muestra abajo.

A

Respuesta breve Escribe dos ecuaciones que tengan 12 como solución. No puedes usar la misma operación en las dos ecuaciones. Explica cómo resolver ambas ecuaciones.

Respuesta del estudiante

Una ecuación que tiene 12 como solución es $\frac{x}{6} = 2$. Para resolver la ecuación, tengo que cancelar la división multiplicando por 6 ambos lados.

$$\frac{x}{6} = 2$$
$$6 \cdot \left(\frac{x}{6}\right) = 6 \cdot 2$$
$$x = 12$$

Otra ecuación que tiene 12 como solución es $x - 8 = 20$.

Para resolver esta ecuación, debo sumar el opuesto de 8 a ambos lados.

$$x - 8 = 20$$
$$-8 = -8$$
$$x = 12$$

1. La respuesta del estudiante no recibirá el puntaje máximo. Halla el error en la respuesta del estudiante.
2. Vuelve a escribir la respuesta del estudiante para que reciba el puntaje máximo.

B

Respuesta breve

June es 8 años mayor que su prima Liv. Escribe una expresión para hallar la edad de June. Identifica la variable y escribe tres soluciones posibles que muestren las respectivas edades de June y Liv.

Respuesta del estudiante

Sea x = edad de Liv. Como June es 8 años mayor, se puede usar la expresión $x + 8$ para hallar la edad de Liv.

Tres soluciones posibles para Liv y June son:

$x = 3$, $3 + 8 = 11$; Liv: 3, June: 11

$x = 8$, $8 + 8 = 16$; Liv: 8, June: 16

$x = 11$, $11 + 8 = 19$; Liv: 11, June: 19

3. ¿Qué puntaje merece la respuesta del estudiante? Explica tu razonamiento.
4. ¿Qué información adicional, si la hay, se debería incluir en la respuesta para recibir el puntaje máximo?

C

Respuesta corta Escribe una ecuación para representar la siguiente situación. Define la variable. Resuelve el problema. *Sam tiene 2 gatitos. El gatito más grande pesa 3.2 kg. El otro gatito necesita aumentar 1.9 kg para pesar lo mismo que el primero. ¿Cuánto pesa el gatito más pequeño?*

Respuesta del estudiante

Sea x = el peso del gatito más pequeño.

$x + 1.9 = 3.2$

$3.2 + 1.9 = 5.1$

5. ¿Qué puntaje le darías a la respuesta del estudiante? Explica.
6. Vuelve a escribir la respuesta para que reciba el puntaje máximo.

CAPÍTULO 3

PREPARACIÓN PARA EL EXAMEN ESTANDARIZADO

go.hrw.com
Práctica en línea para el examen estatal
CLAVE: MR7 TestPrep

EVALUACIÓN ACUMULATIVA, CAPÍTULOS 1–3

Opción múltiple

1. ¿Cuál de las siguientes opciones es la forma estándar de seis y ochenta y seis milésimas?

   (A) 6.860 (C) 6.0086
   (B) 6.086 (D) 6.00086

2. Tres mochilas pesan 15.8, 18.1 y 16.7 libras. ¿Cuánto pesan aproximadamente todas juntas?

   (F) 30 libras (H) 50 libras
   (G) 40 libras (J) 60 libras

3. ¿Para qué ecuación $c = 8$ NO es la solución?

   (A) $\frac{c}{4} = 2$ (C) $4c = 28$
   (B) $c + 4 = 12$ (D) $c - 5 = 3$

4. En un partido de básquetbol, Jerah anotó 15 puntos más que su hermano Jim. Jim hizo 7 puntos. ¿Qué expresión se puede usar para hallar cuántos puntos hizo Jerah?

   (F) $15 - 7$ (H) $15 \div 7$
   (G) 15×7 (J) $15 + 7$

5. Halla la suma de 1.4 y 0.9.

   (A) 0.1 (C) 1.3
   (B) 0.5 (D) 2.3

6. ¿Qué número es mayor?

   (F) 18.095 (H) 18.907
   (G) 18.9 (J) 18.75

7. Abajo se muestran las alturas de cuatro plantas. ¿Qué enunciado es fundamentado por los datos?

Altura de las plantas (pulg)				
Planta	T	S	U	W
Semana 1	15.9	23.6	17.1	12.5
Semana 2	21.4	27.4	22.9	16.4

   (A) La planta T fue la más corta en la semana 1.
   (B) La planta S creció más de 4 pulg entre la semana 1 y la semana 2.
   (C) La planta U fue la que más creció entre la semana 1 y la semana 2.
   (D) La planta W es la más alta.

8. ¿Cuál es el valor de 3^4?

   (F) 7 (H) 81
   (G) 12 (J) 96

9. En un estadio de fútbol americano hay 58,000 asientos. ¿Cuál de las siguientes es la forma correcta de escribir 58,000 en notación científica?

   (A) 580×10^2 (C) 5.8×10^4
   (B) 58×10^3 (D) 0.58×10^5

10. Tomás necesita 42 vasos para una fiesta. Los vasos se venden en paquetes de 5. ¿Cuántos paquetes debe comprar?

   (F) 10 paquetes (H) 8 paquetes
   (G) 9 paquetes (J) 7 paquetes

11. ¿Cuánto es $7.89 \div 3$?

   (A) 263 (C) 0.263
   (B) 26.3 (D) 2.63

12. ¿Qué conjunto de números está ordenado de menor a mayor?

    Ⓕ 23.7, 23.07, 23.13, 23.89

    Ⓖ 21.4, 21.45, 21.79, 21.8

    Ⓗ 22, 22.09, 21.9, 22.1

    Ⓙ 25.4, 25.09, 25.6, 25.7

13. Megan piensa iniciar una rutina de ejercicios. Planea caminar 1 milla el día 1 y aumentar la distancia cada día en 0.25 millas. ¿Cuántas millas caminará el día 10?

    Ⓐ 2.5 millas   Ⓒ 4.75 millas

    Ⓑ 3.25 millas   Ⓓ 6.0 millas

Estima la respuesta antes de resolver la pregunta. Usa tu estimación para comprobar que la respuesta es razonable.

Respuesta gráfica

14. ¿Cuánto vale c en la ecuación $\frac{c}{6} = 3.4$?

15. ¿Qué término falta en la siguiente sucesión?

    5, 12, 26, 47, ▇, 110, . . .

16. Sam tiene 10 cajas con juegos de computadora. En cada caja caben 13 juegos. ¿Cuántos juegos tiene Sam?

17. Cindy compró 3 ramos de margaritas y 4 ramos de claveles. En cada ramo hay 6 margaritas y 10 claveles. ¿Cuántas flores tiene Cindy en total?

18. Bart y sus 2 amigos compran el almuerzo y gastan $13.74. Si lo comparten por igual, ¿cuántos dólares debe pagar cada uno?

19. Daisy compra una camisa que cuesta $21.64, con impuestos incluidos. Le da al cajero $25. ¿Cuánto recibe de vuelto en dólares?

Respuesta breve

20. Kevin compra 5 filetes a $43.75. Sea b el costo de un filete. Escribe y resuelve una ecuación para hallar el costo de un filete.

21. La maestra Maier tiene 8 paquetes de lápices para entregar a los estudiantes que están realizando un examen estatal. Cada paquete tiene 8 lápices. Los estudiantes que realizan el examen y necesitan lápices son 200.

    a. ¿Cuántos paquetes de lápices más debe comprar la maestra Maier? Explica tu respuesta y muestra tu trabajo.

    b. Si cada paquete de lápices cuesta $0.79, ¿cuánto dinero necesita la maestra Maier para comprar los lápices adicionales? Muestra tu trabajo.

Respuesta desarrollada

22. Abajo se indica el precio de las entradas al Museo de los Niños. Usa la tabla para responder a las siguientes preguntas.

Precio de la entrada ($)	
Adultos	7.50
Niños	5.75

    a. Escribe una expresión para hallar el costo de las entradas para 2 adultos y c niños.

    b. Usa tu expresión para hallar el costo total para el señor y la señora Chu y sus trillizos de 8 años. Muestra tu trabajo.

    c. Si el señor Chu paga con un billete de $50, ¿cuánto vuelto recibe? Muestra tu trabajo.

    d. Para su próxima visita, la señora Chu piensa usar un cupón y sólo pagará $28.50 por toda la familia. ¿Cuánto ahorrará usando el cupón?

CAPÍTULO

4

Teoría de los números y fracciones

PREPARACIÓN DE VARIOS PASOS PARA EL EXAMEN

go.hrw.com

Presentación del capítulo en línea

CLAVE: MR7 Ch4

Tubería de drenaje de plástico ABS	
Componente	**Costo ($)**
Tubo 4 pulg × 10 pies	11.99
Tubo 4 pulg × 20 pies	22.57
Acoplador recto	2.19
Codo de $\frac{1}{4}$	6.49
Codo de $\frac{1}{8}$	5.99
Codo de $\frac{1}{6}$	7.49

Profesión *Plomero*

¿Te gusta trabajar con las manos para resolver problemas? Entonces, tal vez quieras convertirte en un trabajador independiente calificado, como un maestro plomero.

Para calcular el costo de las piezas y la mano de obra, los plomeros usan fórmulas matemáticas básicas. Por ejemplo, algunos calcularían el costo de una cañería nueva con una fórmula como la siguiente:

costo de la cañería instalada =

$$\frac{\text{costo de la tubería}}{3} \times 49 + \frac{\text{costo de instalación}}{2}$$

¿ESTÁS LISTO?

Vocabulario

Elige de la lista el término que mejor complete cada enunciado.

cociente
denominador
diferencia
múltiplos
numerador
producto
sumar

1. Para hallar la suma de dos números, tienes que ___?___.

2. Las fracciones se escriben como el/la ___?___ sobre el/la ___?___.

3. En la ecuación $4 \cdot 3 = 12$, 12 es el/la ___?___.

4. El/La ___?___ de 18 y 10 es 8.

5. Los números 18, 27 y 72 son ___?___ de 9.

Resuelve los ejercicios para practicar las destrezas que usarás en este capítulo.

Escribir y leer decimales

Escribe cada decimal con palabras.

6. 0.5 **7.** 2.78 **8.** 0.125

9. 12.8 **10.** 125.49 **11.** 8.024

Múltiplos

Haz una lista con los primeros cuatro múltiplos de cada número.

12. 6 **13.** 8 **14.** 5 **15.** 12

16. 7 **17.** 20 **18.** 14 **19.** 9

Evaluar expresiones

Evalúa cada expresión para el valor dado de la variable.

20. $y + 4.3$ para $y = 3.2$ **21.** $\frac{x}{5}$ para $x = 6.4$

22. $3c$ para $c = 0.75$ **23.** $a + 4 \div 8$ para $a = 3.75$

24. $27.8 - d$ para $d = 9.25$ **25.** $2.5b$ para $b = 8.4$

Factores

Halla todos los factores de cada número que sean números cabales.

26. 8 **27.** 12 **28.** 24 **29.** 30

30. 45 **31.** 52 **32.** 75 **33.** 150

CAPÍTULO 4

Guía de estudio: Avance

De dónde vienes

Antes,

- identificaste un número como primo o compuesto.
- identificaste factores comunes de un conjunto de números cabales.
- generaste fracciones equivalentes.
- comparaste dos fracciones con denominadores comunes.

En este capítulo

Estudiarás

- cómo escribir la factorización prima de un número.
- cómo hallar el máximo común divisor (MCD) de un conjunto de números cabales.
- cómo generar formas equivalentes de números, incluyendo números cabales, fracciones y decimales.
- cómo comparar y ordenar fracciones, decimales y números cabales.

Adónde vas

Puedes usar las destrezas aprendidas en este capítulo

- para duplicar o reducir a la mitad las recetas cuando cocinas.
- para sumar fracciones cuando determinas el volumen en una clase de ciencias.

Vocabulario/Key Vocabulary

Vocabulario	Key Vocabulary
común denominador	common denominator
decimal finito	terminating decimal
factor	factor
factorización prima	prime factorization
fracción impropia	improper fraction
fracciones equivalentes	equivalent fractions
máximo común divisor (MCD)	greatest common factor (GCF)
número compuesto	composite number
número primo	prime number

Conexiones de vocabulario

Considera lo siguiente para familiarizarte con algunos de los términos de vocabulario del capítulo. Puedes consultar el capítulo, el glosario o un diccionario si lo deseas.

1. La palabra *equivalente* significa “de igual valor”. ¿Qué crees que son las **fracciones equivalentes?**
2. Algo *finito* es algo que está completo, o que tiene fin. Si un decimal es un **decimal finito,** ¿qué crees que le pasa? Explica.
3. Cuando dos personas tienen algo en *común,* tienen algo que comparten. ¿Qué crees que comparten los **denominadores comunes?**
4. Algo *impropio* es algo que no está bien. En fracciones, es *impropio* que el numerador sea mayor que el denominador. ¿Cómo crees que será una **fracción impropia?**

Estrategia de lectura: Lee una lección para comprender

La lectura previa te prepara para las nuevas ideas y conceptos que se presentarán en la clase. Mientras lees la lección, toma notas. Escribe los puntos principales de la lección, los términos de matemáticas que no comprendas, los ejemplos que necesiten más explicación y preguntas para hacer durante la clase.

Aprender a resolver ecuaciones que contengan decimales

El objetivo te indica la idea principal de la lección.

Lee los ejemplos y escribe las preguntas que tengas.

Resolver ecuaciones de un paso con decimales

Resuelve cada ecuación. Comprueba tu respuesta.

A $g - 3.1 = 4.5$

$g - 3.1 =$	4.5	*Se resta 3.1 a g.*
$+3.1$	$+3.1$	*Suma 3.1 a ambos lados para cancelar la resta.*
$g =$	7.6	

Comprueba

$g - 3.1 = 4.5$

$7.6 - 3.1 \stackrel{?}{=} 4.5$ *Sustituye g por 7.6 en la ecuación.*

$4.5 \stackrel{?}{=} 4.5$ ✔ *7.6 es la solución.*

Preguntas:
- *¿Cómo sé qué operación debo usar?*
- *¿Qué debo hacer si, al comprobar mi respuesta, los dos lados no son iguales?*

Escribe las preguntas que tengas al leer la lección.

Inténtalo

Lee la Lección 4-1 antes de la próxima clase y responde a las siguientes preguntas.

1. ¿Cuál es el objetivo de la lección?
2. ¿Aparecen nuevos términos de vocabulario, fórmulas o símbolos? Si es así, ¿cuáles son?

4-1 Divisibilidad

Aprender a usar las reglas de divisibilidad

Vocabulario

divisible

número compuesto

número primo

Este año, 42 chicas se inscribieron para jugar básquetbol en la liga juvenil, que tiene 6 equipos. Para hallar si cada equipo puede tener el mismo número de chicas, decide si 42 es divisible entre 6.

Un número es **divisible** entre otro si el cociente es un número cabal sin residuo.

$42 \div 6 = 7$ ← Cociente

Como no hay residuo, 42 es divisible entre 6. La liga juvenil puede tener 6 equipos de 7 chicas cada uno.

Reglas de divisibilidad		
Un número es divisible entre...	**Divisible**	**No Divisible**
2 si el último dígito es par (0, 2, 4, 6 u 8).	3,978	4,975
3 si la suma de los dígitos es divisible entre 3.	315	139
4 si los dos últimos dígitos forman un número divisible entre 4.	8,512	7,518
5 si el último dígito es 0 ó 5.	14,975	10,978
6 si es divisible entre 2 y 3.	48	20
9 si la suma de los dígitos es divisible entre 9.	711	93
10 si el último dígito es 0.	15,990	10,536

EJEMPLO 1 **Comprobar la divisibilidad**

A **Indica si 610 es divisible entre 2, 3, 4 y 5.**

2	*El último dígito, 0, es par.*	Divisible
3	*La suma de los dígitos es 6 + 1 + 0 = 7. 7 no es divisible entre 3.*	No divisible
4	*Los dos últimos dígitos forman el número 10. 10 no es divisible entre 4.*	No divisible
5	*El último dígito es 0.*	Divisible

Por lo tanto, 610 es divisible entre 2 y 5.

B **Indica si 387 es divisible entre 6, 9 y 10.**

6	*El último dígito, 7, es impar, así que 387 no es divisible entre 2.*	No divisible
9	*La suma de los dígitos es 3 + 8 + 7 = 18. 18 es divisible entre 9.*	Divisible
10	*El último dígito es 7, no 0.*	No divisible

Por lo tanto, 387 es divisible entre 9.

Cualquier número mayor que 1 es divisible al menos entre dos números: 1 y el mismo número. Los números que son divisibles entre más de dos números se llaman **números compuestos.**

Un **número primo** es divisible sólo entre 1 y él mismo. Por ejemplo, 11 es un número primo porque sólo es divisible entre 1 y 11. Los números 0 y 1 no son primos ni compuestos.

EJEMPLO 2 Identificar números primos y números compuestos

Indica si cada número es primo o compuesto.

A **45**

es divisible entre 1, 3, 5, 9, 15, 45
compuesto

B **13**

es divisible entre 1, 13
primo

C **19**

es divisible entre 1, 19
primo

D **49**

es divisible entre 1, 7, 49
compuesto

En la tabla siguiente están resaltados los números primos entre 1 y 50.

1	2	3	4	5	6	7	8	9	10
11	12	13	14	15	16	17	18	19	20
21	22	23	24	25	26	27	28	29	30
31	32	33	34	35	36	37	38	39	40
41	42	43	44	45	46	47	48	49	50

Razonar y comentar

1. **Indica** qué números cabales son divisibles entre 1.
2. **Explica** cómo sabes que 87 es un número compuesto.
3. **Indica** cómo te ayudan las reglas de divisibilidad a identificar números compuestos.

4-1 Ejercicios

go.hrw.com
Ayuda en línea para tareas*
CLAVE: MR7 4-1
Recursos en línea para padres
CLAVE: MR7 Parent
*(Disponible sólo en inglés)

PRÁCTICA GUIADA

Ver Ejemplo 1 **Indica si cada número es divisible entre 2, 3, 4, 5, 6, 9 y 10.**

1. 508 **2.** 432 **3.** 247 **4.** 189

Ver Ejemplo 2 **Indica si cada número es primo o compuesto.**

5. 75 **6.** 17 **7.** 27 **8.** 63

9. 72 **10.** 83 **11.** 99 **12.** 199

PRÁCTICA INDEPENDIENTE

Ver Ejemplo 1 **Indica si cada número es divisible entre 2, 3, 4, 5, 6, 9 y 10.**

13. 741 **14.** 810 **15.** 675 **16.** 480

17. 908 **18.** 146 **19.** 514 **20.** 405

Ver Ejemplo 2 **Indica si cada número es primo o compuesto.**

21. 34 **22.** 29 **23.** 61 **24.** 81

25. 51 **26.** 23 **27.** 97 **28.** 93

29. 77 **30.** 41 **31.** 67 **32.** 39

PRÁCTICA Y RESOLUCIÓN DE PROBLEMAS

Práctica adicional
Ver página 720

Copia y completa la tabla. Escribe *sí* si el número es divisible entre el número que se da. Escribe *no* si no lo es.

		2	3	4	5	6	9	10
33.	**677**	*no*	■	■	*no*	■	■	*no*
34.	**290**	*sí*	■	■	■	■	■	■
35.	**1,744**	■	■	■	■	■	■	■
36.	**12,180**	■	■	■	■	■	■	■

Indica si cada enunciado es verdadero o falso. Explica tus respuestas.

37. Todos los números pares son divisibles entre 2.

38. Todos los números impares son divisibles entre 3.

39. Algunos números pares son divisibles entre 5.

40. Todos los números impares son primos.

Reemplaza cada cuadro con un dígito que haga al número divisible entre 3.

41. 74■ **42.** 8,10■ **43.** 3,■41

44. ■,335 **45.** 67,■11 **46.** 10,0■1

47. Haz una tabla en la que muestres los números primos del 50 al 100.

48. **Astronomía** La Tierra tiene un diámetro de 7,926 millas. Indica si este número es divisible entre 2, 3, 4, 5, 6, 9 y 10.

49. ¿En cuál de los puentes de la tabla se podrían poner lámparas públicas cada 6 metros de modo que la primera lámpara quedara al inicio del puente y la última al final? Explica.

Puente Golden Gate

Puentes más largos de EE.UU.	
Nombre y estado	**Longitud (m)**
Verrazano Narrows, NY	1,298
Golden Gate, CA	1,280
Mackinac Straits, MI	1,158
George Washington, NY	1,067

50. **Razonamiento crítico** Un número se encuentra entre 80 y 100 y es divisible entre 5 y 6. ¿Qué número es?

51. **Elige una estrategia** Halla el mayor número de cuatro dígitos que sea divisible entre 1, 2, 3 y 4.

52. **¿Dónde está el error?** Para hallar si 3,463 es divisible entre 4, un estudiante sumó los dígitos. La suma de los dígitos es 16 y, como 16 es divisible entre 4, el estudiante afirmó que 3,463 es divisible entre 4. Explica el error.

53. **Escríbelo** Si un número es divisible entre 4 y 9, ¿entre qué otros números es divisible? Explica.

54. **Desafío** Halla un número que sea divisible entre 2, 3, 4, 5, 6 y 10, pero no entre 9.

Preparación Para El Examen y repaso en espiral

55. **Opción múltiple** Los números __?__ son divisibles entre más de dos números.

Ⓐ cabales Ⓑ primos Ⓒ equivalentes Ⓓ compuestos

56. **Respuesta breve** ¿Cuál es el menor número de tres dígitos divisible a la vez entre 5 y entre 9? Muestra tu trabajo.

Usa el patrón para escribir los cinco primeros términos de cada sucesión. (Lección 1-7)

57. Empieza con 7; suma 4. **58.** Empieza con 78; resta 9. **59.** Empieza con 6; multiplica por 5.

Evalúa cada expresión para el valor dado de la variable. (Lección 2-1)

60. $2x + 28$ para $x = 4$ **61.** $x + 18$ para $x = 12$ **62.** $\frac{x}{5}$ para $x = 25$

Explorar factores

Para usar con la Lección 4-2

Puedes usar papel cuadriculado o bloques de unidades para hacer un modelo de los *factores* de un número y determinar si el número es un número *primo* o un número *compuesto*.

Actividad

Usa papel cuadriculado para mostrar las diferentes formas en que se puede hacer un modelo del número 16.

1. Se puede hacer un modelo del número 16 dibujando un rectángulo de 2 unidades de ancho y 8 unidades de largo. Las dimensiones, 2 y 8, son factores de 16. Esto significa que $2 \times 8 = 16$.

¿De qué otras maneras se puede hacer un modelo de 16? También se puede hacer un modelo de 16 con un rectángulo de 1 unidad de ancho y 16 unidades de largo y con un cuadrado de 4 unidades por 4 unidades.

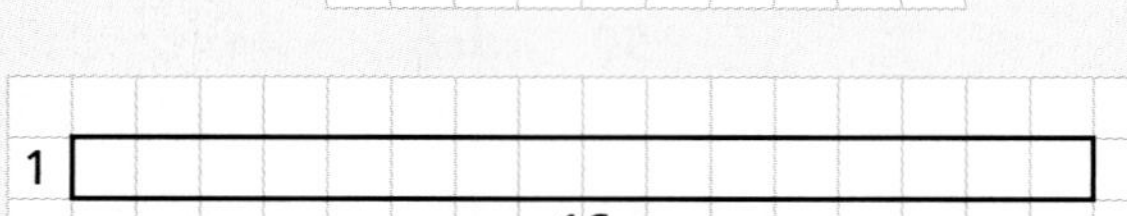

Los factores de 16 son 1, 2, 4, 8 y 16. Como puedes hacer un modelo de 16 de más de una forma, 16 es un número compuesto.

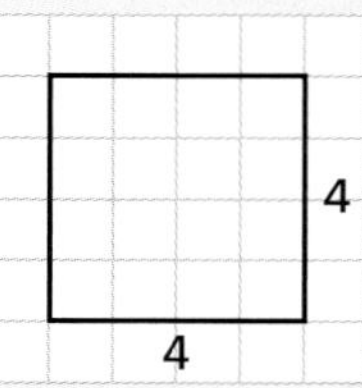

Usa papel cuadriculado para mostrar las diferentes formas en que se puede hacer un modelo del número 3.

2. Se puede hacer un modelo del número 3 dibujando un rectángulo de 1 unidad de ancho y 3 unidades de largo. Las dimensiones, 1 y 3, son factores de 3. Esto significa que $1 \times 3 = 3$. Como no se puede hacer un modelo de 3 de otra forma, 3 es un número primo.

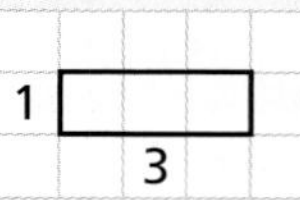

Razonar y comentar

1. ¿Cómo puedes usar las reglas de divisibilidad para determinar si existe más de una forma de hacer un modelo de un número?
2. Halla los factores de 2. ¿El número 2 es primo o compuesto? Explica.

Inténtalo

1. Usa papel cuadriculado para hacer un modelo de dos números primos y dos números compuestos. Halla sus factores.

4-2 Factores y factorización prima

Aprender a escribir factorizaciones primas de números compuestos

Vocabulario

factor

factorización prima

Los números cabales que se multiplican para hallar un producto se llaman **factores** de ese producto. Un número es divisible entre sus factores.

$2 \cdot 3 = 6$ — Factores: 2 y 3; Producto: 6

$6 \div 3 = 2$

$6 \div 2 = 3$

6 es divisible entre 3 y 2.

EJEMPLO 1 Hallar factores

Haz una lista de todos los factores de cada número.

A 18

Empieza anotando los factores en pares.

$18 = 1 \cdot 18$ — *1 es un factor.*

$18 = 2 \cdot 9$ — *2 es un factor.*

$18 = 3 \cdot 6$ — *3 es un factor.*

4 no es un factor.

5 no es un factor.

$18 = 6 \cdot 3$ — *6 y 3 ya estaban anotados, por lo tanto, termina aquí.*

1 2 3 6 9 18 — *Puedes dibujar un diagrama para ilustrar los pares de factores.*

Los factores de 18 son 1, 2, 3, 6, 9 y 18.

B 13

$13 = 1 \cdot 13$ — *Empieza anotando los factores en pares. El 13 no es divisible entre ningún otro número cabal.*

Los factores de 13 son 1 y 13.

Pista útil

Cuando los pares de factores empiezan a repetirse, has encontrado todos los factores del número que factorizas.

Puedes usar factores para escribir un número de diferentes maneras.

Factorización de 12			
$1 \cdot 12$	$2 \cdot 6$	$3 \cdot 4$	$3 \cdot 2 \cdot 2$

Observa que todos estos factores son primos.

La **factorización prima** de un número es el mismo número escrito como el producto de sus factores primos.

EJEMPLO 2 Escribir factorizaciones primas

Escribe la factorización prima de cada número.

A 36

Método 1: Usar un árbol de factores

Para empezar, elige dos factores de 36. Sigue hallando factores hasta que cada rama termine en un factor primo.

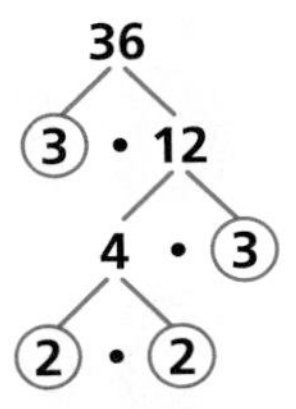

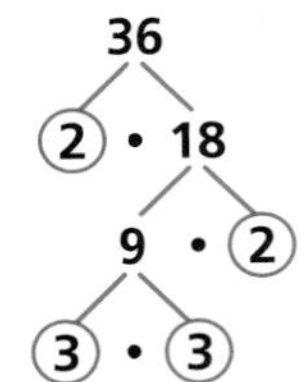

$36 = 3 \cdot 2 \cdot 2 \cdot 3$ $\qquad$ $36 = 2 \cdot 3 \cdot 3 \cdot 2$

La factorización prima de 36 es $2 \cdot 2 \cdot 3 \cdot 3$ ó $2^2 \cdot 3^2$.

Pista útil

Puedes usar exponentes para escribir factorizaciones primas. Recuerda que un exponente indica cuántas veces se usa la base como factor.

B 54

Método 2: Usar un diagrama de escalera

Para empezar, elige un factor primo de 54. Sigue dividiendo entre factores primos hasta que el cociente sea 1.

2	54
3	27
3	9
3	3
	1

3	54
3	18
2	6
3	3
	1

$54 = 2 \cdot 3 \cdot 3 \cdot 3$ $\qquad$ $54 = 3 \cdot 3 \cdot 2 \cdot 3$

La factorización prima de 54 es $2 \cdot 3 \cdot 3 \cdot 3$ ó $2 \cdot 3^3$.

Observa en el Ejemplo 2 que los factores primos pueden escribirse en diferente orden, pero que siguen siendo los mismos factores. Excepto por los cambios en el orden, sólo hay una manera de escribir la factorización prima de un número.

Razonar y comentar

1. **Indica** cómo sabes que ya hallaste todos los factores de un número.
2. **Indica** cómo sabes que ya hallaste la factorización prima de un número.
3. **Explica** la diferencia entre factores de un número y factores primos de un número.

4-2 Ejercicios

go.hrw.com
Ayuda en línea para tareas*
CLAVE: MR7 4-2
Recursos en línea para padres
CLAVE: MR7 Parent
*(Disponible sólo en inglés)

PRÁCTICA GUIADA

Ver Ejemplo 1

Haz una lista de todos los factores de cada número.

1. 12 **2.** 21 **3.** 52 **4.** 75

Ver Ejemplo 2

Escribe la factorización prima de cada número.

5. 48 **6.** 20 **7.** 66 **8.** 34

PRÁCTICA INDEPENDIENTE

Ver Ejemplo 1

Haz una lista de todos los factores de cada número.

9. 24 **10.** 37 **11.** 42 **12.** 56

13. 67 **14.** 72 **15.** 85 **16.** 92

Ver Ejemplo 2

Escribe la factorización prima de cada número.

17. 49 **18.** 38 **19.** 76 **20.** 60

21. 81 **22.** 132 **23.** 140 **24.** 87

PRÁCTICA Y RESOLUCIÓN DE PROBLEMAS

Práctica adicional
Ver página 720

Escribe los números como producto, de dos maneras diferentes.

25. 34 **26.** 82 **27.** 88 **28.** 50

29. 15 **30.** 78 **31.** 94 **32.** 35

33. **Deportes** Las ligas menores de béisbol empezaron en Pensilvania en 1939. Al comenzar, había 45 chicos en 3 equipos.

a. Si los equipos tenían el mismo número de chicos, ¿cuántos chicos había en cada uno?

b. Menciona otra forma de dividir a los chicos en equipos del mismo tamaño. (Recuerda que un equipo de béisbol debe tener por lo menos 9 jugadores.)

34. **Razonamiento crítico** Usa las reglas de divisibilidad para hacer una lista de los factores de 171. Explica cómo determinaste los factores.

Halla la factorización prima de cada número.

35. 99 **36.** 249 **37.** 284 **38.** 620

39. 840 **40.** 150 **41.** 740 **42.** 402

43. La factorización prima de 50 es $2 \cdot 5^2$. Sin dividir ni usar un diagrama, halla la factorización prima de 100.

44. **Geometría** El área de un rectángulo es el producto de su longitud por su ancho. Supongamos que el área de un rectángulo es de 24 pulg^2. ¿Cuáles son las posibles medidas en números cabales de su longitud y ancho?

45 **Ciencias físicas** La velocidad del sonido al nivel del mar a 20° C es 343 metros por segundo. Escribe la factorización prima de 343.

CONEXIÓN con las ciencias biológicas

Los cambios climatológicos, la destrucción de hábitats y la caza excesiva hacen que mueran muchos animales y plantas. Cuando toda la población de una especie empieza a desaparecer, se considera a la especie en peligro de extinción.

En la gráfica se muestra el número de especies en peligro de extinción en cada categoría de animales.

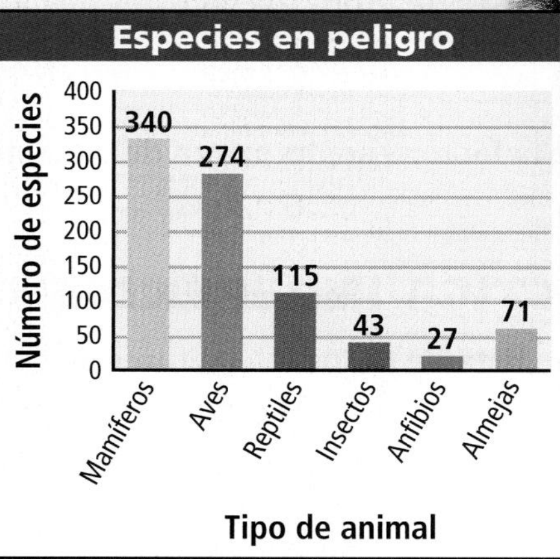

46. ¿Cuántas especies de mamíferos están en peligro de extinción? Escribe el número como producto de factores primos.

47. ¿Qué tipos de animales tienen un número primo de especies en peligro de extinción?

48. ¿Cuántas especies combinadas de reptiles y anfibios están en peligro de extinción? Escribe la respuesta como el producto de factores primos.

49. **¿Dónde está el error?** Cuando se le pidió la factorización prima del número de especies de anfibios en peligro de extinción, una estudiante escribió 3×9. Explica el error y escribe la respuesta correcta.

50. **Escríbelo** Un equipo de cinco científicos va a estudiar especies de insectos en peligro de extinción. Los científicos quieren dividirse por igual las especies entre ellos. ¿Podrán hacerlo? ¿Por qué sí o por qué no?

51. **Desafío** Suma el número de especies de mamíferos en peligro de extinción al de aves en peligro de extinción. Halla la factorización prima de este número.

A menudo, los polluelos del albatros de Laysan mueren por haber comido plásticos que contaminan los océanos y las playas. Los esfuerzos de limpieza podrían impedir que el albatros llegue a estar en peligro de extinción.

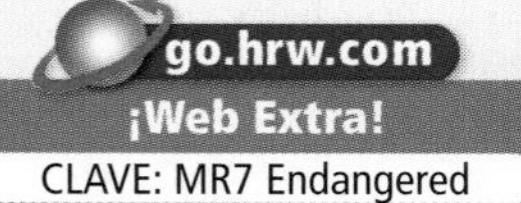

PREPARACIÓN PARA EL EXAMEN y repaso en espiral

52. **Opción múltiple** ¿Qué expresión muestra la factorización prima de 50?

Ⓐ 2×5^2 Ⓑ 2×5^{10} Ⓒ 10^5 Ⓓ 5×10

53. **Respuesta gráfica** ¿Qué número tiene como factorización prima $2 \times 2 \times 3 \times 5$?

54. La canción favorita de Damien dura 4.2 minutos. La canción favorita de Jan dura 2.89 minutos. Estima la diferencia de duración de las canciones por redondeo al número cabal más cercano. (Lección 3-2)

Indica si cada número es divisible entre 2, 3, 4, 5, 6, 9 y 10. (Lección 4-1)

55. 105 **56.** 198 **57.** 360 **58.** 235

59. 100 **60.** 92 **61.** 540 **62.** 441

4-3 Máximo común divisor

Aprender a hallar el máximo común divisor (MCD) de un conjunto de números

Vocabulario

máximo común divisor (MCD)

Los factores compartidos por dos o más números cabales reciben el nombre de factores comunes. El mayor de los factores comunes se llama **máximo común divisor**, o **MCD**.

Factores de 24: 1, 2, 3, 4, 6, 8, 12, 24

Factores de 36: 1, 2, 3, 4, 6, 9, 12, 18, 36

Factores comunes: 1, 2, 3, 4, 6, (12)

El máximo común divisor (MCD) de 24 y 36 es 12.

En el Ejemplo 1 se muestran tres métodos diferentes para hallar el MCD.

EJEMPLO 1 Hallar el MCD

Halla el MCD de cada conjunto de números.

A 16 y 24

Método 1: Hacer una lista de factores

factores de 16: 1, 2, 4, (8), 16 — *Anota todos los factores.*

factores de 24: 1, 2, 3, 4, 6, (8), 12, 24 — *Encierra el MCD.*

El MCD de 16 y 24 es 8.

B 12, 24 y 32

Método 2: Usar la factorización prima

$12 = 2 \cdot 2 \cdot 3$ — *Escribe la factorización prima de cada número.*

$24 = 2 \cdot 2 \cdot 2 \cdot 3$

$32 = 2 \cdot 2 \cdot 2 \cdot 2 \cdot 2$ — *Halla los factores primos comunes.*

$2 \cdot 2 = 4$ — *Halla el producto de los factores primos comunes.*

El MCD de 12, 24 y 32 es 4.

C 12, 18 y 60

Método 3: Usar un diagrama de escalera

2	12	18	60
3	6	9	30
	2	3	10

Empieza con un factor que divida a cada número. Sigue dividiendo hasta que los tres números no tengan factores comunes.

$2 \cdot 3 = 6$ — *Halla el producto de los números entre los que dividiste.*

El MCD es 6.

EJEMPLO 2 APLICACIÓN A LA RESOLUCIÓN DE PROBLEMAS

Hay 12 varones y 18 mujeres en la clase de ciencias del maestro Ruiz. Los estudiantes deben formar grupos para el laboratorio. Todos los equipos deben tener el mismo número de varones y el mismo número de mujeres. ¿Cuál es el mayor número de grupos que puede formar el maestro Ruiz si cada estudiante debe estar en un grupo?

1 Comprende el problema

La **respuesta** será el número *máximo* de grupos que 12 varones y 18 mujeres puedan formar de modo que cada grupo tenga el mismo número de varones y el mismo número de mujeres.

2 Haz un plan

Puedes hacer una lista organizada de los grupos posibles.

3 Resuelve

Hay más mujeres que varones en la clase, así que habrá más mujeres que varones en cada grupo.

Pista útil

Si se ponen más estudiantes en cada grupo, habrá menos grupos. Se trata de tener el mayor número de grupos posible, así que pon el menor número de estudiantes en cada equipo. Comienza con 1 varones en cada grupo.

Varones	Mujeres	Grupos
1	2	(V MM) (V MM) (V MM) (V MM) (V MM) (V MM) (V MM) (V MM) (V MM) 9 varones, 18 mujeres: hay 3 varones sin grupo. ✗
2	3	(VV MMM) (VV MMM) (VV MMM) (VV MMM) (VV MMM) (VV MMM) 12 varones, 18 mujeres: cada estudiante está en un grupo. ✓

El número máximo de grupos es 6.

4 Repasa

El número de grupos será un factor común del número de varones y el número de mujeres. Para formar el máximo número de grupos, halla el MCD de 12 y 18.

factores de 12: 1, 2, 3, 4, (6), 12 factores de 18: 1, 2, 3, (6), 9, 18

El MCD de 12 y 18 es 6.

Razonar y comentar

1. **Explica** cuál es el MCD de dos números primos.
2. **Indica** cuál sería el mínimo común divisor de un grupo de números.

4-3 Ejercicios

go.hrw.com
Ayuda en línea para tareas*
CLAVE: MR7 4-3
Recursos en línea para padres
CLAVE: MR7 Parent
*(Disponible sólo en inglés)

PRÁCTICA GUIADA

Ver Ejemplo 1

Halla el MCD de cada conjunto de números.

1. 18 y 27 **2.** 32 y 72 **3.** 21, 42 y 56

4. 15, 30 y 60 **5.** 18, 24 y 36 **6.** 9, 36 y 81

Ver Ejemplo 

7. Kim hace arreglos de flores. Tiene 16 flores rojas y 20 flores rosadas. Todos los arreglos deben tener el mismo número de flores rojas y el mismo número de flores rosadas. ¿Cuál es el máximo número de arreglos que puede hacer Kim si usa todas las flores?

PRÁCTICA INDEPENDIENTE

Ver Ejemplo 

Halla el MCD de cada conjunto de números.

8. 10 y 35 **9.** 28 y 70 **10.** 36 y 72

11. 26, 48 y 62 **12.** 16, 40 y 88 **13.** 12, 60 y 68

14. 30, 45 y 75 **15.** 24, 48 y 84 **16.** 16, 48 y 72

Ver Ejemplo 

17. El centro local de recreación organizó un juego llamado "búsqueda del tesoro". En el evento hubo 15 chicos y 9 chicas. El grupo se dividió entre el máximo número posible de equipos con el mismo número de chicos y el mismo número de chicas en todos los equipos. ¿Cuántos equipos se formaron si cada persona estaba en un equipo?

18. La señora Kline hace arreglos de globos. Tiene 32 globos azules, 24 amarillos y 16 blancos. Cada arreglo debe tener el mismo número de cada color. ¿Cuál es el máximo número de arreglos que puede hacer la señora Kline si usa todos los globos?

PRÁCTICA Y RESOLUCIÓN DE PROBLEMAS

Práctica adicional
Ver página 720

Escribe el MCD de cada conjunto de números.

19. 60 y 84 **20.** 14 y 17 **21.** 10, 35 y 110

22. 21 y 306 **23.** 630 y 712 **24.** 16, 24 y 40

25. 75, 225 y 150 **26.** 42, 112 y 105 **27.** 12, 16, 20 y 24

28. Jared tiene 12 frascos de mermelada de uva, 16 de mermelada de fresa y 24 de mermelada de frambuesa. Quiere poner las mermeladas en el máximo número posible de cajas de modo que todas las cajas tengan el mismo número de frascos de cada tipo de mermelada. ¿Cuántas cajas necesita?

29. Pam hace canastas de frutas. Tiene 30 manzanas, 24 plátanos y 12 naranjas. ¿Cuál es el máximo número de canastas que puede hacer si cada tipo de fruta se distribuye de forma equitativa entre las canastas?

30. **Razonamiento crítico** Escribe un conjunto de tres números diferentes que tengan un MCD de 9. Explica tu método.

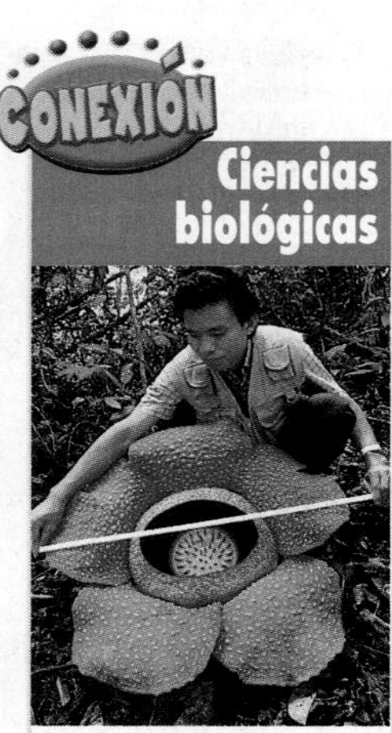

La flor más grande del mundo es la Rafflesia. Crece en el bosque tropical de Indonesia. Puede medir hasta cuatro pies de lado a lado, pesar unas 15 libras y contener cerca de 1.5 galones de agua.

Escribe el MCD de cada conjunto de números.

31. 16, 24, 30 y 42 **32.** 25, 90, 45 y 100 **33.** 27, 90, 135 y 72

34. $2 \times 2 \times 3$ y 2×2 **35.** $2 \times 3^2 \times 7$ y $2^2 \times 3$ **36.** $3^2 \times 7$ y $2 \times 3 \times 5^2$

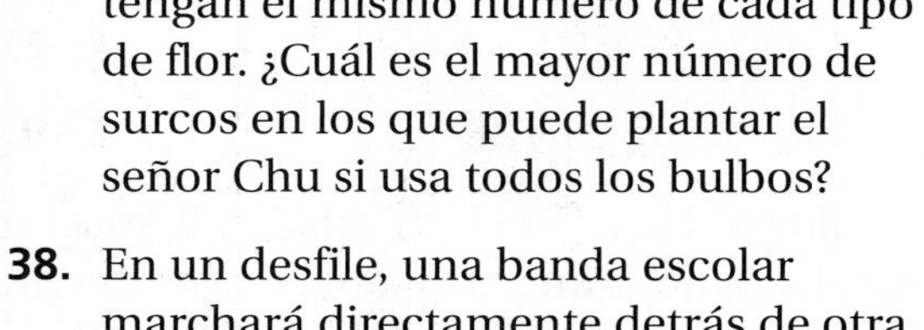

37. El señor Chu planta 4 tipos de flores en su jardín. Quiere que todos los surcos tengan el mismo número de cada tipo de flor. ¿Cuál es el mayor número de surcos en los que puede plantar el señor Chu si usa todos los bulbos?

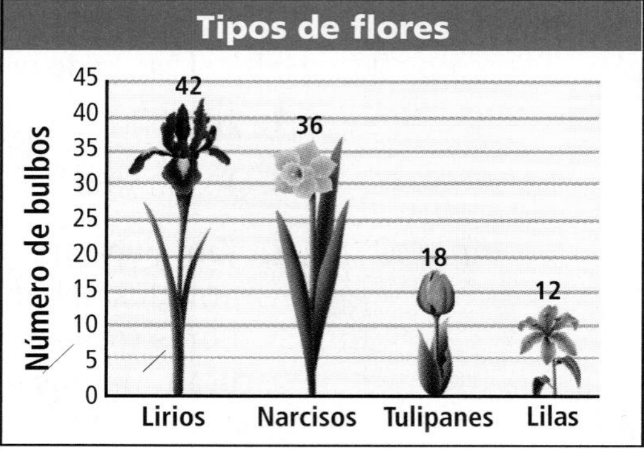

38. En un desfile, una banda escolar marchará directamente detrás de otra. Todas las filas deben tener el mismo número de estudiantes. La primera banda tiene 36 estudiantes, y la segunda, 60. ¿Cuál es el máximo número de estudiantes que puede haber en cada fila?

39. Estudios sociales Las sucursales de la Casa de la Moneda de Estados Unidos en Denver y Filadelfia acuñan todas las monedas estadounidenses. Sobre cada moneda, una *D* o una *P* diminutas indican dónde fue acuñada. Supongamos que tienes 32 monedas de 25 centavos con la letra *D* y 36 con la *P*. ¿Cuál es el mayor número de grupos que puedes hacer con el mismo número de monedas con la letra *D* y el mismo número de monedas con la letra *P* en cada grupo, de modo que cada moneda esté en un grupo?

40. ¿Dónde está el error? Mike dice que si $12 = 2^2 \cdot 3$ y $24 = 2^3 \cdot 3$, entonces el MCD de 12 y 24 es $2 \cdot 3$, ó 6. Explica el error de Mike.

41. Escríbelo ¿Qué método prefieres para hallar el MCD? ¿Por qué?

42. Desafío El MCD de tres números es 9. La suma de estos números es 90. Halla los tres números.

PREPARACIÓN PARA EL EXAMEN y repaso en espiral

43. Opción múltiple ¿De qué conjunto de números es 16 el MCD?

Ⓐ 16, 32, 48 Ⓑ 12, 24, 32 Ⓒ 24, 48, 60 Ⓓ 8, 80, 100

44. Opción múltiple La señora Lyndon está armando canastas de bollos. Tiene 48 bollos de limón, 120 de arándano y 112 de plátano y nuez. ¿Cuántas canastas de bollos puede armar si quiere que cada una tenga igual cantidad de cada tipo de bollo?

Ⓕ 4 Ⓖ 6 Ⓗ 8 Ⓙ 12

Resuelve cada ecuación. (Lecciones 2-4, 2-5, 2-6, 2-7)

45. $y + 37 = 64$ **46.** $c - 5 = 19$ **47.** $72 \div z = 9$ **48.** $3v = 81$

Escribe la factorización prima de cada número. (Lección 4-2)

49. 42 **50.** 19 **51.** 51 **52.** 132 **53.** 200

Máximo común divisor

Para usar con la Lección 4-3

Puedes usar una calculadora de gráficas para hallar rápidamente el máximo común divisor (MCD) de dos o más números. Una calculadora es útil sobre todo si necesitas hallar el MCD de números grandes.

Actividad

Halla el MCD de 504 y 3,150.

El MCD es el *máximo común divisor.* La función del MCD se encuentra en el menú **MATH.**

Para hallar el MCD en una calculadora de gráficas, oprime MATH. Luego oprime ▶ para resaltar NUM y enseguida usa ▼ para bajar en la pantalla y resaltar 9:.

Oprime ENTER 504 , 3150) ENTER.

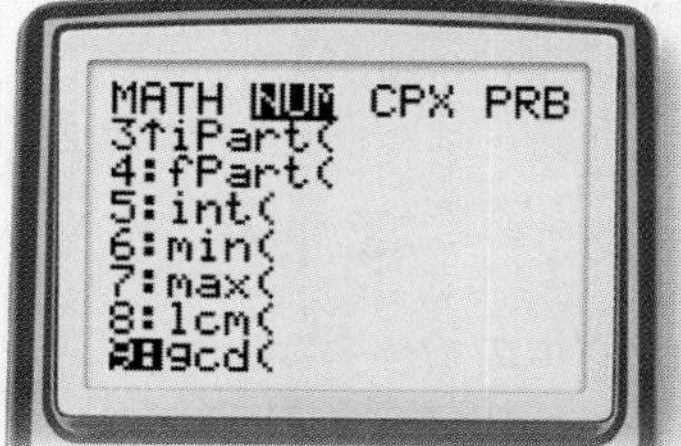

El máximo común divisor de 504 y 3,150 es 126.

Razonar y comentar

1. Supongamos que tu calculadora no te permite escribir tres números en la función MCD. ¿Cómo la usarías para hallar el MCD de los tres números siguientes: 4,896; 2,364; y 656? Explica tu estrategia y di por qué funciona.
2. ¿Usarías tu calculadora para hallar el MCD de 6 y 18? ¿Por qué sí o por qué no?

Inténtalo

Halla el MCD de cada conjunto de números.

1. 14, 48
2. 18, 54
3. 99, 121
4. 144, 196
5. 200, 136
6. 246, 137
7. 72, 860
8. 55, 141, 91

SECCIÓN 4A

Prueba de las Lecciones 4-1 a 4-3

4-1 Divisibilidad

Indica si cada número es divisible entre 2, 3, 4, 5, 6, 9 y 10.

1. 708 **2.** 514 **3.** 470 **4.** 338

5. La carretera que rodea una ciudad tiene 45 millas de longitud. Si las salidas están colocadas cada 5 millas, ¿estarán separadas todas por distancias iguales? Explica.

6. La represa Hoover mide 1,244 pies en su parte superior. Indica si este número es divisible entre 2, 3, 4, 5, 6, 9 y 10.

Indica si cada número es primo o compuesto.

7. 76 **8.** 59 **9.** 69 **10.** 33

4-2 Factores y factorización prima

Haz una lista de todos los factores de cada número.

11. 26 **12.** 32 **13.** 39 **14.** 84

15. La liga de bolos del señor Collins tiene 48 miembros. Si se separan en equipos de 12 miembros cada uno, ¿cuántos equipos de igual cantidad de integrantes habrá?

Escribe la factorización prima de cada número.

16. 96 **17.** 50 **18.** 104 **19.** 63

20. Los científicos clasifican muchos girasoles en el género *Helianthus*. Existen aproximadamente 67 especies de *Helianthus*. Escribe la factorización prima de 67.

4-3 Máximo común divisor

Halla el MCD de cada conjunto de números.

21. 16 y 36 **22.** 22 y 88 **23.** 65 y 91 **24.** 20, 55 y 85

25. Hay 36 estudiantes de sexto grado y 40 de séptimo. ¿Cuál es el máximo número de equipos que pueden formar los estudiantes si todos los equipos tienen el mismo número de estudiantes de sexto grado y el mismo número de estudiantes de séptimo grado y cada uno está en un equipo?

26. Hay 14 chicas y 21 chicos en la clase de gimnasia de la maestra Sutter. Para practicar cierto juego, los estudiantes deben formar equipos. Todos los equipos deben tener el mismo número de chicas y el mismo número de chicos. ¿Cuál es el máximo número de equipos que puede formar la maestra Sutter si cada estudiante está en un equipo?

27. La maestra Young está organizando los materiales de arte. Tiene 76 marcadores rojos, 52 azules y 80 negros. Quiere dividirlos en cajas que tengan el mismo número de marcadores rojos, el mismo número de azules y el mismo número de negros. ¿Cuál es el máximo número de cajas que puede tener si cada marcador se coloca en una caja?

Enfoque en resolución de problemas

Comprende el problema

• Interpreta palabras no familiares

Debes comprender las palabras de un problema para resolverlo. Si hay una palabra que no conoces, trata de usar las pistas en el texto para deducir su significado. Supongamos que hay un problema sobre tela roja, verde, azul y fucsia. Quizá no conozcas la palabra *fucsia,* pero te imaginarás que debe de ser un color. Para que sea más fácil comprender un problema, puedes cambiar *fucsia* por el nombre de un color conocido, como *blanco.*

En algunos problemas, el nombre de una persona, lugar o cosa puede ser difícil de pronunciar, como *señor Joubert.* Cuando veas un nombre propio que no sepas cómo pronunciar, puedes usar otro nombre propio o un pronombre en su lugar. Podrías reemplazar *señor Joubert* por *él.* Podrías reemplazar *calle Koenisburg* por *calle K.*

Copia cada problema. Subraya las palabras que no comprendas. Luego, reemplaza cada palabra por una palabra más conocida.

1. Grace hace ramos de flores. Tiene 18 crisantemos y 42 rosas. Quiere arreglarlos en grupos que tengan el mismo número de crisantemos que de rosas. ¿Cuál es el menor número de rosas que puede tener Grace en cada grupo? ¿Cuántos crisantemos y cuántas rosas habrá en cada grupo?

2. La mayoría de las canicas están hechas de vidrio. El vidrio se funde en un horno y se vierte en un recipiente. Luego, se corta en cilindros que se redondean y enfrían. Supongamos que se ponen 1,200 canicas en paquetes de 8. ¿Cuántos paquetes se podrían hacer? ¿Sobrarían canicas?

3. En la Antigüedad, muchas civilizaciones usaban calendarios que dividían el año en meses de 30 días. Un año tiene 365 días. ¿Cuántos meses completos había en estos calendarios antiguos? ¿Sobraban días? Si es así, ¿cuántos?

4. La señora LeFeubre va a poner baldosas en el sendero de su jardín, que es un rectángulo que mide 4 pies de ancho y 20 pies de largo. La señora LeFeubre quiere poner baldosas cuadradas y no quiere cortar ninguna. ¿Cuál es el máximo tamaño de baldosa cuadrada que puede usar?

Explorar decimales y fracciones

Para usar con la Lección 4-4

go.hrw.com
Recursos en línea para el laboratorio
CLAVE: MR7 Lab4

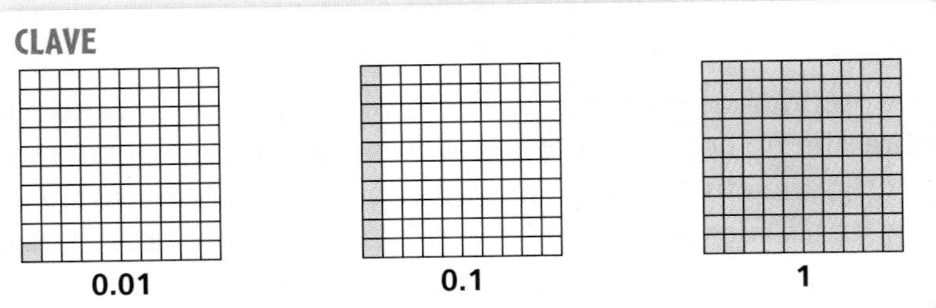

Puedes usar cuadrículas de decimales para mostrar la relación entre fracciones y decimales.

Actividad

Escribe el número que se representa en cada cuadrícula como fracción y como decimal.

1

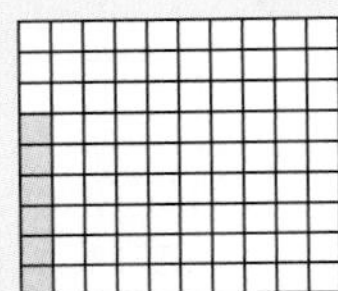

Están sombreados siete cuadrados de centésimas → 0.07

¿Cuántos cuadrados están sombreados? $\frac{7}{100}$ ← numerador

¿Cuántos cuadrados hay en total? ← denominador

$0.07 = \frac{7}{100}$

2

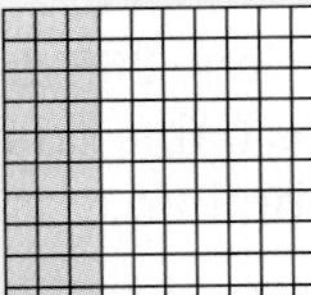

Están sombreadas tres columnas de décimas → 0.3

¿Cuántas columnas completas están sombreadas? $\frac{3}{10}$

¿Cuántas columnas hay en total?

$0.3 = \frac{3}{10}$

Razonar y comentar

1. ¿Es lo mismo 0.09 que $\frac{9}{10}$? Usa cuadrículas de decimales para apoyar tu respuesta.

Inténtalo

Usa cuadrículas de decimales para representar cada número.

1. 0.8 **2.** $\frac{37}{100}$ **3.** 0.53 **4.** $\frac{1}{10}$ **5.** $\frac{67}{100}$

6. Para los Ejercicios del 1 al 5, escribe cada decimal como fracción y cada fracción como decimal.

4-4 Decimales y fracciones

Aprender a convertir entre decimales y fracciones

Vocabulario

número mixto

decimal finito

decimal periódico

Muchas veces se usan decimales y fracciones para representar el mismo número.

Por ejemplo, el promedio de bateo de un beisbolista o de un equipo de béisbol puede representarse como fracción:

$$\frac{\text{número de hits}}{\text{número de bateos}}$$

El equipo de béisbol de la Universidad de Texas ha participado en la Serie Mundial Universitaria más veces que cualquier otra institución.

En 2005, el equipo de béisbol de la Universidad de Texas ganó el título de la Serie Mundial Universitaria por sexta vez. En esa temporada, el equipo logró 734 hits en 2,432 bateos. El promedio de bateo del equipo fue de $\frac{734}{2{,}432}$.

$$734 \div 2{,}432 = 0.3018092105\ldots$$

Se dice que el promedio de bateo del equipo de béisbol de la Universidad de Texas en 2005 es .302.

Los decimales pueden escribirse como fracciones o números mixtos. Un número que contiene un número cabal mayor que 0 y una fracción, como $1\frac{3}{4}$, se llama **número mixto.**

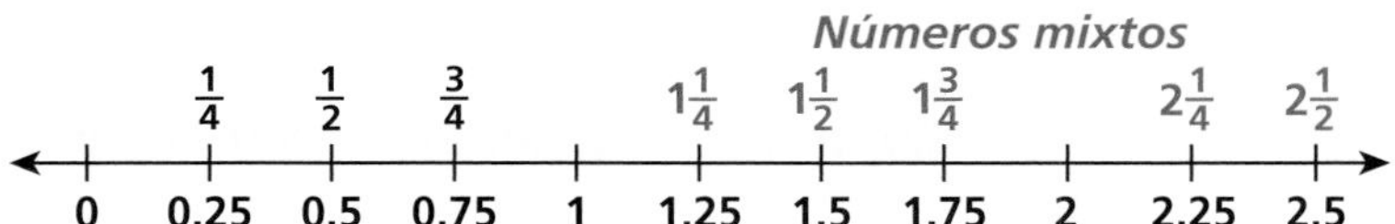

EJEMPLO 1 Escribir decimales como fracciones o números mixtos

¡Recuerda!

Posición			
Unidades	Décimas	Centésimas	Milésimas

Escribe cada decimal como fracción o número mixto.

A 0.23

0.23 *Identifica el valor posicional del último dígito de la derecha.*

$\frac{23}{100}$ *El 3 está en la posición de las **cent**ésimas, por lo tanto, usa **100** como denominador.*

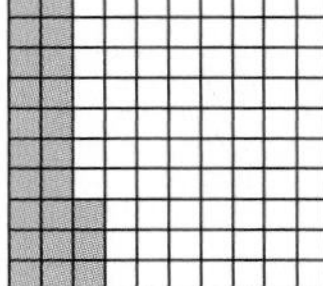

B 1.7

1.7 *Identifica el valor posicional del último dígito de la derecha.*

$1\frac{7}{10}$ *Escribe el número cabal, 1. El 7 está en la posición de las **déc**imas, por lo tanto, usa **10** como denominador.*

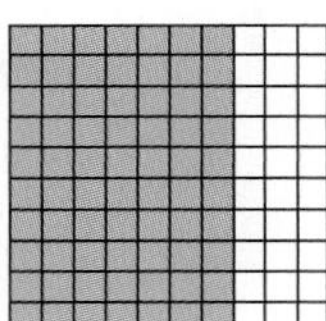

EJEMPLO 2 Escribir fracciones como decimales

Escribe cada fracción o número mixto como decimal.

A $\frac{3}{4}$

$$\begin{array}{r} 0.75 \\ 4\overline{)3.00} \\ -\underline{28} \\ 20 \\ -\underline{20} \\ 0 \end{array}$$

Divide 3 entre 4.
Agrega ceros después del punto decimal.
El residuo es 0.

$\frac{3}{4} = 0.75$

B $5\frac{2}{3}$

$$\begin{array}{r} 0.666 \\ 3\overline{)2.000} \\ -\underline{18} \\ 20 \\ -\underline{18} \\ 20 \\ -\underline{18} \\ 2 \end{array}$$

Divide 2 entre 3.
Agrega ceros después del punto decimal.
El 6 se repite en el cociente.

$5\frac{2}{3} = 5.666... = 5.\overline{6}$

Escribir matemáticas

Para escribir un decimal periódico, puedes poner tres puntos o una línea sobre la parte que se repite: $0.666... = 0.\overline{6}$.

Un **decimal finito,** como 0.75, tiene un número finito de posiciones decimales. Un **decimal periódico,** como 0.666..., tiene un grupo de uno o más dígitos que se repiten continuamente.

Fracciones comunes y decimales equivalentes								
$\frac{1}{5}$	$\frac{1}{4}$	$\frac{1}{3}$	$\frac{2}{5}$	$\frac{1}{2}$	$\frac{3}{5}$	$\frac{2}{3}$	$\frac{3}{4}$	$\frac{4}{5}$
0.2	0.25	$0.\overline{3}$	0.4	0.5	0.6	$0.\overline{6}$	0.75	0.8

EJEMPLO 3 Comparar y ordenar fracciones y decimales

Ordena las fracciones y decimales de menor a mayor.

0.5, $\frac{1}{5}$, 0.37

Primero, vuelve a escribir la fracción como un decimal. $\frac{1}{5} = 0.2$

Ordena los tres decimales.

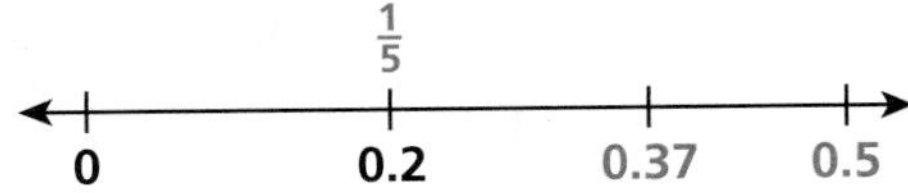

Los números en orden de menor a mayor son $\frac{1}{5}$, 0.37 y 0.5.

Razonar y comentar

1. **Indica** cómo leer el decimal 6.9 como "seis y nueve décimas" te ayuda a escribir 6.9 como número mixto.
2. **Observa** el decimal 0.121122111222... Si el patrón continúa, ¿es un decimal periódico? ¿Por qué sí o por qué no?

4-4 Ejercicios

go.hrw.com
Ayuda en línea para tareas*
CLAVE: MR7 4-4
Recursos en línea para padres
CLAVE: MR7 Parent
*(Disponible sólo en inglés)

PRÁCTICA GUIADA

Ver Ejemplo  **Escribe cada decimal como fracción o número mixto.**

1. 0.15 **2.** 1.25 **3.** 0.43 **4.** 2.6

Ver Ejemplo  **Escribe cada fracción o número mixto como decimal.**

5. $\frac{2}{5}$ **6.** $2\frac{7}{8}$ **7.** $\frac{1}{8}$ **8.** $4\frac{1}{10}$

Ver Ejemplo 3 **Ordena las fracciones y decimales de menor a mayor.**

9. $\frac{2}{3}$, 0.78, 0.21 **10.** $\frac{5}{16}$, 0.67, $\frac{1}{6}$ **11.** 0.52, $\frac{1}{9}$, 0.3

PRÁCTICA INDEPENDIENTE

Ver Ejemplo 1 **Escribe cada decimal como fracción o número mixto.**

12. 0.31 **13.** 5.71 **14.** 0.13 **15.** 3.23

16. 0.5 **17.** 2.7 **18.** 0.19 **19.** 6.3

Ver Ejemplo 2 **Escribe cada fracción o número mixto como decimal.**

20. $\frac{1}{9}$ **21.** $1\frac{3}{5}$ **22.** $\frac{8}{9}$ **23.** $3\frac{11}{40}$

24. $2\frac{5}{6}$ **25.** $\frac{3}{8}$ **26.** $4\frac{4}{5}$ **27.** $\frac{5}{8}$

Ver Ejemplo  **Ordena las fracciones y decimales de menor a mayor.**

28. 0.49, 0.82, $\frac{1}{2}$ **29.** $\frac{3}{8}$, 0.29, $\frac{1}{9}$ **30.** 0.94, $\frac{4}{5}$, 0.6

31. 0.11, $\frac{1}{10}$, 0.13 **32.** $\frac{2}{3}$, 0.42, $\frac{2}{5}$ **33.** $\frac{3}{7}$, 0.76, 0.31

PRÁCTICA Y RESOLUCIÓN DE PROBLEMAS

Práctica adicional
Ver página 720

Escribe cada decimal en forma desarrollada y usa un número cabal o fracción para cada valor posicional.

34. 0.81 **35.** 92.3 **36.** 13.29 **37.** 107.17

Escribe cada fracción como decimal. Indica si el decimal es finito o periódico.

38. $\frac{7}{9}$ **39.** $\frac{1}{6}$ **40.** $\frac{17}{20}$ **41.** $\frac{5}{12}$ **42.** $\frac{7}{8}$

43. $\frac{4}{5}$ **44.** $\frac{9}{5}$ **45.** $\frac{15}{18}$ **46.** $\frac{7}{3}$ **47.** $\frac{11}{12}$

Compara. Escribe $<$, $>$ ó $=$.

48. $0.75 \ \blacksquare\ \frac{3}{4}$ **49.** $\frac{5}{8}\ \blacksquare\ 0.5$ **50.** $0.78\ \blacksquare\ \frac{7}{9}$ **51.** $\frac{1}{3}\ \blacksquare\ 0.35$

52. $\frac{2}{5}\ \blacksquare\ 0.4$ **53.** $0.75\ \blacksquare\ \frac{4}{5}$ **54.** $\frac{3}{8}\ \blacksquare\ 0.25$ **55.** $0.8\ \blacksquare\ \frac{5}{6}$

56. **Varios pasos** Peter caminó $1\frac{3}{5}$ de milla en la cinta rodante, y Sally caminó 1,5 millas. ¿Quién caminó más? Explica.

Ordena los decimales y números mixtos de mayor a menor.

57. 4.48, 3.92, $4\frac{1}{2}$ **58.** $10\frac{5}{9}$, 10.5, $10\frac{1}{5}$ **59.** 125.205, 125.25, $125\frac{1}{5}$

Deportes En la tabla se muestran los promedios de bateo de dos temporadas de béisbol. Usa la tabla para los Ejercicios del 60 al 62.

Jugador	Temporada 1	Temporada 2
Pedro	0.360	$\frac{3}{10}$
Jill	0.380	$\frac{3}{8}$
Lamar	0.290	$\frac{1}{3}$
Britney	0.190	$\frac{3}{20}$

60. ¿Qué jugadores tuvieron un mayor promedio de bateo en la temporada 1 que en la temporada 2?

61. ¿Quién tuvo el mayor promedio de bateo en las dos temporadas?

62. **Varios pasos** ¿Quién cambió más su promedio de bateo entre las temporadas 1 y 2?

63. **Ciencias biológicas** Las personas con deficiencias en la percepción de los colores (llamadas comúnmente ceguera cromática) tienen dificultades para distinguir matices de rojo y verde. Cerca de 0.05 de los hombres del mundo padecen esta deficiencia. ¿Qué fracción de los hombres padecen deficiencia cromática?

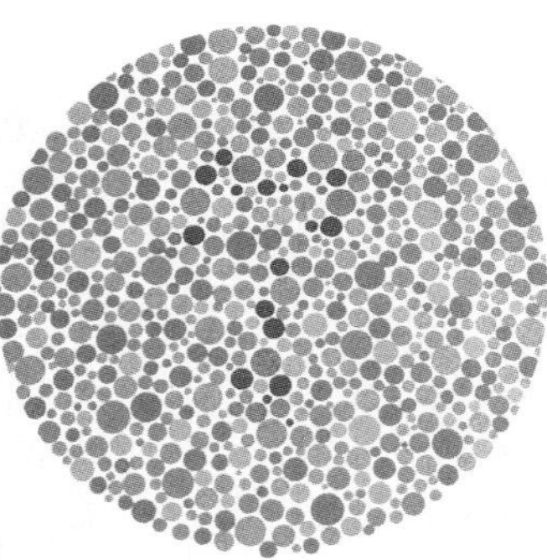

La gente con visión cromática normal verá "7" en esta prueba de ceguera cromática.

64. **¿Dónde está el error?** Una estudiante halló que el decimal equivalente de $\frac{7}{18}$ es $0.\overline{38}$. Explica el error. ¿Cuál es la respuesta correcta?

65. **Escríbelo** El decimal de $\frac{1}{25}$ es 0.04 y el decimal de $\frac{2}{25}$ es 0.08. Sin dividir, halla el decimal de $\frac{6}{25}$. Explica cómo hallaste tu respuesta.

66. **Desafío** Escribe $\frac{1}{999}$ como decimal.

Preparación Para El Examen y repaso en espiral

67. **Opción múltiple** ¿Qué números están ordenados de menor a mayor?

Ⓐ 0.65, 0.81, $\frac{4}{5}$ Ⓑ 0.81, 0.65, $\frac{4}{5}$ Ⓒ $\frac{4}{5}$, 0.81, 0.65 Ⓓ 0.65, $\frac{4}{5}$, 0.81

68. **Respuesta gráfica** Escribe $5\frac{1}{8}$ como decimal.

Halla cada suma o diferencia. (Lección 3-3)

69. 12.56 + 8.91 **70.** 19.05 − 2.27 **71.** 5 + 8.25 + 10.2

Halla el MCD de cada conjunto de números. (Lección 4-3)

72. 235 y 35 **73.** 28 y 154 **74.** 90 y 56 **75.** 16 y 112

Modelo de fracciones equivalentes

Para usar con la Lección 4-5

go.hrw.com
Recursos en línea para el laboratorio
CLAVE: MR7 Lab4

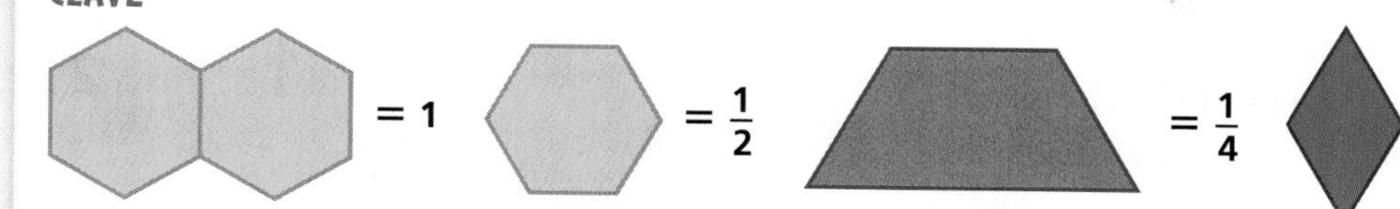

Puedes usar bloques de patrones para hacer un modelo de fracciones equivalentes. Para hallar una fracción que sea equivalente a $\frac{1}{2}$, primero elige el bloque de patrones que represente $\frac{1}{2}$. Luego, halla todas las piezas de un color que quepan exactamente en el bloque de $\frac{1}{2}$. Cuenta estas piezas para hallar la fracción equivalente. Es posible que encuentres más de una fracción equivalente.

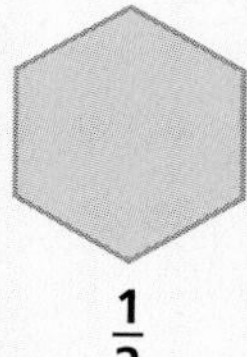
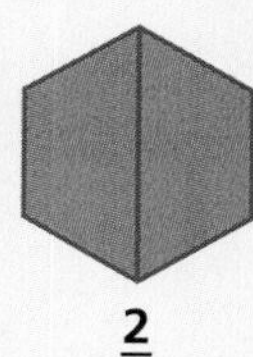
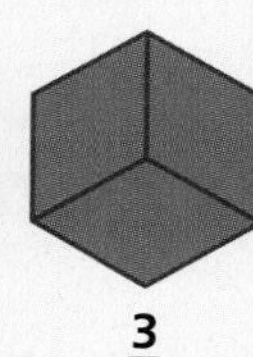
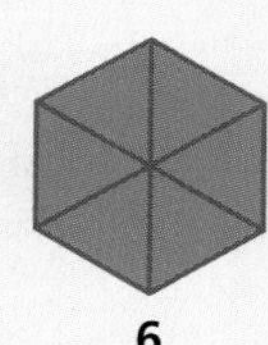

$$\frac{1}{2} = \frac{2}{4} = \frac{3}{6} = \frac{6}{12}$$

Actividad

Usa los bloques de patrones para hallar una fracción que sea equivalente a $\frac{8}{12}$.

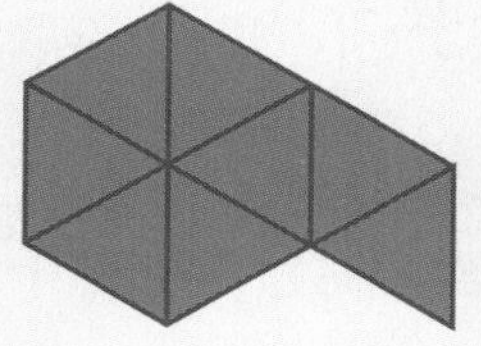

Primero, se muestra $\frac{8}{12}$.

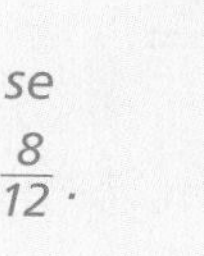

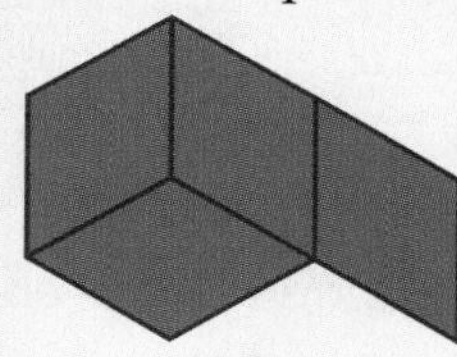

Se puede cubrir $\frac{8}{12}$ con cuatro piezas de $\frac{1}{6}$.

$$\frac{8}{12} = \frac{4}{6}$$

Razonar y comentar

1. ¿Puedes hallar una combinación de bloques de patrones para $\frac{1}{3}$? Halla una fracción equivalente a $\frac{1}{3}$.
2. ¿Son equivalentes $\frac{9}{12}$ y $\frac{3}{6}$? Usa bloques de patrones para apoyar tu respuesta.

Inténtalo

Escribe la fracción que se representa. Después, halla una fracción equivalente.

1. 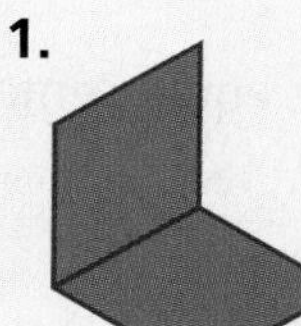

2. 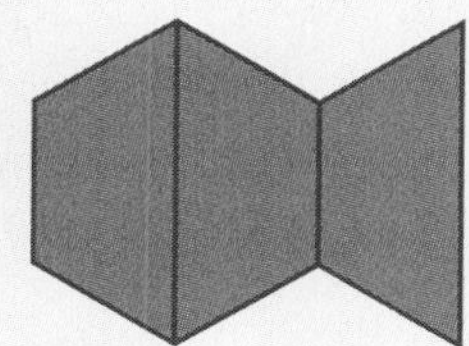

4-5 Fracciones equivalentes

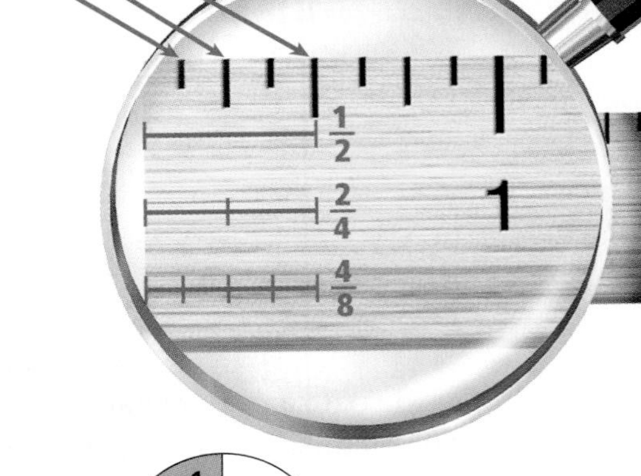

Aprender a escribir fracciones equivalentes

Vocabulario

fracciones equivalentes

mínima expresión

Las reglas tienen marcas de pulgadas y de $\frac{1}{2}$, $\frac{1}{4}$ y $\frac{1}{8}$ de pulgada.

Observa que $\frac{1}{2}$, $\frac{2}{4}$ y $\frac{4}{8}$ de pulgada se refieren a la misma longitud. Las fracciones que representan el mismo valor son **fracciones equivalentes.** Por lo tanto, $\frac{1}{2}$, $\frac{2}{4}$ y $\frac{4}{8}$ son fracciones equivalentes.

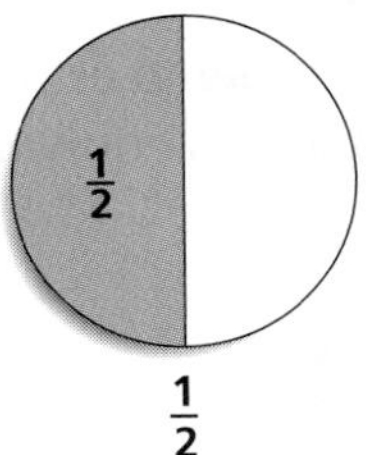

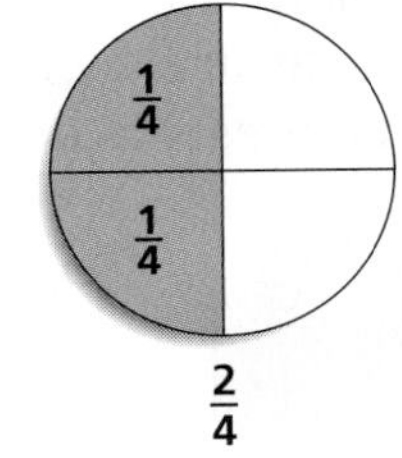

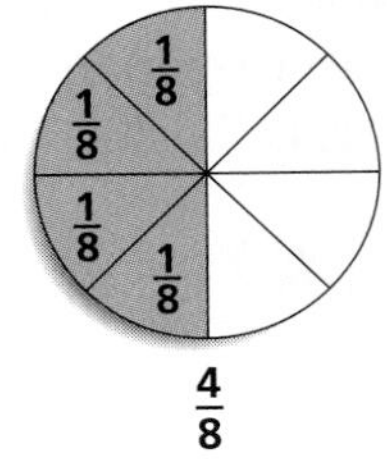

$$\frac{1}{2} = \frac{2}{4} = \frac{4}{8}$$

EJEMPLO 1 **Hallar las fracciones equivalentes**

Halla dos fracciones equivalentes a $\frac{6}{8}$.

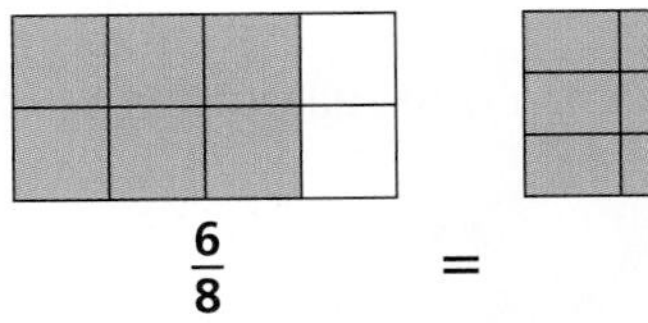

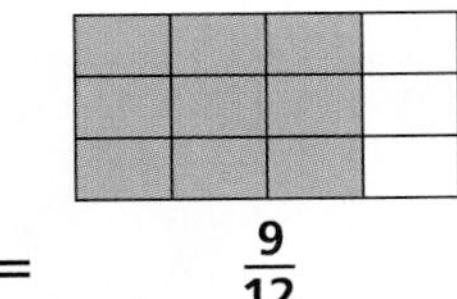

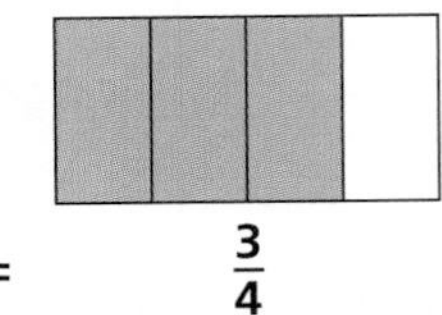

$$\frac{6}{8} = \frac{9}{12} = \frac{3}{4}$$

Cuando el rectángulo se divide en 8 partes, 12 partes y 4 partes, se sombrea la misma área.

Por lo tanto, $\frac{6}{8}$, $\frac{9}{12}$ y $\frac{3}{4}$ son fracciones equivalentes.

EJEMPLO 2 **Multiplicar y dividir para hallar fracciones equivalentes**

Halla el número que falta y que hace equivalentes las fracciones.

A $\frac{2}{3} = \frac{■}{18}$

$\frac{2 \cdot 6}{3 \cdot 6} = \frac{12}{18}$ *En el denominador, 3 se multiplica por 6 para obtener 18. Multiplica el numerador, 2, por el mismo número, 6.*

Por lo tanto, $\frac{2}{3}$ es equivalente a $\frac{12}{18}$.

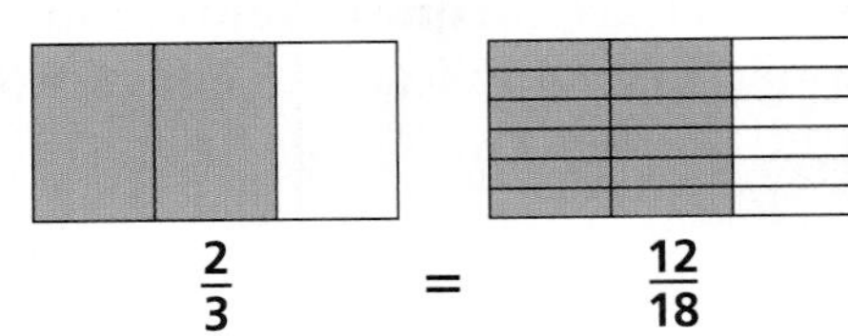

$$\frac{2}{3} = \frac{12}{18}$$

Halla el número que falta y que hace equivalentes las fracciones.

B $\frac{70}{100} = \frac{7}{\square}$

$\frac{70 \div 10}{100 \div 10} = \frac{7}{10}$ *En el numerador, 70 se divide entre 10 para obtener 7. Divide el denominador entre el mismo número, 10.*

Por lo tanto, $\frac{70}{100}$ es equivalente a $\frac{7}{10}$.

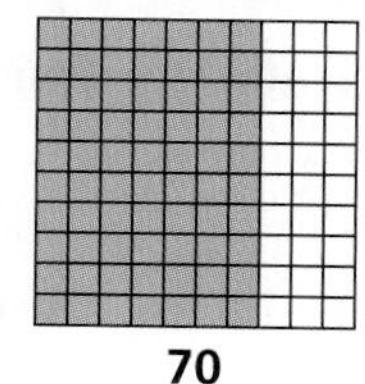
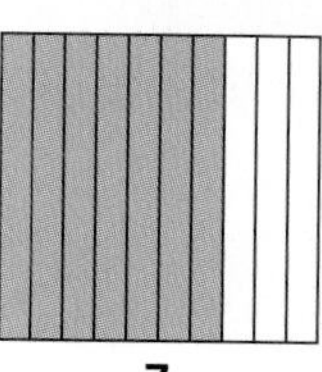

$\frac{70}{100} = \frac{7}{10}$

Todas las fracciones tienen una fracción equivalente que se llama mínima expresión de la fracción. Una fracción está en su **mínima expresión** cuando el MCD del numerador y el denominador es 1.

En el Ejemplo 3 se muestran dos métodos para escribir una fracción en su mínima expresión.

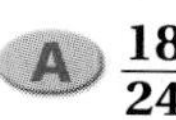

EJEMPLO 3 Escribir fracciones en su mínima expresión

Escribe cada fracción en su mínima expresión.

A $\frac{18}{24}$

El MCD de 18 y 24 es 6, por lo tanto, $\frac{18}{24}$ no está en su mínima expresión.

Método 1: Usar el MCD

$\frac{18 \div 6}{24 \div 6} = \frac{3}{4}$ *Divide 18 y 24 entre su MCD, 6.*

Método 2: Usar factorización prima

$\frac{18}{24} = \frac{\cancel{2} \cdot \cancel{3} \cdot 3}{\cancel{2} \cdot 2 \cdot 2 \cdot \cancel{3}} = \frac{3}{4}$ *Escribe los factores primos de 18 y 24. Simplifica.*

Por lo tanto, $\frac{18}{24}$ escrito en su mínima expresión es $\frac{3}{4}$.

B $\frac{8}{9}$

El MCD de 8 y 9 es 1, por lo tanto, $\frac{8}{9}$ ya está en su mínima expresión.

Pista útil

El método 2 es útil cuando sabes que el numerador y el denominador tienen factores comunes pero no estás seguro de cuál es el MCD.

Razonar y comentar

1. **Explica** si una fracción es equivalente a sí misma.
2. **Indica** cuál de las siguientes fracciones está en su mínima expresión: $\frac{9}{21}$, $\frac{20}{25}$ y $\frac{5}{13}$. Explica.
3. **Explica** cómo sabes que $\frac{7}{16}$ está en su mínima expresión.

4-5 Ejercicios

go.hrw.com
Ayuda en línea para tareas*
CLAVE: MR7 4-5
Recursos en línea para padres
CLAVE: MR7 Parent
*(Disponible sólo en inglés)

PRÁCTICA GUIADA

Ver Ejemplo 1
Halla dos fracciones equivalentes a cada fracción.

1. $\frac{4}{6}$ **2.** $\frac{3}{12}$ **3.** $\frac{3}{6}$ **4.** $\frac{6}{16}$

Ver Ejemplo 2
Halla los números que faltan y que hacen equivalentes las fracciones.

5. $\frac{2}{5} = \frac{10}{\square}$ **6.** $\frac{7}{21} = \frac{1}{\square}$ **7.** $\frac{3}{4} = \frac{\square}{28}$ **8.** $\frac{8}{12} = \frac{\square}{3}$

Ver Ejemplo 3
Escribe cada fracción en su mínima expresión.

9. $\frac{2}{10}$ **10.** $\frac{6}{18}$ **11.** $\frac{4}{16}$ **12.** $\frac{9}{15}$

PRÁCTICA INDEPENDIENTE

Ver Ejemplo 1
Halla dos fracciones equivalentes a cada fracción.

13. $\frac{3}{9}$ **14.** $\frac{2}{10}$ **15.** $\frac{3}{21}$ **16.** $\frac{3}{18}$

17. $\frac{12}{15}$ **18.** $\frac{4}{10}$ **19.** $\frac{10}{12}$ **20.** $\frac{6}{10}$

Ver Ejemplo 2
Halla los números que faltan y que hacen equivalentes las fracciones.

21. $\frac{3}{7} = \frac{\square}{35}$ **22.** $\frac{6}{48} = \frac{1}{\square}$ **23.** $\frac{2}{5} = \frac{28}{\square}$ **24.** $\frac{12}{18} = \frac{\square}{3}$

25. $\frac{2}{7} = \frac{\square}{21}$ **26.** $\frac{8}{32} = \frac{\square}{4}$ **27.** $\frac{2}{7} = \frac{40}{\square}$ **28.** $\frac{3}{5} = \frac{21}{\square}$

Ver Ejemplo 3
Escribe cada fracción en su mínima expresión.

29. $\frac{2}{8}$ **30.** $\frac{10}{15}$ **31.** $\frac{6}{30}$ **32.** $\frac{6}{14}$

33. $\frac{12}{16}$ **34.** $\frac{4}{28}$ **35.** $\frac{4}{8}$ **36.** $\frac{10}{35}$

PRÁCTICA Y RESOLUCIÓN DE PROBLEMAS

Práctica adicional
Ver página 720

Escribe las fracciones equivalentes que se representan en cada dibujo.

37.

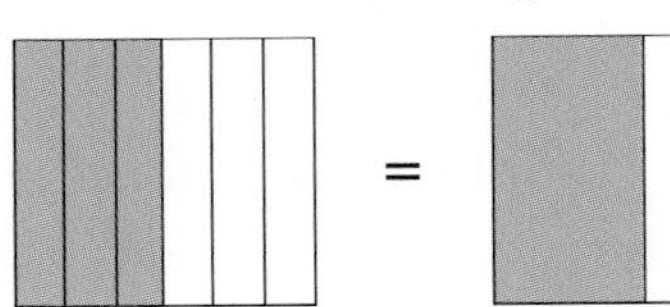

38.

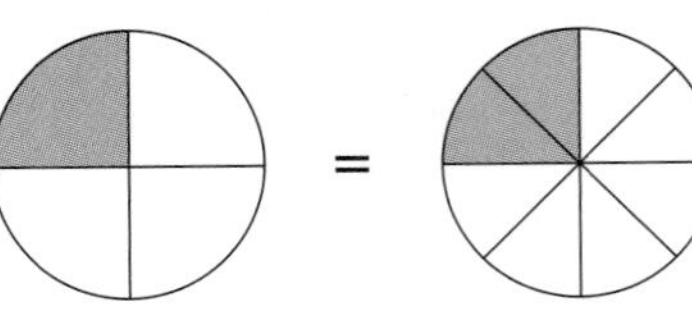

39.

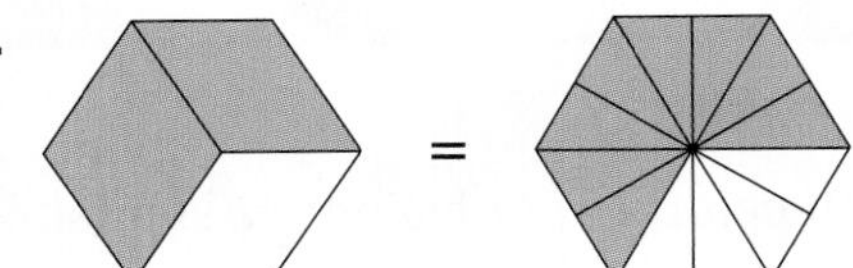

40.

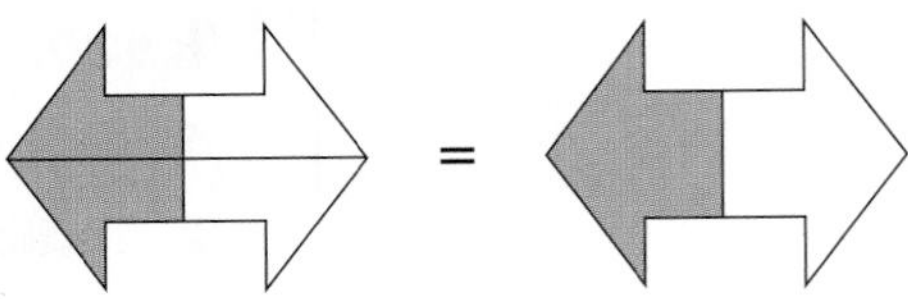

Escribe cada fracción en su mínima expresión. Muestra dos maneras de simplificar.

41. $\frac{5}{20}$ **42.** $\frac{4}{52}$ **43.** $\frac{14}{35}$ **44.** $\frac{112}{220}$

CONEXIÓN con los estudios sociales

El Old City Market es un mercado público en Charleston, Carolina del Sur. Artistas del lugar, artesanos y vendedores exhiben y venden sus artículos en puestos abiertos.

45. Puedes comprar comida, como las galletas de ajonjolí del sur, en $\frac{1}{10}$ de los puestos. Escribe dos fracciones equivalentes a $\frac{1}{10}$.

46. Las canastas de paja tejidas a mano son una especialidad de la región. En promedio, 8 de cada 10 canastas vendidas se tejen en el mercado. Escribe una fracción que represente "8 de 10". Luego, escríbela en su mínima expresión.

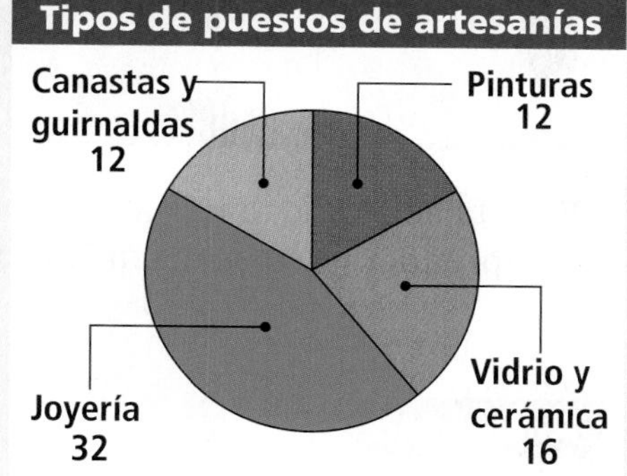

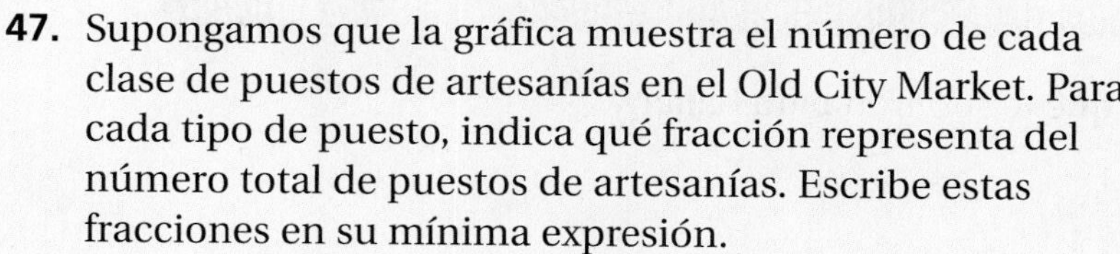

47. Supongamos que la gráfica muestra el número de cada clase de puestos de artesanías en el Old City Market. Para cada tipo de puesto, indica qué fracción representa del número total de puestos de artesanías. Escribe estas fracciones en su mínima expresión.

48. Los clientes pueden comprar paquetes de arroz seco y frijoles, con los que se hace una sopa. Una receta de la sopa requiere $\frac{1}{2}$ cdta de albahaca. ¿Cómo puedes medir la albahaca si sólo tienes una medida de $\frac{1}{4}$ cdta? ¿Qué haces si tienes una medida de $\frac{1}{8}$ cdta?

49. **Escríbelo** La receta también requiere $\frac{1}{4}$ cdta de pimienta. ¿Cuántas fracciones son equivalentes a $\frac{1}{4}$? Explica.

50. **Desafío** La platería es popular en el mercado. Supongamos que en un puesto de joyería hay 28 brazaletes de los cuales $\frac{3}{7}$ tienen rubíes. ¿Cuántos brazaletes tienen rubíes?

PREPARACIÓN PARA EL EXAMEN y repaso en espiral

51. **Opción múltiple** ¿Qué fracción NO es equivalente a $\frac{1}{6}$?

Ⓐ $\frac{2}{12}$ Ⓑ $\frac{6}{1}$ Ⓒ $\frac{3}{18}$ Ⓓ $\frac{6}{36}$

52. **Opción múltiple** ¿Qué denominador hace equivalentes las fracciones $\frac{7}{28}$ y $\frac{21}{\square}$?

Ⓕ 3 Ⓖ 4 Ⓗ 84 Ⓙ 112

Resuelve cada ecuación. Comprueba tu respuesta. (Lección 2-7)

53. $\frac{x}{3} = 15$ **54.** $8 = \frac{h}{8}$ **55.** $\frac{w}{2} = 9$ **56.** $\frac{p}{5} = 10$

Escribe cada fracción o número mixto como decimal. (Lección 4-4)

57. $\frac{2}{3}$ **58.** $\frac{7}{8}$ **59.** $3\frac{1}{5}$ **60.** $2\frac{9}{16}$

Explorar la medición con fracciones

Para usar con la Lección 4-5

Observa una regla común. Probablemente tiene marcas para pulgadas, medias pulgadas, cuartos de pulgada, octavos de pulgada y dieciseisavos de pulgada.

En esta actividad, harás algunas reglas que te servirán para hallar y comprender fracciones equivalentes.

Actividad

1 Necesitarás cuatro tiras de papel. En una tira, haz una marca con tu regla cada media pulgada. Numera cada marca, empezando por 0. Escribe en la tira "regla de media pulgada".

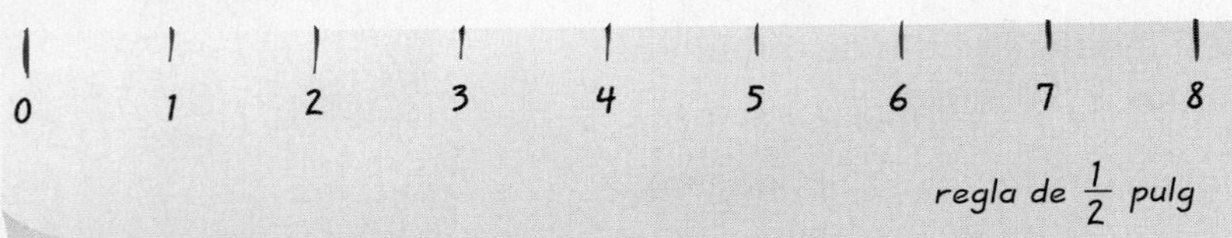

En la segunda tira, haz una marca en cada cuarto de pulgada. Aquí también numera cada marca, empezando con 0. Escribe en la tira "regla de un cuarto de pulgada".

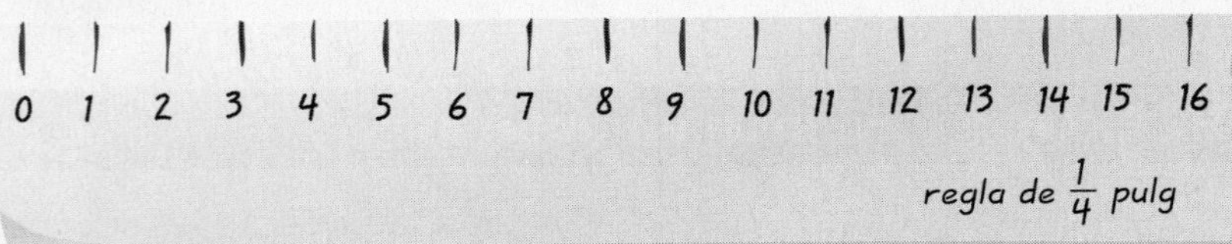

Haz lo mismo con las reglas de octavos y dieciseisavos de pulgada.

2 Ahora usa la regla de media pulgada que hiciste para medir el segmento de recta verde de la derecha. ¿Cuántas medias pulgadas mide?

Con la regla de cuartos de pulgada vuelve a medir el segmento. ¿Cuántos cuartos de pulgada mide?

¿Cuántos octavos de pulgada mide?

¿Cuántos dieciseisavos de pulgada?

Llena los espacios en blanco: $\frac{1}{2} = \frac{\blacksquare}{4} = \frac{\blacksquare}{8} = \frac{\blacksquare}{16}$.

3 Usa tu regla de cuartos de pulgada para medir el segmento de recta verde que está abajo.

¿Cuánto mide el segmento?

Ahora usa tu regla de octavos de pulgada para medir otra vez el segmento. ¿Cuántos octavos de pulgada mide?

¿Cuántos dieciseisavos de pulgada?

Llena los espacios en blanco: $\frac{3}{4} = \frac{\blacksquare}{8} = \frac{\blacksquare}{16}$.

Razonar y comentar

1. ¿Cómo muestra una regla que las fracciones equivalentes tienen el mismo valor?
2. Examina tus listas de fracciones equivalentes de los puntos **2** y **3**. ¿Observas patrones? Descríbelos.
3. Usa tus reglas para medir un objeto de más de una pulgada. Usa tus mediciones para escribir fracciones equivalentes. ¿Qué observas en estas fracciones?

Inténtalo

1. Usa tus reglas para medir la longitud de los siguientes objetos. Usa tus mediciones para escribir fracciones equivalentes.

2. Usa tus reglas para medir diversos objetos de tu salón. Usa tus mediciones para escribir fracciones equivalentes.

4-6 Números mixtos y fracciones impropias

Aprender a convertir entre números mixtos y fracciones impropias

Vocabulario

fracción impropia

fracción propia

¿Has visto un eclipse total de Sol? Ocurre cuando se bloquea completamente la luz del Sol. Un eclipse total es raro. En la parte continental de Estados Unidos, sólo se han visto tres desde 1963.

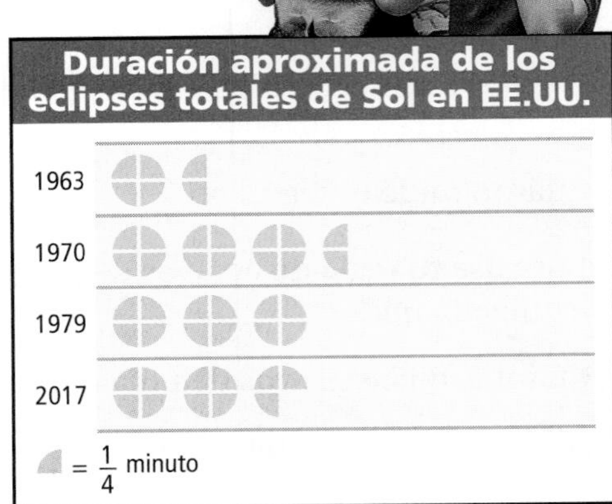

En la gráfica se muestra que el eclipse de 2017 durará $2\frac{3}{4}$ minutos. Hay once secciones de $\frac{1}{4}$ de minuto, por lo tanto, $2\frac{3}{4} = \frac{11}{4}$.

Leer matemáticas

$\frac{11}{4}$ quiere decir "once cuartos".

Una **fracción impropia** es aquella en la que el numerador es mayor o igual que el denominador, como $\frac{11}{4}$.

Es posible escribir números cabales como fracciones impropias. El número cabal es el numerador y el denominador es 1. Por ejemplo, $7 = \frac{7}{1}$.

Cuando el numerador es menor que el denominador, la fracción se conoce como **fracción propia.**

Fracciones impropias y propias		
Fracciones impropias		
• El numerador es igual al denominador ➤ la fracción es igual a 1	$\frac{3}{3} = 1$	$\frac{102}{102} = 1$
• El numerador es mayor que el denominador ➤ la fracción es mayor que 1	$\frac{9}{5} > 1$	$\frac{13}{1} > 1$
Fracciones propias		
• El numerador es menor que el denominador ➤ la fracción es menor que 1	$\frac{2}{5} < 1$	$\frac{102}{351} < 1$

Puedes escribir una fracción impropia como número mixto.

EJEMPLO 1 *Aplicación a la astronomía*

El eclipse total de Sol más largo de los próximos 200 años tendrá lugar en 2186. Durará aproximadamente $\frac{15}{2}$ minutos. Escribe $\frac{15}{2}$ como número mixto.

Método 1: Usar un modelo

Dibuja cuadrados divididos en mitades. Sombrea 15 mitades.

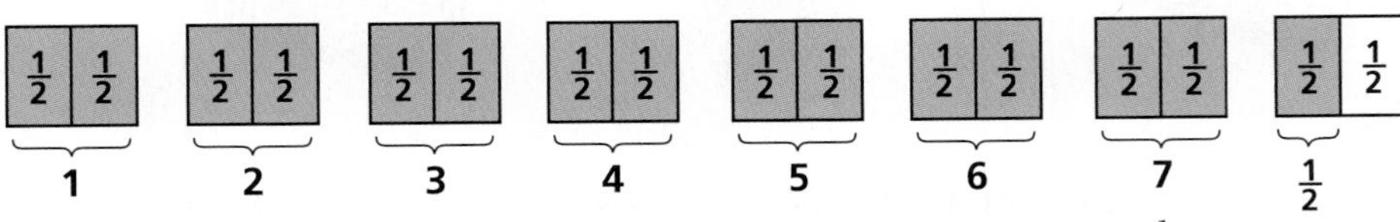

Están sombreados 7 cuadrados enteros y una mitad, o sea $7\frac{1}{2}$.

Método 2: Usar la división

$$\begin{array}{r} 7\frac{1}{2} \\ 2\overline{)15} \\ -14 \\ \hline 1 \end{array}$$

Divide el numerador entre el denominador.

Para formar la parte fraccional del cociente, usa el residuo como numerador y el divisor como denominador.

El eclipse de 2186 durará aproximadamente $7\frac{1}{2}$ minutos.

Los números mixtos pueden escribirse como fracciones impropias.

EJEMPLO 2 **Escribir números mixtos como fracciones impropias**

Escribe $2\frac{1}{5}$ como fracción impropia.

Método 1: Usar un modelo

Dibuja un diagrama para ilustrar el número cabal y la fracción.

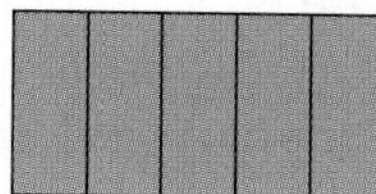
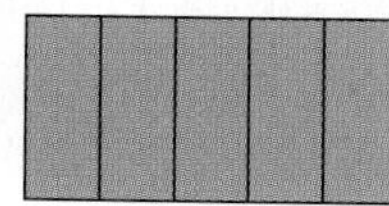
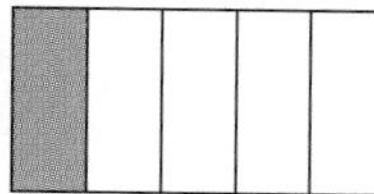

Hay 11 quintos, o sea $\frac{11}{5}$. *Cuenta los quintos del diagrama.*

Método 2: Usar la multiplicación y la suma

Cuando conviertes un número mixto en fracción impropia, procedes en espiral en el sentido de las manecillas del reloj, como se muestra en la ilustración. El orden de las operaciones te ayudará a recordar que multiplicas antes de sumar.

$$2\frac{1}{5} = \frac{(5 \cdot 2) + 1}{5}$$
$$= \frac{10 + 1}{5}$$
$$= \frac{11}{5}$$

Multiplica el número cabal por el denominador y suma el numerador. Conserva el mismo denominador.

Razonar y comentar

1. **Lee** cada fracción impropia: $\frac{10}{7}, \frac{25}{9}, \frac{31}{16}$.
2. **Indica** si cada fracción es menor que 1, igual a 1 ó mayor que 1: $\frac{21}{21}, \frac{54}{103}, \frac{9}{11}, \frac{7}{3}$.
3. **Explica** por qué cualquier número mixto escrito en forma de fracción será una fracción impropia.

4-6 Ejercicios

go.hrw.com
Ayuda en línea para tareas*
CLAVE: MR7 4-6
Recursos en línea para padres
CLAVE: MR7 Parent
*(Disponible sólo en inglés)

PRÁCTICA GUIADA

Ver Ejemplo 

1. El quinto meteorito más grande encontrado en Estados Unidos se llama Navajo. El Navajo pesa $\frac{12}{5}$ toneladas. Escribe $\frac{12}{5}$ como número mixto.

Ver Ejemplo 

Escribe cada número mixto como fracción impropia.

2. $1\frac{1}{4}$ **3.** $2\frac{2}{3}$ **4.** $1\frac{2}{7}$ **5.** $2\frac{2}{5}$

PRÁCTICA INDEPENDIENTE

Ver Ejemplo 

6. Astronomía Saturno es el sexto planeta a partir del Sol. Saturno tarda $\frac{59}{2}$ años en dar una vuelta alrededor del Sol. Escribe $\frac{59}{2}$ como número mixto.

7. Astronomía Plutón tiene en su superficie la menor gravedad de todos los planetas del Sistema Solar. Una persona que pesa 143 libras en la Tierra pesa $\frac{43}{5}$ en Plutón. Escribe $\frac{43}{5}$ como número mixto.

Ver Ejemplo 

Escribe cada número mixto como fracción impropia.

8. $1\frac{3}{5}$ **9.** $2\frac{2}{9}$ **10.** $3\frac{1}{7}$ **11.** $4\frac{1}{3}$

12. $2\frac{3}{8}$ **13.** $4\frac{1}{6}$ **14.** $1\frac{4}{9}$ **15.** $3\frac{4}{5}$

PRÁCTICA Y RESOLUCIÓN DE PROBLEMAS

Práctica adicional
Ver página 721

Escribe cada fracción impropia como número mixto o número cabal. Indica si tu respuesta es un número mixto o un número cabal.

16. $\frac{21}{4}$ **17.** $\frac{32}{8}$ **18.** $\frac{20}{3}$ **19.** $\frac{43}{5}$

20. $\frac{108}{9}$ **21.** $\frac{87}{10}$ **22.** $\frac{98}{11}$ **23.** $\frac{105}{7}$

Escribe cada número mixto como fracción impropia.

24. $9\frac{1}{4}$ **25.** $4\frac{9}{11}$ **26.** $11\frac{4}{9}$ **27.** $18\frac{3}{5}$

28. Medición Las dimensiones reales de un trozo de madera de 2 × 4 son $1\frac{1}{2}$ pulgada y $3\frac{1}{2}$ pulgadas. Escribe estos números como fracciones impropias.

Sustituye cada cuadrado y cada círculo por un número que haga correcta la ecuación.

29. $\blacksquare\frac{2}{5} = \frac{17}{\bullet}$ **30.** $\blacksquare\frac{6}{11} = \frac{83}{\bullet}$ **31.** $\blacksquare\frac{1}{9} = \frac{118}{\bullet}$

32. $\blacksquare\frac{6}{7} = \frac{55}{\bullet}$ **33.** $\blacksquare\frac{9}{10} = \frac{29}{\bullet}$ **34.** $\blacksquare\frac{1}{3} = \frac{55}{\bullet}$

35. Daniel diseña vestuario para películas y videos musicales. Recientemente compró $\frac{256}{9}$ yardas de tela metálica para trajes espaciales. Escribe un número mixto que represente el número de yardas de tela que compró Daniel.

Escribe la fracción impropia como decimal. Luego usa $<$, $>$ ó $=$ para comparar.

36. $\frac{7}{5}$ $\blacksquare$ 1.8 **37.** 6.875 $\blacksquare$ $\frac{55}{8}$ **38.** $\frac{27}{2}$ $\blacksquare$ 13 **39.** $\frac{20}{5}$ $\blacksquare$ 4.25

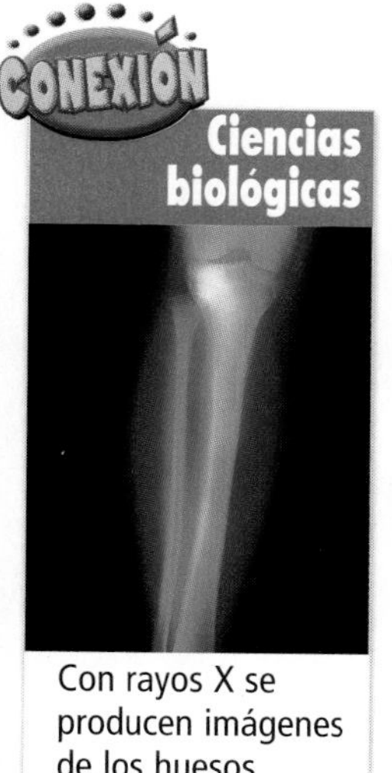

Con rayos X se producen imágenes de los huesos.

go.hrw.com
¡Web Extra!
CLAVE: MR7 X-ray

Ciencias biológicas **En la tabla se enumeran las longitudes de los huesos más largos del cuerpo humano. Usa la tabla para los Ejercicios del 40 al 42.**

40. Escribe la longitud del cúbito como fracción impropia. Luego, haz lo mismo con la longitud del húmero.

41. Escribe la longitud del peroné como número mixto. Haz lo mismo con la longitud del fémur.

42. Escribe cada longitud como número mixto. Compara la parte de número cabal de cada longitud para escribir los huesos del más largo al más corto.

43. **Estudios sociales** El país europeo de Mónaco tiene sólo una extensión de $1\frac{4}{5}$ km^2. Es uno de los países más pequeños del mundo. Escribe $1\frac{4}{5}$ como fracción impropia.

44. **¿Cuál es la pregunta?** La duración de las tres películas favoritas de Víctor son $\frac{11}{4}$ horas, $\frac{9}{4}$ horas y $\frac{7}{4}$ horas. La respuesta es $2\frac{1}{4}$ horas. ¿Cuál es la pregunta?

45. **Escríbelo** Dibuja modelos que representen $\frac{4}{4}$, $\frac{5}{5}$ y $\frac{9}{9}$. Explica con tus modelos por qué una fracción cuyo numerador es igual a su denominador es igual a 1.

46. **Desafío** Escribe $\frac{65}{12}$ como decimal.

Huesos humanos más largos	
Peroné (parte ext. baja de la pierna)	$\frac{81}{2}$ cm
Cúbito (parte int. baja del brazo)	$28\frac{1}{5}$ cm
Fémur (parte alta de la pierna)	$\frac{101}{2}$ cm
Húmero (parte alta del brazo)	$36\frac{1}{2}$ cm
Tibia (parte int. baja de la pierna)	43 cm

Preparación para el examen y repaso en espiral

47. **Opción múltiple** ¿Cuál de las opciones es $3\frac{2}{11}$ escrito como fracción impropia?

Ⓐ $\frac{35}{11}$ Ⓑ $\frac{35}{3}$ Ⓒ $\frac{33}{22}$ Ⓓ $\frac{70}{11}$

48. **Opción múltiple** Se necesitan $\frac{24}{5}$ de lápices nuevos colocados en línea para lograr una longitud de una yarda. ¿Cuál de las siguientes es esta fracción impropia escrita como un número mixto?

Ⓕ $3\frac{4}{5}$ Ⓖ $4\frac{1}{4}$ Ⓗ $4\frac{1}{5}$ Ⓙ $4\frac{4}{5}$

Ordena los números de menor a mayor. (Lección 1-1)

49. 1,497; 2,560; 1,038 **50.** 10,462; 9,198; 11,320 **51.** 4,706; 11,765; 1,765

Estima un rango para cada suma. (Lección 3-2)

52. 19.85 + 6.7 + 12.4 **53.** 2.456 + 8.3 + 11.05 **54.** 15.36 + 10.75 + 6.1

Anota todos los factores de cada número. (Lección 4-2)

55. 57 **56.** 36 **57.** 54

SECCIÓN 4B

Prueba de las Lecciones 4-4 a 4-6

4-4 Decimales y fracciones

Escribe cada decimal como fracción.

1. 0.67 **2.** 0.9 **3.** 0.43

Escribe cada fracción como decimal.

4. $\frac{2}{5}$ **5.** $\frac{1}{6}$ **6.** $\frac{3}{4}$

Compara. Escribe <, > ó =.

7. $\frac{7}{10}$ ■ 0.9 **8.** 0.4 ■ $\frac{2}{5}$ **9.** $\frac{3}{5}$ ■ 0.5

10. Jamal respondió correctamente $\frac{4}{5}$ de las preguntas de su prueba. Dominic respondió bien 0.75 de las preguntas. ¿Quién respondió bien más preguntas?

4-5 Fracciones equivalentes

Escribe dos fracciones equivalentes de cada fracción.

11. $\frac{9}{12}$ **12.** $\frac{18}{42}$ **13.** $\frac{25}{30}$

Escribe cada fracción en su mínima expresión.

14. $\frac{20}{24}$ **15.** $\frac{14}{49}$ **16.** $\frac{12}{28}$

17. Mandy comió $\frac{1}{6}$ de una pizza. Escribe dos fracciones equivalentes a $\frac{1}{6}$.

18. Liane está preparando ensalada de frutas. La receta requiere $\frac{1}{2}$ taza de coco rallado. Liane sólo tiene una medida de $\frac{1}{4}$ de taza. ¿Cómo puede medir la cantidad correcta de $\frac{1}{2}$ taza?

4-6 Números mixtos y fracciones impropias

Reemplaza cada figura por un número que haga correcta la ecuación.

19. $■\frac{2}{7} = \frac{9}{●}$ **20.** $6\frac{■}{8} = \frac{49}{●}$ **21.** $■\frac{4}{9} = \frac{157}{●}$

Usa la tabla para los Ejercicios del 22 al 24.

22. Escribe las duraciones de *1900* e *Imperio* como números mixtos en su mínima expresión.

23. Escribe las duraciones de *Fanny y Alexander* y *La guerra y la paz* como fracciones impropias.

24. Escribe las películas en orden, de la más larga a la más corta.

25. El murciélago probóscide, que mide $\frac{19}{5}$ cm de longitud, es uno de los murciélagos más pequeños. Escribe $\frac{19}{5}$ como número mixto.

Las películas más largas del mundo

Título	Duración (h)
1900	$\frac{318}{60}$
Imperio	$\frac{480}{60}$
Fanny y Alexander	$5\frac{1}{5}$
La guerra y la paz	$8\frac{31}{60}$

¿Listo para seguir?

Enfoque en resolución de problemas

Comprende el problema

• Escribe el problema con tus propias palabras

Una forma de comprender mejor un problema es escribirlo con tus propias palabras. Antes de hacerlo, quizá necesites leerlo varias veces, incluso en voz alta para que te escuches al pronunciarlo.

Cuando escribas un problema con tus propias palabras, trata de simplificarlo. Usa palabras y oraciones más cortas. Deja fuera la información adicional, pero asegúrate de incluir toda la información que necesitas para responder a la pregunta.

Escribe cada problema con tus propias palabras. Comprueba que incluiste toda la información que necesitas para responder a la pregunta.

1. Martin hace panecillos para la venta de pastelería de su clase. La receta indica $2\frac{1}{3}$ tazas de harina, pero la taza de medir de Martin es $\frac{1}{3}$ de taza. ¿Cuántas veces debe usar su taza de medir?

2. Mario vendió un libro viejo a una tienda de libros usados. Esperaba venderlo en $0.80, pero le dieron $\frac{3}{4}$ de dólar. ¿Cuál es la diferencia entre las dos cantidades?

3. Los koalas del este de Australia se alimentan principalmente de hojas de eucalipto. Eligen ciertos árboles para hallar $1\frac{1}{4}$ libra de comida que necesitan a diario. Supongamos que un koala comió $1\frac{1}{8}$ libra de comida. ¿Ha comido suficiente por ese día?

4. El primer día del Tour de Francia se llama prólogo. Los días siguientes se llaman etapas, y en cada una se recorre una distancia diferente. La distancia total de la carrera es aproximadamente 3,600 km. Si un ciclista completó $\frac{1}{3}$ de la carrera, ¿cuántos kilómetros ha recorrido?

4-7 Cómo comparar y ordenar fracciones

Aprender a usar representaciones gráficas y rectas numéricas para comparar y ordenar fracciones

Vocabulario

fracciones semejantes

fracciones distintas

denominador común

Rachel y Hannah cocinan unas galletas que se llaman *hamantaschen.* Tienen $\frac{1}{2}$ taza de mermelada de fresa, pero en la receta se indica $\frac{1}{3}$.

Hamantaschen
1/2 taza de mantequilla
2 yemas de huevo
1 1/2 taza de harina
2 cdas de azúcar
3 cdas de agua helada
1/3 de taza de mermelada de fresa

Para determinar si tienen suficiente para la receta, necesitan comparar las fracciones $\frac{1}{2}$ y $\frac{1}{3}$.

Cuando comparas fracciones, primero comprueba sus denominadores. Cuando las fracciones tienen el mismo denominador, se llaman **fracciones semejantes.** Por ejemplo, $\frac{1}{8}$ y $\frac{5}{8}$ son fracciones semejantes. Cuando dos fracciones tienen diferente denominador, se llaman **fracciones distintas.** Por ejemplo, $\frac{7}{10}$ y $\frac{1}{2}$ son fracciones distintas.

EJEMPLO 1 Comparar fracciones semejantes

Pista útil

Cuando dos fracciones tienen el mismo denominador, la mayor es la que tiene el numerador más grande.

$\frac{2}{5} < \frac{3}{5}$ $\frac{3}{8} > \frac{1}{8}$

Compara. Escribe <, > ó =.

A $\frac{1}{8}$ ▒ $\frac{5}{8}$

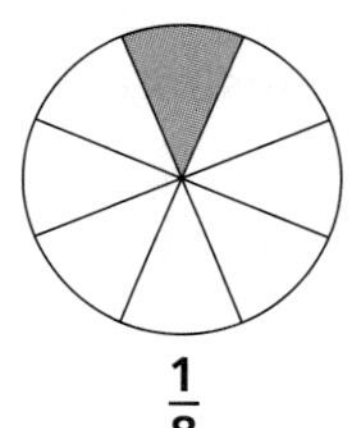

$\frac{1}{8}$

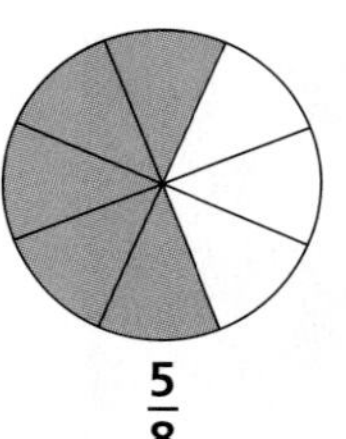

$\frac{5}{8}$

Haz un modelo de $\frac{1}{8}$ y $\frac{5}{8}$.

Según el modelo, $\frac{1}{8} < \frac{5}{8}$.

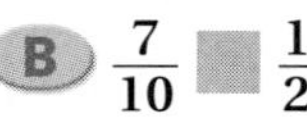

B $\frac{7}{10}$ ▒ $\frac{1}{2}$

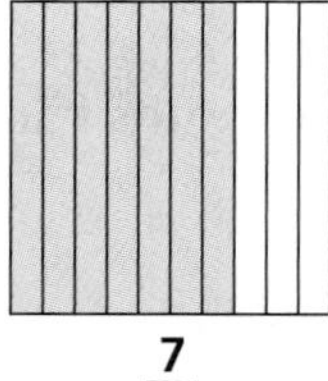

$\frac{7}{10}$

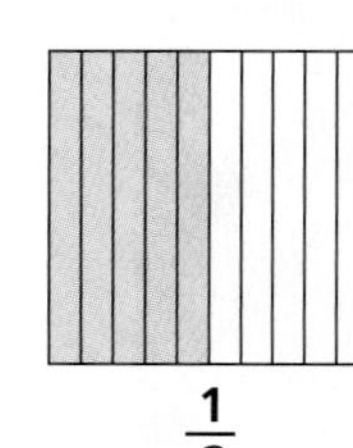

$\frac{1}{2}$

Haz un modelo de $\frac{7}{10}$ y $\frac{1}{2}$.

Según el modelo, $\frac{7}{10} > \frac{1}{2}$.

Para comparar fracciones distintas sin modelos, primero convierte las fracciones de modo que tengan el mismo denominador. Esto se llama hallar un **denominador común.** Este método también se puede usar para comparar números mixtos.

EJEMPLO 2 *Aplicación a la cocina*

Rachel y Hannah tienen $1\frac{2}{3}$ taza de harina. Necesitan $1\frac{1}{2}$ taza para hacer hamantaschen. ¿Tienen suficiente harina para la receta?

Compara $1\frac{2}{3}$ y $1\frac{1}{2}$.

Compara las partes de número cabal de los números.
$1 = 1$ Las partes de número cabal son iguales.

Compara las partes fraccionales. Halla un denominador común multiplicando los denominadores. $2 \cdot 3 = 6$

Halla fracciones equivalentes con 6 como denominador.

$$\frac{2}{3} = \frac{\blacksquare}{6} \qquad \frac{1}{2} = \frac{\blacksquare}{6}$$

$$\frac{2 \cdot 2}{3 \cdot 2} = \frac{4}{6} \qquad \frac{1 \cdot 3}{2 \cdot 3} = \frac{3}{6}$$

$$\frac{2}{3} = \frac{4}{6} \qquad \frac{1}{2} = \frac{3}{6}$$

Compara las fracciones semejantes. $\frac{4}{6} > \frac{3}{6}$, por lo tanto $\frac{2}{3} > \frac{1}{2}$.

Por lo tanto, $1\frac{2}{3}$ es más que $1\frac{1}{2}$.

Como $1\frac{2}{3}$ taza es más que $1\frac{1}{2}$ taza, Rachel y Hannah tienen suficiente harina.

EJEMPLO 3 **Ordenar fracciones**

Ordena $\frac{3}{7}$, $\frac{3}{4}$ y $\frac{1}{4}$ de menor a mayor.

$\frac{3 \cdot 4}{7 \cdot 4} = \frac{12}{28}$ $\quad \frac{3 \cdot 7}{4 \cdot 7} = \frac{21}{28}$ $\quad \frac{1 \cdot 7}{4 \cdot 7} = \frac{7}{28}$ *Convierte con denominadores iguales.*

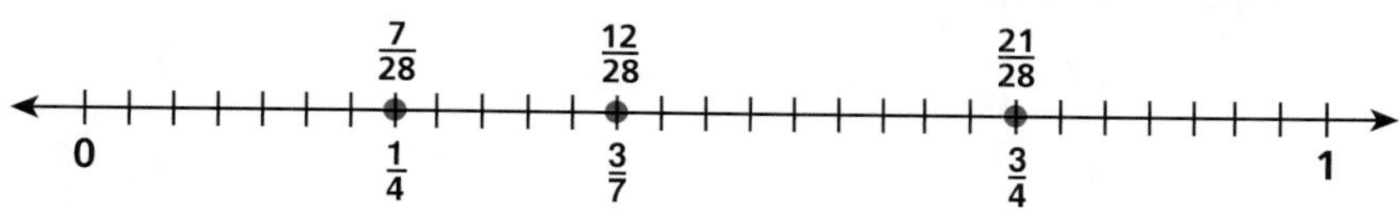

Las fracciones en orden de menor a mayor son $\frac{1}{4}$, $\frac{3}{7}$, $\frac{3}{4}$.

¡Recuerda!

El valor de los números aumenta de izquierda a derecha en la recta numérica.

Razonar y comentar

1. **Indica** si los valores de las fracciones cambian cuando conviertes dos fracciones para que tengan denominadores comunes.
2. **Explica** cómo comparar $\frac{2}{5}$ y $\frac{4}{5}$.

4-7 Ejercicios

go.hrw.com
Ayuda en línea para tareas*
CLAVE: MR7 4-7
Recursos en línea para padres
CLAVE: MR7 Parent
*(Disponible sólo en inglés)

PRÁCTICA GUIADA

Ver Ejemplo 

Compara. Escribe <, > ó =.

1. $\frac{3}{5} \square \frac{2}{5}$ 2. $\frac{1}{9} \square \frac{2}{9}$ 3. $\frac{6}{8} \square \frac{3}{4}$ 4. $\frac{3}{7} \square \frac{6}{7}$

Ver Ejemplo 

5. Arsenio tiene $\frac{2}{3}$ de taza de azúcar morena. La receta requiere $\frac{1}{4}$. ¿Tiene suficiente azúcar morena para la receta? Explica tu respuesta.

Ver Ejemplo 

Ordena las fracciones de menor a mayor.

6. $\frac{3}{8}, \frac{1}{5}, \frac{2}{3}$ 7. $\frac{1}{4}, \frac{2}{5}, \frac{1}{3}$ 8. $\frac{5}{9}, \frac{1}{8}, \frac{2}{7}$ 9. $\frac{1}{2}, \frac{1}{6}, \frac{2}{3}$

PRÁCTICA INDEPENDIENTE

Ver Ejemplo 

Compara. Escribe = <, > ó =.

10. $\frac{2}{5} \square \frac{4}{5}$ 11. $\frac{1}{10} \square \frac{3}{10}$ 12. $\frac{3}{4} \square \frac{3}{8}$ 13. $\frac{5}{6} \square \frac{4}{6}$

14. $\frac{4}{5} \square \frac{5}{5}$ 15. $\frac{2}{4} \square \frac{1}{2}$ 16. $\frac{4}{8} \square \frac{16}{24}$ 17. $\frac{11}{16} \square \frac{9}{16}$

Ver Ejemplo 

18. Kelly necesita $\frac{2}{3}$ de galón de pintura para terminar de pintar el piso del patio. Tiene $\frac{5}{8}$ de galón. ¿Es suficiente pintura para acabar de pintar el piso del patio? Explica.

Ver Ejemplo 

Ordena las fracciones de menor a mayor.

19. $\frac{1}{2}, \frac{3}{5}, \frac{3}{7}$ 20. $\frac{1}{6}, \frac{2}{5}, \frac{1}{4}$ 21. $\frac{4}{9}, \frac{3}{8}, \frac{1}{3}$ 22. $\frac{1}{4}, \frac{5}{6}, \frac{5}{9}$

23. $\frac{3}{4}, \frac{7}{10}, \frac{2}{3}$ 24. $\frac{13}{18}, \frac{5}{9}, \frac{5}{6}$ 25. $\frac{3}{8}, \frac{1}{4}, \frac{2}{3}$ 26. $\frac{3}{10}, \frac{2}{3}, \frac{5}{11}$

PRÁCTICA Y RESOLUCIÓN DE PROBLEMAS

Práctica adicional
Ver página 721

Compara. Escribe <, > ó =.

27. $\frac{4}{15} \square \frac{3}{10}$ 28. $\frac{7}{12} \square \frac{13}{30}$ 29. $\frac{5}{9} \square \frac{4}{11}$ 30. $\frac{8}{14} \square \frac{8}{9}$

31. $\frac{3}{5} \square \frac{26}{65}$ 32. $\frac{3}{5} \square \frac{2}{21}$ 33. $\frac{24}{41} \square \frac{2}{7}$ 34. $\frac{10}{38} \square \frac{1}{4}$

Ordena las fracciones de menor a mayor.

35. $\frac{2}{5}, \frac{1}{2}, \frac{3}{10}$ 36. $\frac{3}{4}, \frac{3}{5}, \frac{7}{10}$ 37. $\frac{7}{15}, \frac{2}{3}, \frac{1}{5}$ 38. $\frac{3}{4}, \frac{1}{3}, \frac{8}{15}$

39. $\frac{2}{5}, \frac{4}{9}, \frac{11}{15}$ 40. $\frac{7}{12}, \frac{5}{8}, \frac{1}{2}$ 41. $\frac{5}{8}, \frac{3}{4}, \frac{5}{12}$ 42. $\frac{2}{3}, \frac{7}{8}, \frac{7}{15}$

43. Laura y Kim reciben la misma mesada semanal. Laura gasta $\frac{3}{5}$ de la suya en ir al cine. Kim gasta $\frac{4}{7}$ de la suya en un disco compacto. ¿Quién gastó más? Explica.

44. Kyle maneja un carro de hot dogs en una ciudad grande. Gasta $\frac{2}{5}$ de su presupuesto en suministros, $\frac{1}{12}$ en publicidad y $\frac{2}{25}$ en impuestos y cuotas. ¿Gasta más en publicidad o en impuestos y cuotas?

CONEXIÓN
Agricultura

Hay más de 3,500 usos para los derivados del maíz, desde combustible de etanol y productos industriales hasta artículos para el hogar como los que se ven arriba.

Ordena los números de menor a mayor.

45. $1\frac{2}{5}, 1\frac{1}{8}, 3\frac{4}{5}, 3, 3\frac{2}{5}$

46. $7\frac{1}{2}, 9\frac{4}{7}, 9\frac{1}{2}, 8, 8\frac{3}{4}$

47. $\frac{1}{2}, 3\frac{1}{5}, 3\frac{1}{10}, \frac{3}{4}, 3\frac{1}{15}$

48. Agricultura En la tabla se muestra una fracción de la producción mundial de maíz por países. Haz una lista de los países, del que produce más al que produce menos.

Producción mundial de maíz	
Estados Unidos	$\frac{41}{100}$
China	$\frac{1}{5}$
Brasil	$\frac{1}{20}$

49. Varios pasos Los Dragones de Dixon deben ganar por lo menos $\frac{3}{7}$ de los partidos que restan para calificar a la postemporada. Si les quedan 15 partidos y ganan 7, ¿competirán en la postemporada? Explica tu respuesta.

50. Escribe un problema Escribe un problema que consista en comparar dos fracciones con denominadores diferentes.

51. Escríbelo Compara las siguientes fracciones.

$\frac{1}{2}$ ■ $\frac{1}{4}$ $\frac{2}{3}$ ■ $\frac{2}{5}$ $\frac{3}{4}$ ■ $\frac{3}{7}$ $\frac{4}{5}$ ■ $\frac{4}{9}$

¿Qué observas en dos fracciones que tengan el mismo numerador y diferente denominador? ¿Cuál es más grande?

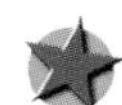

52. Desafío Indica una fracción que haga verdadera la desigualdad.

$$\frac{1}{4} > ■ > \frac{1}{5}$$

PREPARACIÓN PARA EL EXAMEN y repaso en espiral

53. Opción múltiple ¿Qué fracción tiene el menor valor?

Ⓐ $\frac{1}{5}$ Ⓑ $\frac{3}{11}$ Ⓒ $\frac{2}{15}$ Ⓓ $\frac{4}{18}$

54. Respuesta desarrollada Kevin está haciendo sopa de papas. La receta dice que él necesita $\frac{1}{2}$ galón de leche y 3.5 libras de papas. Tiene $\frac{2}{5}$ de galón de leche y $\frac{21}{5}$ de libras de papas. ¿Le alcanzan la leche y las papas que tiene para hacer la sopa? Muestra tu trabajo y explica tu respuesta.

Escribe cada número en notación científica. (Lección 3-4)

55. 45 **56.** 405,000 **57.** 1,600,000 **58.** 23,000,000

Escribe cada fracción en su mínima expresión. (Lección 4-5)

59. $\frac{3}{36}$ **60.** $\frac{4}{42}$ **61.** $\frac{6}{20}$ **62.** $\frac{12}{30}$ **63.** $\frac{5}{55}$

4-8 Cómo sumar y restar fracciones semejantes

Aprender a sumar y restar fracciones con denominadores semejantes

Puedes estimar la edad de un roble midiendo la distancia alrededor del tronco a una altura de cuatro pies del suelo.

La distancia alrededor del tronco de un roble joven aumenta cada mes a un ritmo aproximado de $\frac{1}{8}$ de pulgada.

EJEMPLO 1 ***Aplicación a las ciencias biológicas***

Sophie planta un roble joven en su patio. La distancia alrededor del tronco aumenta a un ritmo de $\frac{1}{8}$ de pulgada por mes. Usa figuras para hacer un modelo de cuánto aumentará esa distancia en dos meses y escribe tu respuesta en su mínima expresión.

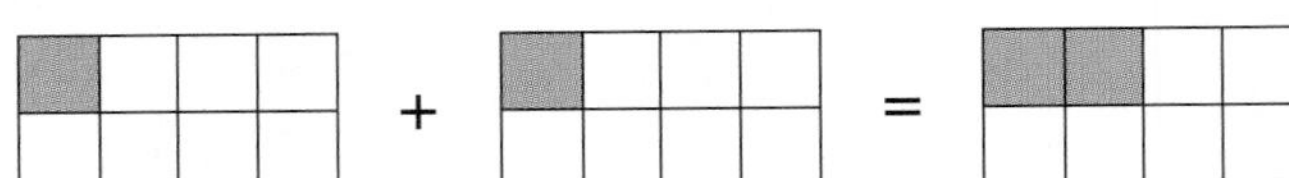

$\frac{1}{8} + \frac{1}{8}$

$\frac{1}{8} + \frac{1}{8} = \frac{2}{8}$ *Suma los numeradores. Conserva el mismo denominador.*

$= \frac{1}{4}$ *Escribe la respuesta en su mínima expresión.*

La distancia alrededor del tronco aumentará $\frac{1}{4}$ de pulgada.

EJEMPLO 2 **Restar fracciones semejantes y números mixtos**

Resta. Escribe cada respuesta en su mínima expresión.

A $1 - \frac{2}{3}$

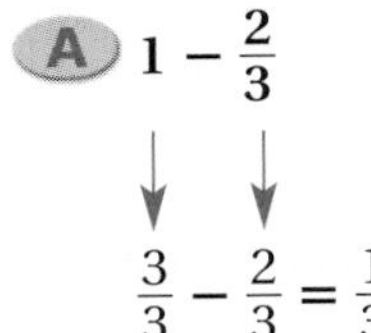

Para obtener un común denominador, vuelve a escribir 1 como fracción con un denominador de 3.

$\frac{3}{3} - \frac{2}{3} = \frac{1}{3}$ *Resta los numeradores. Conserva el mismo denominador.*

Comprueba.

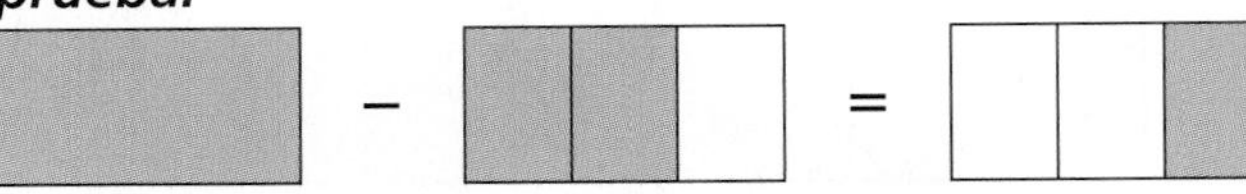

¡Recuerda!

Cuando el numerador es igual al denominador, la fracción es igual a 1.

$\frac{3}{3} = 1$ $\frac{173}{173} = 1$

Resta. Escribe cada respuesta en su mínima expresión.

B $3\frac{7}{12} - 1\frac{1}{12}$

$3\frac{7}{12} - 1\frac{1}{12}$ — *Resta las fracciones. Luego, resta los números cabales.*

$2\frac{6}{12}$

$2\frac{1}{2}$ — *Escribe tu respuesta en su mínima expresión.*

Comprueba.

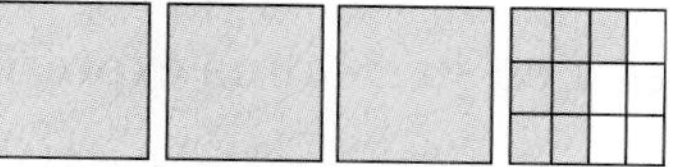

EJEMPLO 3

Evaluar expresiones con fracciones

Evalúa las expresiones para $x = \frac{3}{8}$. Escribe cada respuesta en su mínima expresión.

A $\frac{5}{8} - x$

$\frac{5}{8} - x$ — *Escribe la expresión.*

$\frac{5}{8} - \frac{3}{8} = \frac{2}{8}$ — *Sustituye x por $\frac{3}{8}$ y resta los numeradores. Conserva el mismo denominador.*

$= \frac{1}{4}$ — *Escribe tu respuesta en su mínima expresión.*

B $x + 1\frac{1}{8}$

$x + 1\frac{1}{8}$ — *Escribe la expresión.*

$\frac{3}{8} + 1\frac{1}{8} = 1\frac{4}{8}$ — *Sustituye x por $\frac{3}{8}$ y suma los numeradores. Conserva el mismo denominador.*

$= 1\frac{1}{2}$ — *Escribe tu respuesta en su mínima expresión.*

C $x + \frac{7}{8}$

$x + \frac{7}{8}$ — *Escribe la expresión.*

$\frac{3}{8} + \frac{7}{8} = \frac{10}{8}$ — *Sustituye x por $\frac{3}{8}$ y suma los numeradores. Conserva el mismo denominador.*

$= \frac{5}{4}$ ó $1\frac{1}{4}$ — *Escribe tu respuesta en su mínima expresión.*

Pista útil

Al sumar una fracción y un número mixto, considera la fracción como si tuviera un número cabal de 0.

$\frac{3}{8} = 0\frac{3}{8}$

Razonar y comentar

1. **Explica** cómo se suman o restan fracciones semejantes.
2. **Indica** por qué la suma de $\frac{1}{5}$ y $\frac{3}{5}$ no es $\frac{4}{10}$. Da la suma correcta.
3. **Describe** cómo sumarías $2\frac{3}{8}$ y $1\frac{1}{8}$. ¿Cómo restarías $1\frac{1}{8}$ de $2\frac{3}{8}$?

4-8 Ejercicios

go.hrw.com
Ayuda en línea para tareas*
CLAVE: MR7 4-8
Recursos en línea para padres
CLAVE: MR7 Parent
*(Disponible sólo en inglés)

PRÁCTICA GUIADA

Ver Ejemplo 1

1. Marta llena una cubeta con agua. La altura del agua aumenta $\frac{1}{6}$ de pie cada minuto. Usa figuras para hacer un modelo de cuánto cambiará la altura del agua en tres minutos y escribe tu respuesta en su mínima expresión.

Ver Ejemplo 2

Resta. Escribe cada respuesta en su mínima expresión.

2. $2 - \frac{3}{5}$
3. $8 - \frac{6}{7}$
4. $4\frac{2}{3} - 1\frac{1}{3}$
5. $8\frac{7}{12} - 3\frac{5}{12}$

Ver Ejemplo 3

Evalúa cada expresión para $x = \frac{3}{10}$. Escribe cada respuesta en su mínima expresión.

6. $\frac{9}{10} - x$
7. $x + \frac{1}{10}$
8. $x + \frac{9}{10}$
9. $x - \frac{1}{10}$

PRÁCTICA INDEPENDIENTE

Ver Ejemplo 1

10. Wesley bebe $\frac{2}{13}$ de galón de jugo cada día. Usa figuras para hacer un modelo del número de galones de jugo que bebe Wesley en 5 días y escribe tu respuesta en su mínima expresión.

Ver Ejemplo 2

Resta. Escribe cada respuesta en su mínima expresión.

11. $1 - \frac{5}{7}$
12. $1 - \frac{3}{8}$
13. $2\frac{4}{5} - 1\frac{1}{5}$
14. $9\frac{9}{14} - 5\frac{3}{14}$

Ver Ejemplo 3

Evalúa cada expresión para $x = \frac{11}{20}$. Escribe cada respuesta en su mínima expresión.

15. $x + \frac{13}{20}$
16. $x - \frac{3}{20}$
17. $x - \frac{9}{20}$
18. $x + \frac{17}{20}$

PRÁCTICA Y RESOLUCIÓN DE PROBLEMAS

Práctica adicional
Ver página 721

Escribe cada suma o diferencia en su mínima expresión.

19. $\frac{1}{16} + \frac{9}{16}$
20. $\frac{15}{26} - \frac{11}{26}$
21. $\frac{10}{33} + \frac{4}{33}$
22. $1 - \frac{9}{10}$
23. $\frac{26}{75} + \frac{24}{75}$
24. $\frac{100}{999} + \frac{899}{999}$
25. $37\frac{13}{18} - 24\frac{7}{18}$
26. $\frac{1}{20} + \frac{7}{20} + \frac{3}{20}$
27. $\frac{11}{24} + \frac{1}{24} + \frac{5}{24}$
28. Lily llevó $\frac{5}{6}$ lb de cacahuates a un juego de béisbol. Comió $\frac{2}{6}$ lb. ¿Cuántas libras de cacahuates le quedaron? Escribe la respuesta en su mínima expresión.

Evalúa. Escribe cada respuesta en su mínima expresión.

29. $a + \frac{7}{18}$ para $a = \frac{1}{18}$
30. $\frac{6}{13} - j$ para $j = \frac{4}{13}$
31. $c + c$ para $c = \frac{5}{14}$
32. $m - \frac{6}{17}$ para $m = 1$
33. $8\frac{14}{15} - z$ para $z = \frac{4}{15}$
34. $13\frac{1}{24} + y$ para $y = 2\frac{5}{24}$
35. Sheila pasó x de hora estudiando el martes y $\frac{1}{4}$ de hora el jueves. ¿Cuánto tiempo estudió Sheila en total si $x = \frac{2}{4}$?

La atrapamoscas de Venus, como otras plantas carnívoras, para adaptarse a un suelo sin suficientes nutrientes captura insectos. Sus trampas se cierran en una fracción de segundo y luego sus enzimas disuelven al insecto.

36. Carlos tenía 7 tazas de pedacitos de chocolate. Usó $1\frac{2}{3}$ de taza para hacer jarabe de chocolate y $3\frac{1}{3}$ tazas para hacer galletas. ¿Cuántas tazas de pedacitos de chocolate tiene ahora Carlos?

37. Un concierto duró $2\frac{1}{4}$ h. La primera pieza musical duró $\frac{1}{4}$ de h. El intermedio también duró $\frac{1}{4}$ h. ¿Cuánto duró el resto del concierto?

38. Un vuelo sale de Washington, D.C., hace escala en San Francisco y continúa a Seattle. El viaje a San Francisco dura $4\frac{5}{8}$ h. El viaje a Seattle dura $1\frac{1}{8}$ h. ¿Cuál es el tiempo total de vuelo?

Ciencias biológicas **Usa la gráfica para los Ejercicios del 39 al 41.**
Sheila realizó un experimento para hallar el mejor fertilizante de plantas. Usó diferente fertilizante con 5 plantas diferentes. En la gráfica se muestra la altura de las plantas al terminar el experimento.

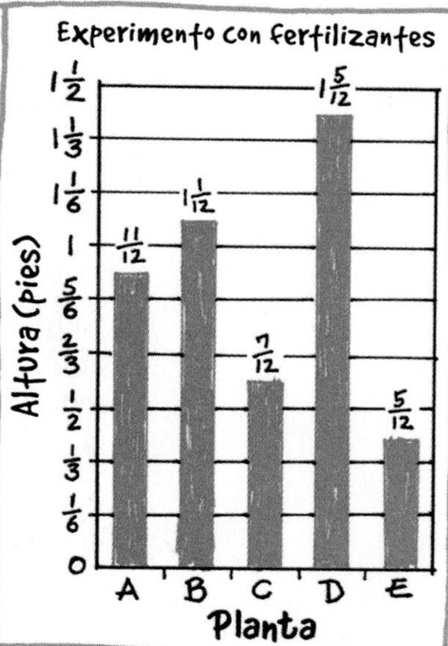

39. ¿Cuál es la altura combinada de las plantas C y E?

40. ¿Cuál es la diferencia de altura entre la planta más alta y la más corta?

41. **¿Dónde está el error?** Sheila calculó que la altura combinada de las plantas B y E es $1\frac{6}{24}$ pies. Explica el error y da la respuesta correcta en su mínima expresión.

42. **Escríbelo** Al escribir un 1 como fracción en un problema de resta, ¿cuáles deben ser el numerador y el denominador? Da un ejemplo.

43. **Desafío** Explica cómo estimarías la diferencia entre $\frac{3}{4}$ y $\frac{6}{23}$.

PREPARACIÓN PARA EL EXAMEN y repaso en espiral

44. **Opción múltiple** Resuelve. $x - \frac{6}{11} = \frac{5}{11}$

Ⓐ $\frac{1}{22}$ Ⓑ $\frac{1}{11}$ Ⓒ 1 Ⓓ 11

45. **Respuesta breve** Tu amigo faltó a clase y te pidió ayuda para hacer la tarea de matemáticas. Dale instrucciones detalladas sobre cómo restar $4\frac{7}{12}$ de $13\frac{11}{12}$.

Halla dos fracciones equivalentes para cada fracción. (Lección 4-5)

46. $\frac{4}{7}$ **47.** $\frac{3}{4}$ **48.** $\frac{2}{9}$ **49.** $\frac{3}{5}$ **50.** $\frac{1}{10}$

Ordena las fracciones de menor a mayor. (Lección 4-7)

51. $\frac{3}{7}, \frac{5}{4}, \frac{2}{6}$ **52.** $\frac{2}{3}, \frac{4}{11}, \frac{5}{8}$ **53.** $\frac{3}{10}, \frac{3}{8}, \frac{1}{3}$

4-9 Cómo estimar sumas y restas con fracciones

Aprender a estimar sumas y diferencias de fracciones y números mixtos

Los miembros del Club Nature recorrieron en bicicleta las montañas del Parque Nacional Canyonlands, en Utah. El lunes recorrieron $10\frac{3}{10}$ millas.

Puedes estimar fracciones por redondeo a 0, $\frac{1}{2}$ ó 1.

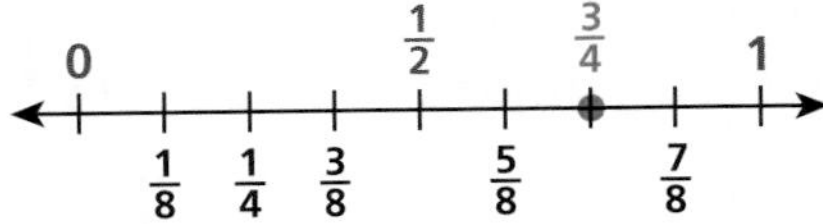

La fracción $\frac{3}{4}$ está a mitad de camino entre $\frac{1}{2}$ y 1, pero por lo general redondeamos hacia arriba. Por lo tanto, la fracción $\frac{3}{4}$ se redondea a 1.

El Parque Nacional Canyonlands, en Utah, es un parque de 337,570 acres que tiene muchos cañones, mesetas, arcos y picos.

Puedes redondear fracciones comparando el numerador y el denominador.

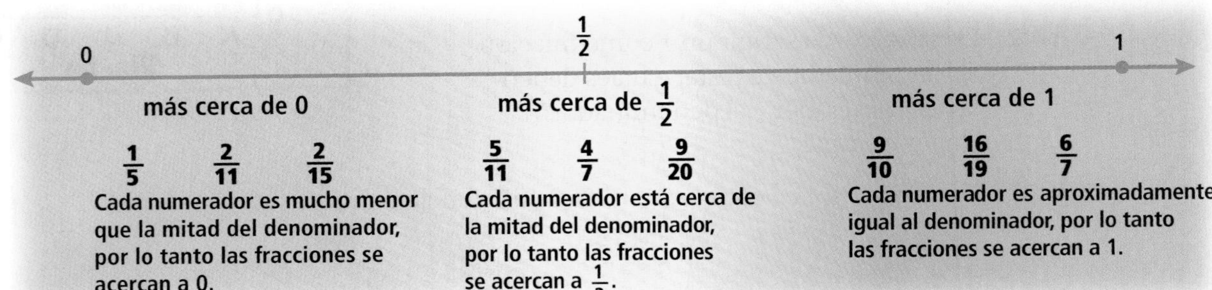

0
1/2
1
más cerca de 0
1/5 2/11 2/15
Cada numerador es mucho menor que la mitad del denominador, por lo tanto las fracciones se acercan a 0.
más cerca de 1/2
5/11 4/7 9/20
Cada numerador está cerca de la mitad del denominador, por lo tanto las fracciones se acercan a 1/2.
más cerca de 1
9/10 16/19 6/7
Cada numerador es aproximadamente igual al denominador, por lo tanto las fracciones se acercan a 1.

EJEMPLO 1 Estimar fracciones

Estima cada suma o diferencia por redondeo a 0, $\frac{1}{2}$ ó 1.

A $\frac{8}{9} + \frac{2}{11}$

$\frac{8}{9} + \frac{2}{11}$ *Razona: $\frac{8}{9}$ se redondea a 1 y $\frac{2}{11}$ se redondea a 0.*

$1 + 0 = 1$

$\frac{8}{9} + \frac{2}{11}$ es aproximadamente 1.

B $\frac{7}{12} - \frac{8}{15}$

$\frac{7}{12} - \frac{8}{15}$ *Razona: $\frac{7}{12}$ se redondea a $\frac{1}{2}$ y $\frac{8}{15}$ se redondea a $\frac{1}{2}$.*

$\frac{1}{2} - \frac{1}{2} = 0$

$\frac{7}{12} - \frac{8}{15}$ es aproximadamente 0.

También puedes estimar números mixtos por redondeo. Compara el número mixto con los dos números cabales más cercanos y con el $\frac{1}{2}$ más cercano.

¿Se redondea $10\frac{3}{10}$ a 10, $10\frac{1}{2}$ u 11?

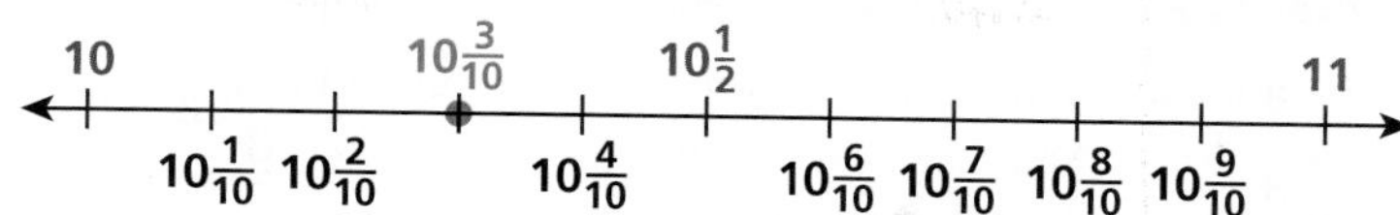

El número mixto $10\frac{3}{10}$ se redondea a $10\frac{1}{2}$.

EJEMPLO  *Aplicación a los deportes*

A **¿Aproximadamente qué distancia recorrieron el lunes y el martes los miembros del Club Nature?**

$$10\frac{3}{10} + 9\frac{3}{4}$$
$$\downarrow \quad \downarrow$$
$$10\frac{1}{2} + 10 = 20\frac{1}{2}$$

Recorrieron aproximadamente $20\frac{1}{2}$ millas.

Pista útil

$\frac{1}{4}$ está a mitad de camino entre 0 y $\frac{1}{2}$. Redondea $\frac{1}{4}$ a $\frac{1}{2}$.

B **¿Aproximadamente cuántas millas más que el jueves recorrieron el miércoles los miembros del Club Nature?**

$$12\frac{1}{4} - 4\frac{7}{10}$$
$$\downarrow \quad \downarrow$$
$$12\frac{1}{2} - 4\frac{1}{2} = 8$$

El miércoles recorrieron aproximadamente 8 millas más que el jueves.

Distancias en bicicleta del Club Nature

Día	Distancias (mi)
Lunes	$10\frac{3}{10}$
Martes	$9\frac{3}{4}$
Miércoles	$12\frac{1}{4}$
Jueves	$4\frac{7}{10}$

C **Estima la distancia total que los miembros del Club Nature recorrieron el lunes, el martes y el miércoles.**

$$10\frac{3}{10} + 9\frac{3}{4} + 12\frac{1}{4}$$
$$\downarrow \quad \downarrow \quad \downarrow$$
$$10\frac{1}{2} + 10 + 12\frac{1}{2} = 33$$

Recorrieron aproximadamente 33 millas.

Razonar y comentar

1. **Indica** si las fracciones se redondean a 0, $\frac{1}{2}$ ó 1: $\frac{5}{6}$, $\frac{2}{15}$, $\frac{7}{13}$.
2. **Explica** cómo redondear números mixtos al número cabal más cercano.
3. **Determina** si los miembros del Club Nature cumplieron su objetivo de recorrer por lo menos 35 millas en total.

4-9 Ejercicios

go.hrw.com
Ayuda en línea para tareas*
CLAVE: MR7 4-9
Recursos en línea para padres
CLAVE: MR7 Parent
*(Disponible sólo en inglés)

PRÁCTICA GUIADA

Ver Ejemplo 1 **Estima cada suma o diferencia por redondeo a 0, $\frac{1}{2}$ ó 1.**

1. $\frac{8}{9} + \frac{1}{6}$
2. $\frac{11}{12} - \frac{4}{9}$
3. $\frac{3}{7} + \frac{1}{12}$
4. $\frac{6}{13} - \frac{2}{5}$

Ver Ejemplo 2 **Usa la tabla para los Ejercicios 5 y 6.**

5. ¿Aproximadamente cuánto corrió Mark en la semana 1 y la semana 2?
6. ¿Aproximadamente por cuánto sobrepasó Mark la distancia de la semana 2 a la distancia de la semana 3?

Distancias de carrera de Mark

Semana	Distancia (mi)
1	$8\frac{3}{4}$
2	$7\frac{1}{5}$
3	$5\frac{5}{6}$

PRÁCTICA INDEPENDIENTE

Ver Ejemplo 1 **Estima cada suma o diferencia por redondeo a 0, $\frac{1}{2}$ ó 1.**

7. $\frac{7}{8} - \frac{3}{8}$
8. $\frac{3}{10} + \frac{3}{4}$
9. $\frac{5}{6} - \frac{7}{8}$
10. $\frac{7}{10} + \frac{1}{6}$
11. $\frac{3}{4} + \frac{7}{10}$
12. $\frac{9}{20} - \frac{1}{6}$
13. $\frac{8}{9} + \frac{4}{5}$
14. $\frac{19}{20} + \frac{9}{10}$

Ver Ejemplo 2 **Usa la tabla para los Ejercicios del 15 al 17.**

15. ¿Aproximadamente cuánto pesan juntos los meteoritos de Brenham y Goose Lake?
16. ¿Aproximadamente por cuánto sobrepasa el meteorito de Willamette al de Norton County?
17. ¿Aproximadamente cuánto pesan juntos los dos meteoritos de Kansas?

Meteoritos en Estados Unidos

Lugar	Peso (toneladas)
Willamette, AZ	$16\frac{1}{2}$
Brenham, KS	$2\frac{3}{5}$
Goose Lake, CA	$1\frac{3}{10}$
Norton County, KS	$1\frac{1}{10}$

PRÁCTICA Y RESOLUCIÓN DE PROBLEMAS

Práctica adicional
Ver página 721

Estima cada suma o diferencia para comparar. Escribe < ó >.

18. $\frac{5}{6} + \frac{7}{9}$ ▢ 3
19. $2\frac{8}{15} - 1\frac{1}{11}$ ▢ 1
20. $1\frac{2}{21} + \frac{3}{7}$ ▢ 2
21. $1\frac{7}{13} - \frac{8}{9}$ ▢ 1
22. $3\frac{2}{10} + 2\frac{2}{5}$ ▢ 6
23. $4\frac{6}{9} - 2\frac{3}{19}$ ▢ 2

24. **Razonamiento crítico** Describe una situación en la que sea mejor redondear un número mixto al número cabal siguiente, aunque la fracción del número mixto esté más cerca de $\frac{1}{2}$ que de 1.

Estima.

25. $\frac{7}{8} + \frac{4}{7} + \frac{7}{13}$
26. $\frac{6}{11} + \frac{9}{17} + \frac{3}{5}$
27. $\frac{8}{9} + \frac{3}{4} + \frac{9}{10}$
28. $1\frac{5}{8} + 2\frac{1}{15} + 2\frac{12}{13}$
29. $4\frac{11}{12} + 3\frac{1}{19} + 5\frac{4}{7}$
30. $10\frac{1}{9} + 8\frac{5}{9} + 11\frac{13}{14}$

Ciencias biológicas Usa una regla en pulgadas para los Ejercicios 31 y 32. Mide al $\frac{1}{4}$ de pulgada más cercano.

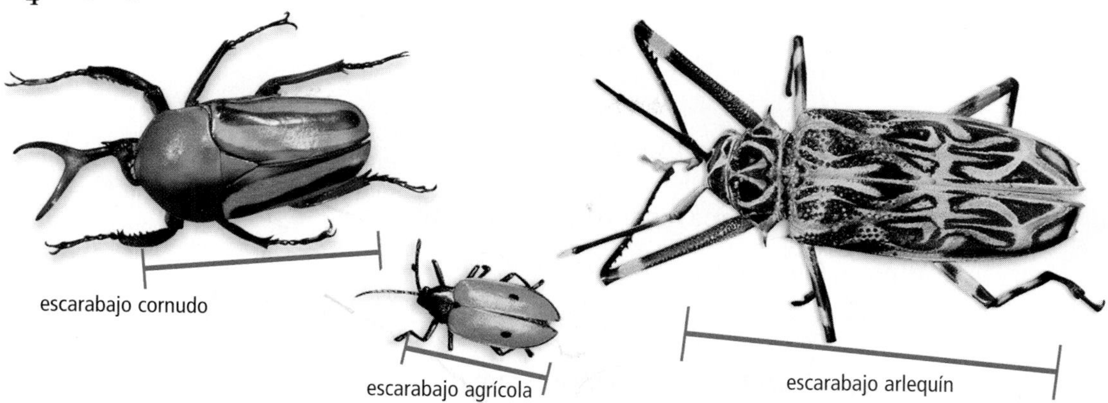

31. ¿Aproximadamente por cuánto sobrepasa el escarabajo arlequín al cornudo?
32. ¿Aproximadamente por cuánto sobrepasa el escarabajo arlequín al agrícola?
33. Usa la tabla para estimar la caída total de nieve en la semana.

Día	Lun	Mar	Miér	Jue	Vie	Sáb	Dom
Nevada (pulg)	$3\frac{4}{7}$	$\frac{7}{8}$	0	$2\frac{1}{6}$	$\frac{2}{11}$	$1\frac{9}{20}$	$1\frac{4}{7}$

34. **Escribe un problema** Escribe un problema sobre un viaje que se pueda resolver con estimación de fracciones. Intercambia con un compañero y resuélvelo.

35. **Escríbelo** Explica cómo estimar la suma de dos números mixtos. Da un ejemplo para explicar tu respuesta.

36. **Desafío** Estima. $\left[5\frac{7}{8} - 2\frac{3}{20}\right] + 1\frac{4}{7}$

Preparación para el examen y repaso en espiral

37. **Opción múltiple** Larry corrió $3\frac{1}{3}$ millas el lunes y $5\frac{3}{4}$ millas el martes. ¿Aproximadamente cuántas millas corrió Larry el lunes y el martes?

Ⓐ 8 Ⓑ 9 Ⓒ 10 Ⓓ 11

38. **Opción múltiple** Marie usó $2\frac{4}{5}$ tazas de harina para una receta. Para otra receta, Linda usó $1\frac{1}{4}$ taza de harina. ¿Aproximadamente cuántas tazas más de harina usó Marie que Linda?

Ⓕ 1 Ⓖ 2 Ⓗ 3 Ⓙ 4

Evalúa cada expresión. (Lección 1-4)

39. $6 \times (21 - 15) \div 12$
40. $72 \div 8 + 2^3 \times 5 - 19$
41. $5 + (6 - 1) \times 2 \div 2$

Escribe una expresión para el valor que falta en cada tabla. (Lección 2-3)

42.

Partidos jugados	2	4	6	8	n
Puntos	14	28	42	56	

43.

Mes	1	3	5	7	n
Horas trabajadas	6	8	10	12	

CAPÍTULO 4

¿LISTO PARA SEGUIR?

SECCIÓN 4C

Prueba de las Lecciones 4-7 a 4-9

4-7 Cómo comparar y ordenar fracciones

Compara. Escribe <, > ó =.

1. $\frac{3}{4}$ ■ $\frac{2}{3}$
2. $\frac{7}{9}$ ■ $\frac{5}{6}$
3. $\frac{4}{9}$ ■ $\frac{4}{7}$
4. $\frac{5}{11}$ ■ $\frac{3}{5}$

Ordena las fracciones de menor a mayor.

5. $\frac{5}{8}, \frac{1}{2}, \frac{3}{4}$
6. $\frac{3}{4}, \frac{3}{5}, \frac{7}{10}$
7. $\frac{1}{3}, \frac{3}{8}, \frac{1}{4}$
8. $\frac{2}{5}, \frac{4}{9}, \frac{11}{15}$
9. La señora Wilson repartió una bolsa de canicas entre sus tres hijos. A Ralph le dio $\frac{1}{10}$, a Pete $\frac{1}{2}$ y a Jon $\frac{8}{20}$. ¿Quién tiene más canicas?

4-8 Cómo sumar y restar fracciones semejantes

10. La tasa promedio de crecimiento del cabello humano es $\frac{1}{2}$ pulgada por mes. En promedio, ¿cuánto le crecerá el cabello a una persona en 3 meses? Escribe tu respuesta en su mínima expresión.
11. Una receta de ensalada de frutas requiere $\frac{1}{5}$ de taza de coco. Ryan quiere duplicar la receta. ¿Cuánto coco debe usar? Escribe tu respuesta en su mínima expresión.

Resta. Escribe tu respuesta en su mínima expresión.

12. $1 - \frac{3}{4}$
13. $6\frac{5}{9} - 5\frac{1}{9}$
14. $10\frac{7}{16} - 4\frac{3}{16}$
15. $5\frac{8}{9} - 1\frac{7}{9}$
16. $8\frac{4}{17} - 6\frac{2}{17}$
17. $1 - \frac{7}{8}$

Evalúa cada expresión para $x = \frac{5}{7}$. Escribe tu respuesta en su mínima expresión.

18. $x + 2\frac{1}{7}$
19. $x - \frac{3}{7}$
20. $10 + x$
21. $3\frac{2}{7} + x$
22. $6\frac{6}{7} - x$
23. $x + \frac{2}{7}$

4-9 Cómo estimar sumas y restas con fracciones

Estima cada suma o diferencia.

24. $\frac{3}{4} - \frac{1}{10}$
25. $\frac{7}{9} + \frac{7}{9}$
26. $\frac{15}{16} - \frac{4}{5}$
27. $3\frac{7}{8} - 1\frac{1}{10}$

Usa la tabla para los Problemas del 28 al 30.

28. ¿Aproximadamente cuánto caminó la señora Ping en las semanas 1 y 2?
29. ¿Aproximadamente cuánto más caminó la señora Ping en la semana 2 que en la semana 3?
30. ¿Aproximadamente cuánto caminó la señora Ping en las tres semanas?

Recorridos de la señora Ping

Semana	Distancia (mi)
1	$2\frac{3}{4}$
2	$3\frac{1}{8}$
3	$2\frac{4}{7}$

¿Listo para seguir?

PREPARACIÓN DE VARIOS PASOS PARA EL EXAMEN

CAPÍTULO 4

Una fiesta con palmeras

Jamal y Sarah organizan una fiesta de fin de año para el Club de Español. Quieren que tenga un tema tropical.

Refresco tropical Una porción
2/3 taza Jugo de naranja
1/3 taza Jugo de arándano
2/3 taza Jugo de piña

1. En la fiesta habrá 16 chicas y 12 chicos. Jamal quiere organizar las mesas de modo que en todas haya la misma cantidad de chicas y la misma cantidad de chicos. ¿Cuántas mesas habrá? ¿Cuántas chicas y cuántos chicos ocuparán cada mesa?
2. Sarah encontró tres recetas de ponche de frutas. Quiere elegir la que tenga la mayor cantidad de jugo de piña por porción. ¿Qué receta debe elegir? Explica.
3. Jamal piensa que tendrían que elegir la receta con la que se obtenga la mayor porción de ponche. ¿Qué receta tendrían que elegir en este caso? Explica.
4. En cada vaso de ponche caben 2 tazas de líquido. Si usan la receta con la que se obtiene la mayor porción, ¿habrá lugar para agregar hielo en cada vaso? Explica.

Ponche Luau Una porción
1/4 taza Jugo de naranja
1/4 taza Jugo de arándano
3/4 taza Jugo de piña

Rocío tropical Una porción
0.75 taza Jugo de naranja
0.25 taza Jugo de arándano
0.5 taza Jugo de piña

EXTENSIÓN

Conjuntos de números

Aprender a hacer diagramas de Venn para describir conjuntos de números

Vocabulario

conjunto
conjunto vacío
elemento
subconjunto
intersección
unión
diagrama de Venn

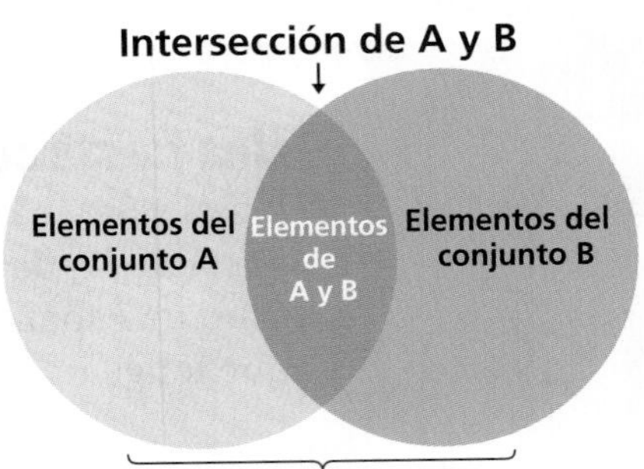

Un grupo de objetos se llama **conjunto.** Los objetos de un conjunto se llaman **elementos.** En este capítulo, viste varios conjuntos de números, como los números primos, compuestos y factores.

En un **diagrama de Venn,** se usan círculos para representar las relaciones entre conjuntos. La región superpuesta representa los elementos que se encuentran en los dos conjuntos, A *y* B. Este conjunto se llama **intersección** de A y B. Los elementos que están en el conjunto A *o* en el conjunto B componen la **unión** de A y B.

EJEMPLO 1 Identificar elementos y dibujar diagramas de Venn

Identifica los elementos de cada conjunto. Luego, dibuja un diagrama de Venn. ¿Cuál es la intersección? ¿Cuál es la unión?

A **Conjunto A: números primos** — Elementos de A: 2, 3, 5, 7, ...

Conjunto B: números compuestos — Elementos de B: 4, 6, 8, 9, ...

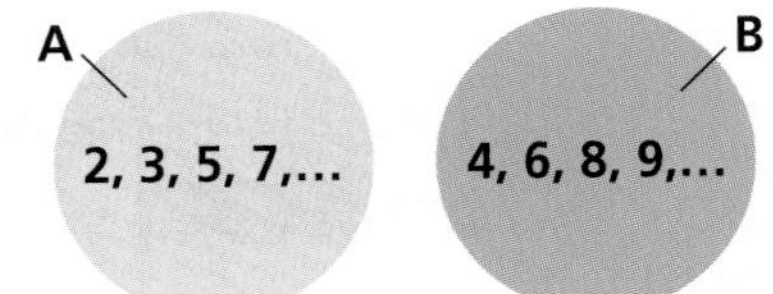

Los círculos no se superponen porque ningún número es primo y compuesto.

Intersección: ninguna. Cuando un conjunto no tiene elementos, se llama **conjunto vacío.** La intersección de A y B es un conjunto vacío.

Unión: todos los números que son primos *o* compuestos, es decir, todos los números cabales excepto 0 y 1.

B **Conjunto A: factores de 36** — **Conjunto B: factores de 24**

Elementos de A: 1, 2, 3, 4, 6, 9, 12, 18, 36

Elementos de B: 1, 2, 3, 4, 6, 8, 12, 24

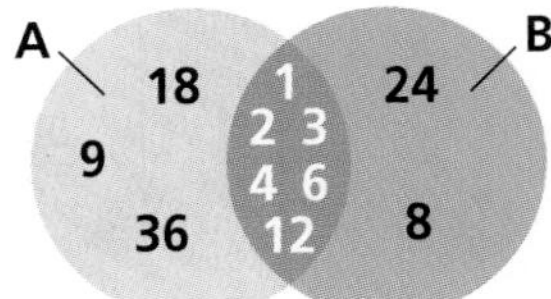

Los círculos se superponen porque algunos factores de 36 son también factores de 24.

Intersección: 1, 2, 3, 4, 6, 12 — *factores de 36* ***y*** *24*

Unión: 1, 2, 3, 4, 6, 8, 9, 12, 18, 24, 36 — *factores de 36* ***ó*** *24*

Identifica los elementos de cada conjunto. Luego, dibuja un diagrama de Venn. ¿Cuál es la intersección? ¿Cuál es la unión?

C **Conjunto A: factores de 36** **Conjunto B: factores de 12**

Elementos de A: 1, 2, 3, 4, 6, 9, 12, 18, 36

Elementos de B: 1, 2, 3, 4, 6, 12

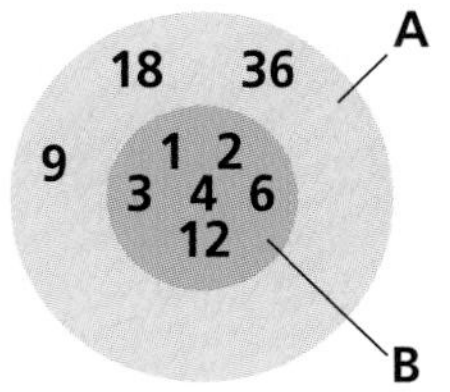

El círculo del conjunto B está totalmente dentro del círculo del conjunto A porque todos los factores de 12 son también factores de 36.

Intersección: 1, 2, 3, 4, 6, 12 *factores de 36* ***y*** *12*

Unión: 1, 2, 3, 4, 6, 9, 12, 18, 36 *factores de 36* ***ó*** *12*

Pista útil

Para determinar si el conjunto B es un subconjunto del conjunto A, piensa si todos los elementos de B están también en A. Si la respuesta es sí, B es un subconjunto de A.

Observa el Ejemplo 1C. Cuando un conjunto está contenido totalmente en otro conjunto, se dice que el primero es un **subconjunto** del segundo.

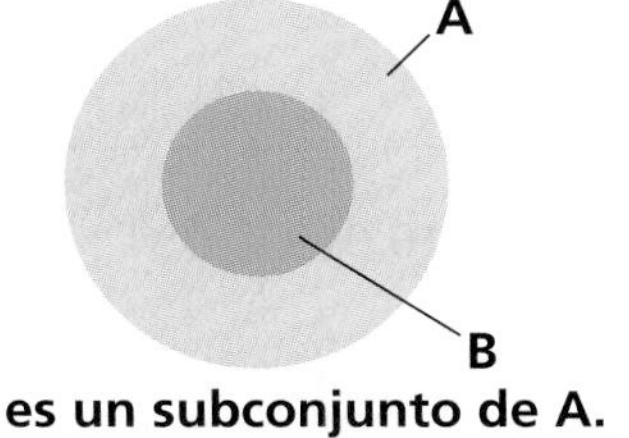

B es un subconjunto de A.

EXTENSIÓN Ejercicios

Identifica los elementos de cada conjunto. Luego, dibuja un diagrama de Venn. ¿Cuál es la intersección? ¿Cuál es la unión?

1. Conjunto A: números pares
Conjunto B: números impares

2. Conjunto A: factores de 18
Conjunto B: factores de 40

3. Conjunto A: factores de 72
Conjunto B: factores de 36

4. Conjunto A: números pares
Conjunto B: números compuestos

Indica si el conjunto A es subconjunto del conjunto B.

5. Conjunto A: números cabales menores que 10
Conjunto B: números cabales menores que 12

6. Conjunto A: números cabales menores que 8
Conjunto B: números cabales mayores que 9

7. Conjunto A: números primos
Conjunto B: números impares

8. Conjunto A: números divisibles entre 6
Conjunto B: números divisibles entre 3

9. **Escríbelo** ¿Cómo calcularías con un diagrama de Venn el máximo común divisor de dos números? Da un ejemplo.

10. **Desafío** ¿Cómo calcularías con un diagrama de Venn el máximo común divisor de tres números? Da un ejemplo.

¡Vamos a jugar!

Adivíname

"En medio del Sol estoy,
pero no puedo alumbrar;
soy principio y fin del oro,
pero no puedo brillar".

Para resolver la adivinanza, copia el cuadro que sigue. Si el número es divisible entre 3, colorea el cuadro de rojo. Recuerda la regla de divisibilidad del 3. Si un número no es divisible entre 3, colorea el cuadro de azul.

10,019	981	210	6,015	904
79	576	1,204	102	1,771
548	12,300	3,416	72	1,330
217	1,746	2,662	3,510	15,025
34,351	846	2,352	12,972	6,001

Lanza un número

El objetivo es ser la primera persona en llenar todos los cuadros del tablero.

En tu turno, lanza un dado y anota el número que salió en un cuadro vacío de tu tablero. Una vez que lo hayas hecho, ya no puedes mover ese número. Si no puedes colocar el número en el cuadro, se termina tu turno. El ganador es el primer jugador que completa de forma correcta su tablero.

go.hrw.com
¡Vamos a jugar! Extra
CLAVE: MR7 Games

La copia completa de las reglas y las piezas del juego se encuentran disponibles en línea.

PROYECTO La teoría de los números en tarjetas

Las tarjetas te permitirán tener notas sobre la teoría de los números y fracciones en un organizador de referencias fácil de usar.

Instrucciones

1. Prepara tarjetas cortando diez rectángulos de cartón, de aproximadamente $2\frac{3}{4}$ de pulgadas por $1\frac{1}{2}$ pulgada cada uno.

2. Usa las tijeras para quitar dos esquinas de un extremo de cada tarjeta. **Figura A**

3. Perfora un orificio entre las esquinas recortadas de cada tarjeta. Coloca un refuerzo alrededor del orificio en ambos lados de la tarjeta. **Figura B**

4. Engancha todas las tarjetas en un anillo de alambre. En una de las tarjetas escribe el número y el nombre del capítulo. **Figura C**

Tomar notas de matemáticas

En cada tarjeta, anota una regla de divisibilidad del capítulo. También puedes usar tarjetas para anotar información importante sobre las fracciones.

LA TEORÍA DE LOS NÚMEROS EN TARJETAS

CAPÍTULO 4

Guía de estudio: Repaso

Vocabulario

Completa los enunciados con las palabras del vocabulario.

1. El número $\frac{11}{9}$ es un ejemplo de un(a) ___?___ y $3\frac{1}{6}$ es un ejemplo de un(a) ___?___.
2. Un(a) ___?___, como 0.3333..., tiene un grupo de uno o más dígitos que se repiten indefinidamente. Un(a) ___?___, como 0.25, tiene un número finito de posiciones decimales.
3. Un(a) ___?___ es divisible sólo entre dos números: 1 y él mismo. Un(a) ___?___ es divisible entre más de dos números.

4-1 Divisibilidad (págs. 164–167)

EJEMPLO

■ **Indica si 210 es divisible entre 2, 3, 4 y 6.**

2	*El último dígito, 0, es par.*	Divisible
3	*La suma de los dígitos es divisible entre 3.*	Divisible
4	*El número formado por los dos últimos dígitos no es divisible entre 4.*	No divisible
6	*210 es divisible entre 2 y 3.*	Divisible

■ **Indica si cada número es primo o compuesto.**

17 *sólo es divisible entre 1 y 17* primo
25 *es divisible entre 1, 5, y 25* compuesto

EJERCICIOS

Indica si cada número es divisible entre 2, 3, 4, 5, 6, 9 y 10.

4. 118
5. 90
6. 342
7. 284
8. 170
9. 393

Indica si cada número es primo o compuesto.

10. 121
11. 77
12. 13
13. 118
14. 67
15. 93
16. 39
17. 97
18. 85
19. 61

4-2 Factores y factorización prima (págs. 169–172)

EJEMPLO

- **Anota todos los factores de 10.**

$10 = 1 \cdot 10$ $\quad$ $10 = 2 \cdot 5$

Los factores de 10 son 1, 2, 5 y 10.

- **Escribe la factorización prima de 30.**

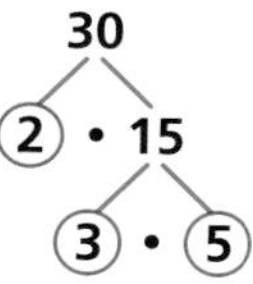

$30 = 2 \cdot 3 \cdot 5$

EJERCICIOS

Anota todos los factores de cada número.

20. 60 **21.** 72
22. 29 **23.** 56
24. 85 **25.** 71

Escribe la factorización prima de cada número.

26. 65 **27.** 94 **28.** 110
29. 81 **30.** 99 **31.** 76
32. 97 **33.** 55 **34.** 46

4-3 Máximo común divisor (págs. 173–176)

EJEMPLO

- **Halla el MCD de 35 y 50.**

factores de 35: 1, (5), 7, 35
factores de 50: 1, 2, (5), 10, 25, 50

El MCD de 35 y 50 es 5.

EJERCICIOS

Halla el MCD de cada conjunto de números.

35. 36 y 60
36. 50, 75 y 125
37. 45, 81 y 99

4-4 Decimales y fracciones (págs. 181–184)

EJEMPLO

- **Escribe 1.29 como número mixto.**

$1.29 = 1\frac{29}{100}$

- **Escribe $\frac{3}{5}$ como decimal.**

$5\overline{)3.0}$ = 0.6 $\quad$ $\frac{3}{5} = 0.6$

EJERCICIOS

Escribe como fracción o número mixto.

38. 0.37 **39.** 1.8 **40.** 0.4

Escribe como decimal.

41. $\frac{7}{8}$ **42.** $\frac{2}{5}$ **43.** $\frac{7}{9}$

4-5 Fracciones equivalentes (págs. 186–189)

EJEMPLO

- **Halla una fracción equivalente a $\frac{4}{5}$.**

$\frac{4}{5} = \frac{\blacksquare}{15}$ $\quad$ $\frac{4 \cdot 3}{5 \cdot 3} = \frac{12}{15}$

- **Escribe $\frac{8}{12}$ en su mínima expresión.**

$\frac{8 \div 4}{12 \div 4} = \frac{2}{3}$

EJERCICIOS

Halla dos fracciones equivalentes.

44. $\frac{4}{6}$ **45.** $\frac{4}{5}$ **46.** $\frac{3}{12}$

Escribe cada fracción en su mínima expresión.

47. $\frac{14}{16}$ **48.** $\frac{9}{30}$ **49.** $\frac{7}{10}$

4-6 Números mixtos y fracciones impropias (págs. 192–195)

EJEMPLO

- **Escribe $3\frac{5}{6}$ como fracción impropia.**

$3\frac{5}{6} = \frac{(3 \cdot 6) + 5}{6} = \frac{18 + 5}{6} = \frac{23}{6}$

- **Escribe $\frac{19}{4}$ como número mixto.**

$4)\overline{19}$ → 4R3 $\qquad \frac{19}{4} = 4\frac{3}{4}$

EJERCICIOS

Escribe como fracción impropia.

50. $3\frac{7}{9}$ **51.** $2\frac{5}{12}$ **52.** $5\frac{2}{7}$

Escribe como número mixto.

53. $\frac{23}{6}$ **54.** $\frac{17}{5}$ **55.** $\frac{41}{8}$

4-7 Cómo comparar y ordenar fracciones (págs. 198–201)

EJEMPLO

- **Ordena de menor a mayor.**

$\frac{3}{5}, \frac{2}{3}, \frac{1}{3}$ *Escribe con denominadores semejantes.*

$\frac{3 \cdot 3}{5 \cdot 3} = \frac{9}{15} \quad \frac{2 \cdot 5}{3 \cdot 5} = \frac{10}{15} \quad \frac{1 \cdot 5}{3 \cdot 5} = \frac{5}{15}$

$\frac{1}{3}, \frac{3}{5}, \frac{2}{3}$

EJERCICIOS

Compara. Escribe <, > ó =.

56. $\frac{6}{8}$ ■ $\frac{3}{8}$ **57.** $\frac{7}{9}$ ■ $\frac{2}{3}$

Ordena de menor a mayor.

58. $\frac{3}{8}, \frac{2}{3}, \frac{7}{8}$ **59.** $\frac{4}{6}, \frac{3}{12}, \frac{1}{3}$

4-8 Cómo sumar y restar fracciones semejantes (págs 202–205)

EJEMPLO

- **Resta $4\frac{5}{6} - 2\frac{1}{6}$. Escribe tu respuesta en su mínima expresión.**

$4\frac{5}{6} - 2\frac{1}{6} = 2\frac{4}{6} = 2\frac{2}{3}$

EJERCICIOS

Suma o resta. Escribe cada respuesta en su mínima expresión.

60. $\frac{1}{5} + \frac{4}{5}$ **61.** $1 - \frac{3}{12}$

62. $\frac{9}{10} - \frac{3}{10}$ **63.** $4\frac{2}{7} + 2\frac{3}{7}$

4-9 Cómo estimar sumas y restas con fracciones (págs. 206–209)

EJEMPLO

- **Estima la suma o diferencia. Redondea las fracciones a 0, $\frac{1}{2}$ ó 1.**

$\frac{7}{8} + \frac{1}{7}$ *Razona: 1 + 0.*

$\frac{7}{8} + \frac{1}{7}$ es aproximadamente 1.

EJERCICIOS

Estima cada suma o diferencia. Redondea las fracciones a 0, $\frac{1}{2}$ ó 1.

64. $\frac{3}{5} + \frac{3}{7}$ **65.** $\frac{6}{7} - \frac{5}{9}$

66. $4\frac{9}{10} + 6\frac{1}{5}$ **67.** $7\frac{5}{11} - 4\frac{3}{4}$

EXAMEN DEL CAPÍTULO

CAPÍTULO 4

Anota todos los factores de cada número. Indica si son números primos o compuestos.

1. 98 **2.** 40 **3.** 45

Escribe la factorización prima de cada número.

4. 64 **5.** 130 **6.** 49

Halla el MCD de cada conjunto de números.

7. 24 y 108 **8.** 45, 18 y 39 **9.** 49, 77 y 84

10. La maestra Arrington está armando cajas de útiles para sus estudiantes. Tiene 63 lápices, 42 plumas y 21 paquetes de marcadores. Cada tipo de útil debe distribuirse en cantidades iguales. ¿Cuál es la mayor cantidad de cajas que puede armar usando todos los útiles?

Escribe cada decimal como fracción o número mixto.

11. 0.37 **12.** 1.9 **13.** 0.92

Escribe cada fracción o número mixto como decimal.

14. $\frac{3}{8}$ **15.** $9\frac{3}{5}$ **16.** $\frac{2}{3}$

Escribe cada fracción en su mínima expresión.

17. $\frac{4}{12}$ **18.** $\frac{6}{9}$ **19.** $\frac{3}{15}$

Escribe cada número mixto como fracción impropia.

20. $4\frac{7}{8}$ **21.** $7\frac{5}{12}$ **22.** $3\frac{5}{7}$

Compara. Escribe $<$, $>$ ó $=$.

23. $\frac{5}{6}$ ▪ $\frac{3}{6}$ **24.** $\frac{3}{4}$ ▪ $\frac{7}{8}$ **25.** $\frac{4}{5}$ ▪ $\frac{7}{10}$

Ordena las fracciones y los decimales de menor a mayor.

26. 2.17, 2.3, $2\frac{1}{9}$ **27.** 0.1, $\frac{3}{8}$, 0.3 **28.** 0.9, $\frac{2}{8}$, 0.35

29. El lunes nevó $2\frac{1}{4}$ pulgadas. El martes cayeron otras $3\frac{3}{4}$ pulgadas de nieve. ¿Cuánta nieve cayó el lunes y el martes?

Estima cada suma o diferencia por redondeo a 0, $\frac{1}{2}$ ó 1.

30. $\frac{1}{8} + \frac{4}{7}$ **31.** $\frac{11}{12} - \frac{4}{9}$ **32.** $\frac{4}{5} + \frac{1}{9}$ **33.** $2\frac{9}{10} - 2\frac{1}{7}$

CAPÍTULO 4

PREPARACIÓN PARA EL EXAMEN ESTANDARIZADO

go.hrw.com
Práctica en línea para el examen estatal
CLAVE: MR7 TestPrep

EVALUACIÓN ACUMULATIVA, CAPÍTULOS 1–4

Opción múltiple

1. ¿Cuál de los siguientes números es divisible entre 3, 4 y 8?

Ⓐ 12 Ⓒ 20
Ⓑ 16 Ⓓ 24

2. June se sienta a leer y observa que está en la página 20 de un libro de 200 páginas. Decide que todos los días leerá 4 páginas del libro hasta terminarlo. Si el patrón continúa, ¿a qué página llegará dentro de 10 días?

Ⓕ 24 Ⓗ 60
Ⓖ 44 Ⓙ 120

3. Alice usa cuentas de tres colores para hacer collares. Tiene 48 cuentas azules, 56 rosadas y 32 blancas. Quiere usar en cada collar la misma cantidad de cuentas rosadas, la misma de cuentas azules y la misma de cuentas blancas. ¿Cuál es la mayor cantidad de collares que puede hacer usando todas las cuentas?

Ⓐ 16 Ⓒ 8
Ⓑ 12 Ⓓ 4

4. Un escritor gasta $144.75 en 5 cartuchos de tinta. ¿Qué ecuación hay que usar para hallar el costo *c* de un cartucho?

Ⓕ $5c = 144.75$

Ⓖ $\frac{c}{144.75} = 5$

Ⓗ $5 + c = 144.75$

Ⓙ $144.75 - c = 5$

5. ¿Qué fracción es igual a 0.25?

Ⓐ $\frac{1}{3}$ Ⓒ $\frac{2}{5}$
Ⓑ $\frac{1}{4}$ Ⓓ $\frac{1}{25}$

6. ¿Qué fracción NO es equivalente a $\frac{4}{6}$?

Ⓕ $\frac{2}{3}$ Ⓗ $\frac{8}{12}$
Ⓖ $\frac{10}{15}$ Ⓙ $\frac{16}{18}$

7. ¿Qué fracción representa el área sombreada del modelo?

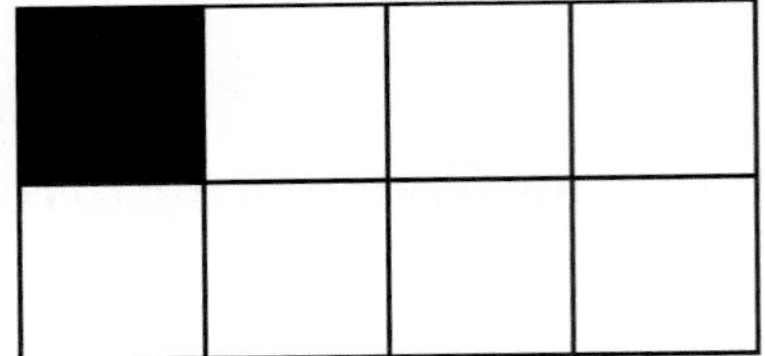

Ⓐ $\frac{2}{4}$ Ⓒ $\frac{6}{32}$
Ⓑ $\frac{3}{24}$ Ⓓ $\frac{4}{40}$

8. Steve compró una entrada de cine por $6.25, una caja de palomitas de maíz por $2.25 y un refresco grande por $4.75. ¿Cuánto gastó en total en el cine?

Ⓕ $12.00 Ⓗ $13.25
Ⓖ $12.75 Ⓙ $13.50

9. Cuatro chicos piden una pizza pequeña cada uno. William come $\frac{2}{3}$ de su pizza, Mike come $\frac{2}{5}$ de la suya, Julio $\frac{1}{2}$ de la suya y Lee $\frac{3}{8}$ de la suya. ¿Quién comió menos pizza?

Ⓐ Lee
Ⓑ Mike
Ⓒ Julio
Ⓓ William

Preparación para el examen estandarizado

10. Hay 78 estudiantes que van de excursión al capitolio estatal, en grupos de 4. Cada grupo debe tener un líder adulto. ¿Cuántos adultos se necesitan para que cada grupo de estudiantes tenga un líder adulto?

(F) 15 (H) 20

(G) 19 (J) 22

11. ¿Cuál de las siguientes opciones es equivalente a 2.52?

(A) $2\frac{52}{100}$ (C) $\frac{52}{200}$

(B) $2\frac{52}{10}$ (D) $\frac{2}{52}$

Algunos problemas se pueden resolver sin hacer muchos cálculos. Usa el cálculo mental, la estimación o el razonamiento lógico para eliminar respuestas y ahorrar tiempo.

Respuesta gráfica

12. ¿Qué número primo es mayor que 90 pero menor que 100?

13. Halla el mínimo común múltiplo de 4 y 6.

14. Supongamos que estás armando canastas de frutas. En cada una hay 6 plátanos, 4 naranjas y 5 manzanas. Si tienes que armar 100 canastas, ¿cuántas manzanas necesitas?

15. ¿Cuál es la solución de la ecuación $97.56 + x = 143.07$?

16. La factorización prima de un número es $2^3 \times 3 \times 5$. ¿Cuál es el número?

17. En la siguiente tabla se muestra el número de días que llovió cada mes. ¿Cuántos días en total llovió durante el periodo de 3 meses?

Mes	Días de lluvia
Enero	6
Febrero	5
Marzo	7

Respuesta breve

18. Stacie tiene $16\frac{3}{8}$ yardas de tela. Usa $7\frac{1}{8}$ yardas para una falda. ¿Cuánta tela le queda? Escribe tu respuesta como un número mixto en su mínima expresión. Luego, da otras tres respuestas equivalentes, incluido un decimal.

19. Maggie dice que 348 es divisible entre 2, 4 y 8. ¿Tiene razón? Indica otro número entre el cual 348 sea divisible. Explica.

20. Escribe los números 315 y 225 como productos de factores primos. Haz una lista con todos los factores de cada número y halla el MCD. Los números 315 y 225 ¿son primos o compuestos? Explica.

21. Suzanne tiene 317 folletos para enviar por correo. Cada folleto requiere 1 estampilla. Si compra libros de estampillas que contienen 20 estampillas cada uno, ¿cuántos libros necesitará para enviar los folletos?

Respuesta desarrollada

22. El señor Peters debe construir un corral para cerdos de $14\frac{4}{5}$ metros de longitud por $5\frac{1}{5}$ de ancho.

 a. ¿Cuánto material para cercas debe comprar el señor Peters? Muestra cómo hallaste tu respuesta. Escribe tu respuesta en su mínima expresión.

 b. El corral para cerdos del señor Peters lleva 6 metros más de cerca que el corral rectangular que está construyendo su vecino. Escribe y resuelve una ecuación para hallar cuánto material para cerca debe comprar el vecino. Muestra tu trabajo.

 c. Si el corral del vecino va a tener 4 metros de ancho, ¿qué longitud tendrá? Muestra tu trabajo.

Resolución de problemas en lugares

OHIO

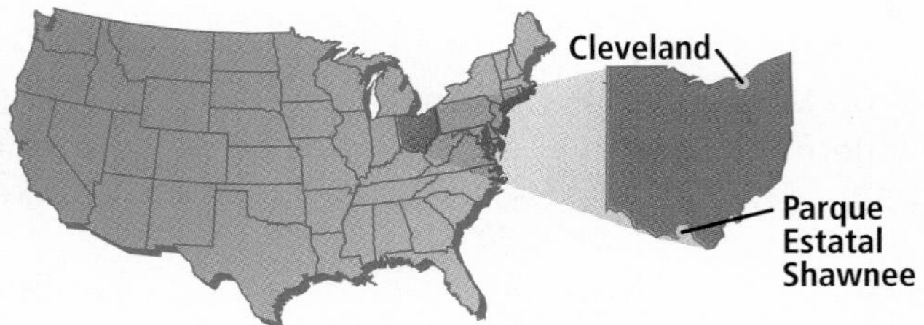

El Parque Estatal Shawnee

Ubicado en las estribaciones de los Apalaches del sur de Ohio, el Parque Estatal Shawnee abarca 60,000 acres de colinas boscosas pobladas de coloridas flores silvestres y una variada fauna y flora. Desde que el estado compró el terreno en 1922, el parque ha sido un destino popular para los amantes de la naturaleza de toda la región.

Elige una o más estrategias para resolver cada problema.

Usa la tabla para el Ejercicio 1.

1. El Sendero del Excursionista del Parque Estatal Shawnee es un circuito de 40 millas que empieza en la zona de estacionamiento. En la tabla se muestran las siete zonas para acampar que hay a lo largo del sendero. ¿Qué distancia hay entre el campamento 7 y el estacionamiento?
2. En el sendero de 40 millas, una caminante se detiene cada 2 millas para tomar fotografías. También se detiene cada 3 millas para descansar. ¿En cuántas de sus paradas por el sendero hace las dos cosas: descansar y tomar una fotografía?
3. El Parque Estatal Shawnee comenzó con un terreno que se compró en 1922. Hoy tiene 12 veces su tamaño original. ¿Cuántos acres se adquirieron en esa primera compra?
4. Dos de cada 15 acres del bosque se han apartado y designado como reserva silvestre. ¿Cuántos acres hay de reserva silvestre?

Distancias del Sendero del Excursionista

Tramo del Sendero	Distancia (mi)
Del comienzo al campamento 1	6.2
Campamento 1 al 2	5.8
Campamento 2 al 3	5.7
Campamento 3 al 4	5.2
Campamento 4 al 5	4.6
Campamento 5 al 6	3.0
Campamento 6 al 7	5.0

ENTRADA
PARQUE ESTATAL SHAWNEE
EL ÁREA CIERRA A LAS 11:00 pm.
RECURSOS NATURALES 14

Estrategias de resolución de problemas

Dibujar un diagrama
Hacer un modelo
Calcular y poner a prueba
Trabajar en sentido inverso
Hallar un patrón
Hacer una tabla
Resolver un problema más sencillo
Usar el razonamiento lógico
Representar
Hacer una lista organizada

Zoológico Metroparks de Cleveland

Los visitantes del Zoológico Metroparks de Cleveland pueden ver a los animales en su hábitat natural, lo que incluye una selva tropical, una sabana africana y el campo australiano. El zoológico alberga 84 especies en peligro de extinción y tiene la mayor colección de especies de primates de América del Norte. Recibe más de 1.2 millones de visitantes cada año.

Elige una o más estrategias para resolver cada problema.

1. En agosto de 2003 nació en el zoológico un rinoceronte negro hembra. La bebé rinoceronte, llamada Kibibi, pesó 106 libras al nacer y aumentó unas 28.5 libras por mes. ¿Cuánto pesaba aproximadamente en diciembre de 2005?

2. De las 600 especies de animales que hay en el zoológico, 3 de cada 40 son primates. ¿Cuántas especies de primates hay?

Usa la tabla para el Ejercicio 3.

3. En la tabla aparecen las longitudes promedio del cuerpo y la cola de algunas especies de primates del zoológico. Usa la información de la tabla y las siguientes pistas para determinar cuál de estas especies se encuentra en América del Sur.
   - Cuatro de las especies sólo se encuentran en África. Una de las especies sólo se encuentra en América del Sur.
   - Las especies con los cuerpos más largos y más cortos vienen del mismo continente.
   - Las dos especies con colas más largas que 24.5 pulgadas se encuentran en África.

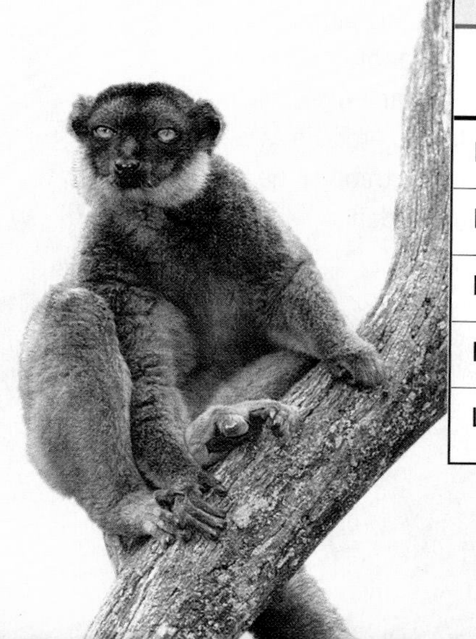

Especies de primates del Zoológico Metroparks de Cleveland

Nombre de la especie	Longitud del cuerpo (pulg)	Longitud de la cola (pulg)
Mono de Allen	18	$19\frac{1}{2}$
Mono colobo	$27\frac{3}{4}$	$24\frac{3}{5}$
Babuino hamadríade	$27\frac{7}{8}$	$24\frac{1}{2}$
Mono viudo cara blanca	$27\frac{1}{2}$	$21\frac{4}{5}$
Lémur de collar	$18\frac{1}{2}$	$24\frac{5}{6}$

CAPÍTULO 5

Operaciones con fracciones

go.hrw.com
Presentación del capítulo en línea
CLAVE: MR7 Ch5

Tiempos de pintura

Objeto	Pintura	Tiempo (h)
Muro (100 pies^2)	De aceite	$\frac{3}{10}$
Muro (100 pies^2)	Látex	$\frac{2}{5}$
Guardasillas (100 pies)	Látex	$\frac{3}{4}$
Guardasillas (100 pies)	Tinta	$\frac{3}{5}$
Puerta	De aceite	$\frac{1}{2}$
Ventana	De aceite	$\frac{3}{4}$

Profesión *Pintora*

¿Te has preguntado cómo calculan los pintores cuánto cobrar por un trabajo? Los pintores profesionales pintan casas, escuelas, edificios de oficinas, estadios o incluso salas de concierto. Para estimar cuánto deben cobrar, muchos pintores usan una tabla en la que anotan el tiempo promedio que tardan en preparar y pintar ciertos objetos. En la tabla se muestran algunos trabajos de pintura y el tiempo que tardan en realizarlos.

¿Estás listo?

Vocabulario

Elige de la lista el término que mejor complete cada enunciado.

denominador
factores
fracción impropia
fracciones distintas
fracción propia
fracciones semejantes
mínima expresión
múltiplos
numerador

1. Los/Las primeros(as) cinco __?__ de 6 son 6, 12, 18, 24 y 30. Los/Las __?__ de 6 son 1, 2, 3 y 6.

2. Las fracciones con el mismo denominador se llaman __?__.

3. Una fracción está en __?__ cuando el MCD del numerador y el denominador es 1.

4. La fracción $\frac{13}{9}$ es un(a) __?__ porque el/la __?__ es mayor que el/la __?__.

Resuelve los ejercicios para practicar las destrezas que usarás en este capítulo.

Simplificar fracciones

Escribe cada fracción en su mínima expresión.

5. $\frac{6}{10}$ **6.** $\frac{5}{15}$ **7.** $\frac{14}{8}$ **8.** $\frac{8}{12}$

9. $\frac{10}{100}$ **10.** $\frac{12}{144}$ **11.** $\frac{33}{121}$ **12.** $\frac{15}{17}$

Escribir números mixtos como fracciones

Escribe cada número mixto como fracción impropia.

13. $1\frac{1}{8}$ **14.** $2\frac{3}{4}$ **15.** $2\frac{4}{5}$ **16.** $1\frac{7}{9}$

17. $3\frac{1}{5}$ **18.** $5\frac{2}{3}$ **19.** $4\frac{4}{7}$ **20.** $3\frac{11}{12}$

Sumar y restar fracciones semejantes

Suma o resta. Escribe cada respuesta en su mínima expresión.

21. $\frac{5}{8} + \frac{1}{8}$ **22.** $\frac{3}{7} + \frac{5}{7}$ **23.** $\frac{9}{10} - \frac{3}{10}$ **24.** $\frac{5}{9} - \frac{2}{9}$

25. $\frac{1}{2} + \frac{1}{2}$ **26.** $\frac{7}{12} - \frac{5}{12}$ **27.** $\frac{3}{5} + \frac{4}{5}$ **28.** $\frac{4}{15} - \frac{1}{15}$

Multiplicar

Multiplica.

29. 8×11 **30.** 7×8 **31.** 4×12 **32.** 12×7

33. 10×13 **34.** 9×7 **35.** 6×8 **36.** 11×12

CAPÍTULO 5

Guía de estudio: Avance

De dónde vienes

Antes,

- hiciste modelos de suma y resta de fracciones con denominadores semejantes.
- estimaste sumas y restas de números cabales.
- generaste fracciones equivalentes.

En este capítulo

Estudiarás

- cómo hacer modelos de situaciones de suma y resta con fracciones.
- cómo estimar sumas y restas de fracciones.
- cómo sumar, restar, multiplicar y dividir fracciones y números mixtos con denominadores distintos.
- cómo resolver ecuaciones con fracciones.

Adónde vas

Puedes usar las destrezas aprendidas en este capítulo

- para resolver problemas de medición que incluyan fracciones y números mixtos.
- para estimar sumas y diferencias de distancias que incluyan fracciones.

Vocabulario/Key Vocabulary

mínimo común denominador (mcd)	least common denominator (LCD)
mínimo común múltiplo (mcm)	least common multiple (LCM)
recíproco	reciprocals

Conexiones de vocabulario

Considera lo siguiente para familiarizarte con algunos de los términos de vocabulario del capítulo. Puedes consultar el capítulo, el glosario o un diccionario si lo deseas.

1. La palabra *recíproco* significa "inversamente relacionado u opuesto". ¿Cómo crees que es el **recíproco** de una fracción?
2. Cuando las personas tienen algo en *común*, tienen algo que comparten. ¿Qué crees que comparten dos números con un múltiplo común? ¿Qué crees que es el **mínimo común múltiplo** de dos números?
3. Las fracciones con el mismo denominador tienen un denominador común. ¿Qué crees que es el **mínimo común denominador** de dos fracciones?

Estrategia de estudio: Haz tarjetas

Haz tarjetas para aprender una sucesión de pasos, vocabulario, símbolos de matemáticas, fórmulas o reglas matemáticas. Estudia tus tarjetas con frecuencia.

Sigue estas sugerencias para hacer tarjetas.

- Rotula cada tarjeta con el número de la lección. De esta forma, podrás repasar con tu libro de texto cuando estudies.
- Escribe el nombre de la fórmula, término o regla en una cara de la tarjeta y el significado o un ejemplo en la otra cara.
- Escribe definiciones con tus propias palabras.

De la Lección 4-8

Aplicación a las ciencias biológicas

Sophie planta un roble joven en su patio. La distancia alrededor del tronco aumenta a un ritmo de $\frac{1}{8}$ de pulgada por mes. Usa figuras para hacer un modelo de cuánto aumentará esa distancia en dos meses y escribe tu respuesta en su mínima expresión.

$\frac{1}{8} + \frac{1}{8}$

$\frac{1}{8} + \frac{1}{8} = \frac{2}{8}$ *Suma los numeradores. Conserva el mismo denominador.*

$= \frac{1}{4}$ *Escribe la respuesta en su mínima expresión.*

La distancia alrededor del tronco aumentará $\frac{1}{4}$ de pulgada.

Tarjeta de muestra

Lección 4-8
Páginas 202 a 205

Cómo sumar y restar fracciones semejantes

Frente

	$\frac{1}{8} + \frac{1}{8}$
Conservar los denominadores	$\frac{1}{8} + \frac{1}{8} = \frac{\ }{8}$
Sumar los numeradores	$\frac{1}{8} + \frac{1}{8} = \frac{2}{8}$
Escribir en la mínima expresión	$\frac{1}{4}$

Dorso

Inténtalo

Usa la Lección 4-6 para hacer tarjetas con las reglas para escribir números mixtos en forma de fracciones impropias.

5-1 Mínimo común múltiplo

Aprender a hallar el mínimo común múltiplo (mcm) de un grupo de números

Vocabulario

mínimo común múltiplo (mcm)

Después de los partidos en la liga de fútbol de Lydia, la familia de una de las jugadoras trae bocadillos para compartir con los dos equipos. Esta semana, la familia de Lydia traerá sobres de jugo y barras de granola para 24 jugadoras.

Haz un modelo para hallar el número mínimo de paquetes de jugo y granola que debe comprar la familia de Lydia. Usa fichas de colores, dibujos o fotos para ilustrar el problema.

EJEMPLO 1 *Aplicación para el consumidor*

¡Recuerda!

Un múltiplo de un número es el producto del número y cualquier número cabal distinto de cero.

El jugo viene en paquetes de 6, y las barras de granola, en paquetes de 8. Si hay 24 jugadoras, ¿cuál es el número mínimo de paquetes que se necesitan para que cada una tenga una bebida y una barra, sin que falte nadie?

Dibuja los sobres de jugo en grupos de 6. Dibuja las barras de granola en grupos de 8. Termina cuando hayas dibujado el mismo número de los dos.

Hay 24 sobres de jugo y 24 barras de granola.

La familia de Lydia debe comprar 4 paquetes de jugo y 3 paquetes de barras de granola.

El número mínimo que es un múltiplo de dos o más números es el **mínimo común múltiplo (mcm).** En el Ejemplo 1, el mcm de 6 y 8 es 24.

EJEMPLO 2 Usar múltiplos para hallar el mcm

Halla el mínimo común múltiplo (mcm).

Método 1: Usar una recta numérica

A **6 y 9**

Se usa una recta numérica para contar saltos de 6 y 9.

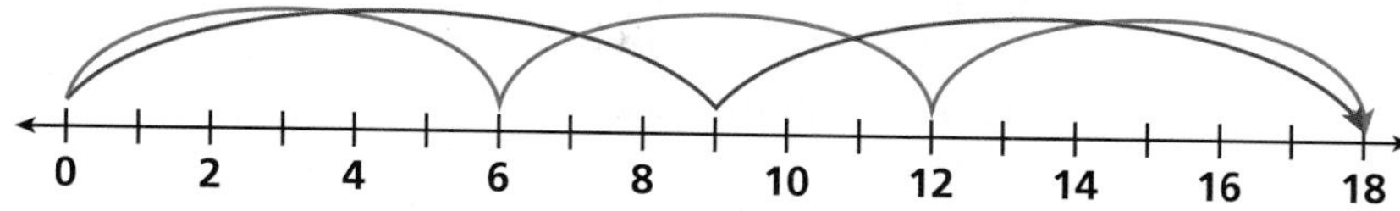

El mínimo común múltiplo (mcm) de 6 y 9 es 18.

Método 2: Usar una lista

B **3, 5 y 6**

3: 3, 6, 9, 12, 15, 18, 21, 24, 27, 30, 33, . . .
5: 5, 10, 15, 20, 25, 30, 35, . . .
6: 6, 12, 18, 24, 30, 36, . . .

mcm: 30

Haz una lista de los múltiplos de 3, 5 y 6. Halla el número menor que está en todas las listas.

Método 3: Usar la factorización prima

¡Recuerda!

La factorización prima de un número es el número escrito como un producto de sus factores primos.

C **8 y 12**

$8 = 2 \cdot 2 \cdot 2$
$12 = 2 \cdot 2 \cdot \quad 3$
$\downarrow \; \downarrow \; \downarrow \; \downarrow$
$2 \cdot 2 \cdot 2 \cdot 3$
$2 \cdot 2 \cdot 2 \cdot 3 = 24$

mcm: 24

Escribe la factorización prima de cada número. Alinea los factores comunes. Para hallar el mcm, multiplica un número de cada columna.

D **12, 10 y 15**

$12 = 2^2 \cdot 3$
$10 = 2 \cdot \quad 5$
$15 = \quad 3 \cdot 5$
$\downarrow \; \downarrow \; \downarrow$
$2^2 \cdot 3 \cdot 5$
$2^2 \cdot 3 \cdot 5 = 60$

mcm: 60

Escribe la factorización prima de cada número en forma exponencial.

Para hallar el mcm, multiplica cada factor primo una vez por el mayor exponente usado en cualquiera de las factorizaciones primas.

Razonar y comentar

1. **Explica** por qué no puedes hallar el máximo común múltiplo de un grupo de números.
2. **Indica** si el mcm de un conjunto de números puede ser menor que cualquiera de los números del conjunto.

5-1 Ejercicios

go.hrw.com
Ayuda en línea para tareas*
CLAVE: MR7 5-1
Recursos en línea para padres
CLAVE: MR7 Parent
*(Disponible sólo en inglés)

PRÁCTICA GUIADA

Ver Ejemplo 

1. Los lápices se venden en paquetes de 12, y las gomas de borrar en paquetes de 9. El maestro Joplin quiere dar a cada uno de sus 36 estudiantes un lápiz y una goma de borrar. ¿Cuál es el número mínimo de paquetes que tiene que comprar para que no sobre ninguno?

Ver Ejemplo 

Halla el mínimo común múltiplo (mcm).

2. 3 y 5 **3.** 4 y 9 **4.** 2, 3 y 6 **5.** 2, 4 y 5

6. 4 y 12 **7.** 6 y 16 **8.** 4, 6 y 8 **9.** 2, 5 y 8

10. 6 y 10 **11.** 21 y 63 **12.** 3, 5 y 9 **13.** 5, 6 y 25

PRÁCTICA INDEPENDIENTE

Ver Ejemplo 

14. Las barritas de queso mozzarella se venden en paquetes de 10, y las ramitas de apio, en paquetes de 15. La maestra Sobrino quiere dar a cada uno de sus 30 estudiantes una barrita de queso y una ramita de apio. ¿Cuál es el número mínimo de paquetes que debe comprar para que no sobre ninguno?

Ver Ejemplo 

Halla el mínimo común múltiplo (mcm).

15. 2 y 8 **16.** 3 y 7 **17.** 4 y 10 **18.** 3 y 9

19. 3, 6 y 9 **20.** 4, 8 y 10 **21.** 4, 6 y 12 **22.** 4, 6 y 7

23. 3, 8 y 12 **24.** 3, 7 y 10 **25.** 2, 6 y 11 **26.** 2, 3, 6 y 9

27. 2, 4, 5 y 6 **28.** 10 y 11 **29.** 4, 5 y 7 **30.** 2, 3, 6 y 8

PRÁCTICA Y RESOLUCIÓN DE PROBLEMAS

Práctica adicional
Ver página 722

31. ¿Cuál es el mcm de 6 y 12? **32.** ¿Cuál es el mcm de 5 y 11?

33. El diagrama de la derecha es un diagrama de Venn. Los números del círculo rojo son múltiplos de 4. Los números del círculo azul son múltiplos de 6. Los números de la zona morada son múltiplos de 4 y de 6.

Múltiplos de 4 Múltiplos de 6
a
4
c
24
d
6
b

Halla los números que faltan en el diagrama de Venn.

a. un múltiplo de 4 que tenga dos dígitos y no sea múltiplo de 6

b. un múltiplo de 6 que tenga dos dígitos y no sea múltiplo de 4

c. el mcm de 4 y 6

d. un múltiplo común de 4 y 6 que tenga tres dígitos

Halla un par de números con las siguientes características.

34. El mcm de los dos números es 26. Un número es par y el otro impar.

35. El mcm de los dos números es 48. La suma de los números da 28.

36. El mcm de los dos números es 60. La diferencia entre los dos números es 3.

37. Durante su gran inauguración de fin de semana, un restaurante dio un aperitivo gratis cada ocho clientes, una bebida gratis cada doce clientes y un helado de yogur cada quince clientes.

a. ¿Qué cliente fue el primero en recibir los tres regalos?

b. ¿Qué cliente fue el primero en recibir el aperitivo y el helado de yogur?

c. Si el restaurante atendió a 500 clientes ese fin de semana, ¿cuántos de esos clientes recibieron los tres regalos?

38. Elige una estrategia Sophia dio a su hijo $\frac{1}{2}$ de su colección de piedras semipreciosas. Le dio a su nieto $\frac{1}{2}$ de las que le quedaban. Luego, le dio a su bisnieto $\frac{1}{2}$ del resto. Se quedó con 10 piedras. ¿Cuántas piedras tenía al comienzo?

Ⓐ 40 Ⓑ 80 Ⓒ 100 Ⓓ 160

39. Escríbelo Explica los pasos que usarías para hallar el mcm de dos números. Elige dos números para mostrar un ejemplo de tu método.

40. Desafío Halla el mcm de cada par de números.

a. 4 y 6 **b.** 8 y 9 **c.** 5 y 7 **d.** 8 y 10

¿Cuándo es el mcm de dos números igual al producto de los dos números?

PREPARACIÓN PARA EL EXAMEN y repaso en espiral

41. Opción múltiple Los cubitos de queso se venden en paquetes de 60. Las galletas saladas se venden en paquetes de 12. Para hacer 60 refrigerios de 2 cubitos de queso y 1 galleta, ¿cuál es el número mínimo de paquetes de cada tipo que se necesitan?

Ⓐ 2 de queso, 1 de galletas
Ⓑ 2 de queso, 5 de galletas
Ⓒ 2 de queso, 2 de galletas
Ⓓ 5 de queso, 2 de galletas

42. Opción múltiple ¿Cuál es el mínimo común múltiplo de 5 y 8?

Ⓕ 40 Ⓖ 20 Ⓗ 80 Ⓙ 60

Multiplica. (Lección 3-6)

43. 0.3×0.1 **44.** 0.16×0.5 **45.** 1.2×0.2 **46.** 0.7×9

Compara. Escribe <, > ó =. (Lección 4-7)

47. $\frac{2}{9}$ ■ $\frac{2}{13}$ **48.** $\frac{10}{11}$ ■ $\frac{100}{110}$ **49.** $5\frac{2}{7}$ ■ $3\frac{5}{7}$

Suma o resta. (Lección 4-8)

50. $\frac{5}{6} + \frac{11}{6}$ **51.** $\frac{3}{7} + 4\frac{2}{7}$ **52.** $6\frac{2}{3} - 3\frac{1}{3}$

Modelo de suma y resta de fracciones

Para usar con las Lecciones 5-2 y 5-3

Cuando las fracciones tienen distinto denominador, debes hallar un denominador común para poder sumarlas o restarlas. Escribe fracciones equivalentes con el mismo denominador y luego realiza la operación.

Actividad 1

1 Halla $\frac{1}{8} + \frac{1}{4}$.

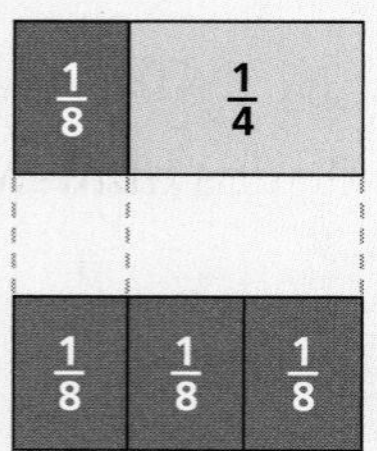

Usa barras de fracciones para representar ambas fracciones.

Halla un tamaño de barra de fracciones para hacer un modelo de ambas fracciones.

$\frac{1}{8} = \frac{1}{8}$ y $\frac{1}{4}$ es equivalente a $\frac{2}{8}$.

Halla el número total de barras de fracciones de $\frac{1}{8}$.

$$\frac{1}{8} + \frac{2}{8} = \frac{3}{8}$$

2 Halla $\frac{2}{3} + \frac{1}{2}$.

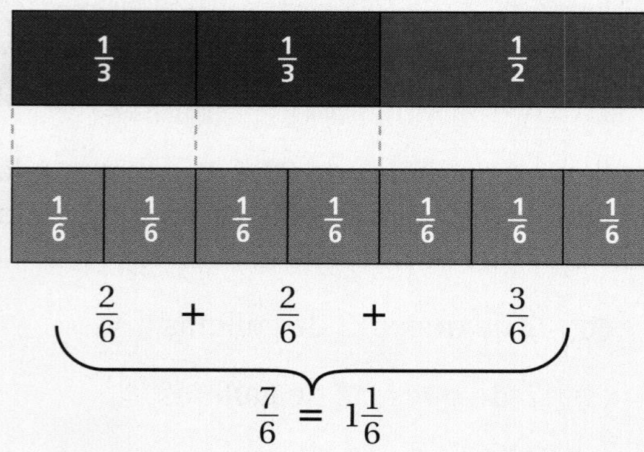

Usa barras de fracciones para representar ambas fracciones.

Halla un tamaño de barra de fracciones para hacer un modelo de ambas fracciones.

$\frac{1}{3}$ es equivalente a $\frac{2}{6}$ y $\frac{1}{2}$ es equivalente a $\frac{3}{6}$.

Halla el número total de barras de fracciones de $\frac{1}{6}$.

Razonar y comentar

1. Explica qué tienen en común los denominadores de $\frac{1}{6}, \frac{1}{4}, \frac{2}{3}$ y $\frac{1}{2}$. *(Pista: Piensa en los múltiplos comunes.)*

Inténtalo

Haz un modelo de cada expresión de suma con barras de fracciones, dibuja el modelo y halla la suma.

1. $\frac{1}{4} + \frac{1}{2}$ **2.** $\frac{3}{8} + \frac{1}{4}$ **3.** $\frac{1}{2} + \frac{2}{5}$ **4.** $\frac{3}{4} + \frac{1}{6}$

5. $\frac{1}{3} + \frac{1}{6}$ **6.** $\frac{7}{8} + \frac{3}{4}$ **7.** $\frac{2}{3} + \frac{1}{4}$ **8.** $\frac{5}{8} + \frac{1}{4}$

Actividad 2

1 Halla $\frac{1}{3} - \frac{1}{6}$.

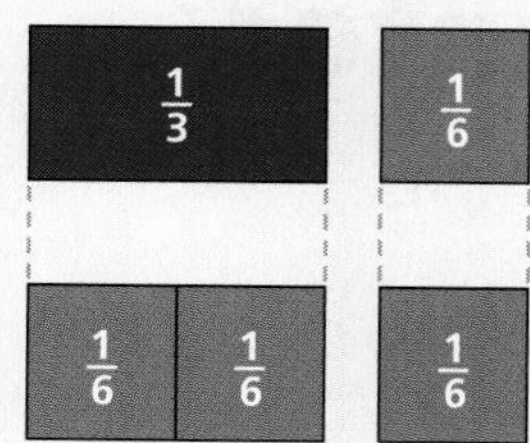

Usa barras de fracciones para representar ambas fracciones.

Halla un tamaño de barra de fracciones para hacer un modelo de ambas fracciones.

$\frac{1}{3}$ es equivalente a $\frac{2}{6}$ y $\frac{1}{6} = \frac{1}{6}$.

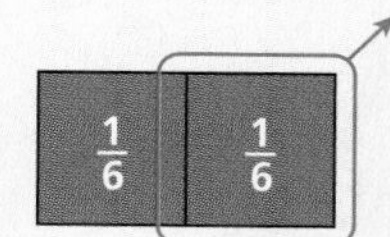

Resta $\frac{1}{6}$ de $\frac{2}{6}$.

$$\frac{2}{6} - \frac{1}{6} = \frac{1}{6}$$

2 Halla $\frac{1}{2} - \frac{1}{3}$.

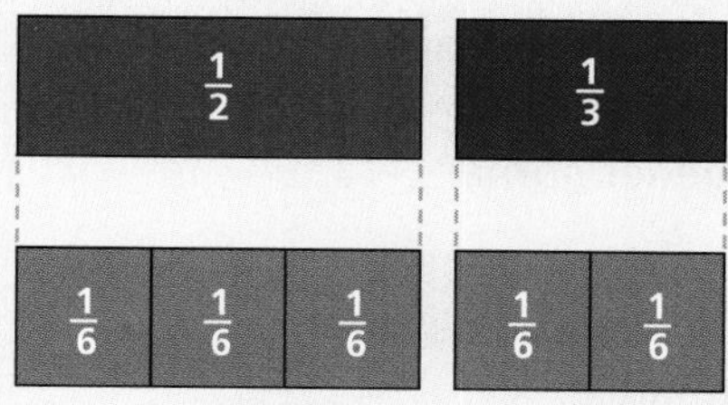

Usa barras de fracciones para representar ambas fracciones.

Halla un tamaño de barra de fracciones para hacer un modelo de ambas fracciones.

$\frac{1}{2}$ es equivalente a $\frac{3}{6}$ y $\frac{1}{3}$ es equivalente a $\frac{2}{6}$.

Resta $\frac{2}{6}$ de $\frac{3}{6}$.

$$\frac{3}{6} - \frac{2}{6} = \frac{1}{6}$$

Razonar y comentar

1. ¿Qué tamaño de barra de fracciones usarías para hacer un modelo de $\frac{1}{2} - \frac{1}{4}$? ¿Hay otro tamaño de barra de fracciones que podrías usar? Explica.
2. ¿Qué tamaño de barra de fracciones usarías para hacer un modelo de $\frac{4}{5} - \frac{1}{2}$? Explica.

Inténtalo

Haz un modelo de cada expresión de suma con barras de fracciones, dibuja el modelo y halla la diferencia.

1. $\frac{3}{4} - \frac{1}{3}$ **2.** $\frac{1}{3} - \frac{1}{4}$ **3.** $\frac{1}{2} - \frac{2}{5}$ **4.** $\frac{5}{6} - \frac{1}{3}$

5. $\frac{1}{2} - \frac{5}{12}$ **6.** $\frac{7}{8} - \frac{3}{4}$ **7.** $\frac{1}{4} - \frac{1}{8}$ **8.** $\frac{1}{4} - \frac{1}{6}$

5-2 Cómo sumar y restar con denominadores distintos

Aprender a sumar y restar fracciones con denominadores distintos

Vocabulario

mínimo común denominador (mcd)

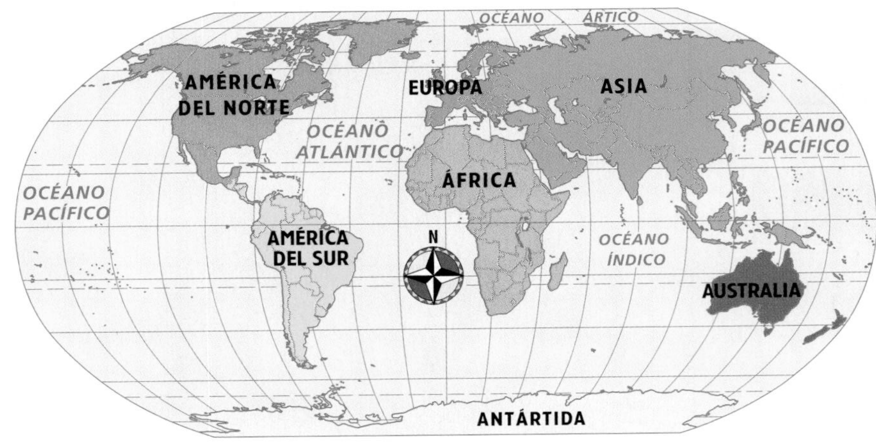

El océano Pacífico cubre $\frac{1}{3}$ de la superficie terrestre. El océano Atlántico cubre $\frac{1}{5}$ de la superficie terrestre. Para hallar la fracción de la superficie que cubren los dos océanos, puedes sumar $\frac{1}{3}$ y $\frac{1}{5}$, que son fracciones distintas.

¡Recuerda!

Las fracciones que representan el mismo valor son equivalentes.

Para sumar o restar fracciones distintas, primero escríbelas como fracciones equivalentes con un común denominador.

EJEMPLO 1 *Aplicación a los estudios sociales*

¿Qué fracción de la superficie terrestre está cubierta por los océanos Atlántico y Pacífico? Suma $\frac{1}{3}$ y $\frac{1}{5}$.

$$\frac{1}{3} + \frac{1}{5}$$

Halla un común denominador de 3 y 5.

$$\frac{1}{3} \rightarrow \frac{5}{15}$$
$$+\frac{1}{5} \rightarrow \frac{3}{15}$$

Escribe las fracciones equivalentes con 15 como el común denominador.

$$\frac{8}{15}$$

Suma los numeradores. Conserva el común denominador.

$\frac{1}{3}$	$\frac{1}{5}$
?	

$\frac{1}{3}$					$\frac{1}{5}$		
$\frac{1}{15}$	$\frac{1}{15}$	$\frac{1}{15}$	$\frac{1}{15}$	$\frac{1}{15}$	$\frac{1}{15}$	$\frac{1}{15}$	$\frac{1}{15}$

Los océanos Pacífico y Atlántico cubren $\frac{8}{15}$ de la superficie terrestre.

Puedes usar *cualquier* denominador común o el *mínimo común denominador* para sumar y restar fracciones distintas. El **mínimo común denominador (mcd)** es el mínimo común múltiplo de los denominadores.

EJEMPLO 2 Sumar y restar fracciones distintas

Suma o resta. Escribe cada respuesta en su mínima expresión.

Método 1: Multiplicar los denominadores

A $\frac{9}{10} - \frac{7}{8}$

$\frac{9}{10} - \frac{7}{8}$ *Multiplica los denominadores. 10 · 8 = 80*

$\frac{72}{80} - \frac{70}{80}$ *Escribe las fracciones equivalentes con un común denominador.*

$\frac{2}{80}$ *Resta.*

$\frac{1}{40}$ *Escribe la respuesta en su mínima expresión.*

Método 2: Usar el mcd

B $\frac{9}{10} - \frac{7}{8}$ *Múltiplos de 10: 10, 20, 30, 40, . . .*

$\frac{9}{10} - \frac{7}{8}$ *Múltiplos de 8: 8, 16, 24, 32, 40, . . . El mcd es 40.*

$\frac{36}{40} - \frac{35}{40}$ *Escribe las fracciones equivalentes con un común denominador.*

$\frac{1}{40}$ *Resta.*

Método 3: Usar el cálculo mental

C $\frac{5}{12} + \frac{1}{6}$

$\frac{5}{12} + \frac{1}{6}$ *Razona: 12 es múltiplo de 6; por lo tanto, el mcd es 12.*

$\frac{5}{12} + \frac{2}{12}$ *Escribe $\frac{1}{6}$ con un denominador de 12.*

$\frac{7}{12}$ *Suma.*

D $\frac{1}{3} - \frac{2}{9}$

$\frac{1}{3} - \frac{2}{9}$ *Razona: 9 es múltiplo de 3; por lo tanto, el mcd es 9.*

$\frac{3}{9} - \frac{2}{9}$ *Escribe $\frac{1}{3}$ con un denominador de 9.*

$\frac{1}{9}$ *Resta.*

Razonar y comentar

1. **Explica** una ventaja de usar el mínimo común denominador (mcd) al sumar fracciones distintas.
2. **Indica** cuándo el mínimo común denominador (mcd) de dos fracciones es el producto de sus denominadores.
3. **Explica** cómo usas el cálculo mental para restar $\frac{1}{12}$ de $\frac{3}{4}$.

5-2 Ejercicios

go.hrw.com
Ayuda en línea para tareas*
CLAVE: MR7 5-2
Recursos en línea para padres
CLAVE: MR7 Parent
*(Disponible sólo en inglés)

PRÁCTICA GUIADA

Ver Ejemplo 1

1. Un remolque que transporta madera pesa $\frac{2}{3}$ de tonelada. Sin la madera, el remolque pesa $\frac{1}{4}$ de tonelada. ¿Cuánto pesa la madera?

Ver Ejemplo 2

Suma o resta. Escribe cada respuesta en su mínima expresión.

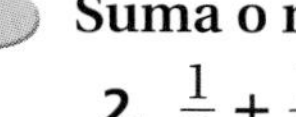

2. $\frac{1}{3} + \frac{1}{9}$
3. $\frac{7}{10} - \frac{2}{5}$
4. $\frac{2}{3} - \frac{2}{5}$
5. $\frac{1}{2} + \frac{3}{7}$

PRÁCTICA INDEPENDIENTE

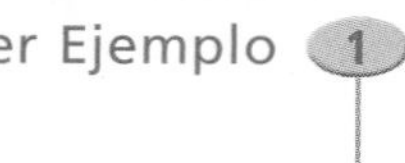

Ver Ejemplo 1

6. **Estudios sociales** Aproximadamente $\frac{1}{5}$ de la población mundial vive en China. La población de la India es aproximadamente $\frac{1}{6}$ de la población mundial. ¿Qué fracción de la población mundial vive ya sea en China o en la India?

7. Cedric cocina un platillo italiano con una receta que requiere $\frac{2}{3}$ de taza de queso mozzarella rallado. Si Cedric ralló $\frac{1}{2}$ taza de queso, ¿cuánto más necesita rallar?

Ver Ejemplo 2

Suma o resta. Escribe cada respuesta en su mínima expresión.

8. $\frac{3}{4} - \frac{1}{2}$
9. $\frac{1}{6} + \frac{5}{12}$
10. $\frac{5}{6} - \frac{3}{4}$
11. $\frac{1}{5} + \frac{1}{4}$
12. $\frac{7}{10} + \frac{1}{8}$
13. $\frac{1}{3} + \frac{4}{5}$
14. $\frac{8}{9} - \frac{2}{3}$
15. $\frac{5}{8} + \frac{1}{2}$

PRÁCTICA Y RESOLUCIÓN DE PROBLEMAS

Práctica adicional
Ver página 722

Halla cada suma o diferencia. Escribe tu respuesta en su mínima expresión.

16. $\frac{3}{10} + \frac{1}{2}$
17. $\frac{4}{5} - \frac{1}{3}$
18. $\frac{5}{8} - \frac{1}{6}$
19. $\frac{1}{6} + \frac{2}{9}$
20. $\frac{2}{7} + \frac{2}{5}$
21. $\frac{7}{12} - \frac{1}{4}$
22. $\frac{7}{8} - \frac{2}{3}$
23. $\frac{2}{11} + \frac{2}{3}$

Evalúa cada expresión para $b = \frac{1}{2}$. Escribe tu respuesta en su mínima expresión.

24. $b + \frac{1}{3}$
25. $\frac{8}{9} - b$
26. $b - \frac{2}{11}$
27. $\frac{7}{10} - b$
28. $\frac{2}{7} + b$
29. $b + b$
30. $b - b$
31. $b + \frac{5}{8}$

Evalúa. Escribe cada respuesta en su mínima expresión.

32. $\frac{1}{3} + \frac{1}{9} + \frac{1}{3}$
33. $\frac{9}{10} - \frac{2}{10} - \frac{1}{5}$
34. $\frac{1}{2} + \frac{1}{4} - \frac{1}{8}$
35. $\frac{3}{7} + \frac{1}{14} + \frac{2}{28}$
36. $\frac{5}{6} - \frac{2}{3} + \frac{7}{12}$
37. $\frac{2}{3} + \frac{1}{4} - \frac{1}{6}$
38. $\frac{2}{9} + \frac{1}{6} + \frac{1}{3}$
39. $\frac{1}{2} - \frac{1}{4} + \frac{5}{8}$

40. Bailey gastó $\frac{2}{3}$ de su mesada en el cine y $\frac{1}{5}$ en tarjetas de béisbol. ¿Qué fracción de su mesada le queda?

41. **Varios pasos** Betty prepara ponche para una fiesta. Necesita en total $\frac{9}{10}$ de galón de agua para agregar al jugo de fruta. En un recipiente tiene $\frac{1}{3}$ de galón de agua y en otro tiene $\frac{2}{5}$ de galón. ¿Cuánta más agua le hace falta?

con las ciencias biológicas

El perico australiano, la cacatúa rosa y la amazona de mejilla verde son tres aves muy coloridas. Al loro gris africano se le conoce por su habilidad para imitar los sonidos que escucha. De hecho, un loro gris africano llamado Prudle tenía un vocabulario de casi 1,000 palabras.

42. ¿Qué ave pesa más: la amazona de mejilla verde o el perico australiano?

43. ¿Cuál es la diferencia de peso entre la amazona de mejilla verde y el perico australiano?

44. ¿Pesa el perico australiano más o menos de $\frac{1}{2}$ lb? Explica.

45. **¿Dónde está el error?** Una estudiante halló que la diferencia entre el peso del loro gris africano y la cacatúa rosa era de 1 lb. Explica el error. Luego, halla la diferencia correcta.

46. **Escríbelo** Explica cómo hallarías la diferencia entre el peso de la cacatúa rosa y el de la amazona de mejilla verde.

47. **Desafío** Halla el peso promedio de las aves.

Perico australiano, $\frac{3}{8}$ lb, $11\frac{2}{5}$ pulg

Cacatúa rosa, $\frac{3}{4}$ lb, $13\frac{9}{10}$ pulg

Amazona de mejilla verde, $\frac{3}{5}$ lb, $13\frac{1}{5}$ pulg

Loro gris africano, $\frac{7}{8}$ lb, 13 pulg

PREPARACIÓN PARA EL EXAMEN y repaso en espiral

48. **Opción múltiple** Una manzana pesa $\frac{1}{4}$ lb y otra pesa $\frac{3}{16}$ lb. Halla la diferencia de peso entre ambas.

Ⓐ $\frac{1}{16}$ lb Ⓑ $\frac{1}{6}$ lb Ⓒ $\frac{1}{4}$ lb Ⓓ $\frac{7}{16}$ lb

49. **Respuesta breve** Wanda caminó $\frac{7}{24}$ de milla más que Lori. Lori caminó $\frac{5}{6}$ de milla menos que Jack. Wanda caminó $\frac{3}{8}$ de milla. ¿Cuántas millas caminó Jack? Da tu respuesta en su mínima expresión. Explica cómo resolviste el problema.

Divide. (Lección 3-7)

50. $1.40 \div 2$ **51.** $3.3 \div 3$ **52.** $0.85 \div 3$ **53.** $0.375 \div 3$

Estima cada suma o diferencia para comparar. Escribe < ó >. (Lección 4-9)

54. $\frac{4}{5} + \frac{2}{3}$ ▒ 1 **55.** $6\frac{1}{3} - 2\frac{1}{9}$ ▒ 4 **56.** $8\frac{7}{10} - 1\frac{3}{7}$ ▒ 8 **57.** $5\frac{1}{5} + \frac{8}{9}$ ▒ 6

5-3 Cómo sumar y restar números mixtos

Aprender a sumar y restar números mixtos con denominadores distintos

Los camaleones pueden cambiar de color en cualquier momento para camuflarse. Viven en las ramas altas de los árboles y casi nunca se les ve a ras del suelo.

Un camaleón Parsons, que es el camaleón más grande, puede estirar su lengua $1\frac{1}{2}$ vez la longitud de su cuerpo. Esto le permite capturar comida que de otro modo no alcanzaría.

Para sumar o restar números mixtos con denominadores distintos, primero debes hallar un denominador común para las fracciones.

El camaleón es el único animal capaz de mover cada ojo independientemente del otro. Puede voltear sus ojos alrededor de 360°.

EJEMPLO 1 Sumar y restar números mixtos

Halla cada suma o diferencia. Escribe la respuesta en su mínima expresión.

A $2\frac{3}{4} + 1\frac{1}{6}$

$2\frac{3}{4} \longrightarrow 2\frac{18}{24}$

$+\ 1\frac{1}{6} \longrightarrow +\ 1\frac{4}{24}$

$3\frac{22}{24} = 3\frac{11}{12}$

Multiplica los denominadores. $4 \cdot 6 = 24$

Escribe las fracciones equivalentes con un denominador común de 24.

Suma las fracciones y luego los números cabales, y simplifica.

B $4\frac{5}{6} - 2\frac{2}{9}$

$4\frac{5}{6} \longrightarrow 4\frac{15}{18}$

$-\ 2\frac{2}{9} \longrightarrow -\ 2\frac{4}{18}$

$2\frac{11}{18}$

El mcd de 6 y 9 es 18.

Escribe las fracciones equivalentes con un denominador común de 18.

Resta las fracciones y luego los números cabales.

C $2\frac{2}{3} + 1\frac{3}{4}$

$2\frac{2}{3} \longrightarrow 2\frac{8}{12}$

$+\ 1\frac{3}{4} \longrightarrow +\ 1\frac{9}{12}$

$3\frac{17}{12} = 4\frac{5}{12}$

El mcd de 3 y 4 es 12.

Escribe las fracciones equivalentes con un denominador común de 12.

Suma las fracciones y luego los números cabales, y simplifica. $3\frac{17}{12} = 3 + 1\frac{5}{12}$

Halla cada suma o diferencia. Escribe la respuesta en su mínima expresión.

D $8\frac{2}{5} - 6\frac{3}{10}$

$$\begin{array}{rcr} 8\frac{2}{5} & \longrightarrow & 8\frac{4}{10} \\ -\ 6\frac{3}{10} & \longrightarrow & -\ 6\frac{3}{10} \\ \hline & & 2\frac{1}{10} \end{array}$$

Razona: 10 es múltiplo de 5, por lo tanto 10 es el mcd.

Escribe las fracciones equivalentes con un denominador común de 10.

Resta las fracciones y luego los números cabales.

EJEMPLO 2 *Aplicación a las ciencias biológicas*

La longitud del cuerpo del camaleón Parsons es $23\frac{1}{2}$ pulgadas. El camaleón puede estirar la lengua $35\frac{1}{4}$ pulgadas. ¿Cuál es la longitud total de su cuerpo y su lengua?

Suma $23\frac{1}{2}$ y $35\frac{1}{4}$.

$$\begin{array}{rcr} 23\frac{1}{2} & \longrightarrow & 23\frac{2}{4} \\ +\ 35\frac{1}{4} & \longrightarrow & +\ 35\frac{1}{4} \\ \hline & & 58\frac{3}{4} \end{array}$$

Halla un común denominador. Escribe las fracciones equivalentes con el mcd, 4, como denominador.

Suma las fracciones y luego los números cabales.

La longitud total del cuerpo y la lengua del camaleón es $58\frac{3}{4}$ pulgadas.

Pista útil

Puedes usar el cálculo mental para hallar un mcd. *Razona:* 4 es múltiplo de 2 y 4.

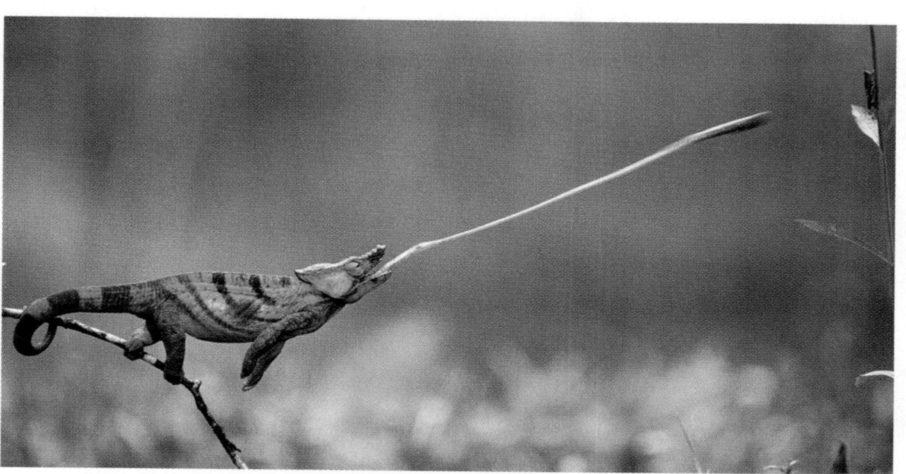

Razonar y comentar

1. **Indica** qué error se cometió cuando, al restar $2\frac{1}{2}$ de $5\frac{3}{5}$, el resultado fue: $5\frac{3}{5} - 2\frac{1}{2} = 3\frac{2}{3}$. Luego halla la respuesta correcta.
2. **Explica** por qué hallarías primero las fracciones equivalentes al sumar $1\frac{1}{5}$ y $1\frac{1}{2}$.
3. **Indica** cómo sabes que $5\frac{1}{2} - 3\frac{1}{4}$ es mayor que 2.

5-3 Ejercicios

go.hrw.com
Ayuda en línea para tareas*
CLAVE: MR7 5-3
Recursos en línea para padres
CLAVE: MR7 Parent
*(Disponible sólo en inglés)

PRÁCTICA GUIADA

Ver Ejemplo 1

Halla cada suma o diferencia. Escribe la respuesta en su mínima expresión.

1. $7\frac{1}{12} + 3\frac{1}{3}$ **2.** $2\frac{1}{6} + 2\frac{3}{8}$ **3.** $8\frac{5}{6} - 2\frac{3}{4}$ **4.** $6\frac{6}{7} - 1\frac{1}{2}$

Ver Ejemplo 2

5. Ciencias biológicas Una tortuga marina nadó $7\frac{3}{4}$ horas en dos días. El primer día nadó $3\frac{1}{2}$ horas. ¿Cuántas horas nadó el segundo día?

PRÁCTICA INDEPENDIENTE

Ver Ejemplo 1

Halla cada suma o diferencia. Escribe cada respuesta en su mínima expresión.

6. $3\frac{9}{10} - 1\frac{2}{5}$ **7.** $2\frac{1}{6} + 4\frac{5}{12}$ **8.** $5\frac{9}{11} + 5\frac{1}{3}$ **9.** $9\frac{3}{4} - 3\frac{1}{2}$

10. $6\frac{3}{10} + 3\frac{2}{5}$ **11.** $10\frac{2}{3} - 2\frac{1}{12}$ **12.** $14\frac{3}{4} - 6\frac{5}{12}$ **13.** $19\frac{1}{10} + 10\frac{1}{2}$

Ver Ejemplo 2

14. Escuela El club de teatro ensayó $1\frac{3}{4}$ hora el viernes y $3\frac{1}{6}$ horas el sábado. ¿Cuántas horas ensayaron los estudiantes en total?

PRÁCTICA Y RESOLUCIÓN DE PROBLEMAS

Práctica adicional
Ver página 722

Suma o resta. Escribe cada respuesta en su mínima expresión.

15. $15\frac{5}{6} + 18\frac{2}{3}$ **16.** $17\frac{1}{6} + 12\frac{1}{4}$ **17.** $23\frac{9}{10} - 20\frac{3}{9}$ **18.** $32\frac{5}{7} - 13\frac{2}{5}$

19. $28\frac{11}{12} - 8\frac{5}{9}$ **20.** $12\frac{2}{11} + 20\frac{2}{3}$ **21.** $36\frac{5}{8} - 24\frac{5}{12}$ **22.** $48\frac{9}{11} + 2\frac{1}{4}$

23. Medición La mochila de Kyle pesa $14\frac{7}{20}$ lb. La mochila de Kirsten pesa $12\frac{1}{4}$ lb.

a. ¿Cuánto pesan las dos mochilas juntas?

b. ¿Por cuánto sobrepasa el peso de la mochila de Kyle al peso de la mochila de Kirsten?

c. Kyle saca de su mochila el libro de matemáticas, que pesa $3\frac{1}{4}$ lb. ¿Cuánto pesa ahora su mochila?

Suma o resta. Escribe cada respuesta como fracción en su mínima expresión.

24. $0.3 + \frac{2}{5}$ **25.** $\frac{4}{5} + 0.9$ **26.** $5\frac{4}{5} - 3.2$ **27.** $14\frac{1}{4} + 9.5$

28. $6.3 + \frac{4}{5}$ **29.** $23\frac{3}{4} - 10.5$ **30.** $18.9 - 6\frac{1}{2}$ **31.** $21.8 - 3\frac{3}{5}$

32. En una carretilla se pueden llevar $52\frac{1}{2}$ lb. Hay que cargar la carretilla con cinco rocas que pesan $9\frac{5}{8}$ lb, $12\frac{1}{6}$ lb, $9\frac{1}{4}$ lb, $11\frac{1}{8}$ lb y $10\frac{1}{2}$ lb ¿Se pueden llevar las cinco rocas en la carretilla? Explica.

33. La ruta que sigue Joe para ir a trabajar mide $4\frac{2}{5}$ mi. Después de lluvias intensas, cuando el camino se inunda, debe tomar otra ruta que mide $4\frac{9}{10}$ mi. ¿Por cuánto sobrepasa esta ruta a la primera?

34. Varios pasos El señor Hansley usó $1\frac{2}{3}$ taza de harina para hacer panecillos y $4\frac{1}{2}$ tazas para hacer pan. Si le quedan $3\frac{5}{6}$ tazas, ¿cuánta harina tenía el señor Hansley antes de hacer los panecillos y el pan?

Las investigaciones muestran que los elefantes oyen a través de los pies. Los pies actúan como tambores que envían vibraciones a través de los huesos a los oídos de los elefantes.

Evalúa cada expresión para $n = 2\frac{1}{3}$. Escribe tu respuesta en su mínima expresión.

35. $2\frac{2}{3} + n$ **36.** $5 - \left(1\frac{2}{3} + n\right)$ **37.** $n - 1\frac{1}{4}$ **38.** $5 - n$

39. $n + 5\frac{7}{9}$ **40.** $6 + \left(3\frac{4}{9} + n\right)$ **41.** $2\frac{1}{3} - n$ **42.** $3 + \left(2\frac{3}{4} - n\right)$

43. Ciencias biológicas Los elefantes se comunican con ruidos infrasónicos de baja frecuencia. Estos ruidos pueden recorrer desde $\frac{1}{8}$ km hasta $9\frac{1}{2}$ km. Halla la diferencia entre estas dos distancias.

Usa el dibujo para los Ejercicios del 44 al 47.

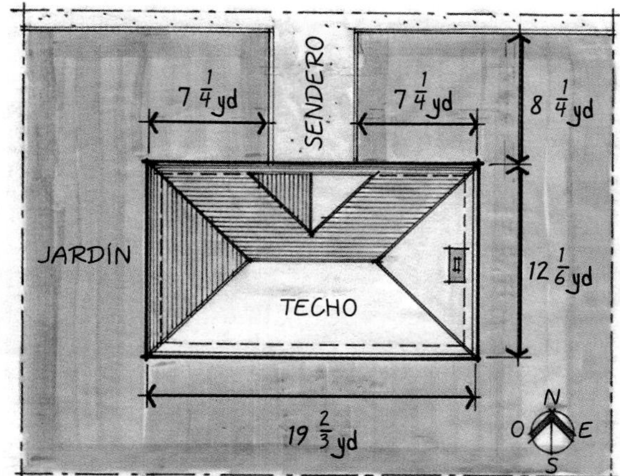

44. Sarah es una arquitecta paisajista que diseña un jardín. De acuerdo con su dibujo, ¿por cuánto sobrepasa el lado sur del edificio al lado oeste?

45. Sarah necesita determinar cuántas plantas de azalea puede sembrar a ambos lados del sendero. ¿Cuál es la suma de los dos lados del sendero?

46. ¿Cuánto mide de ancho el sendero?

47. ¿Cuál es la pregunta? La respuesta es $63\frac{2}{3}$ yd. ¿Cuál es la pregunta?

48. Escríbelo Explica cómo usarías la suma de $\frac{2}{5}$ y $\frac{1}{3}$ para hallar la suma de $10\frac{2}{5}$ y $6\frac{1}{3}$.

49. Desafío Halla cada numerador que falta.

a. $3\frac{x}{9} + 4\frac{2}{9} = 7\frac{7}{9}$ **b.** $1\frac{3}{10} + 9\frac{x}{2} = 10\frac{4}{5}$

Preparación para el examen y repaso en espiral

50. Opción múltiple ¿Cuál de las siguientes expresiones NO suma $6\frac{3}{10}$?

Ⓐ $1\frac{1}{20} + 5\frac{1}{4}$ Ⓑ $3\frac{1}{5} + 3\frac{1}{10}$ Ⓒ $3\frac{2}{5} + 3\frac{1}{5}$ Ⓓ $4\frac{3}{20} - 2\frac{3}{20}$

51. Opción múltiple Un murciélago abejorro tiene una longitud de $1\frac{1}{5}$ pulgada. La longitud de una culebra vermiforme es $4\frac{1}{4}$ pulgadas. ¿Cuánto más larga es la culebra vermiforme que el murciélago abejorro?

Ⓕ $3\frac{1}{4}$ pulgadas Ⓖ $3\frac{1}{5}$ pulgadas Ⓗ $3\frac{1}{10}$ pulgadas Ⓙ $3\frac{1}{20}$ pulgadas

Escribe cada decimal como fracción o como número mixto. (Lección 4-4)

52. 0.35 **53.** 1.5 **54.** 0.7 **55.** 1.4

Evalúa cada expresión para $x = \frac{2}{5}$. Escribe la respuesta en su mínima expresión. (Lección 5-2)

56. $x - \frac{3}{10}$ **57.** $x + \frac{5}{12}$ **58.** $\frac{7}{8} - x$ **59.** $\frac{2}{3} + x$

Modelo de resta con reagrupación

Para usar con la Lección 5-4

go.hrw.com
Recursos en línea para el laboratorio
CLAVE: MR7 Lab5

A veces, necesitas reagrupar un número mixto para poder restar. Para reagrupar un número mixto, divide uno o más de los números cabales en partes fraccionales.

Actividad

1 Halla $1\frac{1}{3} - \frac{2}{3}$.

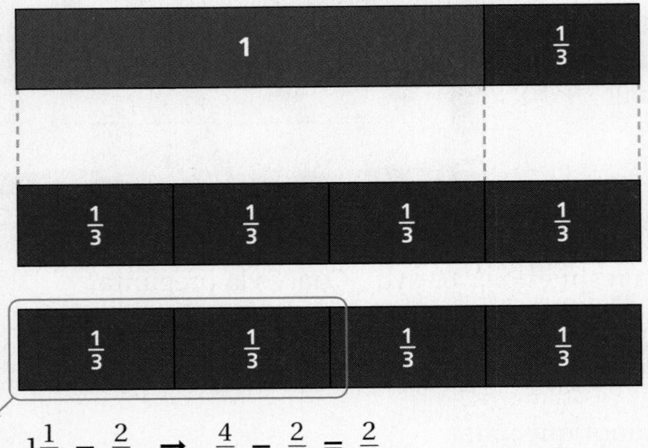

Usa barras de fracciones para hacer un modelo del primer número mixto, $1\frac{1}{3}$.

El modelo no muestra $\frac{2}{3}$ que se pueden eliminar. Debes reagrupar $1\frac{1}{3}$.

1 es equivalente a $\frac{3}{3}$.

Ahora puedes restar $\frac{2}{3}$ de $\frac{4}{3}$.

$$1\frac{1}{3} - \frac{2}{3} \rightarrow \frac{4}{3} - \frac{2}{3} = \frac{2}{3}$$

2 Halla $1\frac{1}{6} - \frac{5}{12}$.

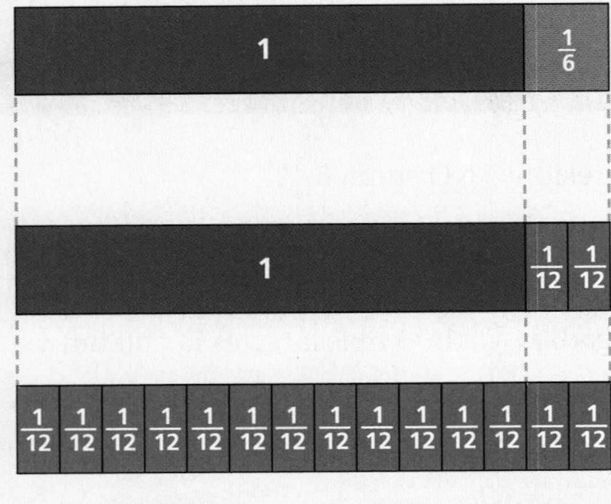

Usa barras de fracciones para hacer un modelo del primer número mixto, $1\frac{1}{6}$.
Debes eliminar $\frac{5}{12}$, así que haz un modelo de $1\frac{1}{6}$ con barras de fracciones de $\frac{1}{12}$.

El modelo no muestra $\frac{5}{12}$ que se pueden eliminar. Debes reagrupar $1\frac{1}{6}$.

1 es equivalente a $\frac{12}{12}$.

Ahora puedes restar $\frac{5}{12}$ de $\frac{14}{12}$.

$$1\frac{1}{6} - \frac{5}{12} \longrightarrow \frac{14}{12} - \frac{5}{12} - \frac{9}{12} \text{ ó } \frac{3}{4}$$

1 Halla $1\frac{1}{3} - \frac{1}{2}$.

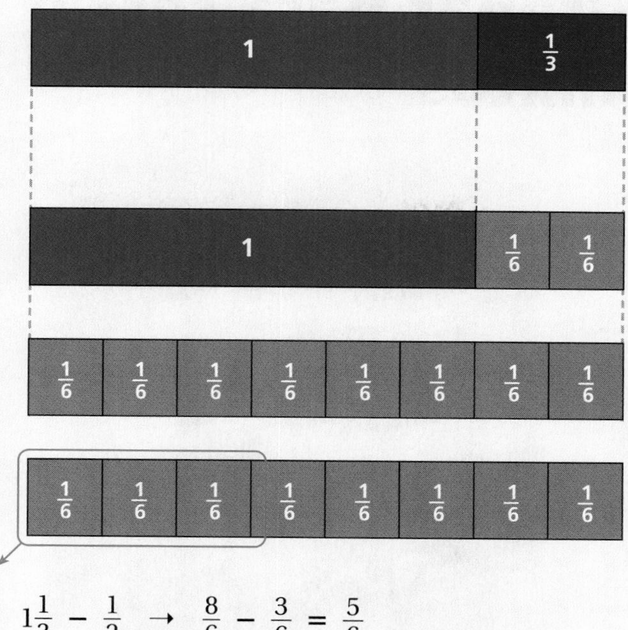

$$1\frac{1}{3} - \frac{1}{2} \rightarrow \frac{8}{6} - \frac{3}{6} = \frac{5}{6}$$

Usa barras de fracciones para hacer un modelo del primer número mixto, $1\frac{1}{3}$. Debes eliminar $\frac{1}{2}$. Haz un modelo de $1\frac{1}{3}$ usando un tamaño de barra de fracciones con el que se pueda hacer un modelo de $1\frac{1}{3}$ y $\frac{1}{2}$.

El modelo no muestra $\frac{1}{2}$ que se puede eliminar. Debes reagrupar $1\frac{1}{3}$.

1 es equivalente a $\frac{6}{6}$.

Ahora puedes restar $\frac{1}{2}$ de $\frac{8}{6}$.

Razonar y comentar

1. Indica si debes reagrupar antes de restar $3\frac{3}{8} - 1\frac{1}{8}$.
2. Indica si debes reagrupar antes de restar $4\frac{3}{5} - 1\frac{7}{10}$.

Inténtalo

Escribe la expresión de resta de la que se hace un modelo.

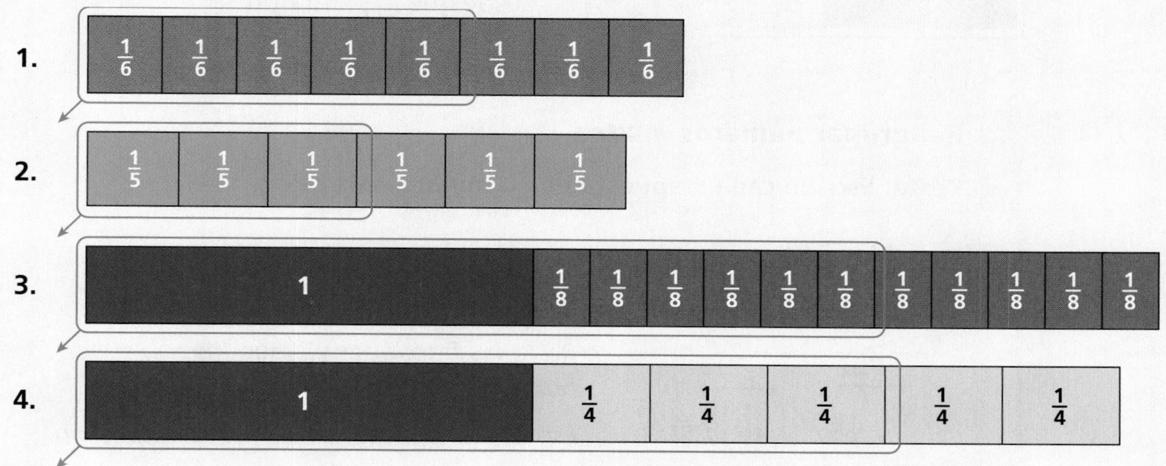

Haz un modelo de cada expresión de resta con barras de fracciones, dibuja el modelo y halla la diferencia.

5. $1\frac{3}{4} - 1\frac{1}{8}$
6. $1\frac{1}{2} - \frac{3}{4}$
7. $1\frac{2}{6} - \frac{5}{6}$
8. $1\frac{1}{6} - \frac{3}{4}$
9. $2\frac{3}{8} - 1\frac{1}{2}$
10. $3\frac{1}{3} - 1\frac{2}{3}$
11. $4\frac{1}{4} - 2\frac{5}{6}$
12. $3\frac{1}{6} - 1\frac{1}{4}$

5-4 Cómo reagrupar para restar números mixtos

Aprender a reagrupar números mixtos para restar

Jimmy y su familia plantaron un árbol cuando medía $1\frac{3}{4}$ pie de altura. Ahora el árbol mide $2\frac{1}{4}$ pies. ¿Cuánto ha crecido desde que lo plantaron?

La diferencia de las alturas puede representarse con la expresión $2\frac{1}{4} - 1\frac{3}{4}$.

Necesitas reagrupar $2\frac{1}{4}$ porque la fracción de $1\frac{3}{4}$ es mayor que $\frac{1}{4}$.

Dividimos *un entero* de $2\frac{1}{4}$ en cuartos.

1	1				$\frac{1}{4}$
1	$\frac{1}{4}$	$\frac{1}{4}$	$\frac{1}{4}$	$\frac{1}{4}$	$\frac{1}{4}$

Reagrupa $2\frac{1}{4}$ como $1\frac{5}{4}$.

$$\begin{array}{rcr} 2\frac{1}{4} & \rightarrow & 1\frac{5}{4} \\ -\,1\frac{3}{4} & \rightarrow & -\,1\frac{3}{4} \\ \hline & & \frac{2}{4} = \frac{1}{2} \end{array}$$

1	$\frac{1}{4}$	$\frac{1}{4}$	$\frac{1}{4}$	$\frac{1}{4}$	$\frac{1}{4}$

El árbol ha crecido $\frac{1}{2}$ pie desde que lo plantaron.

EJEMPLO 1 Reagrupar números mixtos

Resta. Escribe cada respuesta en su mínima expresión.

A $6\frac{5}{12} - 2\frac{7}{12}$

$$\begin{array}{rcr} 6\frac{5}{12} & \rightarrow & 5\frac{17}{12} \\ -\,2\frac{7}{12} & \rightarrow & -\,2\frac{7}{12} \\ \hline & & 3\frac{10}{12} = 3\frac{5}{6} \end{array}$$

Reagrupa $6\frac{5}{12}$ como $5 + 1\frac{5}{12} = 5 + \frac{12}{12} + \frac{5}{12}$.

Resta las fracciones y luego los números cabales.

Escribe la respuesta en su mínima expresión.

B $7\frac{2}{3} - 2\frac{5}{6}$

$$\begin{array}{rcr} 7\frac{4}{6} & \rightarrow & 6\frac{10}{6} \\ -\,2\frac{5}{6} & \rightarrow & -\,2\frac{5}{6} \\ \hline & & 4\frac{5}{6} \end{array}$$

6 es múltiplo de 3, por lo tanto 6 es un denominador común.

Reagrupa $7\frac{4}{6}$ como $6 + 1\frac{4}{6} = 6 + \frac{6}{6} + \frac{4}{6}$.

Resta las fracciones y luego los números cabales.

Resta. Escribe cada respuesta en su mínima expresión.

C $8\frac{1}{4} - 5\frac{2}{3}$

$$\begin{array}{rcr} 8\frac{3}{12} & \longrightarrow & 7\frac{15}{12} \\ -\,5\frac{8}{12} & \longrightarrow & -\,5\frac{8}{12} \\ \hline & & 2\frac{7}{12} \end{array}$$

El mcm de 4 y 3 es 12.
Reagrupa $8\frac{3}{12}$ como $7 + 1\frac{3}{12} = 7 + \frac{12}{12} + \frac{3}{12}$.
Resta las fracciones y luego los números cabales.

D $8 - 5\frac{3}{4}$

$$\begin{array}{rcr} 8 & \longrightarrow & 7\frac{4}{4} \\ -\,5\frac{3}{4} & \longrightarrow & 5\frac{3}{4} \\ \hline & & 2\frac{1}{4} \end{array}$$

Escribe 8 como número mixto con denominador de 4. Reagrupa 8 como $7 + \frac{4}{4}$.
Resta las fracciones y luego los números cabales.

EJEMPLO 2 *Aplicación a las mediciones*

Dave cambia el forro de un sillón y unos cojines. Determina que necesita 17 yardas de tela para el trabajo.

A **Dave tiene $1\frac{2}{3}$ yarda de tela. ¿Cuántas yardas más necesita?**

$$\begin{array}{rcr} 17 & \longrightarrow & 16\frac{3}{3} \\ -\,1\frac{2}{3} & \longrightarrow & -\,1\frac{2}{3} \\ \hline & & 15\frac{1}{3} \end{array}$$

Escribe 17 como número mixto con un denominador de 3. Reagrupa 17 como $16 + \frac{3}{3}$.
Resta las fracciones y luego los números cabales.

Dave necesita otras $15\frac{1}{3}$ yardas de tela.

B **Si Dave usa $9\frac{5}{6}$ yardas de tela para cubrir el armazón del sillón, ¿cuánto le quedará de las 17 yardas?**

$$\begin{array}{rcr} 17 & \longrightarrow & 16\frac{6}{6} \\ -\,9\frac{5}{6} & \longrightarrow & -\,9\frac{5}{6} \\ \hline & & 7\frac{1}{6} \end{array}$$

Escribe 17 como número mixto con un denominador de 6. Reagrupa 17 como $16 + \frac{6}{6}$.

Resta las fracciones y luego los números cabales.

A Dave le quedarán $7\frac{1}{6}$ yardas de tela.

Razonar y comentar

1. **Explica** por qué reagrupas 2 como $1\frac{8}{8}$ en lugar de $1\frac{3}{3}$ para resolver $2 - 1\frac{3}{8}$.
2. **Da un ejemplo** de una expresión de resta en la que necesites reagrupar el primer número mixto para restar.

5-4 Ejercicios

go.hrw.com
Ayuda en línea para tareas*
CLAVE: MR7 5-4
Recursos en línea para padres
CLAVE: MR7 Parent
*(Disponible sólo en inglés)

PRÁCTICA GUIADA

Ver Ejemplo 1

Resta. Escribe cada respuesta en su mínima expresión.

1. $2\frac{1}{2} - 1\frac{3}{4}$ **2.** $8\frac{2}{9} - 2\frac{7}{9}$ **3.** $3\frac{2}{6} - 1\frac{2}{3}$ **4.** $7\frac{1}{4} - 4\frac{11}{12}$

Ver Ejemplo 

5. El señor Jones compró una bolsa de harina de 4 libras. Usó $1\frac{2}{5}$ libra de la harina para hacer pan. ¿Cuántas libras de harina le quedan?

PRÁCTICA INDEPENDIENTE

Ver Ejemplo 

Resta. Escribe cada respuesta en su mínima expresión.

6. $6\frac{3}{11} - 3\frac{10}{11}$ **7.** $9\frac{2}{5} - 5\frac{3}{5}$ **8.** $4\frac{3}{10} - 3\frac{3}{5}$ **9.** $10\frac{1}{2} - 2\frac{5}{8}$

10. $11\frac{1}{4} - 9\frac{3}{8}$ **11.** $7\frac{5}{9} - 2\frac{5}{6}$ **12.** $6 - 2\frac{2}{3}$ **13.** $5\frac{3}{10} - 3\frac{1}{2}$

Ver Ejemplo 

14. **Medición** Una hoja de papel de una libreta estándar mide 11 pulgadas de largo y $8\frac{1}{2}$ pulgadas de ancho. ¿Cuál es la diferencia entre estas dos medidas?

15. Chad abrió una bolsa de 10 libras de semillas para llenar los comederos de sus pájaros. Usó $3\frac{1}{3}$ libras para llenarlos. ¿Cuántas libras de semillas le quedaron?

PRÁCTICA Y RESOLUCIÓN DE PROBLEMAS

Práctica adicional
Ver página 722

Halla cada diferencia. Escribe la respuesta en su mínima expresión.

16. $8 - 6\frac{4}{7}$ **17.** $13\frac{1}{9} - 11\frac{2}{3}$ **18.** $10\frac{3}{4} - 6\frac{1}{2}$ **19.** $13 - 4\frac{2}{11}$

20. $15\frac{2}{5} - 12\frac{3}{4}$ **21.** $17\frac{5}{9} - 6\frac{1}{3}$ **22.** $18\frac{1}{4} - 14\frac{3}{8}$ **23.** $20\frac{1}{6} - 7\frac{4}{9}$

24. **Economía** Un bono por una sola acción de una compañía costaba $\$23\frac{2}{5}$ el lunes. El martes, el costo de la acción cayó a $\$19\frac{1}{5}$. ¿Cuánto cayó el precio de la acción?

25. Jasmine mide $62\frac{1}{2}$ pulgadas de estatura. Su hermano, Antoine, mide $69\frac{3}{4}$ pulgadas de estatura. ¿Qué diferencia hay, en pulgadas, entre sus estaturas?

Simplifica cada expresión. Escribe la respuesta en su mínima expresión.

26. $4\frac{2}{3} + 5\frac{1}{3} - 7\frac{1}{8}$ **27.** $12\frac{5}{9} - 6\frac{2}{3} + 1\frac{4}{9}$ **28.** $7\frac{7}{8} - 4\frac{1}{8} + 1\frac{1}{4}$

29. $7\frac{4}{11} - 2\frac{8}{11} - \frac{10}{11}$ **30.** $8\frac{1}{3} - 5\frac{8}{9} + 8\frac{1}{2}$ **31.** $5\frac{2}{7} - 2\frac{1}{14} + 8\frac{5}{14}$

32. **Varios pasos** Octavio grabó varios programas de televisión en una cinta nueva de 6 horas. Grabó una película que duró $1\frac{1}{2}$ hora y un programa de cocina de $1\frac{1}{4}$ hora. ¿Cuánto tiempo le queda en la cinta?

Evalúa cada expresión para $a = 6\frac{2}{3}$, $b = 8\frac{1}{2}$ y $c = 1\frac{3}{4}$. Escribe la respuesta en su mínima expresión.

33. $a - c$ **34.** $b - c$ **35.** $b - a$ **36.** $10 - b$

37. $b - (a + c)$ **38.** $c + (b - a)$ **39.** $(a + b) - c$ **40.** $(10 - c) - a$

Usa la tabla para los Ejercicios del 41 al 44.

41. Gustavo trabaja en un centro de envoltura de regalos. Tiene 2 yd^2 de papel decorado para envolver una caja pequeña. ¿Cuánto papel le quedará después de envolver el regalo?

42. A continuación, Gustavo debe envolver dos cajas extra grandes. Si tiene 6 yd^2 de papel decorado, ¿cuánto papel le falta para envolver los dos regalos?

43. Para envolver una caja grande, Gustavo usó $\frac{3}{4}$ yd^2 menos de papel que la cantidad anotada en la tabla. ¿Cuántas yardas cuadradas usó para envolver el regalo?

Papel para regalo

Regalo	Papel (yd^2)
Pequeño	$\frac{11}{12}$
Mediano	$1\frac{5}{9}$
Grande	$2\frac{2}{3}$
Extragrande	$3\frac{1}{9}$

44. ¿Dónde está el error? Gustavo calculó que la diferencia entre el papel que necesitaba para envolver una caja extra grande y el papel para envolver una caja mediana es $2\frac{4}{9}$ yd^2. Explica su error y halla la respuesta correcta.

45. Escríbelo Explica por qué escribes fracciones equivalentes antes de reagruparlas. Explica por qué no las reagrupas primero.

46. Desafío Escribe en el cuadro un número mixto que haga verdadera la desigualdad.

$$12\frac{1}{2} - 8\frac{3}{4} > 10 - \blacksquare$$

Preparación para el examen y repaso en espiral

47. Opción múltiple Halla la diferencia $5 - \frac{4}{9}$.

Ⓐ $5\frac{5}{9}$ Ⓑ $5\frac{1}{9}$ Ⓒ $4\frac{5}{9}$ Ⓓ $4\frac{1}{9}$

48. Respuesta gráfica Tami trabajó el sábado 4 horas en la piscina de la ciudad. Pasó $1\frac{3}{4}$ hora limpiando la piscina y el resto del tiempo trabajó como salvavidas. ¿Cuántas horas trabajó Tami como salvavidas?

Halla el número que falta para que las fracciones sean equivalentes. (Lección 4-5)

49. $\frac{1}{2} = \frac{8}{a}$ **50.** $\frac{x}{5} = \frac{3}{15}$ **51.** $\frac{3}{z} = \frac{7}{21}$ **52.** $\frac{7}{8} = \frac{d}{56}$

Estima. (Lección 4-9)

53. $6\frac{7}{8} + 3\frac{2}{15} + 7\frac{1}{20}$ **54.** $2\frac{3}{4} + 8\frac{9}{10} + 3\frac{1}{9}$ **55.** $12\frac{8}{15} + 2\frac{1}{6} + 7\frac{3}{5}$

5-5 Cómo resolver ecuaciones con fracciones: la suma y la resta

Aprender a resolver ecuaciones sumando y restando fracciones

La caña de azúcar es la principal fuente de azúcar con la que endulzamos nuestros alimentos. Crece en zonas tropicales, como Costa Rica y Haití.

En un año, el consumo promedio de azúcar por persona en Costa Rica es $24\frac{1}{4}$ lb menos que en Estados Unidos.

La pintura muestra un paisaje de Haití, una zona tropical donde crece la caña de azúcar.

EJEMPLO 1 Resolver ecuaciones con sumas y restas

Resuelve cada ecuación. Escribe la solución en su mínima expresión.

A $x + 6\frac{2}{3} = 11$

$$x + 6\frac{2}{3} = 11$$
$$\underline{-6\frac{2}{3}} \quad \underline{-6\frac{2}{3}}$$
Resta $6\frac{2}{3}$ de ambos lados para cancelar la suma.

$$x = 10\frac{3}{3} - 6\frac{2}{3}$$
Reagrupa 11 como $10\frac{3}{3}$.

$$x = 4\frac{1}{3}$$
Resta.

B $2\frac{1}{4} = x - 3\frac{1}{2}$

$$2\frac{1}{4} = x - 3\frac{1}{2}$$
$$\underline{+3\frac{1}{2}} \quad \underline{+3\frac{1}{2}}$$
Suma $3\frac{1}{2}$ a ambos lados para cancelar la resta.

$$2\frac{1}{4} + 3\frac{2}{4} = x$$
Halla un común denominador. $3\frac{1}{2} = 3\frac{2}{4}$

$$5\frac{3}{4} = x$$
Suma.

C $5\frac{3}{5} = m + \frac{7}{10}$

$$5\frac{3}{5} = m + \frac{7}{10}$$
$$\underline{-\frac{7}{10}} \quad \underline{-\frac{7}{10}}$$
Resta $\frac{7}{10}$ de ambos lados para cancelar la suma.

$$5\frac{6}{10} - \frac{7}{10} = m$$
Halla un común denominador. $5\frac{3}{5} = 5\frac{6}{10}$

$$4\frac{16}{10} - \frac{7}{10} = m$$
Reagrupa $5\frac{6}{10}$ como $4\frac{10}{10} + \frac{6}{10}$.

$$4\frac{9}{10} = m$$
Resta.

Resuelve cada ecuación. Escribe la solución en su mínima expresión.

D $w - \frac{1}{2} = 2\frac{3}{4}$

$$w - \frac{1}{2} = 2\frac{3}{4}$$

$$\underline{+\frac{1}{2}} \quad \underline{+\frac{1}{2}}$$ *Suma $\frac{1}{2}$ a ambos lados para cancelar la resta.*

$$w = 2\frac{3}{4} + \frac{1}{2}$$

$$w = 2\frac{3}{4} + \frac{2}{4}$$ *Halla un común denominador. $\frac{1}{2} = \frac{2}{4}$*

$$w = 2\frac{5}{4}$$ *Suma.*

$$w = 3\frac{1}{4}$$ *$2\frac{5}{4} = 2 + 1\frac{1}{4}$*

EJEMPLO 2 *Aplicación a los estudios sociales*

En promedio, el consumo de azúcar por persona en Costa Rica es $132\frac{1}{4}$ lb de azúcar por año. Si el consumo promedio en Costa Rica es $24\frac{1}{4}$ lb menor que en Estados Unidos, ¿cuál es el consumo promedio anual de azúcar por persona en Estados Unidos?

$$u - 24\frac{1}{4} = 132\frac{1}{4}$$ *Sea u la cantidad promedio de azúcar que se consume en EE.UU.*

$$\underline{+24\frac{1}{4}} \quad \underline{+24\frac{1}{4}}$$ *Suma $24\frac{1}{4}$ a ambos lados para cancelar la resta.*

$$u = 156\frac{2}{4} = 156\frac{1}{2}$$ *Simplifica.*

Comprueba.

$$u - 24\frac{1}{4} = 132\frac{1}{4}$$

$$156\frac{1}{2} - 24\frac{1}{4} \stackrel{?}{=} 132\frac{1}{4}$$ *Sustituye u por $156\frac{1}{2}$.*

$$156\frac{2}{4} - 24\frac{1}{4} \stackrel{?}{=} 132\frac{1}{4}$$ *Halla un común denominador.*

$$132\frac{1}{4} \stackrel{?}{=} 132\frac{1}{4} \checkmark$$ *$156\frac{1}{2}$ es la solución.*

El consumo promedio de azúcar en EE.UU. es $156\frac{1}{2}$ lb por año.

Razonar y comentar

1. **Explica** en qué se parece reagrupar para restar números mixtos a reagrupar cuando se restan números cabales.
2. **Da un ejemplo** de una ecuación con suma con una solución que sea una fracción entre 3 y 4.

5-5 Ejercicios

go.hrw.com
Ayuda en línea para tareas*
CLAVE: MR7 5-5
Recursos en línea para padres
CLAVE: MR7 Parent
*(Disponible sólo en inglés)

PRÁCTICA GUIADA

Ver Ejemplo 1
Resuelve cada ecuación. Escribe la solución en su mínima expresión.

1. $x + 2\frac{1}{2} = 7$
2. $3\frac{1}{3} = x - 5\frac{1}{9}$
3. $9\frac{3}{4} = x + 4\frac{1}{8}$
4. $x + 1\frac{1}{5} = 5\frac{3}{10}$
5. $3\frac{2}{5} + x = 7\frac{1}{2}$
6. $8\frac{7}{10} = x - 4\frac{1}{4}$

Ver Ejemplo 2
7. Un sastre aumenta $2\frac{1}{4}$ pulgadas al largo de un vestido. Ahora, el vestido mide 60 pulgadas. ¿Cuánto medía originalmente?

PRÁCTICA INDEPENDIENTE

Ver Ejemplo 1
Resuelve cada ecuación. Escribe la solución en su mínima expresión.

8. $x - 4\frac{3}{4} = 1\frac{1}{12}$
9. $x + 5\frac{3}{8} = 9$
10. $3\frac{1}{2} = 1\frac{3}{10} + x$
11. $4\frac{2}{3} = x - \frac{1}{6}$
12. $6\frac{3}{4} + x = 9\frac{1}{8}$
13. $x - 3\frac{7}{9} = 5$

Ver Ejemplo 2
14. Robert toma una clase de cine en su escuela. Editó su video corto y eliminó $3\frac{2}{5}$ minutos. Ahora, el video dura $12\frac{1}{10}$ minutos. ¿Cuánto duraba el video antes de reducirlo?
15. Una extensión aumenta la longitud de una mesa en $2\frac{1}{2}$ pies. La nueva longitud de la mesa es $8\frac{3}{4}$ pies. ¿Cuál era la longitud original?

PRÁCTICA Y RESOLUCIÓN DE PROBLEMAS

Práctica adicional
Ver página 722

Halla la solución de cada ecuación. Comprueba tus respuestas.

16. $y + 8\frac{2}{4} = 10$
17. $p - 1\frac{2}{5} = 3\frac{7}{10}$
18. $6\frac{2}{3} + n = 7\frac{5}{6}$
19. $5\frac{3}{5} = s - 2\frac{3}{10}$
20. $k - 8\frac{1}{4} = 1\frac{1}{3}$
21. $\frac{23}{24} = c + \frac{5}{8}$

22. La diferencia de estatura entre Cristina y Erin es $\frac{1}{2}$ pie. Erin mide $4\frac{1}{4}$ pies y es más baja que Cristina. ¿Cuánto mide Cristina?

23 **Medición** Lori bañó a su perro con $2\frac{5}{8}$ onzas de champú. Cuando terminó, la botella tenía $13\frac{3}{8}$ onzas de champú. ¿Cuántas onzas había en la botella antes de que Lori bañara al perro?

24. **Deportes** Jack redujo su mejor tiempo en la carrera de 400 metros en $1\frac{3}{10}$ segundos. Su nueva marca es $52\frac{3}{5}$ segundos. ¿Cuál era el tiempo anterior de Jack en los 400 metros?

25. **Artesanía** Juan hace brazaletes para vender en la tienda de regalos de su mamá. Él alterna las cuentas verdes y azules.

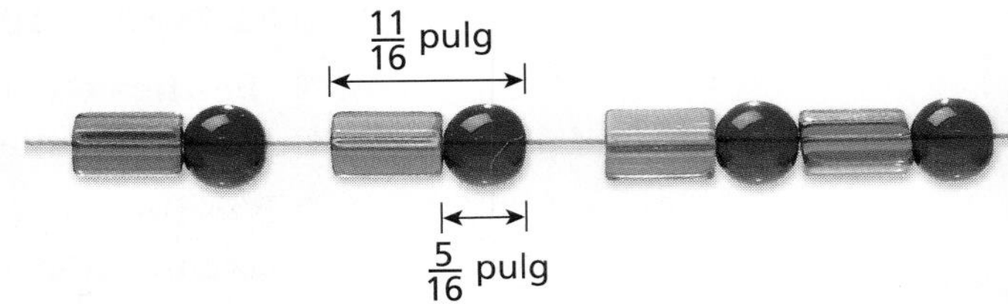

¿Cuánto mide una cuenta verde?

Halla la solución de cada ecuación. Comprueba tus respuestas.

26. $m + 4 = 6\frac{3}{8} - 1\frac{1}{4}$ **27.** $3\frac{2}{9} - 1\frac{1}{3} = p - 5\frac{1}{2}$ **28.** $q - 4\frac{1}{4} = 1\frac{1}{6} + 1\frac{1}{2}$

29. $a + 5\frac{1}{4} + 2\frac{1}{2} = 13\frac{1}{6}$ **30.** $11\frac{2}{7} = w + 3\frac{1}{2} - 1\frac{1}{7}$ **31.** $9 - 5\frac{7}{8} = x - 1\frac{1}{8}$

32. Música Un cuarteto de cuerdas interpreta *Las cuatro estaciones* de Antonio Vivaldi. El concierto está programado para durar 45 minutos.

a. Después de tocar "Primavera", "Verano" y "Otoño", ¿cuánto tiempo queda de concierto?

b. ¿Hay suficiente tiempo en el concierto para tocar los cuatro movimientos y otra pieza de $6\frac{1}{2}$ minutos? Explica.

33. Escribe un problema Usa el pictograma para escribir un problema de resta con dos números mixtos.

34. Elige una estrategia ¿Cómo puedes trazar una línea de 5 pulgadas de largo usando solamente una hoja de libreta de $8\frac{1}{2}$ pulg × 11 pulg ?

35. Escríbelo Explica cómo sabes cuándo sumar o restar un número a ambos lados de una ecuación para resolverla.

36. Desafío Escribe con los números 1, 2, 3, 4, 5 y 6 un problema de resta con dos números mixtos que tengan una diferencia de $4\frac{13}{20}$.

PREPARACIÓN PARA EL EXAMEN y repaso en espiral

37. Opción múltiple Resuelve $4\frac{1}{2} + x = 6\frac{1}{6}$ para x.

Ⓐ $x = 1\frac{1}{4}$ Ⓑ $x = 1\frac{2}{3}$ Ⓒ $x = 2\frac{1}{4}$ Ⓓ $x = 2\frac{2}{3}$

38. Opción múltiple El cabello de Ambra medía $7\frac{2}{3}$ pulgadas. Después de cortárselo, su cabello quedó en $5\frac{4}{5}$ pulgadas. ¿Cuántas pulgadas de cabello se cortaron?

Ⓕ $1\frac{13}{15}$ Ⓖ $2\frac{2}{5}$ Ⓗ $2\frac{2}{3}$ Ⓙ $2\frac{13}{15}$

Halla el mínimo común múltiplo (mcm). (Lección 5-1)

39. 4 y 12 **40.** 7, 14 y 21 **41.** 6, 9 y 24

Evalúa. Escribe cada respuesta como una fracción en su mínima expresión. (Lección 5-3)

42. $2.5 + 5\frac{3}{8}$ **43.** $3.1 - 2\frac{3}{4}$ **44.** $15\frac{1}{5} - 8.2$ **45.** $6\frac{1}{6} + 1.4$

CAPÍTULO 5

¿LISTO PARA SEGUIR?

SECCIÓN 5A

Prueba de las Lecciones 5-1 a 5-5

5-1 Mínimo común múltiplo

1. Los marcadores se venden en paquetes de 8, y los crayones, en paquetes de 16. Si en la clase de arte de la maestra Reading hay 32 estudiantes, ¿cuál es el menor número de paquetes que se necesitan para que cada estudiante tenga un marcador y un crayón y que no sobre ninguno?
2. Las latas de sopa se venden en paquetes de 24, y los paquetes de galletas saladas, en grupos de 4. Si hay que alimentar a 120 personas y cada una debe recibir una lata de sopa y un paquete de galletas saladas, ¿cuál es la cantidad mínima de paquetes que se necesitan para alimentar a todos y que no sobren galletas ni sopa?

Halla el mínimo común múltiplo (mcm).

3. 4 y 6
4. 2 y 15
5. 3, 5 y 9
6. 4, 6 y 10

5-2 Cómo sumar y restar con denominadores distintos

Suma o resta. Escribe cada respuesta en su mínima expresión.

7. $\frac{5}{7} - \frac{3}{14}$
8. $\frac{7}{8} + \frac{1}{24}$
9. $\frac{8}{9} - \frac{1}{10}$
10. $\frac{1}{6} - \frac{1}{2}$
11. Alexia tiene que agregar $\frac{2}{3}$ de taza de azúcar a la receta que está haciendo. Ya agregó $\frac{1}{2}$ taza. ¿Cuánta más azúcar debe agregar?

5-3 Cómo sumar y restar números mixtos

Halla cada suma o diferencia. Escribe cada respuesta en su mínima expresión.

12. $2\frac{9}{13} - 1\frac{1}{26}$
13. $9\frac{5}{10} + 11\frac{4}{5}$
14. $7\frac{8}{9} - 1\frac{1}{18}$
15. $2\frac{4}{5} - 1\frac{1}{10}$

5-4 Cómo reagrupar para restar números mixtos

Resta. Escribe cada respuesta en su mínima expresión.

16. $2\frac{1}{13} - 1\frac{1}{26}$
17. $7\frac{1}{3} - 5\frac{7}{9}$
18. $3\frac{3}{10} - 1\frac{4}{5}$
19. $10\frac{1}{2} - 5\frac{2}{3}$
20. Mary Ann compra $4\frac{2}{5}$ libras de plátanos. Usa $1\frac{1}{2}$ libra para hacer un pan de plátano. ¿Cuántas libras de plátanos le quedan?

5-5 Cómo resolver ecuaciones con fracciones: la suma y la resta

Resuelve cada ecuación. Escribe la solución en su mínima expresión.

21. $t + 2\frac{5}{8} = 9$
22. $5\frac{1}{6} = x - \frac{7}{8}$
23. $g + \frac{1}{4} = 2\frac{9}{10}$
24. $a + \frac{3}{5} = 1\frac{7}{10}$
25. Bryn compró $5\frac{1}{8}$ yardas de tela. Usó $3\frac{7}{9}$ yardas para hacer un vestido. ¿Cuánta tela le queda?

Enfoque en resolución de problemas

Resuelve

Elige una operación: multiplicación o división

Lee todo el problema antes de tratar de resolverlo. Determina qué acción se desarrolla en el problema. Luego, decide si debes multiplicar o dividir para resolverlo.

Si se trata de combinar grupos iguales, necesitas multiplicar. Si se trata de repartir algo en partes iguales o separarlo en grupos iguales, necesitas dividir.

Acción	Operación	
Combinar grupos iguales	Multiplicación	
Repartir en partes iguales o separar en grupos iguales	División	

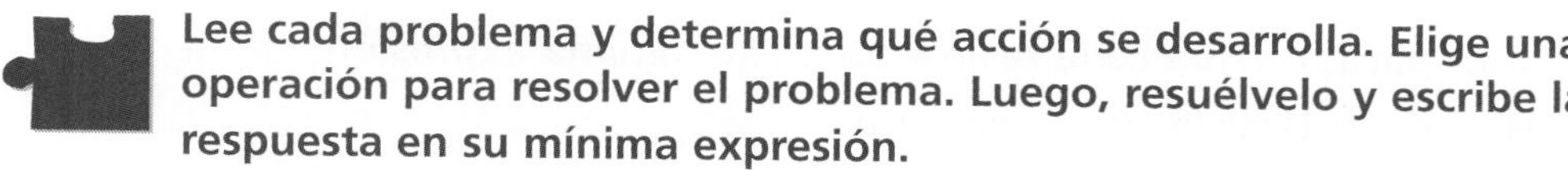

Lee cada problema y determina qué acción se desarrolla. Elige una operación para resolver el problema. Luego, resuélvelo y escribe la respuesta en su mínima expresión.

1. Jason juntó 30 tazas de frambuesas. Las colocó en grandes bolsas para congelar de 5 tazas cada una. ¿Cuántas bolsas tiene?

2. Cuando las flores del arándano rojo comienzan a abrirse en junio, los agricultores instalan aproximadamente $2\frac{1}{2}$ colmenas por acre para que las abejas polinicen las flores. Una agricultora tiene 36 acres de arándanos rojos. ¿Cuántas colmenas necesita?

3. Una receta para hacer 3 panes de plátano y arándano rojo requiere 4 tazas de arándanos rojos. Linh sólo quiere hacer un pan. ¿Cuántas tazas de arándanos rojos necesita?

4. Clay quiere duplicar una receta para hacer panecillos de arándanos azules que requiere 1 taza de arándanos azules. ¿Cuántos arándanos azules necesita?

5-6 Cómo multiplicar fracciones por números cabales

Aprender a multiplicar fracciones por números cabales

Recuerda que la multiplicación por un número cabal puede representarse como una suma repetida. Por ejemplo, $4 \cdot 5 = 5 + 5 + 5 + 5$. Para multiplicar una fracción por un número cabal puedes usar el mismo método.

$$3 \cdot \frac{1}{4} = \frac{1}{4} + \frac{1}{4} + \frac{1}{4} = \frac{3}{4}$$

Hay otra manera de multiplicar con fracciones. Recuerda que un número cabal puede escribirse como una fracción impropia con denominador 1. Por lo tanto, $3 = \frac{3}{1}$.

$$\frac{3}{1} \cdot \frac{1}{4} = \frac{3 \cdot 1}{1 \cdot 4} = \frac{3}{4}$$

← Multiplica los numeradores.
← Multiplica los denominadores.

EJEMPLO 1 Multiplicar fracciones y números cabales

Multiplica. Escribe cada respuesta en su mínima expresión.

Método 1: Usar la suma repetida

A $5 \cdot \frac{1}{8}$

$5 \cdot \frac{1}{8} = \frac{1}{8} + \frac{1}{8} + \frac{1}{8} + \frac{1}{8} + \frac{1}{8}$ — *Escribe $5 \cdot \frac{1}{8}$ como suma. Suma los numeradores.*

$= \frac{5}{8}$

B $3 \cdot \frac{1}{9}$

$3 \cdot \frac{1}{9} = \frac{1}{9} + \frac{1}{9} + \frac{1}{9}$ — *Escribe $3 \cdot \frac{1}{9}$ como suma. Suma los numeradores.*

$= \frac{3}{9}$

$= \frac{1}{3}$ — *Escribe tu respuesta en su mínima expresión.*

Método 2: Multiplicar

C $4 \cdot \frac{7}{8}$

$\frac{4}{1} \cdot \frac{7}{8} = \frac{28}{8}$ — *Multiplica.*

$= \frac{7}{2}$ ó $3\frac{1}{2}$ — *Escribe tu respuesta en su mínima expresión.*

EJEMPLO 2 Evaluar expresiones con fracciones

Evalúa $6x$ para cada valor de x. Escribe cada respuesta en su mínima expresión.

A $x = \frac{1}{8}$

$6x$	*Escribe la expresión.*
$6 \cdot \frac{1}{8}$	*Sustituye x por $\frac{1}{8}$.*
$\frac{6}{1} \cdot \frac{1}{8} = \frac{6}{8}$	*Multiplica.*
$= \frac{3}{4}$	*Escribe tu respuesta en su mínima expresión.*

B $x = \frac{2}{3}$

$6x$	*Escribe la expresión.*
$6 \cdot \frac{2}{3}$	*Sustituye x por $\frac{2}{3}$.*
$\frac{6}{1} \cdot \frac{2}{3} = \frac{12}{3}$	*Multiplica.*
$= \frac{4}{1}$	
$= 4$	

¡Recuerda!

$\frac{12}{3}$ significa $12 \div 3$.

A veces, el denominador de una fracción impropia se puede dividir entre el numerador sin que quede residuo, como en el Ejemplo 2B. Cuando esto pasa, la fracción impropia es equivalente a un número cabal, no a un número mixto.

$$\frac{12}{3} = 4$$

EJEMPLO  3 *Aplicación a los estudios sociales*

Cualquier propuesta de enmienda a la Constitución de Estados Unidos debe ser ratificada, o aprobada, por $\frac{3}{4}$ de los estados. Cuando se propuso en 1865 la 13ª Enmienda para abolir la esclavitud, había 36 estados. ¿Cuántos estados debían ratificar esta enmienda para que se aprobara?

Para hallar $\frac{3}{4}$ de 36, multiplica.

$$\frac{3}{4} \cdot 36 = \frac{3}{4} \cdot \frac{36}{1}$$

$$= \frac{108}{4}$$

$$= 27$$

Divide 108 entre 4 y escribe tu respuesta en su mínima expresión.

Para que la 13ª Enmienda resultara aprobada, la debían ratificar 27 estados.

Razonar y comentar

1. **Describe** un modelo que puedas usar para mostrar el producto de $4 \cdot \frac{1}{5}$.
2. **Elige** la expresión que está correctamente multiplicada.

$$2 \cdot \frac{3}{7} = \frac{6}{7} \qquad 2 \cdot \frac{3}{7} = \frac{6}{14}$$

3. **Explica** cómo puedes saber sin multiplicar que $\frac{5}{8} \cdot 16$ es mayor que 8.

5-6 Ejercicios

go.hrw.com
Ayuda en línea para tareas*
CLAVE: MR7 5-6
Recursos en línea para padres
CLAVE: MR7 Parent
*(Disponible sólo en inglés)

PRÁCTICA GUIADA

Ver Ejemplo 1

Multiplica. Escribe cada respuesta en su mínima expresión.

1. $8 \cdot \frac{1}{9}$ **2.** $2 \cdot \frac{1}{5}$ **3.** $12 \cdot \frac{1}{4}$ **4.** $7 \cdot \frac{4}{9}$

5. $3 \cdot \frac{1}{7}$ **6.** $4 \cdot \frac{2}{11}$ **7.** $8 \cdot \frac{3}{4}$ **8.** $18 \cdot \frac{1}{3}$

Ver Ejemplo 2

Evalúa $12x$ para cada valor de x. Escribe cada respuesta en su mínima expresión.

9. $x = \frac{2}{3}$ **10.** $x = \frac{1}{2}$ **11.** $x = \frac{3}{4}$ **12.** $x = \frac{5}{6}$

Ver Ejemplo 3

13. El Club de Servicios Comunitarios de la escuela tiene 45 miembros. De estos 45 miembros, $\frac{3}{5}$ son chicos. ¿Cuántos chicos hay en el Club de Servicios Comunitarios?

PRÁCTICA INDEPENDIENTE

Ver Ejemplo 1

Multiplica. Escribe cada respuesta en su mínima expresión.

14. $4 \cdot \frac{1}{10}$ **15.** $6 \cdot \frac{1}{8}$ **16.** $3 \cdot \frac{1}{12}$ **17.** $2 \cdot \frac{2}{5}$

18. $6 \cdot \frac{10}{11}$ **19.** $2 \cdot \frac{3}{11}$ **20.** $15 \cdot \frac{2}{15}$ **21.** $20 \cdot \frac{1}{2}$

Ver Ejemplo 2

Evalúa $8x$ para cada valor de x. Escribe cada respuesta en su mínima expresión.

22. $x = \frac{1}{2}$ **23.** $x = \frac{3}{4}$ **24.** $x = \frac{1}{8}$ **25.** $x = \frac{1}{4}$

26. $x = \frac{2}{5}$ **27.** $x = \frac{5}{7}$ **28.** $x = \frac{7}{8}$ **29.** $x = \frac{4}{9}$

Ver Ejemplo 3

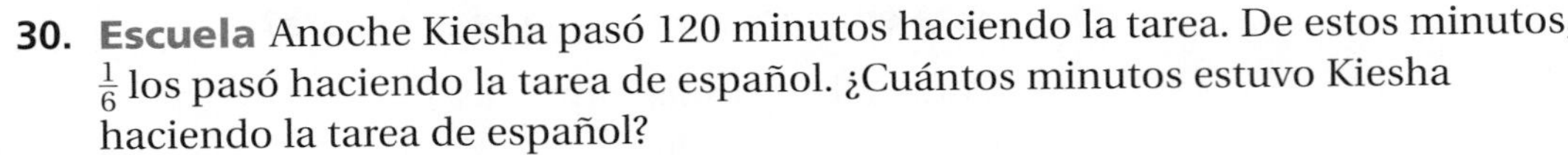

30. **Escuela** Anoche Kiesha pasó 120 minutos haciendo la tarea. De estos minutos, $\frac{1}{6}$ los pasó haciendo la tarea de español. ¿Cuántos minutos estuvo Kiesha haciendo la tarea de español?

PRÁCTICA Y RESOLUCIÓN DE PROBLEMAS

Práctica adicional
Ver página 722

Evalúa cada expresión. Escribe cada respuesta en su mínima expresión.

31. $12b$ para $b = \frac{7}{12}$ **32.** $20m$ para $m = \frac{1}{20}$ **33.** $33z$ para $z = \frac{5}{11}$

34. $\frac{2}{3}y$ para $y = 18$ **35.** $\frac{1}{4}x$ para $x = 20$ **36.** $\frac{3}{5}a$ para $a = 30$

37. $\frac{4}{5}c$ para $c = 12$ **38.** $14x$ para $x = \frac{3}{8}$ **39.** $\frac{9}{10}n$ para $n = 50$

Compara. Escribe $<$, $>$ ó $=$.

40. $9 \cdot \frac{1}{16}$ ▒ $\frac{1}{2}$ **41.** $15 \cdot \frac{2}{5}$ ▒ 5 **42.** $\frac{8}{13}$ ▒ $4 \cdot \frac{2}{13}$

43. $3 \cdot \frac{2}{9}$ ▒ $\frac{2}{3}$ **44.** $6 \cdot \frac{4}{15}$ ▒ $\frac{11}{24}$ **45.** 5 ▒ $12 \cdot \frac{3}{4}$

46. $3 \cdot \frac{1}{7}$ ▒ $3 \cdot \frac{1}{5}$ **47.** $7 \cdot \frac{3}{4}$ ▒ $6 \cdot \frac{3}{7}$ **48.** $2 \cdot \frac{5}{6}$ ▒ $6 \cdot \frac{2}{5}$

49. Denise gastó \$55 en compras. De esos \$55, gastó $\frac{3}{5}$ en un par de zapatos. ¿Cuánto dinero gastó Denise en su par de zapatos?

con las ciencias biológicas

El General Sherman, una gigantesca secoya del Parque Nacional Sequoia, de California, es uno de los árboles más grandes del mundo, ya que mide 275 pies de altura.

California también tiene algunos de los más altos abetos americanos, pinos ponderosa y pinos blancos occidentales. En la tabla se comparan las alturas de estos árboles con la del General Sherman. Por ejemplo, el abeto americano mide $\frac{23}{25}$ de la altura del General Sherman.

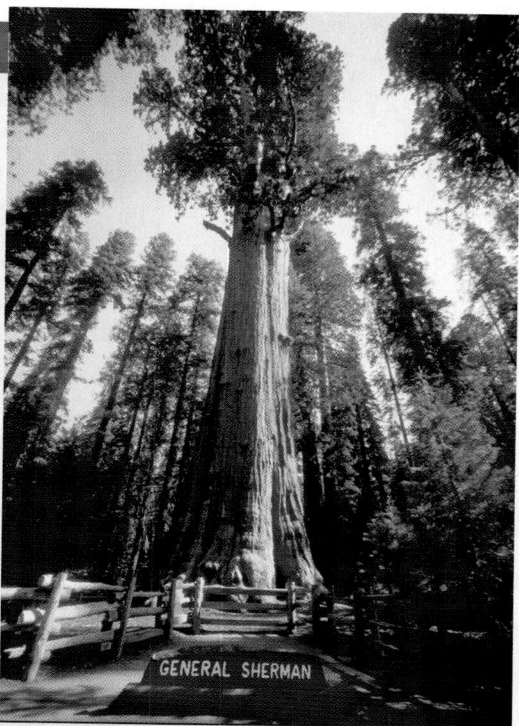

50. Halla la altura de los árboles de la tabla. Escribe tus respuestas en su mínima expresión.

51. El eucalipto blanco más alto del mundo mide $\frac{3}{5}$ de la altura del General Sherman. ¿Cuánto mide este eucalipto blanco?

52. **¿Cuál es la pregunta?** Un árbol Joshua puede crecer hasta alcanzar los 40 pies de altura. La respuesta es $\frac{8}{55}$. ¿Cuál es la pregunta?

53. **Escríbelo** Halla $\frac{1}{5}$ de la altura del General Sherman. Después, divide la altura del General Sherman entre 5. ¿Qué observas? ¿Por qué es lógico lo que observas?

54. **Desafío** El cedro de incienso más alto del mundo tiene una altura de 152 pies. ¿Cuánto es $\frac{1}{5}$ de $\frac{1}{2}$ de $\frac{1}{4}$ de 152?

Alturas de árboles comparadas con el General Sherman	
Abeto americano más alto	$\frac{23}{25}$
Pino ponderosa más alto	$\frac{41}{50}$
Pino blanco más alto	$\frac{21}{25}$

Fuente: The Top 10 of Everything 2000

Preparación para el examen y repaso en espiral

55. **Opción múltiple** Una receta requiere $\frac{1}{3}$ de taza de azúcar. Daniela duplicó la receta. ¿Cuánta azúcar usó?

Ⓐ $\frac{1}{4}$ taza Ⓑ $\frac{1}{3}$ taza Ⓒ $\frac{2}{3}$ taza Ⓓ $\frac{3}{4}$ taza

56. **Respuesta desarrollada** Mario compró $\frac{1}{5}$ de libra de pavo. Rose compró cuatro veces la cantidad de pavo que compró Mario. Y Celia compró 2 veces la cantidad que compró Rose. ¿Cuántas libras de pavo compró Rose? ¿Cuántas libras compró Celia? ¿Cuánto más compró Celia que Mario? Muestra tu trabajo.

Escribe cada frase como una expresión numérica o algebraica. (Lección 2-2)

57. w menos que 75 **58.** el producto de n y 16 **59.** el cociente de p y 7

Resta. Escribe cada respuesta en su mínima expresión. (Lección 5-4)

60. $5\frac{2}{3} - 4\frac{5}{6}$ **61.** $12\frac{4}{7} - 3\frac{6}{7}$ **62.** $9\frac{7}{12} - 2\frac{1}{3}$ **63.** $11\frac{5}{8} - 5\frac{1}{4}$

Modelo de multiplicación de fracciones

Para usar con las Lecciones 5-7 y 5-8

go.hrw.com
Recursos en línea para el laboratorio
CLAVE: MR7 Lab5

Puedes usar cuadrículas para comprender la multiplicación de fracciones.

Actividad 1

1 Piensa en $\frac{1}{2} \cdot \frac{1}{3}$ como $\frac{1}{2}$ de $\frac{1}{3}$.

Sombrea $\frac{1}{3}$ de un cuadrado.

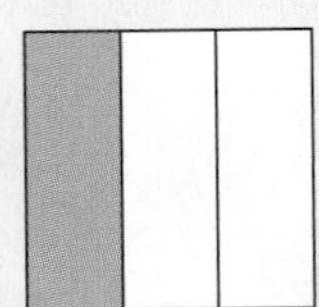

Divide el cuadrado en mitades.

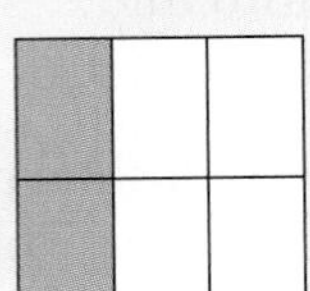

Observa $\frac{1}{2}$ de la parte que sombreaste.

¿Qué fracción del total representa?

$\frac{1}{2}$ de $\frac{1}{3}$ es $\frac{1}{6}$.

2 Piensa en $\frac{2}{3} \cdot \frac{1}{2}$ como $\frac{2}{3}$ de $\frac{1}{2}$.

Sombrea $\frac{1}{2}$ de un cuadrado.

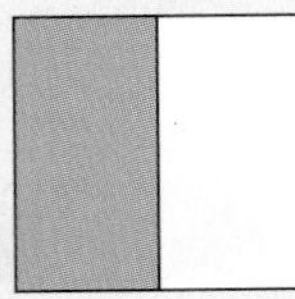

Divide el cuadrado en tercios.

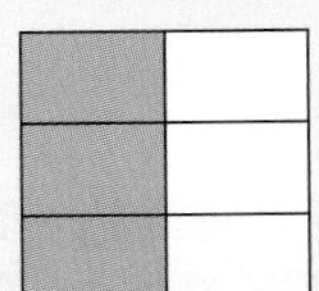

$\frac{2}{3}$ de $\frac{1}{2}$ es $\frac{2}{6}$, ó $\frac{1}{3}$.

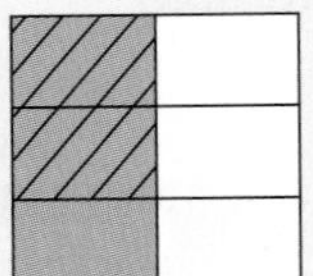

Razonar y comentar

1. Indica si el producto es mayor o menor que las fracciones con las que empezaste.

Inténtalo

Escribe la expresión de multiplicación que representa el modelo de cada cuadrícula.

1.

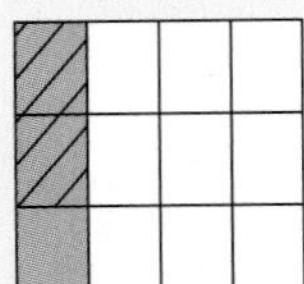

2.

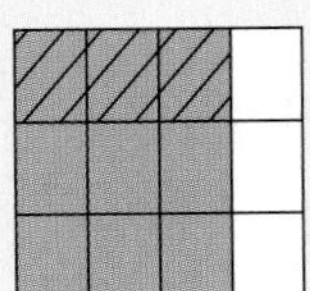

3.

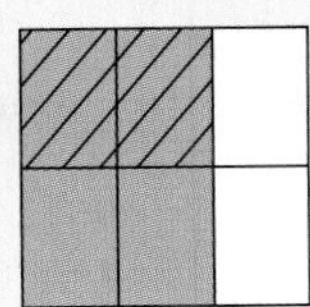

Usa una cuadrícula para representar cada expresión de multiplicación.

4. $\frac{1}{3} \cdot \frac{1}{2}$ **5.** $\frac{2}{3} \cdot \frac{1}{3}$ **6.** $\frac{1}{4} \cdot \frac{2}{3}$ **7.** $\frac{1}{3} \cdot \frac{3}{4}$

También puedes usar cuadrículas para hacer un modelo de la multiplicación de números mixtos.

Actividad 2

Piensa en $\frac{1}{2} \cdot 2\frac{1}{2}$ como $\frac{1}{2}$ de $2\frac{1}{2}$.

Sombrea $2\frac{1}{2}$ cuadrados.

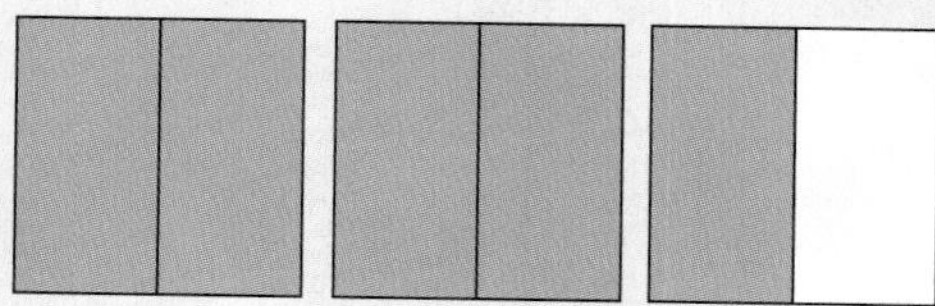

Divide los cuadrados en mitades.

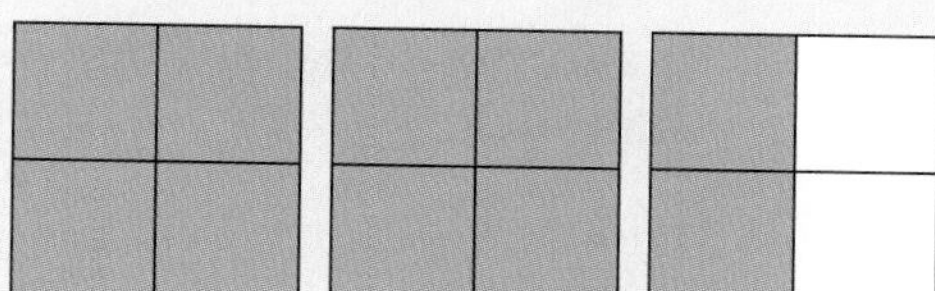

Observa $\frac{1}{2}$ de la parte que sombreaste.

¿Qué fracción del modelo representa?

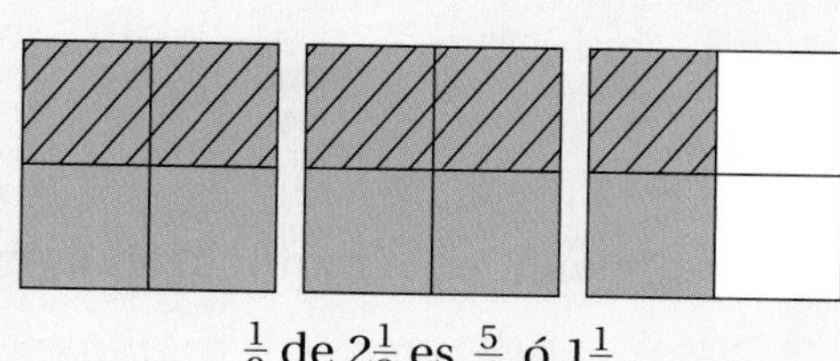

$\frac{1}{2}$ de $2\frac{1}{2}$ es $\frac{5}{4}$ ó $1\frac{1}{4}$.

Razonar y comentar

1. Describe por qué hacer un modelo de la multiplicación de números mixtos es como hacer un modelo de la multiplicación de fracciones.

Inténtalo

Escribe la expresión de multiplicación de la que cada cuadrícula es un modelo.

1.

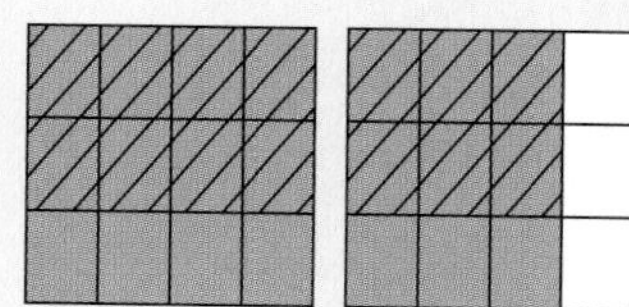

2.

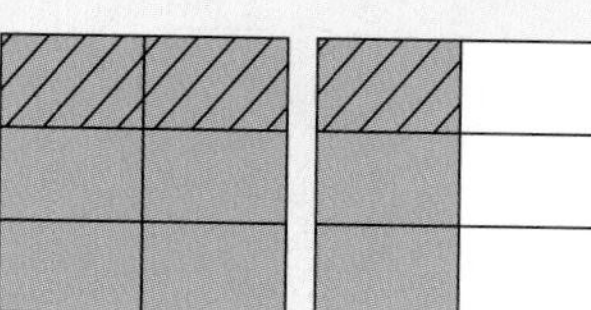

3.

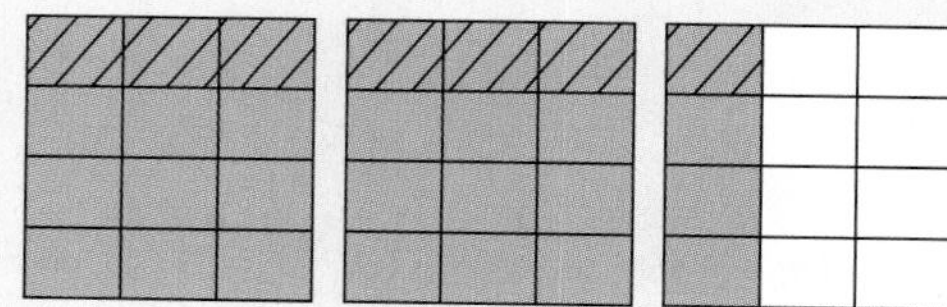

Usa una cuadrícula para hacer un modelo de cada expresión de multiplicación.

4. $\frac{1}{3} \cdot 1\frac{1}{2}$ **5.** $\frac{2}{3} \cdot 2\frac{1}{3}$ **6.** $\frac{1}{4} \cdot 2\frac{2}{3}$ **7.** $\frac{1}{3} \cdot 1\frac{3}{4}$

8. $\frac{3}{4} \cdot 1\frac{1}{3}$ **9.** $\frac{1}{2} \cdot 3\frac{1}{3}$ **10.** $\frac{2}{3} \cdot 1\frac{3}{4}$ **11.** $\frac{1}{4} \cdot 2\frac{1}{2}$

5-7 Cómo multiplicar fracciones

Aprender a multiplicar fracciones

En promedio, las personas pasan $\frac{1}{3}$ de su vida durmiendo. Y sueñan aproximadamente $\frac{1}{4}$ de ese tiempo. ¿Qué fracción de su vida pasa soñando una persona?

Tu cerebro trabaja aun cuando duermes. Se ocupa de que respires y de que tu corazón lata.

Una forma de hallar $\frac{1}{4}$ de $\frac{1}{3}$ es hacer un modelo.

Halla $\frac{1}{4}$ de $\frac{1}{3}$.

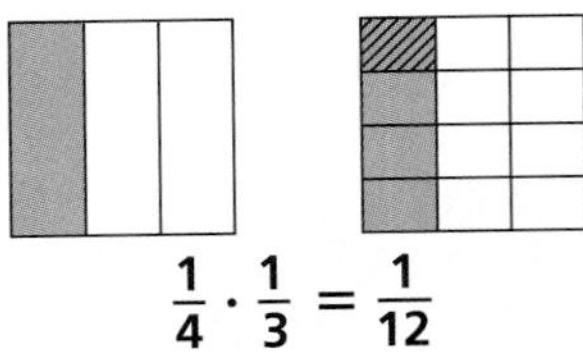

$$\frac{1}{4} \cdot \frac{1}{3} = \frac{1}{12}$$

También puedes multiplicar las fracciones sin hacer un modelo.

$\frac{1}{4} \cdot \frac{1}{3} = \frac{1 \cdot 1}{4 \cdot 3}$ ← *Multiplica los numeradores.* ← *Multiplica los denominadores.*

$= \frac{1}{12}$ *La respuesta está en su mínima expresión.*

Normalmente, una persona pasa $\frac{1}{12}$ de su vida soñando.

EJEMPLO 1 Multiplicar fracciones

Multiplica. Escribe cada respuesta en su mínima expresión.

A $\frac{1}{3} \cdot \frac{3}{5}$

$\frac{1}{3} \cdot \frac{3}{5} = \frac{1 \cdot 3}{3 \cdot 5}$ *Multiplica los numeradores. Multiplica los denominadores.*

$= \frac{3}{15}$ *El MCD de 3 y 15 es 3.*

$= \frac{1}{5}$ *La respuesta está en su mínima expresión.*

B $\frac{6}{7} \cdot \frac{2}{3}$

$\frac{\cancel{6}^{2}}{7} \cdot \frac{2}{\cancel{3}_{1}} = \frac{2}{7} \cdot \frac{2}{1}$ *Usa el MCD para simplificar las fracciones antes de multiplicar. El MCD de 6 y 3 es 3.*

$= \frac{2 \cdot 2}{7 \cdot 1}$ *Multiplica los numeradores. Multiplica los denominadores.*

$= \frac{4}{7}$ *La respuesta está en su mínima expresión.*

Multiplica. Escribe cada respuesta en su mínima expresión.

C $\frac{3}{8} \cdot \frac{2}{9}$

$\frac{3}{8} \cdot \frac{2}{9} = \frac{3 \cdot 2}{8 \cdot 9}$ *Multiplica los numeradores. Multiplica los denominadores.*

$= \frac{6}{72}$ *El MCD de 6 y 72 es 6.*

$= \frac{1}{12}$ *La respuesta está en su mínima expresión.*

EJEMPLO 2 Evaluar expresiones con fracciones

Evalúa la expresión $a \cdot \frac{1}{3}$ para cada valor de a. Escribe la respuesta en su mínima expresión.

A $a = \frac{5}{8}$

$a \cdot \frac{1}{3}$

$\frac{5}{8} \cdot \frac{1}{3}$ *Sustituye a por $\frac{5}{8}$.*

$\frac{5 \cdot 1}{8 \cdot 3}$ *Multiplica.*

$\frac{5}{24}$ *La respuesta está en su mínima expresión.*

B $a = \frac{9}{10}$

$a \cdot \frac{1}{3}$

$\frac{9}{10} \cdot \frac{1}{3}$ *Sustituye a por $\frac{9}{10}$.*

$\frac{\overset{3}{\cancel{9}}}{10} \cdot \frac{1}{\underset{1}{\cancel{3}}}$ *Usa el MCD para simplificar.*

$\frac{3 \cdot 1}{10 \cdot 1}$ *Multiplica.*

$\frac{3}{10}$ *La respuesta está en su mínima expresión.*

C $a = \frac{3}{4}$

$a \cdot \frac{1}{3}$

$\frac{3}{4} \cdot \frac{1}{3}$ *Sustituye a por $\frac{3}{4}$.*

$\frac{3 \cdot 1}{4 \cdot 3}$ *Multiplica los numeradores. Multiplica los denominadores.*

$\frac{3}{12}$ *El MCD de 3 y 12 es 3.*

$\frac{1}{4}$ *La respuesta está en su mínima expresión.*

Pista útil

Puedes buscar un factor común en un numerador y un denominador para determinar si puedes simplificar antes de multiplicar.

Razonar y comentar

1. **Determina** si el producto de dos fracciones propias es mayor o menor que cada factor.
2. **Identifica** el denominador que falta en la ecuación $\frac{1}{\blacksquare} \cdot \frac{2}{3} = \frac{2}{21}$.
3. **Indica** cómo hallar el producto de $\frac{4}{21} \cdot \frac{6}{10}$ en dos formas diferentes.

5-7 Ejercicios

go.hrw.com
Ayuda en línea para tareas*
CLAVE: MR7 5-7
Recursos en línea para padres
CLAVE: MR7 Parent
*(Disponible sólo en inglés)

PRÁCTICA GUIADA

Ver Ejemplo 1
Multiplica. Escribe cada respuesta en su mínima expresión.

1. $\frac{1}{2} \cdot \frac{1}{3}$ **2.** $\frac{2}{5} \cdot \frac{1}{4}$ **3.** $\frac{4}{7} \cdot \frac{3}{4}$ **4.** $\frac{5}{6} \cdot \frac{3}{5}$

Ver Ejemplo 2
Evalúa la expresión $b \cdot \frac{1}{5}$ para cada valor de b. Escribe la respuesta en su mínima expresión.

5. $b = \frac{2}{3}$ **6.** $b = \frac{5}{8}$ **7.** $b = \frac{1}{4}$ **8.** $b = \frac{3}{5}$

PRÁCTICA INDEPENDIENTE

Ver Ejemplo 1
Multiplica. Escribe cada respuesta en su mínima expresión.

9. $\frac{1}{3} \cdot \frac{2}{7}$ **10.** $\frac{1}{3} \cdot \frac{1}{5}$ **11.** $\frac{5}{6} \cdot \frac{2}{3}$ **12.** $\frac{1}{3} \cdot \frac{6}{7}$

13. $\frac{3}{10} \cdot \frac{5}{6}$ **14.** $\frac{7}{9} \cdot \frac{3}{5}$ **15.** $\frac{1}{2} \cdot \frac{10}{11}$ **16.** $\frac{3}{5} \cdot \frac{3}{4}$

Ver Ejemplo 2
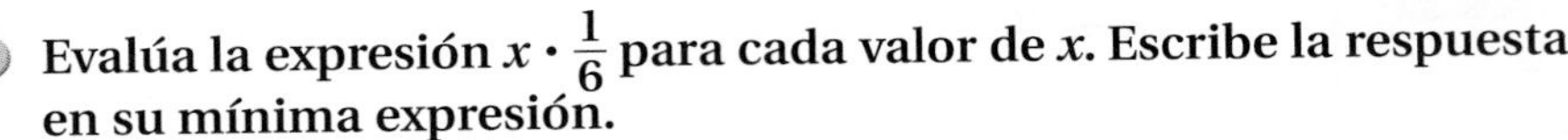
Evalúa la expresión $x \cdot \frac{1}{6}$ para cada valor de x. Escribe la respuesta en su mínima expresión.

17. $x = \frac{4}{5}$ **18.** $x = \frac{6}{7}$ **19.** $x = \frac{3}{4}$ **20.** $x = \frac{5}{6}$

21. $x = \frac{8}{9}$ **22.** $x = \frac{9}{10}$ **23.** $x = \frac{5}{8}$ **24.** $x = \frac{3}{8}$

PRÁCTICA Y RESOLUCIÓN DE PROBLEMAS

Práctica adicional
Ver página 723

Halla cada producto. Simplifica la respuesta.

25. $\frac{3}{5} \cdot \frac{4}{9}$ **26.** $\frac{5}{12} \cdot \frac{9}{10}$ **27.** $\frac{2}{5} \cdot \frac{2}{7} \cdot \frac{5}{8}$ **28.** $\frac{2}{7} \cdot \frac{1}{8}$

29. $\frac{6}{7} \cdot \frac{9}{10}$ **30.** $\frac{4}{9} \cdot \frac{2}{3}$ **31.** $\frac{1}{2} \cdot \frac{2}{5} \cdot \frac{9}{11}$ **32.** $\frac{1}{12} \cdot \frac{3}{7}$

33. Una receta de panecillos de nuez necesita $\frac{3}{4}$ de taza de nueces. La señora Hooper quiere hacer $\frac{1}{3}$ de la receta. ¿Qué fracción de taza necesita?

34. Jim pasó $\frac{5}{6}$ de una hora haciendo tareas del hogar. Pasó $\frac{2}{5}$ de ese tiempo lavando los platos. ¿Qué fracción de una hora estuvo lavando los platos?

Compara. Escribe $<, >$ ó $=$.

35. $\frac{2}{3} \cdot \frac{1}{4}$ ■ $\frac{1}{3} \cdot \frac{3}{4}$ **36.** $\frac{3}{5} \cdot \frac{3}{4}$ ■ $\frac{1}{2} \cdot \frac{9}{10}$ **37.** $\frac{5}{6} \cdot \frac{2}{3}$ ■ $\frac{1}{3} \cdot \frac{2}{3}$

38. $\frac{5}{8} \cdot \frac{1}{4}$ ■ $\frac{2}{9} \cdot \frac{1}{7}$ **39.** $\frac{2}{5} \cdot \frac{1}{10}$ ■ $\frac{3}{5} \cdot \frac{2}{5}$ **40.** $\frac{1}{2} \cdot \frac{4}{5}$ ■ $\frac{10}{20} \cdot \frac{16}{20}$

41. Una máquina de multiplicar usa una regla para convertir una fracción en otra. La máquina convirtió $\frac{1}{2}$ en $\frac{1}{8}$, $\frac{1}{5}$ en $\frac{1}{20}$ y $\frac{5}{7}$ en $\frac{5}{28}$.

a. ¿Cuál es la regla?

b. ¿En qué fracción convertirá la máquina $\frac{1}{3}$?

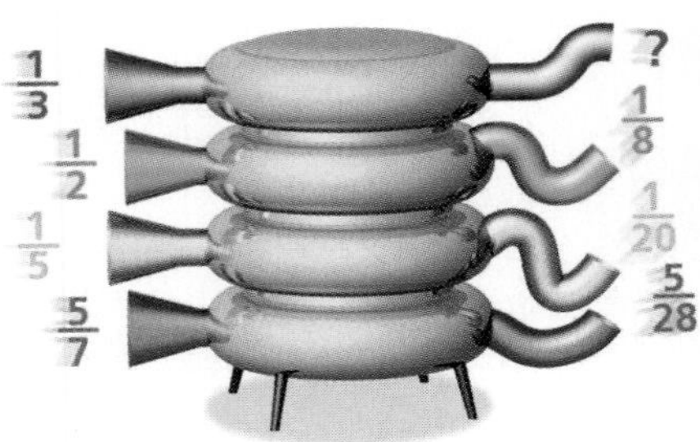

Hay aproximadamente 1,000 especies de murciélagos en el mundo e incluyen alrededor de $\frac{1}{4}$ de los mamíferos del planeta.

go.hrw.com
!Web Extra!
CLAVE: MR7 Bats

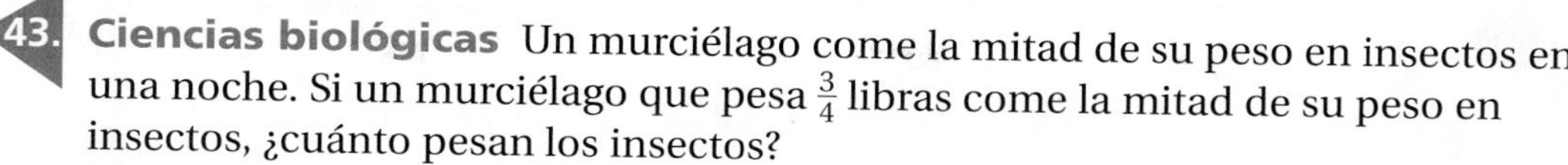

42. Alex hizo ejercicio durante $\frac{3}{4}$ de hora. Levantó pesas durante $\frac{1}{5}$ de ese tiempo. ¿Qué fracción de una hora estuvo levantando pesas?

43. Ciencias biológicas Un murciélago come la mitad de su peso en insectos en una noche. Si un murciélago que pesa $\frac{3}{4}$ libras come la mitad de su peso en insectos, ¿cuánto pesan los insectos?

44. Varios pasos La población del bisonte americano ha disminuido en forma constante a través de los años. En otras épocas, 20 millones de bisontes deambulaban por Estados Unidos. Hoy sólo queda $\frac{1}{80}$ de esa cantidad de bisontes. De ellos, únicamente $\frac{8}{125}$ viven en su hábitat natural. La cantidad de bisontes americanos que hoy viven en su hábitat natural, ¿qué fracción representa de 20 millones? ¿Cuántos bisontes son?

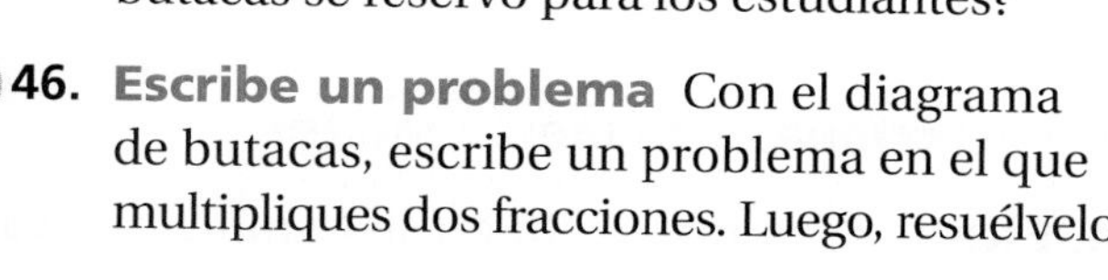

45. El diagrama de butacas muestra el teatro de la Escuela Oak. La sección delantera tiene $\frac{3}{4}$ de las butacas y la posterior tiene $\frac{1}{4}$ de las butacas. La escuela reservó $\frac{1}{2}$ de las butacas de la sección delantera para los estudiantes. ¿Qué fracción de las butacas se reservó para los estudiantes?

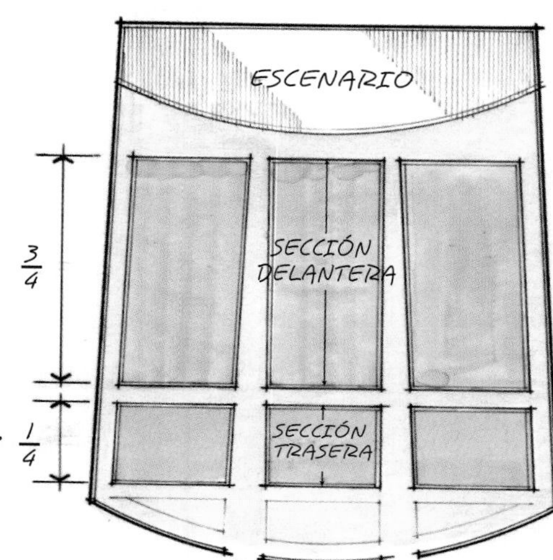

46. Escribe un problema Con el diagrama de butacas, escribe un problema en el que multipliques dos fracciones. Luego, resuélvelo.

47. Escríbelo Explica cómo puedes usar el MCD antes de multiplicar de modo que el producto de dos fracciones esté en su mínima expresión.

48. Desafío Evalúa la expresión. Luego, simplifica tu respuesta.

$$\frac{(2+6)}{5} \cdot \frac{1}{4} \cdot 6$$

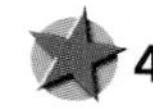

Preparación para el examen y repaso en espiral

49. Opción múltiple ¿Cuál de las siguientes opciones muestra el producto de $\frac{4}{5}$ y $\frac{3}{5}$ en su mínima expresión?

Ⓐ $1\frac{2}{5}$ Ⓑ $1\frac{1}{3}$ Ⓒ $\frac{3}{5}$ Ⓓ $\frac{12}{25}$

50. Opción múltiple Julie gastó $\frac{1}{3}$ del dinero de su cumpleaños en ropa nueva. Gastó $\frac{3}{10}$ de ese dinero en zapatos. ¿Qué fracción de su dinero de cumpleaños gastó Julie en zapatos?

Ⓕ $\frac{1}{30}$ Ⓖ $\frac{1}{10}$ Ⓗ $\frac{2}{15}$ Ⓙ $\frac{3}{13}$

Resuelve cada ecuación. (Lección 2-7)

51. $15n = 45$ **52.** $7t = 147$ **53.** $6a = 78$ **54.** $12b = 216$

Halla cada suma o diferencia. (Lección 5-2)

55. $\frac{1}{9} + \frac{1}{3}$ **56.** $\frac{11}{12} - \frac{5}{6}$ **57.** $\frac{2}{7} + \frac{6}{21}$ **58.** $\frac{1}{5} + \frac{3}{10} - \frac{1}{15}$

5-8 Cómo multiplicar números mixtos

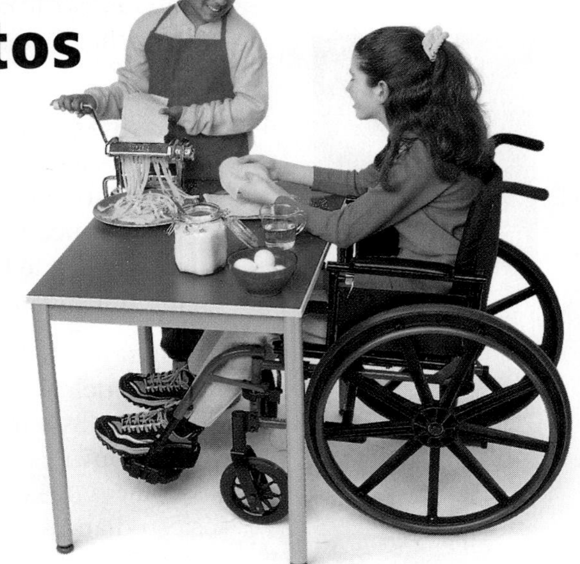

Aprender a multiplicar números mixtos

Janice y Carlos preparan pasta con una receta que requiere $1\frac{1}{2}$ taza de harina. Quieren hacer $\frac{1}{3}$ de la receta.

Puedes hallar $\frac{1}{3}$ de $1\frac{1}{2}$ o multiplicar $\frac{1}{3}$ por $1\frac{1}{2}$, para hallar cuánta harina necesitan Janice y Carlos.

EJEMPLO 1 Multiplicar fracciones y números mixtos

Multiplica. Escribe cada respuesta en su mínima expresión.

A $\frac{1}{3} \cdot 1\frac{1}{2}$

$\frac{1}{3} \cdot \frac{3}{2}$ — *Escribe $1\frac{1}{2}$ como fracción impropia. $1\frac{1}{2} = \frac{3}{2}$*

$\frac{1 \cdot 3}{3 \cdot 2}$ — *Multiplica los numeradores. Multiplica los denominadores.*

$\frac{3}{6}$

$\frac{1}{2}$ — *Escribe la respuesta en su mínima expresión.*

B $1\frac{1}{5} \cdot \frac{2}{3}$

$\frac{6}{5} \cdot \frac{2}{3}$ — *Escribe $1\frac{1}{5}$ como fracción impropia. $1\frac{1}{5} = \frac{6}{5}$*

$\frac{6 \cdot 2}{5 \cdot 3}$ — *Multiplica los numeradores. Multiplica los denominadores.*

$\frac{12}{15}$

$\frac{4}{5}$ — *Escribe la respuesta en su mínima expresión.*

C $\frac{3}{4} \cdot 2\frac{1}{3}$

$\frac{3}{4} \cdot \frac{7}{3}$ — *Escribe $2\frac{1}{3}$ como fracción impropia. $2\frac{1}{3} = \frac{7}{3}$*

$\frac{\overset{1}{\cancel{3}}}{4} \cdot \frac{7}{\underset{1}{\cancel{3}}}$ — *Usa el MCD para simplificar antes de multiplicar.*

$\frac{1 \cdot 7}{4 \cdot 1}$

$\frac{7}{4} = 1\frac{3}{4}$ — *Puedes escribir la respuesta como número mixto.*

¡Recuerda!

Para escribir un número mixto como fracción impropia, empieza con el denominador, multiplícalo por el número cabal y súmale el numerador. Usa el mismo denominador.

$1\frac{1}{5} = \frac{1 \cdot 5 + 1}{5} = \frac{6}{5}$

EJEMPLO 2 Multiplicar números mixtos

Halla cada producto. Escribe la respuesta en su mínima expresión.

A $2\frac{1}{2} \cdot 1\frac{1}{3}$

$\frac{5}{2} \cdot \frac{4}{3}$ — *Escribe los números mixtos como fracciones impropias.* $2\frac{1}{2} = \frac{5}{2}$ $\quad 1\frac{1}{3} = \frac{4}{3}$

$\frac{5 \cdot 4}{2 \cdot 3}$ — *Multiplica los numeradores. Multiplica los denominadores.*

$\frac{20}{6}$

$3\frac{2}{6}$ — *Escribe la fracción impropia como número mixto.*

$3\frac{1}{3}$ — *Simplifica.*

B $1\frac{1}{4} \cdot 1\frac{1}{3}$

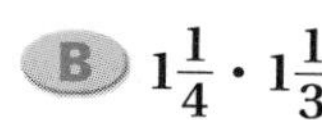

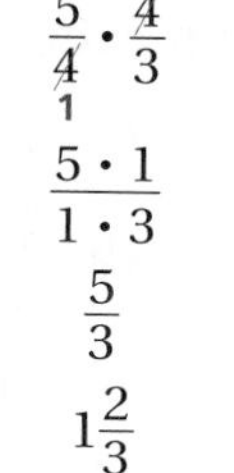

$\frac{5}{4} \cdot \frac{4}{3}$ — *Escribe los números mixtos como fracciones impropias.* $1\frac{1}{4} = \frac{5}{4}$ $\quad 1\frac{1}{3} = \frac{4}{3}$

$\frac{5}{\not{4}_1} \cdot \frac{\not{4}^1}{3}$ — *Usa el MCD para simplificar antes de multiplicar.*

$\frac{5 \cdot 1}{1 \cdot 3}$ — *Multiplica los numeradores. Multiplica los denominadores.*

$\frac{5}{3}$

$1\frac{2}{3}$ — *Escribe la respuesta como número mixto.*

C $5 \cdot 3\frac{2}{11}$

$5 \cdot 3\frac{2}{11}$

$5 \cdot \left(3 + \frac{2}{11}\right)$

$(5 \cdot 3) + \left(5 \cdot \frac{2}{11}\right)$ — *Usa la propiedad distributiva.*

$(5 \cdot 3) + \left(\frac{5}{1} \cdot \frac{2}{11}\right)$

$15 + \frac{10}{11}$ — *Multiplica.*

$15\frac{10}{11}$ — *Suma.*

Razonar y comentar

1. **Indica** cómo multiplicar un número mixto por un número mixto.
2. **Explica** dos formas en que multiplicarías un número mixto por un número cabal.
3. **Indica** en qué se parecen multiplicar números mixtos y multiplicar fracciones.

5-8 Ejercicios

go.hrw.com
Ayuda en línea para tareas*
CLAVE: MR7 5-8
Recursos en línea para padres
CLAVE: MR7 Parent
*(Disponible sólo en inglés)

PRÁCTICA GUIADA

Ver Ejemplo 1

Multiplica. Escribe cada respuesta en su mínima expresión.

1. $1\frac{1}{4} \cdot \frac{2}{3}$ **2.** $2\frac{2}{3} \cdot \frac{1}{4}$ **3.** $\frac{3}{7} \cdot 1\frac{5}{6}$

4. $1\frac{1}{3} \cdot \frac{6}{7}$ **5.** $\frac{2}{3} \cdot 1\frac{3}{10}$ **6.** $2\frac{6}{11} \cdot \frac{2}{7}$

Ver Ejemplo 2

Halla cada producto. Escribe la respuesta en su mínima expresión.

7. $1\frac{5}{6} \cdot 1\frac{1}{8}$ **8.** $2\frac{2}{5} \cdot 1\frac{1}{12}$ **9.** $4 \cdot 5\frac{3}{7}$

10. $2\frac{3}{4} \cdot 1\frac{5}{6}$ **11.** $2\frac{3}{8} \cdot 5\frac{1}{5}$ **12.** $10\frac{1}{2} \cdot 1\frac{1}{4}$

PRÁCTICA INDEPENDIENTE

Ver Ejemplo 1

Multiplica. Escribe cada respuesta en su mínima expresión.

13. $1\frac{1}{4} \cdot \frac{3}{4}$ **14.** $\frac{4}{7} \cdot 1\frac{1}{4}$ **15.** $1\frac{1}{6} \cdot \frac{2}{5}$ **16.** $2\frac{1}{6} \cdot \frac{3}{7}$

17. $\frac{5}{9} \cdot 1\frac{9}{10}$ **18.** $2\frac{2}{9} \cdot \frac{3}{5}$ **19.** $1\frac{3}{10} \cdot \frac{5}{7}$ **20.** $\frac{3}{4} \cdot 1\frac{2}{5}$

Ver Ejemplo 2

Halla cada producto. Escribe la respuesta en su mínima expresión.

21. $1\frac{1}{3} \cdot 1\frac{5}{7}$ **22.** $1\frac{2}{3} \cdot 2\frac{3}{10}$ **23.** $4 \cdot 3\frac{7}{8}$ **24.** $6 \cdot 2\frac{1}{3}$

25. $5 \cdot 4\frac{7}{10}$ **26.** $2\frac{2}{3} \cdot 3\frac{5}{8}$ **27.** $1\frac{1}{2} \cdot 2\frac{2}{5}$ **28.** $3\frac{5}{6} \cdot 2\frac{3}{4}$

PRÁCTICA Y RESOLUCIÓN DE PROBLEMAS

Práctica adicional
Ver página 723

Escribe cada producto en su mínima expresión.

29. $1\frac{2}{3} \cdot \frac{2}{9}$ **30.** $3\frac{1}{3} \cdot \frac{7}{10}$ **31.** $2 \cdot \frac{5}{8}$ **32.** $2\frac{8}{11} \cdot \frac{3}{10}$

33. $\frac{3}{8} \cdot \frac{4}{9}$ **34.** $2\frac{1}{12} \cdot 1\frac{3}{5}$ **35.** $3\frac{3}{10} \cdot 4\frac{1}{6}$ **36.** $2\frac{1}{4} \cdot 1\frac{2}{9}$

37. $2 \cdot \frac{4}{5} \cdot 1\frac{2}{3}$ **38.** $3\frac{5}{6} \cdot \frac{9}{10} \cdot 4\frac{2}{3}$ **39.** $1\frac{7}{8} \cdot 2\frac{1}{3} \cdot 4$ **40.** $1\frac{2}{7} \cdot 3 \cdot 2\frac{5}{8}$

41. Varios pasos Jared usó $1\frac{2}{5}$ bolsa de tierra en su jardín. Está preparando otro jardín que necesitará $\frac{1}{5}$ más de tierra que el suyo. ¿Cuánta tierra usará?

42. Milo prepara $1\frac{1}{2}$ hornada de panecillos. Si una hornada requiere $1\frac{3}{4}$ taza de harina, ¿cuánta harina necesita?

43. Razonamiento crítico ¿El producto de dos números mixtos siempre es mayor que 1? Explica.

Evalúa cada expresión.

44. $\frac{1}{2} \cdot c$ para $c = 4\frac{2}{5}$ **45.** $1\frac{5}{7} \cdot x$ para $x = \frac{5}{6}$ **46.** $1\frac{3}{4} \cdot b$ para $b = 1\frac{1}{7}$

47. $1\frac{5}{9} \cdot n$ para $n = 18$ **48.** $2\frac{5}{9} \cdot t$ para $t = 4$ **49.** $3\frac{3}{4} \cdot p$ para $p = \frac{1}{2}$

50. $\frac{4}{5} \cdot m$ para $m = 2\frac{2}{3}$ **51.** $6y$ para $y = 3\frac{5}{8}$ **52.** $2\frac{3}{5} \cdot c$ para $c = 1\frac{1}{5}$

CONEXIÓN con las ciencias de la computación

En una encuesta, se preguntó a 240 personas cuántas horas a la semana usan Internet. En la gráfica circular se muestran qué fracciones de las personas usan Internet y por cuánto tiempo.

Uso de Internet

Más de 36 h: $\frac{1}{4}$
De 12 h a 24 h: $\frac{1}{3}$
De 25 h a 36 h: $\frac{3}{8}$
Menos de 12 h: $\frac{1}{24}$

Usa la gráfica para los Ejercicios del 54 al 58.

53. ¿Cuántas personas en total fueron encuestadas?

54. Halla el número de personas que dijeron que usan Internet de 12 a 24 horas por semana.

55. El abuelo de Toni usa Internet $1\frac{1}{2}$ hora por día.

a. ¿Cuántas horas usa Internet en una semana? (Escribe la respuesta como número mixto).

b. Si el abuelo de Toni hubiera participado en la encuesta, ¿en qué sección de tiempo de la gráfica circular estarían sus datos?

56. **Elige una estrategia** ¿Qué letra representaría el número de personas que usan Internet menos de 12 horas por semana?

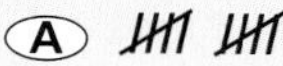

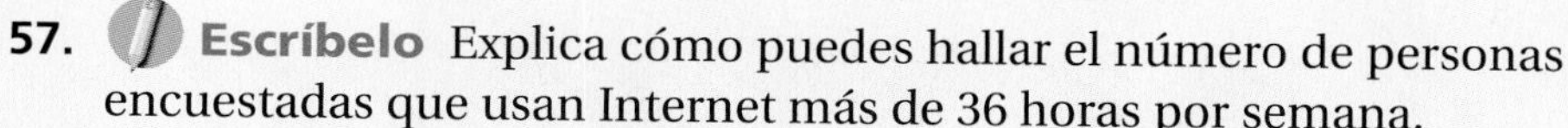

Ⓐ 卌 卌 Ⓑ 卌 卌 II Ⓒ 卌 卌 卌 卌 Ⓓ 卌 卌 卌 卌 IIII

57. **Escríbelo** Explica cómo puedes hallar el número de personas encuestadas que usan Internet más de 36 horas por semana.

58. **Desafío** Cinco sextos de las personas que usan Internet de 25 a 36 horas dijeron que lo usan 30 horas cada semana. Halla el número de personas que usan Internet 30 horas cada semana.

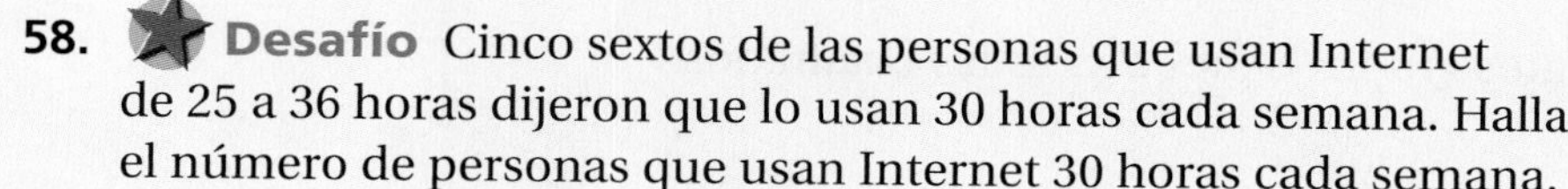

Preparación para el examen y repaso en espiral

59. **Opción múltiple** Una receta requiere $2\frac{1}{4}$ tazas de agua. Un chef duplicó la receta. ¿Cuánta agua usó?

Ⓐ 4 tazas Ⓑ $4\frac{1}{4}$ tazas Ⓒ $4\frac{1}{2}$ tazas Ⓓ $4\frac{3}{4}$ tazas

60. **Respuesta gráfica** La semana pasada, Keith comió $\frac{1}{3}$ de libra de uvas. Jamal comió 5 veces la cantidad de uvas que comió Keith. ¿Cuántas libras de uvas comió Jamal?

Escribe cada número en notación científica. (Lección 3-4)

61. 540 **62.** 1,400 **63.** 54,000 **64.** 508,000,000

Multiplica. Escribe cada respuesta en su mínima expresión. (Lección 5-6)

65. $5 \times \frac{1}{10}$ **66.** $21 \times \frac{1}{3}$ **67.** $\frac{2}{7} \times 14$ **68.** $\frac{5}{12} \times 2$

Modelo de división de fracciones

Para usar con la Lección 5-9

go.hrw.com
Recursos en línea para el laboratorio
CLAVE: MR7 Lab5

Puedes usar cuadrículas para comprender la división de fracciones.

Actividad 1

Halla $4\frac{1}{2} \div 3$.

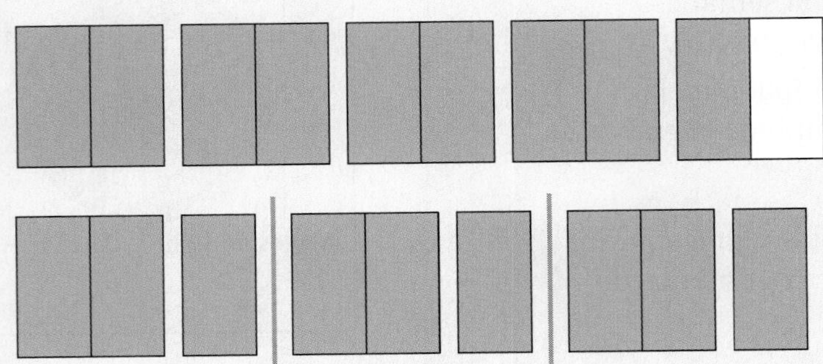

Piensa en $4\frac{1}{2} \div 3$ como dividir $4\frac{1}{2}$ en 3 grupos iguales.

Sombrea $4\frac{1}{2}$ cuadrados.

Divide las partes sombreadas en 3 grupos iguales.

Observa uno de los grupos sombreados.

¿Qué fracción representa?

$4\frac{1}{2} \div 3 = 1\frac{1}{2}$

Razonar y comentar

1. Explica cómo sabes en cuántos grupos debes dividir los cuadrados.

Inténtalo

Escribe la expresión de división que se representa en cada cuadrícula.

1. 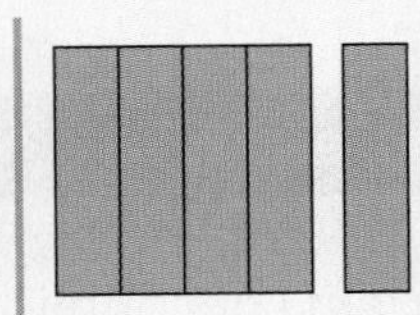 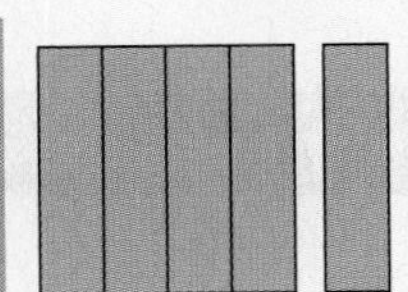 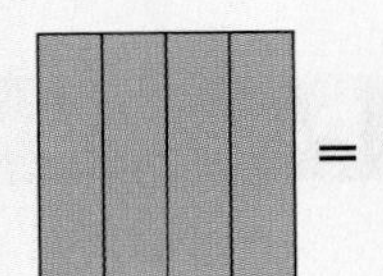 = 1

Haz un modelo para representar cada expresión de división. Luego, halla el valor de la expresión.

2. $9\frac{1}{3} \div 4$
3. $3\frac{3}{4} \div 5$
4. $4\frac{2}{3} \div 2$
5. $4\frac{1}{5} \div 3$

Actividad 2

❶ **Halla $2\frac{2}{3} \div \frac{2}{3}$.**

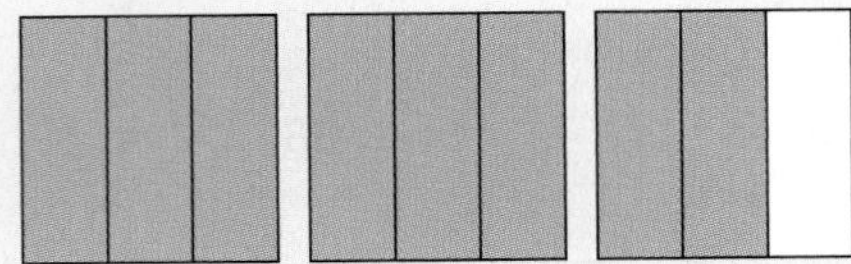

Sombrea $2\frac{2}{3}$ cuadrados.

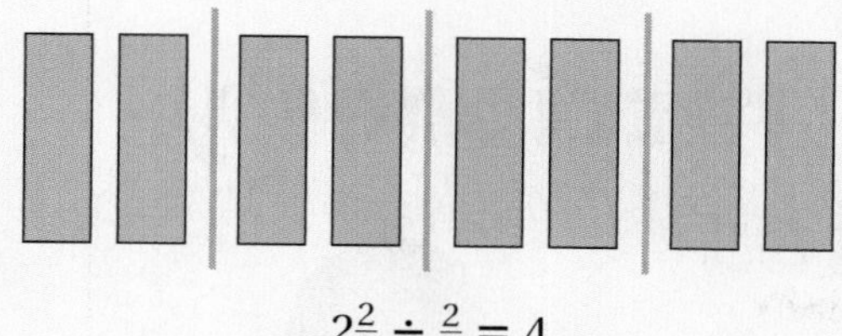

$2\frac{2}{3} \div \frac{2}{3} = 4$

Divide los cuadrados sombreados y los tercios sombreados en grupos iguales de $\frac{2}{3}$.

Hay 4 grupos de $\frac{2}{3}$ en $2\frac{2}{3}$.

2

$3 \div \frac{3}{4} = 4$

Para hallar $3 \div \frac{3}{4}$, razona: "¿cuántos grupos de $\frac{3}{4}$ hay en 3?"

Sombrea 3 cuadrados. Luego, divide los cuadrados en cuartos porque el denominador de $\frac{3}{4}$ es 4.

Divide los cuadrados sombreados en grupos iguales de $\frac{3}{4}$.

Hay 4 grupos de $\frac{3}{4}$ en 3.

Razonar y comentar

1. Explica qué predicción puedes hacer sobre el valor de $6 \div \frac{3}{4}$ si sabes que $3 \div \frac{3}{4}$ es 4.

Inténtalo

Escribe la expresión de división que se representa en cada cuadrícula.

1. 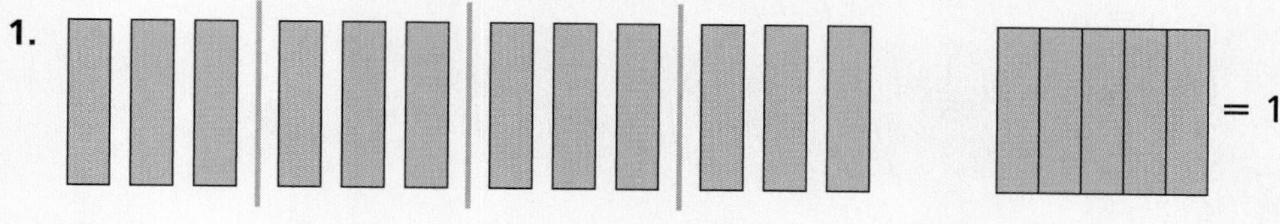

2. 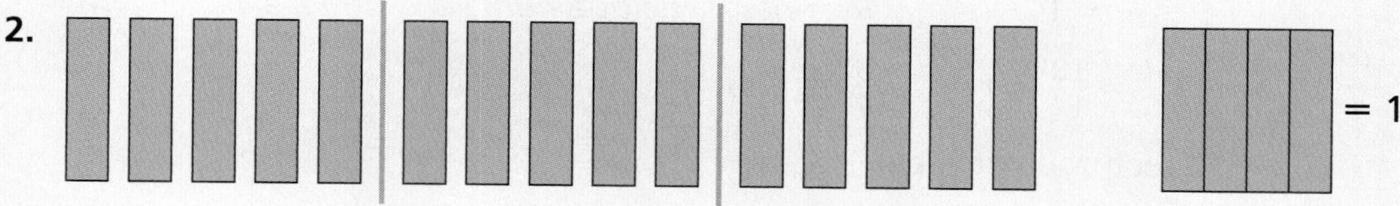

Haz un modelo para representar cada expresión de división. Luego, halla el valor de las expresiones.

3. $4 \div 1\frac{1}{3}$ **4.** $3\frac{3}{4} \div \frac{3}{4}$ **5.** $5\frac{1}{3} \div \frac{2}{3}$ **6.** $6\frac{2}{3} \div 1\frac{2}{3}$

5-9 Cómo dividir fracciones y números mixtos

Aprender a dividir fracciones y números mixtos

Vocabulario

recíproco

Curtis hace rollos de sushi. Primero colocará una hoja de alga, llamada *nori,* sobre la bandeja especial para sushi. Luego, en la bandeja, enrollará arroz, pepino, aguacate y cangrejo. Por último, cortará el rollo en pedazos pequeños.

Curtis tiene 2 tazas de arroz y usará $\frac{1}{3}$ para cada rollo. ¿Cuántos rollos de sushi puede hacer?

Razona: ¿Cuántos pedazos de $\frac{1}{3}$ son iguales a 2 enteros?

Hay seis pedazos de $\frac{1}{3}$ en 2 enteros.

Curtis puede hacer 6 rollos de sushi.

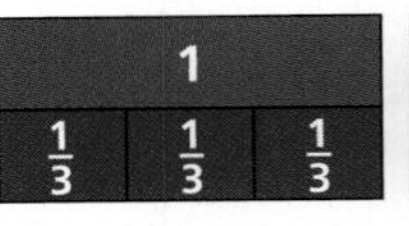

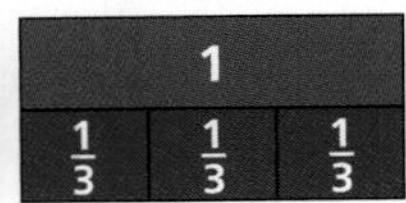

Los recíprocos te sirven para dividir entre fracciones. Dos números son **recíprocos** si su producto es 1.

EJEMPLO 1 Hallar recíprocos

Halla el recíproco.

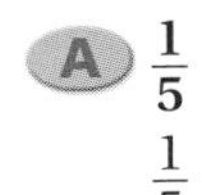

A $\frac{1}{5}$

$\frac{1}{5} \cdot \square = 1$ — *Razona: ¿$\frac{1}{5}$ de qué número es igual a 1?*

$\frac{1}{5} \cdot 5 = 1$ — *$\frac{1}{5}$ de $\frac{5}{1}$ es 1.*

El recíproco de $\frac{1}{5}$ es 5.

B $\frac{3}{4}$

$\frac{3}{4} \cdot \square = 1$ — *Razona: ¿$\frac{3}{4}$ de qué número es igual a 1?*

$\frac{3}{4} \cdot \frac{4}{3} = \frac{12}{12} = 1$ — *$\frac{3}{4}$ de $\frac{4}{3}$ es 1.*

El recíproco de $\frac{3}{4}$ es $\frac{4}{3}$.

C $2\frac{1}{3}$

$\frac{7}{3} \cdot \square = 1$ — *Escribe $2\frac{1}{3}$ como $\frac{7}{3}$.*

$\frac{7}{3} \cdot \frac{3}{7} = \frac{21}{21} = 1$ — *$\frac{7}{3}$ de $\frac{3}{7}$ es 1.*

El recíproco de $\frac{7}{3}$ es $\frac{3}{7}$.

Observa la relación entre las fracciones $\frac{3}{4}$ y $\frac{4}{3}$. Si intercambias el numerador y el denominador de una fracción, hallarás su recíproco. Dividir entre un número es lo mismo que multiplicarlo por su recíproco.

$$24 \div 4 = 6 \qquad 24 \cdot \frac{1}{4} = 6$$

EJEMPLO 2 Usar recíprocos para dividir fracciones y números mixtos

Divide. Escribe cada respuesta en su mínima expresión.

A $\frac{4}{5} \div 5$

$\frac{4}{5} \div 5 = \frac{4}{5} \cdot \frac{1}{5}$ — *Escribe como multiplicación con el recíproco de 5, $\frac{1}{5}$.*

$= \frac{4 \cdot 1}{5 \cdot 5}$ — *Multiplica por el recíproco.*

$= \frac{4}{25}$ — *La respuesta está en su mínima expresión.*

B $\frac{3}{4} \div \frac{1}{2}$

$\frac{3}{4} \div \frac{1}{2} = \frac{3}{4} \cdot \frac{2}{1}$ — *Escribe como multiplicación con el recíproco de $\frac{1}{2}$, $\frac{2}{1}$.*

$= \frac{3 \cdot \cancel{2}^{1}}{\cancel{4}_{2} \cdot 1}$ — *Simplifica antes de multiplicar.*

$= \frac{3}{2}$ — *Multiplica.*

$= 1\frac{1}{2}$ — *Puedes escribir la respuesta como número mixto.*

C $2\frac{2}{3} \div 1\frac{1}{6}$

$2\frac{2}{3} \div 1\frac{1}{6} = \frac{8}{3} \div \frac{7}{6}$ — *Escribe los números mixtos como fracciones impropias: $2\frac{2}{3} = \frac{8}{3}$ y $1\frac{1}{6} = \frac{7}{6}$.*

$= \frac{8}{3} \cdot \frac{6}{7}$ — *Escribe como multiplicación.*

$= \frac{8 \cdot \cancel{6}^{2}}{\cancel{3}_{1} \cdot 7}$ — *Simplifica antes de multiplicar.*

$= \frac{16}{7}$ — *Multiplica.*

$= 2\frac{2}{7}$ — *Puedes escribir la respuesta como número mixto.*

Razonar y comentar

1. **Explica** cómo puedes usar el cálculo mental para hallar el valor de n en la ecuación $\frac{5}{8} \cdot n = 1$.
2. **Explica** cómo hallar el recíproco de $3\frac{6}{11}$.

5-9 Ejercicios

go.hrw.com
Ayuda en línea para tareas*
CLAVE: MR7 5-9
Recursos en línea para padres
CLAVE: MR7 Parent
*(Disponible sólo en inglés)

PRÁCTICA GUIADA

Ver Ejemplo 1

Halla el recíproco.

1. $\frac{2}{7}$ **2.** $\frac{5}{9}$ **3.** $\frac{1}{9}$ **4.** $\frac{3}{11}$ **5.** $2\frac{3}{5}$

Ver Ejemplo 2

Divide. Escribe cada respuesta en su mínima expresión.

6. $\frac{5}{6} \div 3$ **7.** $2\frac{1}{7} \div 1\frac{1}{4}$ **8.** $\frac{5}{12} \div 5$ **9.** $1\frac{5}{8} \div \frac{3}{4}$

10. $\frac{2}{3} \div \frac{1}{6}$ **11.** $\frac{3}{10} \div 1\frac{2}{3}$ **12.** $\frac{4}{7} \div 1\frac{1}{7}$ **13.** $4 \div \frac{7}{8}$

PRÁCTICA INDEPENDIENTE

Ver Ejemplo 1

Halla el recíproco.

14. $\frac{7}{8}$ **15.** $\frac{1}{10}$ **16.** $\frac{3}{8}$ **17.** $\frac{11}{12}$ **18.** $2\frac{5}{8}$

19. $\frac{8}{11}$ **20.** $\frac{5}{6}$ **21.** $\frac{6}{7}$ **22.** $\frac{2}{9}$ **23.** $5\frac{1}{4}$

Ver Ejemplo 2

Divide. Escribe cada respuesta en su mínima expresión.

24. $\frac{7}{8} \div 4$ **25.** $2\frac{3}{8} \div 1\frac{3}{4}$ **26.** $\frac{8}{9} \div 12$ **27.** $9 \div \frac{3}{4}$

28. $3\frac{5}{6} \div 1\frac{5}{9}$ **29.** $\frac{9}{10} \div 3$ **30.** $2\frac{4}{5} \div 1\frac{5}{7}$ **31.** $3\frac{1}{5} \div 1\frac{2}{7}$

32. $\frac{5}{8} \div \frac{1}{2}$ **33.** $1\frac{1}{2} \div 2\frac{1}{4}$ **34.** $\frac{7}{12} \div 2\frac{5}{8}$ **35.** $\frac{1}{8} \div 5$

PRÁCTICA Y RESOLUCIÓN DE PROBLEMAS

Práctica adicional
Ver página 723

Multiplica o divide. Escribe cada respuesta en su mínima expresión.

36. $2\frac{3}{4} \div 2\frac{1}{5}$ **37.** $4\frac{4}{5} \div 2\frac{6}{7}$ **38.** $\frac{3}{8} \cdot \frac{5}{12}$

39. $6 \cdot \frac{7}{9}$ **40.** $3\frac{1}{7} \div 5$ **41.** $\frac{9}{14} \cdot \frac{1}{6}$

42. En el restaurante de Lina, una porción de chile es $1\frac{1}{2}$ taza. El chef prepara 48 tazas de chile cada noche. ¿Cuántas porciones hay en 48 tazas?

43. Rhula compró 12 lb de pasas. Las empacó en bolsas para congelar de modo que cada bolsa pesa $\frac{3}{4}$ de libra. ¿Cuántas bolsas empacó?

Decide si las fracciones de cada par son recíprocas. Si no lo son, escribe el recíproco de cada fracción.

44. $\frac{1}{2}, 2$ **45.** $\frac{3}{8}, \frac{16}{6}$ **46.** $\frac{7}{9}, \frac{21}{27}$ **47.** $\frac{5}{6}, \frac{12}{10}$

48. $1\frac{1}{2}, \frac{2}{3}$ **49.** $\frac{2}{5}, \frac{4}{25}$ **50.** $\frac{3}{7}, 2\frac{1}{3}$ **51.** $5, \frac{5}{1}$

52. Lisa tenía una tabla de $12\frac{1}{2}$ pies de largo. La cortó en 5 trozos del mismo tamaño. ¿Cuánto mide cada trozo?

53. Razonamiento crítico ¿Cómo puedes reconocer el recíproco de una fracción?

Multiplica o divide. Escribe cada respuesta en su mínima expresión.

54. $\frac{11}{12} \cdot \frac{9}{10} \div 1\frac{1}{4}$

55. $2\frac{3}{4} \cdot 1\frac{2}{3} \div 5$

56. $1\frac{1}{2} \div \frac{3}{4} \cdot \frac{2}{5}$

57. $\frac{3}{4} \cdot \left(\frac{5}{7} \div \frac{1}{2}\right)$

58. $4\frac{2}{3} \div \left(6 \cdot \frac{3}{5}\right)$

59. $5\frac{1}{5} \cdot \left(3\frac{2}{5} \cdot 2\frac{1}{3}\right)$

Ciencias biológicas **En la gráfica de barras se muestra la longitud de algunas especies de serpientes que se encuentran en Estados Unidos. Usa la gráfica de barras para los Ejercicios del 60 al 62.**

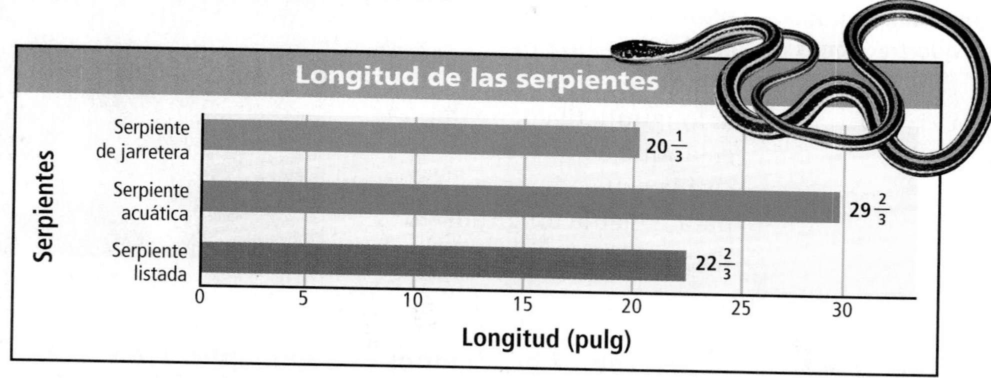

60. ¿La longitud de la serpiente de jarretera es mayor o menor que $\frac{1}{2}$ yd? Explica.

61. ¿Cuál es la longitud promedio de todas las serpientes?

62. Jim midió la longitud de una serpiente verde. Medía $27\frac{1}{3}$ pulg. ¿Cuál sería la longitud promedio de las serpientes si se agregara la medida que tomó Jim de la serpiente verde?

63. ¿Dónde está el error? Un estudiante dijo que el recíproco de $6\frac{2}{3}$ es $6\frac{3}{2}$. Explica el error. Luego, escribe el recíproco correcto.

64. Escríbelo Explica cómo puedes dividir fracciones para hallar el cociente de $\frac{3}{4} \div 2\frac{1}{3}$.

65. Desafío Evalúa la expresión $\frac{(6 - 3)}{4} \div \frac{1}{8} \cdot 5$.

PREPARACIÓN PARA EL EXAMEN y repaso en espiral

66. Opción múltiple La longitud de una tabla era de 12 pies. Gene la cortó en trozos de $\frac{2}{3}$ de pie cada uno. ¿Cuántos trozos cortó Gene?

Ⓐ 4 Ⓑ 8 Ⓒ 16 Ⓓ 18

67. Opción múltiple ¿Cuál de estos productos NO es igual a 1?

Ⓕ $\frac{2}{3} \cdot \frac{3}{2}$ Ⓖ $8 \cdot \frac{1}{8}$ Ⓗ $\frac{1}{9} \cdot \frac{9}{3}$ Ⓙ $\frac{2}{13} \cdot \frac{13}{2}$

Halla el número de posiciones decimales de cada producto. Luego, multiplica. (Lección 3-5)

68. 2.4×1.8

69. 19×0.5

70. 7.04×2.3

71. 0.4×0.1

Halla cada producto. (Lección 5-8)

72. $2\frac{2}{3} \cdot \frac{1}{8}$

73. $\frac{1}{4} \cdot 3\frac{1}{2}$

74. $1\frac{1}{4} \cdot 1\frac{2}{5}$

75. $2\frac{1}{5} \cdot 2\frac{2}{3}$

5-10 Cómo resolver ecuaciones con fracciones: la multiplicación y la división

Aprender a resolver ecuaciones multiplicando y dividiendo fracciones

Josef construye en su patio un estanque de kois. El ancho del estanque es $\frac{2}{3}$ de la longitud. El ancho del estanque es 14 pies. Usa la ecuación $\frac{2}{3}\ell = 14$ para hallar la longitud del estanque.

Los pequeños kois que viven en un estanque de jardín suelen crecer de 2 a 4 pulgadas por año.

EJEMPLO 1 Resolver ecuaciones con multiplicación y división

Resuelve cada ecuación. Escribe la respuesta en su mínima expresión.

A $\frac{2}{3}\ell = 14$

$$\frac{2}{3}\ell = 14$$

$$\frac{2}{3}\ell \div \frac{2}{3} = 14 \div \frac{2}{3}$$ *Divide ambos lados de la ecuación entre $\frac{2}{3}$.*

$$\frac{2}{3}\ell \cdot \frac{3}{2} = 14 \cdot \frac{3}{2}$$ *Multiplica por $\frac{3}{2}$, el recíproco de $\frac{2}{3}$.*

$$\ell = 14 \cdot \frac{3}{2}$$

$$\ell = \frac{14 \cdot 3}{1 \cdot 2}$$

$$\ell = \frac{42}{2}, \text{ ó } 21$$

¡Recuerda!

Dividir entre un número es lo mismo que multiplicar por su recíproco.

B $2x = \frac{1}{3}$

$$2x = \frac{1}{3}$$

$$\frac{2x}{1} \cdot \frac{1}{2} = \frac{1}{3} \cdot \frac{1}{2}$$ *Multiplica ambos lados por el recíproco de 2.*

$$x = \frac{1 \cdot 1}{3 \cdot 2}$$

$$x = \frac{1}{6}$$ *La respuesta está en su mínima expresión.*

C $\frac{5x}{6} = 4$

$$\frac{5x}{6} = 4$$

$$\frac{5x}{6} \div \frac{5}{6} = \frac{4}{1} \div \frac{5}{6}$$ *Divide ambos lados entre $\frac{5}{6}$.*

$$\frac{5x}{6} \cdot \frac{6}{5} = \frac{4}{1} \cdot \frac{6}{5}$$ *Multiplica por el recíproco de $\frac{5}{6}$.*

$$x = \frac{24}{5}, \text{ ó } 4\frac{4}{5}$$

EJEMPLO 2 APLICACIÓN A LA RESOLUCIÓN DE PROBLEMAS

Dexter prepara galletas para perro que llevará al refugio de animales. Hace $\frac{3}{4}$ de una receta y usa 15 tazas de leche en polvo. ¿Cuántas tazas de leche en polvo hay en la receta?

1 Comprende el problema

La **respuesta** será el número de tazas de leche en polvo de la receta.

Haz una lista de la **información importante:**

- Dexter hace $\frac{3}{4}$ de la receta.
- Usa 15 tazas de leche en polvo.

2 Haz un plan

Puedes escribir y resolver una ecuación. Sea x el número de tazas de la receta.

Dexter usa 15 tazas, que es tres cuartos de la cantidad de la receta.
$15 = \frac{3}{4}x$

3 Resuelve

$$15 = \frac{3}{4}x$$

$$15 \cdot \frac{4}{3} = \frac{3}{4}x \cdot \frac{4}{3}$$ *Multiplica ambos lados por $\frac{4}{3}$, el recíproco de $\frac{3}{4}$.*

$$\frac{\overset{5}{\cancel{15}}}{1} \cdot \frac{4}{\underset{1}{\cancel{3}}} = x$$ *Simplifica. Luego, multiplica.*

$$20 = x$$

Hay 20 tazas de leche en polvo en la receta.

4 Repasa

Comprueba. $15 = \frac{3}{4}x$

$$15 \stackrel{?}{=} \frac{3}{4}(20)$$ *Sustituye x por 20.*

$$15 \stackrel{?}{=} \frac{\overset{15}{\cancel{60}}}{\underset{1}{\cancel{4}}}$$ *Multiplica y simplifica.*

$$15 \stackrel{?}{=} 15 \checkmark$$ *20 es la solución.*

CONEXIÓN Ciencias biológicas

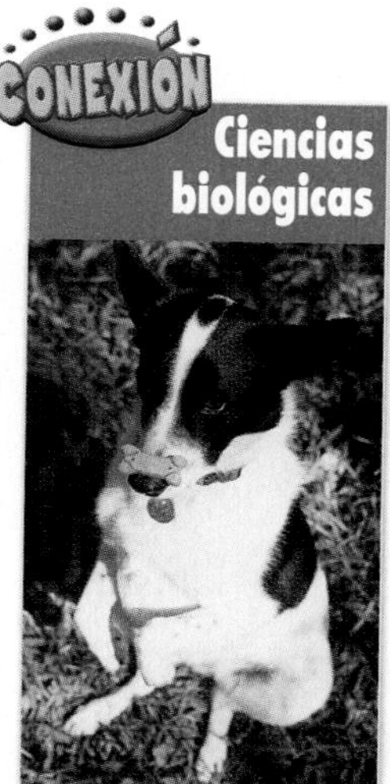

No más de $\frac{1}{10}$ de la dieta de un perro debe consistir en golosinas y galletas.

Razonar y comentar

1. **Explica** si $\frac{2}{3}x = 4$ es lo mismo que $\frac{2}{3} = 4x$.
2. **Indica** cómo sabes entre qué números dividir en las siguientes ecuaciones: $\frac{2}{3}x = 4$ y $\frac{4}{5} = 8x$.

5-10 Ejercicios

go.hrw.com
Ayuda en línea para tareas*
CLAVE: MR7 5-10
Recursos en línea para padres
CLAVE: MR7 Parent
*(Disponible sólo en inglés)

PRÁCTICA GUIADA

Ver Ejemplo 

Resuelve cada ecuación. Escribe la respuesta en su mínima expresión.

1. $\frac{3}{4}z = 12$ **2.** $4n = \frac{3}{5}$ **3.** $\frac{2x}{3} = 5$ **4.** $2c = \frac{9}{10}$

Ver Ejemplo 

5. Escuela En la clase de educación física, $\frac{3}{8}$ de los estudiantes quieren jugar voleibol. Si 9 estudiantes quieren jugar voleibol, ¿cuántos estudiantes hay en la clase?

PRÁCTICA INDEPENDIENTE

Ver Ejemplo 

Resuelve cada ecuación. Escribe la respuesta en su mínima expresión.

6. $3t = \frac{2}{7}$ **7.** $\frac{1}{3}x = 3$ **8.** $\frac{3r}{5} = 9$ **9.** $8t = \frac{4}{5}$

10. $\frac{4}{5}a = 1$ **11.** $\frac{y}{4} = 5$ **12.** $2b = \frac{6}{7}$ **13.** $\frac{7}{9}j = 10$

Ver Ejemplo 2

14. Jason usa 2 latas de pintura para pintar $\frac{1}{2}$ de su recámara. ¿Cuántas latas usará para pintarla toda?

15. Cassandra trabaja como niñera por $\frac{4}{5}$ de hora y gana \$8. ¿Cuánto gana por hora?

PRÁCTICA Y RESOLUCIÓN DE PROBLEMAS

Práctica adicional
Ver página 723

Resuelve cada ecuación. Escribe la respuesta en su mínima expresión.

16. $m = \frac{3}{8} \cdot 4$ **17.** $\frac{3y}{5} = 6$ **18.** $4z = \frac{7}{10}$ **19.** $t = \frac{4}{5} \cdot 20$

20. $\frac{3}{5}a = \frac{3}{5}$ **21.** $\frac{1}{6}b = 2\frac{1}{3}$ **22.** $5c = \frac{2}{3} \div \frac{2}{3}$ **23.** $\frac{3}{4}x = 7$

24. $\frac{1}{2} = \frac{w}{4}$ **25.** $8 = \frac{2n}{3}$ **26.** $\frac{1}{4} \cdot \frac{1}{2} = 4d$ **27.** $2y = \frac{4}{5} \div \frac{3}{5}$

Escribe cada ecuación. Luego resuelve y comprueba la solución.

28. Un número n se divide entre 4 y el cociente es $\frac{1}{2}$.

29. Un número n se multiplica por $1\frac{1}{2}$ y el producto es 9.

30. Una receta para una hogaza de pan requiere $\frac{3}{4}$ de taza de avena.

a. ¿Cuánta avena necesitas para hacer la mitad de la receta?

b. ¿Cuánta avena necesitas para el doble de la receta?

31. Entretenimiento Connie subió a la montaña rusa en el parque de diversiones. A los 3 minutos había completado $\frac{3}{4}$ del recorrido. ¿Cuánto tarda un recorrido completo?

32. Zac trasladó $\frac{1}{5}$ de las cosas de su recámara a su nueva habitación en la universidad en $32\frac{1}{2}$ minutos. ¿Cuántos minutos tardará en trasladar todas sus cosas?

33. El patrón de un vestido requiere $3\frac{1}{8}$ yardas de tela. Jody quiere hacer vestidos similares para las chicas de su club de costura, por lo que compró $34\frac{3}{8}$ yardas de tela. ¿Cuántos vestidos puede hacer Jody con este patrón?

La región noroeste de Madagascar es el hogar de los lémures negros. Estos primates viven en grupos de 7 a 10 y tienen una vida promedio de 20 a 25 años. Las actividades agrícolas humanas están destruyendo gran parte de su hábitat.

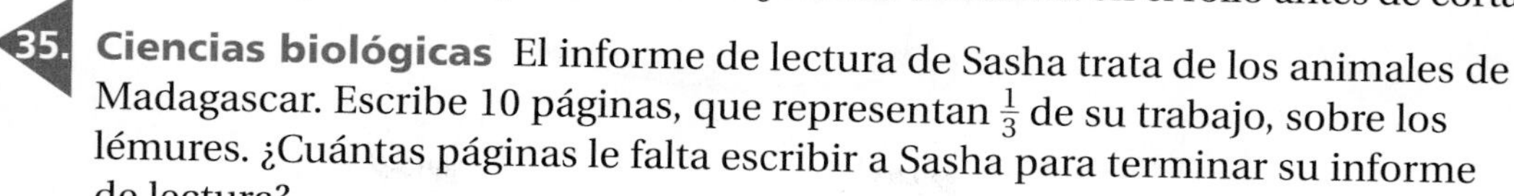

34. Varios pasos Alder recorta 3 pedazos de tela de un rollo. Cada pedazo mide $1\frac{1}{2}$ yd. En el rollo quedaron 2 yardas de tela. ¿Cuánta tela había en el rollo antes de cortarla?

35. Ciencias biológicas El informe de lectura de Sasha trata de los animales de Madagascar. Escribe 10 páginas, que representan $\frac{1}{3}$ de su trabajo, sobre los lémures. ¿Cuántas páginas le falta escribir a Sasha para terminar su informe de lectura?

36. Razonamiento crítico ¿Cómo puedes indicar, sin resolver la ecuación $\frac{1}{2}x = 4\frac{7}{8}$, que x es mayor que $4\frac{7}{8}$?

Usa la gráfica circular para los Ejercicios 37 y 38.

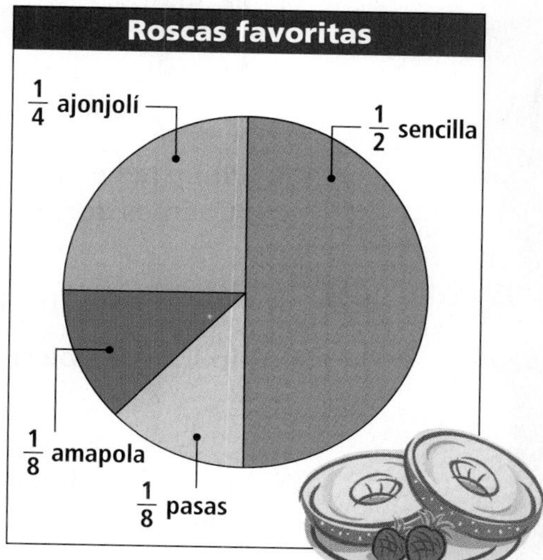

37. La gráfica circular muestra los resultados de una encuesta en la que se preguntó a las personas por su rosca de pan favorita.

a. Cien personas eligieron las roscas sencillas como sus favoritas. ¿Cuántas personas en total participaron en la encuesta?

b. Un quinto de las personas que eligieron roscas con ajonjolí también eligieron queso crema como su aderezo favorito. ¿Cuántas personas eligieron queso crema? (*Pista*: Toma tu respuesta de la parte **a** para resolver este problema).

38. ¿Cuál es la pregunta? Si la respuesta es 25 personas, ¿cuál es la pregunta?

39. Escríbelo Explica cómo resolver $\frac{3}{5}x = 4$.

40. Desafío Resuelve $2\frac{3}{4}n = \frac{11}{12}$.

Preparación Para El Examen y repaso en espiral

41. Opción múltiple Resuelve $\frac{3}{10}x = 9$.

Ⓐ $x = 15$ Ⓑ $x = 30$ Ⓒ $x = 60$ Ⓓ $x = 90$

42. Opción múltiple ¿Cuál de las siguientes opciones es una solución de $4x = \frac{3}{4}$?

Ⓕ $x = \frac{3}{16}$ Ⓖ $x = \frac{3}{4}$ Ⓗ $x = 3$ Ⓙ $x = 5\frac{1}{3}$

43. Respuesta gráfica ¿Qué valor de y es una solución de $\frac{4}{5}y = 28$?

Halla el MCD de cada conjunto de números. (Lección 4-3)

44. 6 y 15 **45.** 18 y 56 **46.** 12, 16 y 32 **47.** 24, 63 y 81

Divide. Escribe cada respuesta en su mínima expresión. (Lección 5-9)

48. $\frac{2}{3} \div \frac{1}{3}$ **49.** $\frac{9}{10} \div \frac{3}{4}$ **50.** $2\frac{3}{8} \div \frac{1}{4}$ **51.** $1\frac{1}{4} \div 2\frac{1}{3}$

SECCIÓN 5B

Prueba de las Lecciones 5-6 a 5-10

5-6 Cómo multiplicar fracciones por números cabales

1. Multiplica $4 \cdot \frac{2}{3}$. Escribe tu respuesta en su mínima expresión.
2. Michelle compró 5 lb de fruta para una excursión familiar. De esa fruta, $\frac{1}{3}$ era sandía. ¿Cuánta sandía había?
3. Philip tiene 35 libros de historietas. De esos libros, $\frac{2}{10}$ transcurren en el espacio. ¿Cuántos de los libros de Philip transcurren en el espacio?

5-7 Cómo multiplicar fracciones

Multiplica. Escribe cada respuesta en su mínima expresión.

4. $\frac{2}{7} \cdot \frac{3}{4}$
5. $\frac{3}{5} \cdot \frac{2}{3}$
6. $\frac{7}{12} \cdot \frac{4}{5}$

Evalúa la expresión $t \cdot \frac{1}{8}$ para cada valor de t. Escribe la respuesta en su mínima expresión.

7. $t = \frac{4}{9}$
8. $t = \frac{4}{5}$
9. $t = \frac{2}{3}$

5-8 Cómo multiplicar números mixtos

Multiplica. Escribe cada respuesta en su mínima expresión.

10. $\frac{1}{4} \cdot 2\frac{1}{3}$
11. $1\frac{1}{6} \cdot \frac{2}{3}$
12. $\frac{7}{8} \cdot 2\frac{2}{3}$

Halla cada producto. Escribe la respuesta en su mínima expresión.

13. $2\frac{1}{4} \cdot 1\frac{1}{6}$
14. $1\frac{2}{3} \cdot 2\frac{1}{5}$
15. $3 \cdot 4\frac{2}{7}$

5-9 Cómo dividir fracciones y números mixtos

Halla el recíproco.

16. $\frac{2}{7}$
17. $\frac{5}{12}$
18. $\frac{3}{5}$

Divide. Escribe la respuesta en su mínima expresión.

19. $\frac{3}{5} \div 4$
20. $1\frac{3}{10} \div 3\frac{1}{4}$
21. $1\frac{1}{5} \div 2\frac{1}{3}$

5-10 Resolver ecuaciones con fracciones: la multiplicación y la división

Resuelve cada ecuación.

22. $\frac{2y}{3} = 10$
23. $6p = \frac{3}{4}$
24. $\frac{2x}{3} = 9$
25. Michael tiene un gato negro y un gatito gris. El gato negro pesa 12 libras. El gatito gris pesa $\frac{3}{5}$ del peso del gato negro. ¿Cuánto pesa el gatito gris?

¿Listo para seguir?

Preparación de varios pasos para el examen

Un acuario casero María y Víctor van a instalar una pecera con una capacidad de 20 galones. Para elegir los peces, quieren aplicar la regla "1 pulgada de pez por cada galón de agua". Esto significa que la longitud total de los peces de su tanque no puede pasar de 20 pulgadas.

1. María piensa conseguir un ejemplar de cada uno de los peces que aparecen en la tabla. Estima la longitud total de los peces. ¿Puede agregar más peces? Explica.
2. A Víctor le gustaría tener un tetra neón y un guppy en la pecera. ¿Cuál es la longitud total de los dos peces?
3. ¿Cuál es la longitud total de los demás peces que Víctor podría agregar a la pecera? Explica.
4. ¿Le queda lugar a Víctor para agregar 4 payasos barbudos a la pecera? ¿Por qué sí o por qué no?
5. Finalmente, María y Víctor deciden poner en la pecera solamente tetras neón. Escribe y resuelve una ecuación para hallar cuántos tetras neón pueden poner en la pecera.

Peces comunes de pecera

Nombre	Longitud (pulg)
Pez cebra	$2\frac{1}{2}$
Tetra neón	$1\frac{1}{4}$
Payaso barbudo	$4\frac{7}{16}$
Platy	$1\frac{3}{4}$
Guppy	$2\frac{3}{8}$

¡Vamos a jugar!

Acertijos con fracciones

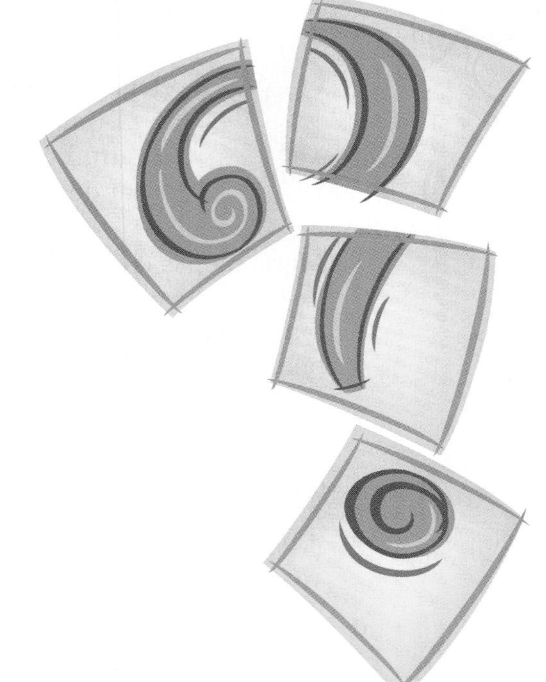

1. ¿Cuál es el valor de la mitad de dos tercios de tres cuartos de cuatro quintos de cinco sextos de seis séptimos de siete octavos de ocho novenos de nueve décimos de un millar?

2. ¿Cuál es la siguiente fracción en la sucesión?

   $\frac{1}{12}, \frac{1}{6}, \frac{1}{4}, \frac{1}{3}, \ldots$

3. Soy un número de tres dígitos. Mi dígito de las centenas es un tercio de mi dígito de las decenas. Mi dígito de las decenas es un tercio de mi dígito de las unidades. ¿Qué número soy?

4. Un *splorg* cuesta tres cuartos de dólar más tres cuartos de un *splorg*. ¿Cuánto cuesta un *splorg*?

5. ¿Cuántas pulgadas cúbicas de tierra hay en un hoyo que mide $\frac{1}{3}$ de pie por $\frac{1}{4}$ de pie por $\frac{1}{2}$ pie?

Lotería de fracciones

El objetivo es ser el primer jugador en cubrir cinco cuadrados en una fila horizontal, vertical o diagonal.

Una persona es el lector. En cada una de las tarjetas del lector hay una expresión con fracciones. Cuando el lector saca una tarjeta, la lee en voz alta para que la oigan los jugadores.

Los jugadores deben hallar el valor de la expresión. Si un cuadrado en la tarjeta de un jugador tiene ese valor o una fracción equivalente del valor, cubre el cuadrado.

go.hrw.com
¡Vamos a jugar! Extra
CLAVE: MR7 Games

El primer jugador en cubrir cinco cuadrados en fila, gana. El lector cambia por turnos. Se puede jugar una variación en la que el ganador es el primero en cubrir todos sus cuadrados.

La copia completa de las reglas y las piezas del juego se encuentran disponibles en línea.

PROYECTO Caminar sobre fracciones

Haz una libreta para tomar notas y resolver problemas de operaciones con fracciones.

Instrucciones

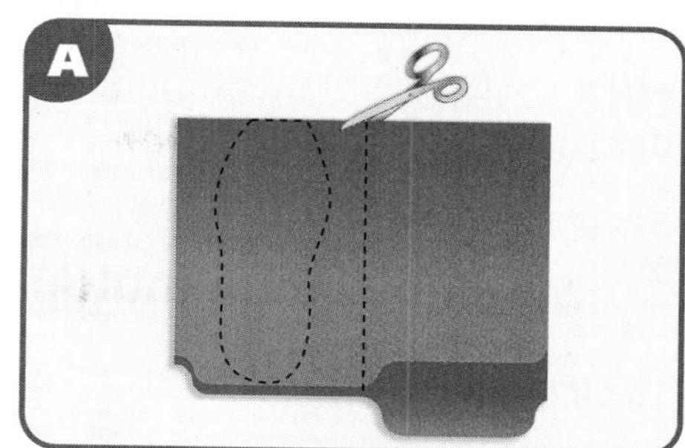

1. Corta la carpeta a la mitad desde el doblez hasta el borde. Luego recorta la forma de una sandalia, con la parte de adelante (donde van los dedos del pie) a lo largo del borde doblado. **Figura A**

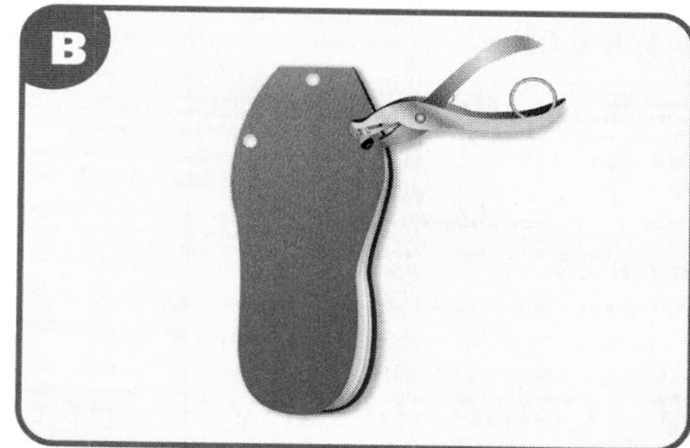

2. Recorta unas diez siluetas de sandalia de papel blanco, algo más pequeñas que la sandalia que recortaste de la carpeta.

3. Coloca las sandalias blancas dentro de la sandalia hecha con la carpeta. Haz un agujero en la parte superior que atraviese todas las hojas. También haz agujeros en los costados de la sandalia hecha con la carpeta que atraviesen únicamente la tapa. **Figura B**

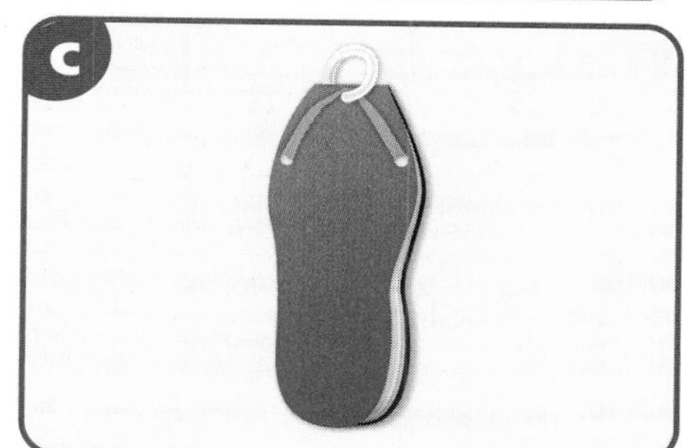

4. Pasa el alambre forrado de tela por el agujero en la parte superior, haz un lazo y corta. Pasa la cinta de tela a través del lazo y pasa los extremos a través de los agujeros en los costados de la sandalia. Con cinta adhesiva, pega la cinta de tela a la parte de atrás de la tapa para fijarla en su lugar. **Figura C**

Tomar notas de matemáticas

Escribe el número y el título del capítulo en la sandalia. Luego usa las páginas de adentro para resolver problemas del capítulo. Elige problemas que te ayuden a recordar los conceptos más importantes.

CAPÍTULO 5

Guía de estudio: Repaso

Vocabulario

mínimo común denominador (mcd) 234

mínimo común múltiplo (mcm) 228

recíprocos 270

Completa los enunciados con las palabras del vocabulario.

1. Dos números son __?__ si su producto es 1.
2. El/La __?__ es el menor número que es un múltiplo común de dos o más denominadores.

5-1 Mínimo común múltiplo (págs. 228-231)

EJEMPLO

- **Halla el mínimo común múltiplo (mcm) de 4, 6 y 8.**

4: 4, 8, 12, 16, 20, 24, 28, . . .
6: 6, 12, 18, 24, 30, . . .
8: 8, 16, 24, 32, . . .
mcm: 24

EJERCICIOS

Halla el mínimo común múltiplo (mcm).

3. 3, 5 y 10
4. 6, 8 y 16
5. 3, 9 y 27
6. 4, 12 y 30
7. 25 y 45
8. 12, 22 y 30

5-2 Cómo sumar y restar con denominadores distintos (págs. 234–237)

EJEMPLO

- $\frac{7}{9} + \frac{2}{3}$

$\frac{7}{9} + \frac{2}{3}$ *Escribe fracciones equivalentes. Suma.*

$\frac{7}{9} + \frac{6}{9} = \frac{13}{9} = 1\frac{4}{9}$

EJERCICIOS

Suma o resta. Escribe cada respuesta en su mínima expresión.

9. $\frac{1}{5} + \frac{5}{8}$
10. $\frac{1}{6} + \frac{7}{12}$
11. $\frac{13}{15} - \frac{4}{5}$
12. $\frac{7}{8} - \frac{2}{3}$

5-3 Cómo sumar y restar números mixtos (págs. 238–241)

EJEMPLO

- **Halla la diferencia. Escribe la respuesta en su mínima expresión.**

$5\frac{5}{8} - 3\frac{1}{6}$

$5\frac{15}{24} - 3\frac{4}{24}$ *Escribe fracciones equivalentes.*

$2\frac{11}{24}$ *Resta.*

EJERCICIOS

Halla cada suma o diferencia. Escribe la respuesta en su mínima expresión.

13. $1\frac{3}{10} + 3\frac{2}{5}$
14. $4\frac{5}{9} - 1\frac{1}{2}$
15. Ángela tenía $\frac{7}{10}$ de galón de pintura. Usó $\frac{1}{3}$ de galón para un proyecto. ¿Cuánta pintura le queda?

5-4 Cómo reagrupar para restar números mixtos (págs. 244–247)

EJEMPLO

■ **Resta.**

$4\frac{7}{10} - 2\frac{9}{10}$

$3\frac{17}{10} - 2\frac{9}{10}$ *Reagrupa $4\frac{7}{10}$. Resta.*

$1\frac{8}{10}$

$1\frac{4}{5}$

EJERCICIOS

Resta. Escribe cada respuesta en su mínima expresión.

16. $7\frac{2}{9} - 3\frac{5}{9}$ **17.** $3\frac{1}{5} - 1\frac{7}{10}$

18. $8\frac{7}{12} - 2\frac{11}{12}$ **19.** $5\frac{3}{8} - 2\frac{3}{4}$

20. $11\frac{6}{7} - 4\frac{13}{14}$ **21.** $10 - 8\frac{7}{8}$

22. Georgette necesita 8 pies de cinta para decorar regalos. Tiene $3\frac{1}{4}$ pies. ¿Cuántos pies más de cinta le faltan?

5-5 Cómo resolver ecuaciones con fracciones: la suma y la resta (págs. 248–251)

EJEMPLO

■ **Resuelve $n + 2\frac{5}{7} = 8$.**

$n + 2\frac{5}{7} - 2\frac{5}{7} = 8 - 2\frac{5}{7}$

$n = 8 - 2\frac{5}{7}$

$n = 7\frac{7}{7} - 2\frac{5}{7}$

$n = 5\frac{2}{7}$

EJERCICIOS

Resuelve cada ecuación. Escribe la solución en su mínima expresión.

23. $x - 12\frac{3}{4} = 17\frac{2}{5}$ **24.** $t + 6\frac{11}{12} = 21\frac{5}{6}$

25. $3\frac{2}{3} = m - 1\frac{3}{4}$ **26.** $5\frac{2}{3} = p + 2\frac{2}{9}$

27. $y - 1\frac{2}{3} = 3\frac{4}{5}$ **28.** $4\frac{2}{5} + j = 7\frac{7}{10}$

29. Jon vació $1\frac{1}{2}$ oz de jugo de limón en una ensalada. En el frasco quedan $5\frac{1}{2}$ oz de jugo de limón. ¿Cuántas onzas había en el frasco antes de que Jon aderezara la ensalada?

5-6 Cómo multiplicar fracciones por números cabales (págs. 254–257)

EJEMPLO

■ **Multiplica $3 \cdot \frac{3}{5}$. Escribe tu respuesta en su mínima expresión.**

$3 \cdot \frac{3}{5} = \frac{3}{5} + \frac{3}{5} + \frac{3}{5} = \frac{9}{5}$ ó $1\frac{4}{5}$

EJERCICIOS

Multiplica. Escribe cada respuesta en su mínima expresión.

30. $5 \cdot \frac{1}{7}$ **31.** $2 \cdot \frac{3}{8}$ **32.** $3 \cdot \frac{6}{7}$

33. $4 \cdot \frac{5}{8}$ **34.** $6 \cdot \frac{1}{2}$ **35.** $2 \cdot \frac{3}{5}$

36. Hay 105 miembros en la banda de la escuela superior. De estos miembros, $\frac{1}{5}$ toca instrumentos de percusión. ¿Cuántos miembros tocan percusión?

5-7 Cómo multiplicar fracciones (págs. 260–263)

EJEMPLO

■ **Multiplica. Escribe la respuesta en su mínima expresión.**

$\frac{3}{4} \cdot \frac{1}{3}$ *Multiplica. Luego, simplifica.*

$\frac{3 \cdot 1}{4 \cdot 3} = \frac{3}{12} = \frac{1}{4}$

EJERCICIOS

Multiplica. Escribe cada respuesta en su mínima expresión.

37. $\frac{5}{6} \cdot \frac{2}{5}$ **38.** $\frac{5}{7} \cdot \frac{3}{4}$ **39.** $\frac{4}{5} \cdot \frac{1}{8}$

40. $\frac{7}{10} \cdot \frac{2}{5}$ **41.** $\frac{1}{9} \cdot \frac{5}{9}$ **42.** $\frac{1}{4} \cdot \frac{6}{7}$

43. El equipo de hockey de Andrew ganó $\frac{4}{5}$ de sus partidos. Andrew anotó tantos en $\frac{2}{3}$ de los partidos que ganó su equipo. ¿En qué fracción de los partidos de su equipo anotó tantos?

5-8 Cómo multiplicar números mixtos (págs. 264–267)

EJEMPLO

■ **Multiplica. Escribe la respuesta en su mínima expresión.**

$\frac{2}{5} \cdot 1\frac{2}{3} = \frac{2}{5} \cdot \frac{5}{3} = \frac{10}{15} = \frac{2}{3}$

EJERCICIOS

Multiplica. Escribe cada respuesta en su mínima expresión.

44. $\frac{2}{5} \cdot 2\frac{1}{4}$ **45.** $\frac{3}{4} \cdot 1\frac{2}{3}$ **46.** $3\frac{1}{3} \cdot \frac{3}{5}$

5-9 Cómo dividir fracciones y números mixtos (págs. 270–273)

EJEMPLO

■ **Divide. Escribe la respuesta en su mínima expresión.**

$\frac{3}{4} \div 6 = \frac{3 \cdot 1}{4 \cdot 6} = \frac{3}{24} = \frac{1}{8}$

EJERCICIOS

Divide. Escribe cada respuesta en su mínima expresión.

47. $\frac{4}{7} \div 3$ **48.** $\frac{3}{10} \div 2$ **49.** $1\frac{1}{3} \div 2\frac{2}{5}$

50. Beverly necesita medir $2\frac{2}{3}$ tazas de miga de pan. Tiene una cuchara para medir de $\frac{1}{3}$ de taza. ¿Cuántas veces debe rellenar la cuchara de $\frac{1}{3}$ de taza para llegar a $2\frac{2}{3}$ tazas de miga de pan?

5-10 Cómo resolver ecuaciones con fracciones: la multiplicación y la división (págs. 274–277)

EJEMPLO

■ **Resuelve la ecuación.**

$\frac{4}{5}n = 12$

$\frac{4}{5}n \div \frac{4}{5} = 12 \div \frac{4}{5}$ *Divide ambos lados entre $\frac{4}{5}$.*

$\frac{4}{5}n \cdot \frac{5}{4} = 12 \cdot \frac{5}{4}$ *Multiplica por el recíproco.*

$n = \frac{60}{4} = 15$

EJERCICIOS

Resuelve cada ecuación.

51. $4a = \frac{1}{2}$ **52.** $\frac{3b}{4} = 1\frac{1}{2}$

53. $\frac{2m}{7} = 5$ **54.** $6g = \frac{4}{5}$

55. $\frac{5}{6}r = 9$ **56.** $\frac{s}{8} = 6\frac{1}{4}$

57. $6p = \frac{2}{3}$ **58.** $\frac{8j}{9} = 1\frac{5}{8}$

EXAMEN DEL CAPÍTULO

CAPÍTULO 5

Halla el mínimo común múltiplo (mcm).

1. 10 y 15 **2.** 4, 6 y 18 **3.** 9, 10 y 12 **4.** 6, 15 y 20

Suma o resta. Escribe la respuesta en su mínima expresión.

5. $4\frac{1}{9} - 2\frac{4}{9}$ **6.** $1\frac{7}{10} + 3\frac{3}{4}$ **7.** $\frac{2}{3} - \frac{3}{8}$ **8.** $2\frac{1}{3} - \frac{5}{6}$

9. $4 + 2\frac{2}{7}$ **10.** $\frac{1}{12} + \frac{5}{6}$ **11.** $\frac{3}{8} + \frac{3}{4}$ **12.** $\frac{5}{6} - \frac{2}{5}$

13. El sábado, Cecelia corrió $3\frac{3}{7}$ millas. El domingo, corrió $4\frac{5}{6}$ millas. ¿Cuánto más corrió el domingo que el sábado?

14. Michael repasó estudios sociales durante $\frac{3}{4}$ de hora, español durante $1\frac{1}{2}$ hora y matemáticas durante $1\frac{1}{4}$ hora. ¿Cuántas horas dedicó Michael a estudiar las tres materias?

15. Quincy necesita $6\frac{1}{3}$ pies de soga para amarrar las cosas que transporta en su camión. Encuentra una soga de 9 pies de largo en su garage. ¿Cuánta soga de más tiene Quincy?

Halla el recíproco.

16. $\frac{3}{5}$ **17.** $\frac{7}{11}$ **18.** $\frac{5}{9}$ **19.** $\frac{1}{8}$

Multiplica o divide. Escribe la respuesta en su mínima expresión.

20. $\frac{3}{7} \cdot \frac{4}{9}$ **21.** $1\frac{3}{8} \cdot \frac{6}{11}$ **22.** $2\frac{1}{4} \cdot 2\frac{2}{3}$ **23.** $\frac{7}{8} \div 2$

24. $3\frac{1}{3} \div 1\frac{5}{12}$ **25.** $\frac{4}{5} \cdot 1\frac{1}{3}$ **26.** $3\frac{1}{8} \div 1\frac{1}{4}$ **27.** $\frac{3}{8} \cdot \frac{2}{3}$

Evalúa la expresión $n \cdot \frac{1}{4}$ para cada valor de n. Escribe la respuesta en su mínima expresión.

28. $n = \frac{7}{8}$ **29.** $n = \frac{2}{5}$ **30.** $n = \frac{8}{9}$ **31.** $n = \frac{4}{11}$

32. Veinticuatro estudiantes intentaron ingresar al equipo de porristas. Sólo $\frac{5}{6}$ de las estudiantes serán elegidas. ¿Cuántas estudiantes serán elegidas para el equipo?

33. Una receta de barras de granola pide$1\frac{1}{2}$ taza de harina. ¿Cuánta harina se necesita para hacer una hornada triple de barras de granola?

Resuelve cada ecuación. Escribe la solución en su mínima expresión.

34. $3r = \frac{9}{10}$ **35.** $n + 3\frac{1}{6} = 12$ **36.** $5\frac{5}{6} = x - 3\frac{1}{4}$

37. $\frac{2}{5}t = 9$ **38.** $\frac{4}{5}m = 7$ **39.** $y - 15\frac{3}{5} = 2\frac{1}{3}$

40. Jessica compró una bolsa de alimento para gatos. Cada día le sirve a su gato 1 taza. Después de 7 días, le dio a su gato $\frac{2}{3}$ de la bolsa. ¿Cuántas tazas de alimento para gatos había en la bolsa cuando Jessica la compró?

CAPÍTULO 5

Ayuda para examen

Estrategias para el examen estandarizado

Respuesta gráfica: Escribe respuestas gráficas

Al responder a una pregunta de un examen que tiene una cuadrícula de respuestas, debes llenar la cuadrícula correctamente; de lo contrario, la respuesta se calificará como incorrecta.

EJEMPLO 1

Respuesta gráfica: Simplifica la expresión (8 × 3) − 5 × (6 − 3).

(8 × 3) − 5 × (6 − 3)

24 − 5(3) — *Realiza las operaciones dentro de los paréntesis.*

24 − 15 — *Multiplica.*

9 — *Resta.*

La expresión se simplifica a 9.

- Con un lápiz, escribe tu respuesta en las casillas de la parte superior de la cuadrícula.
- Puedes empezar por la primera columna a la izquierda o la primera a la derecha, pero no por el medio.
- Escribe un solo dígito en cada casilla. *No* dejes una casilla en blanco en el medio de una respuesta.
- Sombrea el círculo correcto debajo de cada dígito o símbolo que escribiste.

EJEMPLO 2

Respuesta gráfica: Evalúa $2\frac{1}{4} + 1\frac{1}{4} + 3\frac{3}{4}$.

$2\frac{1}{4} + 1\frac{1}{4} + 3\frac{3}{4}$

$6\frac{5}{4}$ — *Suma las fracciones y luego suma los números cabales.*

$6\frac{5}{4} = 6 + 1\frac{1}{4} = 7\frac{1}{4}$ ó 7.25 ó $\frac{29}{4}$ — *Simplifica.*

- No puedes completar con números mixtos o fracciones. Debes completar la respuesta como decimal.
- Con un lápiz, escribe tu respuesta en las casillas de la parte superior de la cuadrícula.
- Escribe un solo dígito o símbolo en cada casilla. En algunas cuadrículas, la barra de fracción y el punto decimal tienen una casilla especial. Si es así, escribe correctamente tu fracción o decimal a los lados de la barra o el punto. No dejes una casilla en blanco en el medio de una respuesta.
- Sombrea el círculo correcto debajo de cada dígito o símbolo que escribiste.

Al llenar una cuadrícula, usa un lápiz y rellena completamente los círculos que están directamente debajo de cada dígito o símbolo que escribiste.

Lee cada ejemplo de muestra y contesta las preguntas que le siguen.

4		/	2	5
/	/	**/**	/	/
•	•	•	•	•
0	0	0	0	0
1	1	1	1	1
2	2	2	**2**	2
3	3	3	3	3
4	4	4	4	4
5	5	5	5	**5**
6	6	6	6	6
7	7	7	7	7
8	8	8	8	8
9	9	9	9	9

A
Un estudiante dividió dos fracciones y obtuvo $\frac{4}{25}$ como resultado. Después, el estudiante completó la cuadrícula como se muestra abajo.

1. ¿Qué error cometió el estudiante al llenar la cuadrícula?
2. Explica cómo completar bien la respuesta.

	2	.	9	
/	/	/	/	/
•	•	•	•	•
0	0	0	0	0
1	1	1	1	1
2	**2**	2	2	2
3	3	3	3	3
4	4	4	4	4
5	5	5	5	5
6	6	6	6	6
7	7	7	7	7
8	8	8	8	8
9	9	9	**9**	9

B
Un estudiante resolvió la ecuación $x + 2.1 = 5$ y halló que $x = 2.9$. En la cuadrícula de abajo se muestra su respuesta.

3. ¿Qué error cometió el estudiante al llenar la cuadrícula?
4. Explica cómo completar bien la respuesta.

5	5	/	8	
/	/	**/**	/	/
•	•	•	•	•
0	0	0	0	0
1	1	1	1	1
2	2	2	2	2
3	3	3	3	3
4	4	4	4	4
5	**5**	5	5	5
6	6	6	6	6
7	7	7	7	7
8	8	8	**8**	8
9	9	9	9	9

C
Un estudiante simplificó correctamente la expresión $6\frac{7}{8} + 1\frac{3}{8} - 2\frac{5}{8}$. Después completó la cuadrícula como se muestra abajo.

5. ¿Qué respuesta muestra la cuadrícula?
6. Explica por qué no puedes llenar la cuadrícula con números mixtos.
7. Escribe la respuesta $5\frac{5}{8}$ de dos maneras que puedan ingresarse correctamente en la cuadrícula.

1	.2	5		
/	/	/	/	/
•	**•**	•	•	•
0	0	0	0	0
1	1	1	1	1
2	**2**	2	2	2
3	3	3	3	3
4	4	4	4	4
5	5	**5**	5	5
6	6	6	6	6
7	7	7	7	7
8	8	8	8	8
9	9	9	9	9

D
Un estudiante escribió el decimal uno con veinticinco centésimas en la forma estándar y después llenó la cuadrícula como se muestra.

8. ¿Qué error cometió el estudiante al llenar la cuadrícula?
9. Explica cómo completar bien la respuesta.

CAPÍTULO 5

Preparación para el examen estandarizado

go.hrw.com
Práctica en línea para el examen estatal
CLAVE: MR7 TestPrep

Evaluación acumulativa, Capítulos 1–5

Opción múltiple

1. ¿Qué número es menor que $\frac{3}{4}$?

Ⓐ $\frac{2}{3}$ Ⓒ $\frac{5}{6}$

Ⓑ $\frac{4}{5}$ Ⓓ $\frac{9}{10}$

2. El portafolios del señor Ledden tiene una masa de 9.4 kilogramos en la Tierra. ¿Cuánto pesaría su portafolios en Júpiter?

Atracción gravitacional de los planetas (comparados con la Tierra)	
Planeta	**Atracción gravitacional**
Mercurio	0.38
Venus	0.91
Marte	0.38
Júpiter	2.54
Saturno	0.93
Neptuno	1.2

Ⓕ 8.554 kg Ⓗ 11.94 kg

Ⓖ 11.28 kg Ⓙ 23.876 kg

3. La familia de Brandon planea hacer un viaje de Dallas a San Antonio. Dallas está a aproximadamente 272 millas de San Antonio. Si el papá de Brandon conduce a un promedio de 60 millas por hora, ¿cuánto durará el viaje?

Ⓐ 3 horas Ⓒ 6 horas

Ⓑ 5 horas Ⓓ 7 horas

4. ¿Cuál es el valor de 5^4?

Ⓕ 9 Ⓗ 625

Ⓖ 20 Ⓙ 1,000

5. Una receta requiere $\frac{1}{4}$ de taza de azúcar y $\frac{2}{3}$ de taza de harina. ¿Cuánta más harina que azúcar se necesita para esta receta?

Ⓐ $\frac{1}{7}$ de taza Ⓒ $\frac{1}{2}$ taza

Ⓑ $\frac{5}{12}$ de taza Ⓓ $\frac{3}{4}$ de taza

6. Maggie necesita $15\frac{3}{8}$ yardas de soga azul, $24\frac{1}{3}$ yardas de soga blanca y $8\frac{3}{4}$ yardas de soga roja. ¿Aproximadamente cuántas yardas de soga necesita en total?

Ⓕ 38 yardas Ⓗ 48 yardas

Ⓖ 45 yardas Ⓙ 55 yardas

7. Sea d la cantidad de perros que pasea Max en un día. ¿Con qué expresión se muestra la cantidad de perros que pasea Max en 7 días?

Ⓐ $7 + d$ Ⓒ $7d$

Ⓑ $d - 7$ Ⓓ $\frac{d}{7}$

8. Charlie come $\frac{5}{8}$ de una pizza. Un quinto de la pizza que come está cubierta de hongos. ¿Qué parte de la pizza de Charlie está cubierta de hongos?

Ⓕ $\frac{1}{8}$ de pizza Ⓗ $\frac{1}{5}$ de pizza

Ⓖ $\frac{5}{13}$ de pizza Ⓙ $3\frac{1}{8}$ de pizza

9. ¿Cuál de los siguientes conjuntos de decimales está ordenado de menor a mayor?

Ⓐ 3.8, 3.89, 3.08, 3.9

Ⓑ 3.89, 3.8, 3.9, 3.08

Ⓒ 3.08, 3.89, 3.8, 3.9

Ⓓ 3.08, 3.8, 3.89, 3.9

10. Samantha puede elegir el número de su camiseta de fútbol. Elige un número que es divisible entre 3, 5 y 9, pero no entre 2, 4 ni 6. ¿Cuál de las siguientes opciones puede ser el número de la camiseta de Samantha?

(F) 15 (H) 30

(G) 27 (J) 45

11. Un teatro tiene 145 filas de butacas. Hay 12 butacas en cada fila. La clase de sexto año de la Intermedia Brookpark tiene 168 estudiantes que irán a ver una obra la próxima semana con 15 acompañantes adultos. ¿Cuántas filas de butacas tendrán que reservar para ver la obra?

(A) 14 filas (C) 16 filas

(B) 15 filas (D) 17 filas

Subraya las palabras clave de la pregunta del examen para asegurarte de que entiendes perfectamente lo que se pregunta.

Respuesta gráfica

12. ¿Cuál es el mínimo común denominador de las siguientes fracciones: $\frac{4}{5}$, $\frac{3}{4}$ y $\frac{1}{10}$?

13. En una carrera de caminata, Brian camina $3\frac{1}{4}$ kilómetros y Stacey camina $2\frac{7}{8}$ kilómetros. ¿Cuántos kilómetros más que Stacey hizo Brian?

14. ¿Cuál es el recíproco de $6\frac{1}{7}$?

15. Ying pescó un pez que medía 62.5 centímetros. El pez medía 8.2 centímetros menos que el que Ying había pescado ayer. ¿Cuántos centímetros medía el pez que Ying había pescado ayer?

16. Identifica el decimal equivalente a $\frac{3}{5}$.

17. Natalie vive a $\frac{1}{6}$ de milla de la escuela. Peter vive a $\frac{3}{10}$ de milla de la escuela. ¿Cuánto más lejos vive Peter de la escuela que Natalie?

Respuesta breve

18. Jane construye un tanque para su culebra. El largo mínimo del tanque debe ser igual a dos tercios de la longitud de la culebra y el ancho debe ser igual a la mitad de la longitud de la culebra. La culebra de Jane mide $2\frac{1}{2}$ pies de largo. Calcula y explica cómo hallar las dimensiones del tanque.

19. Lucy tiene un total de $\frac{5}{6}$ yardas de cinta para envolver regalos para sus amigos. El moño de cada regalo requiere de $\frac{1}{6}$ de yarda de cinta. Escribe una ecuación para determinar cuántos moños b puede hacer Lucy. Resuelve e interpreta tu respuesta.

Respuesta desarrollada

20. Garrett asiste a un campamento diurno de verano durante 6 horas diarias. En la siguiente gráfica circular se muestra qué fracción de cada día dedica a las distintas actividades.

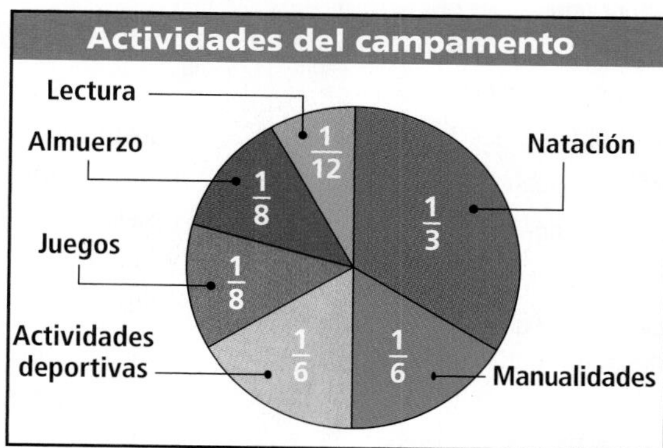

a. ¿Cuánto tiempo dedica Garrett a cada actividad? Escribe las actividades en orden de la más larga a la más corta.

b. Todas las actividades deportivas y los juegos se realizan en las canchas del campamento. ¿Qué fracción del día pasa Garrett en las canchas? Escribe tu respuesta en su mínima expresión.

c. El almuerzo y las manualidades tienen lugar en la cafetería. ¿Cuántas horas pasa Garrett en la cafetería en una semana de 5 días en el campamento diurno? Escribe tu respuesta en su mínima expresión y muestra el trabajo necesario para determinar la respuesta correcta.

CAPÍTULO 6

Recopilar y presentar datos

go.hrw.com
Presentación del capítulo en línea
CLAVE: MR7 Ch6

Parque nacional	Promedio de temperaturas máximas (° C)		
	Jun	Jul	Ago
Badlands, SD	27	33	32
Big Bend, TX	32	31	31
Crater Lake, OR	19	25	24
Everglades, FL	31	32	32

Profesión *Meteoróloga*

El estado del tiempo influye en nuestras actividades diarias, por lo que tener información sobre él es útil y muchas veces necesario. Las granjas, las estaciones de esquí y las líneas aéreas, por ejemplo, necesitan conocer el estado del tiempo.

Esta información la proporcionan los meteorólogos, que estudian y pronostican el tiempo. Recopilan datos como la temperatura, la velocidad del viento y las lluvias. Luego, estudian los datos y hacen predicciones.

En la tabla se muestran los promedios de las temperaturas máximas durante el verano en algunos parques nacionales muy frecuentados.

Vocabulario

Elige de la lista el término que mejor complete cada enunciado.

cocientes
horizontalmente
suma
valor posicional
verticalmente

1. La respuesta de un problema de adición se llama ___?___.
2. El/La ___?___ del 6 en 5,672 es el de las centenas.
3. Cuando te mueves ___?___, te mueves hacia la izquierda o la derecha. Cuando te mueves ___?___, te mueves hacia arriba o hacia abajo.

Resuelve los ejercicios para practicar las destrezas que usarás en este capítulo.

Valor posicional

Escribe el dígito que está en la posición de las decenas de cada número.

4. 718
5. 989
6. 55
7. 7,709

Comparar y ordenar números cabales

Ordena los números de menor a mayor.

8. 40, 32, 51, 78, 26, 43, 27
9. 132, 150, 218, 176, 166
10. 92, 91, 84, 92, 87, 90
11. 23, 19, 33, 27, 31, 28, 18

Halla el número mayor de cada conjunto.

12. 452, 426, 502, 467, 530, 512
13. 711, 765, 723, 778, 704, 781
14. 143, 122, 125, 137, 140, 118, 139
15. 1,053; 1,106; 1,043; 1,210; 1,039; 1,122

Escribir fracciones como decimales

Escribe cada fracción como decimal.

16. $\frac{1}{4}$
17. $\frac{5}{8}$
18. $\frac{1}{6}$
19. $\frac{2}{5}$
20. $\frac{5}{6}$
21. $\frac{1}{2}$
22. $\frac{3}{4}$
23. $\frac{9}{11}$

Ubicar puntos en una recta numérica

Identifica el punto de la recta numérica que corresponde a cada valor dado.

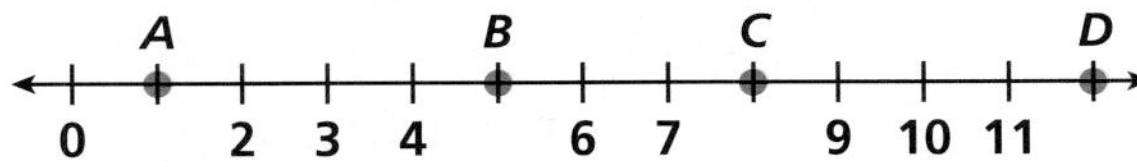

24. 5
25. 12
26. 8
27. 1

CAPÍTULO 6

Guía de estudio: Avance

De dónde vienes

Antes,

- describiste características de datos, como la forma y el número del medio.
- representaste gráficamente un conjunto de datos dado mediante una representación gráfica apropiada.
- usaste tablas de pares de números relacionados para hacer gráficas lineales.

En este capítulo

Estudiarás

- cómo usar la media, la mediana, la moda y el rango para describir datos.
- cómo resolver problemas recopilando, organizando y presentando datos.
- cómo dibujar y comparar diferentes representaciones gráficas de los mismos datos.

Adónde vas

Puedes usar las destrezas aprendidas en este capítulo

- para reconocer el uso incorrecto de la información gráfica y evaluar conclusiones basándote en el análisis de los datos.
- para presentar los datos correctamente en proyectos.

Vocabulario/Key Vocabulary

cuadrícula de coordenadas	coordinate grid
diagrama de tallo y hojas	stem-and-leaf plot
gráfica de barras	bar graph
gráfica lineal	line graph
media	mean
mediana	median
moda	mode
par ordenado	ordered pair
rango (en estadística)	range
valor extremo	outlier

Conexiones de vocabulario

Considera lo siguiente para familiarizarte con algunos de los términos de vocabulario del capítulo. Puedes consultar el capítulo, el glosario o un diccionario si lo deseas.

1. Una *barra* puede ser una franja o banda recta. ¿Qué crees que se usa en una **gráfica de barras** para presentar los datos?
2. Una *cuadrícula* es una red de líneas horizontales y perpendiculares dispuestas a intervalos iguales. ¿Cómo crees que será una **cuadrícula de coordenadas?**
3. *Ordenado* significa "en orden". La palabra *par* puede significar "dos cosas que se usan juntas". ¿Cómo crees que está compuesto un **par ordenado?**
4. *Rango* puede significar la distancia entre extremos posibles. Si estás buscando el **rango** de un conjunto de números, ¿qué crees que estás buscando?
5. El *tallo* es el tronco principal de una planta. Las *hojas* crecen desde el tallo. ¿Cómo crees que se hace un **diagrama de tallo y hojas?**

Estrategia de lectura: Lee e interpreta gráficas

Las figuras, los diagramas, las tablas y las gráficas se usan para presentar datos. Al saber cómo se interpretan estas ayudas visuales, podrás comprender los hechos y detalles más importantes de un problema.

Tabla

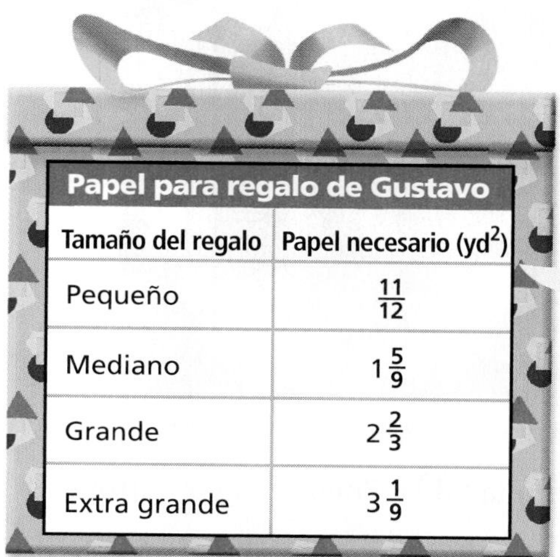

Papel para regalo de Gustavo

Tamaño del regalo	Papel necesario (yd^2)
Pequeño	$\frac{11}{12}$
Mediano	$1\frac{5}{9}$
Grande	$2\frac{2}{3}$
Extra grande	$3\frac{1}{9}$

Lee y comprende el título de cada columna y cada fila.

- **Título:** Papel para regalo de Gustavo
- **Tamaño del regalo:** Pequeño, mediano, grande y extra grande
- **Papel necesario (yd^2):** Indica cuánto papel se necesita para envolver un regalo del tamaño dado.

Gráfica

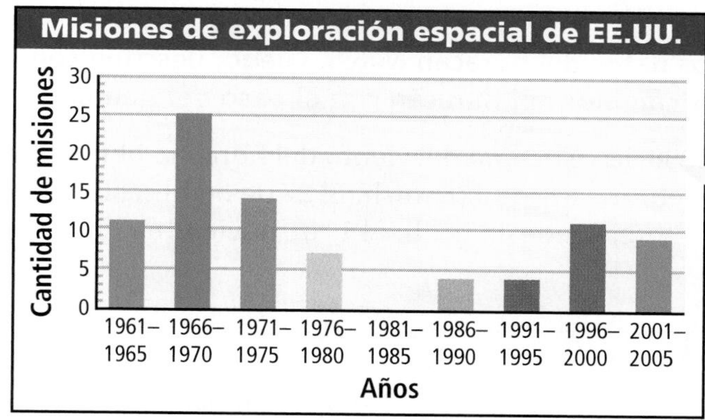

Los títulos de una gráfica describen la información que se presenta.
Lee el rótulo de cada eje.

- **Título:** Misiones de exploración espacial de EE.UU.
- **eje *x*:** Años (a intervalos de 5 años)
- **eje *y*:** Cantidad de misiones

Inténtalo

Busca los ejercicios en tu libro y responde a las siguientes preguntas.

1. Lección 5-5, Ejercicio 32: ¿Qué tipo de gráfica se muestra? ¿Cuántos minutos dura "Invierno"? Explica.
2. Lección 5-10, Ejercicio 37: ¿Cuál es el título de la gráfica circular? ¿Qué tipos de roscas se nombran?

6-1 Cómo hacer una tabla

Estrategia de resolución de problemas

Aprender a usar tablas para anotar y organizar datos

Los meteorólogos recopilan datos para pronosticar el tiempo. Al organizar e interpretar estos datos, a menudo pueden advertir a las personas sobre condiciones de mal tiempo antes de que ocurran. Esta advertencia puede salvar vidas.

En esta imagen de satélite se muestra un huracán que se aproxima a las costas de Florida.

Una forma de organizar datos es hacer una tabla. Puedes hallar patrones y relaciones al observar una tabla.

EJEMPLO 1 *Aplicación a la meteorología*

Haz una tabla con los datos del huracán Mitch. Luego, describe con ayuda de la tabla los cambios del huracán con el paso del tiempo.

El 24 de octubre de 1998, la velocidad del viento del huracán Mitch fue de 90 mi/h. El 26 de octubre, fue de 130 mi/h. El 27 de octubre, fue de 150 mi/h. El 31 de octubre, fue de 40 mi/h. El 1° de noviembre, fue de 30 mi/h.

Fecha (1998)	Velocidad del viento
24 de octubre	90 mi/h
26 de octubre	130 mi/h
27 de octubre	150 mi/h
31 de octubre	40 mi/h
1° de noviembre	30 mi/h

Haz una tabla. Escribe las fechas en orden para que veas cómo cambia la fuerza del huracán con el paso del tiempo.

En la tabla se observa que el huracán Mitch se hizo más fuerte del 24 al 27 de octubre y que luego se debilitó del 27 de octubre al 1° de noviembre.

CONEXIÓN Meteorología

El Servicio Nacional de Meteorología estimó que la velocidad del viento de Mitch alcanzó 180 mi/h. Por esto, Mitch fue un huracán de categoría 5, la categoría más alta.

go.hrw.com
¡Web Extra!
CLAVE: MR7 Hurricane

EJEMPLO 2 **Organizar datos en una tabla**

Usa los datos de la temperatura para hacer una tabla. Luego, usa la tabla para hallar un patrón en los datos y sacar una conclusión.

A las 10 am, la temperatura era de 62° F. Al mediodía era de 65° F. A las 2 pm, era de 68° F. A las 4 pm, era de 70° F. A las 6 pm, era de 66° F.

Tiempo	Temperatura (° F)
10 am	62
Mediodía	65
2 pm	68
4 pm	70
6 pm	66

La temperatura aumentó hasta las 4 pm y luego descendió. Una conclusión es que la temperatura máxima del día fue de por lo menos 70° F.

Razonar y comentar

1. **Indica** cómo te ayuda una tabla a organizar los datos.
2. **Explica** por qué los datos del Ejemplo 2 se ordenan de menor a mayor hora del día y no de menor a mayor temperatura.

6-1 Ejercicios

*(Disponible sólo en inglés)

PRÁCTICA GUIADA

Ver Ejemplo 

1. El lunes, la temperatura máxima fue de 72° F. El martes, fue de 75° F. El miércoles, fue de 68° F. El jueves, fue de 62° F. El viernes, fue de 55° F. Usa los datos para hacer una tabla.

Ver Ejemplo 

2. Usa la tabla del Ejercicio 1 para hallar un patrón en los datos y sacar una conclusión.

PRÁCTICA INDEPENDIENTE

Ver Ejemplo 

3. En su primer examen de matemáticas, Joe sacó una calificación de 70. En el segundo examen, su calificación fue de 75. En el tercero, fue de 80. En el cuarto, fue de 85. En el quinto, fue de 90. Usa los datos para hacer una tabla.

Ver Ejemplo 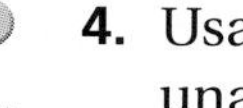

4. Usa la tabla del Ejercicio 3 para hallar un patrón en los datos y sacar una conclusión.

PRÁCTICA Y RESOLUCIÓN DE PROBLEMAS

Práctica adicional
Ver página 724

5. **Varios pasos** Para que sea seguro patinar en un estanque congelado, el hielo debe tener un espesor mínimo de 7 pulgadas. Usa los datos de abajo para hacer una tabla y estima la fecha en que es seguro patinar.
El 3 de diciembre, el hielo medía 1 pulg de espesor. El 18 de diciembre, medía 2 pulg de espesor. El 3 de enero medía 5 pulg. El 18 de enero medía 11 pulg. El 3 de febrero medía 17 pulg.

6. **Escríbelo** Las tablas de abajo se hicieron con datos idénticos que se organizaron de manera distinta. ¿En qué casos es útil cada tabla?

Tiempo	Temperatura (° F)
6 am	55
10 am	68
2 pm	75

Tiempo	Temperatura (° F)
2 pm	75
10 am	68
6 pm	62

7. **Desafío** Arthur, Victoria y Jeffrey están en sexto, séptimo y octavo grado, aunque no necesariamente en ese orden. Victoria no está en octavo grado. El de sexto grado está en el coro con Arthur y en la banda con Victoria. ¿Qué estudiante está en cada grado? Haz una tabla como la de la derecha, en la que escribas sí o no, para responder a la pregunta.

	Arthur	Victoria	Jeffrey
6°			
7°			
8°		No	

Preparación para el examen y repaso en espiral

8. **Opción múltiple** En 1999 hubo un terremoto en Turquía que alcanzó los 7.4 en la escala Richter. En 2001 hubo un terremoto en la India que alcanzó los 7.9 en la escala Richter. En 2003 hubo otro en Irán que llegó a los 6.5 en la escala Richter. ¿En cuál de las siguientes tablas se muestran los datos con exactitud?

Ⓐ

País	Turquía	India	Irán
Medida	7.4	6.5	7.9

Ⓑ

País	Turquía	India	Irán
Medida	7.9	7.4	6.5

Ⓒ

País	Turquía	India	Irán
Medida	6.5	7.4	7.9

Ⓓ

País	Turquía	India	Irán
Medida	7.4	7.9	6.5

9. **Respuesta breve** Haz una tabla para mostrar los siguientes datos. Ty construye automóviles en miniatura. Construyó 2 en la primera semana, 5 en la segunda semana, 8 en la tercera semana y 11 en la cuarta semana. Usa la tabla para hallar un patrón en los datos y sacar una conclusión.

Halla cada valor. (Lección 1-3)

10. 5^3 **11.** 3^4 **12.** 2^6 **13.** 6^3

Escribe dos frases para cada expresión. (Lección 2-2)

14. $b + 13$ **15.** $(2)(12)$ **16.** $26 - c$ **17.** $m \div 3$

Recopilar datos para hallar la media

Para usar con la Lección 6-2

go.hrw.com
Recursos en línea para el laboratorio
CLAVE: MR7 Lab6

Puedes usar fichas para hallar un solo número que describa un conjunto completo de datos. Considera el conjunto de datos de la tabla.

Primero, usa fichas para armar pilas que coincidan con los datos.

Ahora mueve algunas de las fichas para que todas las pilas tengan la misma altura.

Todas las pilas tienen 4 fichas. El número 4 describe el conjunto de datos. Es la *media* (el promedio) del conjunto de datos.

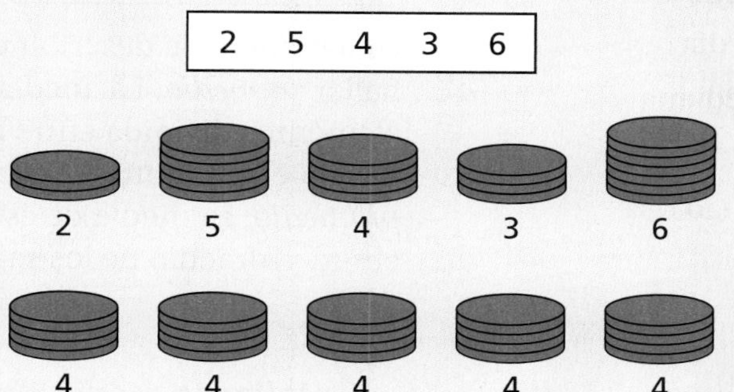

Actividad

1. Eliana encuesta a cinco personas para averiguar cuántos hermanos y hermanas tienen.
2. Ella recopila los datos y registra los resultados.
3. Usa las fichas para mostrar los datos.
4. Mueve las fichas para que todas las pilas tengan la misma altura. La media es 2.

Número de hermanos				
2	3	1	1	3

2 3 1 1 3

2 2 2 2 2

Razonar y comentar

1. Supongamos que una de las personas encuestadas tenía 8 hermanos en vez de 3. ¿Cómo cambiaría la media?
2. Todos los estudiantes de una clase tienen 3 libros de texto. ¿Cuál es la media del conjunto de datos? ¿Cómo lo sabes?

Inténtalo

1. Encuesta a cuatro amigos y recopila datos para averiguar cuántas mascotas tienen. Usa fichas para hallar la media del conjunto de datos.

6-2 Media, mediana, moda y rango

Aprender a hallar la media, la mediana, la moda y el rango de un conjunto de datos

Vocabulario

media

mediana

moda

rango

Los jugadores de un equipo de voleibol midieron la altura de sus saltos. Los resultados en pulgadas se anotaron en la tabla.

13	23	21	20	21	24	18

Una manera de describir este conjunto de datos es hallar su *media*. La **media** es la suma de todos los elementos dividida entre la cantidad de elementos que hay en el conjunto. A veces, la media también se llama *promedio*. La media de este conjunto de datos es la altura promedio de los saltos del equipo de voleibol.

EJEMPLO 1 Hallar la media de un conjunto de datos

Halla la media de cada conjunto de datos.

A

Alturas de saltos verticales (pulg)						
13	23	21	20	21	24	18

$13 + 23 + 21 + 20 + 21 + 24 + 18 = 140$ *Suma todos los valores.*

$140 \div 7 = 20$ *Divide la suma entre el número de elementos.*

La media es 20 pulgadas.

B

Cantidad de mascotas				
2	4	1	1	2

$2 + 4 + 1 + 1 + 2 = 10$ *Suma todos los valores.*

$10 \div 5 = 2$ *Divide la suma entre el número de elementos.*

La media es 2. La cantidad promedio de mascotas de estas cinco personas es 2.

Comprueba

Mueve las fichas de modo que cada pila tenga la misma cantidad.

La media es 2.

Otras descripciones de un conjunto de datos se llaman *mediana, moda* y *rango.*

- La **mediana** es el valor medio cuando los datos están en orden numérico o la media de los dos valores intermedios si el número de elementos es par.
- La **moda** es el valor o los valores que ocurren con más frecuencia. Puede haber más de una moda en un conjunto de datos. Cuando todos los valores ocurren igual número de veces, el conjunto no tiene moda.
- El **rango** es la diferencia entre los valores mínimos y máximos del conjunto.

EJEMPLO 2 Hallar la media, la mediana, la moda y el rango de un conjunto de datos

Halla la media, la mediana, la moda y el rango de cada conjunto de datos.

Total de anotaciones en la NFL			
Marcus Allen	145	Franco Harris	100
Jim Brown	126	Walter Payton	125

media: $\frac{145 + 126 + 100 + 125}{4}$ *Suma todos los valores. Divide la suma entre el número de elementos.*

$= 124$

Escribe los datos en orden numérico: 100, 125, 126, 145

mediana: 100, (125, 126,) 145 *Hay un número par de elementos, por lo tanto, halla la media de los dos valores intermedios.*

$\frac{125 + 126}{2} = 125.5$

moda: no hay *Muy a menudo, no ocurre ningún valor.*

rango: $145 - 100 = 45$ *Resta el valor mínimo al valor máximo.*

La media es 124 anotaciones; la mediana, 125.5 anotaciones; no hay moda; y el rango es 45 anotaciones.

Razonar y comentar

1. **Describe** qué puedes decir acerca de los valores de un conjunto de datos si el conjunto tiene un rango pequeño.
2. **Indica** cuántas modas hay en el siguiente conjunto de datos. Explica tu respuesta. 15, 12, 13, 15, 12, 11
3. **Describe** qué ocurriría con la media si se agregaran 20 pulgadas al conjunto de datos del Ejemplo 1A.

6-2 Ejercicios

go.hrw.com
Ayuda en línea para tareas*
CLAVE: MR7 6-2
Recursos en línea para padres
CLAVE: MR7 Parent
*(Disponible sólo en inglés)

PRÁCTICA GUIADA

Ver Ejemplo 1

Halla la media del conjunto de datos.

1.

Número de pétalos	13	24	35	18	15	27

Ver Ejemplo 2

Halla la media, la mediana, la moda y el rango del conjunto de datos.

2.

Estatura de los estudiantes (pulg)	51	67	63	52	49	48	48

PRÁCTICA INDEPENDIENTE

Ver Ejemplo 1

Halla la media del conjunto de datos.

3.

Cantidad de libros leídos	6	4	10	5	6	8

Ver Ejemplo 2

Halla la media, la mediana, la moda y el rango de cada conjunto de datos.

4.

Edad de los estudiantes (años)	14	16	15	17	16	12

5.

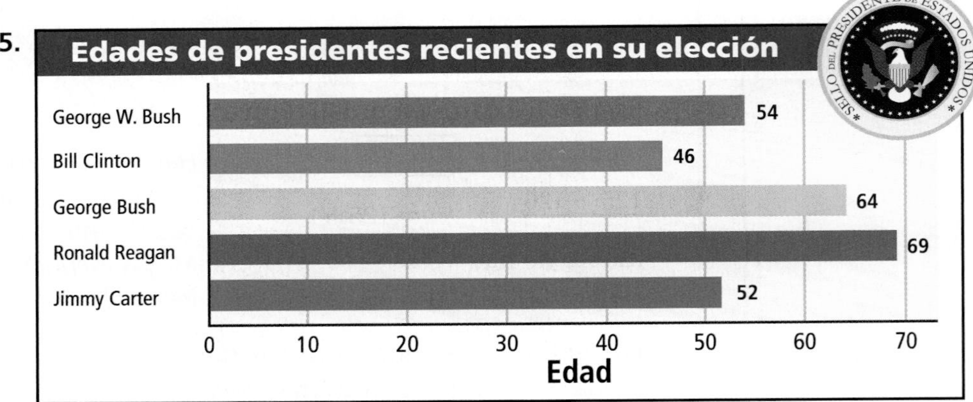

PRÁCTICA Y RESOLUCIÓN DE PROBLEMAS

Práctica adicional
Ver página 724

6. Frank tiene 3 monedas de 5 centavos, 5 de 10 y 2 de 25. Halla el rango, la media, la mediana y la moda de los valores de las monedas de Frank.

7. **Educación** En los seis estados de Nueva Inglaterra, las calificaciones medias de la sección de matemáticas del SAT fueron las siguientes en un año dado: Connecticut, 509; Maine, 500; Massachusetts, 513; New Hampshire, 519; Rhode Island, 500; y Vermont, 508. Haz una tabla con los datos. Luego halla el rango, la media, la mediana y la moda.

8. **Razonamiento crítico** Gina gastó $4, $5, $7, $7 y $6 en los últimos 5 días en su almuerzo. ¿Cuál es la manera más útil de describir este conjunto de datos: la media, la mediana, la moda o el rango? Explica.

A veces, uno o dos datos afectan mucho la media, la mediana o la moda. Cuando uno de estos valores cambia mucho, conviene elegir otro valor que describa mejor el conjunto de datos.

EJEMPLO 3 Describir un conjunto de datos

Los Seawell fueron a comprar un reproductor de DVD. Encontraron diez reproductores con los siguientes precios:

$175, $180, $130, $150, $180, $500, $160, $180, $150, $160

¿Cuál es la media, la mediana y la moda de este conjunto de datos? ¿Cuál lo describe mejor?

media = $196.50 moda = $180 mediana = $167.50

La mediana es la mejor descripción de los precios. La mayoría de los reproductores cuestan *aproximadamente* $167.50.

La media es mayor que la mayoría de los precios debido al reproductor de $500. La moda es mayor por los tres reproductores que cuestan $180.

Algunos conjuntos de datos no tienen números. Por ejemplo, en la gráfica circular se muestran los resultados de una encuesta para hallar el color favorito de las personas.

Cuando un conjunto de datos no tiene números, la única manera de describirlo es con la moda. No puedes hallar una media ni una mediana de un conjunto de colores.

La moda de este conjunto es el azul. La mayoría de las personas de la encuesta eligieron el azul como su color favorito.

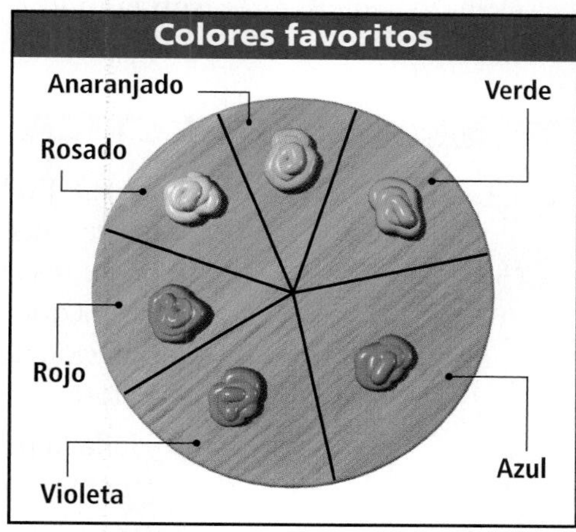

Razonar y comentar

1. **Explica** cómo influye un valor extremo muy grande en la media de un conjunto de datos. ¿Cuál es el efecto de un valor extremo pequeño?
2. **Explica** por qué la media no sería una buena descripción de las siguientes temperaturas máximas de 7 días: 72° F, 73° F, 70° F, 68° F, 70° F, 71° F y 39° F.
3. **Da un ejemplo** de un conjunto de datos que pueda describirse sólo con su moda.

6-3 Ejercicios

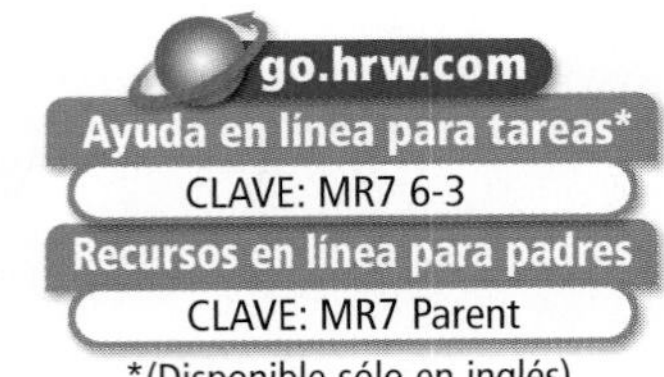

PRÁCTICA GUIADA

Ver Ejemplo 

1. **Deportes** En la gráfica se muestra cuántas veces han ganado algunos países la copa Davis de tenis, de 1900 a 2000.
   a. Halla la media, la mediana y la moda de los datos.
   b. Estados Unidos ganó 31 copas Davis entre 1900 y 2000. Agrega este número a los datos de la gráfica y halla la media, la mediana y la moda.

Ver Ejemplo 

2. En 1998, John Glenn, de 77 años, se convirtió en la persona de más edad en viajar al espacio. Los otros astronautas que viajaban en la misma misión tenían 43, 37, 38, 46, 35 y 42 años. Halla la media, la mediana y la moda de sus edades con y sin la edad de Glenn. Explica los cambios.

Ver Ejemplo 

3. Kate leyó libros que tenían 240, 450, 180, 160, 195, 170, 240 y 165 páginas. ¿Cuáles son la media, la mediana y la moda de este conjunto de datos? ¿Cuál describe mejor el conjunto de datos?

PRÁCTICA INDEPENDIENTE

Ver Ejemplo 

4. **Historia** En la tabla se muestran las edades de los 10 hombres más jóvenes entre los que firmaron la Declaración de Independencia de Estados Unidos.
   a. Halla la media, la mediana y la moda de los datos.
   b. Benjamín Franklin tenía 70 años cuando firmó la Declaración de Independencia. Agrega su edad a los datos de la tabla y halla la media, la mediana y la moda.

Edades de los 10 firmantes más jóvenes de la Declaración de Independencia

Edad	26	29	30	31	33	34
Número de firmantes	//	/	/	/	///	//

Ver Ejemplo 

5. **Geografía** En el mapa se muestran las densidades de población de varios estados de la costa del Atlántico. Halla la media, la mediana y la moda de los datos con y sin la densidad de población de Maine. Explica los cambios.

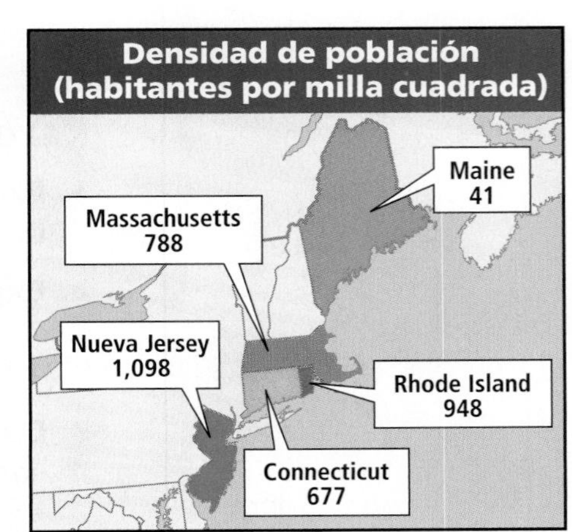

Ver Ejemplo 3

6. Los pasajeros de una camioneta tienen 16, 19, 17, 18, 15, 14, 32, 32 y 41 años. ¿Cuál es la media, la mediana y la moda de este conjunto de datos? ¿Cuál describe mejor el conjunto de datos?

Práctica adicional
Ver página 724

CONEXIÓN con las ciencias de la Tierra

El 13 de septiembre de 1922, la temperatura en El Azizia, Libia, llegó a 136° F, la temperatura máxima registrada en el planeta. *(Fuente: El Almanaque Mundial y Libro de los hechos)*

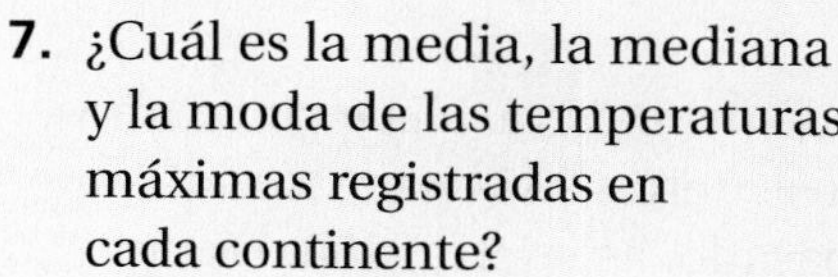

7. ¿Cuál es la media, la mediana y la moda de las temperaturas máximas registradas en cada continente?

8. a. ¿Qué temperatura es un valor extremo?
   b. ¿Cuáles son la media, la mediana y la moda de las temperaturas si no se incluye el valor extremo?

9. ¿Dónde está el error? Un estudiante afirmó que la temperatura media del mundo subiría a 120.6° F si se registrara en la Antártida una nueva máxima de 75° F. Explica el error. ¿Cuál sería el efecto real en la temperatura media si se registrara una máxima de 75° F en la Antártida?

10. **Escríbelo** ¿Los datos de la tabla se describen mejor con la media, la mediana o la moda? Explica tu respuesta.

11. **Desafío** Supongamos que se registrara una nueva temperatura máxima en Europa y que la nueva temperatura media fuera de 120° F. ¿Cuál sería la nueva temperatura máxima de Europa?

Continente	Temperatura máxima (° F)
África	136
Antártida	59
Asia	129
Australia	128
Europa	122
América del Norte	134
América del Sur	120

En este mapa de satélite se muestra la temperatura sobre la superficie del planeta. Las zonas en azul oscuro son las más frías y las zonas en rojo intenso, las más calientes.

¡Web Extra!
CLAVE: MR7 Heat

PREPARACIÓN PARA EL EXAMEN y repaso en espiral

12. **Opción múltiple** ¿Qué valor cambiará más si se agrega 16 al conjunto de datos 0, 1, 4, 0, 3, 4, 2 y 1?

    Ⓐ Media   Ⓑ Mediana   Ⓒ Moda   Ⓓ Valor extremo

13. **Respuesta gráfica** En la tabla se muestran las velocidades, en millas por hora, de ciertos animales. ¿Qué velocidad es un valor extremo?

Animal	Gato doméstico	Conejo	Guepardo	Reno	Cebra	Alce	Elefante
Velocidad (mi/h)	30	35	70	32	40	45	25

Resuelve cada ecuación. Comprueba tus respuestas. (Lección 5-5)

14. $\frac{1}{2} + m = 2$ 15. $n - \frac{4}{5} = \frac{1}{10}$ 16. $\frac{1}{3} + x = \frac{2}{3}$

17. Halla la media, la moda y el rango de las velocidades de los animales del Ejercicio 13. (Lección 6-2)

SECCIÓN 6A

Prueba de las Lecciones 6-1 a 6-3

6-1 Cómo hacer una tabla

1. El estudio de danza local celebra cada año su festival de primavera. Hace cinco años, 220 personas asistieron al festival. Hace cuatro años, asistieron 235. Hace tres años, asistieron 250. Hace dos años, asistieron 242. El año pasado, asistieron 258. Usa los datos de asistencia para hacer una tabla. Luego, describe cómo cambió la asistencia con el paso del tiempo.

6-2 Media, mediana, moda y rango

Halla la media, la mediana, la moda y el rango de cada conjunto de datos.

2.

Distancia (mi)					
5	6	4	7	3	5

3.

Calificaciones de exámenes				
78	80	85	92	90

4.

Edad de los estudiantes (años)							
11	13	12	12	12	13	9	14

5.

Número de páginas de cada libro						
145	119	156	158	125	128	135

¿Listo para seguir?

6-3 Datos adicionales y valores extremos

6. En la tabla se muestra el número de personas que asistieron a cada reunión mensual de enero a mayo.

Número de asistentes				
Ene	Feb	Mar	Abr	Mayo
27	26	32	30	30

   a. Halla la media, la mediana y la moda de los asistentes.

   b. En junio, asistieron a la reunión 39 personas y en julio asistieron 26. Agrega estos datos a la tabla y halla la media, la mediana y la moda con los nuevos datos.

7. Los cuatro estados que tienen más costa son Alaska, Florida, California y Hawai. La costa de Alaska mide 6,640 millas. La costa de Florida mide 1,350 millas. La de California mide 840 millas y la de Hawai mide 750 millas. Halla la media, la mediana y la moda de las longitudes con y sin la de Alaska. Explica los cambios.

8. Abajo se muestran las nevadas diarias de los primeros diez días de diciembre.

   2 pulg, 5 pulg, 0 pulg, 0 pulg, 15 pulg, 1 pulg, 0 pulg, 3 pulg, 1 pulg, 4 pulg.

   ¿Cuál es la media, la mediana y la moda de este conjunto de datos? ¿Cuál describe mejor el conjunto de datos?

Enfoque en resolución de problemas

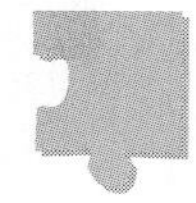

Haz un plan

• Prioriza y ordena la información

Algunos problemas te dan mucha información. Lee todo el problema cuidadosamente para asegurarte de que comprendes todos los datos. Quizá necesites leerlo varias veces, incluso en voz alta para que te oigas decir las palabras.

Luego, decide qué información es la más importante (prioriza). ¿Hay información que sea absolutamente necesaria para resolver el problema? Esta información es importante.

Por último, organiza la información (ordena). Usa palabras de comparación, como *antes, después, mayor, menor* y otras, para ayudarte. Escribe el orden antes de tratar de resolver el problema.

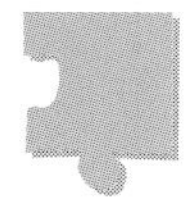

Lee los problemas y responde a las preguntas que siguen.

1. El disco compacto (CD) fue inventado 273 años después que el piano. La cinta magnetofónica fue inventada en 1898. Thomas Edison inventó el fonógrafo 21 años antes de que se inventara la cinta magnetofónica y 95 años antes de que se inventara el disco compacto. ¿Cuál es la fecha de cada invento?
   - **a.** ¿Qué fecha puedes usar para hallar las fechas de los demás?
   - **b.** ¿Puedes resolver el problema sin esta fecha? Explica.
   - **c.** Haz una lista de los inventos del primero al último.

2. Jon anotó la estatura de sus familiares. Su familia se compone de 4 personas, incluyendo a Jon. Su madre es 2 pulgadas más alta que su padre. Jon mide 56 pulgadas. Su hermana es 4 pulgadas más alta que Jon y 5 pulgadas más baja que su padre. ¿Cuál es la estatura de Jon y los miembros de su familia?
   - **a.** ¿Qué estatura puedes usar para hallar las estaturas de los demás?
   - **b.** ¿Puedes resolver el problema sin esta estatura? Explica tu respuesta.
   - **c.** Haz una lista de los miembros de la familia de Jon, de menor a mayor estatura.

?

1898

?

?

Gráficas de barras

Bosque templado

Tundra

Bosque tropical

Sabana

Aprender a presentar y analizar datos en gráficas de barras

Vocabulario

gráfica de barras

gráfica de doble barra

Un bioma es una región extensa caracterizada por un clima específico. Hay diez biomas en la Tierra. Algunos se muestran a la derecha. Cada uno recibe diferente cantidad de lluvia.

Se puede usar una *gráfica de barras* para presentar y comprobar datos sobre la precipitación pluvial. En una **gráfica de barras** se muestran datos con barras verticales u horizontales.

Leer una gráfica de barras

Usa la gráfica de barras para responder a cada pregunta.

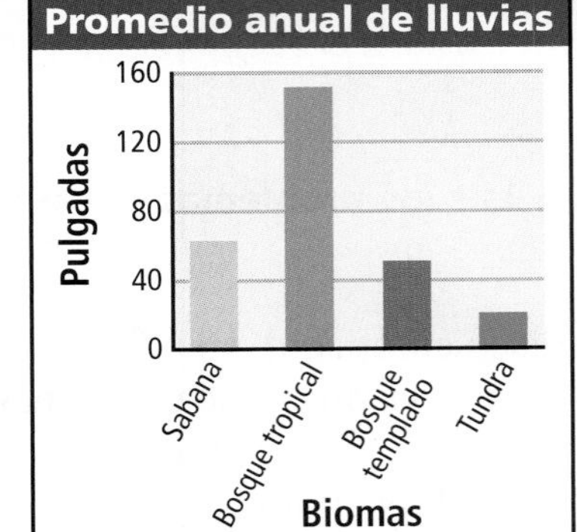

A **¿Qué bioma de la gráfica recibe la mayor cantidad de lluvia?**

Halla la barra más alta.

El bosque tropical recibe la mayor cantidad de lluvia.

B **¿Qué biomas de la gráfica tienen un promedio anual de lluvias de menos de 40 pulgadas?**

Halla la barra o las barras cuya altura mide menos de 40 pulgadas.

La tundra tiene un promedio anual de lluvias de menos de 40 pulgadas.

EJEMPLO 2

Hacer una gráfica de barras

Usa los datos para hacer una gráfica de barras.

Reservas de carbón (miles de millones de toneladas métricas)		
Asia	Europa	África
695	404	66

Paso 1: Halla una escala y un intervalo apropiados. La escala debe incluir todos los valores de los datos. El intervalo divide la escala en partes iguales.

Paso 2: Determina con los datos la longitud de las barras. Dibuja barras del mismo ancho. No deben tocarse.

Paso 3: Pon título a la gráfica y rotula los ejes.

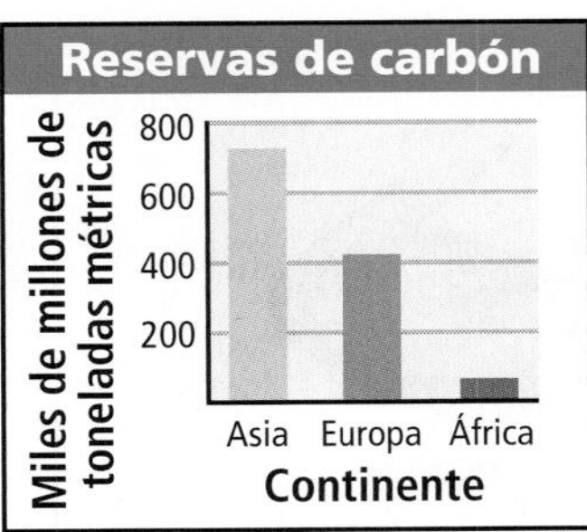

En una **gráfica de doble barra** se muestran dos conjuntos de datos relacionados.

EJEMPLO 3 APLICACIÓN A LA RESOLUCIÓN DE PROBLEMAS

RESOLUCIÓN DE PROBLEMAS

Haz una gráfica de doble barra para comparar los datos de la tabla.

Expectativa de vida en países del Atlántico en América del Sur				
	Brasil	**Argentina**	**Uruguay**	**Paraguay**
Hombres (años)	59	71	73	70
Mujeres (años)	69	79	79	74

1 Comprende el problema

Se te pide usar una gráfica para comparar los datos de la tabla. Necesitarás usar toda la información que se da.

2 Haz un plan

Puedes hacer una gráfica de doble barra para representar los dos conjuntos de datos.

3 Resuelve

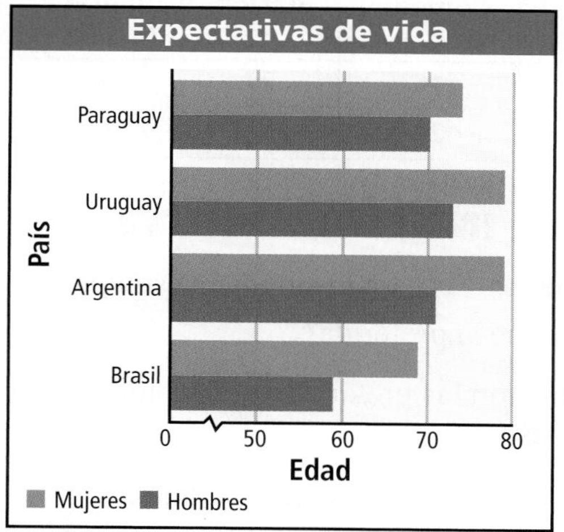

Determina las escalas apropiadas para los dos conjuntos de datos.

Usa los datos para determinar la longitud de las barras. Dibuja las barras del mismo ancho y en pares. Usa un color diferente para las edades de hombres y de mujeres. Pon título a la gráfica y rotula ambos ejes.

Incluye una clave para mostrar lo que representa cada barra.

4 Repasa

Podrías hacer dos gráficas, una para hombres y otra para mujeres. Sin embargo, es más fácil comparar los dos conjuntos de datos si están en la misma gráfica.

Leer matemáticas

Este símbolo significa que la escala es discontinua. Algunos intervalos se dejaron fuera porque no se necesitan para la gráfica.

Razonar y comentar

1. **Da** algunas comparaciones que puedes hacer al observar una gráfica de barras.
2. **Describe** el tipo de datos que presentarías en una gráfica de barras.
3. **Indica** por qué la gráfica del Ejemplo 3 necesita una clave.

6-4 Ejercicios

go.hrw.com
Ayuda en línea para tareas*
CLAVE: MR7 6-4
Recursos en línea para padres
CLAVE: MR7 Parent
*(Disponible sólo en inglés)

PRÁCTICA GUIADA

Ver Ejemplo  **Usa la gráfica de barras para responder a cada pregunta.**

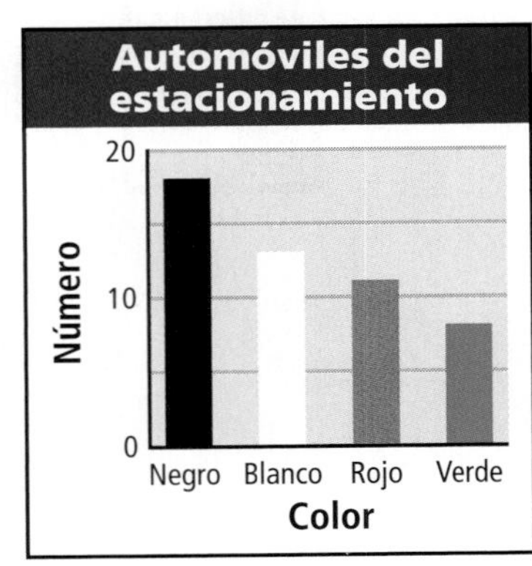

1. ¿Qué color fue el menos común en los automóviles del estacionamiento?

2. ¿Qué colores aparecen más de diez veces en el estacionamiento?

Ver Ejemplo  **3.** Usa los datos para hacer una gráfica de barras.

Estudiantes de la clase de historia del maestro Jones			
Periodo 1	28	Periodo 6	22
Periodo 2	27	Periodo 7	7

Ver Ejemplo  **4.** Haz una gráfica de barras para comparar los datos de la tabla.

Tipos de películas que prefieren hombres y mujeres encuestados						
	Comedia	**Acción**	**Ciencia ficción**	**Terror**	**Drama**	**Otras**
Hombres	16	27	16	23	12	6
Mujeres	21	14	8	18	30	9

PRÁCTICA INDEPENDIENTE

Ver Ejemplo  **Usa la gráfica de barras para responder a cada pregunta.**

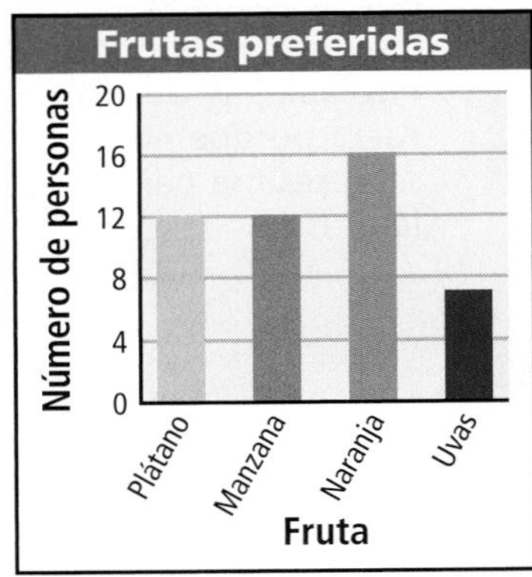

5. ¿Qué fruta fue la preferida?

6. ¿Qué frutas son las preferidas del mismo número de personas?

Ver Ejemplo  **7.** Haz una gráfica de barras con los datos.

Días de lluvia			
Enero	14	Marzo	16
Febrero	12	Abril	23

Ver Ejemplo  **8.** Haz una gráfica de barras para comparar los datos de la tabla.

Ritmo cardiaco antes y después de hacer ejercicio (latidos por minuto)						
	Jason	**Jamal**	**Ray**	**Tonya**	**Peter**	**Brenda**
Antes	60	62	61	65	64	65
Después	131	140	128	140	135	120

PRÁCTICA Y RESOLUCIÓN DE PROBLEMAS

Práctica adicional
Ver página 724

Estudios sociales **Usa la gráfica de barras para los Ejercicios del 9 al 12.**

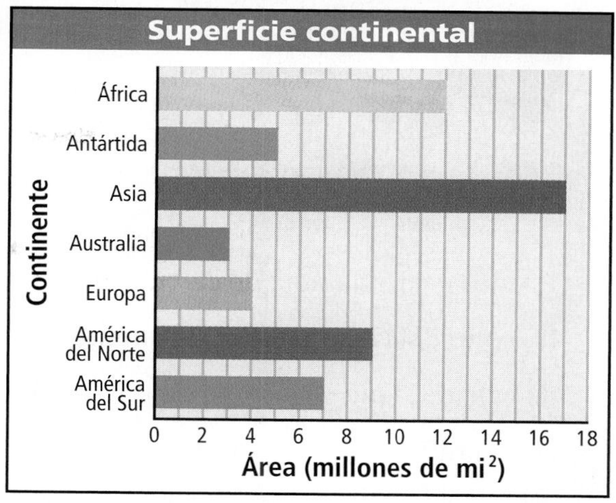

9. ¿Cuál es el rango de las superficies continentales?

10. ¿Cuál es la moda de las superficies continentales?

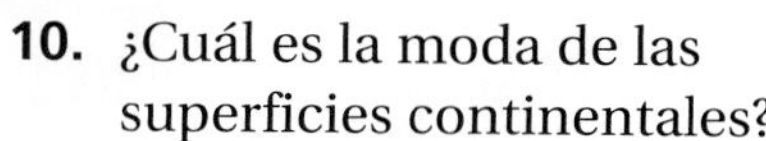

11. ¿Cuál es la media de las superficies continentales?

12. ¿Cuál es la mediana de las superficies continentales?

13. El entrenador de básquetbol dividió el equipo en dos grupos de práctica: el Grupo Azul y el Grupo Verde. En la tabla se muestran los puntajes de 6 semanas de juegos de práctica.
    a. Dibuja una gráfica de doble barra.
    b. Halla el puntaje medio y el rango para cada grupo.
    c. ¿Qué equipo elegirías para jugar en el próximo torneo? Explica tu razonamiento.

Puntajes de juegos de práctica

	Azul	Verde
Semana 1	62	40
Semana 2	40	44
Semana 3	42	44
Semana 4	54	48
Semana 5	36	52
Semana 6	50	56

14. **Escríbelo** Explica cómo harías una gráfica de barras de las cinco ciudades estadounidenses más pobladas.

15. **Desafío** Haz una gráfica de barras para presentar el número de A, B, C, D y F en la clase de la maestra Walker, si las calificaciones fueron las siguientes: 81, 87, 80, 75, 77, 98, 52, 78, 75, 82, 74, 95, 76, 52, 76, 53, 86, 77, 90, 83, 96, 83, 74, 67, 90, 65, 69, 93, 68 y 76.

Sistema de calificación

A	90–100
B	80–89
C	70–79
D	60–69
F	0–59

PREPARACIÓN PARA EL EXAMEN y repaso en espiral

Usa la gráfica de barras para los Ejercicios 16 y 17.

Tiempo de vida de animales

Tiempo de vida (años): 0, 10, 20 — Animal: León, Caballo, Ardilla, Vaca

16. **Opción múltiple** ¿Qué animal vive más?

    Ⓐ León Ⓑ Caballo Ⓒ Ardilla Ⓓ Vaca

17. **Opción múltiple** ¿Qué dos animales viven lo mismo?

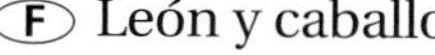

    Ⓕ León y caballo Ⓖ Ardilla y vaca Ⓗ Caballo y ardilla Ⓙ León y vaca

Halla cada suma o diferencia. Escribe la respuesta en su mínima expresión. (Lecciones 5-2 y 5-3)

18. $\frac{1}{7} + \frac{1}{4}$ 19. $\frac{1}{2} - \frac{3}{10}$ 20. $1\frac{3}{4} + 2\frac{1}{8}$ 21. $8\frac{2}{5} - 6\frac{1}{15}$

Crear gráficas de barras

Para usar con la Lección 6-4

go.hrw.com
Recursos en línea para el laboratorio
CLAVE: MR7 Lab6

Puedes usar una hoja de cálculo electrónica para trazar gráficas de barras. El icono del Chart Wizard (Asistente para gráficas), , en el menú de la hoja de cálculo tiene el aspecto de una gráfica de barras. El Chart Wizard te permite crear gráficas de varios tipos.

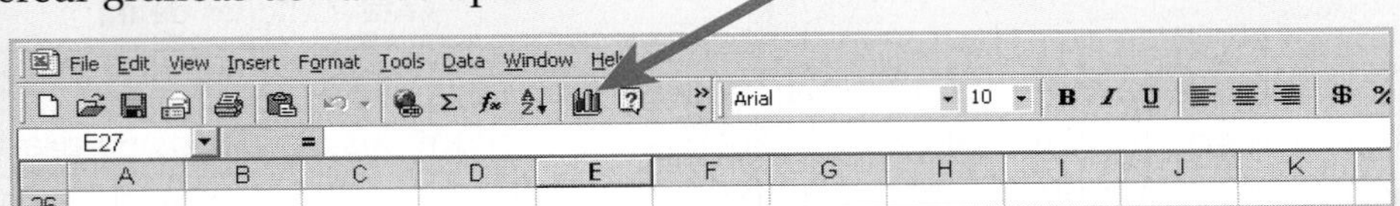

Actividad

En un estudio realizado en diciembre de 2001 en la Universidad A&M de Texas, se hizo una proyección de la población de Texas hasta 2035. Haz una gráfica de barras con estos datos.

Población de Texas	
Año	**Población**
2000	20,851,820
2005	23,207,929
2010	25,897,018
2015	28,971,283
2020	32,427,282
2025	36,273,829
2030	40,538,290
2035	45,283,746

1. Escribe los títulos *Año* y *Población* en las celdas A1 y B1. Luego, escribe los datos en las columnas A (año) y B (población).
2. Selecciona las celdas con los títulos y los datos. Para hacerlo, coloca el cursor en A1, haz un clic sin soltar el botón del ratón y arrastra el cursor hasta B9.
3. Haz clic en el icono del Chart Wizard. Resalta **Column (Columna)** para hacer una gráfica de barras verticales. Haz clic en **Next (Siguiente).**

4. En la siguiente pantalla se muestra de dónde proceden los datos de la gráfica. Haz clic en **Next.**

5. Pon nombre a tu gráfica y a los dos ejes. Haz clic en la pestaña **Legend (Leyenda).** Haz clic en el recuadro que está al lado de **Show Legend (Mostrar leyenda)** para desactivar la clave. (Necesitarías una clave si hicieras una gráfica de doble barra). Haz clic en **Next** cuando termines.

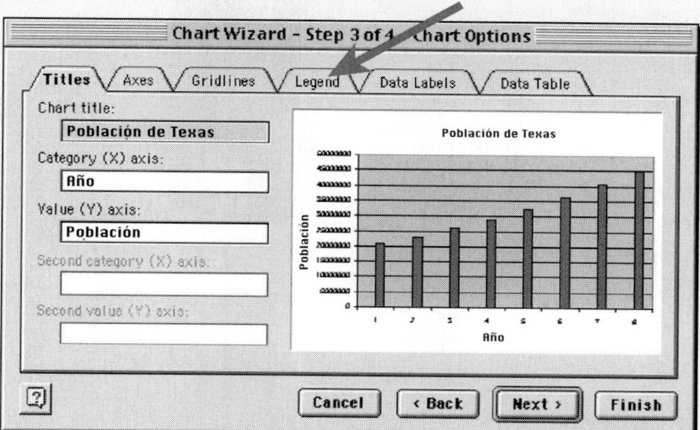

6. La siguiente pantalla te pregunta dónde quieres colocar tu tabla. Haz clic en **Finish (Terminar)** para colocarla en tu hoja de cálculo.

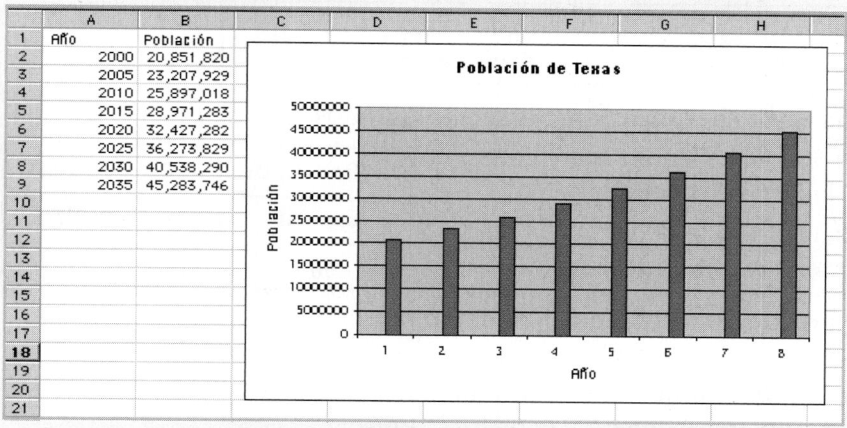

Razonar y comentar

1. ¿Crees que la población de Texas será de 32,427,282 habitantes en el año 2020, como se muestra en la gráfica? Explica.

Inténtalo

1. Vuelve a trazar la gráfica de barras de la actividad para mostrar la población de Texas de 39,000,000 en 2035 y 33,000,000 en 2040.

2. Halla el número de condados de Texas cuyo nombre empieza con la letra *A, B, C* o *D.* Haz una gráfica de barras con los datos.

6-5 Diagramas de acumulación, tablas de frecuencia e histogramas

Aprender a organizar datos en diagramas de acumulación, tablas de frecuencia e histogramas

Vocabulario

diagrama de acumulación

tabla de frecuencia

histograma

Tus huellas digitales no son iguales a las de nadie. Incluso los gemelos idénticos tienen huellas ligeramente distintas.

Todas las huellas digitales tienen uno de estos tres patrones: espiral, arco o rizo.

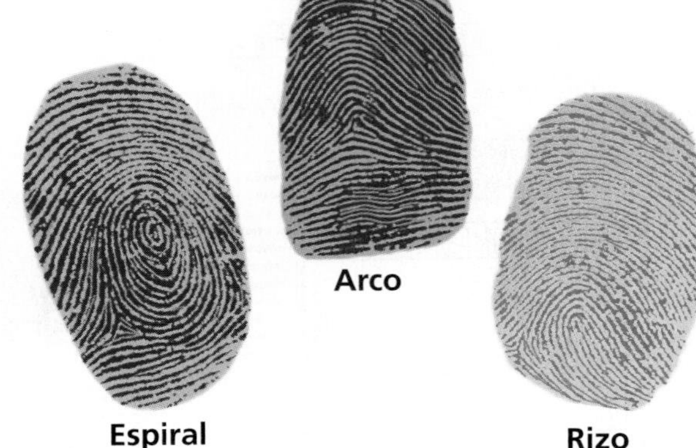

EJEMPLO 1 Hacer una tabla de conteo

Los estudiantes de la clase de la maestra Choe anotaron el patrón de sus huellas. ¿Qué tipo de patrón tiene la mayoría de los estudiantes?

espiral	rizo	rizo	rizo	rizo	arco	rizo
espiral	arco	rizo	arco	rizo	arco	espiral

Haz una *tabla de conteo* para organizar los datos.

Paso 1: Haz una columna para cada patrón de huellas digitales.

Paso 2: Haz una raya para cada huella en la columna apropiada.

Patrón de huellas digitales		
Espiral	**Arco**	**Rizo**
///	////	~~////~~ //

La mayoría de los estudiantes tienen un patrón de rizo.

Leer matemáticas

Un grupo de cuatro rayas con una raya cruzada significa cinco.

~~////~~ = 5

~~////~~ ~~////~~ = 10

En un **diagrama de acumulación** se usa una recta numérica y letras x u otros símbolos para mostrar la frecuencia de los valores.

EJEMPLO 2 Hacer un diagrama de acumulación

Los estudiantes del maestro Lee corren varias millas por semana. Haz un diagrama de acumulación con los datos.

Cantidad de millas corridas												
8	3	5	6	7	8	5	5	3	6	10	7	5

Paso 1: Dibuja una recta numérica.

Paso 2: Para cada estudiante, coloca una x en la recta numérica para representar cuántas millas corrió.

Una **tabla de frecuencia** indica el número de veces que ocurre un suceso, una categoría o un grupo.

EJEMPLO 3 Hacer una tabla de frecuencia con intervalos

Usa los datos de la tabla para hacer una tabla de frecuencia con intervalos.

Representantes por estado en la Cámara de Representantes de EE.UU.												
7	1	6	4	52	6	6	1	1	23	11	2	2
20	10	5	4	6	7	2	8	10	16	8	5	9
1	3	2	2	13	3	31	12	1	19	6	5	21
2	6	1	9	30	3	1	11	9	3	9		

Paso 1: Elige intervalos iguales.

Paso 2: Halla el número de valores de datos de cada intervalo. Escribe estos números en la fila de "Frecuencia".

Representantes por estado en la Cámara de Representantes de EE.UU.									
Número	0–5	6–11	12–17	18–23	24–29	30–35	36–41	42–47	48–53
Frecuencia	22	18	3	4	0	2	0	0	1

En esta tabla se muestra que 22 estados tienen entre 0 y 5 representantes, 18 estados tienen entre 6 y 11, etcétera.

Un **histograma** es una gráfica de barras que muestra el número de datos que aparecen en cada intervalo.

EJEMPLO 4 Hacer un histograma

Usa la tabla de frecuencia del Ejemplo 3 para hacer un histograma.

Paso 1: Elige una escala y un intervalo apropiados.

Paso 2: Dibuja una barra para el número de estados de cada intervalo. Las barras se deben tocar, pero no se deben superponer.

Paso 3: Pon título a la gráfica y rotula los ejes.

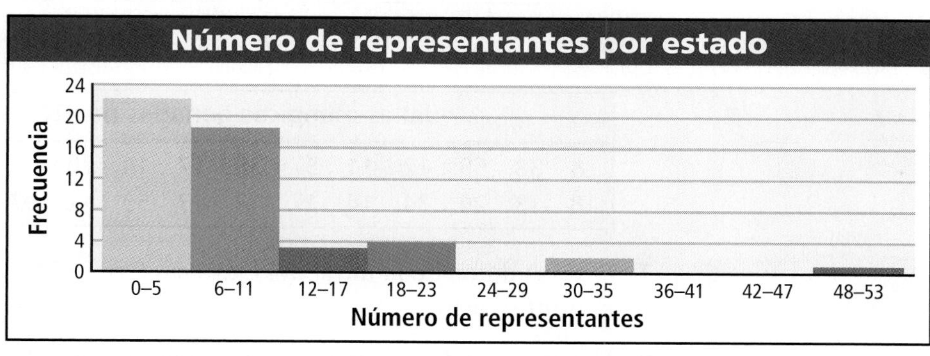

Razonar y comentar

1. **Describe** un conjunto de datos que se pueda mostrar apropiadamente mediante un histograma.

6-5 Ejercicios

go.hrw.com
Ayuda en línea para tareas*
CLAVE: MR7 6-5
Recursos en línea para padres
CLAVE: MR7 Parent
*(Disponible sólo en inglés)

PRÁCTICA GUIADA

Ver Ejemplo 

1. Cada estudiante de la banda anotó su instrumento musical. Los resultados se muestran en el recuadro. Haz una tabla de conteo para organizar los datos. ¿Qué instrumento es el que menos estudiantes tocan?

trompeta	tuba	corno	tambores	trombón
tambores	trombón	trombón	trompeta	trompeta
trompeta	corno	trompeta	corno	corno

Ver Ejemplo 

2. Haz un diagrama de acumulación con los datos.

Duración de cada periodo presidencial en EE.UU. (años)																				
8	4	8	8	8	4	8	4	0	4	4	1	3	4	4	4	4	8	4	0	4
4	4	4	4	8	4	8	2	6	4	12	8	8	2	6	5	3	4	8	4	8

Ver Ejemplo 3

3. Usa los datos de la tabla del Ejercicio 2 para hacer una tabla de frecuencia con intervalos.

Ver Ejemplo 4

4. Usa tu tabla de frecuencia del Ejercicio 3 para hacer un histograma.

PRÁCTICA INDEPENDIENTE

Ver Ejemplo 

5. Los estudiantes anotaron qué tipo de mascota tienen. Los resultados se muestran en el recuadro. Haz una tabla de conteo. ¿Qué tipo de mascota tiene la mayoría de los estudiantes?

gato	gato	pájaro	perro	perro
perro	pájaro	perro	pájaro	pez
pájaro	gato	pez	perro	gato
pez	hámster	gato	hámster	perro

Ver Ejemplo 

6. Haz un diagrama de acumulación con los datos.

Medallas olímpicas ganadas por 27 países													
8	88	59	12	11	57	38	17	14	28	28	26	25	23
18	8	29	34	14	17	13	13	58	12	97	10	9	

Ver Ejemplo 

7. Usa los datos de la tabla del Ejercicio 6 para hacer una tabla de frecuencia con intervalos.

Ver Ejemplo 

8. Usa la tabla de frecuencia del Ejercicio 7 para hacer un histograma.

PRÁCTICA Y RESOLUCIÓN DE PROBLEMAS

Práctica adicional
Ver página 725

9. Razonamiento crítico ¿Qué sería más apropiado para presentar los resultados que obtuvo en el examen estatal toda una clase de sexto grado: una gráfica de barras o un histograma? Explica.

El equidna es un mamífero que pone huevos. Vive solamente en Australia y Nueva Guinea. Los cachorros de equidna se llaman "puggles".

10. **Varios pasos** Recopila datos sobre la cantidad de pares de zapatos que tienen tus compañeros. Haz dos diagramas de acumulación con los datos: uno para los chicos y otro para las chicas. Compara los datos.

11. **Estudios sociales** En el mapa se muestra la población de los estados y territorios de Australia. Usa los datos para hacer una tabla de frecuencia con intervalos.

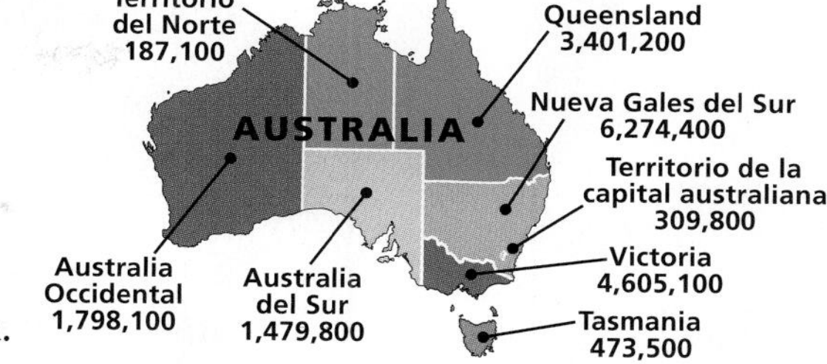

12. **Estudios sociales** Usa tu tabla del Ejercicio 11 para hacer un histograma.

13. **Razonamiento crítico** ¿Puede una tabla de frecuencia tener intervalos de 0–5, 5–10 y 10–15? ¿Por qué sí o por qué no?

14. **¿Dónde está el error?** Al leer el diagrama de acumulación, Kathryn dice que hay 10 acampantes de tres años de edad. ¿Cuál es su error?

15. **Escríbelo** Elige uno de los histogramas que hiciste en esta lección y vuelve a dibujarlo con intervalos diferentes. ¿Cómo cambió el histograma? Explica.

16. **Desafío** ¿Puedes hallar la media, la mediana y la moda de los precios con esta tabla de frecuencia? Si puedes, hállalas. Si no, explica por qué.

Costo de la renta de videojuegos en varias tiendas				
Precio	\$2.00–\$2.99	\$3.00–\$3.99	\$4.00–\$4.99	\$5.00–\$5.99
Frecuencia	5	12	8	5

PREPARACIÓN PARA EL EXAMEN y repaso en espiral

17. **Opción múltiple** Emily debe hacer un histograma para los datos 12, 24, 56, 7, 34, 75, 34, 86, 34, 78 y 96. ¿Cuál es el primer intervalo más apropiado?

(A) 0–5 (B) 0–10 (C) 0–50 (D) 0–100

18. **Respuesta breve** Usa los datos de la tabla para hacer una tabla de frecuencia con intervalos de tres tantos. ¿Cuántas veces se anotaron 6-8 tantos?

Número de tantos anotados por juego
3 5 2 5 4 7 1 0 6 4 8 5 3 2 4 5 9

Escribe cada decimal en forma desarrollada y con palabras. (Lección 3-1)

19. 1.23 20. 0.45 21. 26.07 22. 80.002

Halla el valor extremo de cada conjunto de datos. (Lección 6-3)

23. 3, 6, 19, 4, 2 y 5 24. 564, 514, 723 y 573 25. 34, 37, 41, 9 y 34

Usar una encuesta para recopilar datos

Para usar con la Lección 6-5

go.hrw.com
Recursos en línea para el laboratorio
CLAVE: MSR7 Lab6

Puedes usar una encuesta para recopilar datos. En este laboratorio, la clase se dividirá en equipos y preguntarás a tus compañeros cuánto tiempo tardan en llegar a la escuela.

Trabaja en equipos de 2 ó 3 estudiantes. Cada equipo estará ubicado en diferentes lugares y encuestará a los demás estudiantes a medida que llegan a la escuela:

- La mitad de los equipos encuestará a los estudiantes fuera de la escuela al bajar del autobús escolar.
- Los demás equipos encuestarán a los estudiantes cuando entran al salón de clases.

Cada equipo deberá seguir los pasos que se indican a continuación.

Actividad

1. Pregunta a los estudiantes si han sido encuestados por algún otro equipo. Si no es así, pregúntales a qué hora salieron de casa esa mañana. Intenta obtener entre 10 y 15 respuestas.
2. Cuando termines la encuesta, calcula el tiempo que pasó entre que cada estudiante salió de su casa y la primera hora de clase. Anota los datos en una tabla como la que se muestra a la derecha.
3. Calcula el tiempo promedio de viaje de los estudiantes que encuestaste.

Hora de salida de casa	Tiempo total hasta la primera hora de clase (min)
6:57 am	33
7:05 am	25

Razonar y comentar

1. ¿Crees que el tiempo promedio será mayor para el equipo que hace la encuesta afuera o en el salón de clases? Explica por qué.
2. Con toda la clase, halla el tiempo promedio de todos los estudiantes encuestados fuera de la escuela. Luego halla el tiempo promedio de todos los estudiantes encuestados en el salón de clases. ¿Coinciden los resultados con tu predicción del Problema **1**?
3. ¿Cuál crees que es una estimación más exacta del tiempo promedio que los estudiantes tardan en llegar a la escuela: la de la encuesta fuera de la escuela o la del salón de clases? ¿Por qué?

Inténtalo

1. Dibuja un histograma para mostrar los datos de tu equipo.
2. Piensa en algo que quisieras saber sobre los estudiantes de tu escuela y escribe una pregunta de encuesta para hallar la respuesta. Explica cómo harías una encuesta para obtener resultados exactos.

6-6 Pares ordenados

San Diego, California. Imagen por cortesía de spaceimaging.com.

Aprender a representar pares ordenados en una cuadrícula de coordenadas

Vocabulario

cuadrícula de coordenadas

par ordenado

Las ciudades, los pueblos y los vecindarios a menudo se representan en una cuadrícula. Así es más fácil hacer mapas y hallar lugares.

Una **cuadrícula de coordenadas** se forma con líneas horizontales y verticales y se usa para ubicar puntos.

Cada punto de una cuadrícula de coordenadas se ubica mediante un **par ordenado** de números, como (4, 6). El punto de origen es (0, 0).

- El primer número indica cuánto debes avanzar en forma horizontal desde (0, 0).
- El segundo número indica cuánto debes avanzar en forma vertical.

EJEMPLO 1

Identificar pares ordenados

Identifica el par ordenado de cada lugar.

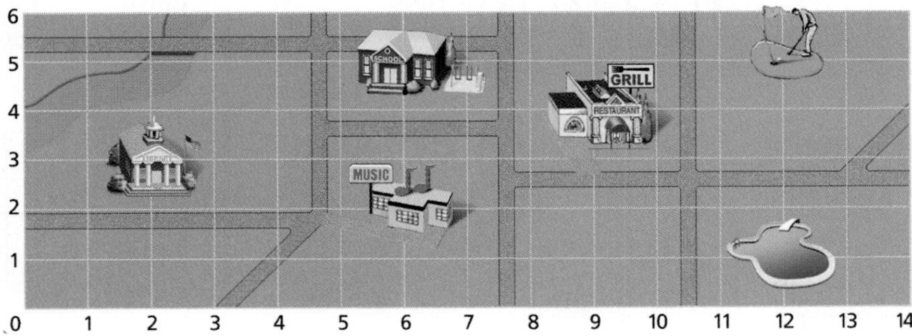

A **biblioteca**

Empieza en (0, 0). Avanza 2 unidades a la derecha y luego 3 hacia arriba.

La biblioteca se ubica en (2, 3).

B **escuela**

Empieza en (0, 0). Avanza 6 unidades a la derecha y luego 5 hacia arriba.

La escuela se ubica en (6, 5).

C **piscina**

Empieza en (0, 0). Avanza 12 unidades a la derecha y luego 1 hacia arriba.

La piscina se ubica en (12, 1).

EJEMPLO 2 Representar gráficamente pares ordenados

Representa y rotula cada punto en una cuadrícula de coordenadas.

A $Q\left(4\frac{1}{2}, 6\right)$ *Empieza en (0, 0).*
Avanza $4\frac{1}{2}$ unidades a la derecha.
Avanza 6 hacia arriba.

B $S(0, 4)$ *Empieza en (0, 0).*
Avanza 0 unidades a la derecha.
Avanza 4 hacia arriba.

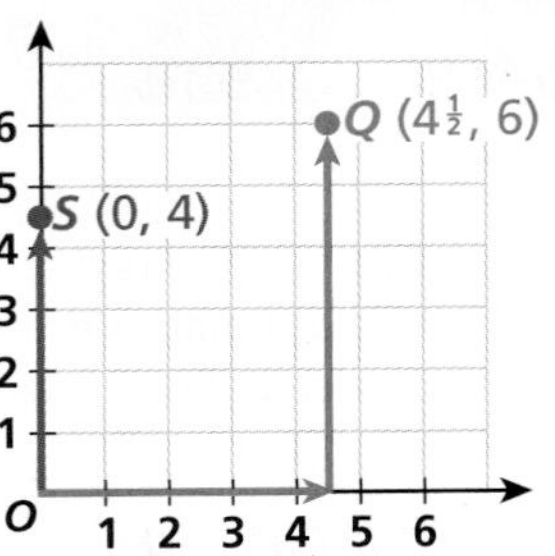

Razonar y comentar

1. **Indica** qué punto es el origen cuando representas gráficamente en una cuadrícula de coordenadas.
2. **Describe** cómo representar $(2\frac{1}{2}, 8)$ en una cuadrícula de coordenadas.

6-6 Ejercicios

PRÁCTICA GUIADA

Ver Ejemplo 1 **Identifica el par ordenado de cada lugar.**

1. escuela
2. tienda
3. hospital
4. centro comercial
5. oficina
6. hotel

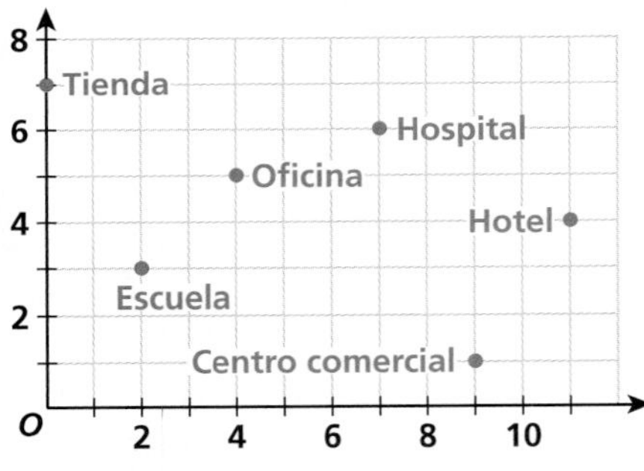

Ver Ejemplo 2 **Representa y rotula cada punto en una cuadrícula de coordenadas.**

7. $T\left(3\frac{1}{2}, 4\right)$
8. $S(2, 8)$
9. $U(5, 5)$
10. $V\left(4\frac{1}{2}, 1\right)$

PRÁCTICA INDEPENDIENTE

Ver Ejemplo 1 **Identifica el par ordenado de cada lugar.**

11. restaurante
12. biblioteca
13. tienda
14. banco
15. teatro
16. ayuntamiento

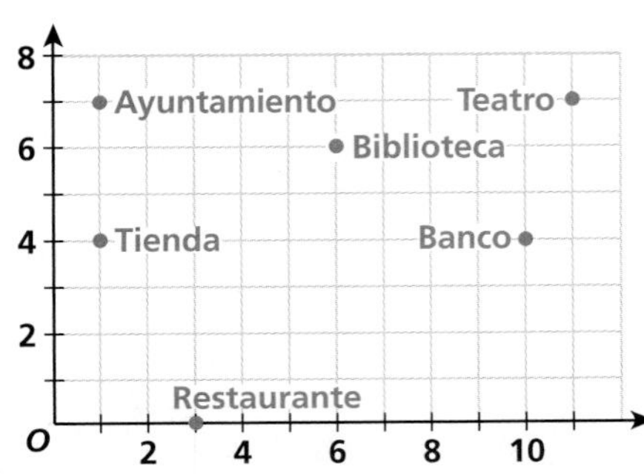

Ver Ejemplo 2 **Representa y rotula cada punto en una cuadrícula de coordenadas.**

17. $P\left(5\frac{1}{2}, 1\right)$ **18.** $R(2, 4)$ **19.** $Q\left(3\frac{1}{2}, 2\right)$

20. $V(6, 5)$ **21.** $X\left(1\frac{1}{2}, 3\right)$ **22.** $Y(7, 4)$

PRÁCTICA Y RESOLUCIÓN DE PROBLEMAS

Práctica adicional
Ver página 725

Usa la cuadrícula de coordenadas para los Ejercicios del 23 al 35.

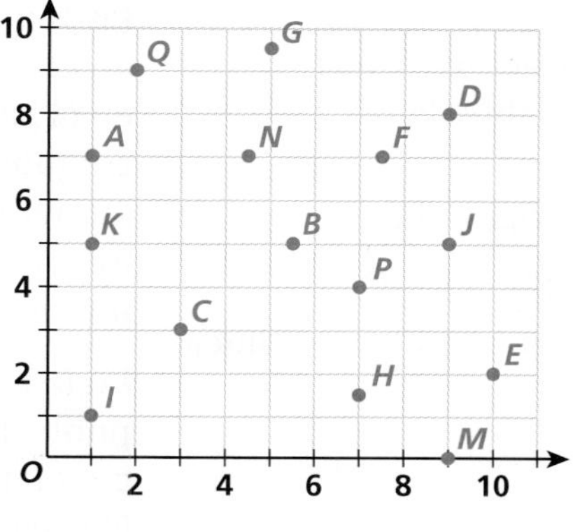

Identifica el punto de cada par ordenado.

23. (1, 7) **24.** $\left(5, 9\frac{1}{2}\right)$ **25.** (3, 3)

26. $\left(4\frac{1}{2}, 7\right)$ **27.** (7, 4) **28.** $\left(7\frac{1}{2}, 7\right)$

Da el par ordenado de cada punto.

29. *D* **30.** *H* **31.** *K*

32. *Q* **33.** *M* **34.** *B*

35. Varios pasos Las coordenadas de los puntos *B*, *J* y *M* de la cuadrícula de arriba forman tres esquinas de un rectángulo. ¿Cuáles son las coordenadas de la cuarta esquina? Explica cómo hallaste la respuesta.

36. Escríbelo Explica la diferencia entre los puntos (3, 2) y (2, 3).

37. ¿Cuál es la pregunta? Si la respuesta es "Empieza en (0, 0) y avanza tres unidades hacia la derecha", ¿cuál es la pregunta?

38. Desafío Ubica y representa los puntos que pueden unirse para formar tus iniciales. ¿Cuáles son los pares ordenados de esos puntos?

PREPARACIÓN PARA EL EXAMEN y repaso en espiral

Usa la cuadrícula de coordenadas para los Ejercicios 39 y 40.

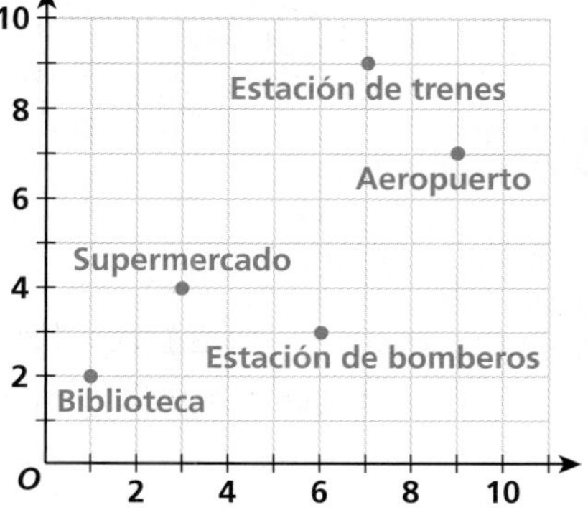

39. Opción múltiple ¿En qué par ordenado está el aeropuerto?

Ⓐ (7, 9) Ⓑ (3, 4) Ⓒ (6, 3) Ⓓ (9, 7)

40. Opción múltiple ¿Qué hay en (1, 2)?

Ⓕ Aeropuerto Ⓗ Supermercado

Ⓖ Biblioteca Ⓙ Estación de trenes

Escribe cada expresión en forma exponencial. (Lección 1-3)

41. $3 \times 3 \times 3 \times 5 \times 5$ **42.** $7 \times 7 \times 4 \times 4$ **43.** $2 \times 2 \times 3 \times 3 \times 5$

Halla cada producto. Escribe cada respuesta en su mínima expresión. (Lección 5-7)

44. $\frac{2}{3} \cdot \frac{1}{5}$ **45.** $\frac{3}{7} \cdot \frac{1}{4}$ **46.** $\frac{2}{9} \cdot \frac{3}{8}$ **47.** $\frac{1}{4} \cdot \frac{6}{7}$

6-7 Gráficas lineales

Aprender a presentar y analizar datos en gráficas lineales

Vocabulario

gráfica lineal

gráfica de doble línea

En 1607 se fundó el primer asentamiento inglés permanente en el Nuevo Mundo. Eran 104 colonos. La población aumentó rápidamente a medida que llegaban más inmigrantes de Europa.

En la tabla se muestra la población estimada de las colonias inglesas en Norteamérica de 1650 a 1700.

Escuela para señoritas en Nueva Inglaterra, 1713

Población de las colonias en Norteamérica				
Año	1650	1670	1690	1700
Población	50,400	111,900	210,400	250,900

Los datos que muestran cambios en el tiempo se presentan mejor en una *gráfica lineal.* En una **gráfica lineal** se presenta un conjunto de datos mediante segmentos de recta.

EJEMPLO 1 Hacer una gráfica lineal

¡Atención!

Como el tiempo pasa con o sin cambios demográficos, es *independiente* de la población. Escribe siempre la cantidad independiente en el eje horizontal.

Usa los datos de la tabla para hacer una gráfica lineal.

Paso 1: Escribe los *años* en el eje horizontal y la *población* en el vertical. Rotula los ejes.

Paso 2: Determina una escala y un intervalo apropiados para cada eje.

Paso 3: Traza un punto para cada valor. Une los puntos con líneas rectas.

Paso 4: Pon título a la gráfica.

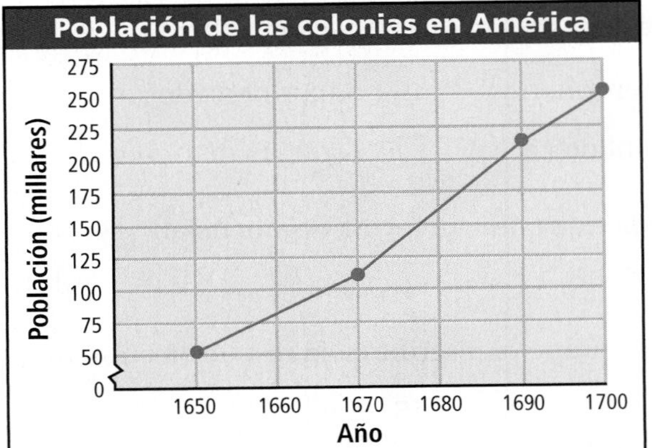

EJEMPLO 2 Leer una gráfica lineal

Usa la gráfica lineal para responder a cada pregunta.

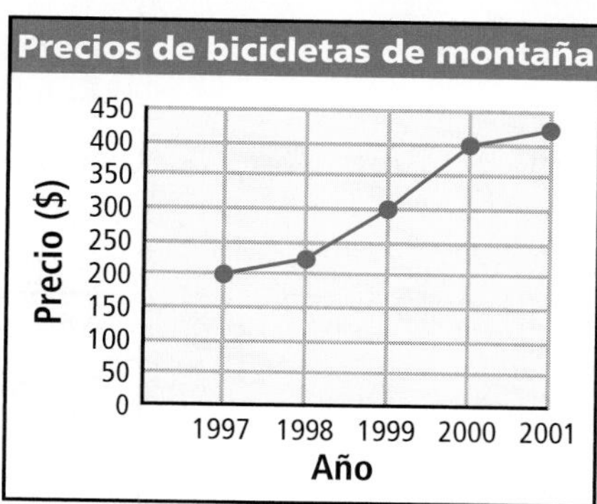

A **¿En qué año costaron menos las bicicletas de montaña?** 1997

B **¿Aproximadamente cuánto costaban en 1999?** $300

C **¿Los precios de las bicicletas aumentaron o disminuyeron de 1997 a 2001?** Aumentaron.

Las gráficas lineales que presentan dos conjuntos de datos se llaman **gráficas de doble línea.**

EJEMPLO 3 Hacer una gráfica de doble línea

Usa los datos de la tabla para hacer una gráfica de doble línea.

Pista útil

Usa líneas de colores diferentes para unir los valores de hombres y mujeres y que así sea fácil distinguir los datos.

Expectativa de vida en Estados Unidos							
	1970	**1975**	**1980**	**1985**	**1990**	**1995**	**2000**
Hombres (años)	67	69	70	71	72	73	74
Mujeres (años)	71	77	77	78	79	79	80

Paso 1: Determina una escala y un intervalo apropiados.

Paso 2: Traza un punto para cada valor de los hombres y une los puntos.

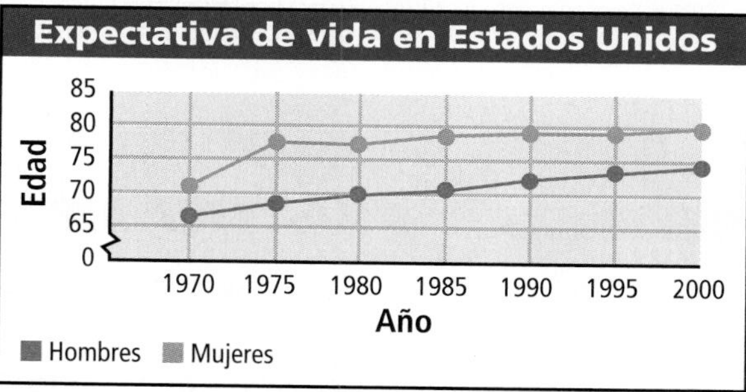

Paso 3: Traza un punto para cada valor de las mujeres y une los puntos.

Paso 4: Pon título a la gráfica y rotula los ejes. Incluye una clave.

Razonar y comentar

1. **Explica** cuándo sería útil usar una gráfica lineal en lugar de una gráfica de barras para presentar datos.
2. **Describe** cómo usarías una gráfica lineal para hacer predicciones.
3. **Indica** por qué la gráfica del Ejemplo 3 necesita una clave.

6-7 Ejercicios

go.hrw.com
Ayuda en línea para tareas*
CLAVE: MR7 6-7
Recursos en línea para padres
CLAVE: MR7 Parent
*(Disponible sólo en inglés)

PRÁCTICA GUIADA

Ver Ejemplo 

1. Usa los datos de la tabla para hacer una gráfica lineal.

Matrícula escolar				
Año	2000	2001	2002	2003
Estudiantes	2,000	2,500	2,750	3,500

Ver Ejemplo 

Usa la gráfica lineal para responder a cada pregunta.

2. ¿En qué año participaron más estudiantes en la feria de ciencias?
3. ¿Aproximadamente cuántos estudiantes participaron en 2002?
4. ¿Aumentó o disminuyó el número de estudiantes de 2000 a 2001?

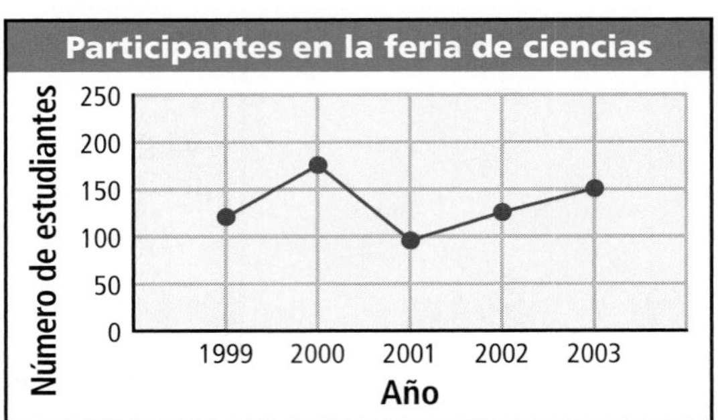

Ver Ejemplo 

5. Usa los datos de la tabla para hacer una gráfica de doble línea.

	Enero	Febrero	Marzo	Abril	Mayo
Acciones A	$10	$12	$20	$25	$22
Acciones B	$8	$8	$12	$20	$30

PRÁCTICA INDEPENDIENTE

Ver Ejemplo 

6. Usa los datos de la tabla para hacer una gráfica lineal.

Tiempos de los ganadores de la carrera de trineos de perros Iditarod							
Año	1995	1996	1997	1998	1999	2000	2001
Tiempo (h)	219	222	225	222	231	217	236

Ver Ejemplo 

Usa la gráfica lineal para responder a cada pregunta.

7. ¿Aproximadamente cuántas computadoras había en uso en Estados Unidos en 1996?
8. ¿Cuándo había en uso alrededor de 105 millones de computadoras?

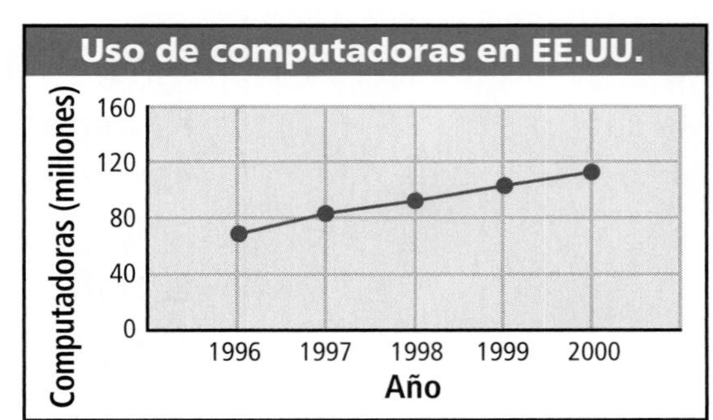

Ver Ejemplo 3

9. Usa los datos de la tabla para hacer una gráfica de doble línea.

Ventas para reunir fondos para el equipo de fútbol						
Día	0	1	2	3	4	5
Equipo A	\$0	\$100	\$225	\$300	\$370	\$450
Equipo B	\$0	\$50	\$100	\$150	\$200	\$250

PRÁCTICA Y RESOLUCIÓN DE PROBLEMAS

Práctica adicional
Ver página 725

CONEXIÓN Ciencias biológicas

Los perros más grandes suelen tener vidas más cortas que los más pequeños. Un Gran Danés vive un promedio de 8.4 años y un Terrier Jack Russell vive un promedio de 13.6 años.

Usa la gráfica lineal para los Ejercicios 10 y 11.

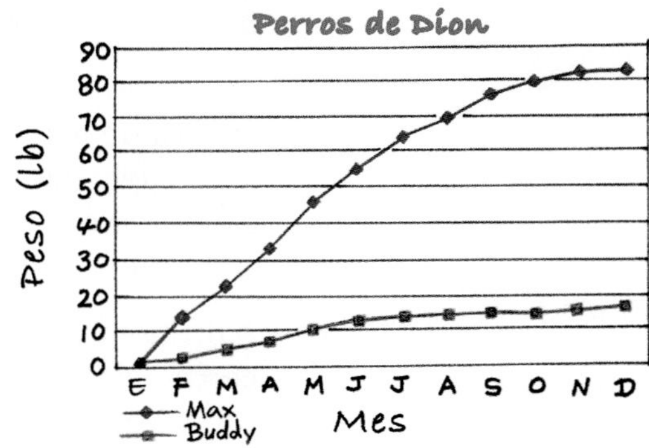

10. **Ciencias biológicas** Estima la diferencia en los pesos de los perros en marzo.

11. **Ciencias biológicas** Uno de los perros de Dion es un Gran Danés y el otro es un Terrier Jack Russell. ¿Qué perro es probablemente el Gran Danés? Justifica tu respuesta.

12. **Ciencias biológicas** En la tabla se muestran los pesos en libras de las dos mascotas de Sara Beth. Usa los datos para hacer una gráfica lineal semejante a la de Dion.

	Ene	Feb	Mar	Abr	May	Jun	Jul	Ago	Sept	Oct	Nov	Dic
Ginger	3	9	15	21	24	25	26	25	26	27	26	28
Toto	4	8	13	17	24	26	27	29	25	26	28	28

13. **Escríbelo** Tienes un plato de sopa para almorzar. Dibuja una gráfica lineal que represente los cambios de temperatura de la sopa durante el almuerzo. Explica.

14. **Desafío** Describe una situación que pueda representarse con esta gráfica.

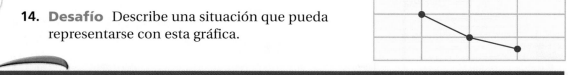

PREPARACIÓN PARA EL EXAMEN y repaso en espiral

15. **Opción múltiple** ¿Qué tipo de gráfica usarías para presentar dos conjuntos de datos que cambian a lo largo del tiempo?

Ⓐ Gráfica de barras Ⓑ Pictograma Ⓒ Gráfica de doble línea Ⓓ Gráfica lineal

16. **Respuesta breve** Usa la gráfica de los Ejercicios 10 y 11. ¿Aumentó o disminuyó el peso de Max entre septiembre y octubre? Explica.

Resuelve cada ecuación. (Lección 2-7)

17. $5s = 90$ 18. $4g = 128$ 19. $8m = 120$ 20. $17a = 544$

21. En una encuesta a 100 personas se halló que 48 de ellas no habían sido multadas por exceso de velocidad, 34 habían recibido 1 multa, 10 tenían 2 multas, 5 tenían 3 multas y 2 tenían 4 o más multas. Crea una gráfica de barras para presentar los datos. (Lección 6-4)

6-8 Gráficas engañosas

Aprender a reconocer gráficas engañosas

Los datos pueden representarse de muchas formas. A veces, quienes hacen gráficas eligen presentar datos de manera engañosa.

Un grupo de estudiantes hizo esta gráfica de barras porque creía que su escuela debía aumentar el apoyo al equipo de fútbol americano. ¿Por qué es engañosa la gráfica?

A primera vista, pensarías que cerca del triple de los estudiantes prefieren el fútbol americano al básquetbol. Pero si observas los valores de las barras, puedes ver que sólo 20 estudiantes más prefieren el fútbol americano al básquetbol.

EJEMPLO 1 Gráficas de barras engañosas

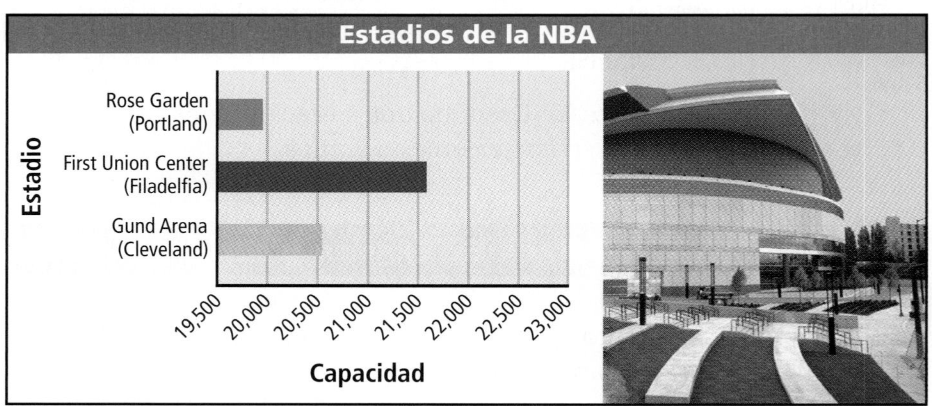

A **¿Por qué es engañosa esta gráfica de barras?**

Porque falta la parte inferior de la escala horizontal y se exagera la diferencia de capacidades.

B **¿Qué información errónea se podría extraer de la gráfica engañosa?**

Se podría creer que el First Union Center tiene de 2 a 4 veces la capacidad del Gund Arena y el Rose Garden. En realidad, el First Union Center tiene capacidad sólo para mil a dos mil personas más que los otros dos estadios.

EJEMPLO 2 Gráficas lineales engañosas

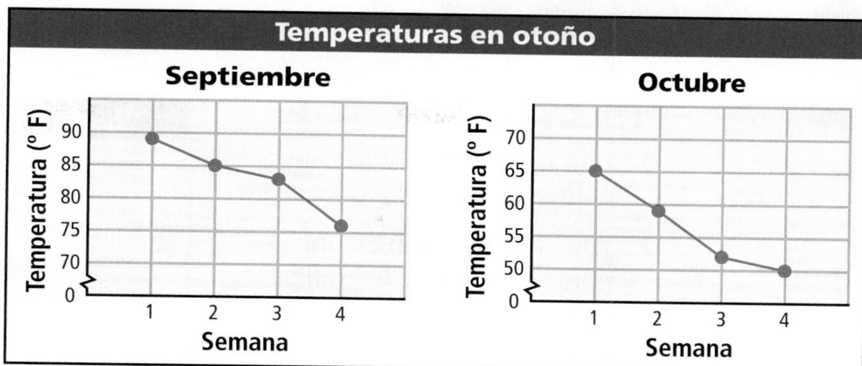

A **¿Por qué son engañosas estas gráficas lineales?**

Si observas la escala de cada gráfica, notarás que la de septiembre va de 75° F a 90° F y la de octubre va de 50° F a 65° F.

B **¿Qué información errónea se podría extraer de estas gráficas engañosas?**

Se podría creer que las temperaturas de octubre fueron las mismas que las de septiembre aproximadamente. Las temperaturas de septiembre fueron en realidad de 20 a 30 grados mayores.

C **¿Por qué es engañosa esta gráfica lineal?**

Los intervalos de la escala no son iguales. Así, por ejemplo, un incremento de 35 a 40 abdominales parece mayor que uno de 30 a 35.

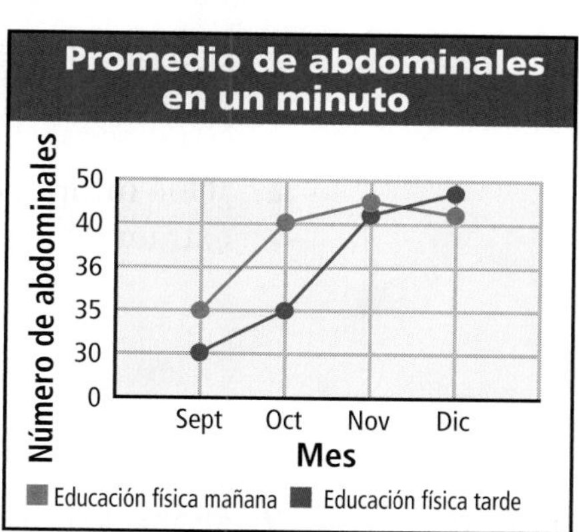

Razonar y comentar

1. **Da un ejemplo** de una situación en la que creas que alguien trató de hacer intencionalmente una gráfica engañosa.
2. **Indica** quién pudo haber hecho la gráfica engañosa del Ejemplo 2C.
3. **Indica** cómo cambiarías la gráfica del Ejemplo 2C para que no sea engañosa.

6-8 Ejercicios

PRÁCTICA GUIADA

Ver Ejemplo 

1. ¿Por qué es engañosa esta gráfica de barras?
2. ¿Qué información errónea se podría extraer de la gráfica engañosa?

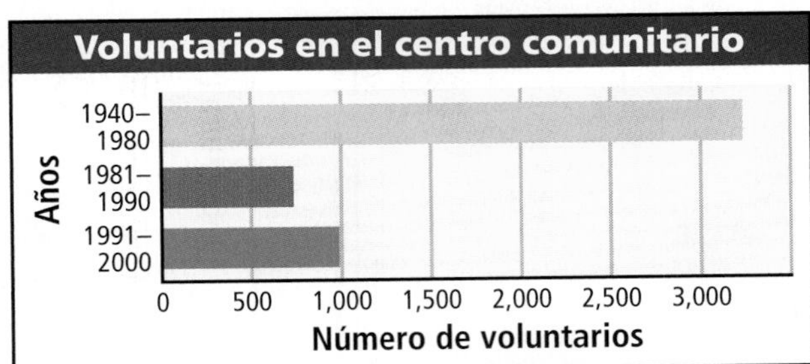

Ver Ejemplo 

3. ¿Por qué es engañosa esta gráfica lineal?
4. ¿Qué información errónea se podría extraer de la gráfica engañosa?

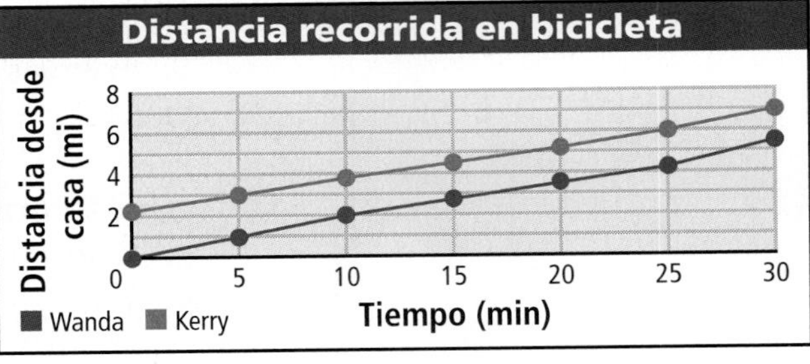

PRÁCTICA INDEPENDIENTE

Ver Ejemplo 

5. ¿Por qué es engañosa esta gráfica de barras?
6. ¿Qué información errónea se podría extraer de la gráfica engañosa?

Ver Ejemplo 

7. ¿Por qué es engañosa esta gráfica lineal?
8. ¿Qué información errónea se podría extraer de la gráfica engañosa?

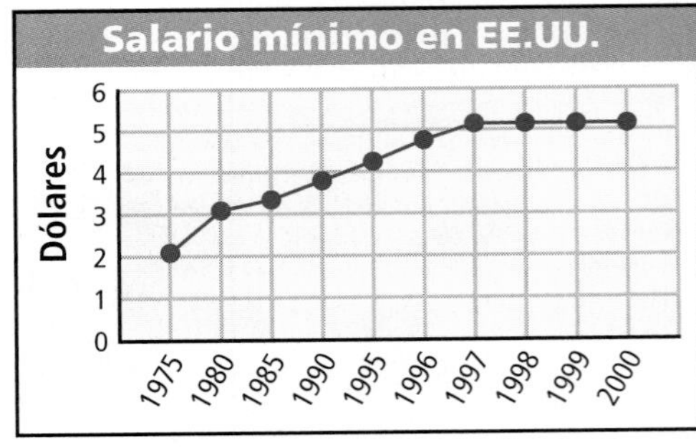

PRÁCTICA Y RESOLUCIÓN DE PROBLEMAS

Práctica adicional
Ver página 725

9. **Razonamiento crítico** En una encuesta se preguntó qué blanqueador de dientes actuaba mejor. Los resultados indicaron que 1,007 personas eligieron las cintas, 995 eligieron la pasta y 998 eligieron la pintura. Haz dos gráficas de barras, una en la que muestres que las cintas son mucho más eficaces que la pasta o la pintura, y otra en la que muestres que la pasta es la más eficaz.

CONEXIÓN con la salud

Una compañía investigadora desarrolló un medicamento para el colesterol. En la tabla se muestran los niveles medios de colesterol por mes en pacientes que tomaron el medicamento durante 5 meses.

Concentración media de colesterol	
Mes	Colesterol
1	300
2	275
3	240
4	230
5	210

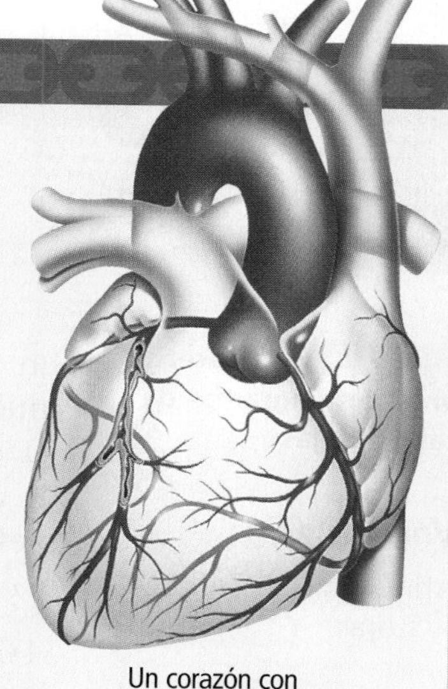

Un corazón con enfermedad arterial coronaria, causada por acumulación de depósitos de grasa

10. ¿Qué tipo de gráfica harías para representar estos datos? ¿Por qué?

11. Haz una gráfica en la que se sugiera que el medicamento reduce notablemente los niveles de colesterol. Explica cómo lo hace.

12. Haz una gráfica en la que se sugiera que el medicamento tiene poco efecto en los niveles de colesterol. Explica cómo lo hace.

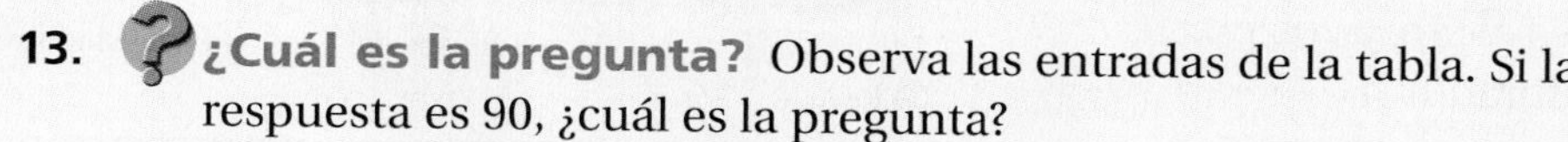

13. **¿Cuál es la pregunta?** Observa las entradas de la tabla. Si la respuesta es 90, ¿cuál es la pregunta?

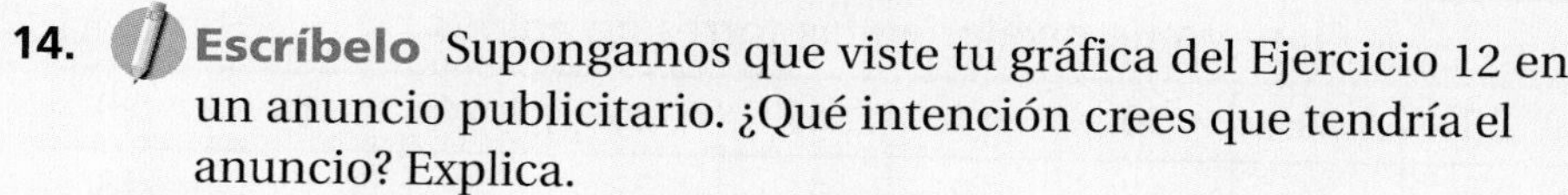

14. **Escríbelo** Supongamos que viste tu gráfica del Ejercicio 12 en un anuncio publicitario. ¿Qué intención crees que tendría el anuncio? Explica.

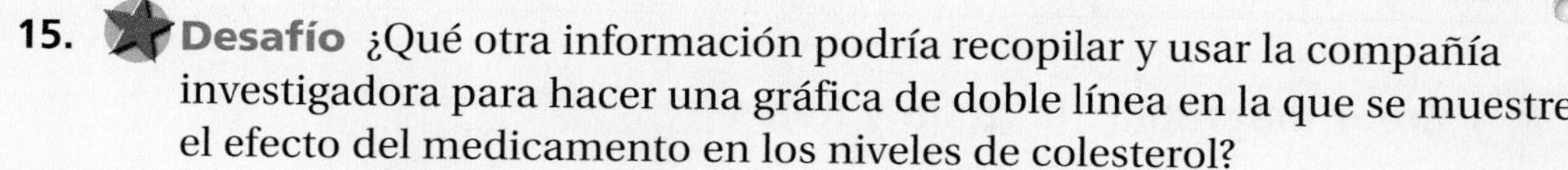

15. **Desafío** ¿Qué otra información podría recopilar y usar la compañía investigadora para hacer una gráfica de doble línea en la que se muestre el efecto del medicamento en los niveles de colesterol?

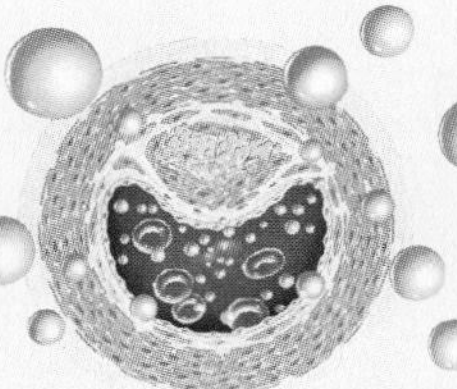

Arteria reducida por niveles elevados de colesterol en la sangre

Preparación para el examen y repaso en espiral

16. **Opción múltiple** ¿Qué enunciado se basa en la información de la gráfica de barras?

Ⓐ Damon duplicó el puntaje de Kyle en el examen.
Ⓑ Kyle tuvo el puntaje más alto en el examen.
Ⓒ Brent duplicó el puntaje de Julie en el examen.
Ⓓ Deb obtuvo el segundo mejor puntaje en el examen.

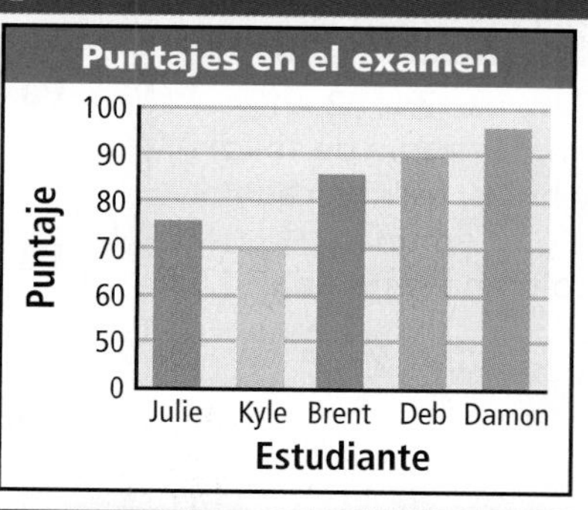

17. **Respuesta breve** ¿Qué información errónea se podría extraer de la gráfica lineal engañosa? Explica cómo volver a trazar la gráfica para que no sea engañosa.

Temperaturas

Temp. (° F): 55, 50, 45, 40, 35, 0

Hora (am): 8:00, 9:00, 10:00, 11:00

Evalúa cada expresión. (Lección 1-4)

18. $6 \times 2^3 + 17 - 3 \times 2$ **19.** $85 - (44 + 33) \div 7 + (62 - 12)$

Marca cada punto en una cuadrícula de coordenadas. (Lección 6-6)

20. $A(3, 5)$ **21.** $B(6, 2)$ **22.** $C(0, 4)$ **23.** $D(1, 0)$ **24.** $E(5.5, 7)$

6-9 Diagramas de tallo y hojas

Aprender **a hacer y analizar diagramas de tallo y hojas**

Vocabulario
diagrama de tallo y hojas

En un **diagrama de tallo y hojas** se muestran datos organizados por su valor posicional. Puedes usar un diagrama de tallo y hojas para presentar datos en forma organizada, lo cual te permite ver cada valor.

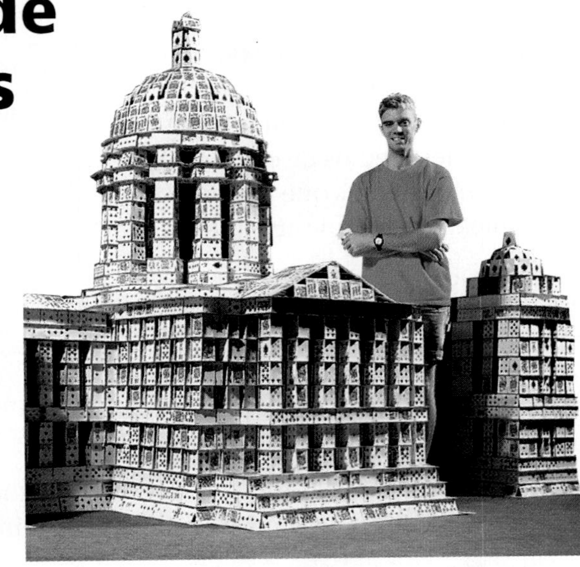
Bryan Berg y su modelo con naipes del Capitolio del estado de Iowa

El Club de Exploradores hizo una competencia para ver quién construía la torre de naipes más alta. En la tabla se muestran los niveles alcanzados por cada explorador.

Número de niveles en las torres de naipes									
12	23	31	50	14	17	25	44	51	20
23	18	35	15	19	15	23	42	21	13

EJEMPLO 1 **Crear diagramas de tallo y hojas**

Usa los datos de la tabla para hacer un diagrama de tallo y hojas.

Paso 1: Agrupa los datos por los dígitos de las decenas.

Paso 2: Ordena los datos de menor a mayor.

Paso 3: Anota los dígitos de las decenas de menor a mayor. Escríbelos en la columna de los "tallos".

Paso 4: Por cada dígito de las decenas, anota los dígitos de las unidades de cada valor de menor a mayor. Anótalos en la columna de las "hojas".

Paso 5: Pon título a la gráfica y agrega una clave.

12 13 14 15 15 17 18 19
20 21 23 23 23 25
31 35
42 44
50 51

Niveles en las torres de naipes

Tallos	Hojas
1	2 3 4 5 5 7 8 9
2	0 1 3 3 3 5
3	1 5
4	2 4
5	0 1

Clave: 1|5 significa 15.

Pista útil

Para escribir 42 en un diagrama de tallo y hojas, escribe cada dígito en una columna separada.

4 | 2
Tallo ↗ ↖ Hoja

EJEMPLO 2 **Leer diagramas de tallo y hojas**

Halla el valor mínimo y el máximo, la media, la mediana, la moda y el rango de los datos.

Tallos	Hojas
5	8
6	8 9
7	2 4 8
8	0 4 5 6 8
9	0 0 2 3 6 7 8
10	
11	7

Clave: 5|8 significa 58.

El tallo mínimo y la hoja mínima dan el valor mínimo, 58.

El tallo máximo y la hoja máxima dan el valor máximo, 117.

Usa los valores de los datos para hallar la media. $(58 + \ldots + 117) \div 19 = 85$

La mediana es el valor intermedio de la tabla, 86.

Para hallar la moda, busca el número que ocurre con más frecuencia en una fila de hojas. Luego identifica su tallo. La moda es 90.

El rango es la diferencia entre el valor mayor y el menor.
$117 - 58 = 59$

¡Atención!

Si un tallo no tiene hojas, no hay puntos de datos en ese tallo. En el diagrama de tallo y hojas del Ejemplo 2, no hay valores entre 100 y 109.

Razonar y comentar

1. Describe cómo mostrar 25 en un diagrama de tallo y hojas.

6-9 Ejercicios

go.hrw.com
Ayuda en línea para tareas*
CLAVE: MR7 6-9
Recursos en línea para padres
CLAVE: MR7 Parent
*(Disponible sólo en inglés)

PRÁCTICA GUIADA

Ver Ejemplo 1

1. Usa los datos de la tabla para hacer un diagrama de tallo y hojas.

Temperaturas máximas diarias (° F)	45	56	40	39	37	48	51

Ver Ejemplo 2

Halla cada valor de los datos.

2. valor mínimo
3. valor máximo
4. media
5. mediana
6. moda
7. rango

Tallos	Hojas
1	0 2
2	
3	2
4	1 4

Clave: 1|0 significa 10.

PRÁCTICA INDEPENDIENTE

Ver Ejemplo 1

8. Usa los datos de la tabla para hacer un diagrama de tallo y hojas.

Altura de las plantas (cm)	30	12	27	28	15	47	37	28	40	20

Ver Ejemplo 2 **Halla cada valor de los datos.**

9. valor mínimo **10.** valor máximo

11. media **12.** mediana

13. moda **14.** rango

Tallos	Hojas
4	1 2 2
5	1 3
6	7 8

Clave: 4|1 significa 41.

PRÁCTICA Y RESOLUCIÓN DE PROBLEMAS

Práctica adicional
Ver página 725

En los Ejercicios 15 y 16 escribe la letra del diagrama de tallo y hojas que se describe.

A.

Tallos	Hojas
1	0 3 4
2	0 0 1 1 1 3
3	4 5 9
4	8

Clave: 1|0 significa 10.

B.

Tallos	Hojas
1	6
2	2 3
3	0 1 4
4	1 4 8

Clave: 1|6 significa 16.

C.

Tallos	Hojas
1	4
2	
3	
4	3 6 8

Clave: 1|4 significa 14.

15. El conjunto de los datos tiene una moda de 21.

16. El conjunto de los datos tiene una mediana de 31.

Usa la tabla para los Ejercicios 17 y 18.

17. Karla anotó el número de autos con un solo pasajero que pasan por una cabina de peaje cada día. Usa los datos para hacer un diagrama de tallo y hojas.

Autos con un solo pasajero					
82	103	95	125	88	94
89	92	94	99	87	80
109	101	100	83	124	81

18. ¿Dónde está el error? Un compañero de Karla vio el diagrama de tallo y hojas y dijo que la media del número de autos con un solo pasajero es 4. Explica su error. ¿Cuál es la media correcta?

19. Desafío Josh es el segundo más joven de 4 adolescentes que se llevan 2 años entre sí. La madre de Josh es tres veces mayor que Josh y tiene 24 años menos que su propio padre. Haz un diagrama de tallo y hojas para mostrar las edades de Josh, sus hermanos, su madre y su abuelo.

PREPARACIÓN PARA EL EXAMEN y repaso en espiral

20. Opción múltiple ¿Cuál es el valor de 1|2 en el diagrama de tallo y hojas?

Ⓐ 12 Ⓒ 100,002

Ⓑ 1,200 Ⓓ 100,200

Tallos	Hojas
1	0 1 2 3
2	7 9 9 9

Clave: 1|1 significa 1,100.

21. Respuesta gráfica ¿Cuál es la mediana de los datos del Ejercicio 20?

Ordena los números de menor a mayor. (Lección 1-1)

22. 3,673,809; 3,708,211; 3,671,935 **23.** 2,004,801; 225,971; 298,500,004

Halla el recíproco. (Lección 5-9)

24. 6 **25.** $\frac{4}{7}$ **26.** $\frac{2}{9}$ **27.** $\frac{1}{5}$ **28.** $\frac{9}{8}$

6-10 Cómo elegir una presentación adecuada

Aprender a elegir la manera adecuada de presentar datos

Un centro comunitario del vecindario ofrece programas para personas de todas las edades. Un folleto reciente incluye una gráfica de barras en que se muestra la cantidad de personas, por edad, inscritas en los distintos programas.

Según los datos que hay que presentar, algunos tipos de gráficas son más útiles que otros.

Usos comunes de la presentación de datos			
	Puedes usar un diagrama de acumulación para mostrar con qué frecuencia ocurre cada número.		Puedes usar una gráfica de barras para presentar y comparar los datos en categorías separadas.
	Puedes usar una gráfica lineal para mostrar cómo cambian los datos a lo largo del tiempo.		Puedes usar un diagrama de tallo y hojas para mostrar con qué frecuencia ocurren los valores y cómo se distribuyen.

EJEMPLO 1 Elegir una presentación adecuada de los datos

A **En la tabla se muestra la cantidad de millas de costa de los estados que bordean el golfo de México. ¿Qué gráfica sería más adecuada para mostrar los datos: una gráfica de barras o una gráfica lineal? Dibuja la gráfica más adecuada.**

Estado	AL	FL	LA	MS	TX
Millas de costa	33	770	397	44	367

Razona: ¿La información de la tabla describe un cambio a lo largo del tiempo? ¿La información de la tabla está dividida en distintas categorías?

En la tabla se muestra la cantidad de millas costeras de diferentes estados. Habría que presentar los datos en categorías separadas. Por lo tanto, una gráfica de barras es más adecuada que una gráfica lineal.

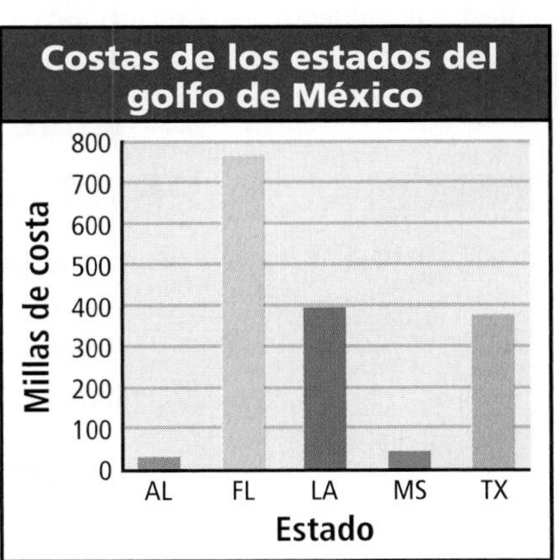

B **En la tabla se muestran las longitudes de algunos animales. ¿Qué gráfica sería más adecuada para presentar los datos: un diagrama de tallo y hojas o una gráfica lineal? Dibuja la gráfica más adecuada.**

Longitudes de animales (pulg)					
70	43	42	50	35	32
32	45	61	35	40	30

Razona: En la tabla se presentan diferentes longitudes. No se muestran datos que cambien en el tiempo.

En un diagrama de tallo y hojas se muestra con qué frecuencia ocurren los valores de los datos. Por lo tanto, un diagrama de tallo y hojas es más adecuado que una gráfica lineal.

Longitudes de animales (pulg)

Tallos	Hojas
3	0 2 2 5 5
4	0 2 3 5
5	0
6	1
7	0

Clave: 3|2 significa 32.

Razonar y comentar

1. **Describe** una situación en la que una gráfica lineal sería una elección más adecuada para presentar datos que una gráfica de barras.
2. **Describe** otro tipo de gráfica que se podría usar para presentar los datos de la tabla del Ejemplo 1B.

6-10 Ejercicios

*(Disponible sólo en inglés)

PRÁCTICA GUIADA

Ver Ejemplo 1

1. En la tabla se presentan las temperaturas máximas promedio en Atlanta durante seis meses de un año. ¿Qué gráfica sería más adecuada para presentar los datos: una gráfica de barras o una lineal? Dibuja la gráfica más adecuada.

Mes	Ene	Mar	May	Jul	Sept	Nov
Temp. (° F)	54	63	81	88	83	62

PRÁCTICA INDEPENDIENTE

Ver Ejemplo 1

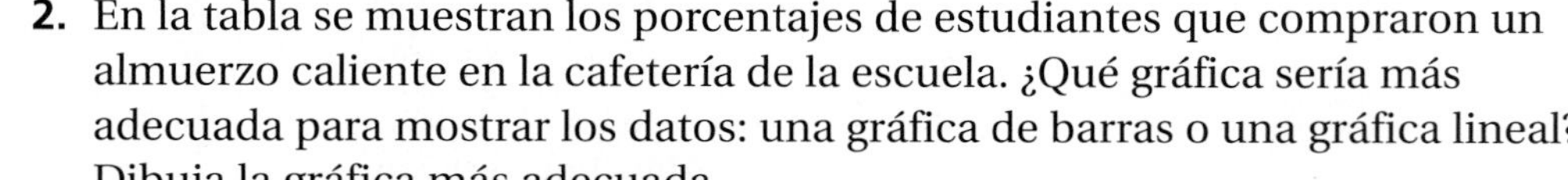

2. En la tabla se muestran los porcentajes de estudiantes que compraron un almuerzo caliente en la cafetería de la escuela. ¿Qué gráfica sería más adecuada para mostrar los datos: una gráfica de barras o una gráfica lineal? Dibuja la gráfica más adecuada.

Septiembre	30%	Noviembre	27%	Enero	45%
Octubre	28%	Diciembre	27%	Febrero	42%

PRÁCTICA Y RESOLUCIÓN DE PROBLEMAS

Práctica adicional
Ver página 725

3. **Estudios sociales** En la tabla se muestra la población de Estados Unidos desde el año 1900 hasta el año 2000.

Año	Población
1900	76,094,000
1925	115,829,000
1950	152,271,417
1975	215,973,199
2000	281,421,906

   a. ¿Qué gráfica sería más adecuada para presentar los datos? ¿Por qué?

   b. Haz una gráfica de los datos.

4. **Razonamiento crítico** El total de victorias que lograron los equipos de la Conferencia Occidental de la Liga Nacional de Hockey en un año reciente es el siguiente: 48, 39, 38, 25, 20, 43, 40, 42, 36, 30, 43, 22, 29, 41, 28. ¿Qué gráfica sería más adecuada para presentar los datos: un diagrama de acumulación o una gráfica de barras? Dibuja la gráfica más adecuada. Luego explica cómo usar la gráfica para hallar la mediana y la moda.

5. **Escribe un problema** Usa la información de la tabla para escribir un problema que pueda resolverse dibujando una gráfica. Indica qué tipo de gráfica usarías.

Animal	Tiempo de vida (años)
Oso	40
Carpa	100
Elefante	70
Tigre	22

6. **Escríbelo** Explica las semejanzas y las diferencias entre una gráfica de barras y una gráfica lineal.

7. **Desafío** En el diagrama de tallo y hojas se muestra la cantidad de horas que 20 estudiantes dedicaron a estudiar durante dos semanas. Haz un diagrama de acumulación para presentar los datos. ¿Qué se muestra con más claridad en el diagrama de acumulación que en el diagrama de tallo y hojas?

Tiempos de estudio

Tallos	Hojas
1	5 6 6 6 7 7 9 9
2	0 0 1 1 1 1 2 2 3
3	5 7 9

Clave: 1|5 significa 15.

PREPARACIÓN PARA EL EXAMEN y repaso en espiral

8. **Opción múltiple** ¿Qué gráfica sería más adecuada para presentar la cantidad de millas que cada estudiante caminó en una maratón benéfica durante una semana?

   (A) Gráfica circular (B) Diagrama de tallo y hojas (C) Gráfica lineal (D) Gráfica de barras

9. **Respuesta desarrollada** A las personas que salían de un gimnasio se les preguntó durante cuánto tiempo habían hecho ejercicio. Los resultados en minutos son: 15, 10, 35, 35, 60, 65, 15, 60, 20, 35. ¿Qué tipo de gráfica sería más adecuada para presentar los datos? Explica. Haz una gráfica de los datos. ¿Cuál es la mediana del tiempo dedicado al ejercicio?

Halla el MCD de cada conjunto de números. (Lección 4-3)

10. 4 y 16
11. 15 y 50
12. 15, 60 y 75
13. 4, 8 y 80

14. Ashlee tardó 50 minutos en lavar y encerar su automóvil. Pasó $\frac{2}{5}$ de ese tiempo lavándolo. ¿Cuántos minutos estuvo Ashlee lavando su automóvil? (Lección 5-6)

SECCIÓN 6B

Prueba de las Lecciones 6-4 a 6-10

6-4 Gráficas de barras

Los estudiantes de la clase de la maestra Bain votaron por su jugo de frutas favorito. Usa la gráfica de barras para responder a cada pregunta.

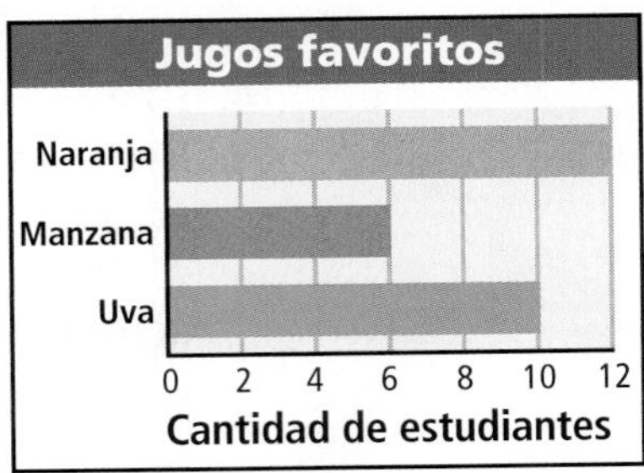

1. ¿Cuántos más estudiantes prefirieron jugo de naranja que de uva?
2. ¿Cuántos estudiantes votaron en total?

6-5 Diagramas de acumulación, tablas de frecuencia e histogramas

En una encuesta, se les preguntó la edad a los visitantes del centro de compras Midtown cuando salían del lugar. Usa el diagrama de acumulación para responder a cada pregunta.

Visitantes del centro de compras Midtown

15	16	17	18	19	20	21	22
X	X X X		X	X	X X X X	X X	X X X

Edad de los visitantes

3. ¿Cuál es el rango y la moda de los datos?
4. ¿Cuántos de los encuestados eran mayores de 20 años?

6-6 Pares ordenados

Representa gráficamente y rotula cada punto en una cuadrícula de coordenadas.

5. $A(4, 5)$
6. $B\left(0, 3\frac{1}{2}\right)$

Graphicworks	
Año	**Cantidad de empleados**
2003	852
2004	1,098
2005	1,150
2006	1,150

6-7 Gráficas lineales

7. Usa los datos de la tabla para hacer una gráfica lineal.

6-8 Gráficas engañosas

8. Bob trazó una gráfica lineal de los datos de Graphicworks. En el eje vertical, que representa la cantidad de empleados, usó estos intervalos: 0; 800; 1000 y 1500. Explica por qué su gráfica es engañosa.

6-9 Diagramas de tallo y hojas

9. Usa los datos del diagrama de acumulación de los Problemas 3 y 4 para hacer un diagrama de tallo y hojas.

6-10 Cómo elegir una presentación adecuada

10. ¿Sería también adecuado usar una gráfica lineal para representar los datos de la gráfica de barras de los Problemas 1 y 2? Explica.

¿Listo para seguir?

Preparación de varios pasos para el examen

Tienda de golosinas Deet En la tienda de golosinas Deet, la mezcla de frutas secas se vende a $2 las 8 onzas, en paquetes de 4 onzas y 8 onzas. El gerente de la tienda decide poner en exhibición una gráfica con el costo de la mezcla de frutas secas y les pide a tres empleados que hagan una gráfica cada uno. Las gráficas que hicieron se muestran a la derecha.

1. Haz una tabla en la que se presenten los datos de cada gráfica.
2. El gerente quiere exhibir la gráfica más adecuada para que sus clientes tengan información detallada y exacta sobre la mezcla de frutas secas. Explica de qué manera las gráficas son engañosas (si lo son).
3. Para ayudar a los empleados con la venta de la mezcla de frutas secas, crea una tabla de precios para la venta de hasta 4 libras. Explica tu tabla. (*Pista:* 16 oz = 1 lb)
4. ¿De cuántas maneras distintas puedes comprar 4 libras de mezcla de frutas secas si ésta viene en paquetes de 4 onzas y 8 onzas? Explica.

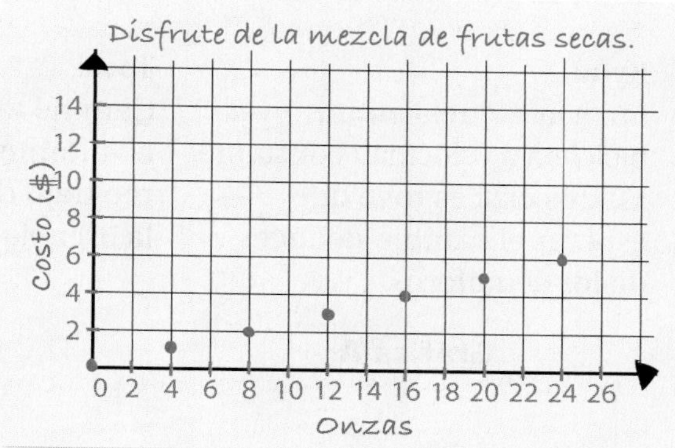

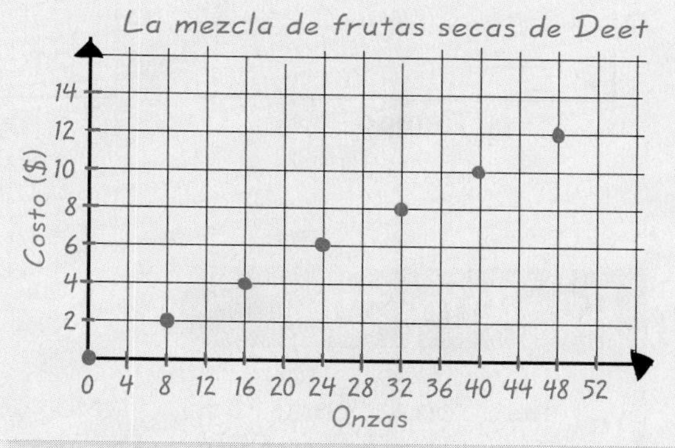

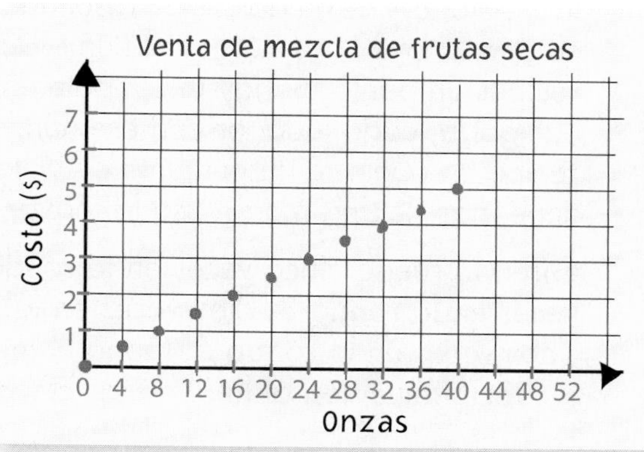

¡Vamos a jugar!

Más que mil palabras

¿Has oído decir que "una imagen vale más que mil palabras"? También una gráfica puede valer más que mil palabras.

En cada gráfica que sigue se cuenta la historia del recorrido que hace un estudiante hasta la escuela. Lee cada historia y piensa lo que se muestra en cada gráfica. ¿Puedes relacionar cada gráfica con su historia?

Kyla:
Fui a la escuela en mi bicicleta a velocidad constante. En dos cruces tuve que esperar el cambio de luces de los semáforos.

Tom:
Caminé a la parada y esperé el autobús. Cuando me subí, me trajo directamente a la escuela.

Megan:
De camino a la escuela, me detuve en la casa de una amiga. No estaba lista, así que tuve que esperarla. Luego caminamos a la escuela.

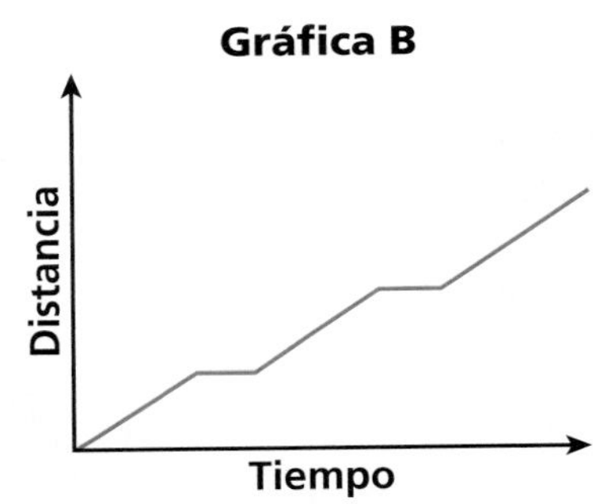

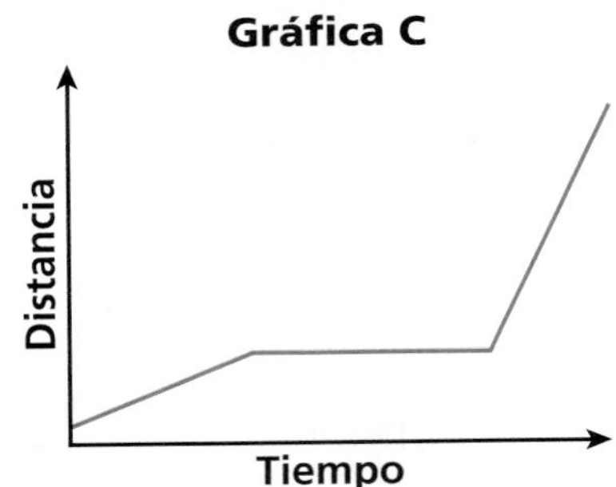

Ruedamanía

Primera ronda: En tu turno, gira la rueda cuatro veces y anota los resultados. Después de que cada participante haya tomado su turno, halla la media, la mediana y la moda de tus resultados. Por cada categoría en la que tengas el número máximo, recibes un punto. Si hay un empate en una categoría, cada jugador con ese número recibe un punto. Si tu conjunto de datos tiene más de una moda, usa la mayor.

Giren la rueda cinco veces en la ronda 2, ocho veces en la ronda 3, diez veces en la ronda 4 y doce veces en la ronda 5. Gana el jugador con la mayor puntuación al final de las cinco rondas.

go.hrw.com
¡Vamos a jugar! Extra
CLAVE: MR7 Games

La copia completa de las reglas y las piezas del juego se encuentran disponibles en línea.

PROYECTO Gráficas a mi manera

Crea diferentes tipos de gráficas y guárdalas en un libro acordeón con cierre.

Instrucciones

1. Coloca un trozo de cartón de $6\frac{1}{2}$ pulgadas por 7 pulgadas al costado de una de las bolsas. La parte de la bolsa que se abre debe estar hacia arriba y debe haber un pequeño espacio entre el cartón y la bolsa. Usa la cinta para pegar el cartón a la bolsa, por adelante y por atrás. **Figura A**

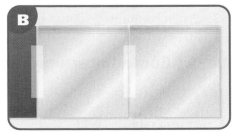

2. Coloca otra bolsa al costado de la primera, manteniendo un pequeño espacio entre ellas. Únelas con cinta, por adelante y por atrás. **Figura B**

3. Haz lo mismo con el resto de las bolsas. Al final de la cadena, une con cinta un segundo trozo de cartón de $6\frac{1}{2}$ pulgadas por 7 pulgadas a la última bolsa. **Figura C**

4. Pliega las bolsas como si fueran un acordeón, hacia adelante y hacia atrás, con las dos tapas de cartón en la parte de adelante y de atrás.

5. Recorta cuadrados de papel cuadriculado de manera que se puedan colocar dentro de las bolsas.

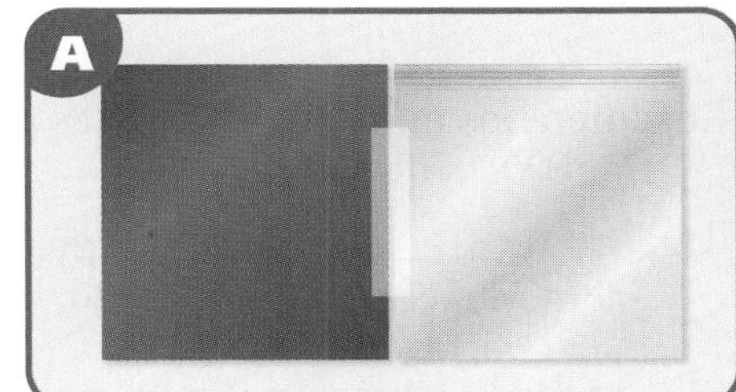

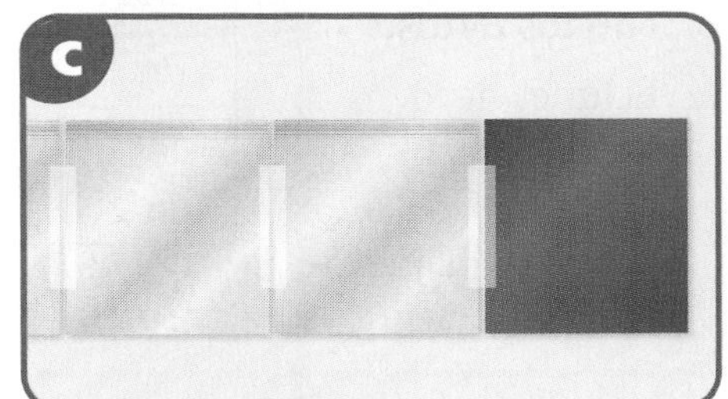

Tomar notas de matemáticas

Escribe el número y el título del capítulo en la tapa. En cada trozo de papel cuadriculado, dibuja y rotula un ejemplo de un tipo de gráfica del capítulo. Guarda las gráficas en las bolsas.

CAPÍTULO 6

Guía de estudio: Repaso

Vocabulario

cuadrícula de coordenadas .319	gráfica de doble línea 323	moda 299
diagrama de acumulación .314	gráfica lineal 322	par ordenado 319
diagrama de tallo y hojas .330	histograma 315	rango 299
gráfica de barras 308	media 298	tabla de frecuencia 314
gráfica de doble barra 309	mediana 299	valor extremo 302

Completa los enunciados con las palabras del vocabulario.

1. Un(a) __?__ tiene barras verticales u horizontales que muestran el número de elementos de cada intervalo.
2. Puede ubicarse un punto mediante un(a) __?__ de números, como (3, 5).
3. En un conjunto de datos, el/la __?__ es el valor o los valores más frecuentes.

6-1 Cómo hacer una tabla (págs. 294–296)

EJEMPLO

- **Haz una tabla con los datos.**

  El lunes nevó 2 pulgadas. El martes nevó 3.5 pulgadas. El jueves, 4.25 pulgadas.

Día	Nieve
Lun	2 pulg
Mar	3.5 pulg
Jue	4.25 pulg

EJERCICIOS

4. Haz una tabla con los datos de la longitud de las serpientes.

   Una anaconda llega a medir 35 pies; una pitón diamante, 21 pies; una cobra real, 19 pies; una boa constrictor, 16 pies.

6-2 Media, mediana, moda y rango (págs. 298–301)

EJEMPLO

- **Halla la media, la mediana, la moda y el rango. 7, 8, 12, 10, 8**

  media: $7 + 8 + 8 + 10 + 12 = 45$

  $45 \div 5 = 9$

  mediana: 8

  moda: 8

  rango: $12 - 7 = 5$

EJERCICIOS

Halla la media, la mediana, la moda y el rango.

5.

Horas trabajadas por semana						
32	39	39	38	36	39	36

Guía de estudio: Repaso

6-3 Datos adicionales y valores extremos (págs. 302–305)

EJEMPLO

- **Halla la media, la mediana y la moda con y sin el valor extremo.**

  10, 4, 7, 8, 34, 7, 7, 12, 5, 8 *El valor extremo es 34.*
  Con: **media** = 10.2, **moda** = 7, **mediana** = 7.5
  Sin: **media** ≈ 7.555, **moda** = 7, **mediana** = 7

EJERCICIOS

Halla la media, la mediana y la moda de cada conjunto de datos con y sin el valor extremo.

6. 12, 11, 9, 38, 10, 8, 12
7. 34, 12, 32, 45, 32
8. 16, 12, 15, 52, 10, 13

6-4 Gráficas de barras (págs. 308–311)

EJEMPLO

- **¿Qué grados tienen más de 200 estudiantes?**
  6° y 8° grado

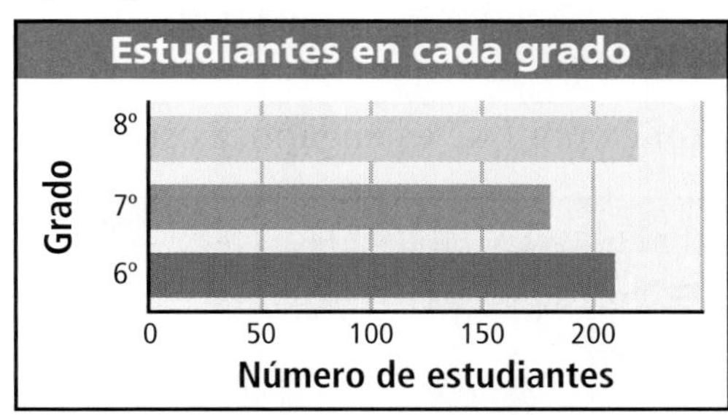

EJERCICIOS

Usa la gráfica de barras de la izquierda para el Ejercicio 9.

9. ¿Qué grado tiene más estudiantes?
10. Haz una gráfica de barras con los datos.

Examen	Matem	Inglés	Historia	Ciencias
Calificación	95	85	90	80

6-5 Diagramas de acumulación, tablas de frecuencia e histogramas (págs. 314–317)

EJEMPLO

- **Haz una tabla de frecuencia con intervalos.**

  Edades de los invitados al cumpleaños de Irene: 37, 39, 18, 15, 13

Edades de los invitados al cumpleaños de Irene				
Edades	13–19	20–26	27–33	34–40
Frecuencia	3	0	0	2

EJERCICIOS

11. Haz una tabla de frecuencia con intervalos.

Puntos anotados					
6	4	5	4	7	10

12. Usa la tabla de frecuencia del Ejercicio 11 para hacer un histograma.

6-6 Pares ordenados (págs. 319–321)

EJEMPLO

- **Indica el par ordenado de *A*.**

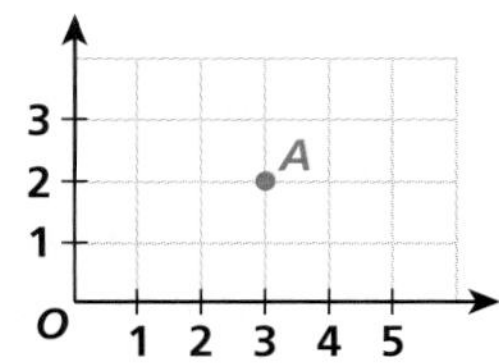

A está en (3, 2).

EJERCICIOS

Indica el par ordenado de cada lugar.

13. casa de Bob
14. juguetería

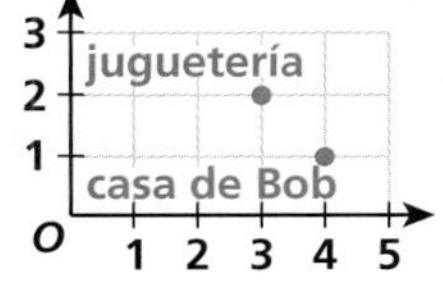

Guía de estudio: Repaso

6-7 Gráficas lineales (págs. 322–325)

EJEMPLO

- **Haz una gráfica lineal con los datos de temperatura.**

  Día 1: 32° F; Día 2: 36° F; Día 3: 38° F; Día 4: 40° F; Día 5: 36° F

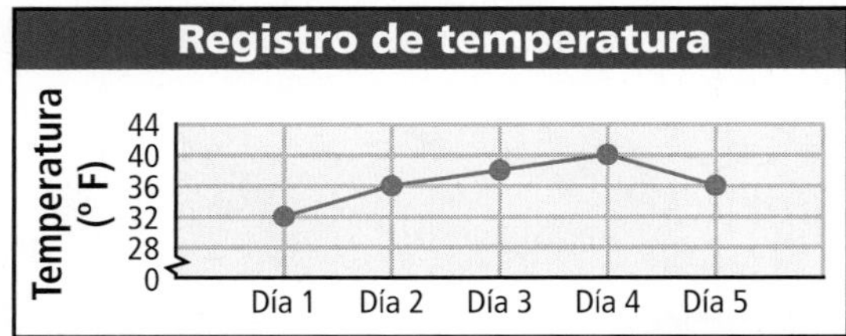

EJERCICIOS

15. Haz una gráfica lineal con los datos de ventas de la librería.

    Ene: $425; Feb: $320; Mar: $450; Abr: $530

Usa tu gráfica lineal del Ejercicio 15.

16. ¿Cuándo fueron mayores las ventas de la librería?
17. Describe la tendencia de las ventas en los cuatro meses.

6-8 Gráficas engañosas (págs. 326–329)

EJEMPLO

- **¿Por qué es engañosa esta gráfica?**

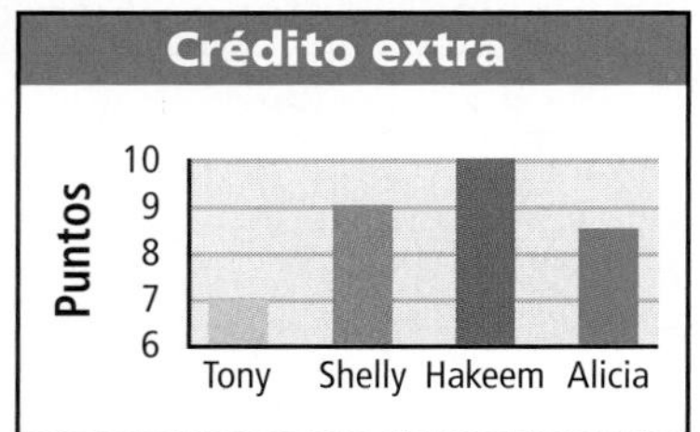

Falta la parte inferior de la escala.

EJERCICIOS

18. Explica por qué es engañosa esta gráfica.

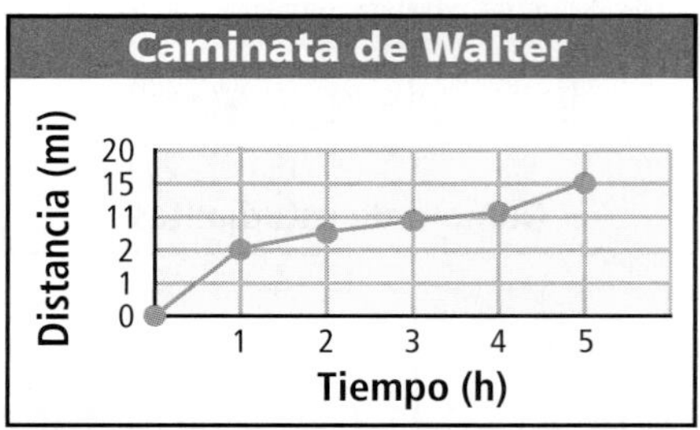

6-9 Diagramas de tallo y hojas (págs. 330–332)

EJEMPLO

- **Haz un diagrama de tallo y hojas de los siguientes puntajes de exámenes.**
  80, 92, 88, 86, 85, 94

Tallos	Hojas
8	0 5 6 8
9	2 4

Clave: 8|0 significa 80.

EJERCICIOS

19. Haz un diagrama de tallo y hojas de las siguientes puntuaciones de básquetbol.

    22, 26, 34, 46, 20, 44, 40, 28

20. Haz una lista con el valor mínimo, el valor máximo, la media, la mediana, la moda y el rango de los datos del Ejercicio 19.

6-10 Cómo elegir una presentación adecuada (págs. 333–335)

EJEMPLO

- **¿Qué gráfica sería más adecuada para presentar el tiempo dedicado a las compras: un diagrama de tallo y hojas o una gráfica lineal?**

  Usa un diagrama de tallo y hojas para ver la frecuencia de los valores de los datos.

EJERCICIOS

21. ¿Qué gráfica sería más adecuada para presentar la cantidad de libros leídos en un año escolar por una clase: una gráfica de barras o una gráfica lineal?

1. Usa los datos sobre el sonido para hacer una tabla.

El volumen de un sonido se mide por el tamaño de sus vibraciones. La unidad de medición es el decibel (dB). Un murmullo mide 30 dB. Una conversación mide 60 dB. Un grito mide 100 dB. El límite soportado por los seres humanos es 130 dB. El despegue de un avión a 100 pies de distancia mide 140 dB.

Usa la gráfica de barras para los Ejercicios del 2 al 4.

2. Halla la media, la mediana, la moda y el rango de la cantidad de lluvia.

3. ¿Qué mes tiene el menor promedio de lluvias?

4. ¿Qué meses tienen lluvias de más de 2 pulgadas?

5. En la tabla se indica la cantidad de fresas recogidas por los clientes en un campo de "recoja sus propias fresas". Organiza los datos en un diagrama de acumulación.

Cantidad de fresas recogidas							
28	33	35	27	35	28	35	29
30	27	30	35	28	27	31	32

Identifica el par ordenado de cada punto en la cuadrícula.

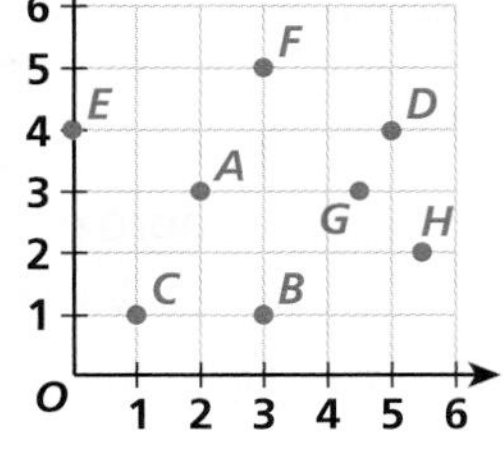

6. *A* **7.** *B* **8.** *C* **9.** *D*

10. *E* **11.** *F* **12.** *G* **13.** *H*

Haz una gráfica y rotula los puntos en una cuadrícula de coordenadas.

14. $T(3, 4)$ **15.** $M\left(\frac{1}{2}, 6\right)$ **16.** $P(5, 1)$ **17.** $S\left(3\frac{1}{2}, 2\right)$ **18.** $N(0, 5)$

19. Haz un diagrama de tallo y hojas con los datos sobre las flexiones. Usa tu diagrama para hallar la media, la mediana y la moda de los datos.

Número de flexiones realizadas						
35	33	25	45	52	21	18
41	27	35	40	53	24	38

20. En la tabla se indica la población de un pequeño pueblo durante un periodo de 5 años. ¿Qué gráfica sería más adecuada para presentar los datos: una gráfica de barras o una gráfica lineal? Dibuja la gráfica más adecuada.

Año	2002	2003	2004	2005
Población	852	978	1,125	1,206

CAPÍTULO 6

PREPARACIÓN PARA EL EXAMEN ESTANDARIZADO

go.hrw.com
Práctica en línea para el examen estatal
CLAVE: MR7 TestPrep

Evaluación acumulativa, Capítulos 1–6

Opción múltiple

1. En el diagrama de tallo y hojas se muestran las edades de los voluntarios que trabajan en un banco de alimentos local. ¿Cuál es la mediana de este conjunto de datos?

Tallos	Hojas
1	6
2	2 3
3	0 1 4
4	1 4 8

Clave: 1|6 significa 16.

Ⓐ 31 Ⓑ 32.1 Ⓒ 41 Ⓓ 48

2. En el vacío, la luz viaja a una velocidad de 299,792,458 metros por segundo. ¿Cuál de las siguientes opciones es un cálculo aproximado de esta velocidad en notación científica?

Ⓕ 2.9×10^7 metros por segundo
Ⓖ 2.9×10^8 metros por segundo
Ⓗ 2.9×10^9 metros por segundo
Ⓙ 2.9×10^{10} metros por segundo

3. Harrison dedica $3\frac{1}{2}$ horas por semana a trabajar en su jardín. Pasa $1\frac{1}{3}$ hora arrancando malezas. El resto del tiempo lo pasa cortando el pasto. ¿Cuánto tiempo dedica a cortar el pasto?

Ⓐ $1\frac{1}{6}$ hora Ⓑ $2\frac{1}{6}$ horas Ⓒ $2\frac{1}{3}$ horas Ⓓ $3\frac{1}{3}$ horas

4. ¿Qué valor es equivalente a 4^4?

Ⓕ 8 Ⓖ 16 Ⓗ 64 Ⓙ 256

5. Jamie prepara una ensalada de frutas. Necesita $2\frac{1}{4}$ tazas de piña molida, $3\frac{3}{4}$ tazas de manzanas rebanadas, $1\frac{1}{3}$ tazas de gajos de mandarina y $2\frac{2}{3}$ tazas de uvas rojas. ¿Cuántas tazas de fruta necesita en total para su ensalada?

Ⓐ 6 tazas Ⓑ 8 tazas Ⓒ 10 tazas Ⓓ 12 tazas

6. En el diagrama de acumulación se muestran las edades de los participantes en una feria de ciencias. ¿Cuál de los siguientes enunciados NO está apoyado por el diagrama de acumulación?

Edades de los participantes de la feria de ciencias

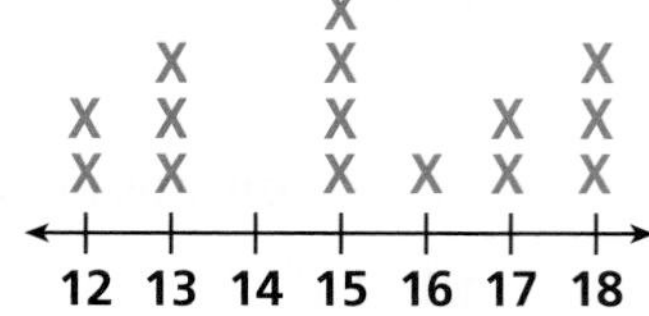

Ⓕ El rango es 6.
Ⓖ La media de las edades de los participantes es 15.1.
Ⓗ La moda de las edades de los participantes es 16.
Ⓙ La mediana de las edades de los participantes es 15.

7. Halla la moda de estos datos: 17, 13, 14, 13, 21, 18, 16, 19

Ⓐ 13 Ⓑ 16 Ⓒ 16.5 Ⓓ 16.375

Preparación para el examen estandarizado

8. ¿Cuál es el tipo de gráfica en el que se usan barras e intervalos para presentar los datos?

   (F) Diagrama de tallo y hojas

   (G) Histograma

   (H) Gráfica de doble línea

   (J) Diagrama de acumulación

9. ¿Qué ecuación tiene 8 como solución?

   (A) $2x = 18$ (C) $x + 6 = 24$

   (B) $x - 4 = 12$ (D) $\frac{x}{4} = 2$

Lee con atención las gráficas y los diagramas. Observa los rótulos para hallar información importante.

Respuesta gráfica

Usa el siguiente conjunto de datos para los Ejercicios 10 y 11.

4, 13, 7, 26, 6, 7, 3, 4, 2, 8, 10, 9

10. ¿Qué número del conjunto de datos es un valor extremo?

11. ¿Cuál es la media del conjunto de datos?

12. Greg separa sus canicas en grupos. Tiene 16 canicas verdes y 20 rojas. Cada grupo debe tener la misma cantidad de canicas verdes y la misma cantidad de canicas rojas. ¿Cuál es la mayor cantidad de grupos de canicas que puede formar Greg si quiere usar todas sus canicas?

13. ¿Cuál es el mínimo común múltiplo de 5, 6 y 8?

14. Miguel tiene un trozo de madera que mide 48.6 centímetros de longitud. ¿Cuántos centímetros debe cortar si quiere que su trozo de madera mida 32.8 centímetros?

15. Escribe $4\frac{3}{8}$ como decimal.

Respuesta breve

16. Observa la gráfica de barras de los sabores favoritos de barras de helado de frutas. Explica por qué la gráfica es engañosa. Usa los mismos datos para hacer una gráfica que no sea engañosa.

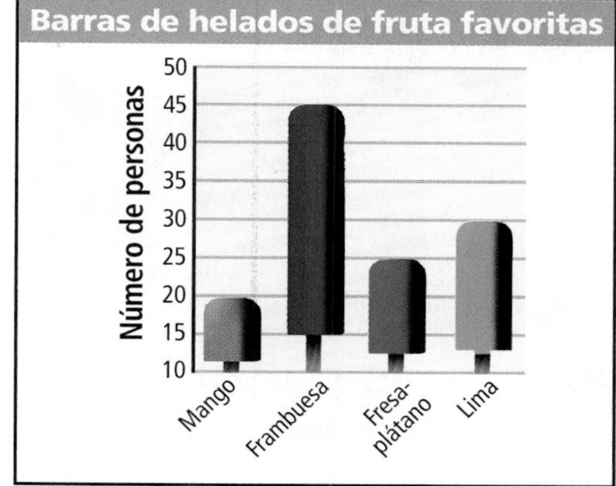

17.

Tallos	Hojas
2	1 3 6
3	2 2 5 9
4	0 3
5	1 5 5 5

Clave: 2|1 significa 21.

   a. Halla el rango, la media, la mediana y la moda de los datos en el diagrama de tallo y hojas.

   b. Agrega los siguientes datos al diagrama de tallo y hojas: 82, 18 y 42. ¿Cómo cambian el rango, la media, la mediana y la moda?

Respuesta desarrollada

18. La temperatura máxima del lunes fue 54° F. El martes fue 62° F. El miércoles fue 65° F. El jueves fue 60° F. El viernes fue 62° F.

   a. Organiza estos datos en una tabla. Halla el rango, la media, la mediana y la moda de los datos.

   b. ¿Qué gráfica sería más adecuada para presentar los datos: una gráfica de barras o una gráfica lineal? Explica.

   c. Haz una gráfica con los datos.

Preparación para el examen estandarizado

Resolución de problemas en lugares

ARIZONA

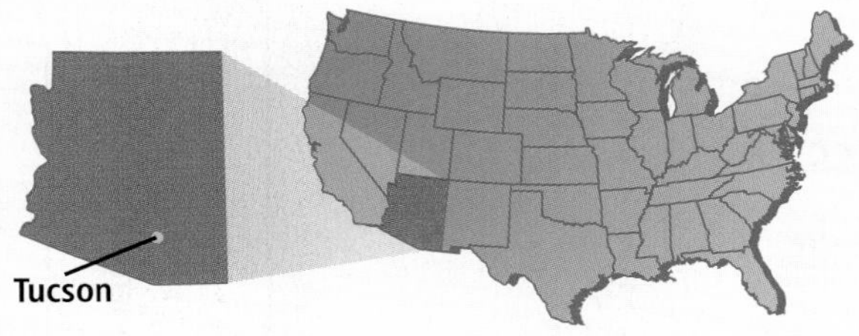

Carreteras panorámicas

Arizona tiene 22 caminos (carreteras secundarias) que el estado ha reconocido oficialmente como carreteras panorámicas. Esas rutas llevan a los automovilistas por abruptos precipicios, reservas de indios americanos y pueblos fantasma del antiguo Oeste.

Elige una o más estrategias y usa el mapa para resolver cada problema.

1. El estado quiere colocar carteles a lo largo de la carretera de Sky Island para indicar que se trata de una carretera panorámica. Los planificadores piensan colocar los carteles al comienzo y al final de la carretera y cada $\frac{1}{5}$ de milla en toda su longitud. ¿Cuántos carteles se necesitan?

2. La carretera panorámica Red Rock es $3\frac{2}{5}$ millas más corta que la carretera panorámica White River. La carretera panorámica White River es $42\frac{3}{5}$ millas más corta que la carretera panorámica Joshua Forest. ¿Qué longitud tiene Red Rock?

3. La familia Chen viaja por el sendero Coronado. Han recorrido las primeras $50\frac{1}{2}$ millas del sendero. Hay una estación de gasolina a $10\frac{1}{5}$ millas del final del sendero. ¿Cuánto les falta para llegar a la estación de gasolina?

4. La carretera panorámica Patagonia va de Nogales a la Ruta 10 y en su recorrido atraviesa el pueblo de Sonoita. Sonoita está 4 millas más lejos de Nogales que de la Ruta 10. ¿Qué distancia hay entre Nogales y Sonoita?

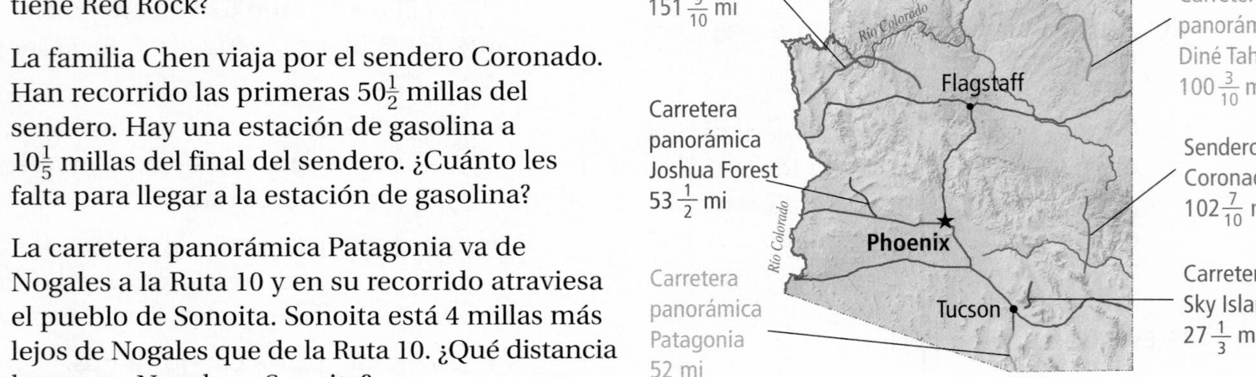

Estrategias de resolución de problemas

Dibujar un diagrama
Hacer un modelo
Calcular y poner a prueba
Trabajar en sentido inverso
Hallar un patrón
Hacer una tabla
Resolver un problema más sencillo
Usar razonamiento lógico
Representar
Hacer una lista organizada

El Museo del Desierto Arizona-Sonora

El Museo del Desierto Arizona-Sonora es a la vez un zoológico, un jardín botánico y un museo de historia natural. Está ubicado en las afueras de Tucson y les enseña a los visitantes acerca de las plantas y los animales del desierto en un entorno auténtico. De hecho, el 85% del museo está al aire libre.

Elige una o más estrategias para resolver cada problema.

1. El museo tiene 4 veces más especies vegetales que animales. En total hay 1,500 especies de vegetales y animales. ¿Cuántas especies vegetales hay?

2. El museo ofrece una conferencia diaria sobre reptiles venenosos. Cada día se presentan dos de los siguientes cinco reptiles: lagarto barbudo mexicano, serpiente cascabel lomo de diamante, serpiente cascabel de Mojave, serpiente cascabel de cola negra, monstruo gila. ¿Cuántas conferencias diferentes es posible organizar?

Usa la gráfica para los Ejercicios 3 y 4.

Especies de cactus en el museo

Altura (pies): 0, 2, 4, 6, 8, 10, 12, 14

Especies: Pitahaya, Senita, Doñana, Nopal, Choya güera

3. La palma datilillo del museo es 16 pies más corta que un saguaro típico. El saguaro típico es 3 veces más alto que un cactus senita. ¿Cuál es la altura de la palma datilillo?

4. Sólo una de las especies de cactus de la gráfica da flores verdes.
   - El cactus que da flores verdes mide menos de 10 pies de altura.
   - El cactus más bajo da flores anaranjadas.
   - El nopal da flores amarillas.

   ¿Qué cactus da flores verdes?

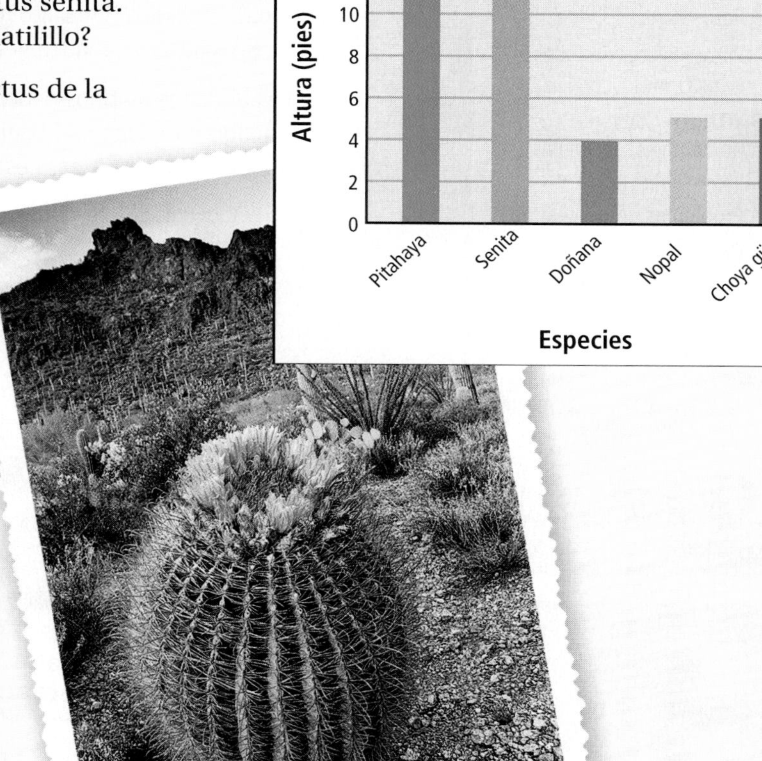

CAPÍTULO 7

Relaciones proporcionales

PREPARACIÓN DE VARIOS PASOS PARA EL EXAMEN

go.hrw.com
Presentación del capítulo en línea
CLAVE: MR7 Ch7

Profesión *Biólogo marino*

Un biólogo marino se relaciona con la naturaleza y con las personas. Los biólogos marinos realizan investigaciones, mejoran hábitats, estudian las condiciones del agua y trabajan con urbanistas.

Los biólogos marinos deben determinar el número de peces en un lago o una laguna. Usan el método de rotulación, liberación y recaptura para estimar ese número.

$$\frac{\text{rotulados en la recaptura}}{\text{número total de recapturados}} = \frac{\text{rotulados originalmente}}{\text{número total en el lago}}$$

Lago	Número de rotulados en la recaptura	Número total de recapturados	Número de rotulados originalmente
Duck	23	96	108
Los Dos Perros	32	40	56
Robyn	18	26	75

¿ESTÁS LISTO?

Vocabulario

Elige de la lista el término que mejor complete cada enunciado.

- ángulo
- cuadrilátero
- denominador
- equivalentes
- fracción
- numerador
- pentágono
- triángulo

1. El/La __?__ es un polígono de tres lados y el/la __?__ es un polígono de cuatro lados.
2. Un(a) __?__ designa una parte de un todo.
3. Cuando dos números tienen el mismo valor, se dice que son __?__.
4. Cuando se escribe 0.25 como fracción, 25 es el/la __?__ y 100 el/la __?__.

Resuelve los ejercicios para practicar las destrezas que usarás en este capítulo.

Simplificar fracciones

Escribe cada fracción en su mínima expresión.

5. $\frac{6}{10}$ 6. $\frac{9}{12}$ 7. $\frac{8}{6}$

Escribir fracciones equivalentes

Escribe tres fracciones equivalentes a cada fracción que se da.

8. $\frac{4}{16}$ 9. $\frac{5}{10}$ 10. $\frac{5}{6}$

Comparar fracciones

Compara. Escribe $>$, $<$ ó $=$.

11. $\frac{3}{10} \bigcirc \frac{2}{5}$ 12. $1\frac{3}{4} \bigcirc 1\frac{5}{7}$ 13. $\frac{5}{8} \bigcirc \frac{1}{2}$ 14. $2\frac{11}{12} \bigcirc \frac{35}{12}$

Escribir decimales como fracciones

Escribe cada decimal como una fracción en su mínima expresión.

15. 0.5 16. 0.35 17. 0.08 18. 0.12

Multiplicar decimales

Multiplica.

19. $0.42 \cdot 10$ 20. $0.3 \cdot 52$ 21. $20.5 \cdot 0.25$ 22. $6.75 \cdot 0.40$

23. $9.8 \cdot 0.2$ 24. $0.8 \cdot 7.4$ 25. $0.52 \cdot 0.64$ 26. $0.75 \cdot 8.9$

CAPÍTULO 7

Guía de estudio: Avance

De dónde vienes

Antes,

- usaste fracciones para representar situaciones en las que había divisiones.
- generaste decimales y fracciones equivalentes.
- usaste la multiplicación y la división para hallar fracciones equivalentes.

En este capítulo

Estudiarás

- cómo usar razones para describir situaciones proporcionales.
- cómo representar razones y porcentajes con decimales, fracciones y modelos concretos.
- cómo usar la multiplicación y la división para resolver problemas en los que hay razones y tasas equivalentes.
- cómo usar razones para hacer predicciones en situaciones proporcionales.

Adónde vas

Puedes usar las destrezas aprendidas en este capítulo

- para hallar descuentos y el impuesto sobre la venta de artículos en las tiendas.
- para saber cuánta propina dejar en los restaurantes.

Vocabulario/Key Vocabulary

ángulos correspondientes (en polígonos)	corresponding angles
dibujo a escala	scale drawing
medición indirecta	indirect measurement
porcentaje	percent
proporción	proportion
razón	ratio
razones equivalentes	equivalent ratios
semejantes	similar
tasa	rate
tasa unitaria	unit rate

Conexiones de vocabulario

Considera lo siguiente para familiarizarte con algunos de los términos de vocabulario del capítulo. Puedes consultar el capítulo, el glosario o un diccionario si lo deseas.

1. *Equivalente* puede significar "de igual valor". ¿Cómo crees que se relacionan entre sí las **razones equivalentes?**
2. *Indirecto* significa "que no es directo". ¿Crees que vas a usar una regla para hacer una **medición indirecta?**
3. La palabra *porcentaje* está compuesta por *por* y *ciento,* que deriva de la palabra en latín *centum,* que significa "cien". ¿Qué crees que significa **porcentaje?**
4. *Razón* puede significar "la relación en cantidad, monto o tamaño entre dos cosas". ¿Cuántos números crees que se usan en una **razón?**
5. Una *escala* muestra la relación de tamaño entre dos o más cosas. Si trazas un **dibujo a escala** de una habitación, ¿qué crees que tendrás que incluir en el dibujo para indicar el tamaño real de la habitación?

Estrategia de redacción: Escribe una explicación convincente

A lo largo del libro verás varias veces los íconos Escríbelo. Estos íconos señalan ejercicios que te piden que escribas una explicación convincente.

Una explicación convincente debe incluir:

- una nueva forma de escribir la pregunta o el problema.
- una solución completa para el problema.
- todo el trabajo, las definiciones, los diagramas o las gráficas que se necesitan para resolver el problema.

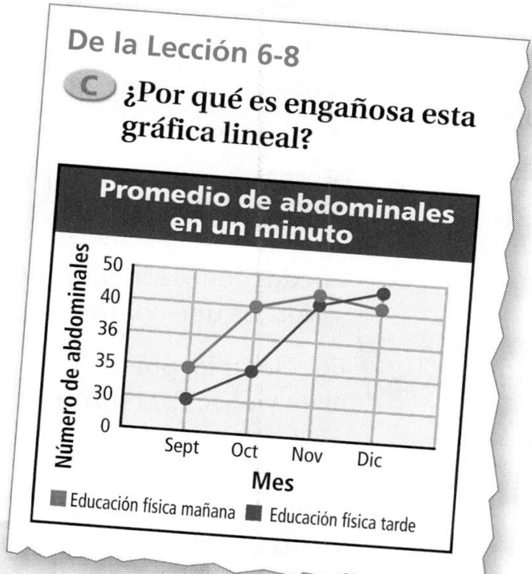

Paso 1 **Vuelve a escribir la pregunta.**
La gráfica es engañosa porque la escala no tiene intervalos iguales.

Paso 2 **Da una solución completa para el problema en la que incluyas datos y una explicación.**
Por ejemplo, un aumento de 35 a 40 abdominales parece mayor que uno de 30 a 35 abdominales. Al leer la escala te das cuenta de que esto es incorrecto. Por lo tanto, la gráfica es engañosa.

Inténtalo

Usa tu libro de texto.

1. Escribe un argumento convincente para explicar por qué hay dos modas en el conjunto de datos 4, 6, 1, 0, 4, 8, 9, 0.
2. Revisa alguno de los ejercicios Escríbelo previos. ¿Tu respuesta cumple con el método indicado arriba? Si lo cumple, rotula los elementos que deben incluirse. Si no, vuelve a escribir la explicación.

7-1 Razones y tasas

Aprender a escribir razones y tasas y a hallar tasas unitarias

Vocabulario

razón

razones equivalentes

tasa

tasa unitaria

Durante un tiempo, la Orquesta Sinfónica de Boston estuvo formada por 95 músicos.

Violines	29	Violas	12
Violonchelos	10	Contrabajos	9
Flautas	5	Trompetas	3
Dobles caramillos	8	Percusión	5
Clarinetes	4	Arpa	1
Cornos	6	Trombones	3

Puedes comparar los diferentes grupos de instrumentos usando razones. Una **razón** es una comparación de dos cantidades mediante una división.

Leer matemáticas

Lee la razón $\frac{29}{12}$ como "veintinueve a doce".

Por ejemplo, puedes usar una razón para comparar el número de violines y el de violas. Esta razón puede escribirse de tres maneras.

Términos $\frac{29}{12}$ 29 a 12 29:12

Observa que la razón de violines a **violas**, $\frac{29}{12}$, es diferente de la razón de **violas** a violines, $\frac{12}{29}$. El orden de los términos es importante.

Las razones pueden escribirse para comparar una parte con una parte, una parte con el entero o el entero con una parte.

EJEMPLO 1 Escribir razones

Usa la tabla de arriba para escribir cada razón.

A flautas a clarinetes

$\frac{5}{4}$ ó 5 a 4 ó 5:4 *Parte a parte*

B trompetas a todos los instrumentos

$\frac{3}{95}$ ó 3 a 95 ó 3:95 *Parte al entero*

C todos los instrumentos a contrabajos

$\frac{95}{9}$ ó 95 a 9 ó 95:9 *Entero a una parte*

Las **razones equivalentes** son razones que representan la misma comparación. Puedes hallar una razón equivalente al multiplicar o dividir los dos términos de una razón por el mismo número.

EJEMPLO 2 Escribir razones equivalentes

Escribe tres razones equivalentes para comparar el número de estrellas y el número de lunas en el patrón.

$\frac{\text{número de estrellas}}{\text{número de lunas}} = \frac{4}{6}$ *Hay 4 estrellas y 6 lunas.*

$\frac{4}{6} = \frac{4 \div 2}{6 \div 2} = \frac{2}{3}$ *Hay 2 estrellas por cada 3 lunas.*

$\frac{4}{6} = \frac{4 \cdot 2}{6 \cdot 2} = \frac{8}{12}$ *Si duplicas el patrón, habrá 8 estrellas y 12 lunas.*

Por lo tanto, $\frac{4}{6}$, $\frac{2}{3}$ y $\frac{8}{12}$ son razones equivalentes.

Una **tasa** compara dos cantidades que tienen diferentes unidades de medida.

Supongamos que una botella de 2 litros de refresco cuesta $1.98.

$\text{tasa} = \frac{\text{precio}}{\text{número de litros}} = \frac{\$1.98}{2 \text{ litros}}$ $1.98 por 2 litros

Cuando la comparación es con una unidad, la tasa se llama **tasa unitaria.**

Divide ambos términos entre el segundo término para hallar la tasa unitaria.

$\text{tasa unitaria} = \frac{\$1.98}{2} = \frac{\$1.98 \div 2}{2 \div 2} = \frac{\$0.99}{1}$ $0.99 por 1 litro

Cuando se comparan los precios de dos o más artículos, el que tiene la menor tasa unitaria es la mejor compra.

EJEMPLO 3 *Aplicación a matemáticas para el consumidor*

Una botella de 2 litros de refresco cuesta $2.02. Una botella de 3 litros del mismo refresco cuesta $2.79. ¿Cuál es la mejor compra?

Botella de 2 litros		Botella de 3 litros	
$\frac{\$2.02}{2 \text{ litros}}$	*Escribe la tasa.*	$\frac{\$2.79}{3 \text{ litros}}$	*Escribe la tasa.*
$\frac{\$2.02 \div 2}{2 \text{ litros} \div 2}$	*Divide ambos términos entre 2.*	$\frac{\$2.79 \div 3}{3 \text{ litros} \div 3}$	*Divide ambos términos entre 3.*
$\frac{\$1.01}{1 \text{ litro}}$	*$1.01 por 1 litro*	$\frac{\$0.93}{1 \text{ litro}}$	*$0.93 por 1 litro*

La botella de 3 litros es la mejor compra.

Razonar y comentar

1. **Explica** por qué la razón 2 chicos:5 chicas es diferente de la razón 5 chicas:2 chicos.
2. **Describe** cómo determinar entre qué número debes dividir al hallar una tasa unitaria.

7-1 Ejercicios

go.hrw.com
Ayuda en línea para tareas*
CLAVE: MR7 7-1
Recursos en línea para padres
CLAVE: MR7 Parent
*(Disponible sólo en inglés)

PRÁCTICA GUIADA

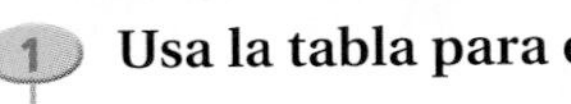

Ver Ejemplo  **Usa la tabla para escribir cada razón.**

1. programas de música a programas de arte
2. videojuegos a toda la colección
3. toda la colección a juegos educativos

Colección de programas de Jacqueline	
Juegos educativos	16
Procesador de texto	2
Programas de arte	10
Videojuegos	10
Programas de música	3

Ver Ejemplo 

4. Escribe tres razones equivalentes para comparar el número de corazones rojos de la ilustración con el número total de corazones.

Ver Ejemplo 3

5. **Matemáticas para el consumidor** Una bolsa de 8 onzas de semillas de girasol cuesta \$1.68. Una bolsa de 4 onzas de semillas de girasol cuesta \$0.88. ¿Cuál es la mejor compra?

PRÁCTICA INDEPENDIENTE

Ver Ejemplo  **Usa la tabla para escribir cada razón.**

6. Cardenales a Medias Azules
7. Medias Azules diestros a Medias Azules zurdos
8. Cardenales zurdos a todos los Cardenales

	Cardenales	Medias Azules
Bateadores zurdos	8	3
Bateadores diestros	11	19

Ver Ejemplo 

9. Escribe tres razones equivalentes para comparar el número de estrellas de la ilustración con el número de barras.

Ver Ejemplo 

10. Gina cobra \$28 por 3 horas de lecciones de natación. Héctor cobra \$18 por 2 horas de lecciones de natación. ¿Qué maestro ofrece el mejor precio?
11. **Matemáticas para el consumidor** Una bolsa de 12 libras de alimento para perros cuesta \$12.36. Una bolsa de 15 libras cuesta \$15.30. ¿Cuál es la mejor compra?

PRÁCTICA Y RESOLUCIÓN DE PROBLEMAS

Práctica adicional
Ver página 726

Escribe cada razón de tres maneras diferentes.

12. diez a siete
13. $\frac{24}{11}$
14. 4 a 30
15. $\frac{7}{10}$
16. 16 a 20
17. $\frac{5}{9}$
18. 50 a 79
19. cien a ciento uno
20. Un florista puede armar 16 ramos en una jornada de trabajo de 8 horas. ¿Cuántos ramos puede armar por hora?

Usa el diagrama de un átomo de oxígeno y uno de boro para los Ejercicios del 21 al 24. Halla cada razón. Luego, da dos razones equivalentes.

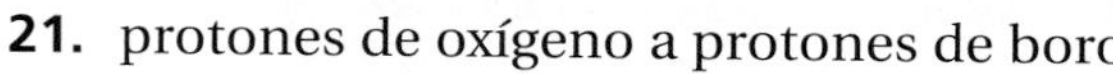

21. protones de oxígeno a protones de boro

22. neutrones de boro a protones de boro

23. electrones de boro a electrones de oxígeno

24. electrones de oxígeno a protones de oxígeno

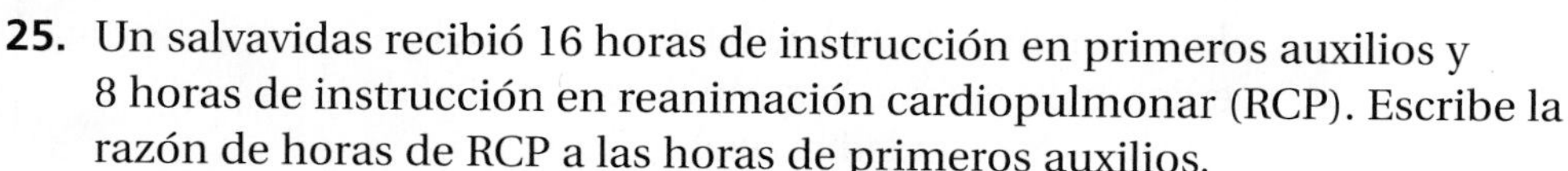

25. Un salvavidas recibió 16 horas de instrucción en primeros auxilios y 8 horas de instrucción en reanimación cardiopulmonar (RCP). Escribe la razón de horas de RCP a las horas de primeros auxilios.

26. **Razonamiento crítico** Cassandra tiene tres fotos en su escritorio. Las fotos miden 4 pulg de largo por 6 pulg de ancho, 24 mm de largo por 36 mm de ancho y 6 cm de largo por 7 cm de ancho. ¿Qué fotos tienen una razón de largo a ancho equivalente a 2:3?

27. **Varios pasos** ¿Qué día corrió más rápido Alfonso?

Día	Distancia (m)	Tiempo (min)
Lunes	1,020	6
Miércoles	1,554	9

28. **Ciencias de la Tierra** En las Cataratas del Niágara se precipitan 180 millones de pies cúbicos de agua cada 30 minutos. ¿Cuánta agua se precipita en las cataratas en 1 minuto?

29. **¿Cuál es la pregunta?** La razón del total de estudiantes en la clase del maestro Avalon a los estudiantes de la clase que tienen una mochila azul es de 3 a 1. La respuesta es 1:2. ¿Cuál es la pregunta?

30. **Escríbelo** ¿En qué se parecen las razones equivalentes a las fracciones equivalentes?

31. **Desafío** Hay 36 bailarines en una función de danza. La razón de hombres a mujeres es 2:7. ¿Cuántos hombres hay en la función?

PREPARACIÓN PARA EL EXAMEN y repaso en espiral

32. **Opción múltiple** ¿Qué razón es equivalente a $\frac{1}{20}$?

Ⓐ 9:180 Ⓑ 180 a 9 Ⓒ 4 a 100 Ⓓ 100:4

33. **Respuesta breve** Una caja de pasas de 24 onzas cuesta $4.56. Una caja de 15 onzas cuesta $3.15. ¿Cuál es la mejor compra? Explica.

Halla el MCD de cada conjunto de números. (Lección 4-3)

34. 12, 36 **35.** 15, 24 **36.** 18, 24, 42 **37.** 5, 14, 17

Resuelve cada ecuación. Escribe la solución en su mínima expresión. (Lección 5-5)

38. $g + \frac{3}{10} = \frac{2}{5}$ **39.** $m - \frac{1}{2} = \frac{1}{9}$ **40.** $\frac{2}{3} = p + \frac{1}{6}$ **41.** $h - \frac{1}{4} = \frac{5}{12}$

7-2 Cómo usar tablas para explorar razones y tasas equivalentes

Aprender a usar una tabla para hallar razones y tasas equivalentes

Los estudiantes de la maestra Kennedy pintan un mural en su salón de clases. Mezclaron pintura amarilla y azul para lograr un fondo verde y hallaron que la razón de la cantidad de amarillo a la cantidad de azul es 3 a 2.

Ahora tienen que hacer más pintura verde aplicando la misma razón que antes.

Usa una tabla para hallar razones equivalentes a 3 a 2.

Razón original → $3 \cdot 2$, $3 \cdot 3$, $3 \cdot 4$

Pintas de amarillo	3	6	9	12
Pintas de azul	2	4	6	8

↑ $2 \cdot 2$, $2 \cdot 3$, $2 \cdot 4$

Leer matemáticas

A veces, para referirnos a hallar razones equivalentes, usamos las expresiones "escalar hacia arriba" o "escalar hacia abajo".

Puedes aumentar las cantidades y conservar la misma razón multiplicando el numerador y el denominador de la razón por el mismo número.

Las razones 3 a 2, 6 a 4, 9 a 6 y 12 a 8 son equivalentes.

También puedes disminuir las cantidades en una misma razón dividiendo el numerador y el denominador entre el mismo número.

EJEMPLO 1 Hacer una tabla para hallar razones equivalentes

Pista útil

Si multiplicas por 2, 3 y 4, obtendrás tres razones equivalentes, pero existen muchas otras razones equivalentes correctas.

Usa una tabla para hallar tres razones equivalentes.

A $\frac{8}{3}$

Razón original → $8 \cdot 2$, $8 \cdot 3$, $8 \cdot 4$

8	16	24	32
3	6	9	12

↑ $3 \cdot 2$, $3 \cdot 3$, $3 \cdot 4$

Multiplica el numerador y el denominador por 2, 3 y 4.

Las razones $\frac{8}{3}$, $\frac{16}{6}$, $\frac{24}{9}$ y $\frac{32}{12}$ son equivalentes.

Usa una tabla para hallar tres razones equivalentes.

B 4 a 7

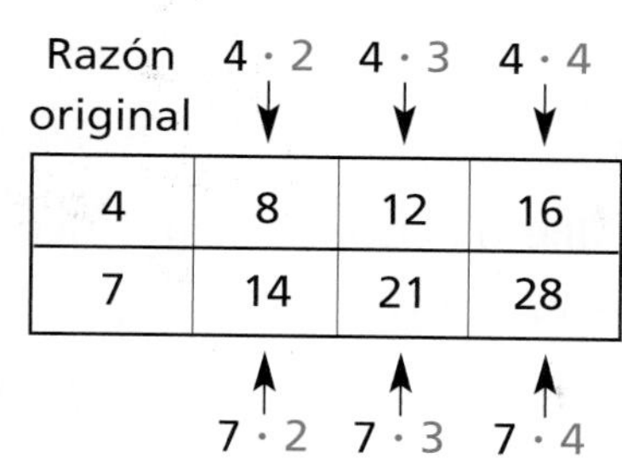

4	8	12	16
7	14	21	28

Multiplica el numerador y el denominador por 2, 3 y 4.

Las razones 4 a 7, 8 a 14, 12 a 21 y 16 a 28 son equivalentes.

C 40:16

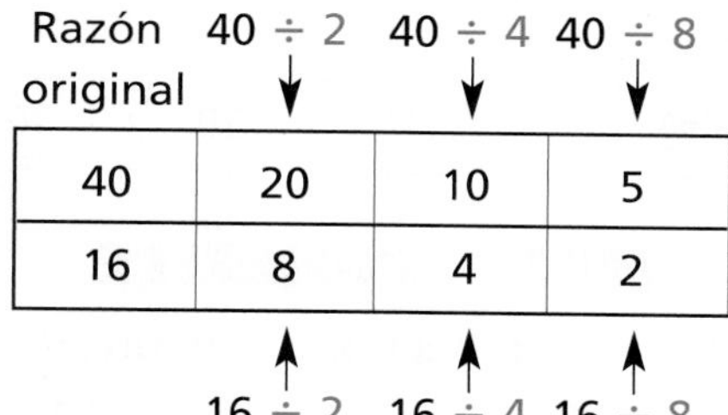

40	20	10	5
16	8	4	2

Divide el numerador y el denominador entre 2.

Las razones 40:16, 20:8, 10:4 y 5:2 son equivalentes.

Las razones de las tablas pueden usarse para estimar o predecir.

EJEMPLO 2 *Aplicación al entretenimiento*

Un grupo de 10 amigos hacen fila para entrar al cine. En la tabla se muestra cuánto pagarán en total distintos grupos. Predice cuánto pagará el grupo de 10 amigos.

Integrantes del grupo	3	5	6	12
Pago total ($)	15	25	30	60

$6 < 10 < 12$; por lo tanto, el grupo pagará entre $30 y $60.

Usa la cantidad pagada por el grupo de 5. *El único factor de 10 en la tabla es 5.*

$2 \cdot 5 = 10$

$2 \cdot \$25 = \$50$

Multiplica el numerador y el denominador por el mismo factor: 2.

El grupo de 10 amigos pagará $50.00.

Razonar y comentar

1. Cuando multiplicas o divides una razón para hallar razones equivalentes, ¿cómo puedes asegurarte de que todas las razones que escribiste son correctas?

2. Si dos razones tienen dos puntos y las vuelves a escribir como fracciones, ¿cómo puedes asegurarte de haber escrito el numerador y el denominador en el orden correcto?

7-2 Ejercicios

go.hrw.com
Ayuda en línea para tareas*
CLAVE: MR7 7-2
Recursos en línea para padres
CLAVE: MR7 Parent
*(Disponible sólo en inglés)

PRÁCTICA GUIADA

Ver Ejemplo  **Usa una tabla para hallar tres razones equivalentes.**

1. $\frac{2}{7}$ **2.** 7 a 12 **3.** 96:48 **4.** $\frac{3}{5}$

5. 5 a 8 **6.** $\frac{9}{4}$ **7.** 24 a 16 **8.** 25:26

Ver Ejemplo 2 **9.** **Deportes** Leo corre dando vueltas en una pista. En la tabla se muestra cuánto tarda en correr distintas cantidades de vueltas. Predice cuánto le llevará correr 7 vueltas.

Cantidad de vueltas	2	4	6	8	10
Tiempo (min)	10	20	30	40	50

PRÁCTICA INDEPENDIENTE

Ver Ejemplo  **Usa una tabla para hallar tres razones equivalentes.**

10. 6:5 **11.** 8 a 15 **12.** $\frac{12}{4}$ **13.** 6 a 7

14. $\frac{13}{20}$ **15.** 11:25 **16.** 5 a 18 **17.** $\frac{51}{75}$

Ver Ejemplo  **18.** La Intermedia Lee compró 15 libros de texto cada 12 estudiantes. En la tabla se muestra cuántos libros compra la escuela para distintas cantidades de estudiantes. Predice la cantidad de libros que la escuela compraría para 72 estudiantes.

Estudiantes	12	24	48	96	192
Libros	15	30	60	120	240

PRÁCTICA Y RESOLUCIÓN DE PROBLEMAS

Práctica adicional
Ver página 726

19. **Biología** La longitud de un murciélago pardo varía de 3 a 6 pulgadas y su envergadura varía de 8 a 16 pulgadas. Escribe, en su mínima expresión, la razón de la envergadura de ese murciélago a su longitud.

20. En el Mercado Compra-Todo los tomates están en oferta. En la tabla se muestran algunos precios de oferta. Predice cuánto gastará el dueño de un restaurante que compre 25 libras de tomates a la tasa que se muestra en la tabla.

Cantidad (lb)	30	20	15	10	5
Costo ($)	11.70	7.80	5.85	3.90	1.95

Completa cada tabla para hallar las razones que faltan.

21.

6	12	18	■
5	10	■	20

22.

96	48	24	■
48	24	■	6

El presidente Lyndon Baines Johnson, a menudo llamado LBJ, nació en Stillwater, Texas, en 1908. El presidente Johnson no tuvo vicepresidente desde noviembre de 1963 hasta enero de 1965.

Multiplica y divide cada razón para hallar dos razones equivalentes.

23. 36:48 **24.** $\frac{4}{60}$ **25.** $\frac{128}{48}$ **26.** 15:100

27. **Varios pasos** Lyndon Johnson fue electo presidente en 1964. La razón de los votos que recibió a los que recibió Barry Goldwater fue aproximadamente 19:12. ¿Alrededor de cuántos votos se emitieron en total por ambos candidatos?

Candidatos	Cantidad de votos
Lyndon Johnson	43,121,085
Barry Goldwater	

28. **¿Dónde está el error?** Un estudiante dijo que 3:4 es equivalente a 9:16 y a 18:64. ¿Qué hizo mal el estudiante? Corrige las razones para que sean equivalentes.

29. **Escríbelo** Si Daniel conduce la misma distancia cada día, ¿podrá completar un viaje de 4,500 millas en 2 semanas? Explica cómo resolviste el problema.

Días	Distancia (mi)
3	1,020
5	1,700
9	3,060

30. **Desafío** En la tabla se muestran los precios normales y de oferta de discos compactos en La Gran Rebaja. ¿Cuánto dinero ahorrarás si compras 10 discos compactos en oferta?

Cantidad de discos	Precio normal ($)	Precio de oferta ($)
2	17.00	14.40
3	25.50	21.60
6	51.00	43.20

Preparación para el examen y repaso en espiral

31. **Opción múltiple** ¿Qué razón NO es equivalente a 3 a 7?

Ⓐ 9:21 Ⓑ 36:77 Ⓒ 45:105 Ⓓ 54:126

32. **Respuesta breve** En la tabla se muestran las distancias recorridas y la cantidad de galones de gasolina usados en cuatro viajes en automóvil. Predice cuántos galones se usarían en un viaje de 483 millas.

Distancia (mi)	552	414	276	138
Gasolina usada (gal)	24	18	12	6

33. En el año 2005, las alturas de los edificios más altos del mundo eran 509, 452, 452, 442, 421 y 415 metros. Halla la media, la mediana, la moda y el rango del conjunto de datos. (Lección 6-2)

34. Javier ahorró $65, $82, $58, $74, $65 y $72 de su trabajo de tiempo parcial durante seis meses. El mes siguiente, trabajó a tiempo completo y ahorró $285. Halla la media, la mediana y la moda de las cantidades ahorradas con y sin los ahorros del trabajo a tiempo completo. (Lección 6-3)

Explorar las proporciones

Para usar con la Lección 7-3

go.hrw.com
Recursos en linea para el laboratorio
CLAVE: MR7 Lab7

Puedes usar fichas para representar razones equivalentes.

Actividad 1

Halla tres razones que sean equivalentes a $\frac{6}{12}$.

1. Muestra 6 fichas rojas y 12 fichas amarillas.

2. Separa las fichas rojas en dos grupos iguales. Luego, separa las fichas amarillas en dos grupos iguales.

3. Escribe la razón de fichas rojas de cada grupo a fichas amarillas de cada grupo.

$$\frac{3 \text{ fichas rojas}}{6 \text{ fichas amarillas}} = \frac{3}{6}$$

4. Ahora separa las fichas rojas en tres grupos iguales. Luego, separa las fichas amarillas en tres grupos iguales.

5. Escribe la razón de fichas rojas de cada grupo a fichas amarillas de cada grupo.

$$\frac{2 \text{ fichas rojas}}{4 \text{ fichas amarillas}} = \frac{2}{4}$$

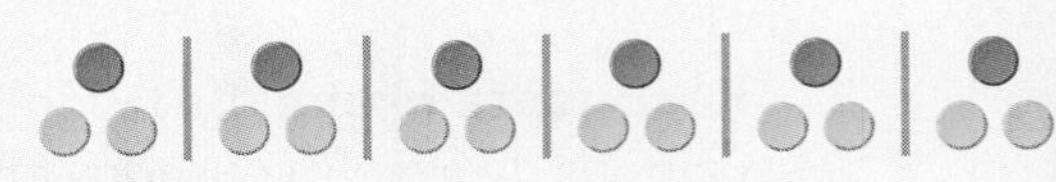

6. Ahora separa las fichas rojas en seis grupos iguales. Luego, separa las fichas amarillas en seis grupos iguales.

7. Escribe la razón de fichas rojas de cada grupo a fichas amarillas de cada grupo.

$$\frac{1 \text{ ficha roja}}{2 \text{ fichas amarillas}} = \frac{1}{2}$$

Las tres razones que escribiste son equivalentes a $\frac{6}{12}$.

$$\frac{6}{12} = \frac{3}{6} = \frac{2}{4} = \frac{1}{2}$$

Cuando escribes una ecuación que tiene razones equivalentes, esa ecuación se llama *proporción*.

Razonar y comentar

1. ¿Cómo muestran los modelos que las razones son equivalentes?

Inténtalo

Usa modelos para determinar si las razones forman una proporción.

1. $\frac{1}{3}$ y $\frac{4}{12}$
2. $\frac{3}{4}$ y $\frac{6}{9}$
3. $\frac{4}{10}$ y $\frac{2}{5}$

Actividad 2

Escribe una proporción en la que una de las razones sea $\frac{1}{3}$.

1. Debes hallar una razón que sea equivalente a $\frac{1}{3}$. Primero, muestra una ficha roja y tres amarillas.
2. Muestra otro grupo de una ficha roja y tres amarillas.
3. Escribe la razón de fichas rojas a fichas amarillas de los dos grupos.

$$\frac{\text{2 fichas rojas}}{\text{6 fichas amarillas}} = \frac{2}{6}$$

4. Las dos razones son equivalentes. Escribe la proporción $\frac{1}{3} = \frac{2}{6}$.

Puedes hallar más razones equivalentes si agregas más grupos de una ficha roja y tres amarillas. Usa tus modelos para escribir proporciones.

$$\frac{\text{3 fichas rojas}}{\text{9 fichas amarillas}} = \frac{3}{9}$$

$$\frac{3}{9} = \frac{1}{3}$$

$$\frac{\text{4 fichas rojas}}{\text{12 fichas amarillas}} = \frac{4}{12}$$

$$\frac{4}{12} = \frac{1}{3}$$

Razonar y comentar

1. Los modelos anteriores muestran que $\frac{1}{3}$, $\frac{2}{6}$, $\frac{3}{9}$ y $\frac{4}{12}$ son razones equivalentes. ¿Ves un patrón en esta lista de razones?
2. Usa fichas para hallar otra razón que sea equivalente a $\frac{1}{3}$.

Inténtalo

Usa fichas para escribir una proporción con la razón que se da.

1. $\frac{1}{4}$
2. $\frac{1}{5}$
3. $\frac{3}{7}$
4. $\frac{1}{6}$
5. $\frac{4}{9}$

7-3 Proporciones

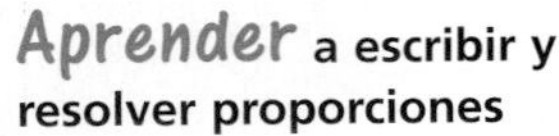

Aprender a escribir y resolver proporciones

Vocabulario
proporción

¿Has oído que llamen al agua H_2O? H_2O es la fórmula científica del agua. Una molécula de agua contiene dos átomos de hidrógeno (H_2) y un átomo de oxígeno (O). No importa cuántas moléculas de agua haya, el hidrógeno y el oxígeno siempre estarán en razón de 2 a 1.

Moléculas de agua	1	2	3	4
$\frac{\text{Hidrógeno}}{\text{Oxígeno}}$	$\frac{2}{1}$	$\frac{4}{2}$	$\frac{6}{3}$	$\frac{8}{4}$

Leer matemáticas

Lee la proporción $\frac{2}{1} = \frac{4}{2}$ como "dos es a uno como cuatro es a dos".

Observa que $\frac{2}{1}$, $\frac{4}{2}$, $\frac{6}{3}$ y $\frac{8}{4}$ son razones equivalentes.

Una **proporción** es una ecuación que muestra dos razones equivalentes.

$$\frac{2}{1} = \frac{4}{2} \qquad \frac{4}{2} = \frac{8}{4} \qquad \frac{2}{1} = \frac{6}{3}$$

EJEMPLO 1 Hacer modelos de proporciones

Escribe una proporción para el modelo.

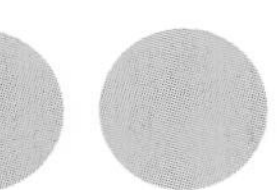

Primero, escribe la razón de triángulos a círculos.

$$\frac{\text{número de triángulos}}{\text{número de círculos}} = \frac{4}{2}$$

Luego, separa los triángulos y los círculos en dos grupos iguales.

Ahora, escribe la razón de triángulos a círculos de cada grupo.

$$\frac{\text{número de triángulos de cada grupo}}{\text{número de círculos de cada grupo}} = \frac{2}{1}$$

La proporción que se muestra en el modelo es $\frac{4}{2} = \frac{2}{1}$.

PRODUCTOS CRUZADOS			
Los productos cruzados en las proporciones son iguales.			
$\frac{4}{8} = \frac{2}{4}$	$\frac{3}{5} = \frac{9}{15}$	$\frac{9}{6} = \frac{3}{2}$	$\frac{14}{7} = \frac{2}{1}$
$8 \cdot 2 = 4 \cdot 4$	$5 \cdot 9 = 3 \cdot 15$	$6 \cdot 3 = 9 \cdot 2$	$7 \cdot 2 = 14 \cdot 1$
$16 = 16$	$45 = 45$	$18 = 18$	$14 = 14$

EJEMPLO 2 Usar productos cruzados para completar proporciones

Halla el valor que falta en la proporción $\frac{3}{4} = \frac{n}{16}$.

$\frac{3}{4} = \frac{n}{16}$ *Halla los productos cruzados.*

$4 \cdot n = 3 \cdot 16$ *Los productos cruzados son iguales.*

$4n = 48$ *Se multiplica n por 4.*

$\frac{4n}{4} = \frac{48}{4}$ *Divide ambos lados entre 4 para cancelar la multiplicación.*

$n = 12$

EJEMPLO  Aplicación a las mediciones

¡Atención!

En una proporción, las unidades deben estar en el mismo orden en ambas razones.

$\frac{cdta}{lb} = \frac{cdta}{lb}$

o $\frac{lb}{cdta} = \frac{lb}{cdta}$

En la etiqueta de un frasco de vitaminas para mascotas se muestran las dosis recomendadas. ¿Qué dosis darías a un perro adulto que pesa 15 lb?

Vitaminas para mascotas

- **Perros adultos:** 1 cdta por cada 20 lb de peso
- **Cachorros, perras preñadas o lactantes:** 1 cdta por cada 10 lb de peso
- **Gatos:** 1 cdta por cada 12 lb de peso

$\frac{1 \text{ cdta}}{20 \text{ lb}} = \frac{v}{15 \text{ lb}}$ *Sea v la dosis para un perro de 15 lb.*

$\frac{1 \text{ cdta}}{20 \text{ lb}} = \frac{v}{15 \text{ lb}}$ *Escribe una proporción.*

$20 \cdot v = 1 \cdot 15$ *Los productos cruzados son iguales.*

$20v = 15$ *Se multiplica v por 20.*

$\frac{20v}{20} = \frac{15}{20}$ *Divide ambos lados entre 20 para cancelar la multiplicación.*

$v = \frac{3}{4}$ cdta *Escribe tu respuesta en su mínima expresión.*

Debes dar $\frac{3}{4}$ cdta de vitaminas a un perro de 15 lb.

Razonar y comentar

1. **Indica** si $\frac{7}{8} = \frac{4}{14}$ es una proporción. ¿Cómo lo sabes?
2. **Da un ejemplo** de una proporción. Indica cómo sabes que es una proporción.

7-3 Ejercicios

go.hrw.com
Ayuda en línea para tareas*
CLAVE: MR7 7-3
Recursos en línea para padres
CLAVE: MR7 Parent
*(Disponible sólo en inglés)

PRÁCTICA GUIADA

Ver Ejemplo 

1. Escribe una proporción para el modelo.

Ver Ejemplo 

Halla el valor que falta en cada proporción.

2. $\frac{12}{9} = \frac{n}{3}$
3. $\frac{t}{5} = \frac{28}{20}$
4. $\frac{1}{c} = \frac{6}{12}$
5. $\frac{6}{7} = \frac{30}{b}$

Ver Ejemplo 

6. Úrsula participa en una carrera de bicicletas de beneficencia. Su madre promete donar \$0.75 por cada 0.5 millas que recorra. Si Úrsula recorre 17.5 millas, ¿cuánto donará su madre?

PRÁCTICA INDEPENDIENTE

Ver Ejemplo 

7. Escribe una proporción para el modelo.

Ver Ejemplo 

Halla el valor que falta en cada proporción.

8. $\frac{3}{2} = \frac{24}{d}$
9. $\frac{p}{40} = \frac{3}{8}$
10. $\frac{6}{14} = \frac{x}{7}$
11. $\frac{5}{p} = \frac{7}{77}$

Ver Ejemplo 

12. Según los lineamientos de estudio de Ty, ¿cuántos minutos de lectura de ciencias debe cumplir si su clase de ciencias dura 90 minutos?

Lineamientos de estudio de Ty	
Clase	**Tiempo de lectura**
Literatura	35 minutos por cada 50 minutos de clase
Ciencias	20 minutos por cada 60 minutos de clase
Historia	30 minutos por cada 55 minutos de clase

PRÁCTICA Y RESOLUCIÓN DE PROBLEMAS

Práctica adicional
Ver página 726

Halla el valor de *p* en cada proporción.

13. $\frac{18}{6} = \frac{6}{p}$
14. $\frac{4}{p} = \frac{48}{60}$
15. $\frac{p}{10} = \frac{15}{50}$
16. $\frac{3}{5} = \frac{12}{p}$
17. $\frac{21}{15} = \frac{p}{5}$
18. $\frac{3}{6} = \frac{p}{8}$
19. $\frac{15}{5} = \frac{9}{p}$
20. $\frac{6}{p} = \frac{4}{28}$

21. **Patrones** Si el primer término de una sucesión es $\frac{7}{2}$, el segundo término es $\frac{14}{4}$, el cuarto término es $\frac{28}{8}$ y el quinto es $\frac{35}{10}$, halla el valor del tercer término.

con los estudios sociales

go.hrw.com
¡Web Extra!
CLAVE: MR7 Value

El valor del dólar estadounidense, comparado con las monedas de otros países, cambia todos los días. En la gráfica se muestra el valor reciente de varias monedas comparadas con el dólar estadounidense. Usa la gráfica para los Ejercicios del 22 al 26.

22. ¿Cuál es el valor de 9.72 euros en dólares estadounidenses?

23. **Varios pasos** Tienes \$100 estadounidenses. Determina cuánto dinero es en euros, dólares canadienses, yuanes, shekels y pesos mexicanos.

24. **¿Dónde está el error?** Una estudiante escribió la proporción $\frac{1}{8.10} = \frac{x}{30}$ para determinar el valor de 30 dólares estadounidenses en China. ¿Por qué esta proporción es incorrecta? Escribe la proporción correcta y halla el valor que falta.

25. **Escríbelo** ¿Qué vale más: cinco dólares estadounidenses o cinco dólares canadienses? ¿Por qué?

26. **Desafío** ¿Aproximadamente cuánto vale una moneda de 10 centavos de dólar en pesos mexicanos?

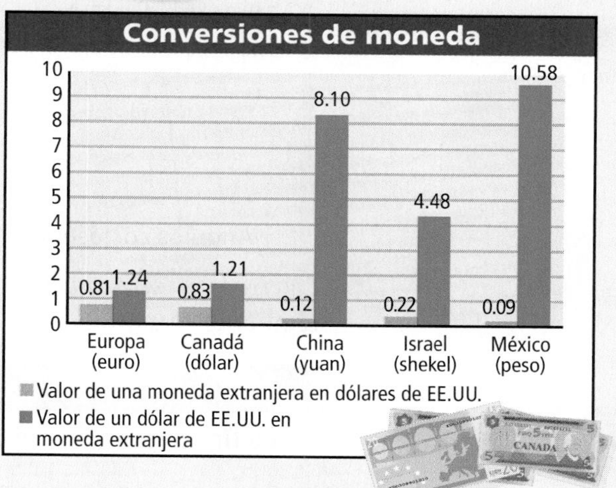

Preparación para el examen y repaso en espiral

27. **Opción múltiple** Una receta requiere 4 tazas de azúcar y 16 tazas de agua. Para reducir la receta, ¿cuántas tazas de agua habría que usar con 1 taza de azúcar?

(A) 0.25 taza (B) 1.6 tazas (C) 4 tazas (D) 16 tazas

28. **Opción múltiple** Li mezcla 3 unidades de pintura roja con 8 unidades de pintura blanca para obtener un color rosa. ¿Cuántas unidades de pintura roja tendría que mezclar con 12 unidades de pintura blanca para lograr el mismo matiz de rosa?

(F) $2\frac{3}{4}$ (G) 3 (H) $3\frac{1}{4}$ (J) $4\frac{1}{2}$

Compara. Escribe <, > ó =. (Lección 4-7)

29. $\frac{4}{7}$ ▢ $\frac{7}{10}$ **30.** $\frac{3}{5}$ ▢ $\frac{14}{15}$ **31.** $\frac{9}{27}$ ▢ $\frac{6}{18}$ **32.** $\frac{45}{18}$ ▢ $\frac{18}{9}$

Escribe cada razón de dos maneras. (Lección 7-1)

33. 4:9 **34.** ocho a once **35.** $\frac{6}{13}$ **36.** 7:5

7-4 Figuras semejantes

Aprender a usar proporciones para hallar las medidas que faltan en figuras semejantes

Vocabulario

lados correspondientes

ángulos correspondientes

semejantes

En dos o más polígonos, los lados que ocupan la misma posición relativa se llaman **lados correspondientes** y los ángulos que ocupan la misma posición relativa se llaman **ángulos correspondientes.**

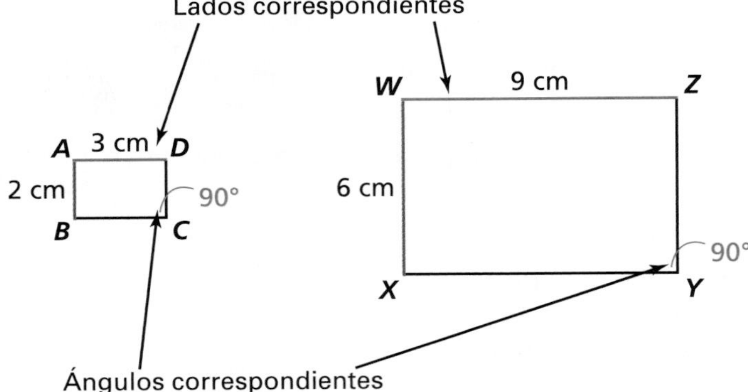

Las figuras **semejantes** tienen la misma forma, pero no necesariamente el mismo tamaño.

FIGURAS SEMEJANTES

Dos figuras son semejantes si

- las medidas de los ángulos correspondientes son iguales.
- las razones de las longitudes de los lados correspondientes son proporcionales.

En los rectángulos de arriba, una proporción es $\frac{AB}{WX} = \frac{AD}{WZ}$, ó $\frac{2}{6} = \frac{3}{9}$.

EJEMPLO 1 Hallar las medidas que faltan en figuras semejantes

Los dos triángulos son semejantes. Halla la longitud x que falta y la medida de $\angle A$.

$\frac{8}{12} = \frac{6}{x}$	*Escribe una proporción con la longitud de los lados correspondientes.*
$12 \cdot 6 = 8 \cdot x$	*Los productos cruzados son iguales.*
$72 = 8x$	*Se multiplica x por 8.*
$\frac{72}{8} = \frac{8x}{8}$	*Divide ambos lados entre 8 para cancelar la multiplicación.*
$9 \text{ cm} = x$	

A
10 cm
8 cm
90°
6 cm

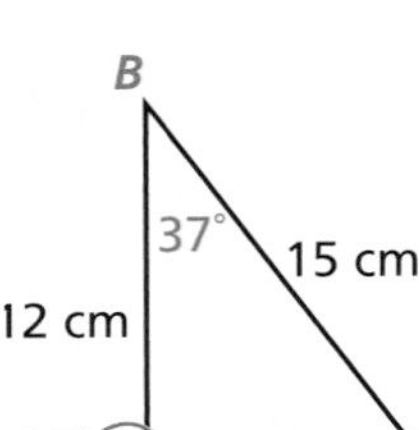

El ángulo A es correspondiente con el ángulo B y la medida de $\angle B = 37°$. La medida de $\angle A = 37°$.

EJEMPLO 2 APLICACIÓN A LA RESOLUCIÓN DE PROBLEMAS

Paseo en bote **es una obra de la pintora estadounidense Mary Cassatt. Esta reducción es semejante a la pintura real. La altura de la pintura real es de 90.2 cm. Al centímetro más cercano, ¿cuál es el ancho de la pintura real?**

4.6 cm

6 cm

1 Comprende el problema

La **respuesta** será el ancho de la pintura real.

Haz una lista con la **información importante:**

- La pintura real y la reducción son semejantes.
- La reducción mide 4.6 cm de alto y 6 cm de ancho.
- La pintura real mide 90.2 cm de alto.

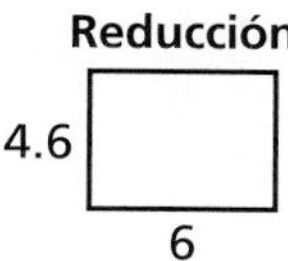

2 Haz un plan

Dibuja un diagrama para representar la situación. Usa los lados correspondientes para escribir una proporción.

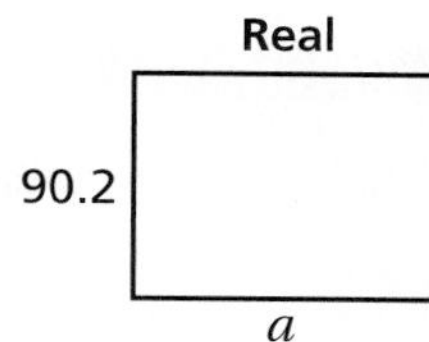

3 Resuelve

$\frac{4.6 \text{ cm}}{90.2 \text{ cm}} = \frac{6 \text{ cm}}{a \text{ cm}}$	*Escribe una proporción.*
$90.2 \cdot 6 = 4.6 \cdot a$	*Los productos cruzados son iguales.*
$541.2 = 4.6a$	*Se multiplica a por 4.6.*
$\frac{541.2}{4.6} = \frac{4.6a}{4.6}$	*Divide ambos lados entre 4.6 para cancelar la multiplicación.*
$118 \approx a$	*Redondea al centímetro más cercano.*

El ancho de la pintura real es unos 118 cm.

4 Repasa

Estima para comprobar tu respuesta. La razón de las alturas es aproximadamente 5:90 ó 1:18. La razón de los anchos es 6:120 ó 1:20. Como las razones son cercanas, 118 cm es una respuesta razonable.

¡Recuerda!

El símbolo ≈ significa "es aproximadamente igual a".

Razonar y comentar

1. **Identifica** dos objetos de tu salón de clases que parezcan figuras semejantes.
2. **Describe** la diferencia entre figuras semejantes y figuras congruentes.

7-4 Ejercicios

go.hrw.com
Ayuda en línea para tareas*
CLAVE: MR7 7-4
Recursos en línea para padres
CLAVE: MR7 Parent
*(Disponible sólo en inglés)

PRÁCTICA GUIADA

Ver Ejemplo 

1. Los dos triángulos son semejantes. Halla la longitud x que falta y la medida de $\angle G$.

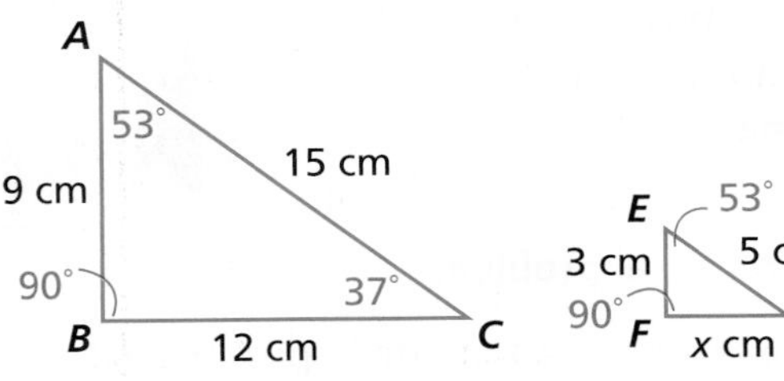

Ver Ejemplo 

2. El paquete de fotografías escolares de Pat incluye una foto grande y varias pequeñas. La foto grande es semejante a la foto de la derecha. Si la foto grande mide 10 pulg de alto, ¿cuánto mide de ancho?

PRÁCTICA INDEPENDIENTE

Ver Ejemplo 

3. Los dos triángulos son semejantes. Halla la longitud n que falta y la medida de $\angle M$.

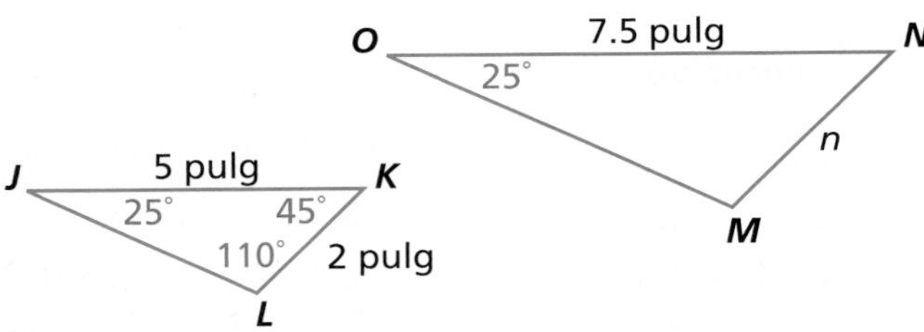

Ver Ejemplo 

4. LeJuan nada en una piscina que es semejante a una de tamaño olímpico. La piscina de LeJuan mide 30 m de largo y 8 m de ancho. La longitud de una piscina olímpica es 50 m. Al metro más cercano, ¿cuál es el ancho de una piscina olímpica?

PRÁCTICA Y RESOLUCIÓN DE PROBLEMAS

Práctica adicional
Ver página 726

Identifica los lados y ángulos correspondientes de cada par de figuras semejantes.

5.

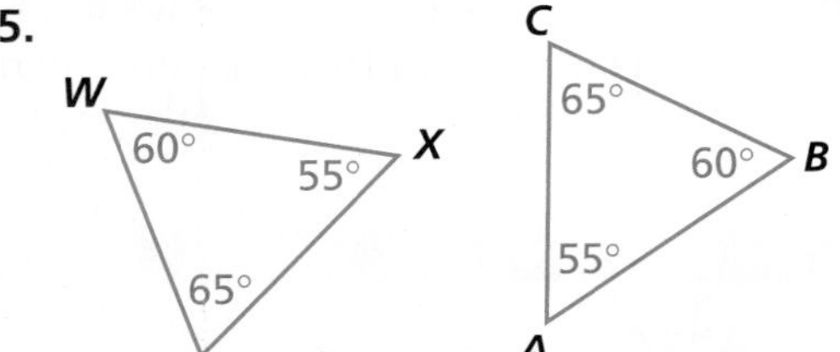

6. M J 90° 90° 100° 4 L 2 K S T 100° 90° 90° R U

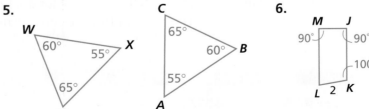

7. **Razonamiento crítico** La razón de las longitudes de dos pinturas semejantes es $\frac{100}{32}$. Si la longitud de una pintura es 100 cm, ¿la longitud de la otra pintura será menor o mayor que 100 cm? Explica.

Las figuras de cada par son semejantes. Halla las medidas desconocidas.

8. E; 7 pulg; ?; 7 pulg; F; 10 pulg; D; 51°; 51°; L; 78°; ?; 21 pulg; ?; 51°; M; 30 pulg; N

9.

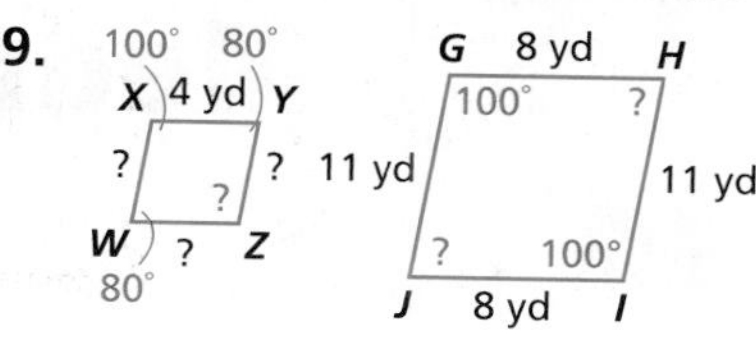

Indica si las figuras de cada par son semejantes. Explica tus respuestas.

10. 90° 125° 5 4 5 8 90° 55°

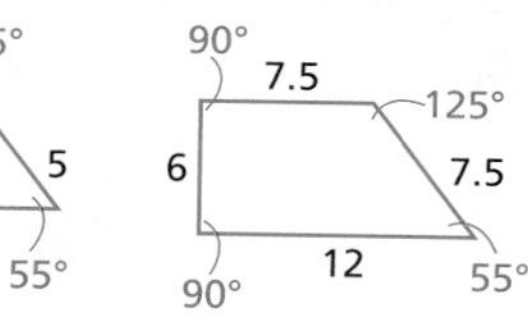

11.

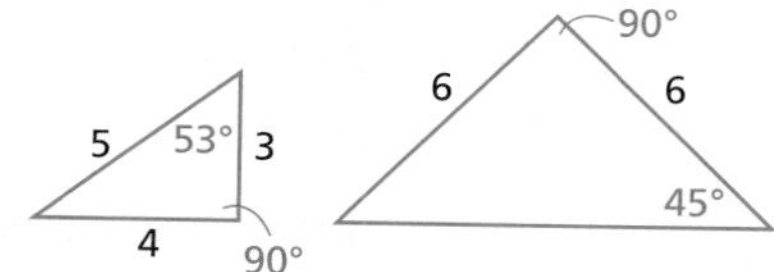

12. Artes gráficas Lenny diseña anuncios panorámicos. El boceto y el anuncio son semejantes. Si la altura del anuncio es 30 pies, ¿cuál es su ancho al pie más cercano?

13. ¿Dónde está el error? Un estudiante dibujó dos rectángulos que miden 10 pulg por 9 pulg y 5 pulg por 3 pulg. El estudiante dijo que los rectángulos son semejantes. ¿Dónde está el error?

14. Escríbelo ¿Son semejantes todos los triángulos que tienen un ángulo de 90°? Explica tu respuesta.

15. Desafío Dibuja dos triángulos rectángulos semejantes cuyos lados tengan una razón de 5:2.

PREPARACIÓN PARA EL EXAMEN y repaso en espiral

16. Opción múltiple Los triángulos son semejantes. Halla la medida del ángulo que falta.

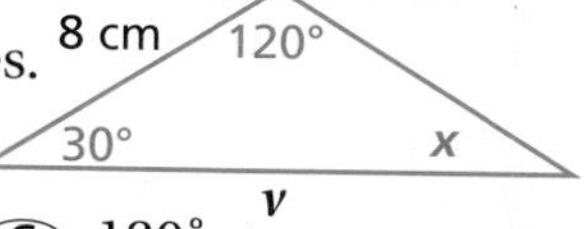

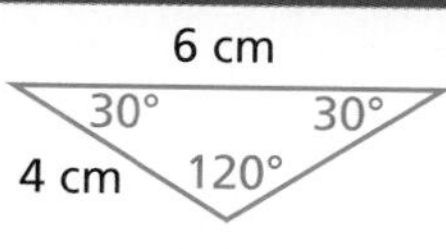

Ⓐ 30°　　Ⓑ 60°　　Ⓒ 120°　　Ⓓ 180°

17. Opción múltiple Usa los triángulos semejantes del Ejercicio 16. Halla la longitud y que falta.

Ⓕ 4 cm　　Ⓖ 12 cm　　Ⓗ 18 cm　　Ⓙ 24 cm

Identifica la propiedad ilustrada por cada ecuación. (Lección 1-5)

18. $3 + (4 + 5) = (3 + 4) + 5$　　**19.** $19(24) = 19(20) + 19(4)$　　**20.** $(2)(13) = (13)(2)$

Halla el valor de n en cada proporción. (Lección 7-3)

21. $\frac{n}{7} = \frac{30}{42}$　　**22.** $\frac{4}{n} = \frac{16}{8}$　　**23.** $\frac{1}{9} = \frac{n}{6.3}$

7-5 Medición indirecta

Aprender a usar proporciones y figuras semejantes para hallar medidas desconocidas

Vocabulario

medición indirecta

Unos residentes de Maine pasaron 14 días en 1999 haciendo este enorme muñeco de nieve. ¿Cómo puedes medir su altura?

Una forma de hallar una altura que no puedes medir directamente es usar figuras semejantes y proporciones. Este método se llama **medición indirecta.**

Supongamos que en un día de sol el muñeco de nieve proyecta una sombra de 228 pies. Una persona de 6 pies de estatura, parada junto al muñeco de nieve, proyecta una sombra de 12 pies.

Tanto la persona como el muñeco de nieve forman ángulos de 90° con el suelo y sus sombras se proyectan en el mismo ángulo. Esto significa que se pueden formar dos triángulos semejantes y usar proporciones para hallar la altura que falta.

EJEMPLO 1 Usar la medición indirecta

Usa los triángulos semejantes de arriba para hallar la altura del muñeco de nieve.

$\frac{6}{h} = \frac{12}{228}$ *Escribe una proporción con los lados correspondientes.*

$12 \cdot h = 6 \cdot 228$ *Los productos cruzados son iguales.*

$12h = 1{,}368$ *Se multiplica h por 12.*

$\frac{12h}{12} = \frac{1{,}368}{12}$ *Divide ambos lados entre 12 para cancelar la multiplicación.*

$h = 114$

La altura del muñeco de nieve era de 114 pies.

EJEMPLO  *Aplicación a las mediciones*

Un faro proyecta una sombra de 36 m de largo cuando una regla de un metro proyecta una sombra de 3 m de largo. ¿Qué altura tiene el faro?

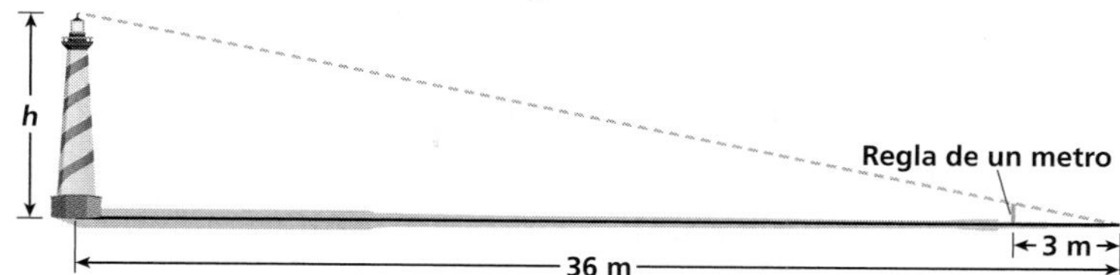

$\frac{h}{1} = \frac{36}{3}$ — *Escribe una proporción con los lados correspondientes.*

$1 \cdot 36 = 3 \cdot h$ — *Los productos cruzados son iguales.*

$36 = 3h$ — *Multiplica h por 3.*

$\frac{36}{3} = \frac{3h}{3}$ — *Divide ambos lados entre 3 para cancelar la multiplicación.*

$12 = h$

La altura del faro es 12 m.

CONEXIÓN

Medición

El faro del cabo Hatteras, ubicado en la isla Hatteras, Carolina del Norte, es el faro más alto de Estados Unidos, con 225 pies de altura. Puedes subir los 268 escalones hasta la parte superior, desde donde tendrás una vista maravillosa del océano Atlántico.

Razonar y comentar

1. **Identifica** dos cosas con las que sería lógico hacer una medición indirecta para hallar su altura.
2. **Identifica** dos cosas con las que **no** sería lógico hacer una medición indirecta para hallar su altura.

7-5 Ejercicios

go.hrw.com
Ayuda en línea para tareas*
CLAVE: MR7 7-5
Recursos en línea para padres
CLAVE: MR7 Parent
*(Disponible sólo en inglés)

PRÁCTICA GUIADA

Ver Ejemplo 1

1. Usa los triángulos semejantes para hallar la altura del asta.

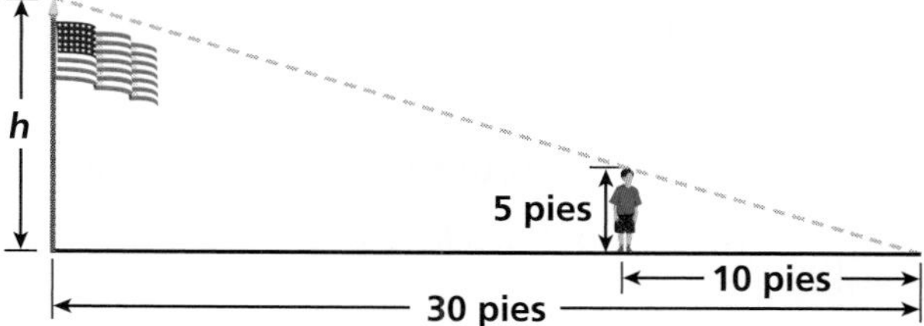

Ver Ejemplo 

2. Un árbol proyecta una sombra de 26 pies. Al mismo tiempo, un girasol de 3 pies de alto proyecta una sombra de 4 pies. ¿Cuánto mide el árbol?

PRÁCTICA INDEPENDIENTE

Ver Ejemplo 1

3. Usa los triángulos semejantes para hallar la altura del farol.

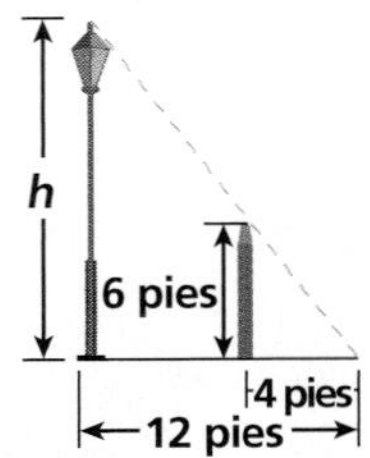

Ver Ejemplo 2

4. La torre Eiffel proyecta una sombra de 328 pies. Una persona de 6 pies de estatura, parada junto a la torre, proyecta una sombra de 2 pies. ¿Cuál es la altura de la torre Eiffel?

PRÁCTICA Y RESOLUCIÓN DE PROBLEMAS

Práctica adicional
Ver página 726

Halla las alturas desconocidas.

5.

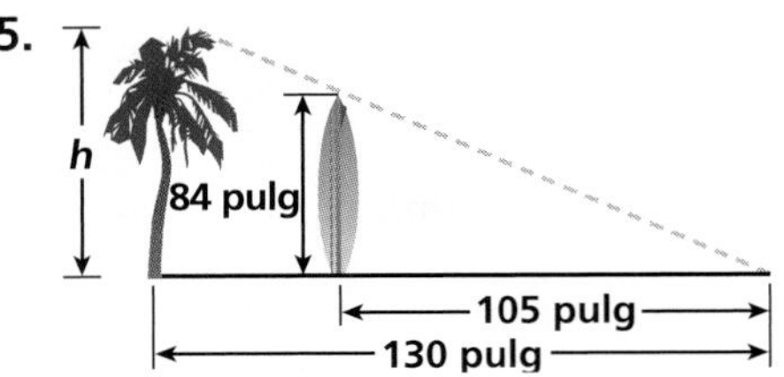

6.

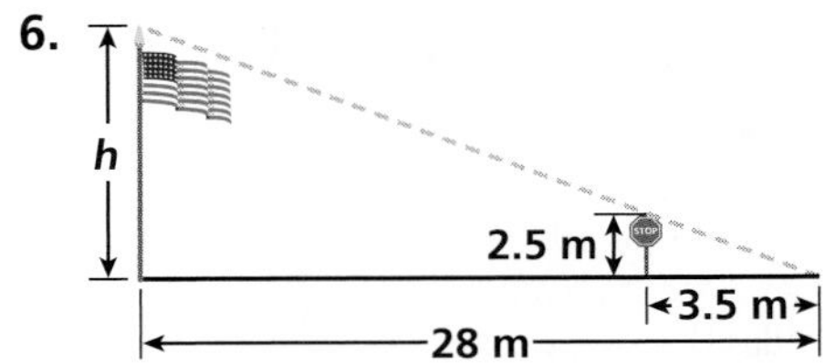

7. Una estatua proyecta una sombra de 360 m. Al mismo tiempo, una persona de 2 m de estatura proyecta una sombra de 6 m. ¿Cuál es la altura de la estatua?

8. **Escríbelo** ¿Cuál es la utilidad de las mediciones indirectas?

9. **Desafío** Una niña de 5.5 pies de estatura está parada de manera que su sombra coincide con la sombra de un poste telefónico. El extremo de su sombra coincide con el extremo de la sombra del poste. Si la sombra del poste mide 40 pies y la niña se encuentra a 27.5 pies del poste, ¿cuál es la altura del poste?

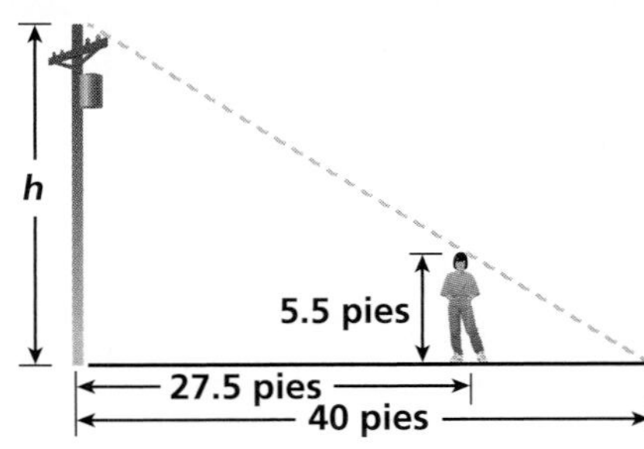

PREPARACIÓN PARA EL EXAMEN y repaso en espiral

10. **Opción múltiple** Un poste telefónico de 18 pies de altura proyecta una sombra de 28.8 pies de longitud. Al mismo tiempo, una mujer proyecta una sombra de 8.8 pies de longitud. ¿Cuál es la estatura de la mujer?

(A) 4.4 pies (B) 5.5 pies (C) 14.08 pies (D) 158.4 pies

11. **Respuesta gráfica** Una chica de 4 pies de estatura proyecta una sombra de 7.2 pies de longitud. Un árbol cercano proyecta una sombra de 25.56 pies de longitud. ¿Cuál es la altura del árbol en pies?

Estima por redondeo al valor posicional indicado. (Lección 3-2)

12. $4.325 - 1.895$; a décimas
13. $5.121 - 0.1568$; a décimas
14. $7.592 + 9.675$; a centésimas

Resuelve cada ecuación. Escribe la solución en su mínima expresión. (Lección 5-5)

15. $x - 1\frac{1}{4} = 7$
16. $4\frac{1}{3} = x + \frac{5}{6}$
17. $x - 8\frac{1}{2} = \frac{3}{10}$
18. $6\frac{2}{3} = 4\frac{1}{6} - x$

Hacer dibujos a escala

Para usar con la Lección 7-6

RECUERDA

- **Las figuras semejantes tienen exactamente la misma forma, pero pueden tener distinto tamaño.**

Puedes usar un *factor de escala* para hacer dibujos a escala. Un *dibujo a escala* es un dibujo de un objeto que es proporcionalmente más pequeño o más grande que el objeto. El *factor de escala* es la razón que describe cuánto se aumenta o se reduce una figura.

Actividad

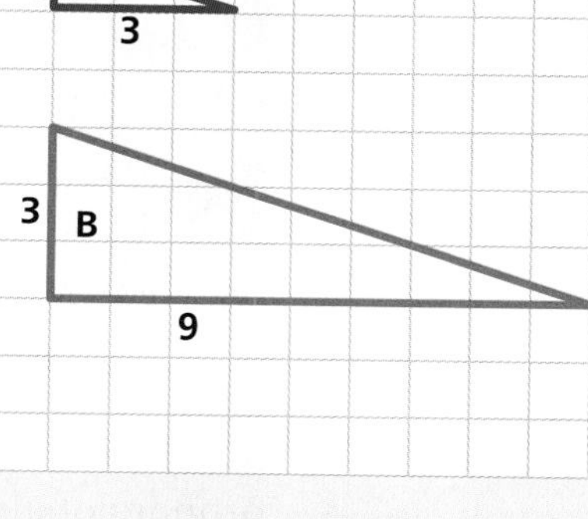

Dibuja un triángulo A en papel cuadriculado, con una altura de 1 y una base de 3, como se muestra.

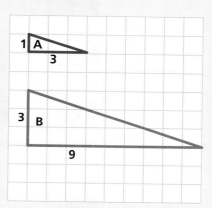

Para dibujar un triángulo semejante usando un factor de escala de 3, dibuja otro triángulo cuyos lados sean 3 veces más largos que los lados correspondientes del original.

Para hallar la altura del nuevo triángulo, multiplica la altura del triángulo A por 3.
altura = 1 × 3 = 3; la nueva altura será de 3 unidades.

Para hallar la base del nuevo triángulo, multiplica la base del triángulo A por 3.
base = 3 × 3 = 9; la nueva base será de 9 unidades.

Rotula la nueva figura como triángulo B.

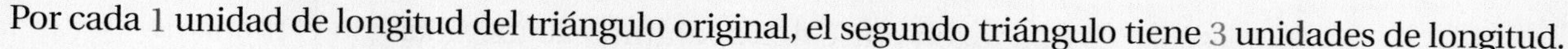

Por cada 1 unidad de longitud del triángulo original, el segundo triángulo tiene 3 unidades de longitud.

Razonar y comentar

1. ¿De qué manera te ayuda a hallar las dimensiones de una figura semejante conocer el factor de escala?

2. Si usas un factor de escala de $\frac{3}{2}$, ¿la nueva figura será más grande o más pequeña que la original? Explica.

Inténtalo

Usa el factor de escala dado para dibujar una figura semejante al triángulo A.

1. 4 **2.** $\frac{1}{2}$ **3.** 2 **4.** $\frac{3}{2}$

7-6 Dibujos a escala y mapas

Aprender a interpretar y usar mapas y dibujos a escala

Vocabulario

dibujo a escala

escala

El mapa del Parque Nacional Yosemite que se muestra arriba es un *dibujo a escala*. Un **dibujo a escala** es un dibujo de un objeto real que es proporcionalmente menor o mayor que el objeto real. En otras palabras, las medidas de un dibujo a escala están en proporción con las medidas del objeto real.

Una **escala** es una razón entre dos conjuntos de medidas. En el mapa de arriba, la escala es de 1 pulg:2 mi. Esta razón significa que 1 pulgada en el mapa representa 2 millas en el Parque Nacional Yosemite.

EJEMPLO 1 Hallar distancias reales

Pista útil

En el Ejemplo 1, razona: "1 pulgada son 2 millas; ¿2 pulgadas son cuántas millas?". Este método te ayudará a escribir proporciones en problemas semejantes.

En el mapa, la distancia entre El Capitán y Panorama Cliff es 2 pulgadas. ¿Cuál es la distancia real?

$\frac{1 \text{ pulg}}{2 \text{ mi}} = \frac{2 \text{ pulg}}{x \text{ mi}}$ *Escribe una proporción con la escala. Sea x las millas reales de El Capitán a Panorama Cliff.*

$2 \cdot 2 = 1 \cdot x$ *Los productos cruzados son iguales.*

$4 = x$

La distancia real de El Capitán a Panorama Cliff es 4 millas.

EJEMPLO 2 ***Aplicación a la astronomía***

Mercurio

Tierra

1 pulg:30 millones km

A **¿Cuál es la distancia real de Mercurio a la Tierra?**

Mide con tu regla en pulgadas la distancia del centro de Mercurio al centro de la Tierra en el dibujo. Mercurio y la Tierra están a unas 3 pulgadas de distancia.

$$\frac{1 \text{ pulg}}{30 \text{ millones km}} = \frac{3 \text{ pulg}}{x \text{ millones km}}$$ *Escribe una proporción. Sea x la distancia real de Mercurio a la Tierra.*

$$30 \cdot 3 = 1 \cdot x$$ *Los productos cruzados son iguales.*

$$90 = x$$

La distancia real de Mercurio a la Tierra es unos 90 millones de km.

B **La distancia real de Mercurio a Venus es 50 millones de kilómetros. ¿A qué distancia deben dibujarse?**

$$\frac{1 \text{ pulg}}{30 \text{ millones km}} = \frac{x \text{ pulg}}{50 \text{ millones km}}$$ *Escribe una proporción. Sea x la distancia de Mercurio a Venus en el dibujo.*

$$30 \cdot x = 1 \cdot 50$$ *Los productos cruzados son iguales.*

$$30x = 50$$ *Se multiplica x por 30.*

$$\frac{30x}{30} = \frac{50}{30}$$ *Divide ambos lados entre 30 para cancelar la multiplicación.*

$$x = 1\frac{2}{3}$$

Mercurio y Venus deben dibujarse a $1\frac{2}{3}$ pulgadas de distancia.

Razonar y comentar

1. **Da un ejemplo** de cuándo usarías un dibujo a escala.
2. **Supongamos** que vas a hacer un dibujo a escala de tu salón de clases con una escala de 1 pulgada:3 pies. Elige una distancia de tu salón y mídela. ¿Cuál será la distancia en tu dibujo?

7-6 Ejercicios

go.hrw.com
Ayuda en línea para tareas*
CLAVE: MR7 7-6
Recursos en línea para padres
CLAVE: MR7 Parent
*(Disponible sólo en inglés)

PRÁCTICA GUIADA

Ver Ejemplo 

1. En el mapa de la derecha, la distancia entre la oficina de correos y la fuente es 6 cm. ¿Cuál es la distancia real?

Escala: 1 cm:50 pies

Ver Ejemplo 

2. ¿Cuál es la longitud real del auto?
3. La altura real del auto es 1.6 metros. ¿Está correctamente representada la altura del auto en el dibujo?

Escala: 1 cm:0.8 m

PRÁCTICA INDEPENDIENTE

Ver Ejemplo 

4. En el mapa de California, Los Ángeles está a 1.25 pulgadas de Malibú. Halla la distancia real de Los Ángeles a Malibú.

Ver Ejemplo 

5. Riverside, California, está a 50 millas de Los Ángeles. En el mapa, ¿a qué distancia debe estar Riverside de Los Ángeles?
6. **Ciencias biológicas** Un paramecio es un organismo unicelular. El dibujo a escala de la derecha es más grande que un paramecio real. Halla las dimensiones de un paramecio real.

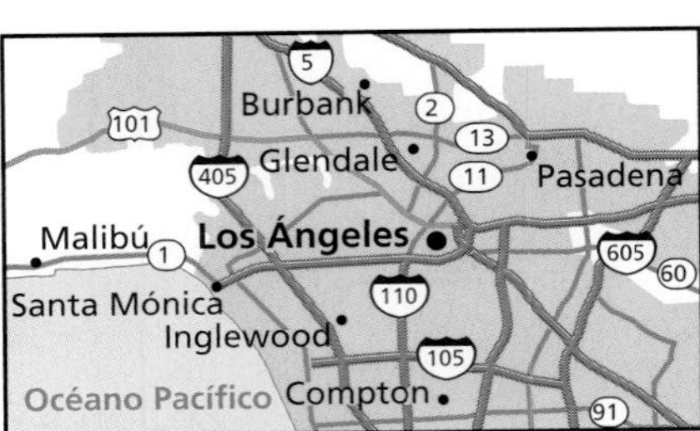

Escala: 1 pulg:20 mi

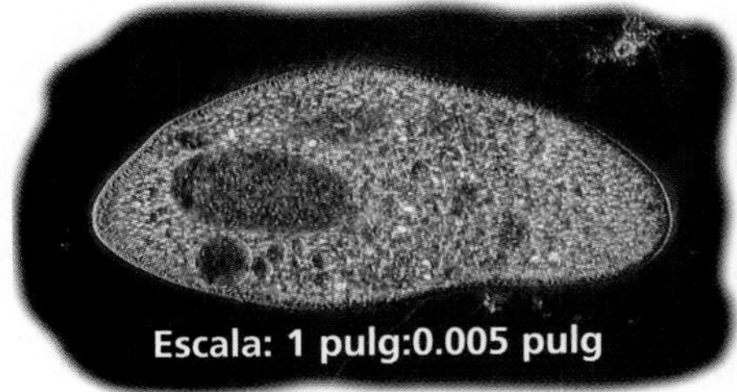
Escala: 1 pulg:0.005 pulg

PRÁCTICA Y RESOLUCIÓN DE PROBLEMAS

Práctica adicional
Ver página 726

7. Te piden que hagas un dibujo a escala de una habitación de cuatro paredes. Las longitudes son las siguientes: pared norte, 8 pies; pared oeste, 12 pies; pared sur, 20 pies; pared este inclinada, 17 pies. La escala del dibujo es 1 pulg:4 pies.
   a. Usa las longitudes reales de las paredes para hallar las longitudes del dibujo.
   b. Haz un boceto y rotula cada pared. ¿Qué forma te recuerda la habitación?
   c. Dibuja una ventana de 2.5 pies de ancho en la pared oeste y una puerta de 3.5 pies de ancho en la pared sur. Indica el ancho de ambas en el dibujo a escala.
8. **Pasatiempos** Una escala que se usa frecuentemente con trenes en miniatura se llama HO. La escala HO es de 1 pie:87 pies. Si un tren en miniatura mide 3 pies de largo, ¿cuánto mide de largo el tren real?

con los estudios sociales

Texas es el segundo estado más grande del país y el más grande de los 48 estados del sur. Mide más de 1,120 kilómetros de lado a lado. ¡Hay incluso un rancho que es más grande que Rhode Island!

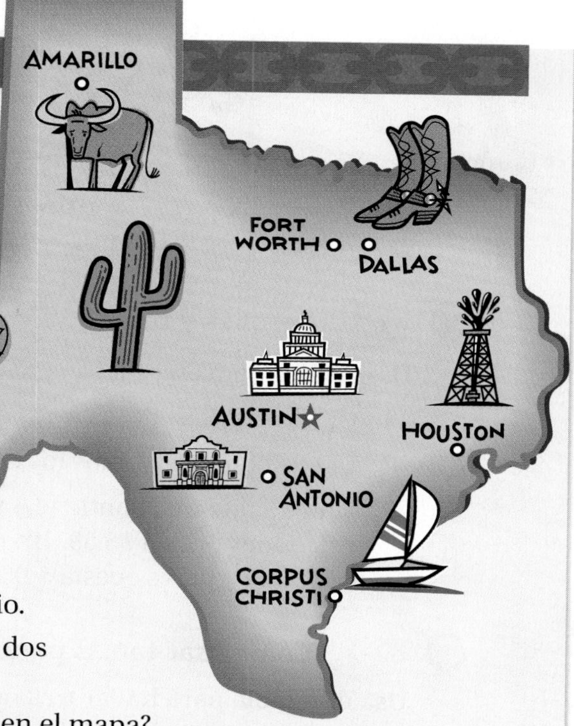

9. ¿Cuál es la distancia en kilómetros de Houston a Dallas?

10. ¿Cuál es la distancia en kilómetros de Corpus Christi a San Antonio?

11. Señala dos ciudades del mapa que estén a más de 200 kilómetros de distancia.

12. Wichita Falls está a unos 480 kilómetros de San Antonio.

a. ¿Aproximadamente a qué distancia deben estar las dos ciudades en el mapa?

b. ¿Qué más necesitas saber para ubicar Wichita Falls en el mapa?

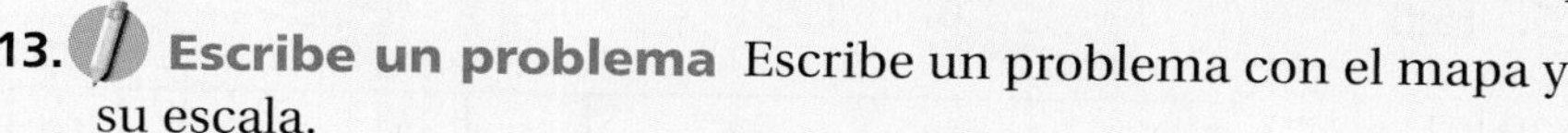

13. **Escribe un problema** Escribe un problema con el mapa y su escala.

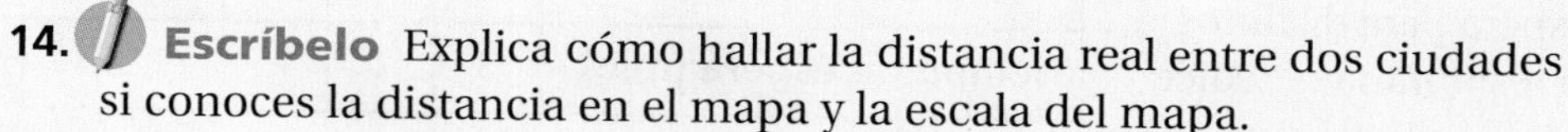

14. **Escríbelo** Explica cómo hallar la distancia real entre dos ciudades si conoces la distancia en el mapa y la escala del mapa.

15. **Desafío** Si conduces a una velocidad constante de 100 kilómetros por hora, ¿cuánto tardarás en conducir de Amarillo a San Antonio?

Preparación para el examen y repaso en espiral

16. **Opción múltiple** La distancia entre las ciudades A y C en el mapa es 13 centímetros. ¿Cuál es la distancia real entre las ciudades B y C?

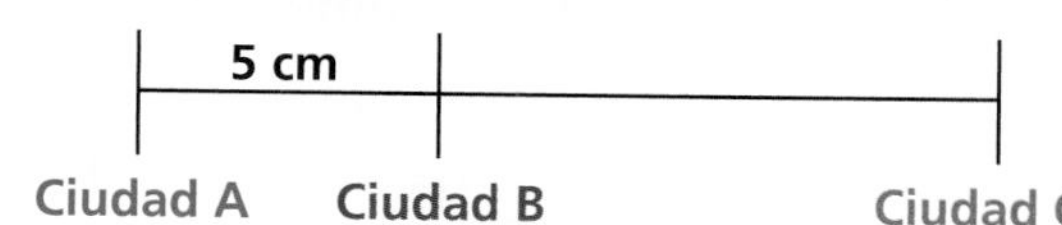

Ⓐ 0.27 kilómetros Ⓑ 150 kilómetros Ⓒ 240 kilómetros Ⓓ 390 kilómetros

17. **Respuesta gráfica** Tanya tiene un modelo de automóvil a escala de 1 pulg:32 pulg. La longitud del modelo de automóvil es 2 pulgadas. ¿Cuál es la longitud real del automóvil?

Halla cada suma o diferencia. (Lección 3-3)

18. $8.3 - 6.7$ **19.** $25.6 + 12.8$ **20.** $14 - 5.9$ **21.** $8.62 - 4.75$ **22.** $15.75 + 9.38$

Halla el valor que falta en cada proporción. (Lección 7-3)

23. $\frac{9}{15} = \frac{x}{5}$ **24.** $\frac{b}{20} = \frac{3}{15}$ **25.** $\frac{1}{7} = \frac{6}{k}$ **26.** $\frac{8}{3} = \frac{a}{9}$ **27.** $\frac{p}{4} = \frac{11}{44}$

SECCIÓN 7A

Prueba de las Lecciones 7-1 a 7-6

7-1 Razones y tasas

Usa la tabla para escribir cada razón.

Tipos de CD en la colección de música de Mark			
Clásica	4	Jazz	3
Country	9	Pop	14
Dance	8	Rock	10

1. CD de música clásica a CD de rock
2. CD de country a todos los CD
3. Un paquete que contiene 6 pares de calcetines cuesta \$6.89. Un paquete que contiene 4 pares cuesta \$4.64. ¿Cuál es la mejor compra?

7-2 Cómo usar tablas para explorar razones y tasas equivalentes

Usa una tabla para hallar tres razones equivalentes.

4. $\frac{21}{30}$
5. 15:6
6. 3 a 101
7. En la tabla se muestran los tiempos de espera para distintos grupos en un restaurante. Predice cuánto tendrá que esperar un grupo de 8 personas.

Personas en el grupo	1	2	5	7	10
Tiempo de espera (min)	3	6	15	21	30

7-3 Proporciones

Halla el valor que falta en cada proporción.

8. $\frac{1}{4} = \frac{n}{12}$
9. $\frac{3}{n} = \frac{15}{25}$
10. $\frac{n}{4} = \frac{18}{6}$
11. $\frac{10}{4} = \frac{5}{n}$

7-4 Figuras semejantes

12. Los dos triángulos son semejantes. Halla la longitud n que falta y la medida de $\angle R$.

6 cm, 70°, 3 cm, n, 30°; T, 24 cm, 12 cm, 80°, R, 22.8 cm, S

7-5 Medición indirecta

13. Un árbol proyecta una sombra de 18 pies. Al mismo tiempo, una persona de 5 pies de estatura proyecta una sombra de 3.6 pies. ¿Cuál es la altura del árbol?

7-6 Dibujos a escala y mapas

Usa el dibujo a escala y una regla métrica para responder a cada pregunta.

14. ¿Cuál es la longitud real de la cocina?
15. ¿Cuáles son la longitud y el ancho reales de la recámara 1?

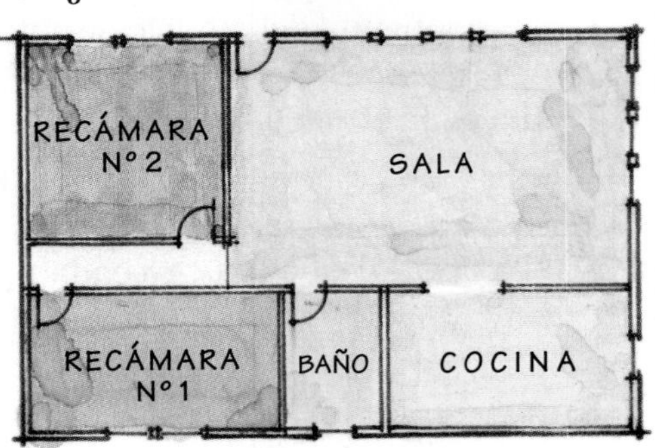

Escala: 1 cm:8 pies

Enfoque en resolución de problemas

Haz un plan

- **Estimar o hallar una respuesta exacta**

A veces sólo necesitas una estimación para resolver un problema, pero otras veces necesitas hallar la respuesta exacta.

Una forma de decidir si puedes estimar es ver si puedes escribir el problema usando *como máximo, por lo menos* o *aproximadamente.* Por ejemplo, supongamos que Laura tiene \$30. Entonces, puede gastar *como máximo* \$30. No tiene que gastar *exactamente* \$30. También, si sabes que tardas 15 minutos en llegar a la escuela, debes salir de casa *por lo menos* (pero no exactamente) 15 minutos antes de que comiencen las clases.

Lee los siguientes problemas. Decide si puedes estimar o si debes hallar la respuesta exacta. ¿Cómo lo sabes?

1. Alex es disc-jockey en una estación de radio. Hace una lista de canciones que no deben durar más de 30 minutos si se tocan una tras otra. En la tabla está su lista de canciones y sus duraciones. ¿Tiene Alex la cantidad correcta de música?

Título	Duración (min)
Color Me Blue	4.5
Hittin' the Road	7.2
Stand Up, Shout	2.6
Top Dog	3.6
Kelso Blues	4.3
Smile on Me	5.7
A Long Time Ago	6.4

2. Por cada 10 minutos de música, Alex debe poner 1.5 minutos de anuncios. Si Alex pone las canciones de la lista, ¿cuánto tiempo debe reservar para los anuncios?

3. Si Alex debe poner las canciones de la lista y los anuncios en 30 minutos, ¿cuánto tiempo de música debe cortar para poner anuncios?

Representar porcentajes

Para usar con la Lección 7-7

Un *porcentaje* muestra la razón de un número a 100. Puedes representar porcentajes usando una cuadrícula de 10 por 10 en papel cuadriculado.

Actividad

1 Representa 55% en una cuadrícula de 10 por 10.

Escribe 55% como razón para comparar entre 55 y 100.

$55\% = \frac{55}{100}$

Como hay 100 cuadrados en una cuadrícula de 10 × 10, sombrea 55 cuadrados.

$\frac{\text{cantidad de cuadrados sombreados}}{\text{cantidad total de cuadrados}} = \frac{55}{100} = 55\%$

El modelo representa 55%.

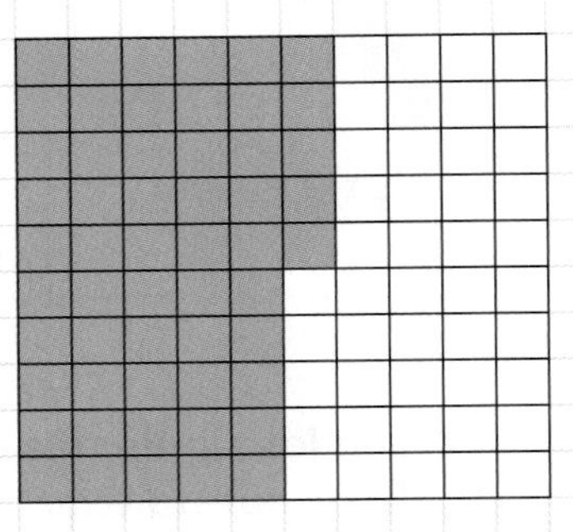

2 ¿Qué porcentaje de la cuadrícula A está sombreado?

Halla la cantidad de cuadrados sombreados en la cuadrícula A. Compárala con la cantidad total de cuadrados.

$\frac{\text{cantidad de cuadrados sombreados}}{\text{cantidad total de cuadrados}} = \frac{42}{100}$

Como 42 de los 100 cuadrados están sombreados, la cuadrícula representa 42%.

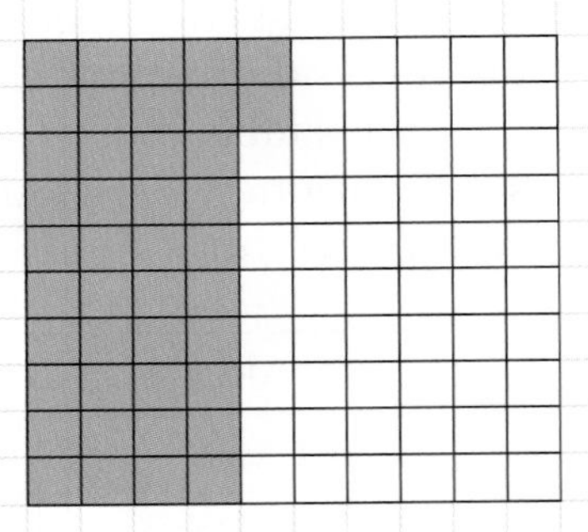

Cuadrícula A

Razonar y comentar

1. Sombrea $\frac{3}{4}$ de una cuadrícula de 10 por 10. ¿Qué porcentaje de la cuadrícula sombreaste? Explica.
2. ¿Cómo pueden ayudarte las razones equivalentes a hallar la respuesta a la pregunta **1**?
3. ¿Cómo harías un modelo de 105%? ¿Y de 0.5%? Explica tu respuesta.

Inténtalo

Representa cada porcentaje en una cuadrícula de 10 por 10.

1. 50% **2.** 68% **3.** 4% **4.** 91% **5.** 100%

7-7 Porcentajes

Aprender a escribir porcentajes como decimales y como fracciones

Vocabulario

porcentaje

La mayoría de los estados cobra un impuesto por los artículos que compras. El impuesto sobre la venta es un porcentaje del precio del artículo. Un **porcentaje** es una razón de un número a 100.

Recuerda que *porcentaje* significa "por cien". Por ejemplo 8% significa "8 por ciento" o bien "8 de cada 100".

Si la tasa del impuesto sobre la venta es del 8%, los siguientes enunciados son verdaderos:

Con una tasa de impuesto sobre la venta de 8%, el impuesto de la guitarra y el amplificador sería de $36.56.

- Por cada $1.00 que gastas, pagas $0.08 de impuesto sobre la venta.
- Por cada $10.00 que gastas, pagas $0.80 de impuesto sobre la venta.
- Por cada $100 que gastas, pagas $8 de impuesto sobre la venta.

Como *porcentaje* significa "por cien", 100% significa "100 de cada 100". Por eso se usa 100% para significar "todo" o "el total".

EJEMPLO 1 Representar porcentajes

Usa una cuadrícula de 10 por 10 cuadrados para representar 8%.

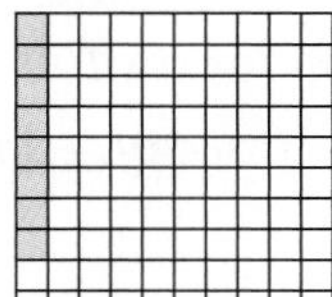

Una cuadrícula de 10 por 10 tiene 100 cuadrados.

8% significa "8 de cada 100" u $\frac{8}{100}$.

Sombrea 8 de los 100 cuadrados.

EJEMPLO 2 Escribir porcentajes como fracciones

Escribe 40% como una fracción en su mínima expresión.

$40\% = \frac{40}{100}$ *Escribe el porcentaje como una fracción con un denominador de 100.*

$\frac{40 \div 20}{100 \div 20} = \frac{2}{5}$ *Escribe la fracción en su mínima expresión.*

Como fracción, 40% es $\frac{2}{5}$.

EJEMPLO 3 *Aplicación a las ciencias biológicas*

Hasta el 55% del calor que pierde tu cuerpo se pierde por la cabeza. Escribe 55% como una fracción en su mínima expresión.

$55\% = \frac{55}{100}$ — *Escribe el porcentaje como una fracción con un denominador de 100.*

$\frac{55 \div 5}{100 \div 5} = \frac{11}{20}$ — *Escribe la fracción en su mínima expresión.*

Como fracción, 55% es $\frac{11}{20}$.

EJEMPLO 4 Escribir porcentajes como decimales

¡Recuerda!

Para dividir entre 100, mueve el punto decimal dos posiciones hacia la izquierda.

$24 \div 100 = 0.24$

Escribe 24% como decimal.

$24\% = \frac{24}{100}$ — *Escribe el porcentaje como una fracción con un denominador de 100.*

Escribe la fracción como decimal.

$$\begin{array}{r} 0.24 \\ 100\overline{)24.00} \\ -\underline{200} \\ 400 \\ -\underline{400} \\ 0 \end{array}$$

Como decimal, 24% es 0.24.

EJEMPLO 5 *Aplicación a las ciencias de la Tierra*

El agua congelada en los glaciares es casi el 75% del agua dulce del planeta. Escribe 75% como decimal.

$75\% = \frac{75}{100}$ — *Escribe el porcentaje como una fracción con un denominador de 100.*

$75 \div 100 = 0.75$ — *Escribe la fracción como decimal.*

Como decimal, 75% es 0.75.

Razonar y comentar

1. **Da un ejemplo** de una situación en la que hayas visto porcentajes.
2. **Indica** cuánto tendrías que pagar de impuesto sobre una compra de $1, $10 y $100 si la tasa de impuesto sobre la venta en tu estado es del 5%.
3. **Explica** cómo escribir un porcentaje como fracción.
4. **Escribe** 100% como decimal y como fracción.

7-7 Ejercicios

go.hrw.com
Ayuda en línea para tareas*
CLAVE: MR7 7-7
Recursos en línea para padres
CLAVE: MR7 Parent
*(Disponible sólo en inglés)

PRÁCTICA GUIADA

Ver Ejemplo 1
Usa una cuadrícula de 10 por 10 cuadrados para representar cada porcentaje.

1. 45% **2.** 3% **3.** 61%

Ver Ejemplo 2
Escribe cada porcentaje como una fracción en su mínima expresión.

4. 25% **5.** 80% **6.** 54%

Ver Ejemplo 3
7. Estudios sociales Belice es un país de América Central. De su territorio, 92% está compuesto por bosques y regiones arboladas. Escribe 92% como una fracción en su mínima expresión.

Ver Ejemplo 4
Escribe cada porcentaje como decimal.

8. 72% **9.** 4% **10.** 90%

Ver Ejemplo 5
11. En Estados Unidos, aproximadamente el 64% de las pistas de los aeropuertos no están pavimentadas. Escribe 64% como decimal.

PRÁCTICA INDEPENDIENTE

Ver Ejemplo 1
Usa una cuadrícula de 10 por 10 cuadrados para representar cada porcentaje.

12. 14% **13.** 98% **14.** 36% **15.** 28%

Ver Ejemplo 2
Escribe cada porcentaje como una fracción en su mínima expresión.

16. 20% **17.** 75% **18.** 11% **19.** 72%

20. 5% **21.** 64% **22.** 31% **23.** 85%

Ver Ejemplo 
24. Nikki debe responder correctamente al 80% de las preguntas de su examen final para aprobar el curso. Escribe 80% como una fracción en su mínima expresión.

Ver Ejemplo 4
Escribe cada porcentaje como decimal.

25. 44% **26.** 13% **27.** 29% **28.** 51%

29. 60% **30.** 92% **31.** 7% **32.** 87%

Ver Ejemplo 5
33. Brett faltó el 2% del año escolar. Escribe 2% como decimal.

PRÁCTICA Y RESOLUCIÓN DE PROBLEMAS

Práctica adicional
Ver página 727

Escribe cada porcentaje como una fracción en su mínima expresión y como decimal.

34. 23% **35.** 1% **36.** 49% **37.** 70% **38.** 10%

39. 37% **40.** 85% **41.** 8% **42.** 63% **43.** 75%

44. 94% **45.** 100% **46.** 0% **47.** 52% **48.** 12%

49. Haz un modelo de 15%, 52%, 71% y 100% en distintas cuadrículas de 10 por 10. Luego escribe cada porcentaje como una fracción en su mínima expresión.

con la música

Fuente: Scholastic Kid's Almanac para el siglo XXI

En la gráfica circular se muestra el porcentaje de estaciones de radio en el mundo que pasan cada género musical de la lista. Usa la gráfica para los Ejercicios del 50 al 57.

50. ¿Qué fracción de las estaciones de radio pasa música ligera? Escribe esta fracción en su mínima expresión.

51. Con una cuadrícula de 10 por 10 cuadrados, representa el porcentaje de estaciones que pasan música country. Luego, escribe el porcentaje como decimal.

52. ¿Qué género musical es $\frac{1}{20}$ de la gráfica?

53. Una persona leyó la gráfica y dijo: "Más de $\frac{1}{10}$ de las estaciones pasan el Top 40". ¿Estás de acuerdo con este enunciado? ¿Por qué?

54. Supongamos que conviertes todos los porcentajes de la gráfica en decimales y los sumas. Sin sumar, indica cual sería el resultado. Explica.

55. **Escribe un problema** Escribe una pregunta sobre la gráfica circular que contenga un cambio de porcentaje a fracción. Luego, responde a tu pregunta.

56. **Escríbelo** Compara el porcentaje de las estaciones que pasan canciones en español con la fracción $\frac{1}{6}$. Explica.

57. **Desafío** Señala una fracción que sea mayor que el porcentaje de estaciones que pasan canciones en español pero menor que el porcentaje de estaciones que pasan música urbana y rap.

PREPARACIÓN PARA EL EXAMEN y repaso en espiral

58. **Opción múltiple** ¿Qué decimal es equivalente a 85%?

(A) 85.0 (B) 8.5 (C) 0.85 (D) 0.085

59. **Opción múltiple** ¿Qué término describe un número comparado con 100?

(F) Tasa (G) Razón (H) Porcentaje (J) Proporción

Evalúa cada expresión. (Lección 1-4)

60. $45 \div 5 + 2 - 10$ **61.** $25 - 4 \times 2$ **62.** $18 - 7 \times 2 + 8$ **63.** $48 - 9 \times 3 - 11$

64. La torre Sears de Chicago proyecta una sombra de 580 pies. Al mismo tiempo, un chico de 5 pies de estatura proyecta una sombra de 2 pies. ¿Cuál es la altura de la torre Sears? (Lección 7-5)

7-8 Porcentajes, decimales y fracciones

Aprender a escribir decimales y fracciones como porcentajes

Los porcentajes, los decimales y las fracciones aparecen en los periódicos, la televisión e Internet. Para comprender bien los datos que ves en la vida diaria, debes ser capaz de cambiar de una forma numérica a otra.

Andrew Toos/Cartoon Resource.com

"Eh, sí, un aumento de la mitad de uno por ciento en tu mensualidad es bastante".

EJEMPLO 1 **Escribir decimales como porcentajes**

Escribe cada decimal como porcentaje.

Método 1: Usar el valor posicional

A **0.3**

$0.3 = \frac{3}{10}$ — *Escribe el decimal como fracción.*

$\frac{3 \cdot 10}{10 \cdot 10} = \frac{30}{100}$ — *Escribe una fracción equivalente con 100 como denominador.*

$\frac{30}{100} = 30\%$ — *Escribe el numerador con símbolo de porcentaje.*

B **0.43**

$0.43 = \frac{43}{100}$ — *Escribe el decimal como fracción.*

$\frac{43}{100} = 43\%$ — *Escribe el numerador con símbolo de porcentaje.*

Método 2: Multiplicar por 100

C **0.7431**

$0.7431 \cdot 100$ — *Multiplica por 100.*

74.31% — *Agrega el símbolo de porcentaje.*

D **0.023**

$0.023 \cdot 100$ — *Multiplica por 100.*

2.3% — *Agrega el símbolo de porcentaje.*

EJEMPLO 2 Escribir fracciones como porcentajes

Pista útil

Cuando el denominador es un factor de 100, es más fácil usar el método 1. Si el denominador no es un factor de 100, es más fácil usar el método 2.

Escribe cada fracción como porcentaje.

Método 1: Escribir una fracción equivalente con un denominador de 100

A $\frac{4}{5}$

$\frac{4 \cdot 20}{5 \cdot 20} = \frac{80}{100}$ *Escribe una fracción equivalente con un denominador de 100.*

$\frac{80}{100} = 80\%$ *Escribe el numerador con símbolo de porcentaje.*

Método 2: Usar la división para escribir la fracción como decimal

B $\frac{3}{8}$

$8\overline{)3.000}$ = 0.375 *Divide el numerador entre el denominador.*

$0.375 = 37.5\%$ *Multiplica por 100 moviendo el punto decimal dos posiciones a la derecha. Agrega el símbolo de porcentaje.*

EJEMPLO 3 *Aplicación a las ciencias de la Tierra*

Aproximadamente $\frac{39}{50}$ de la atmósfera terrestre se compone de nitrógeno. ¿Qué porcentaje aproximado de la atmósfera es nitrógeno?

$\frac{39}{50}$

$\frac{39 \cdot 2}{50 \cdot 2} = \frac{78}{100}$ *Escribe una fracción equivalente con un denominador de 100.*

$\frac{78}{100} = 78\%$ *Escribe el numerador con símbolo de porcentaje.*

Aproximadamente el 78% de la atmósfera se compone de nitrógeno.

Equivalencias comunes entre fracciones, decimales y porcentajes

Fracción	$\frac{1}{5}$	$\frac{1}{4}$	$\frac{1}{3}$	$\frac{2}{5}$	$\frac{1}{2}$	$\frac{3}{5}$	$\frac{2}{3}$	$\frac{3}{4}$	$\frac{4}{5}$
Decimal	0.2	0.25	$0.\overline{3}$	0.4	0.5	0.6	$0.\overline{6}$	0.75	0.8
Porcentaje	20%	25%	$33.\overline{3}\%$	40%	50%	60%	$66.\overline{6}\%$	75%	80%

Razonar y comentar

1. **Indica** qué método prefieres para convertir decimales en porcentajes: usar fracciones equivalentes o multiplicar por 100. ¿Por qué?
2. **Da** dos maneras diferentes de escribir tres décimas.
3. **Explica** cómo escribir fracciones como porcentajes con dos métodos diferentes.

7-8 Ejercicios

go.hrw.com
Ayuda en línea para tareas*
CLAVE: MR7 7-8
Recursos en línea para padres
CLAVE: MR7 Parent
*(Disponible sólo en inglés)

PRÁCTICA GUIADA

Ver Ejemplo 1  **Escribe cada decimal como porcentaje.**

1. 0.39 **2.** 0.125 **3.** 0.8 **4.** 0.112

Ver Ejemplo 2 **Escribe cada fracción como porcentaje.**

5. $\frac{11}{25}$ **6.** $\frac{7}{8}$ **7.** $\frac{7}{10}$ **8.** $\frac{1}{2}$ **9.** $\frac{g}{15}$

Ver Ejemplo 3 

10. Patti gastó $\frac{3}{4}$ de su mensualidad en una nueva mochila. ¿Qué porcentaje de su mensualidad gastó?

PRÁCTICA INDEPENDIENTE

Ver Ejemplo 1  **Escribe cada decimal como porcentaje.**

11. 0.6 **12.** 0.55 **13.** 0.34 **14.** 0.308 **15.** 0.62

Ver Ejemplo 2 **Escribe cada fracción como porcentaje.**

16. $\frac{3}{5}$ **17.** $\frac{3}{10}$ **18.** $\frac{24}{25}$ **19.** $\frac{9}{20}$ **20.** $\frac{17}{20}$

21. $\frac{1}{8}$ **22.** $\frac{11}{16}$ **23.** $\frac{37}{50}$ **24.** $\frac{2}{5}$ **25.** $\frac{18}{45}$

Ver Ejemplo 3

26. Aproximadamente $\frac{1}{125}$ de los habitantes de Estados Unidos tienen el apellido *Johnson.* ¿Qué porcentaje de los habitantes tienen este apellido?

PRÁCTICA Y RESOLUCIÓN DE PROBLEMAS

Práctica adicional
Ver página 727

Escribe cada decimal como porcentaje y como fracción.

27. 0.04 **28.** 0.32 **29.** 0.45 **30.** 0.59 **31.** 0.01

32. 0.81 **33.** 0.6 **34.** 0.39 **35.** 0.14 **36.** 0.62

Escribe cada fracción como porcentaje y como decimal. Redondea a la centésima más cercana si es necesario.

37. $\frac{4}{5}$ **38.** $\frac{1}{3}$ **39.** $\frac{5}{6}$ **40.** $\frac{7}{12}$ **41.** $\frac{17}{50}$

42. $\frac{2}{30}$ **43.** $\frac{1}{25}$ **44.** $\frac{8}{11}$ **45.** $\frac{4}{15}$ **46.** $\frac{22}{35}$

Compara. Escribe $<$, $>$ ó $=$.

47. 70% ■ $\frac{3}{4}$ **48.** $\frac{5}{8}$ ■ 6.25% **49.** 0.2 ■ $\frac{1}{5}$ **50.** 1.25 ■ $\frac{1}{8}$

51. 0.7 ■ 7% **52.** $\frac{9}{10}$ ■ 0.3 **53.** 37% ■ $\frac{3}{7}$ **54.** $\frac{17}{20}$ ■ 0.85

55. Artes del lenguaje La palabra más larga en todas las obras teatrales de Shakespeare es *honorificabilitudinitatibus.* ¿Aproximadamente qué porcentaje de las letras de esta palabra son vocales? ¿Aproximadamente qué porcentaje de las letras son consonantes?

Ordena los números de menor a mayor.

56. 45%, $\frac{21}{50}$, 0.43 **57.** $\frac{7}{8}$, 90%, 0.098 **58.** 0.7, 26%, $\frac{1}{4}$

59. 38%, $\frac{7}{25}$, 0.21 **60.** $\frac{9}{20}$, 14%, 0.125 **61.** 0.605, 17%, $\frac{5}{9}$

CONEXIÓN

Entretenimiento

En esta foto de 1953 se muestra una de las primeras cámaras de televisión a color.

go.hrw.com
¡Web Extra!
CLAVE: MR7 TV

62. Entretenimiento Aproximadamente 97 millones de hogares estadounidenses tienen por lo menos un televisor. Usa la tabla para responder a las siguientes preguntas.

Televisión en Estados Unidos	
Fracción de hogares con por lo menos un televisor	$\frac{49}{50}$
Porcentaje de hogares con tres televisores	38%
Fracción de personas con servicio de cable básico	$\frac{2}{3}$

a. ¿Qué porcentaje aproximado de personas tienen servicio de cable básico?

b. Escribe un decimal que exprese el porcentaje de personas que tienen tres televisores.

63. Varios pasos Un representante de una compañía discográfica calcula que 3 de cada 100 discos se convierten en éxitos. ¿Qué porcentaje de discos no se convierten en éxitos?

64. ¿Cuál es la pregunta? De 25 estudiantes, 12 prefieren presentar su examen el lunes y 5 prefieren el martes. La respuesta es 32%. ¿Cuál es la pregunta?

65. Escríbelo Explica por qué 0.8 es igual a 80% y no a 8%.

66. Desafío Las dimensiones de un rectángulo son 0.5 yardas y 24% de una yarda. ¿Cuál es el área del rectángulo? Escribe tu respuesta como una fracción en su mínima expresión.

Preparación Para El Examen y repaso en espiral

67. Opción múltiple ¿Qué expresión NO es igual a la mitad de n?

Ⓐ $0.5n$ Ⓑ $\frac{n}{2}$ Ⓒ $n \div 2$ Ⓓ 5% de n

68. Opción múltiple Aproximadamente $\frac{2}{3}$ de los propietarios de casas de EE.UU. tienen teléfono celular. ¿Qué porcentaje de propietarios NO tienen teléfono celular?

Ⓕ 0.67% Ⓖ 2.3% Ⓗ 33.3% Ⓙ 66.7%

Suma o resta. Escribe cada respuesta en su mínima expresión. (Lección 5-2)

69. $\frac{1}{2} + \frac{3}{4}$ **70.** $\frac{2}{3} - \frac{1}{5}$ **71.** $\frac{2}{5} + \frac{1}{2}$ **72.** $\frac{8}{9} - \frac{1}{6}$

La escala del plano de una casa es 2 pulg:3 pies. Usa la escala para determinar las longitudes reales relacionadas. (Lección 7-6)

73. longitud del porche: 2 pulg **74.** pared del dormitorio: 5 pulg **75.** ventana: 1.5 pulg

Convertir porcentajes, decimales y fracciones

Para usar con la Lección 7-8

Puedes usar tu calculadora para convertir rápidamente porcentajes, decimales y fracciones.

MATH NUM CPX PRB
1:▸Frac
2:▸Dec
3:³
4:³√(
5:ˣ√
6:fMin(
7↓fMax(

Actividad

1 Para escribir un decimal como fracción en una calculadora de gráficas, usa el comando **FRAC** en el menú **MATH**.

Halla la fracción equivalente a 0.225 oprimiendo 0.225 MATH 1 ENTER.

2 Para escribir un porcentaje como fracción, primero escribe el porcentaje como una fracción con un denominador de 100. Luego, usa el comando **FRAC** para hallar la mínima expresión de la fracción.

Halla la fracción equivalente a 65% oprimiendo 65 ÷ 100 MATH 1 ENTER.

3 Para escribir una fracción como porcentaje, multiplica la fracción por 100.

Halla el porcentaje equivalente a $\frac{11}{25}$ oprimiendo 11 ÷ 25 × 100 ENTER.

$\frac{11}{25} = 44\%$

Razonar y comentar

1. Usa el comando **FRAC** de una calculadora de gráficas para hallar la fracción equivalente a 0.1428571429 oprimiendo 0.1428571429 MATH 1 ENTER. Describe lo que pasa.

Inténtalo

Escribe cada porcentaje como fracción.

1. 57.5% **2.** 32.5% **3.** 3.25% **4.** 1.65% **5.** 81.25%

Escribe cada fracción como porcentaje.

6. $\frac{7}{40}$ **7.** $\frac{3}{8}$ **8.** $\frac{19}{25}$ **9.** $\frac{3}{16}$ **10.** $\frac{17}{20}$

7-9 Problemas de porcentaje

Aprender a hallar el valor que falta en un problema de porcentaje

El puesto de helados de yogur del centro comercial vende 420 helados al día en promedio. Cuarenta y cinco por ciento de los helados se venden a adolescentes. En promedio, ¿cuántos helados se venden a adolescentes por día?

Para responder a la pregunta, necesitas hallar el 45% de 420.

Para hallar el porcentaje que un número es de otro, usa esta proporción:

$$\frac{\%}{100} = \frac{\text{es}}{\text{de}}$$

Como buscas el **45% de 420**, 45 sustituye al **signo de porcentaje** y 420 sustituye a **"de"**. El primer denominador, 100, siempre es el mismo. La parte "es" representa lo que se te pide hallar.

EJEMPLO 1 *Aplicación a matemáticas para el consumidor*

¿Cuantos helados de yogur se venden a adolescentes por día?

Primero estima tu respuesta. Razona: $45\% = \frac{45}{100}$, que se aproxima a $\frac{50}{100}$ ó $\frac{1}{2}$. Por lo tanto, aproximadamente $\frac{1}{2}$ de 420 helados de yogur se venden a adolescentes.

$\frac{1}{2} \cdot 420 = 210$ ← *Ésta es la estimación.*

Ahora resuelve:

$\frac{45}{100} = \frac{y}{420}$	*Sea y el número de helados de yogur vendidos a adolescentes.*
$100 \cdot y = 45 \cdot 420$	*Los productos cruzados son iguales.*
$100y = 18{,}900$	*Se multiplica y por 100.*
$\frac{100y}{100} = \frac{18{,}900}{100}$	*Divide ambos lados de la ecuación entre 100 para cancelar la multiplicación.*
$y = 189$	

Como 189 se aproxima a tu estimación de 210, 189 es una respuesta razonable. Se venden aproximadamente 189 helados de yogur por día a adolescentes.

Pista útil

Razona: "¿45 de 100 equivale a cuánto de 420?".

EJEMPLO 2 *Aplicación a la tecnología*

Heather descarga un archivo de Internet. Hasta este momento, ha descargado 75%. Si pasaron 30 minutos desde que comenzó la descarga, ¿cuánto tardará en descargar el resto del archivo?

$\frac{\%}{100} = \frac{\text{es}}{\text{de}}$

$\frac{75}{100} = \frac{30}{m}$ *Se ha descargado 75% del archivo, por lo tanto, 30 minutos **son** 75% **del** tiempo total necesario.*

$100 \cdot 30 = 75 \cdot m$ *Los productos cruzados son iguales.*

$3{,}000 = 75m$ *Se multiplica m por 75.*

$\frac{3{,}000}{75} = \frac{75m}{75}$ *Divide ambos lados entre 75 para cancelar la multiplicación.*

$40 = m$

El tiempo necesario para descargar todo el archivo es 40 minutos. Hasta este momento, se ha descargado durante 30 minutos. Como $40 - 30 = 10$, el resto del archivo se descargará en 10 minutos.

En lugar de usar proporciones, también puedes multiplicar para hallar el porcentaje de un número.

EJEMPLO  Multiplicar para hallar el porcentaje de un número

Halla el 20% de 150.

$20\% = 0.20$ *Escribe el porcentaje como decimal.*

$0.20 \cdot 150$ *Multiplica con el decimal.*

30

Por lo tanto, el 20% de 150 es 30.

Comprueba

Usa un modelo para comprobar la respuesta.

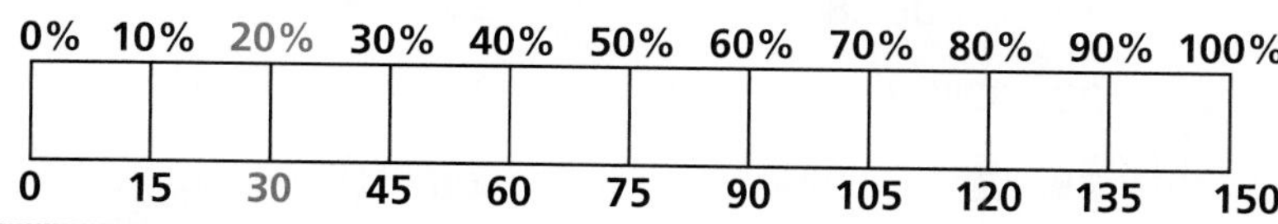

Razonar y comentar

1. **Explica** por qué debes restar 30 de 40 en el Ejemplo 2.
2. **Da un ejemplo** de una ocasión en que necesitarías hallar el porcentaje de un número.

7-9 Ejercicios

*(Disponible sólo en inglés)

PRÁCTICA GUIADA

Ver Ejemplo 

1. Los miembros de un club teatral vendieron camisetas para su próxima obra musical. De las 80 camisetas que vendieron, 55% eran de talla mediana. ¿Cuántas camisetas eran de talla mediana?

Ver Ejemplo 

2. Loni leyó 25% de un libro. Si leyó durante 5 horas, ¿cuántas horas más tardará en terminar su libro?

Ver Ejemplo 

3. Halla el 12% de 56.
4. Halla el 65% de 240.
5. Halla el 2% de 20.
6. Halla el 85% de 115.
7. Halla el 70% de 54.
8. Halla el 85% de 355.

PRÁCTICA INDEPENDIENTE

Ver Ejemplo 

9. Tamara colecciona muñecas de porcelana. De las 24 muñecas que tiene, 25% son rubias. ¿Cuántas muñecas rubias tiene?
10. El señor Green tiene un jardín. De las 40 semillas que plantó, 35% eran de verduras. ¿Cuántas semillas de verduras plantó?

Ver Ejemplo 

11. Kevin podó 40% del césped. Si ha podado durante 20 minutos, ¿cuánto tardará en podar el resto del césped?
12. Maggie encargó una pintura. Pagó 30% del costo total al encargarla y pagará el resto cuando la reciba. Si pagó 15 dólares, ¿cuánto debe aún?

Ver Ejemplo 

13. Halla el 22% de 130.
14. Halla el 78% de 350.
15. Halla el 28% de 65.
16. Halla el 9% de 50.
17. Halla el 45% de 210.
18. Halla el 54% de 602.

PRÁCTICA Y RESOLUCIÓN DE PROBLEMAS

Práctica adicional
Ver página 727

Halla el porcentaje de cada número.

19. 6% de 38
20. 20% de 182
21. 13% de 40
22. 32% de 205
23. 14% de 88
24. 98% de 105
25. 78% de 52
26. 31% de 345
27. 62% de 50
28. 10% de 50
29. 1.5% de 800
30. 0.3% de 9
31. **Geometría** El ancho de una recámara rectangular es el 75% de su largo. La longitud de la recámara es 12 pies.
    a. ¿Cuál es el ancho de la recámara?
    b. El área de un rectángulo es el producto de la longitud por el ancho. ¿Cuál es el área de la recámara?
32. **Varios pasos** Marissa sale de compras y encuentra un exhibidor con artículos que están un 25% rebajados. Si le gusta una camisa que originalmente costaba $15, ¿cuánto pagará por la camisa antes de deducir los impuestos?

Algún día harás todas tus tareas en una computadora si tu escuela se vuelve digital, como la de la foto.

33. **Química** La glucosa es una clase de azúcar. Una molécula de glucosa está compuesta por 24 átomos. Los átomos de hidrógeno suman 50% de la molécula, los de carbono forman 25% y los de oxígeno, otro 25%. ¿Cuántos átomos de cada elemento hay en una molécula de glucosa?

34. **Tecnología** En una encuesta escolar, se preguntó a los estudiantes para qué usaban su computadora. En la gráfica circular se muestran los resultados.

a. Si hay 850 estudiantes en la escuela, ¿cuántos dedicaron la mayor parte de su tiempo en la computadora al correo electrónico?

b. Cincuenta y un estudiantes seleccionaron “Otros”. ¿Qué porcentaje representan?

c. ¿Qué opciones eligieron más de 200 estudiantes?

d. ¿Por cuántos estudiantes sobrepasan los que eligieron Internet a los que eligieron los juegos?

35 **¿Dónde está el error?** Para hallar el 80% de 130, un estudiante escribió la proporción $\frac{80}{100} = \frac{130}{x}$. Explica el error. Escribe la proporción correcta y halla el valor que falta.

36. **Escríbelo** Supongamos que se te pidió hallar el 48% de 300 y tu respuesta fue 6.25. ¿Es una respuesta razonable? ¿Cómo lo sabes? ¿Cuál es la respuesta correcta?

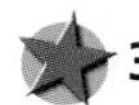

37. **Desafío** La señora Peterson hace figuras de cerámica. Acaba de hacer 25 figuras, de las cuales 16 son animales. ¿Qué porcentaje de las figuras NO son animales?

PREPARACIÓN PARA EL EXAMEN y repaso en espiral

38. **Opción múltiple** ¿Cuál de las siguientes cantidades es mayor?

Ⓐ 45% de 200 Ⓑ 50% de 150 Ⓒ 60% de 190 Ⓓ 100% de 110

39. **Respuesta breve** Si Sara compra 8 revistas de deportes y 12 revistas de salud que están en oferta, ¿cuánto ahorrará comparado con el precio normal? Explica.

Tipo de revista	Precio original	Oferta
Deportes	8 por $60	Ahorra 60%
Salud	12 por $72	Ahorra 30%

Escribe cada decimal como fracción o número mixto. (Lección 4-4)

40. 0.25 **41.** 0.78 **42.** 1.4 **43.** 0.99 **44.** 5.36

45. Aproximadamente $\frac{7}{8}$ de las flores del jardín de Mónica son bocas de dragón. ¿Qué porcentaje de las flores del jardín son bocas de dragón? (Lección 7-8)

7-10 Cómo usar porcentajes

Aprender a resolver problemas de porcentaje con descuentos, propinas e impuesto sobre la venta

Vocabulario

descuento

propina

impuesto sobre la venta

En la vida diaria surgen con frecuencia los porcentajes. Piensa en ejemplos que hayas visto de porcentajes: ventas en tiendas, propinas en restaurantes e impuestos sobre la venta. Puedes estimar porcentajes como éstos para hallar cantidades de dinero.

Usos comunes de los porcentajes	
Descuentos	Un **descuento** es una cantidad que se resta del precio regular de un artículo. descuento = precio • tasa de descuento costo total = precio − descuento
Propinas	Una **propina** es una cantidad que se suma a la cuenta por un servicio. propina = cuenta • tasa de propina costo total = cuenta + propina
Impuesto sobre la venta	El **impuesto sobre la venta** es una cantidad que se suma al precio de un artículo. impuesto = precio • tasa de impuesto costo total = precio + impuesto

EJEMPLO 1 Hallar descuentos

En una tienda de música hay un letrero que dice "10% de descuento sobre el precio regular". Si Nichole quiere comprar un disco compacto cuyo precio regular es $14.99, ¿aproximadamente cuánto pagará por el disco con el descuento?

Paso 1: Primero se redondea $14.99 a $15.

Paso 2: Halla el 10% de $15 multiplicando 0.10 • $15. (*Pista:* Un método rápido consiste en mover el punto decimal una posición a la izquierda).

10% de $15 = 0.10 • $15 = $1.50

El descuento aproximado es $1.50. Resta esta cantidad de $15.00 para estimar el costo del disco compacto.

$15.00 − $1.50 = $13.50

Nichole pagará aproximadamente 13.50 por el disco compacto.

¡Recuerda!

Para multiplicar por 0.10, mueve el punto decimal una posición hacia la izquierda.

Al estimar porcentajes, usa porcentajes que puedas calcular mentalmente.

- Puedes hallar el 10% de un número al mover el punto decimal una posición hacia la izquierda.
- Puedes hallar el 1% de un número al mover el punto decimal dos posiciones hacia la izquierda.
- Puedes hallar el 5% de un número al hallar la mitad del 10% del número.

EJEMPLO 2 Hallar propinas

La cuenta del almuerzo de Leslie es $13.95. Quiere dejar una propina del 15%. ¿Aproximadamente cuánto debe dejar de propina?

Paso 1: Primero redondea $13.95 a $14.

Paso 2: Razona: 15% = 10% + 5%

10% de $14 = 0.10 · $14 = $1.40

Paso 3: 5% = 10% ÷ 2

= $1.40 ÷ 2 = $0.70

Paso 4: 15% = 10% + 5%

= $1.40 + $0.70 = $2.10

Leslie debe dejar aproximadamente $2.10 de propina.

EJEMPLO 3 Hallar el impuesto sobre la venta

Marc compra un escúter de $79.65. El impuesto sobre la venta es del 6%. ¿Aproximadamente cuál será el costo total del escúter?

Paso 1: Primero redondea $79.65 a $80.

Paso 2: Razona: 6% = 6 · 1%

1% de $80 = 0.01 · $80 = $0.80

Paso 3: 6% = 6 · 1%

= 6 · $0.80 = $4.80

El impuesto sobre la venta aproximado es $4.80. Suma esta cantidad a $80 para estimar el costo total del escúter.

$80 + $4.80 = $84.80

Marc pagará aproximadamente $84.80 por el escúter.

Razonar y comentar

1. **Indica** cuándo sería útil estimar el porcentaje de un número.
2. **Explica** cómo estimar para hallar el impuesto sobre la venta de un artículo.

7-10 Ejercicios

go.hrw.com
Ayuda en línea para tareas*
CLAVE: MR7 7-10
Recursos en línea para padres
CLAVE: MR7 Parent
*(Disponible sólo en inglés)

PRÁCTICA GUIADA

Ver Ejemplo 

1. Norine quiere comprar un collar de cuentas que está en oferta con un 10% de descuento sobre el precio marcado. Si el precio marcado es $8.49, ¿aproximadamente cuánto costará el collar con descuento?

Ver Ejemplo 

2. Alice y Wagner pidieron pizza a domicilio. La cuenta total fue $12.15. Quieren darle al repartidor una propina del 20% de la cuenta. ¿De cuánto debe ser la propina?

Ver Ejemplo 

3. Una bicicleta cuesta $139.75. El impuesto sobre la venta es del 8%. ¿Aproximadamente cuál será el costo total de la bicicleta?

PRÁCTICA INDEPENDIENTE

Ver Ejemplo 

4. Peter tiene un cupón de 15% de descuento en el precio de cualquier artículo en una tienda de artículos deportivos. Quiere comprar un par de tenis de $36.99. ¿Aproximadamente cuánto costarán con el descuento?
5. Todos los DVD tienen un descuento del 25% sobre el precio original. El DVD que Marissa quiere comprar tiene un precio original de $24.98. ¿Aproximadamente cuánto costará el DVD con el descuento?

Ver Ejemplo 

6. El desayuno de Michael costó $7.65. Quiere dejar una propina del 15% de la cuenta. ¿Aproximadamente cuánto debe dejar de propina?
7. Betty y su familia salieron a cenar. La cuenta fue de $73.82. Los padres de Betty dejaron una propina del 15% de la cuenta. ¿Aproximadamente cuánto dejaron?

Ver Ejemplo 

8. Un juego de computadora cuesta $36.85. El impuesto sobre la venta es del 6%. ¿Aproximadamente cuál será el costo total del juego?
9. Irene compra comida para una fiesta. El costo de la comida es $52.75. El impuesto sobre la venta es del 5%. ¿Aproximadamente cuál será el costo total de la comida para su fiesta?

PRÁCTICA Y RESOLUCIÓN DE PROBLEMAS

Práctica adicional
Ver página 727

10. **Varios pasos** Lenny, Robert y Katrina salieron a almorzar juntos. Los platillos que ordenaron están en el recibo. La tasa del impuesto sobre la venta fue del 7% y dejaron una propina del 15% del total de la cuenta. ¿Cuánto gastaron en total los tres amigos?

**** Gracias ****	
Sándwich de pollo - 1	$5.95
Hamburguesa - 1	$4.75
Sándwich de rosbif - 1	$7.35
Leche - 2	$2.40
Té helado - 1	$1.89

11. Jackie tiene $32.50 para comprar unos pantalones nuevos. Los pantalones que le gustan cuestan $38, pero una nota dice "20% de descuento sobre el precio de venta". El impuesto sobre la venta es del 5%. ¿Tiene Jackie suficiente dinero para comprar los pantalones? Explica tu respuesta.

12. Evan compra una bicicleta que tiene una rebaja del 20% con respecto a su precio original de \$95. Su hermano Kyle compra la misma bicicleta con un 15% de descuento sobre un precio original de \$90. ¿Quién pagó más? Explica.

13. **Varios pasos** Una tienda de aparatos electrónicos va a cerrar. El anuncio de la puerta dice: "Todos los artículos con 60% de descuento sobre el precio de venta". Una computadora tiene un precio de \$649 y una impresora tiene un precio de \$199. ¿Cuánto cuestan los dos artículos con el descuento?

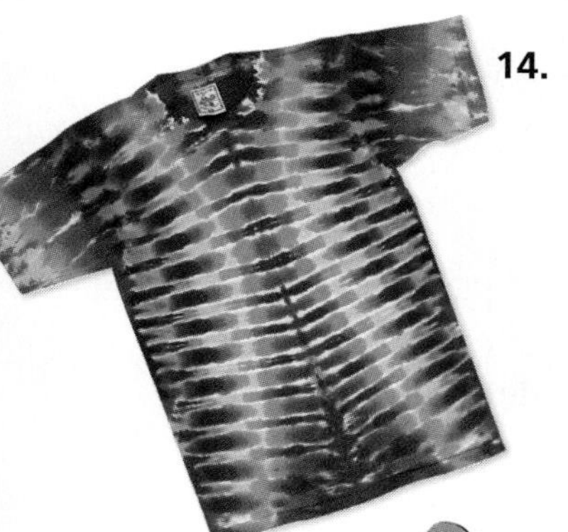

14. **Estudios sociales** Usa la tabla.

Estado	Tasa de impuesto
Georgia	4%
Kentucky	6%
Nueva York	4%
Carolina del Norte	4.5%

   a. Una camisa cuesta \$18.95. ¿Cuesta más con impuestos en Georgia o en Kentucky? ¿Aproximadamente cuánto más?

   b. Un videojuego en Carolina del Norte cuesta \$59.75. El mismo videojuego cuesta \$60 en Nueva York. Después del impuesto sobre la venta, ¿en qué estado cuesta menos el video? ¿Cuánto menos?

15. **¿Dónde está el error?** El precio original de un artículo era de \$48.65. El artículo tenía un descuento del 40%. Un cliente calculó que el precio con el descuento sería de \$19.46. ¿Dónde está el error? Da el precio correcto con el descuento.

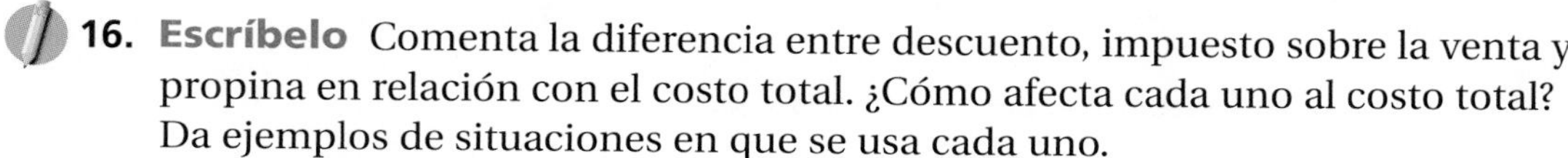

16. **Escríbelo** Comenta la diferencia entre descuento, impuesto sobre la venta y propina en relación con el costo total. ¿Cómo afecta cada uno al costo total? Da ejemplos de situaciones en que se usa cada uno.

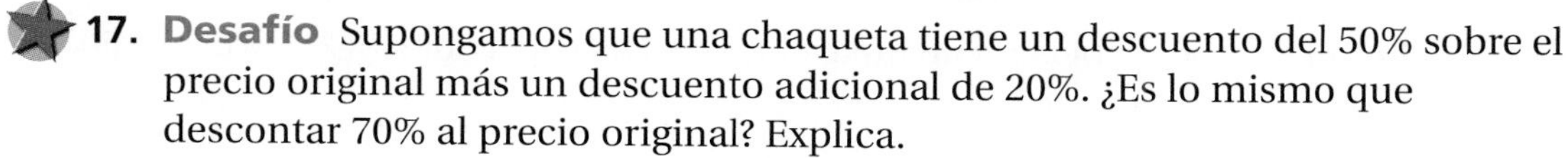

17. **Desafío** Supongamos que una chaqueta tiene un descuento del 50% sobre el precio original más un descuento adicional de 20%. ¿Es lo mismo que descontar 70% al precio original? Explica.

PREPARACIÓN PARA EL EXAMEN y repaso en espiral

18. **Opción múltiple** Electric City ofrece un descuento del 20% en todas las radios. A Pedro le gustaría comprar una que originalmente tenía un precio de \$36.50. ¿Cuál es el costo total después del descuento?

Ⓐ \$7.30 Ⓑ \$16.50 Ⓒ \$29.20 Ⓓ \$36.70

19. **Respuesta desarrollada** Ann está investigando el precio de un CD. En Music Place, el CD que ella quiere valía originalmente \$15.96, pero tiene un descuento del 25%. En Awesome Sound, el precio original del CD era de \$12.99, pero tiene un 10% de descuento. ¿Cuál es el precio de oferta de cada CD? ¿Cuál es la mejor compra? Explica.

Determina si el valor que se da para la variable es una solución. (Lección 2-4)

20. $2x + 3 = 10$ para $x = 4$ 21. $5(b - 3) = 25$ para $b = 8$ 22. $18 = 3a - 9$ para $a = 3$

Halla el 20% de cada número. (Lección 7-9)

23. 15 24. 50 25. 65 26. 200 27. 3,000

¿LISTO PARA SEGUIR?

SECCIÓN 7B

Prueba de las Lecciones 7-7 a 7-10

7-7 Porcentajes

Escribe cada porcentaje como una fracción en su mínima expresión.

1. 60% 2. 15% 3. 75%

Escribe cada porcentaje como decimal.

4. 34% 5. 77% 6. 6%

7. Aproximadamente el 71% de la superficie de la Tierra está cubierta de agua. Escribe 71% como un decimal.

7-8 Porcentajes, decimales y fracciones

Escribe cada fracción como porcentaje.

8. $\frac{9}{20}$ 9. $\frac{2}{3}$ 10. $\frac{21}{50}$

Escribe cada decimal como porcentaje.

11. 0.28 12. 0.9 13. 0.02

14. El equipo de béisbol de Mike ganó $\frac{17}{20}$ de sus partidos. ¿Qué porcentaje de los partidos ganó?

¿Listo para seguir?

7-9 Problemas de porcentaje

Usa la gráfica circular para los Problemas 15 y 16.

En una encuesta, se preguntó a 300 estudiantes cómo se comunican con sus amigos.

15. ¿Cuántos estudiantes dijeron que usan mensajes de texto?
16. ¿Cuántos estudiantes dijeron que usan un teléfono celular?
17. Halla el 40% de 80.
18. Halla el 5% de 30.

7-10 Cómo usar porcentajes

19. Max y Dan piden una pizza. La cuenta total es $11.60. Si le dan a la persona que la entrega una propina del 20% de la cuenta, ¿de cuánto es la propina?
20. Mia quiere comprar un cartel que tiene una rebaja del 10% con respecto a su precio normal. Si el precio normal es $15.99, ¿aproximadamente cuánto costará el cartel con el descuento?

PREPARACIÓN DE VARIOS PASOS PARA EL EXAMEN

La receta secreta En la siguiente gráfica se muestran los ingredientes de la famosa "Limonada a la antigua" de Sal.

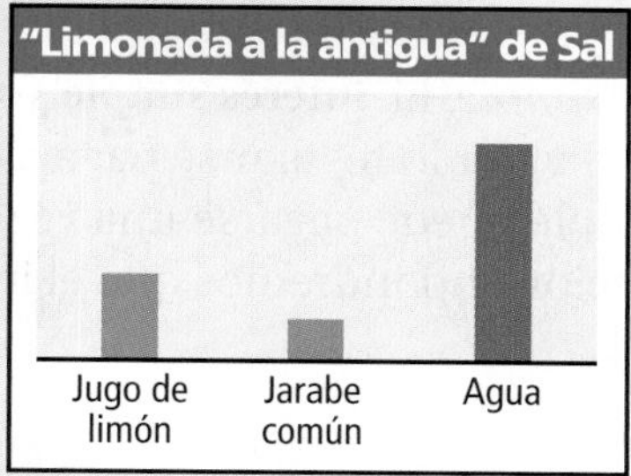

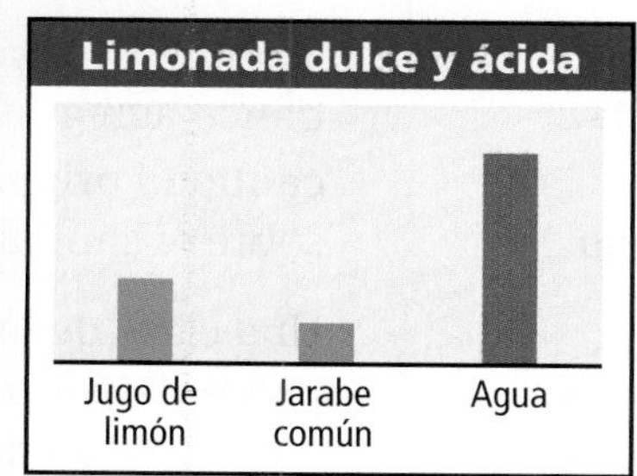

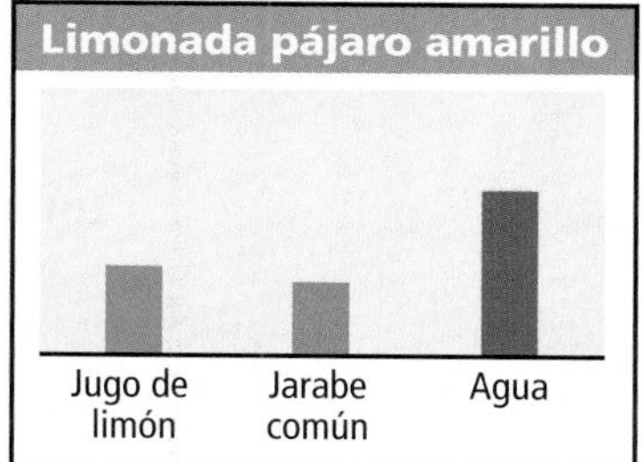

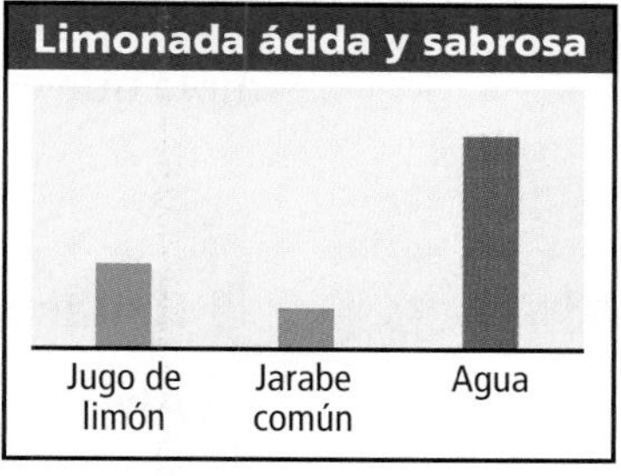

La "Limonada a la antigua" de Sal es tan popular que muchos han tratado de copiar la receta. En las gráficas de la derecha se muestran los intentos de algunos competidores por copiar su receta. Todas las gráficas de barras se trazaron con la misma escala.

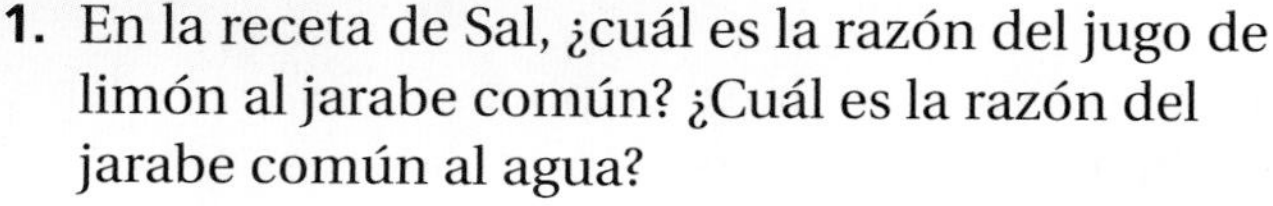

1. En la receta de Sal, ¿cuál es la razón del jugo de limón al jarabe común? ¿Cuál es la razón del jarabe común al agua?
2. ¿Cuánto jarabe común tendrías que usar para hacer una partida de la receta de Sal con 16 onzas de jugo de limón?
3. ¿Cuál de las recetas de los competidores tiene un sabor idéntico a la de Sal? Explica.
4. Sal se sirvió una taza de su limonada. ¿Qué parte de su vaso es jugo de limón, en onzas? ¿Jarabe común? ¿Agua? Explica. (*Pista:* 1 taza = 8 onzas)
5. ¿Qué fracción de la "Limonada a la antigua" de Sal es jugo de limón? Muestra cómo escribirlo en forma de porcentaje.

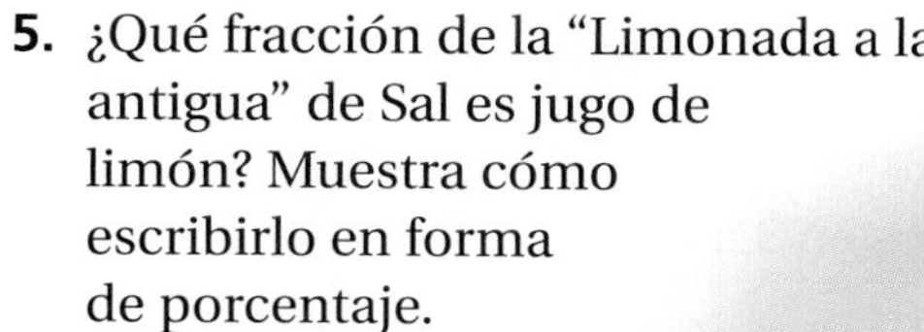

EXTENSIÓN Interés simple

Aprender a hallar el interés simple

Vocabulario

interés

capital

interés simple

Cuando depositas dinero en una cuenta de ahorros, ganas dinero que el banco agrega a tu cuenta. Este dinero adicional se llama **interés.** La cantidad original de la cuenta es el **capital.** El interés es un porcentaje sobre el capital.

Una clase de interés es el *interés simple.* El **interés simple** es un porcentaje fijo del capital original y por lo regular se paga a determinado plazo. Por ejemplo, el interés simple puede pagarse una vez por año o varias veces por año. En esta sección supondremos que el interés simple se paga una vez por año.

Interés simple

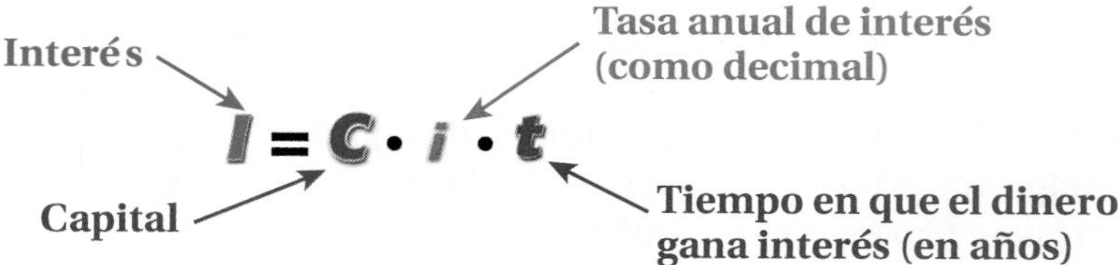

Observa que las tasas de interés suelen darse en porcentajes, pero debes convertir las tasas en decimales cuando usas la fórmula del interés simple que está arriba.

EJEMPLO 1 Hallar el interés simple

Alyssa deposita $250 en una cuenta de ahorros a una tasa de interés simple del 6% anual.

A Si Alyssa no deposita ni retira dinero de su cuenta, ¿cuánto interés habrá ganado al final de 3 años?

$I = C \cdot i \cdot t$ — *$C = \$250$, $i = 0.06$, $t = 3$ años*

$I = 250 \cdot 0.06 \cdot 3$ — *Multiplica.*

$I = \$45$

Alyssa ganará $45 de interés en 3 años.

B ¿Cuánto dinero tendrá en su cuenta después de 3 años?

Para hallar la cantidad total en la cuenta de Alyssa después de 3 años, suma el interés al capital.

$$\$250 + \$45 = \$295$$

Alyssa tendrá $295 en su cuenta después de 3 años.

EXTENSIÓN

Ejercicios

1. Tamara depositó $425 en una cuenta de ahorros con una tasa de interés simple del 7% anual. ¿Cuánto interés ganará en 5 años?

2. Jerome depositó $75 en una cuenta de ahorros con una tasa de interés simple del 3% anual. ¿Cuánto interés ganará en 1 año? ¿Cuánto dinero tendrá en su cuenta después de un año?

Usa la ecuación $I = C \cdot i \cdot t$ para hallar la cantidad que falta.

3. capital = $320
   tasa de interés = 5% anual
   tiempo = 2 años
   interés = ▢

4. capital = $150
   tasa de interés = 2% anual
   tiempo = 7 años
   interés = ▢

5. capital = ▢
   tasa de interés = 4% anual
   tiempo = 3 años
   interés = $30

6. capital = $456
   tasa de interés= 6% anual
   tiempo = ▢
   interés = $109.44

7. capital =$100
   tasa de interés = ▢ anual
   tiempo = 5 años
   interés = $15

8. capital = $750
   tasa de interés= ▢ anual
   tiempo = 10 años
   interés = $300

9. El señor Bruckner ahorra para irse de vacaciones. Deposita $340 en una cuenta de ahorros con una tasa de interés simple del 4% anual. ¿Cuánto dinero tendrá en la cuenta en 2 años?

10. Cuando pides dinero prestado, la cantidad prestada es el capital. En lugar de recibir intereses, pagas intereses sobre el capital. Kendra pidió $1,500 al banco para comprar una computadora para su casa. El banco le cobra una tasa de interés simple del 7% anual. ¿Cuántos interés deberá Kendra al banco después de 1 año?

11. El señor Pei pagó $7,500 de interés durante 20 años a una tasa del 1% anual por un préstamo. ¿Cuánto dinero pidió prestado?

12. Hunter depositó $165 en una cuenta de ahorros con una tasa de interés simple del 6% anual. Nicholas depositó $145 en una cuenta de ahorros con una tasa de interés simple del 7% anual. ¿Quién ganará más interés en 3 años? ¿Cuánto más?

13. **Escríbelo** Explica la diferencia entre capital e interés.

14. **Escríbelo** Si pides dinero prestado, ¿preferirías una tasa de interés alta o baja? ¿Y cuando ahorras dinero? Explica.

15. **Desafío** Madison depositó 200 dólares en una cuenta de ahorros con una tasa de interés del 5%. Cada año el interés se suma al capital y luego se calculan los nuevos intereses. Si Madison no deposita ni retira dinero de la cuenta, ¿cuánto tendrá en 3 años?

¡Vamos a jugar!

El rectángulo áureo

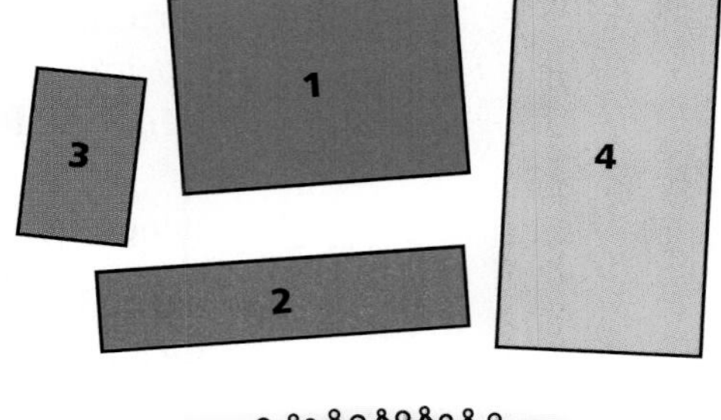

¿Qué rectángulo te parece el más agradable a la vista?

¿Elegiste el rectángulo 3? Si es así, coincides con los arquitectos y pintores de la historia. El rectángulo 3 es un rectángulo áureo. Se dice que los rectángulos áureos son los más agradables a la vista.

En un rectángulo áureo, la razón del lado largo al lado corto es aproximadamente de 1.6. En otras palabras:

$$\frac{\text{longitud del lado largo}}{\text{longitud del lado corto}} \approx \frac{1.6}{1}$$

Mide el largo y el ancho de los siguientes rectángulos. ¿Cuáles son rectángulos áureos? ¿Son los más agradables a la vista?

Juego triple

Número de jugadores: de 3 a 5

Reparte cinco cartas a cada jugador. Coloca el resto de las cartas boca abajo. En cualquier momento puedes descartar *triples* de tu mano. Un *triple* es una carta fracción, una carta decimal y una carta porcentaje que son equivalentes.

En tu turno, pide a otro jugador una carta específica. Por ejemplo, si tienes la carta $\frac{3}{5}$ puedes preguntar a otro jugador si tiene la carta de 60%. Si la tiene, debe dártela y repites tu turno. Si no la tiene, tomas la carta de arriba del mazo y tu turno termina.

Gana el primer jugador que se queda sin cartas.

go.hrw.com
¡Vamos a jugar! Extra
CLAVE: MR7 Games

La copia completa de las reglas y las piezas del juego se encuentran disponibles en línea.

Materiales
• cartulina
• papel cuadriculado de $\frac{1}{4}$ de pulg
• pegamento
• tijeras
• marcadores
¡Está en la bolsa!

PROYECTO Doble entrada a fracciones, decimales y porcentajes

Abre la puerta a las fracciones, los decimales y los porcentajes con este práctico conversor.

Instrucciones

1. Corta un trozo de cartulina de $6\frac{1}{2}$ pulgadas por $8\frac{1}{2}$ pulgadas. Dóblalo a la mitad a lo largo y vuelve a abrirlo. Pliega el borde superior y el inferior hasta el pliegue del medio para hacer una puerta doble. **Figura A**

2. Corta una tira de papel cuadriculado de 2 pulgadas de ancho por $8\frac{1}{2}$ pulgadas de largo. Traza una recta numérica de porcentajes por el medio de la tira. Incluye 0%, 5%, 10% y así sucesivamente, hasta 100%. **Figura B**

3. Corta dos tiras de papel cuadriculado de 1 pulgada por $8\frac{1}{2}$ pulgadas. En una de las tiras, traza una recta numérica de fracciones en la que incluyas $\frac{0}{20}$, $\frac{1}{20}$ y así sucesivamente, hasta $\frac{20}{20}$. Escribe las fracciones en su mínima expresión. En la otra tira, traza una recta numérica de decimales en la que incluyas 0.0, 0.05, 0.1 y así sucesivamente, hasta 1. **Figura C**

4. Pega la recta numérica de porcentajes a lo largo del pliegue central de la cartulina. **Figura D**

5. Cierra las dos puertas. Pega las otras rectas numéricas en el lado exterior, cuidando que las rectas numéricas queden alineadas unas con otras.

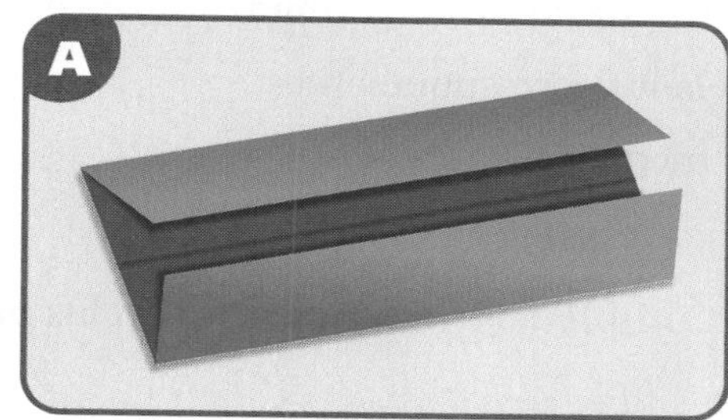

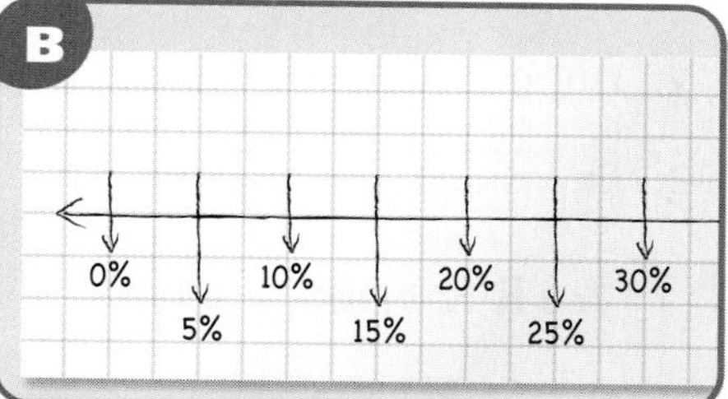

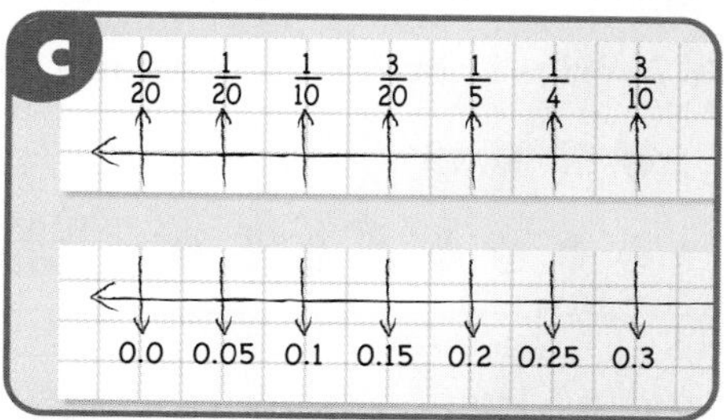

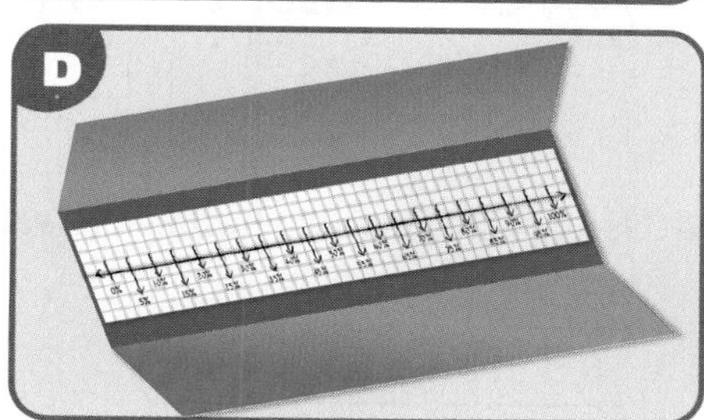

Matemáticas en acción

Trabaja con un compañero. Usen sus conversores de dos puertas para preguntarse mutuamente sobre fracciones, decimales y porcentajes equivalentes.

CAPÍTULO 7

Guía de estudio: Repaso

Vocabulario

Completa los enunciados con las palabras del vocabulario.

1. Un(a) __?__ es la cantidad que se resta del precio regular de un artículo.
2. Un(a) __?__ es una razón de un número a 100.
3. En las figuras semejantes, los/las __?__ tienen la misma medida.

7-1 Razones y tasas (págs. 352–355)

EJEMPLO

■ **Escribe la razón de corazones a diamantes.**

$$\frac{\text{corazones}}{\text{diamantes}} = \frac{4}{8}$$

EJERCICIOS

4. Escribe tres razones equivalentes a 4:8.
5. ¿Cuál es la mejor compra: un paquete de 8 oz de pretzels a \$1.92 ó un paquete de 12 oz de pretzels a \$2.64?

7-2 Cómo usar tablas para explorar razones y tasas equivalentes (págs. 356–359)

EJEMPLO

■ **Usa una tabla para hallar tres razones equivalentes a 6:7.**

6	12	18	24
7	14	21	28

Multiplica el numerador y el denominador por 2, 3 y 4.

Las razones 6:7, 12:14, 18:21 y 24:28 son equivalentes.

EJERCICIOS

Usa una tabla para hallar tres razones equivalentes.

6. $\frac{3}{10}$
7. 5 a 21
8. 15:7
9. En la siguiente tabla se muestra el costo de una excursión en canoa para grupos de distintos tamaños. Predice cuánto pagará un grupo de 9 personas.

Integrantes del grupo	2	4	8	10
Costo ($)	10.50	21	42	52.50

7-3 Proporciones (págs. 362–365)

EJEMPLO

■ **Halla el valor de n en $\frac{5}{6} = \frac{n}{12}$.**

$6 \cdot n = 5 \cdot 12$ *Los productos cruzados son iguales.*

$\frac{6n}{6} = \frac{60}{6}$ *Divide ambos lados entre 6.*

$n = 10$

EJERCICIOS

Halla el valor de n en cada proporción.

10. $\frac{3}{5} = \frac{n}{15}$

11. $\frac{1}{n} = \frac{3}{9}$

12. $\frac{7}{8} = \frac{n}{16}$

13. $\frac{n}{4} = \frac{8}{16}$

7-4 Figuras semejantes (págs. 366–369)

EJEMPLO

■ **Los triángulos son semejantes. Halla b.**

1 cm
2 cm
32 cm
b

$\frac{1}{32} = \frac{2}{b}$ *Escribe una proporción.*

$32 \cdot 2 = 1 \cdot b$ *Los productos cruzados son iguales.*

$64 \text{ cm} = b$

EJERCICIOS

14. Las figuras son semejantes. Halla n y $m\angle A$.

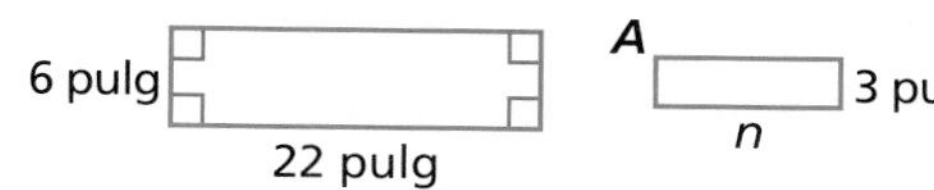

7-5 Medición indirecta (págs. 370–372)

EJEMPLO

■ **Un árbol proyecta una sombra de 12 pies cuando un hombre de 6 pies proyecta una sombra de 4 pies. ¿Cuánto mide el árbol?**

$\frac{h}{6} = \frac{12}{4}$ *Escribe una proporción.*

$6 \cdot 12 = 4 \cdot h$ *Los productos cruzados son iguales.*

$\frac{72}{4} = \frac{4h}{4}$ *Divide ambos lados entre 4.*

$18 = h$ El árbol mide 18 pies.

EJERCICIOS

15. Halla la altura del edificio.

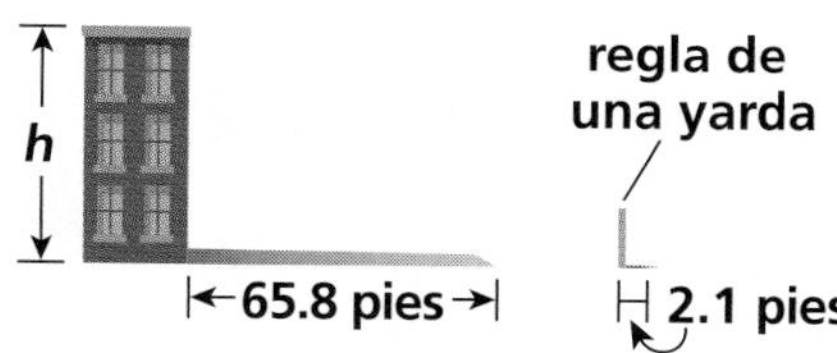

7-6 Dibujos a escala y mapas (págs. 374–377)

EJEMPLO

■ **Halla la distancia real de A a B.**

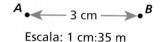

A
3 cm
B
Escala: 1 cm:35 m

$\frac{1 \text{ cm}}{35 \text{ m}} = \frac{3 \text{ cm}}{x \text{ m}}$ *Escribe una proporción.*

$35 \cdot 3 = 1 \cdot x$ *Los productos cruzados son iguales.*

$105 = x$

La distancia real es 105 m.

EJERCICIOS

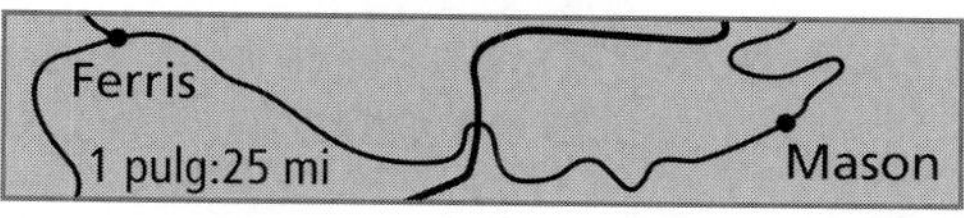

16. Halla la distancia real de Ferris a Mason.

17. Renfield está a 75 millas de Mason. ¿A qué distancia aproximada deben estar en el mapa Renfield y Mason?

7-7 Porcentajes (págs. 381–384)

EJEMPLO

■ **Escribe 48% como una fracción en su mínima expresión.**

$48\% = \frac{48}{100}$ $\frac{48 \div 4}{100 \div 4} = \frac{12}{25}$

■ **Escribe 16% como decimal.**

$16\% = \frac{16}{100}$ $16 \div 100 = 0.16$

EJERCICIOS

Escribe cada fracción en su mínima expresión.

18. 75% **19.** 6% **20.** 30%

Escribe cada porcentaje como decimal.

21. 8% **22.** 65% **23.** 20%

7-8 Porcentajes, decimales y fracciones (págs. 385–388)

EJEMPLO

■ **Escribe 0.365 como porcentaje.**

0.365 = 36.5% *Multiplica por 100.*

■ **Escribe $\frac{3}{5}$ como porcentaje.**

$\frac{3 \cdot 20}{5 \cdot 20} = \frac{60}{100} = 60\%$

EJERCICIOS

Escribe cada decimal o fracción como porcentaje.

24. 0.896 **25.** 0.70 **26.** 0.057

27. 0.12 **28.** $\frac{7}{10}$ **29.** $\frac{3}{12}$

30. $\frac{7}{8}$ **31.** $\frac{4}{5}$ **32.** $\frac{1}{16}$

7-9 Problemas de porcentaje (págs. 390–393)

EJEMPLO

■ **Halla el 30% de 85.**

30% = 0.30 *Escribe 30% como decimal.*

0.30 · 85 = 25.5 *Multiplica.*

EJERCICIOS

33. Halla el 25% de 48.

34. Halla el 33% de 18.

35. Se vendieron 325 boletos para el concierto y 36% de éstos a estudiantes. ¿Cuántos boletos se vendieron a estudiantes?

7-10 Cómo usar porcentajes (págs. 394–397)

EJEMPLO

■ **Un DVD cuesta $24.98. El impuesto sobre la venta es del 5%. ¿Cuánto es aproximadamente el impuesto?**

Paso 1: Redondea $24.98 a $25.

Paso 2: 5% = 5 · 1%
1% de $25 = 0.01 · $25 = $0.25

Paso 3: 5% = 5 · 1%
= 5 · $0.25 = $1.25

El impuesto es aproximadamente de $1.25.

EJERCICIOS

36. Un suéter de $31.75 tiene un descuento del 40%. ¿Aproximadamente cuánto cuesta el suéter con el descuento?

37. Barry y sus amigos salieron a comer juntos. La cuenta fue de $28.68. ¿Aproximadamente cuánto dejaron por una propina del 15%?

38. Ana compra un libro de $17.89. El impuesto sobre la venta es del 6%. ¿Aproximadamente cuánto pagará de impuesto sobre la venta?

EXAMEN DEL CAPÍTULO

Usa la tabla para escribir cada razón.

Videos en la colección de Richard			
Comedia	5	Caricaturas	7
Drama	6	Ejercicio	3
Música	3	Documental	2

1. tres razones equivalentes para comparar dramas y documentales
2. documentales a total de videos
3. videos musicales a videos de ejercicio
4. ¿Cuál es la mejor compra: 5 videos a \$29.50 ó 3 videos a \$17.25?

Halla el valor de n en cada proporción.

5. $\frac{5}{6} = \frac{n}{24}$
6. $\frac{8}{n} = \frac{12}{3}$
7. $\frac{n}{10} = \frac{3}{6}$
8. $\frac{3}{9} = \frac{4}{n}$
9. Una receta de chocolate requiere 4 cucharadas de chocolate en polvo para hacer una porción de 8 oz. ¿Cuántas cucharadas de chocolate en polvo se necesitan para hacer 15 oz?
10. Un buzón de 3 pies de altura proyecta una sombra de 1.8 pies de largo. Al mismo tiempo, un farol cercano proyecta una sombra de 12 pies de largo. ¿Cuánto mide el farol?
11. En la siguiente tabla se muestra el tiempo que le lleva a Jenny nadar largos de piscina. Predice cuánto le llevará nadar 14 largos.

Cantidad de largos	4	8	12	16
Tiempo (min)	3	6	9	12

Usa el dibujo a escala para los Problemas 12 y 13.

12. La longitud de la cancha en el dibujo es 6 cm. ¿Cuánto mide la cancha real?
13. La línea de tiros libres siempre está a 15 pies del tablero. ¿Es correcta la distancia entre esta línea y el tablero en el dibujo? Explica.

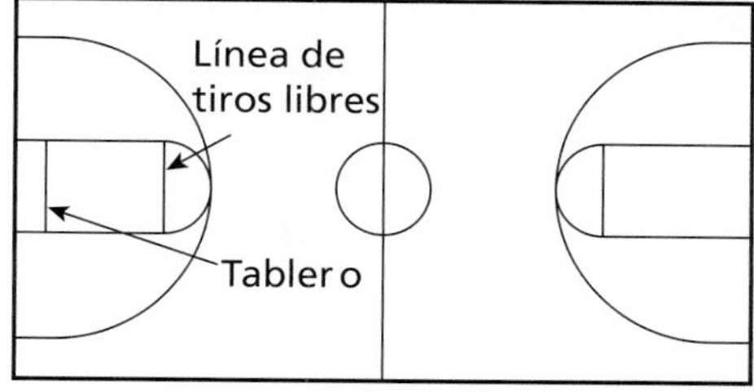

Escala: 1 cm : $15\frac{2}{3}$ pies

Escribe cada porcentaje como una fracción en su mínima expresión y como decimal.

14. 66%
15. 90%
16. 5%
17. 18%

Escribe cada decimal o fracción como porcentaje.

18. 0.546
19. 0.092
20. $\frac{14}{25}$
21. $\frac{1}{8}$

Halla cada porcentaje.

22. 55% de 218
23. 30% de 310
24. 25% de 78
25. Una librería vende libros con 20% de descuento sobre el precio de lista. Si Brandy quiere comprar un libro que tiene un precio de venta de \$12.95, ¿aproximadamente cuánto pagará por el libro con el descuento?

AYUDA PARA EXAMEN

Estrategias para el examen estandarizado

Respuesta desarrollada: Escribe respuestas desarrolladas

Cuando respondes a una pregunta de examen que pide una respuesta desarrollada, debes explicar claramente tu razonamiento. A las preguntas de respuesta desarrollada se les asigna un puntaje usando un criterio de 4 puntos como el que se muestra abajo.

EJEMPLO

Respuesta desarrollada Amber lleva cuenta de sus puntajes en las pruebas de matemáticas. Su objetivo es lograr un promedio de 92%. Sus puntajes en 10 exámenes son 94, 76, 90, 98, 91, 93, 88, 90, 89 y 85. Halla el rango, la media, la mediana y la moda del conjunto de datos. Si no se toma en cuenta el puntaje más bajo, ¿logra su objetivo? Explica tu respuesta.

Este es un ejemplo de respuesta de 4 puntos, según el criterio de puntaje que se ve a la derecha.

Criterios de puntaje

4 puntos: El estudiante responde correctamente a todas las partes de la pregunta, muestra todo su trabajo y da una explicación completa y correcta.

3 puntos: El estudiante responde a todas las partes de la pregunta, muestra todo su trabajo y da una explicación completa que demuestra su comprensión, pero comete errores menores de cálculo.

2 puntos: El estudiante no responde a todas las partes de la pregunta, pero muestra todo su trabajo y da una explicación completa y correcta de las partes respondidas, o bien responde correctamente a todas las partes de la pregunta, pero no muestra todo su trabajo o no da una explicación.

1 punto: El estudiante da respuestas incorrectas y muestra poco o ningún trabajo o explicación, o bien no sigue las instrucciones.

0 puntos: El estudiante no responde.

Respuesta de 4 puntos:

Rango: $98 - 76 = 22$

El rango es 22.

Media:

$$\frac{94 + 76 + 90 + 98 + 91 + 93 + 88 + 90 + 89 + 85}{10} = \frac{894}{10} = 89.4$$

La media es 89.4.

Mediana: En el conjunto hay un número par de valores. Los dos números del medio son 90 y 90. La mediana es 90.

Moda: El valor que aparece con más frecuencia es 90. La moda es 90.

Si no se toma en cuenta el valor más bajo, 76, el promedio es $\frac{894 - 76}{9} = \frac{818}{9} = 90.9$*. Este valor es inferior a 92. Aun si no se toma en cuenta el valor más bajo, Amber no logra su objetivo.*

El estudiante hace bien todos los cálculos y muestra cómo se halla el rango, la media, la mediana y la moda del conjunto de datos.

El estudiante responde correctamente a las preguntas y muestra cómo se calcula la respuesta.

Ayuda para examen

Después de contestar a una pregunta de respuesta desarrollada, revísala para asegurarte de que has contestado todas sus partes.

Lee cada recuadro del examen y usa los criterios de puntaje para contestar las preguntas que le siguen.

A
Respuesta desarrollada Usa la siguiente tabla para identificar un patrón y hallar los tres términos que siguen. ¿Esta sucesión es aritmética? Explica.

Posición	Valor del término
1	4
2	7
3	10
4	13
5	16
n	■

1. ¿Qué debe incluir una respuesta para recibir 4 puntos?
2. Escribe una respuesta que reciba el puntaje máximo.

B
Respuesta desarrollada Dibuja un polígono con tres lados congruentes. ¿Qué puedes decir acerca de la medida de los ángulos de este polígono? Halla la medida de cada ángulo. Clasifica el tipo de polígono que dibujaste. Explica tu respuesta.

Kim escribió esta respuesta:

Cada ángulo mide 60º.
Es un triángulo equilátero.

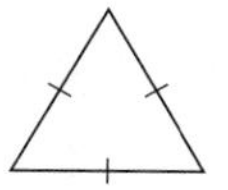

3. Asigna un puntaje a la respuesta de Kim. Explica tu decisión.
4. Vuelve a escribir la respuesta de Kim para que reciba el puntaje máximo.

C
Respuesta desarrollada Observa la gráfica. ¿Por qué es engañosa? Explica tu respuesta. ¿Qué información errónea se podría extraer de la gráfica? ¿Qué cambios habría que introducir para que no sea engañosa?

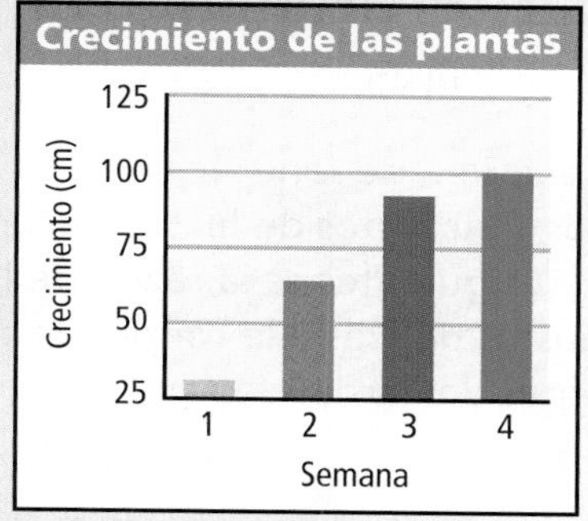

5. ¿Qué se debe incluir en una respuesta para recibir 4 puntos?
6. Escribe una respuesta que reciba el puntaje máximo.

D
Respuesta desarrollada Abajo se muestran las edades de los empleados de una tienda de saldos. Halla la media, la mediana y la moda del conjunto de datos. ¿Cuál describe mejor el conjunto de datos? Explica tu respuesta.

68	32	16	23	21
17	28	20	39	38
21	22	17	23	37

7. ¿La respuesta que se muestra abajo debería recibir 4 puntos? ¿Por qué sí o por qué no?

La media es 28.
Las modas son 17 y 23.
La mediana es 22.
El mejor descriptor es la moda porque hay más de una.

8. Corrige o agrega información, si es necesario, para que la respuesta reciba el puntaje máximo.

CAPÍTULO 7

PREPARACIÓN PARA EL EXAMEN ESTANDARIZADO

go.hrw.com
Práctica en línea para el examen estatal
CLAVE: MR7 TestPrep

Evaluación acumulativa, Capítulos 1–7

Opción múltiple

1. En el jardín de Janet hay 6 arbustos de rosas, 7 arbustos de lilas y 5 azaleas. ¿Cuál de las siguientes es la razón de los arbustos de lilas a la cantidad total de plantas del jardín de Janet?

Ⓐ 7:11
Ⓑ 7:18
Ⓒ 11:18
Ⓓ 18:5

2. Jenny vive en Paris, Kentucky. Este verano quiere visitar París, Francia. La distancia entre las dos ciudades es 6.715×10^3 km. ¿Cuál es esta distancia en forma estándar?

Ⓕ 67.15 kilómetros
Ⓖ 671.5 kilómetros
Ⓗ 6,715 kilómetros
Ⓙ 67,150 kilómetros

3. Carina anduvo en su bicicleta de ejercicios 30 minutos el lunes, 45 minutos el martes, 30 minutos el miércoles, 60 minutos el jueves y 50 minutos el viernes. Halla el tiempo medio que Carina anduvo en su bicicleta los 5 días.

Ⓐ 30 minutos
Ⓑ 43 minutos
Ⓒ 45 minutos
Ⓓ 215 minutos

4. El coro de sexto grado se presenta a un concurso. El coro está integrado por 116 estudiantes. Si en cada autobús caben 35 estudiantes, ¿cuántos autobuses se necesitan para llevar a los estudiantes al concurso?

Ⓕ 5 autobuses
Ⓖ 4 autobuses
Ⓗ 3 autobuses
Ⓙ 2 autobuses

5. ¿Cuál de los siguientes NO es un ejemplo de una proporción?

Ⓐ $\frac{3}{4} = \frac{9}{12}$
Ⓑ $\frac{5}{9} = \frac{45}{81}$
Ⓒ $\frac{1}{3} = \frac{15}{42}$
Ⓓ $\frac{7}{8} = \frac{35}{40}$

6. En el mapa, la distancia entre el punto *R* y el punto *T* es 1.125 pulgadas. Halla la distancia real entre el punto *R* y el punto *T*.

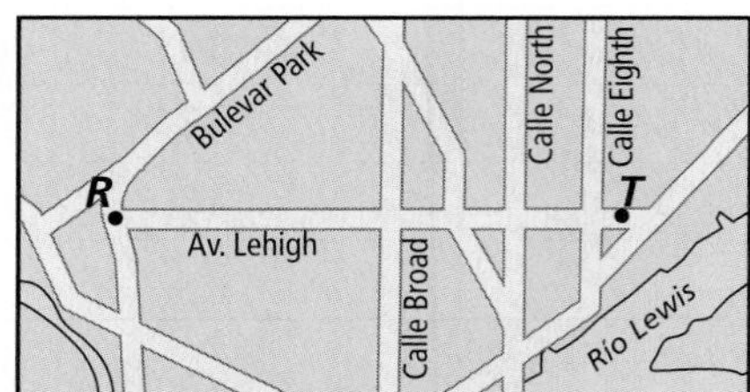

Escala: 1 pulg: 10 mi

Ⓕ 10 millas
Ⓖ 11.25 millas
Ⓗ 12.5 millas
Ⓙ 15 millas

7. Esperanza tiene un cachorrito que pesa $3\frac{1}{4}$ libras. En 3 meses, el cachorro debe pesar tres veces su peso actual. ¿Cuánto peso debe ganar el cachorro en los próximos 3 meses?

Ⓐ $6\frac{1}{2}$ libras
Ⓑ $6\frac{3}{4}$ libras
Ⓒ $8\frac{1}{4}$ libras
Ⓓ $9\frac{3}{4}$ libras

8. ¿Qué valor es mayor?

Ⓕ $\frac{5}{6}$
Ⓖ 0.7
Ⓗ 80%
Ⓙ $\frac{6}{7}$

Preparación para el examen estandarizado

9. Max gana $7.25 por hora trabajando para un florista. Su cheque semanal es de $108.75 antes de impuestos. Si h es igual a la cantidad de horas trabajadas, ¿qué ecuación puede usarse para hallar la cantidad de horas que Max trabaja por semana?

Ⓐ $7.25 + h = 108.75$

Ⓑ $\frac{7.25}{h} = 108.75$

Ⓒ $108.75 - h = 7.25$

Ⓓ $7.25h = 108.75$

Estima la respuesta antes de resolver el problema. Con frecuencia, puedes usar tu estimación para eliminar algunas de las opciones de respuesta.

Respuesta gráfica

10. Una banda escolar está armando conjuntos de instrumentos para la feria local de música. Tienen 72 flautas dulces, 96 kazoos y 60 silbatos. Si todos los conjuntos tienen la misma cantidad de instrumentos, ¿cuál es la mayor cantidad de conjuntos que puede armarse usando todos los instrumentos?

11. Halla el valor de $40 \div (3 + 5) \times 2$.

12. Rylee tiene una colección de cajas musicales. De las 36 cajas que tiene, 25% tienen partes que se mueven cuando suena la música. ¿Cuántas de sus cajas musicales tienen partes móviles?

13. ¿Cómo es $2\frac{3}{4} + \frac{1}{3}$ escrito como una fracción impropia?

14. La maestra Chávez va a comprar material de arte. Quiere tener suficientes lápices para todos sus estudiantes y un 20% de reserva. Si tiene 210 estudiantes, ¿cuántos lápices debe comprar?

Respuesta breve

15. Uno de los robles vivos más antiguos mide 105 pies de altura. En un día soleado proyecta una sombra de 75 pies de largo. Al mismo tiempo, un roble más joven proyecta una sombra de 15 pies de largo.

a. Haz un dibujo para explicar cómo hallar la altura del árbol más joven.

b. Usa tu dibujo para escribir una proporción que te permita hallar la altura del árbol más joven. Resuelve la proporción. Muestra tu trabajo.

16. Chrissy está comprando camisetas para el club de apoyo deportivo. El paquete A tiene 10 camisetas a $15.50. El paquete B tiene 15 camisetas a $20.50. El paquete C tiene 20 camisetas a $25.50. Halla el precio unitario de cada paquete. ¿Cuál de los paquetes es la mejor compra? Explica tu razonamiento y muestra tu trabajo.

17. Una computadora está rebajada al 30% de su precio normal. La computadora costaba originalmente $685. Halla el descuento y el precio de venta de la computadora.

Respuesta desarrollada

18. Un pequeño rectángulo morado mide 8 milímetros de ancho y 18 milímetros de altura. Un rectángulo morado más grande mide 18 milímetros de ancho y 25 milímetros de altura.

a. ¿Son semejantes los dos rectángulos? Explica tu respuesta.

b. Un tercer rectángulo es semejante al rectángulo morado más pequeño. El ancho del tercer rectángulo es 14 milímetros. Sea x la altura del tercer rectángulo. Escribe una ecuación que sirva para hallar x.

c. Halla la altura del tercer rectángulo. Muestra tu trabajo.

CAPÍTULO

8

Relaciones geométricas

PREPARACIÓN DE VARIOS PASOS PARA EL EXAMEN

go.hrw.com
Presentación del capítulo en línea
CLAVE: MR7 Ch8

Nombre de la figura	Cantidad de lados
Pentágono	5
Hexágono	6
Heptágono	7
Octágono	8
Eneágono	9
Decágono	10
Undecágono	11
Dodecágono	12

Artista plástico

Los artistas plásticos nos ayudan a ver el mundo de diferente manera. Usan su creatividad en muchas profesiones. Pueden diseñar gráficas en Internet, dibujar caricaturas, diseñar telas y muebles, pintar murales o ilustrar escenas de los juicios en tribunales. Trabajan con muchos materiales, como pintura, papel, piedra, metal, vidrio coloreado y mosaicos. En la tabla se muestran algunas figuras geométricas que usan los artistas en sus diseños.

Vocabulario

Elige de la lista el término que mejor complete cada enunciado.

1. Una figura cerrada con tres lados es un(a) ___?___ y una figura cerrada con cuatro lados es un(a) ___?___.
2. Un(a) ___?___ se usa para medir y dibujar ángulos.
3. 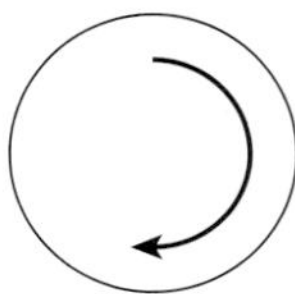
La flecha dentro del círculo se mueve ___?___.
4. Una línea que se extiende de izquierda a derecha es ___?___.

cuadrilátero
en el sentido de las manecillas del reloj
en sentido contrario a las manecillas del reloj
horizontal
regla
transportador
triángulo
vertical

Resuelve los ejercicios para practicar las destrezas que usarás en este capítulo.

Representar gráficamente pares ordenados

Usa el plano cartesiano para los Problemas del 5 al 8.
Escribe el par ordenado de cada punto.

5. *A*
6. *B*
7. *C*
8. *D*

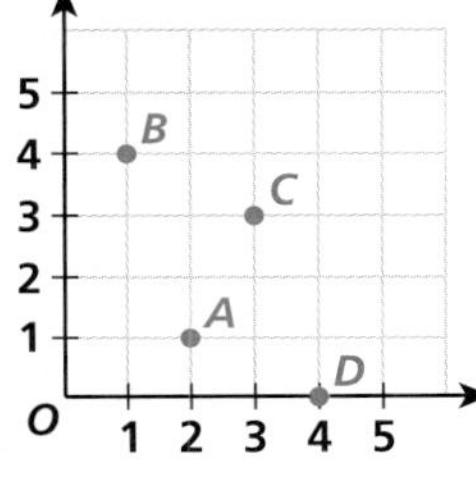

Identificar polígonos

Indica cuántos lados y ángulos tiene cada figura.

9. 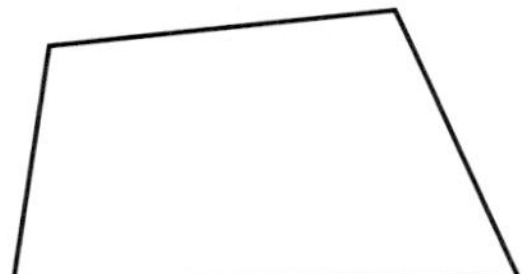
10. 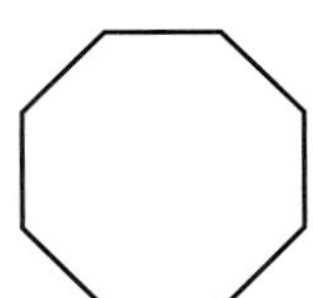
11. 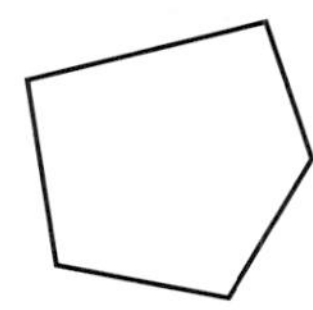

Identificar figuras congruentes

¿Qué dos figuras tienen exactamente el mismo tamaño y la misma forma pero están en diferente posición?

12. 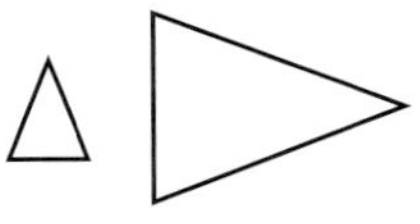 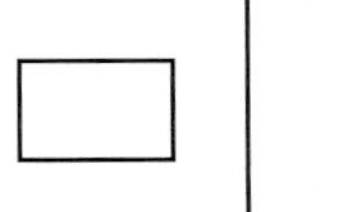 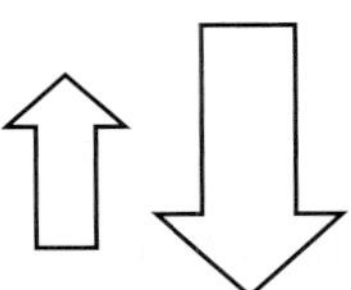

A B C D

CAPÍTULO 8

Guía de estudio: Avance

De dónde vienes

Antes,

- definiste figuras geométricas.
- identificaste figuras congruentes y semejantes.
- ubicaste puntos en un plano cartesiano.

En este capítulo

Estudiarás

- cómo medir ángulos.
- cómo usar las mediciones de ángulos para clasificar los ángulos como agudos, obtusos o rectos.
- cómo identificar relaciones entre ángulos de triángulos y cuadriláteros.
- cómo usar la congruencia y la semejanza para resolver problemas.
- cómo transformar figuras en un plano cartesiano y describir la transformación.

Adónde vas

Puedes usar las destrezas aprendidas en este capítulo

- para resolver problemas y crear demostraciones geométricas mediante la relación geométrica entre ángulos y líneas.
- para usar transformaciones y crear patrones en la clase de arte.

Vocabulario/Key Vocabulary

Vocabulario	Key Vocabulary
ángulo	angle
congruentes	congruent
cuadrilátero	quadrilateral
líneas paralelas	parallel lines
líneas perpendiculares	perpendicular lines
polígono	polygon
rotación	rotation
simetría axial	line symmetry
transformación	transformation
vértice	vertex

Conexiones de vocabulario

Considera lo siguiente para familiarizarte con algunos de los términos de vocabulario del capítulo. Puedes consultar el capítulo, el glosario o un diccionario si lo deseas.

1. *Congruente* viene de la palabra latina *congruere,* que significa "estar de acuerdo, corresponder". Si dos figuras son **congruentes,** ¿crees que se verán iguales o diferentes?
2. *Paralelo* viene de las palabras griegas *para,* que significa "al lado", y *allenon,* que significa "entre sí". Si dos líneas son **paralelas,** ¿cómo crees que estarán ubicadas entre sí?
3. *Polígono* viene de las palabras griegas *polus,* que significa "muchos", y *gonia,* que significa "ángulo". Según esta información, ¿qué crees que contiene una figura llamada **polígono?**
4. *Cuadrilátero* viene de las palabras latinas *quadri,* que significa "cuatro", y *latus,* que significa "lados". ¿Cuántos lados crees que tiene un **cuadrilátero?**

Estrategia de lectura: Lee los problemas para comprenderlos

Es importante que leas los problemas con palabras con mucha atención para asegurarte de que los entiendes y para identificar todas las partes que debes responder.

Seguir estos pasos puede ayudarte a entender y responder a problemas:

1. Lee todo el problema una vez.
2. Identifica lo que deberías responder y las destrezas que necesitas para hacerlo.
3. Vuelve a leer el problema con atención e identifica la información clave.
4. Haz un plan para resolver y responder a TODAS las partes del problema.
5. Resuelve.

Lección 7-9 Problemas de porcentaje

Paso 1. Lee el problema.

10. El señor Green tiene un jardín. De las 40 semillas que plantó, el 35% son de hortalizas. ¿Cuántas semillas de hortalizas plantó?

Paso 2. ¿Qué es lo que deberías responder y qué destrezas necesitas?	• *Halla cuántas semillas de hortalizas se plantaron en el jardín.* • *Halla el porcentaje de un número.*
Paso 3. Identifica la información clave.	• *Se plantó un total de 40 semillas.* • *Las semillas de hortalizas son el 35% de la cantidad total de semillas.*
Paso 4. Haz un plan para resolver y responder a todas las partes del problema.	• *Escribe 35% como fracción.* • *Establece una proporción para el valor desconocido y resuélvela.* • *Para comprobar tu respuesta, asegúrate de que los productos cruzados sean iguales.*
Paso 5. Resuelve.	

Leer y escribir matemáticas

Inténtalo

Lee el problema para comprenderlo. Usa los pasos indicados arriba para responder a la siguiente pregunta.

1. Un jardín tiene forma de cuadrado. La distancia alrededor del jardín es de 200 metros. ¿Cuál es la longitud de un lado del jardín?

8-1 Figuras básicas de la geometría

Aprender a describir figuras con términos geométricos

Vocabulario

punto

línea

plano

segmento de recta

rayo

Las figuras básicas de la geometría son los *puntos*, las *líneas* y los *planos*.

Un **punto** es una ubicación exacta.	• *P*	punto *P*, *P*
	Un punto se identifica con una letra mayúscula.	
Una **línea** es una trayectoria recta que se extiende sin fin en direcciones opuestas.	*A* *B*	línea *AB*, $\overleftrightarrow{AB}$, línea *BA*, $\overleftrightarrow{BA}$
	Una línea se identifica con dos de sus puntos.	
Un **plano** es una superficie plana que se extiende sin fin en todas direcciones.	*L* *M* *N*	plano *LMN*, plano *MLN*, plano *NLM*
	Un plano se identifica con tres puntos que no están sobre la misma línea.	

Identificar puntos, líneas y planos

Usa el diagrama para identificar cada figura geométrica.

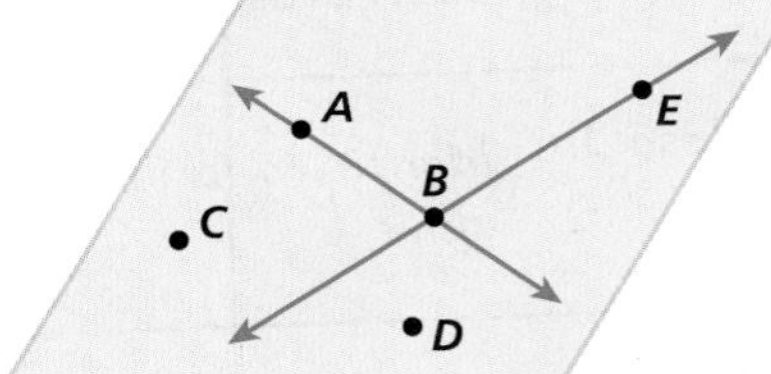

A **tres puntos**

A, *C* y *D*

Hay cinco puntos:
A, B, C, D y E.

B **dos líneas**

$\overleftrightarrow{AB}$ y $\overleftrightarrow{BE}$

También puedes escribir $\overleftrightarrow{BA}$ *y* $\overleftrightarrow{EB}$.

C **un punto compartido por dos líneas**

punto *B*

El punto B es un punto de $\overleftrightarrow{AB}$ *y* $\overleftrightarrow{BE}$.

D **un plano**

plano *ADC*

Usa tres puntos del plano que no estén en la misma línea.
Escribe los tres puntos en cualquier orden.

Los *segmentos de recta* y los *rayos* son partes de líneas. Usa puntos en una línea para identificar segmentos de recta y rayos.

Un **segmento de recta** se forma con dos extremos y todos los puntos entre ellos.

segmento de recta *XY*, $\overline{XY}$,
segmento de recta *YX*, $\overline{YX}$

Un segmento de recta se identifica por sus extremos.

Un **rayo** tiene un extremo. Desde ese punto, el rayo se extiende sin fin en una sola dirección.

rayo *JK*, $\overrightarrow{JK}$

Un rayo se identifica primero por su extremo, seguido por otro punto del rayo.

EJEMPLO 2 Identificar segmentos de recta y rayos

Usa el diagrama para dar una posible identificación a cada figura.

A **tres segmentos de recta diferentes**

$\overline{TU}$, $\overline{UV}$ y $\overline{TV}$

También puedes escribir $\overline{UT}$, $\overline{VU}$ y $\overline{VT}$.

B **tres formas de identificar la línea**

$\overleftrightarrow{UT}$, $\overleftrightarrow{VU}$ y $\overleftrightarrow{VT}$

También puedes escribir $\overleftrightarrow{TU}$, $\overleftrightarrow{UV}$ y $\overleftrightarrow{TV}$.

C **seis rayos**

$\overrightarrow{TU}$, $\overrightarrow{TV}$, $\overrightarrow{VT}$, $\overrightarrow{VU}$, $\overrightarrow{UV}$ y $\overrightarrow{UT}$

D **otra forma de identificar el rayo *TU***

$\overrightarrow{TV}$

T todavía es el extremo. V es otro punto del rayo.

Razonar y comentar

1. **Identifica** la figura geométrica sugerida en las siguientes opciones: una página de un libro; un punto (o *píxel*) de una pantalla de computadora; la trayectoria en el cielo de un avión a reacción.
2. **Explica** en qué se diferencia $\overleftrightarrow{XY}$ de $\overrightarrow{XY}$.
3. **Explica** en qué se diferencia $\overline{AB}$ de $\overrightarrow{AB}$.

8-1 Ejercicios

go.hrw.com
Ayuda en línea para tareas*
CLAVE: MR7 8-1
Recursos en línea para padres
CLAVE: MR7 Parent
*(Disponible sólo en inglés)

PRÁCTICA GUIADA

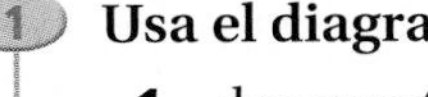

Ver Ejemplo 1

Usa el diagrama para identificar cada figura geométrica.

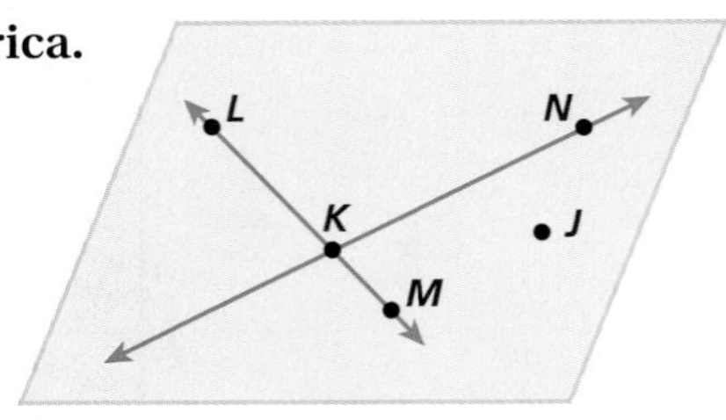

1. dos puntos
2. una línea
3. un punto compartido por dos líneas
4. un plano

Ver Ejemplo 2

Usa el diagrama para dar una posible identificación a cada figura.

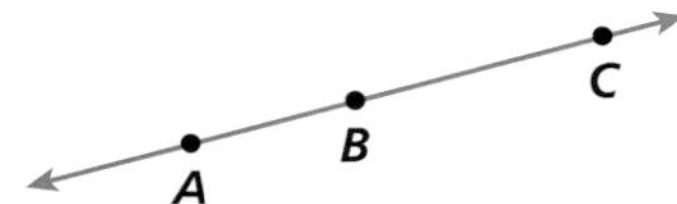

5. dos formas de identificar la línea
6. cuatro rayos
7. otra forma de identificar $\overrightarrow{AC}$

PRÁCTICA INDEPENDIENTE

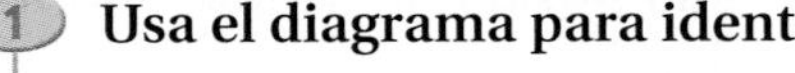

Ver Ejemplo 1

Usa el diagrama para identificar cada figura geométrica.

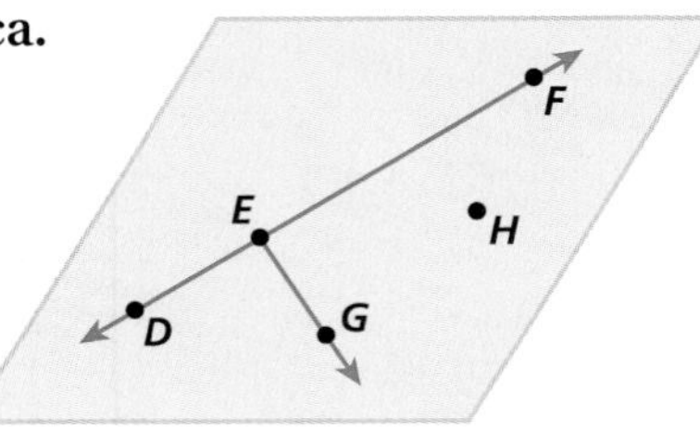

8. tres puntos
9. una línea
10. un punto compartido por una línea y un rayo
11. un plano

Ver Ejemplo 2

Usa el diagrama para dar una posible identificación a cada figura.

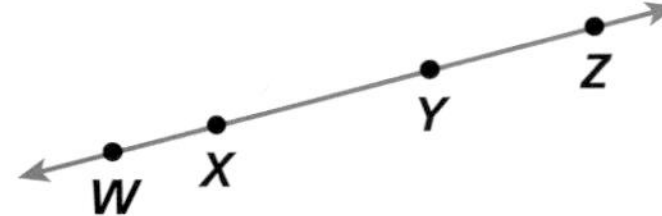

12. dos segmentos de recta diferentes
13. seis rayos
14. otra forma de identificar $\overrightarrow{YX}$

PRÁCTICA Y RESOLUCIÓN DE PROBLEMAS

Práctica adicional
Ver página 728

Usa el diagrama para identificar cada figura geométrica descrita.

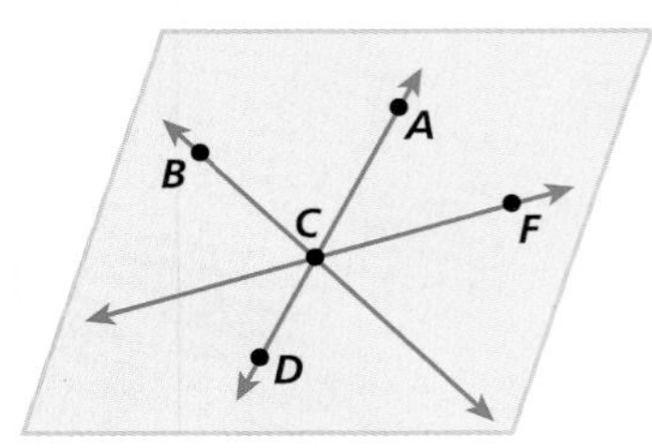

15. un punto compartido por tres líneas
16. dos puntos en la misma línea
17. dos rayos
18. otra forma de identificar $\overrightarrow{AD}$
19. dos formas de identificar la misma línea

Traza cada figura geométrica.

20. $\overrightarrow{RS}$
21. $\overline{LM}$
22. $\overleftrightarrow{AB}$
23. $\overline{XY}$ sobre $\overrightarrow{YX}$
24. $\overrightarrow{JK}$ y $\overrightarrow{JH}$ en la misma línea

con la geografía

Muchas veces, los cartógrafos incluyen una *leyenda* en los mapas que crean. En la leyenda se explica el significado de cada símbolo o lugar del mapa.

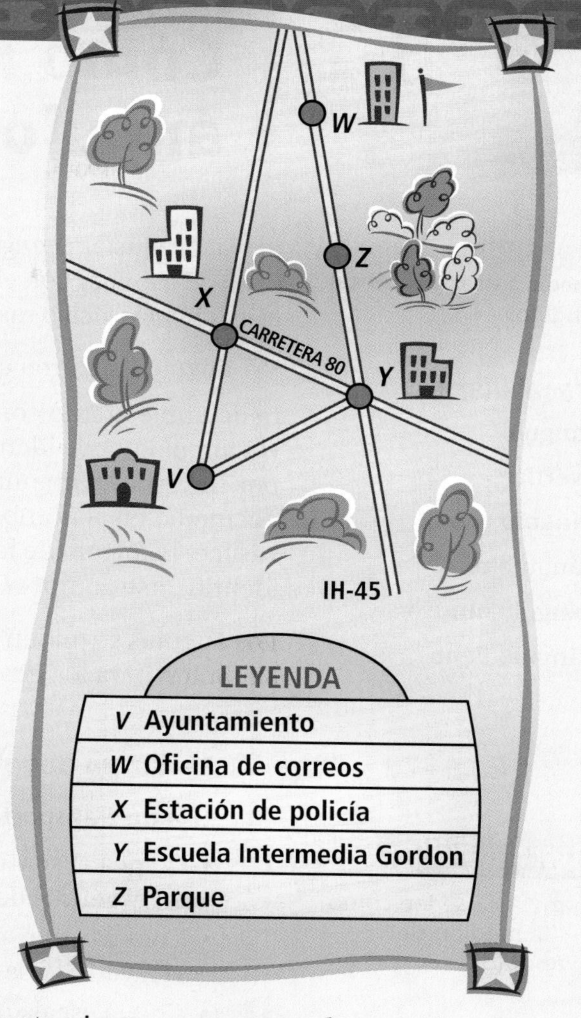

25. Identifica la figura geométrica que se indica en cada parte del mapa.

a. Ayuntamiento y Escuela Intermedia Gordon

b. Carretera 80

c. la sección del camino que va del parque a la oficina de correos

d. el camino desde el Ayuntamiento hasta la estación de camino

26. Una estudiante va en bicicleta desde la Intermedia Gordon hasta el Ayuntamiento. Después sigue hasta el parque, pasando primero por el cruce cercano a la estación de policía y luego por la escuela. Anota los segmentos del mapa que representan su ruta.

27. **Razonamiento crítico** Identifica un segmento de recta, un rayo y una línea que incluyan los mismos dos lugares del mapa, pero no el parque.

28. **¿Dónde está el error?** Un estudiante describió el camino de la Intermedia Gordon al Ayuntamiento como $\overleftrightarrow{VY}$. ¿Cuál fue su error?

29. **Escríbelo** Explica por qué el camino desde el Ayuntamiento que pasa por la estación de policía se indica con un rayo $\overrightarrow{VX}$ en vez de un rayo $\overrightarrow{XV}$.

30. **Desafío** ¿Cuáles son las posibles formas de identificar la línea que indica la carretera interestatal IH-45?

PREPARACIÓN PARA EL EXAMEN y repaso en espiral

31. **Opción múltiple** ¿Qué figura NO aparece en el diagrama?

Ⓐ Línea　　Ⓒ Segmento de recta

Ⓑ Punto　　Ⓓ Rayo

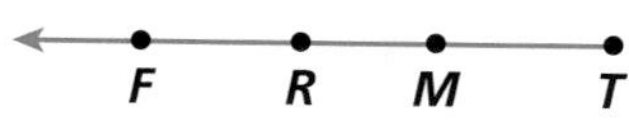

32. **Respuesta gráfica** ¿Cuántos extremos tiene un rayo?

Halla el valor de *k* en cada ecuación. (Lección 2-8)

33. $\frac{k}{3} = 7$　**34.** $\frac{k}{11} = 4$　**35.** $20 = \frac{k}{5}$　**36.** $21 = \frac{k}{7}$

Escribe cada fracción impropia como número mixto. (Lección 4-6)

37. $\frac{13}{4}$　**38.** $\frac{70}{9}$　**39.** $\frac{41}{3}$　**40.** $\frac{75}{6}$　**41.** $\frac{81}{7}$

8-2 Cómo medir y clasificar ángulos

Aprender a identificar, medir, trazar y clasificar ángulos

Vocabulario

ángulo
vértice
ángulo agudo
ángulo recto
ángulo obtuso
ángulo llano

Se puede ajustar el *ángulo* que forma una cinta de caminar con el piso para hacer un ejercicio más fácil o más intenso.

Un **ángulo** se forma con dos rayos que tienen un extremo común llamado **vértice.** Un ángulo puede identificarse por su vértice o por su vértice y un punto de cada rayo. El punto del medio en el nombre debe ser siempre el vértice. El ángulo de la cinta de caminar puede identificarse como $\angle F$, $\angle EFG$ o $\angle GFE$.

Los ángulos se miden en grados. Usa el símbolo ° para los grados.

EJEMPLO 1 Medir un ángulo con un transportador

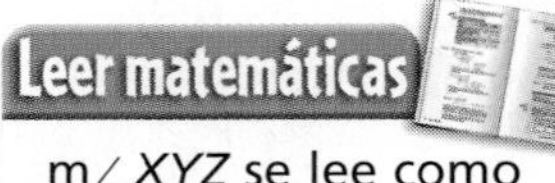

m$\angle XYZ$ se lee como "la medida del ángulo XYZ".

Usa un transportador para medir el ángulo.

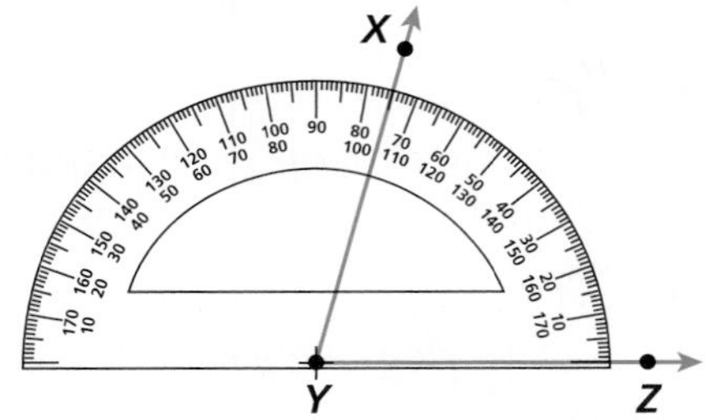

- Coloca el centro del transportador en el vértice del ángulo.
- Coloca el transportador de modo que el rayo YZ pase por la marca de 0°.
- Con la escala que comienza en 0° sobre el rayo YZ, lee la medida donde cruza el rayo YX.
- La medida de $\angle XYZ$ es 75°. Escríbela como m$\angle XYZ = 75°$.

EJEMPLO 2 Trazar un ángulo con un transportador

Usa un transportador para trazar un ángulo de 150°.

- Traza un rayo en una hoja.
- Coloca el centro del transportador en el extremo del rayo.
- Coloca el transportador de modo que el rayo pase por la marca de 0°.
- Haz una marca en 150° sobre la escala del transportador.
- Traza un rayo desde el extremo del primer rayo hasta la marca que hiciste en 150°.

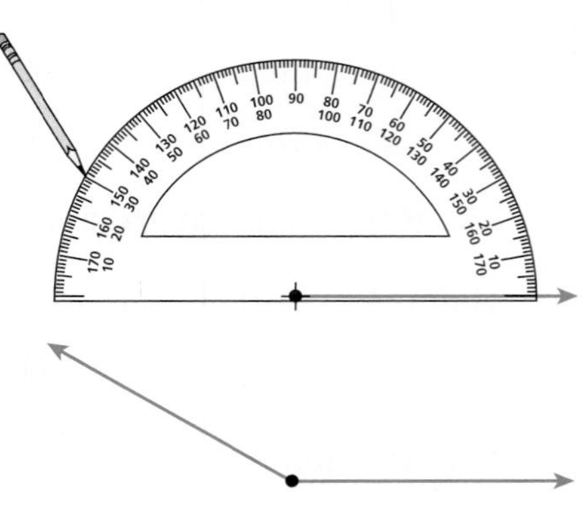

Puedes clasificar un ángulo por su medida.

Los ángulos rectos se suelen señalar con el símbolo ⌝.

Un **ángulo agudo** mide menos de 90°.

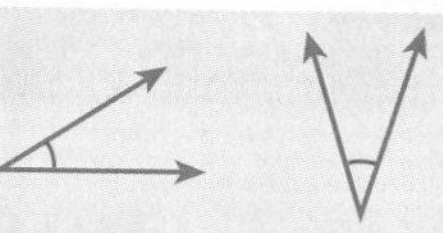

Un **ángulo recto** mide exactamente 90°.

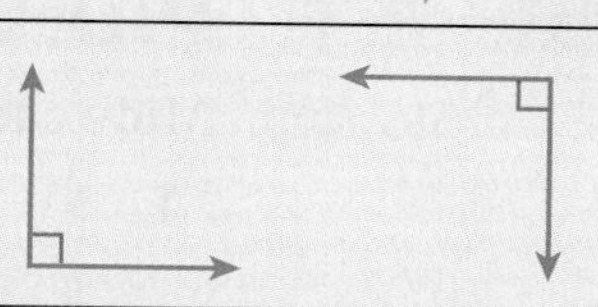

Un **ángulo obtuso** mide más de 90° y menos de 180°.

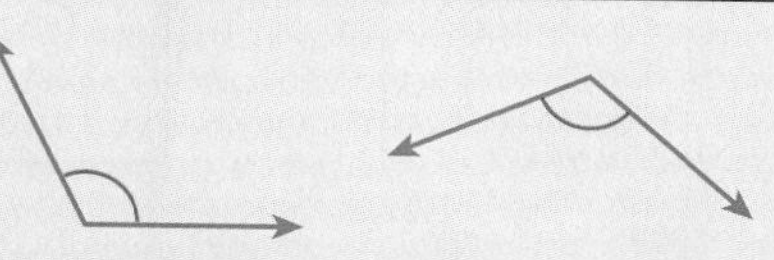

Un **ángulo llano** mide exactamente 180°.

EJEMPLO 3 **Clasificar ángulos**

Clasifica cada ángulo como agudo, recto, obtuso o llano.

El ángulo mide más de 90° y menos de 180°, de modo que es un ángulo obtuso.

B

El ángulo mide menos de 90°, de modo que es un ángulo agudo.

EJEMPLO 4 ***Aplicación a la arquitectura***

Un arquitecto diseñó este plano de la sala de una casa que tiene cinco lados. Clasifica ∠A, ∠B y ∠D en el plano.

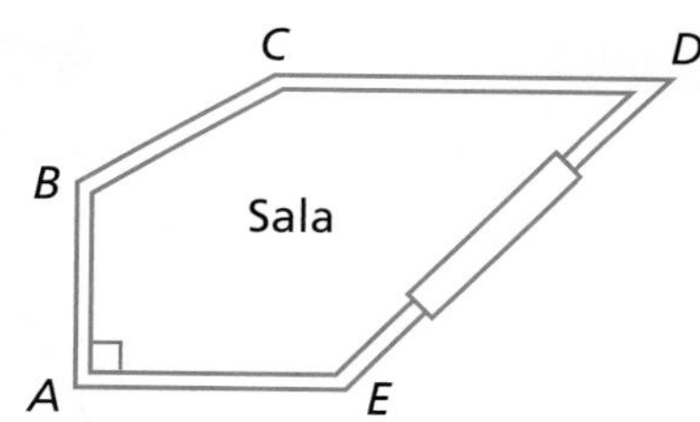

∠A	ángulo recto	*El ángulo está señalado como ángulo recto.*
∠B	ángulo obtuso	*El ángulo mide más de 90° y menos de 180°.*
∠D	ángulo agudo	*El ángulo mide menos de 90°.*

Razonar y comentar

1. **Explica** cómo sabes cuál de los puntos es el vértice de ∠XYZ.
2. **Da un ejemplo** de ángulo recto en tu salón de clases.
3. **Indica** qué tipo de ángulo sugiere cada una de las siguientes opciones:
   - **a.** un libro abierto sobre una mesa
   - **b.** la esquina de una hoja de papel
   - **c.** la punta de un lápiz
   - **d.** las manecillas del reloj a las 12:25

8-2 Ejercicios

go.hrw.com
Ayuda en línea para tareas*
CLAVE: MR7 8-2
Recursos en línea para padres
CLAVE: MR7 Parent
*(Disponible sólo en inglés)

PRÁCTICA GUIADA

Ver Ejemplo  **Mide cada ángulo con un transportador.**

1. 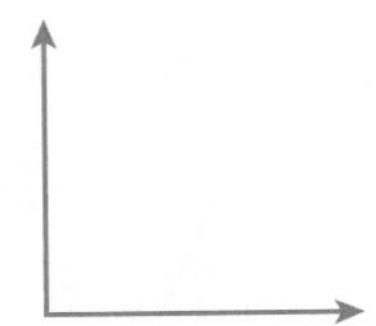 **2.** 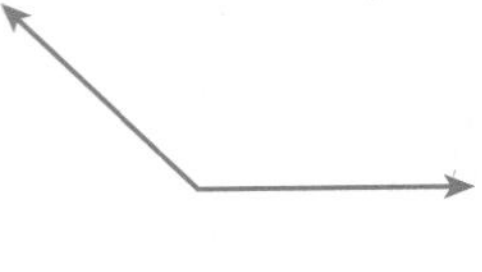 **3.** 

Ver Ejemplo  **Usa un transportador para trazar un ángulo de cada medida dada.**

4. 55° **5.** 135° **6.** 20° **7.** 190°

Ver Ejemplo  **Clasifica cada ángulo como agudo, recto, obtuso o llano.**

8. 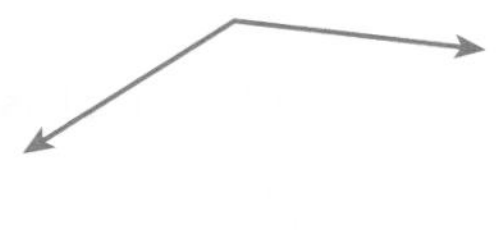 **9.** 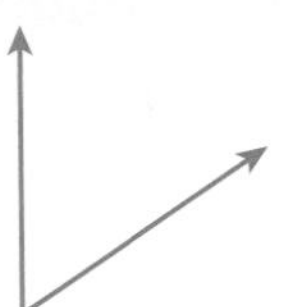 **10.** 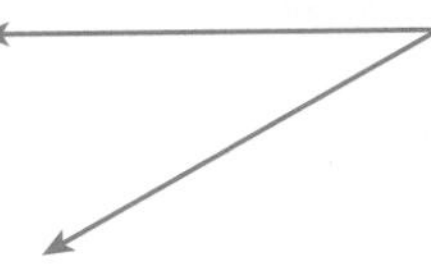

Ver Ejemplo  **11.** Kendra planea hacer un cantero para su jardín, que se muestra en la figura. Clasifica cada ángulo del cantero.

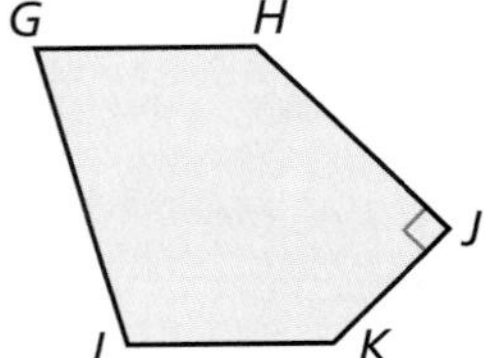

PRÁCTICA INDEPENDIENTE

Ver Ejemplo  **Mide cada ángulo con un transportador.**

12.  **13.** 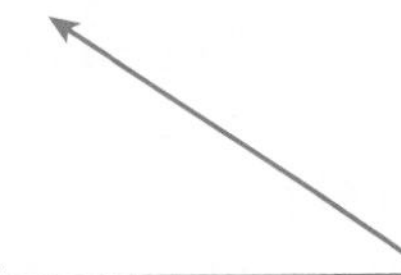 **14.** 

Ver Ejemplo  **Usa un transportador para trazar un ángulo de cada medida dada.**

15. 150° **16.** 38° **17.** 90° **18.** 72° **19.** 45°

Ver Ejemplo  **Clasifica cada ángulo como agudo, recto, obtuso o llano.**

20. 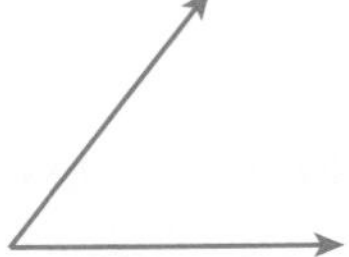 **21.** 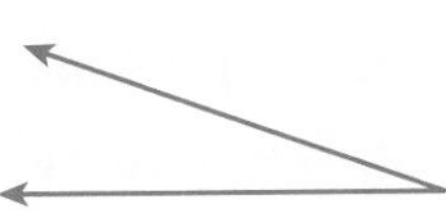 **22.** 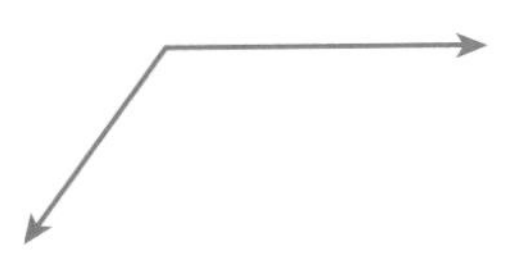

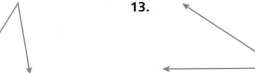

Ver Ejemplo  **23.** En la figura se muestra la forma de una baldosa de cerámica. Clasifica cada uno de los ángulos de la baldosa.

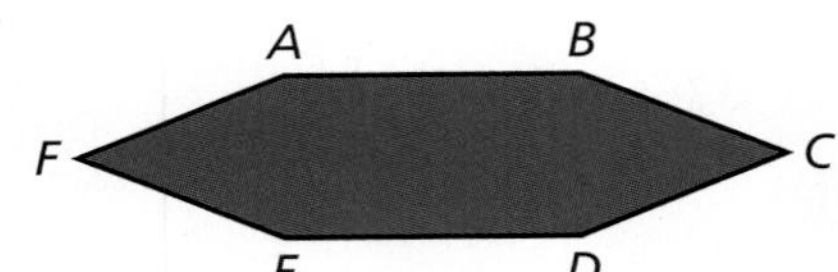

PRÁCTICA Y RESOLUCIÓN DE PROBLEMAS

Práctica adicional
Ver página 728

Usa un transportador para trazar cada ángulo.

24. un ángulo agudo que mida menos de 45°

25. un ángulo obtuso que mida entre 100° y 160°

26. un ángulo recto

Clasifica el menor ángulo formado por las manecillas de cada reloj.

27.

28.

29.

30. Razonamiento crítico Dos ángulos agudos con un vértice común, ¿pueden formar un ángulo recto? Justifica tu respuesta con un diagrama.

31. ¿Dónde está el error? Un estudiante escribió que este ángulo mide 156°. Explica el error que cometió e indica la medida correcta. ¿Cómo puede evitar cometer el mismo error otra vez?

32. Escríbelo Describe en qué son diferentes un ángulo agudo y un ángulo obtuso.

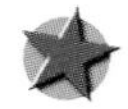

33. Desafío ¿Cuántas veces al día forman un ángulo llano las manecillas del reloj?

Preparación Para El Examen y repaso en espiral

34. Opción múltiple En la figura se muestra el plano de una rampa para patinetas. ¿Qué tipo de ángulo es $\angle B$?

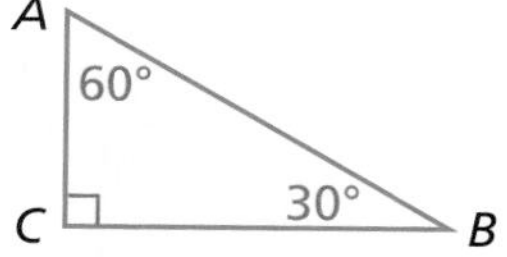

Ⓐ Agudo Ⓑ Recto Ⓒ Obtuso Ⓓ Llano

35. Opción múltiple ¿Cuál de las siguientes opciones es otro nombre de $\angle PQR$?

Ⓕ $\angle P$ Ⓖ $\angle RQP$ Ⓗ $\angle PRQ$ Ⓙ $\angle QPR$

Escribe cada decimal como porcentaje y como fracción. (Lección 7-8)

36. 0.09 **37.** 0.4 **38.** 0.65 **39.** 0.9 **40.** 0.76

Halla el porcentaje de cada número. (Lección 7-9)

41. 12% de 30 **42.** 30% de 60 **43.** 65% de 110 **44.** 82% de 360

8-3 Relaciones entre los ángulos

Aprender a comprender las relaciones entre ángulos

Vocabulario

- congruente
- ángulos opuestos por el vértice
- ángulos adyacentes
- ángulos complementarios
- ángulos suplementarios

Las relaciones entre los ángulos cumplen una función importante en muchos deportes y juegos. En el minigolf, los jugadores deben comprender los ángulos para saber adónde dirigir la bola. En la ilustración, $m\angle 1 = m\angle 2$, $m\angle 3 = m\angle 4$ y $m\angle 5 = m\angle 6$.

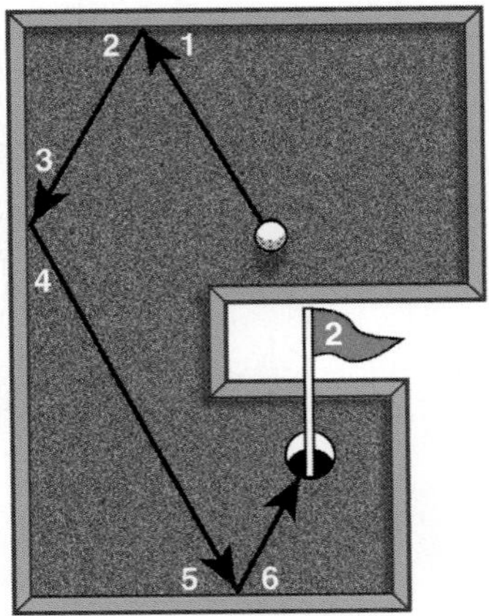

Cuando los ángulos tienen la misma medida, se dice que son **congruentes.**

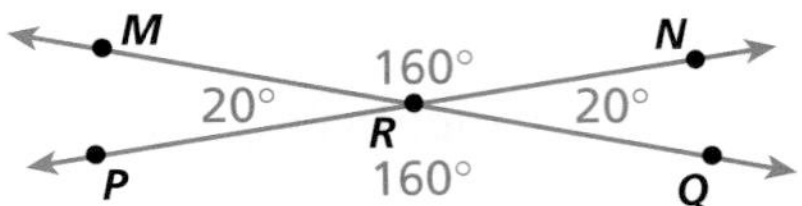

Los **ángulos opuestos por el vértice** se forman cuando se intersecan dos líneas. Los ángulos opuestos por el vértice tienen la misma medida; por lo tanto, siempre son congruentes.

$\angle MRP$ y $\angle NRQ$ son ángulos opuestos por el vértice.
$\angle MRN$ y $\angle PRQ$ son ángulos opuestos por el vértice.

Los **ángulos adyacentes** están uno junto al otro y comparten un vértice y un rayo. Los ángulos adyacentes pueden ser congruentes o no.

$\angle MRN$ y $\angle NRQ$ son ángulos adyacentes. Comparten el vértice R y $\overrightarrow{RN}$.
$\angle NRQ$ y $\angle QRP$ son ángulos adyacentes. Comparten el vértice R y $\overrightarrow{RQ}$.

EJEMPLO 1 Identificar tipos de pares de ángulos

Identifica el tipo de cada par de ángulos que se muestra.

A

$\angle 1$ y $\angle 2$ son opuestos y se forman por dos líneas secantes.

Son ángulos opuestos por el vértice.

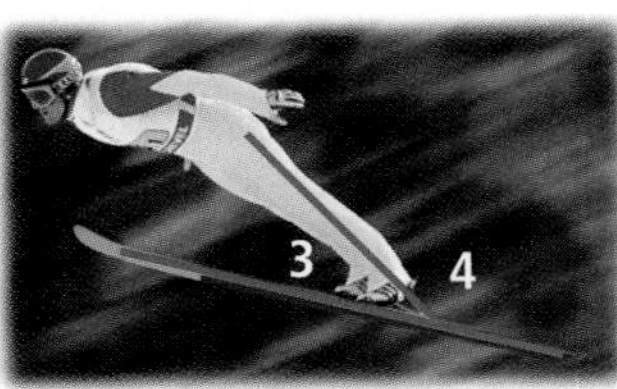

$\angle 3$ y $\angle 4$ están uno junto al otro y comparten un vértice y un rayo.

Son ángulos adyacentes.

Los **ángulos complementarios** son dos ángulos cuyas medidas suman 90°.

65° + 25° = 90°
∠*LMN* y ∠*NMP* son complementarios.

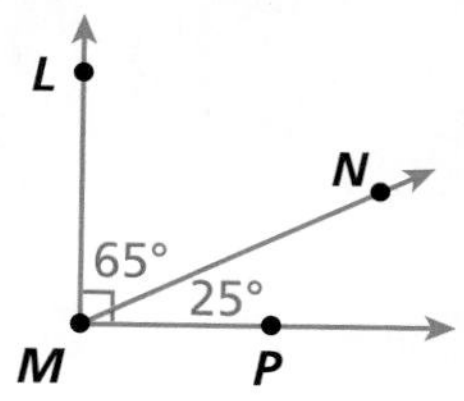

Los **ángulos suplementarios** son dos ángulos cuyas medidas suman 180°.

65° + 115° = 180°
∠*GHK* y ∠*KHJ* son suplementarios.

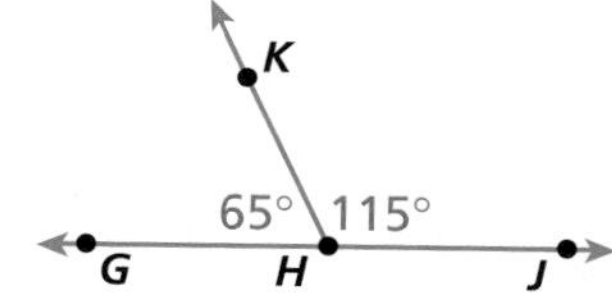

EJEMPLO 2 Identificar la medida desconocida de un ángulo

Halla cada medida de ángulo desconocida.

A Los ángulos son complementarios.

$$55° + a = 90°$$
$$-55° \quad -55°$$
$$a = 35°$$

La suma de las medidas es 90°.

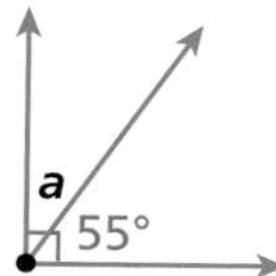

B Los ángulos son suplementarios.

$$75° + b = 180°$$
$$-75° \quad -75°$$
$$b = 105°$$

La suma de las medidas es 180°.

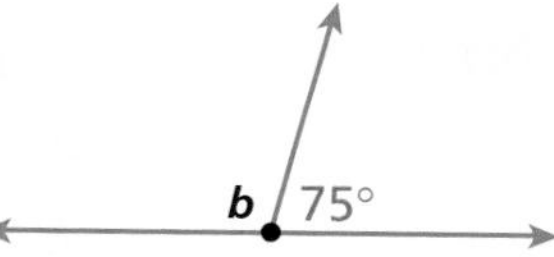

C Los ángulos son opuestos por el vértice.

$c = 51°$ *Los ángulos opuestos por el vértice son congruentes.*

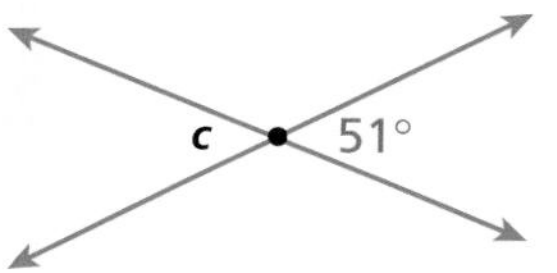

D Los ángulos *JGF* y *KGH* son congruentes.

$$d + e + 136° = 180°$$ *La suma de las medidas es 180°.*
$$-136° \quad -136°$$
$$d + e = 44°$$ *Cada ángulo mide la mitad de 44°.*
$$d = 22° \text{ y } e = 22°$$

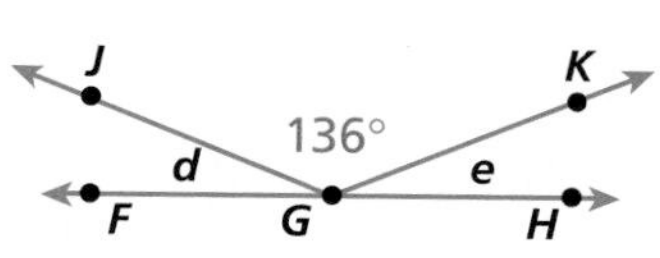

Razonar y comentar

1. **Da** la medida de ∠2 si ∠1 y ∠2 son ángulos opuestos por el vértice y m∠1 = 40°.
2. **Da** la medida de ∠3 si ∠3 y ∠4 son ángulos suplementarios y m∠4 = 150°.
3. **Indica** si los ángulos del Ejemplo 1B son suplementarios o complementarios.

8-3 Ejercicios

go.hrw.com
Ayuda en línea para tareas*
CLAVE: MR7 8-3
Recursos en línea para padres
CLAVE: MR7 Parent
*(Disponible sólo en inglés)

PRÁCTICA GUIADA

Ver Ejemplo 

Identifica el tipo de cada par de ángulos que se muestra.

1.

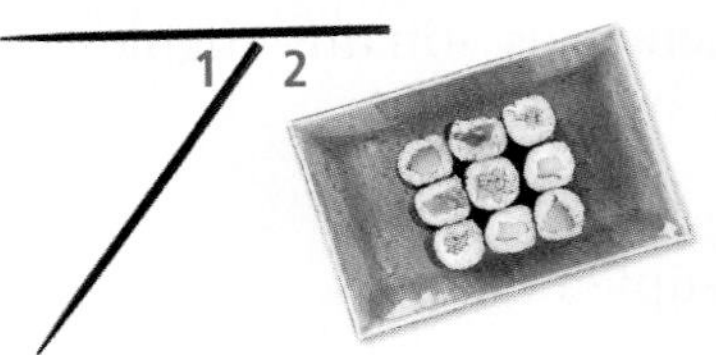

2.

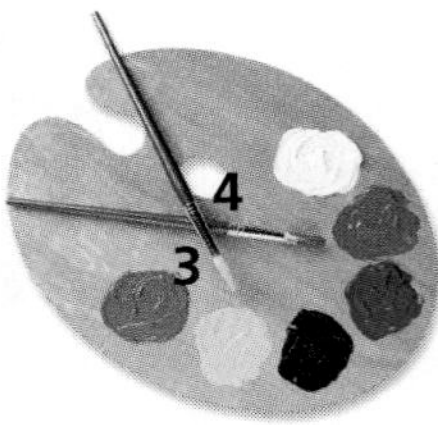

Ver Ejemplo 

Halla cada medida desconocida.

3. Los ángulos son complementarios.

81°
a

4. Los ángulos son suplementarios.

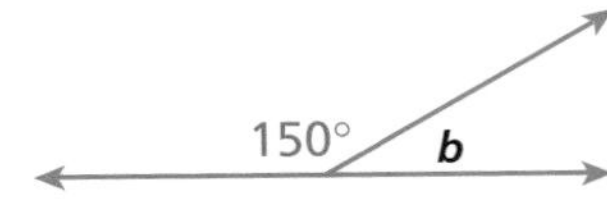

PRÁCTICA INDEPENDIENTE

Ver Ejemplo 

Identifica el tipo de cada par de ángulos que se muestra.

5.

6.

Ver Ejemplo 

Identifica cada medida de ángulo desconocida.

7. Los ángulos son opuestos por el vértice.

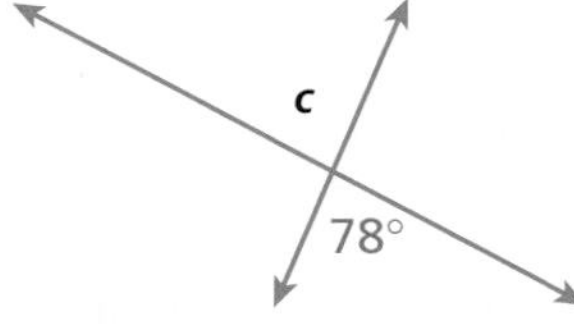

8. Los ángulos son suplementarios.

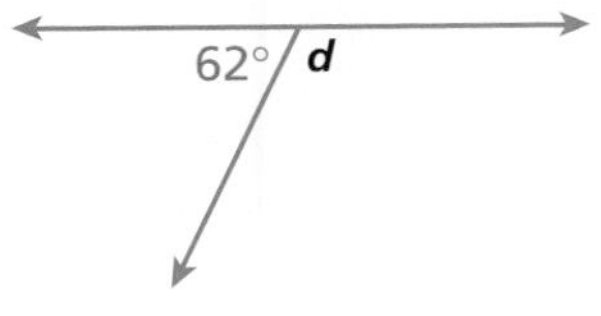

PRÁCTICA Y RESOLUCIÓN DE PROBLEMAS

Práctica adicional
Ver página 728

Usa la figura para los Ejercicios del 9 al 12.

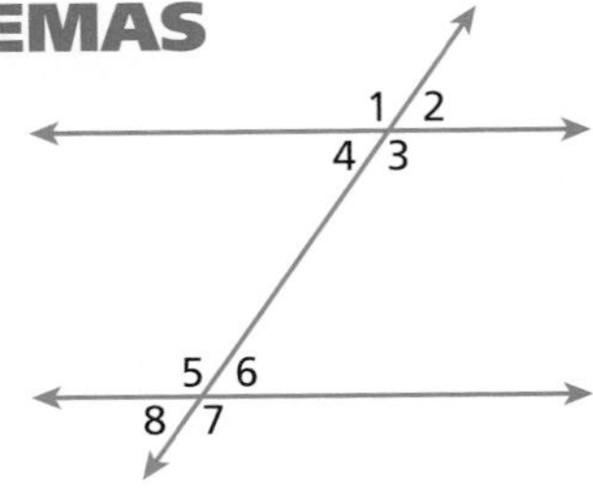

9. ¿Qué ángulos no son adyacentes a $\angle 3$?

10. Identifica todos los pares de ángulos opuestos por el vértice que incluyen $\angle 8$.

11. Si $m\angle 6$ mide 72°, ¿cuánto miden $\angle 5$, $\angle 7$ y $\angle 8$?

12. ¿Cuál es la suma de las medidas de $\angle 1$, $\angle 2$ $\angle 3$ y $\angle 4$?

Usa la figura para los Ejercicios del 13 al 15.

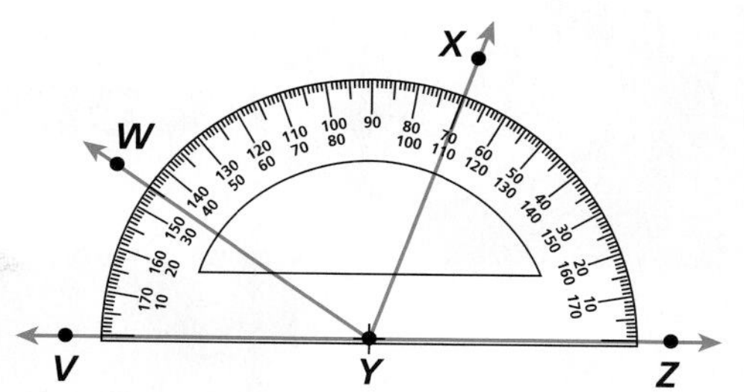

13. Halla la medida de $\angle VYW$.

14. Halla la medida de $\angle XYZ$.

15. **Varios pasos** Usa las medidas de $\angle VYW$ y $\angle XYZ$ para hallar la medida de $\angle WYX$.

Halla la medida del ángulo complementario a cada ángulo dado. Usa un transportador para trazar ambos ángulos.

16. 47° **17.** 62° **18.** 55° **19.** 31°

Halla la medida del ángulo suplementario a cada ángulo dado. Usa un transportador para trazar ambos ángulos.

20. 75° **21.** 102° **22.** 136° **23.** 81°

24. Los ángulos *A* y *B* son complementarios. Si el ángulo *A* mide lo mismo que el ángulo *B*, ¿cuánto mide cada ángulo?

25. Los ángulos *C* y *D* son complementarios al ángulo *F*. ¿Qué relación tienen los ángulos *C* y *D*?

26. **Escribe un problema** Traza un par de ángulos suplementarios adyacentes. Escribe un problema en el que deba hallarse la medida de uno de los ángulos.

27. **Escríbelo** Dos ángulos son suplementarios al mismo ángulo. Explica la relación entre las medidas de estos ángulos.

28. **Desafío** La medida del ángulo *A* es 38°. El ángulo *B* es complementario al ángulo *A*. El ángulo *C* es suplementario al ángulo *B*. ¿Cuánto mide el ángulo *C*?

Preparación Para El Examen y repaso en espiral

29. **Opción múltiple** ¿Qué tipo de ángulos son siempre congruentes?

(A) Adyacentes (B) Complementarios (C) Suplementarios (D) Opuestos por el vértice

30. **Opción múltiple** El ángulo *J* y el ángulo *K* son suplementarios. ¿Cuánto mide $\angle K$ si $\angle J$ mide 75°?

(F) 15° (G) 25° (H) 105° (J) 150°

Halla el valor que falta en cada proporción. (Lección 7-3)

31. $\frac{n}{6} = \frac{5}{15}$ **32.** $\frac{2}{m} = \frac{0.8}{3.6}$ **33.** $\frac{1}{8} = \frac{p}{2}$ **34.** $\frac{30}{8} = \frac{15}{s}$

Clasifica cada ángulo como agudo, recto, obtuso o llano. (Lección 8-2)

35. **36.** **37.**

38.

8-4 Cómo clasificar líneas

Aprender a clasificar diferentes tipos de líneas

Vocabulario

líneas paralelas

líneas perpendiculares

líneas oblicuas

En la fotografía de las casas y en la tabla de abajo se muestran algunas relaciones entre las líneas. Las líneas amarillas son secantes. Las líneas púrpuras son *paralelas.* Las líneas verdes son *perpendiculares.* Las líneas blancas son *oblicuas.*

Las líneas secantes son líneas que se cruzan en un punto común.	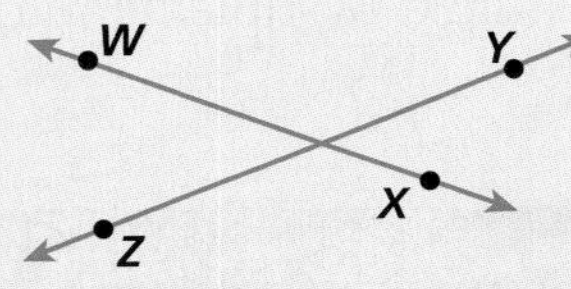	La línea *YZ* se interseca con la línea *WX*. $\overleftrightarrow{YZ}$ y $\overleftrightarrow{WX}$ son líneas secantes.
Las **líneas paralelas** son líneas que están en el mismo plano y nunca se cruzan.	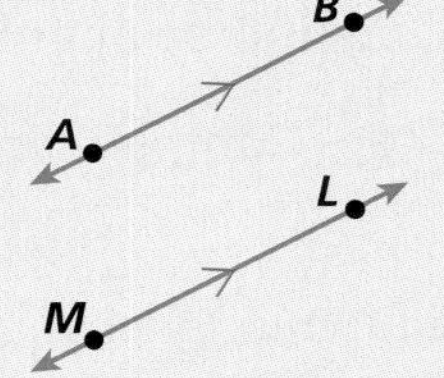	La línea *AB* es paralela a la línea *ML*. $\overleftrightarrow{AB} \parallel \overleftrightarrow{ML}$
Las **líneas perpendiculares** se intersecan para formar ángulos de 90° o ángulos rectos.	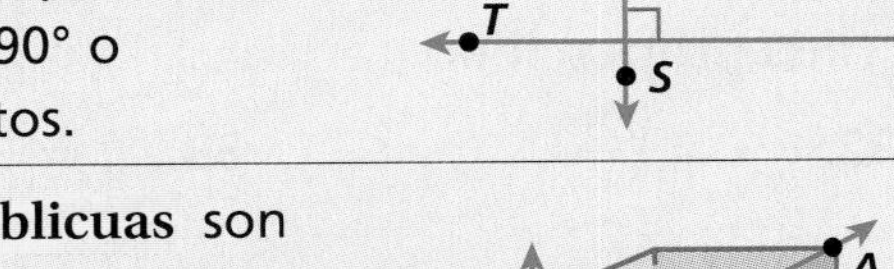	La línea *RS* es perpendicular a la línea *TU*. $\overleftrightarrow{RS} \perp \overleftrightarrow{TU}$
Las **líneas oblicuas** son líneas que están en planos diferentes. No son paralelas ni secantes.	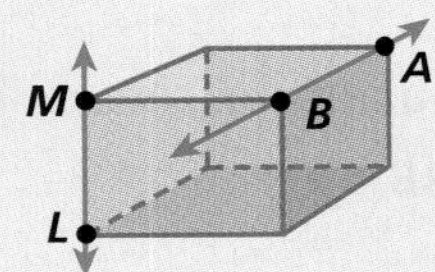	La línea *AB* y la línea *ML* son oblicuas. $\overleftrightarrow{AB}$ y $\overleftrightarrow{ML}$ son líneas oblicuas.

Leer matemáticas

Las flechas rojas en las líneas indican que son paralelas.

EJEMPLO 1 Clasificar pares de líneas

Clasifica cada par de líneas.

Las líneas están en el mismo plano. No se cruzan. Son paralelas.

B

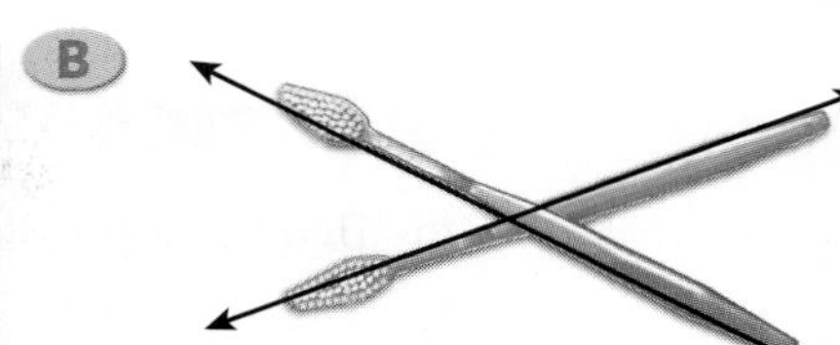

Las líneas se cruzan en un punto común. Son secantes.

Las líneas se cruzan en ángulos rectos. Son perpendiculares.

D

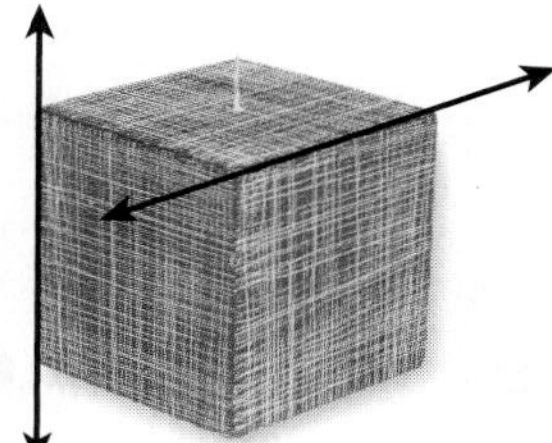

Las líneas están en planos diferentes y no son paralelas ni secantes. Son oblicuas.

EJEMPLO 2 *Aplicación a las ciencias físicas*

Las partículas de una onda transversal suben y bajan cuando la onda viaja hacia la derecha. ¿Qué clase de relación entre las líneas representa esto?

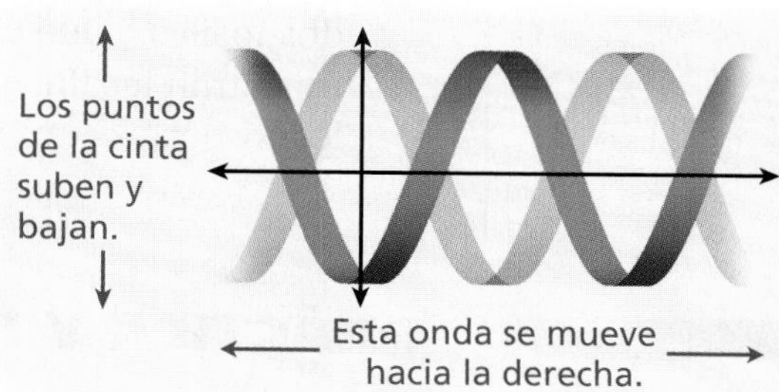
Los puntos de la cinta suben y bajan.
Esta onda se mueve hacia la derecha.

La dirección en que se mueven las partículas forma un ángulo recto con la dirección en que viaja la onda. Las líneas son perpendiculares.

Razonar y comentar

1. **Da un ejemplo** de líneas o segmentos de recta secantes, paralelos, perpendiculares y oblicuos en tu salón de clases.
2. **Determina** si dos líneas tienen que ser paralelas si no se cruzan. Explica.

8-4 Ejercicios

PRÁCTICA GUIADA

Ver Ejemplo  **Clasifica cada par de líneas.**

1. 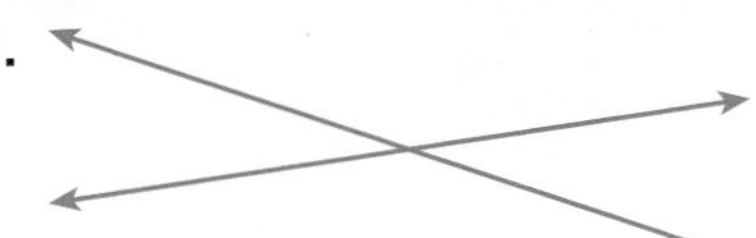

2. 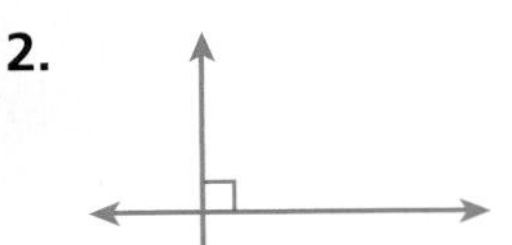

Ver Ejemplo 

3. Jamal arrojó un anzuelo desde un muelle, como se muestra en el dibujo. ¿Qué clase de relación muestran las líneas?

PRÁCTICA INDEPENDIENTE

Ver Ejemplo  **Clasifica cada par de líneas.**

4. 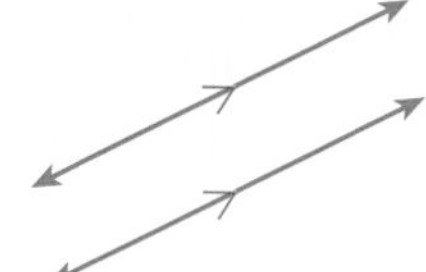

5. 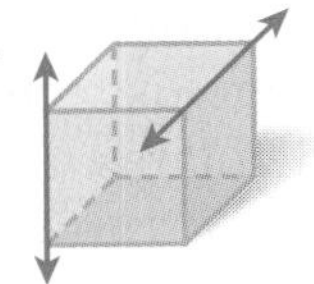

6. 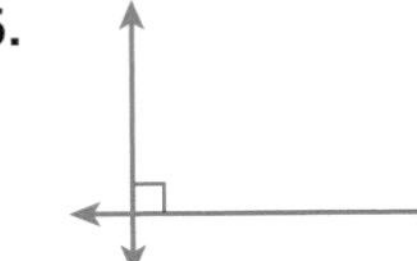

Ver Ejemplo 

7. En el dibujo se muestra el lugar donde un arqueólogo encontró dos fósiles. ¿Qué clase de relación muestran las líneas que sugieren los fósiles?

PRÁCTICA Y RESOLUCIÓN DE PROBLEMAS

Práctica adicional
Ver página 728

Describe cada par de líneas como paralelas, oblicuas, secantes o perpendiculares.

8. 

9. 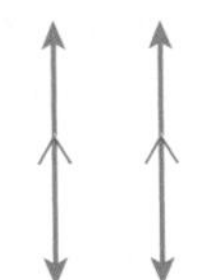

10. 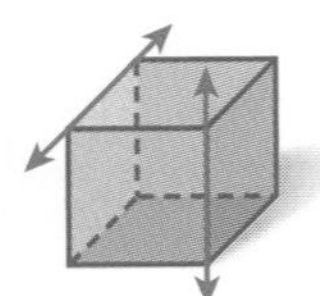

11. La calle Capitol cruza las Avenidas 1ra, 2da y 3ra, que son paralelas entre sí. La calle West y la calle East son perpendiculares a la 2da Avenida.

a. Traza un mapa de las seis calles.

b. Supongamos que las calles East y West fueran perpendiculares a la calle Capitol en lugar de a la 2ª Avenida. Traza un mapa de las calles.

Las líneas de la figura se intersecan y forman una caja rectangular.

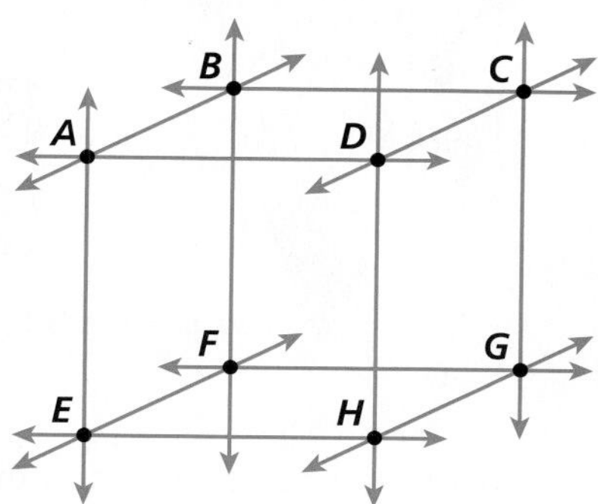

12. Identifica todas las líneas paralelas a $\overleftrightarrow{AD}$.

13. Identifica todas las líneas perpendiculares a $\overleftrightarrow{FG}$.

14. Identifica un par de líneas oblicuas.

15. Identifica todas las líneas que no son paralelas ni que intersecan con $\overleftrightarrow{DH}$.

Indica si cada enunciado es verdadero *siempre, algunas veces* o *nunca*.

16. Las líneas secantes son paralelas.

17. Las líneas secantes son perpendiculares.

18. Las líneas perpendiculares son secantes.

19. Las líneas paralelas son oblicuas.

20. **Razonamiento crítico** Usa los términos *paralelas, perpendiculares, oblicuas* o una combinación de ellos para describir las líneas de una hoja de papel cuadriculado. Explica tu respuesta.

21. **¿Dónde está el error?** Una estudiante trazó dos líneas y afirmó que eran paralelas y secantes. Explica el error.

22. **Escríbelo** Explica las semejanzas y diferencias entre las líneas perpendiculares y las líneas secantes.

23. **Desafío** Las líneas x, y y z están en un plano. Si las líneas x e y son paralelas y la línea z se interseca con la línea x, ¿se interseca la línea z con la línea y? Explica.

Preparación Para El Examen y repaso en espiral

24. **Opción múltiple** ¿Qué tipos de líneas nunca se intersecan cuando están en el mismo plano?

Ⓐ Secantes   Ⓑ Paralelas   Ⓒ Perpendiculares   Ⓓ Oblicuas

25. **Opción múltiple** La calle Main y la calle Elm se cruzan en un ángulo de 90°. ¿Qué término describe mejor las calles?

Ⓕ Secantes   Ⓖ Paralelas   Ⓗ Perpendiculares   Ⓘ Oblicuas

26. **Respuesta desarrollada** Un estudiante traza dos líneas en un mismo plano. Afirma que son oblicuas. ¿Tiene razón? Explica. ¿Qué tipos de líneas puede haber trazado el estudiante?

Representa gráficamente y rotula cada punto en una cuadrícula de coordenadas. (Lección 6-6)

27. $A(3, 4)$ **28.** $B(1, 5)$ **29.** $C(7, 1)$ **30.** $D\left(8\frac{1}{2}, 5\right)$ **31.** $E\left(2, 3\frac{1}{2}\right)$

Halla la medida del ángulo complementario a cada ángulo dado. (Lección 8-3)

32. 14°   **33.** 57°   **34.** 80°   **35.** 63°   **36.** 21°

Relaciones entre las líneas paralelas

Para usar con la Lección 8-4

go.hrw.com
Recursos en línea para el laboratorio
CLAVE: MR7 Lab8

Las líneas paralelas están en el mismo plano y nunca se intersecan. Puedes usar una regla y un transportador para trazar líneas paralelas.

Actividad

1. Traza una línea en una hoja. Rotula dos puntos *A* y *B*.

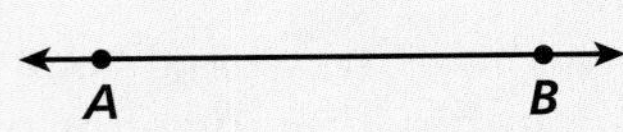

Usa tu transportador para medir y marcar un ángulo de 90° en cada punto.

Traza rayos con extremos *A* y *B* que pasen por las marcas que hiciste con el transportador.

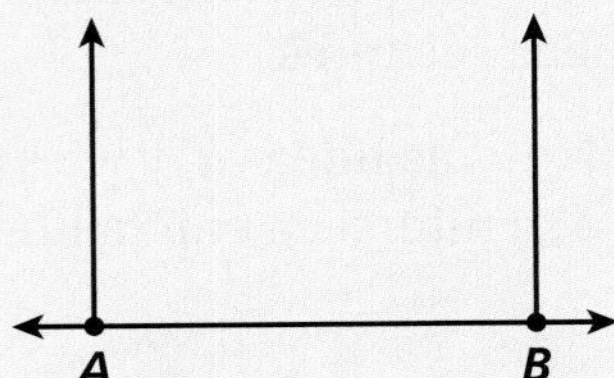

Coloca la punta del compás en el punto *A* y traza un arco a través del rayo.

Usa la misma abertura del compás para trazar un arco a través del rayo en el punto *B*.

Rotula los puntos de intersección *X* e *Y*.

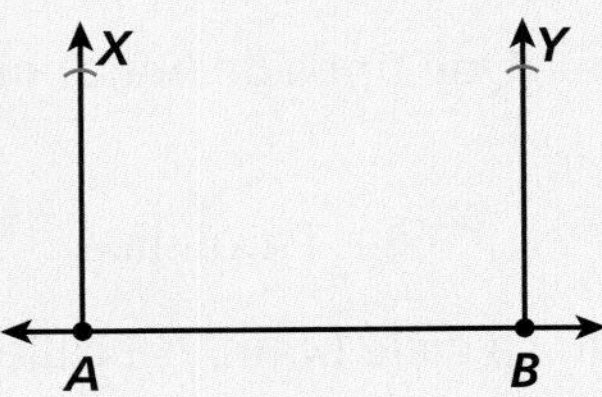

Ahora usa tu regla para trazar una línea que pase por *X* e *Y*.

Usa el símbolo de líneas paralelas para indicar que $\overleftrightarrow{AB}$ es paralela a $\overleftrightarrow{XY}$.

$\overline{AB} \parallel \overline{XY}$

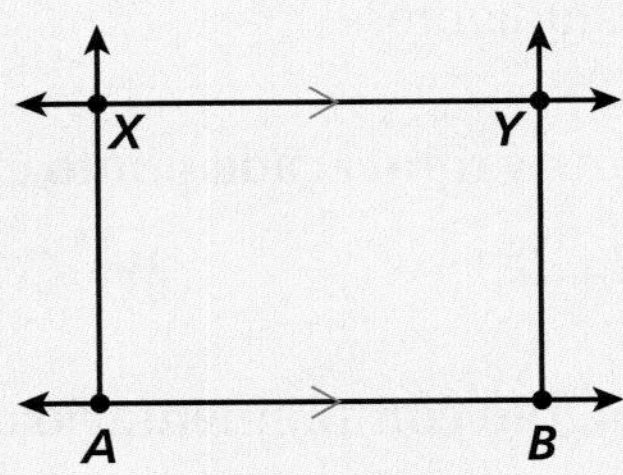

Cuando un par de líneas paralelas son intersecadas por una tercera línea, los ángulos que se forman tienen relaciones especiales.

2 Traza un par de líneas paralelas y una tercera línea que las cruce. Rotula los ángulos del 1 al 8, como se muestra.

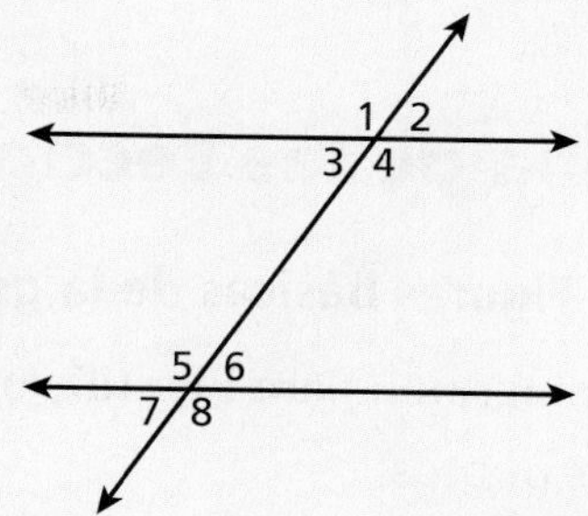

Los ángulos que están dentro de las líneas paralelas se llaman *ángulos internos.* Aquí, los ángulos internos son los ángulos 3, 4, 5 y 6.

Los ángulos que están fuera de las líneas paralelas se llaman *ángulos externos.* Aquí los ángulos externos son los ángulos 1, 2, 7 y 8.

Mide cada ángulo y escribe su medida dentro del ángulo.

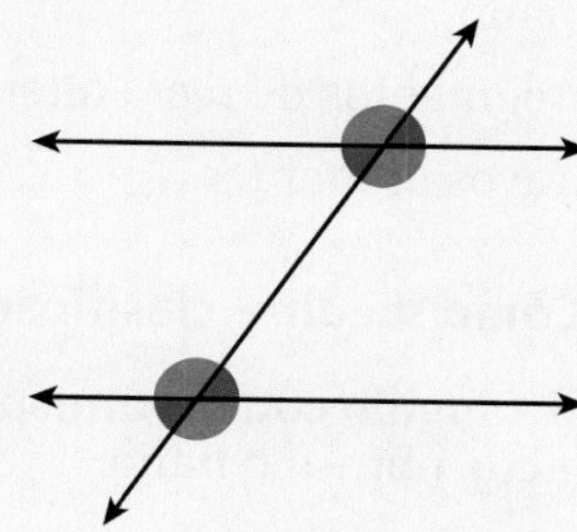

Sombrea con el mismo color los ángulos que tengan la misma medida.

Los ángulos internos con la misma medida se llaman *ángulos alternos internos.* Son los ángulos 3 y 6 y los ángulos 4 y 5.

Los ángulos externos con la misma medida se llaman *ángulos alternos externos.* Son los ángulos 1 y 8 y los ángulos 2 y 7.

Los ángulos que están en la misma posición cuando la tercera línea interseca las paralelas se llaman *ángulos correspondientes.*

Razonar y comentar

1. Identifica tres pares de ángulos correspondientes.
2. Indica la relación entre la medida de los ángulos internos y la medida de los ángulos externos.

Inténtalo

Sigue los pasos para construir y rotular el diagrama.

1. Traza un par de líneas paralelas y una tercera línea que las cruce para formar un ángulo de 75°.
2. Rotula cada ángulo del diagrama con la medida que conoces.

SECCIÓN 8A

¿Listo para seguir?

Prueba de las Lecciones 8-1 a 8-4

8-1 Figuras básicas de la geometría

Usa el diagrama para identificar cada figura geométrica.

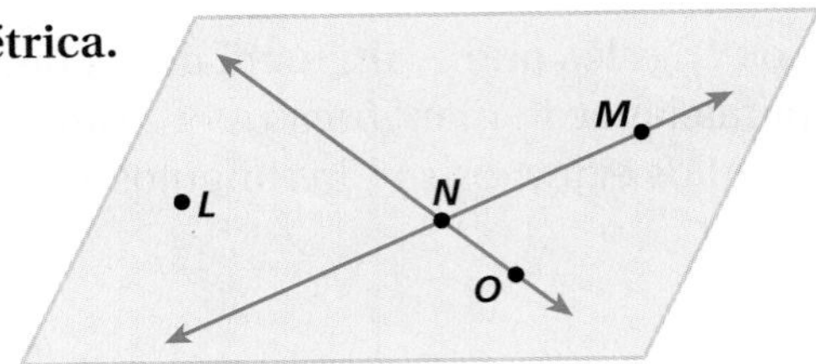

1. tres puntos
2. dos líneas
3. un punto compartido por dos líneas
4. un plano
5. dos segmentos de recta diferentes
6. dos rayos diferentes

8-2 Cómo medir y clasificar ángulos

Mide cada ángulo con un transportador. Luego clasifica cada ángulo como agudo, recto, obtuso o llano.

7. 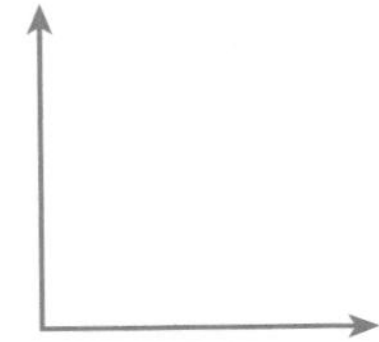

8. 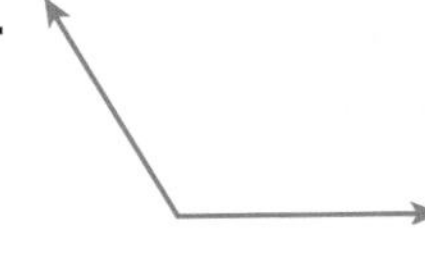

9. 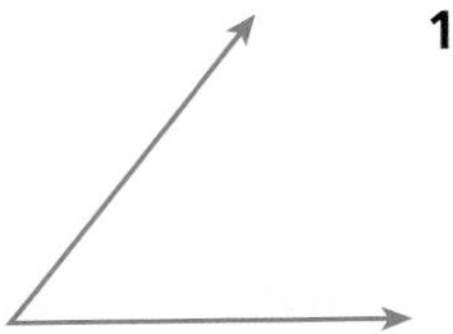

10. 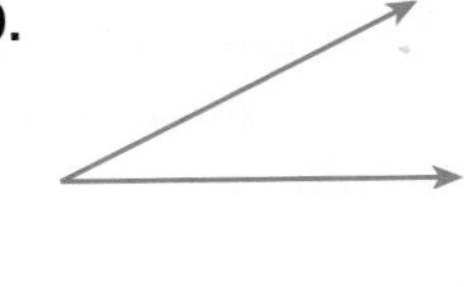

11. El mariscal de campo de un equipo de fútbol americano lanza un pase largo y el ángulo que forma la trayectoria de la pelota con el suelo es de 30°. Traza un ángulo que tenga esta medida.

8-3 Relaciones entre los ángulos

12. Si dos ángulos son suplementarios y uno de ellos mide 97°, ¿cuánto mide el otro?

Halla cada medida desconocida.

13. 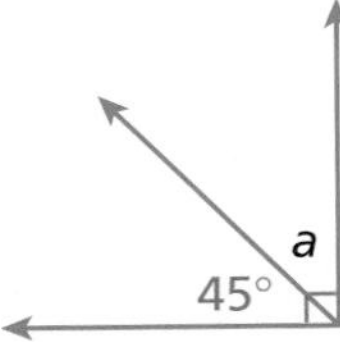

14. 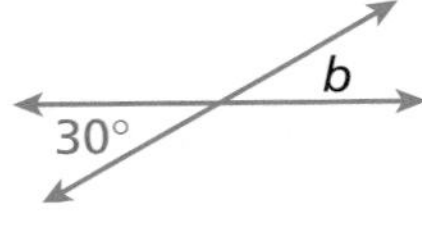

15. 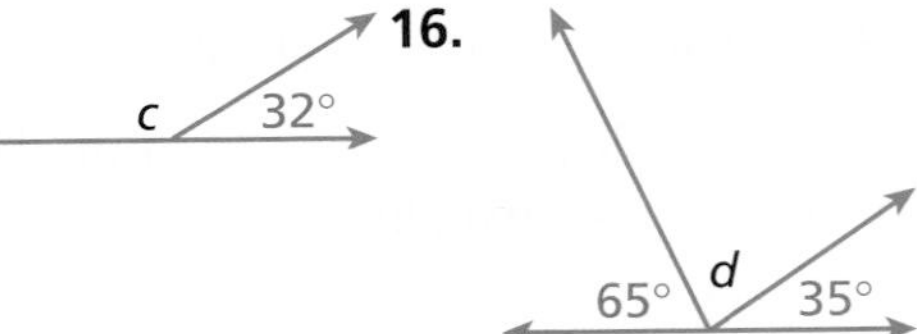

16.

8-4 Cómo clasificar líneas

Clasifica cada par de líneas.

17. 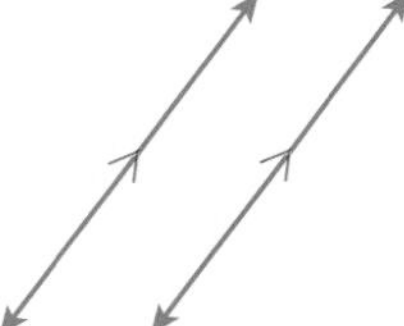

18. 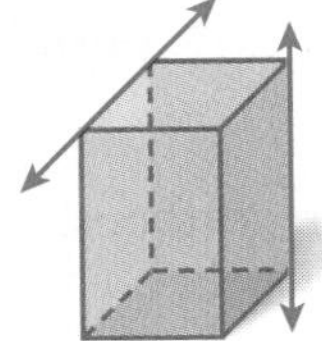

19. 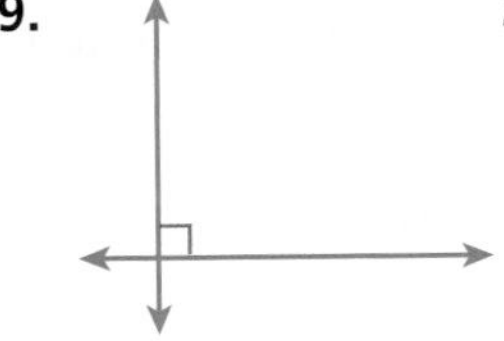

20. 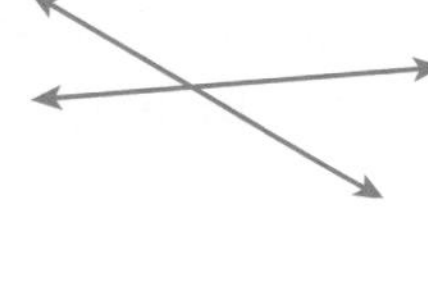

Enfoque en resolución de problemas

Resuelve

• **Elimina opciones de respuesta**

A veces, cuando un problema tiene múltiples opciones de respuesta, puedes eliminar algunas opciones para resolverlo.

Por ejemplo, un problema dice: "La figura que falta no es un triángulo rojo". Si una de las opciones de respuesta es un triángulo rojo, puedes eliminar esa opción.

Lee cada problema y observa las opciones de respuesta. Determina si puedes eliminar alguna opción antes de resolver el problema. Luego resuélvelo.

Los *emoticones* son letras y símbolos que parecen caritas si los damos vuelta. Cuando le envías un correo electrónico a alguien, puedes usar emoticones para mostrar tus sentimientos.

Emoticones	
Símbolo	**Significado**
:-(	Triste
:-D	Risa
:-)	Sonrisa
:-o	Grito
;-)	Guiño

Usa la tabla para los Ejercicios del 1 al 3.

1. Dora hizo un patrón con emoticones. ¿Qué carita es probable que use después?
:-D :-) :-D :-) :-D :-) :-D :-) :-D ▢

Ⓐ :-D
Ⓑ :-)
Ⓒ :-)
Ⓓ :-D

2. Troy hizo un patrón con emoticones. Identifica un patrón. ¿Qué carita falta?
:-(;-) :-o :-(;-) :-o :-(▢ :-o

Ⓕ :-(
Ⓖ :-o
Ⓗ ;-)
Ⓙ ;-)

3. Mya terminó un correo electrónico con cuatro emoticones seguidos. El primero es un grito. El guiño está entre la carita triste y la sonrisa. La sonrisa no es el último de los emoticones. ¿En qué orden los escribió Mya?

Ⓐ :-o :-(;-) :-)
Ⓑ :-o :-) ;-) :-(
Ⓒ :-) ;-) :-o :-(
Ⓓ :-o ;-) :-(:-)

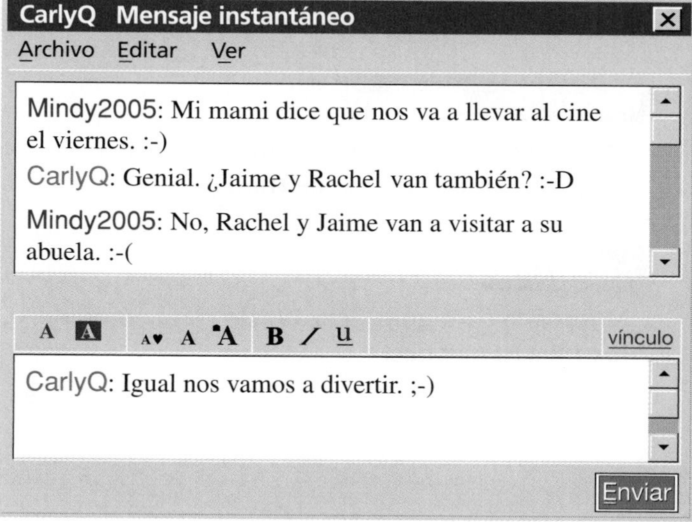

CarlyQ Mensaje instantáneo
Archivo Editar Ver
Mindy2005: Mi mami dice que nos va a llevar al cine el viernes. :-)
CarlyQ: Genial. ¿Jaime y Rachel van también? :-D
Mindy2005: No, Rachel y Jaime van a visitar a su abuela. :-(
vínculo
CarlyQ: Igual nos vamos a divertir. ;-)
Enviar

Laboratorio de PRÁCTICA 8-5

Clasificar triángulos

Para usar con la Lección 8-5

go.hrw.com
Recursos en línea para el laboratorio
CLAVE: MR7 Lab8

RECUERDA
- **Un triángulo es un polígono con tres lados y tres ángulos.**

Un triángulo puede clasificarse por sus lados como *equilátero, isósceles* o *escaleno.*

Actividad

Usa una regla en centímetros para medir los lados de cada triángulo. Traza cada triángulo y rotula la longitud de cada lado.

Tipo de triángulo	Ejemplos	No-ejemplos
Equilátero		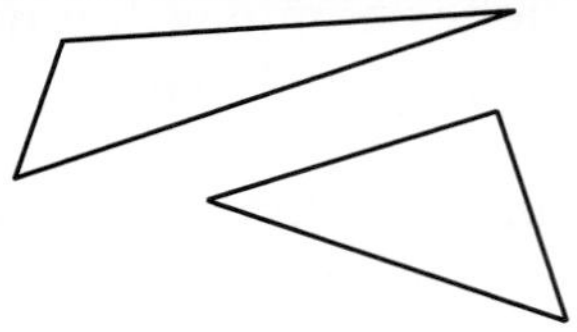
Isósceles	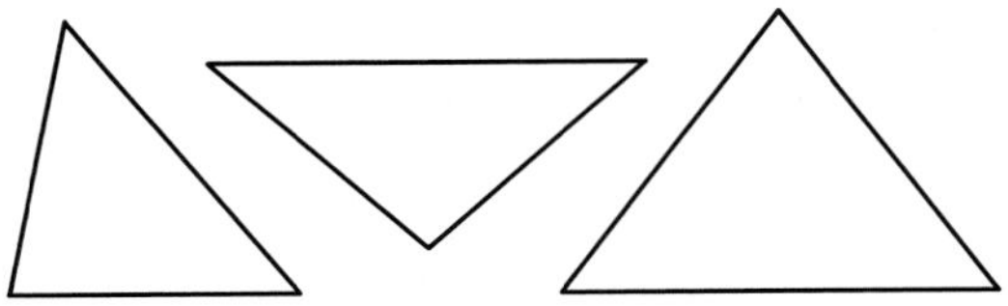	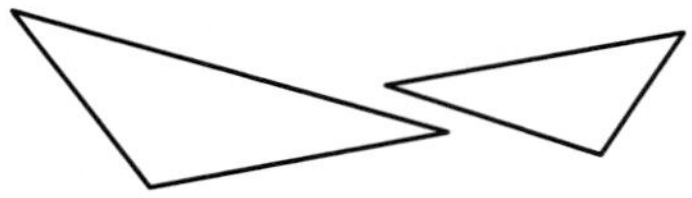
Escaleno	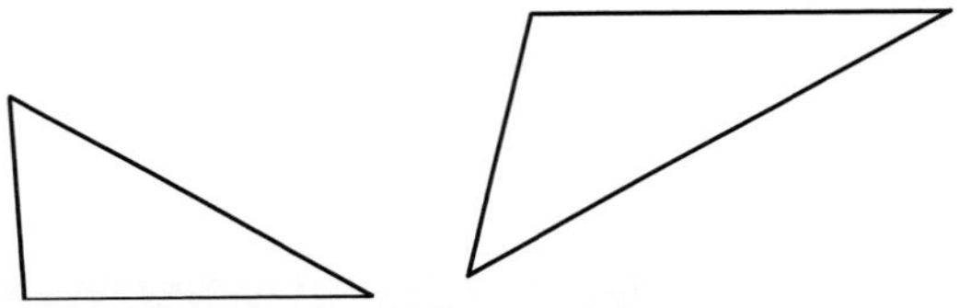	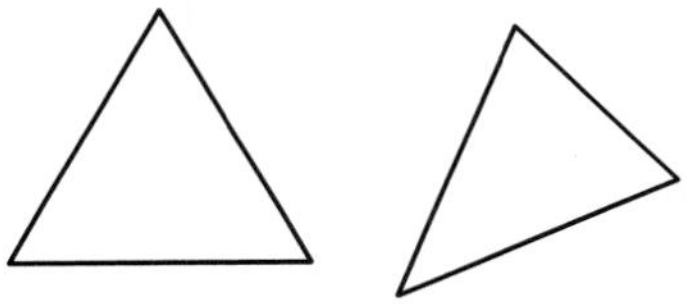

Razonar y comentar

1. Para cada tipo de triángulo, halla una regla que relacione las longitudes de los lados con el tipo de triángulo.

Inténtalo

Mide cada triángulo y clasifícalo como equilátero, isósceles o escaleno. Justifica tu respuesta.

1. 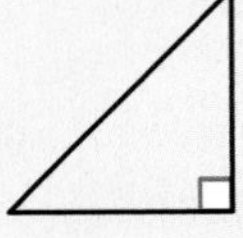

2. 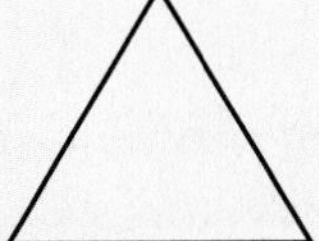

3. 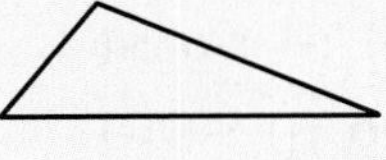

4. 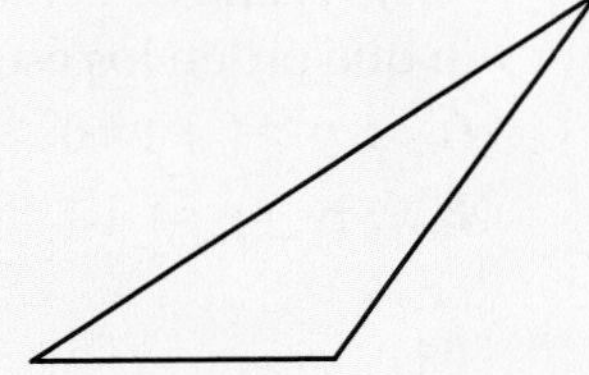

8-5 Triángulos

Aprender a clasificar triángulos y a resolver problemas con medidas de ángulos y de lados de triángulos

Vocabulario

triángulo acutángulo
triángulo obtusángulo
triángulo rectángulo
triángulo escaleno
triángulo isósceles
triángulo equilátero

Un triángulo es una figura cerrada con tres segmentos de recta y tres ángulos. Los triángulos pueden clasificarse según la medida de sus ángulos. Un **triángulo acutángulo** sólo tiene ángulos agudos. Un **triángulo obtusángulo** tiene un ángulo obtuso. Un **triángulo rectángulo** tiene un ángulo recto.

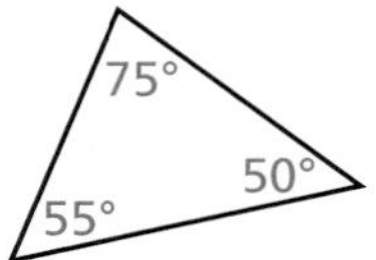

Triángulo acutángulo

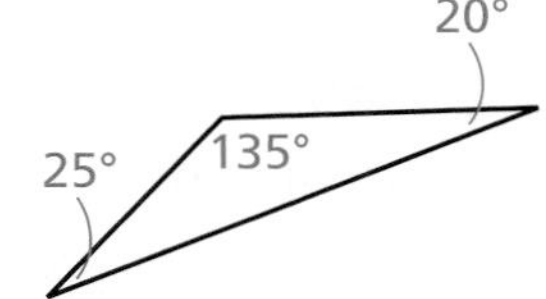

Triángulo obtusángulo

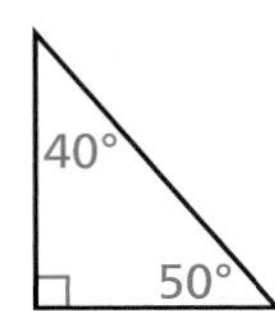

Triángulo rectángulo

Para decidir si un triángulo es acutángulo, obtusángulo o rectángulo, necesitas conocer las medidas de sus ángulos.

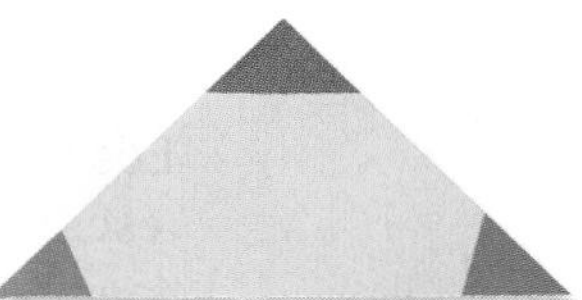

La suma de las medidas de los ángulos de cualquier triángulo es 180°. Puedes verlo si recortas las esquinas de un triángulo y las colocas alrededor de un punto en una línea.

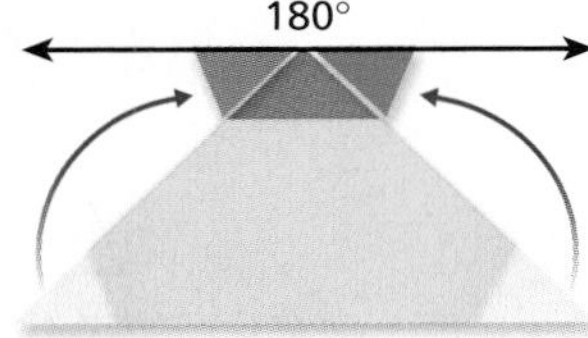

Si conoces la suma de las medidas de los ángulos de un triángulo, puedes hallar las medidas desconocidas.

EJEMPLO 1 *Aplicación a los deportes*

Las velas de los veleros suelen tener la forma de un triángulo. La medida de $\angle A$ es 70° y la medida de $\angle B$ es 45°. Clasifica el triángulo.

Para clasificar el triángulo, halla la medida de $\angle C$ de la vela.

$m\angle C = 180° - (70° + 45°)$

$m\angle C = 180° - 115°$ *Resta de 180° la suma de los ángulos conocidos.*

$m\angle C = 65°$

Por lo tanto, $\angle C$ mide 65°. Como $\triangle ABC$ sólo tiene ángulos agudos, la vela es un triángulo acutángulo.

Puedes usar lo que sabes sobre los ángulos opuestos por el vértice, adyacentes, complementarios y suplementarios para hallar las medidas que faltan.

EJEMPLO 2 Usar las propiedades de los ángulos para rotular triángulos

Usa el diagrama para hallar la medida de cada ángulo indicado.

¡Recuerda!

Los ángulos opuestos por el vértice son congruentes. La suma de las medidas de los ángulos complementarios es 90°. La suma de las medidas de los ángulos suplementarios es 180°.

A $\angle BDE$

$\angle BDE$ y $\angle ADC$ son ángulos opuestos por el vértice, por lo tanto, $m\angle BDE = m\angle ADC$.

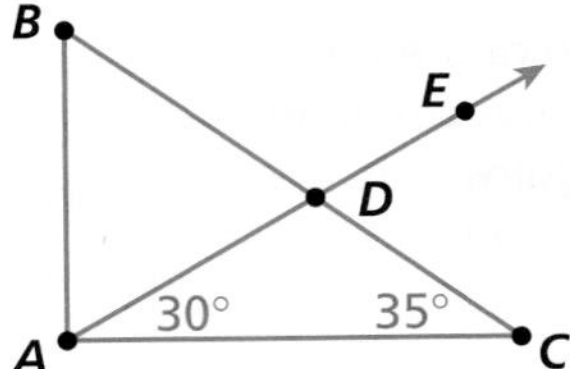

$$m\angle ADC = 180° - (30° + 35°)$$
$$= 180° - 65°$$
$$= 115°$$

$$m\angle BDE = 115°$$

B $\angle ADB$

La suma de $m\angle BDE$ y $m\angle ADB$ es 180°.

$$m\angle ADB = 180° - 115°$$
$$= 65°$$

$$m\angle ADB = 65°$$

Los triángulos pueden clasificarse según la longitud de sus lados. Un **triángulo escaleno** no tiene lados congruentes. Un **triángulo isósceles** tiene por lo menos dos lados congruentes. Un **triángulo equilátero** tiene tres lados congruentes. Puedes usar rayas pequeñas para indicar los lados congruentes.

Triángulo escaleno

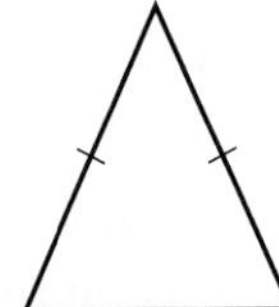

Triángulo isósceles

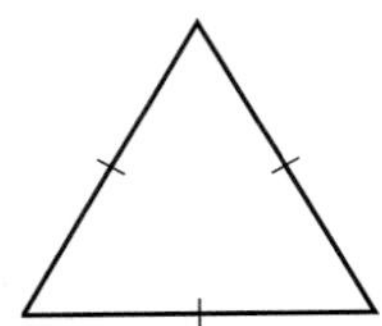

Triángulo equilátero

EJEMPLO 3 Clasificar triángulos por la longitud de sus lados

Clasifica el triángulo. El perímetro del triángulo es 7.8 cm.

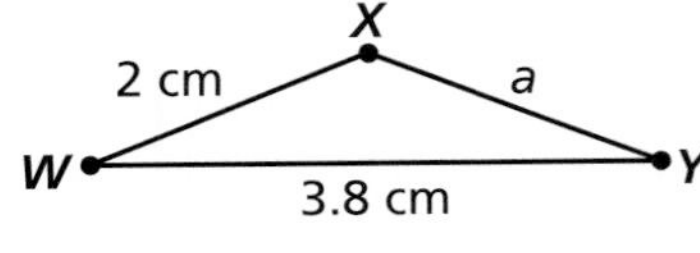

$$a + (3.8 + 2) = 7.8$$
$$a + 5.8 = 7.8$$
$$a + 5.8 - 5.8 = 7.8 - 5.8$$
$$a = 2$$

El lado a mide 2 centímetros. Como $\triangle WXY$ tiene por lo menos dos lados, pero no tres, de la misma longitud, es un triángulo isósceles.

Razonar y comentar

1. **Explica** por qué un triángulo no puede tener dos ángulos obtusos.
2. **Indica** si un triángulo rectángulo también puede ser acutángulo. Explica.

8-5 Ejercicios

go.hrw.com
Ayuda en línea para tareas*
CLAVE: MR7 8-5
Recursos en línea para padres
CLAVE: MR7 Parent
*(Disponible sólo en inglés)

PRÁCTICA GUIADA

Ver Ejemplo 1

1. Tres estrellas forman una constelación triangular. Dos de los ángulos miden 20° y 50°. Clasifica el triángulo.

Ver Ejemplo 2

Usa el diagrama para hallar la medida de cada ángulo indicado.

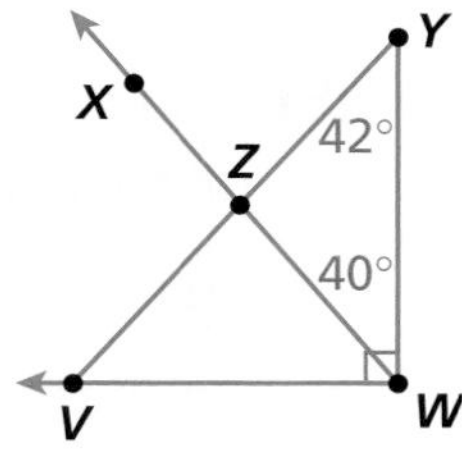

2. $\angle XZV$

3. $\angle VZW$

Ver Ejemplo 3

Clasifica cada triángulo con la información que se da.

4. El perímetro del triángulo es 24 cm.

5. El perímetro del triángulo es 30 pies.

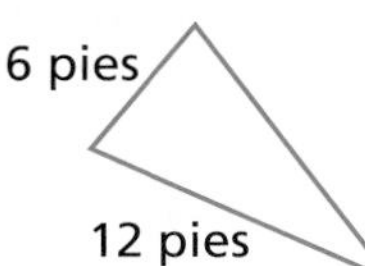

PRÁCTICA INDEPENDIENTE

Ver Ejemplo 1

6. Las carreteras interestatales que unen los pueblos *R*, *S* y *T* forman un triángulo. Dos de los ángulos miden 40° y 42°. Clasifica el triángulo.

Ver Ejemplo 2

Usa el diagrama para hallar la medida de cada ángulo indicado.

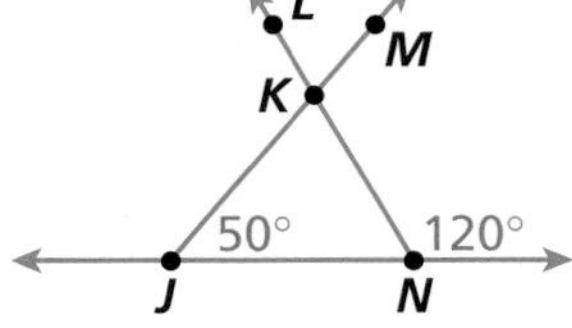

7. $\angle KNJ$

8. $\angle LKM$

Ver Ejemplo 3

Clasifica cada triángulo con la información dada.

9. El perímetro del triángulo es 10.5 pulg.

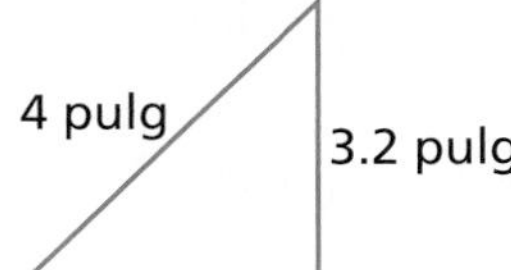

10. El perímetro del triángulo es 231 km.

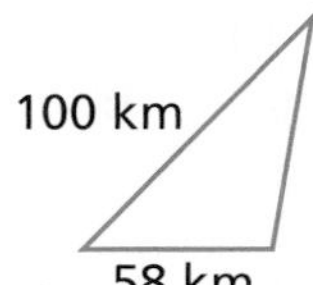

PRÁCTICA Y RESOLUCIÓN DE PROBLEMAS

Práctica adicional
Ver página 729

Si los ángulos forman un triángulo, clasifica el triángulo como acutángulo, obtusángulo o rectángulo.

11. 45°, 90°, 45°

12. 51°, 88°, 41°

13. 71°, 40°, 59°

14. 55°, 102°, 33°

15. 37°, 40°, 103°

16. 90°, 30°, 50°

17. Halla un triángulo en el salón de clases o en tu casa. Descríbelo y clasifícalo. Explica tu clasificación.

El Pony Express se fundó en 1860. Este sistema de mensajeros a caballo llevaba información por todo Estados Unidos antes del moderno servicio postal.

Se conoce la longitud de dos lados de $\triangle ABC$. Usa la suma de las longitudes de los tres lados para calcular la longitud del tercer lado y clasifica cada triángulo.

18. $AB = 7$ cm; $BC = 7$ cm; suma $= 15.9$ cm

19. $AB = 1\frac{1}{6}$ pie; $BC = 1\frac{1}{6}$ pie; suma $= 3\frac{1}{2}$ pies

20. Estudios sociales Algunos sellos triangulares se hacen dividiendo un rectángulo en dos partes. Clasifica el triángulo que se forma al cortar por la línea que une una esquina de un rectángulo con la esquina opuesta.

Traza un ejemplo de cada triángulo descrito.

21. un triángulo escaleno acutángulo

22. un triángulo isósceles rectángulo

23. un triángulo isósceles obtusángulo

24. un triángulo escaleno rectángulo

25. Razonamiento crítico Usa una regla en centímetros para medir cada lado del triángulo A. Suma la longitud de dos lados y compara la suma con la longitud del tercer lado. Suma la longitud de otro par de lados y compara la suma con la longitud del tercer lado. Haz lo mismo con los triángulos B y C. ¿Cómo se relaciona la suma de las longitudes de dos lados cualesquiera de un triángulo con la longitud del tercer lado?

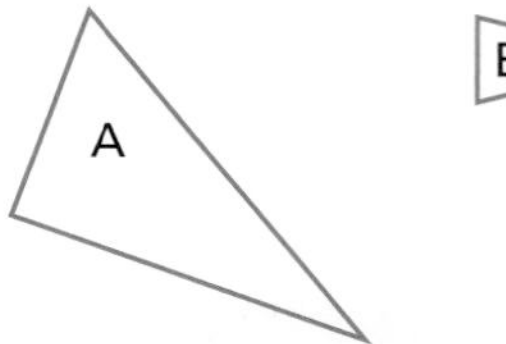

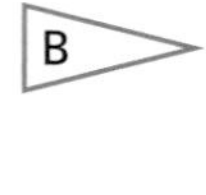

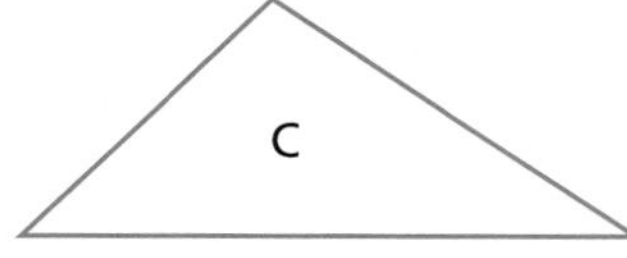

26. Elige una estrategia ¿Cuántos triángulos hay en la figura de la derecha?

27. Escríbelo Explica por qué un triángulo no puede tener dos ángulos rectos.

28. Desafío Halla la suma de los ángulos de un cuadrado. (*Pista:* Divide el cuadrado en dos triángulos).

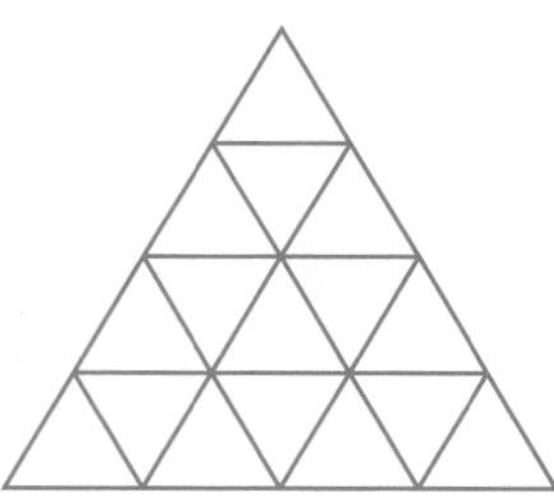

PREPARACIÓN PARA EL EXAMEN y repaso en espiral

29. Opción múltiple Un triángulo tiene un ángulo recto. ¿Cuáles podrían ser las medidas de los otros dos ángulos?

Ⓐ 20° y 70°　Ⓑ 30° y 15°　Ⓒ 60° y 120°　Ⓓ 90° y 100°

30. Opción múltiple Dos lados de un triángulo miden 54 metros y 45 metros. La suma de los tres lados es 126 metros. Halla la longitud del tercer lado.

Ⓕ 27 m　Ⓖ 72 m　Ⓗ 81 m　Ⓙ 99 m

Escribe cada porcentaje como decimal. (Lección 7-7)

31. 12%　**32.** 55%　**33.** 3%　**34.** 47%　**35.** 76%

Traza cada figura geométrica. (Lección 8-1)

36. $\overleftrightarrow{CD}$　**37.** $\overrightarrow{GM}$　**38.** $\overline{XY}$　**39.** punto A

Ángulos en triángulos

Para usar con la Lección 8-5

go.hrw.com
Recursos en línea para el laboratorio
CLAVE: MR7 Lab8

La suma de las medidas de los ángulos es igual en cualquier triángulo. Puedes usar un software de geometría para hallar esta suma y comprobar que es la misma en muchos triángulos diferentes.

Actividad

1. Usa el software de geometría para hacer el triángulo *ABC*. Luego usa la herramienta de medición de ángulos para medir $\angle B$.

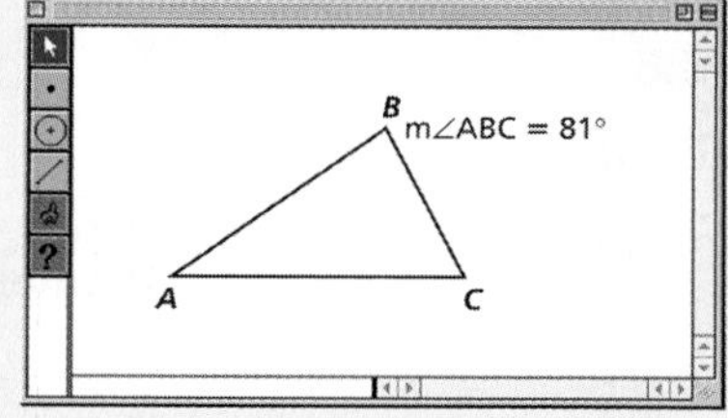

2. Usa la herramienta de medición de ángulos y mide $\angle C$ y $\angle A$. Luego suma las medidas de los tres ángulos con la calculadora. Observa que la suma es 180°.

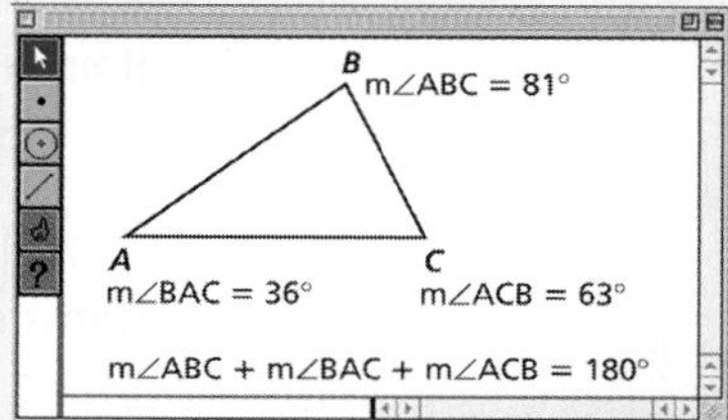

3. Selecciona el vértice *A* y arrástralo para cambiar la forma del triángulo *ABC*. Comprueba la suma de los ángulos. Cambia la forma del triángulo otra vez y luego otra vez. Asegúrate de hacer triángulos acutángulos y obtusángulos.

   Observa que la suma de las medidas de los ángulos siempre es 180°, sin importar la forma del triángulo.

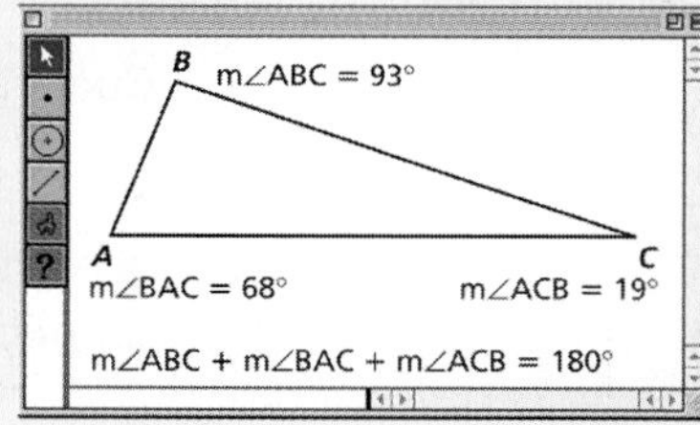

Razonar y comentar

1. ¿Puedes usar un software de geometría para trazar un triángulo con dos ángulos obtusos? Explica.

Inténtalo

Resuelve. Luego usa un software de geometría para comprobar cada respuesta.

1. En el triángulo *ABC*, $m\angle B = 49.15°$ y $m\angle A = 113.75°$. Halla $m\angle C$.
2. Usa un software de geometría para trazar un triángulo acutángulo *XYZ*. Da las medidas de sus ángulos y comprueba que sumen 180°.

8-6 Cuadriláteros

Aprender a identificar, clasificar y comparar cuadriláteros

Vocabulario

cuadrilátero
paralelogramo
rectángulo
rombo
cuadrado
trapecio

Un **cuadrilátero** es una figura plana con cuatro lados y cuatro ángulos.

En la tabla se muestran cinco tipos especiales de cuadriláteros y sus propiedades. Las marcas en dos o más lados de una figura indican que esos lados son congruentes.

Theo van Doesburg pintó *Composición 17*. Muchas de sus pinturas abstractas están compuestas por rectángulos de diferente tamaño.

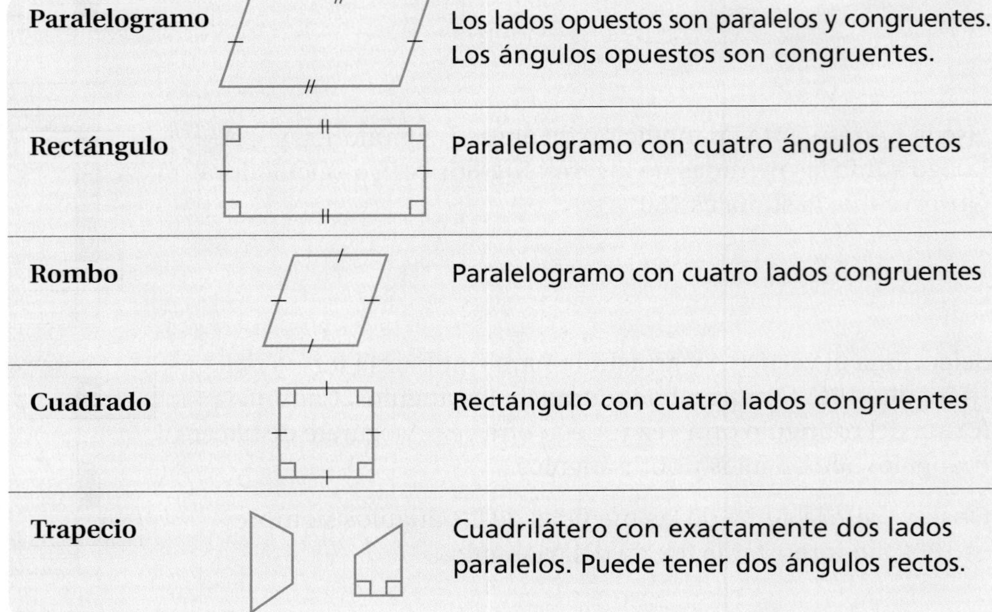

Paralelogramo	Los lados opuestos son paralelos y congruentes. Los ángulos opuestos son congruentes.
Rectángulo	Paralelogramo con cuatro ángulos rectos
Rombo	Paralelogramo con cuatro lados congruentes
Cuadrado	Rectángulo con cuatro lados congruentes
Trapecio	Cuadrilátero con exactamente dos lados paralelos. Puede tener dos ángulos rectos.

EJEMPLO 1 Identificar cuadriláteros

Da el nombre que mejor describe cada figura.

A

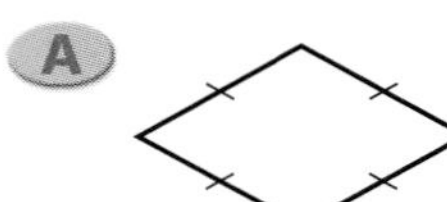

La figura es un cuadrilátero, un paralelogramo y un rombo.

Rombo es el nombre que mejor describe esta figura.

B

La figura es un cuadrilátero y un trapecio.

Trapecio es el nombre que mejor describe esta figura.

Da el nombre que mejor describe cada figura.

C 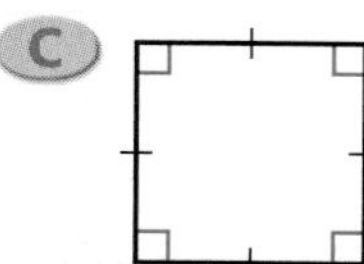

La figura es un cuadrilátero, un paralelogramo, un rectángulo, un rombo y un cuadrado.

Cuadrado es el nombre que mejor describe esta figura.

D 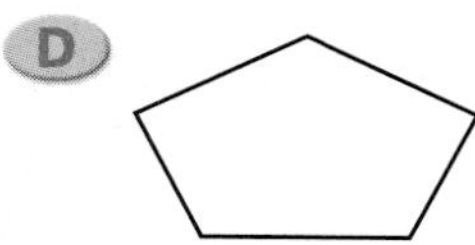

La figura es plana, pero tiene más de 4 lados.

La figura no es un cuadrilátero.

Puedes dibujar un diagrama para clasificar cuadriláteros según sus propiedades.

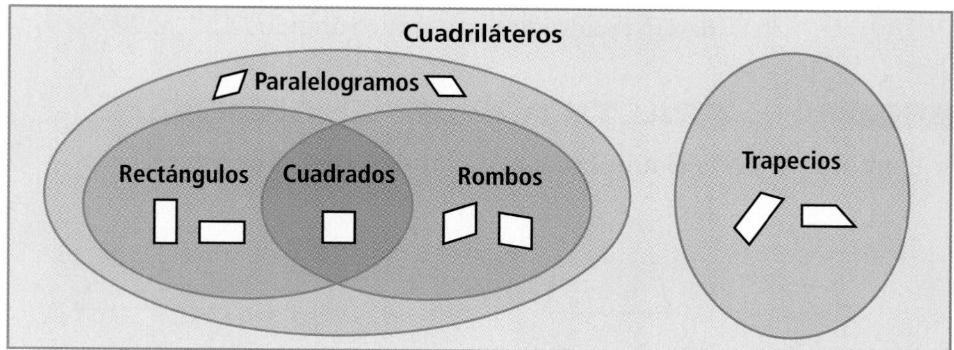

EJEMPLO 2 Clasificar cuadriláteros

Completa cada enunciado.

A **Un rombo que es un rectángulo es también un ___?___.**

Un rombo tiene cuatro lados congruentes y sus lados opuestos son paralelos. Si es un rectángulo, tiene cuatro ángulos rectos, lo que lo hace un **cuadrado**.

B **Un cuadrado también puede ser un ___?___, un ___?___ y un ___?___.**

Un cuadrado tiene lados opuestos que son paralelos; puede ser un **paralelogramo**.

Un cuadrado tiene cuatro lados congruentes; puede ser un **rombo**.

Un cuadrado tiene cuatro ángulos rectos; puede ser un **rectángulo**.

Razonar y comentar

1. **Indica** si todos los cuadrados son rombos y si todos los rombos son cuadrados.
2. **Compara** un trapecio con un rectángulo.

8-6 Ejercicios

go.hrw.com
Ayuda en línea para tareas*
CLAVE: MR7 8-6
Recursos en línea para padres
CLAVE: MR7 Parent
*(Disponible sólo en inglés)

PRÁCTICA GUIADA

Ver Ejemplo  **Da el nombre que mejor describe cada figura.**

1. 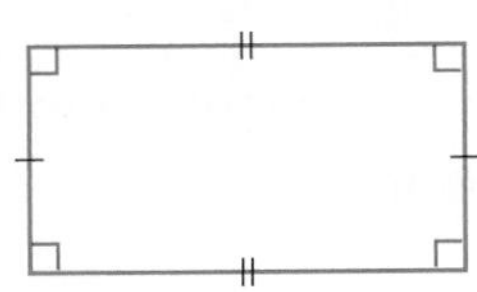

2. 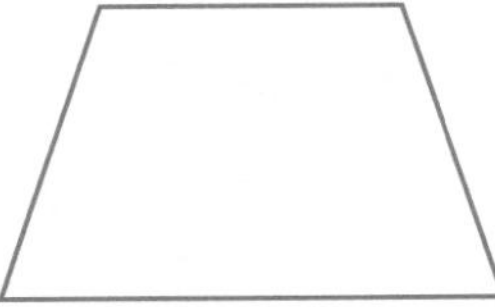

3. 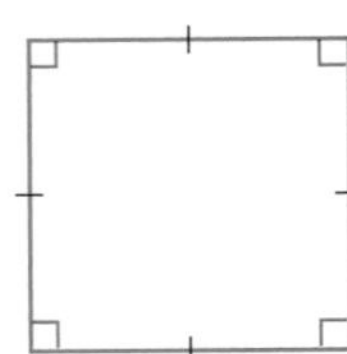

Ver Ejemplo 2 **Completa cada enunciado.**

4. Un trapecio es también un ___?___.

5. Todos los ___?___ también son rectángulos.

6. Un cuadrado tiene cuatro ángulos ___?___.

PRÁCTICA INDEPENDIENTE

Ver Ejemplo  **Da el nombre que mejor describe cada figura.**

7. 

8. 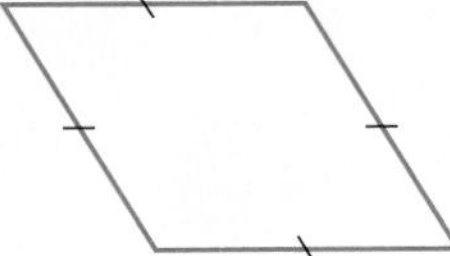

9. 

Ver Ejemplo  **Completa cada enunciado.**

10. Un rombo con cuatro ángulos rectos es un ___?___.

11. Un paralelogramo no puede ser un ___?___.

12. Un cuadrilátero con cuatro lados congruentes y ningún ángulo recto puede ser un ___?___ y un ___?___.

PRÁCTICA Y RESOLUCIÓN DE PROBLEMAS

Práctica adicional
Ver página 729

Da todos los nombres posibles de cada figura. Encierra en un círculo el más exacto.

13. 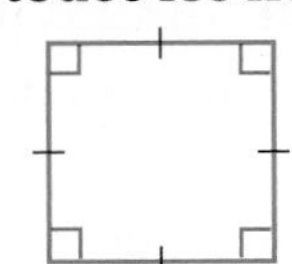

14. 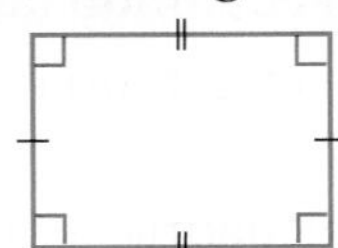

15. 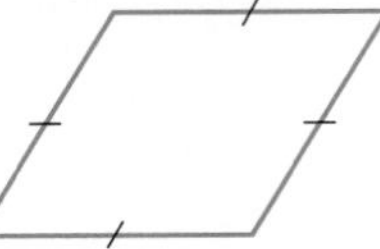

Determina si los siguientes enunciados son verdaderos *algunas veces, siempre* o *nunca.*

16. Un cuadrado es un rectángulo.

17. Un trapecio es un paralelogramo.

18. Un rombo es un cuadrado.

19. Un paralelogramo es un cuadrilátero.

20. Un rectángulo es un rombo.

21. Las figuras de cuatro lados son paralelogramos.

22. Un rectángulo es un cuadrado.

23. Un trapecio tiene un ángulo recto.

CONEXIÓN Deportes

El primer partido de béisbol realizado en el Estadio Shea fue el 17 de abril de 1964. En septiembre de 1974, los Mets jugaron un partido de 25 entradas, que es casi el triple de lo que dura un solo juego.

go.hrw.com
¡Web Extra!
CLAVE: MR7 Baseball

Traza cada cuadrilátero como se describe. Si no es posible trazarlo, explica por qué.

24. un rectángulo que sea también un cuadrado

25. un rombo que sea también un trapecio

26. un paralelogramo que no sea un rectángulo

27. un cuadrado que no sea un rombo

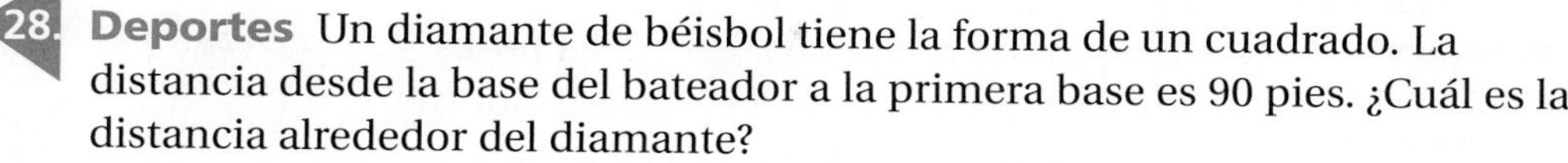

28. **Deportes** Un diamante de béisbol tiene la forma de un cuadrado. La distancia desde la base del bateador a la primera base es 90 pies. ¿Cuál es la distancia alrededor del diamante?

29. El marco rectangular de una pintura tiene 3 pulg más de ancho que de alto. La longitud total de los cuatro lados del marco es 38 pulg.

a. Las dimensiones del marco podrían ser 10 pulg por 13 pulg porque una dimensión es 3 pulg mayor que la otra. Explica cómo sabes que el marco no mide 10 pulg por 13 pulg.

b. **Razonamiento crítico** ¿Cómo puedes usar tu respuesta a la parte **a** para hallar las dimensiones del marco?

c. Teniendo en cuenta **a** y **b,** ¿cuáles son las dimensiones del marco?

30. Anika trazó un cuadrilátero y luego un segmento de recta que conectaba dos esquinas opuestas. Vio que había dividido el cuadrilátero original en dos triángulos isósceles rectángulos. Clasifica el cuadrilátero con el que empezó.

31. **¿Dónde está el error?** Un estudiante dijo que cualquier cuadrilátero con dos ángulos rectos y un par de lados paralelos es un rectángulo. ¿Cuál es el error de este enunciado?

32. **Escríbelo** Explica por qué un cuadrado es también un rectángulo y un rombo.

33. **Desafío** Una parte de un cuadrilátero está oculta. ¿Qué tipos de cuadriláteros podría ser esta figura?

Preparación para el examen y repaso en espiral

34. **Opción múltiple** ¿Qué cuadrilátero NO es un paralelogramo?

Ⓐ Rectángulo Ⓑ Rombo Ⓒ Cuadrado Ⓓ Trapecio

35. **Respuesta breve** Anota todos los nombres de la figura. ¿Cuál es el que mejor la describe?

Usa el patrón para escribir los cinco primeros términos de la sucesión. (Lección 1-7)

36. Empieza con 6; suma 5.

37. Empieza con 2; multiplica por 3.

Indica si cada enunciado es verdadero *siempre, algunas veces* o *nunca.* (Lección 8-4)

38. Las líneas perpendiculares son secantes.

39. Las líneas oblicuas están en el mismo plano.

8-7 Polígonos

Aprender a identificar polígonos regulares e irregulares y a hallar las medidas de los ángulos de polígonos regulares

Vocabulario

polígono

polígono regular

Los triángulos y los cuadriláteros son ejemplos de polígonos. Un **polígono** es una figura plana cerrada formada por tres o más segmentos de recta. Un **polígono regular** es un polígono en el que todos los lados y todos los ángulos son congruentes.

Los polígonos se clasifican por la cantidad de sus lados y sus ángulos.

¡Recuerda!

Un triángulo equilátero tiene tres lados congruentes.

	Triángulo	Cuadrilátero	Pentágono	Hexágono	Octágono
Lados y ángulos	3	4	5	6	8
Regular					
Irregular					

EJEMPLO 1 **Identificar polígonos**

Indica si cada figura es un polígono. Si lo es, da su nombre e indica si parece regular o irregular.

Hay 4 lados y 4 ángulos.

cuadrilátero

Los lados y los ángulos parecen congruentes.

regular

Hay 4 lados y 4 ángulos.

cuadrilátero

Los 4 lados no parecen congruentes.

irregular

La suma de las medidas de los ángulos internos de un triángulo es 180°, por lo tanto, la suma de las medidas de los ángulos internos de un cuadrilátero es 360°.

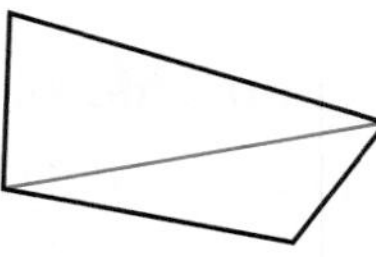

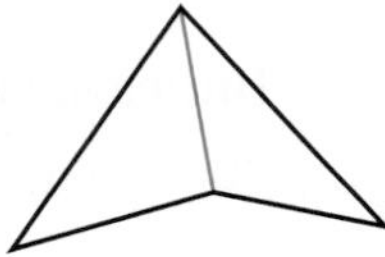

EJEMPLO 2

APLICACIÓN A LA RESOLUCIÓN DE PROBLEMAS

Un cartel de "alto" tiene la forma de un octágono regular. ¿Cuánto mide cada ángulo del cartel?

1 Comprende el problema

La **respuesta** será la medida de cada ángulo de un octágono regular. Haz una lista con la **información importante:**

- Un octágono regular tiene 8 lados congruentes y 8 ángulos congruentes.

2 Haz un plan

Haz una tabla para buscar un patrón con polígonos regulares.

3 Resuelve

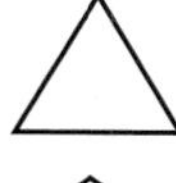
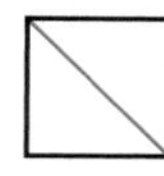

Traza algunos polígonos regulares y divídelos en triángulos.

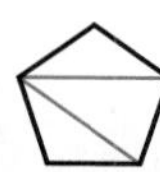

Polígono	Lados	Triángulos	Suma de las medidas de los ángulos
Triángulo	3	1	1 × 180° = 180°
Cuadrilátero	4	2	2 × 180° = 360°
Pentágono	5	3	3 × 180° = 540°
Hexágono	6	4	4 × 180° = 720°

La cantidad de triángulos es siempre 2 menos que la cantidad de lados.
Un octágono puede dividirse en $8 - 2 = 6$ triángulos.
La suma de los ángulos internos de un octágono es $6 \times 180° = 1{,}080°$.
Por lo tanto, la medida de cada ángulo es $1{,}080° \div 8 = 135°$.

4 Repasa

Todos los ángulos de un octágono regular son obtusos. 135° es una respuesta razonable porque un ángulo obtuso mide entre 90° y 180°.

Los prefijos en los nombres de los polígonos te indican cuántos lados y ángulos tienen.

tri- = tres
cuad- = cuatro
penta- = cinco
hexa- = seis
octa- = ocho

Razonar y comentar

1. **Clasifica** los ángulos de cada figura: un triángulo regular, un hexágono regular y un rectángulo.
2. **Identifica** un objeto que tenga la forma de un pentágono y un objeto que tenga la forma de un octágono.

8-7 Ejercicios

go.hrw.com
Ayuda en línea para tareas*
CLAVE: MR7 8-7
Recursos en línea para padres
CLAVE: MR7 Parent
*(Disponible sólo en inglés)

PRÁCTICA GUIADA

Ver Ejemplo 

Indica si cada figura es un polígono. Si lo es, da su nombre e indica si parece regular o irregular.

1. 

2. 

3. 

Ver Ejemplo 

4. Un carpintero construye una terraza alrededor de una tina para baños calientes que tiene la forma de un hexágono regular. ¿Cuánto mide cada ángulo del hexágono?

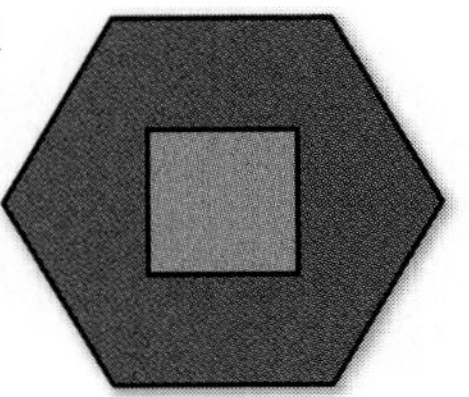

PRÁCTICA INDEPENDIENTE

Ver Ejemplo 1

Indica si cada figura es un polígono. Si lo es, da su nombre e indica si parece regular o irregular.

5. 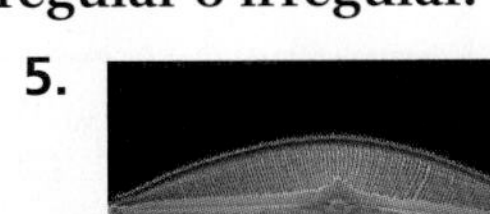

6. 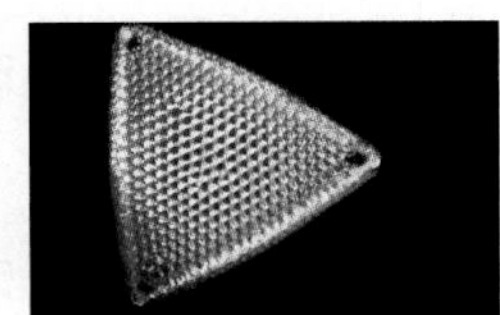

7. 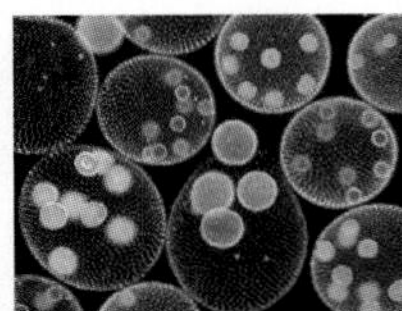

Ver Ejemplo 

8. Janet hizo un letrero para su cuarto con la forma de un pentágono regular. ¿Cuánto mide cada ángulo del pentágono?

PRÁCTICA Y RESOLUCIÓN DE PROBLEMAS

Práctica adicional
Ver página 729

Explica por qué cada figura NO es un polígono.

9. 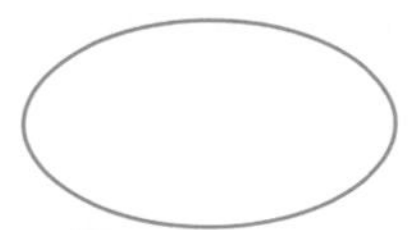

10. 

11. 

Identifica cada polígono.

12. 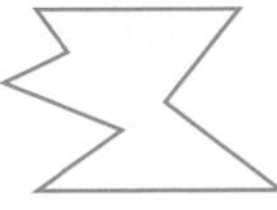

13. 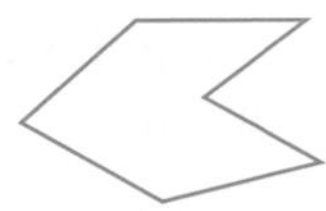

14. 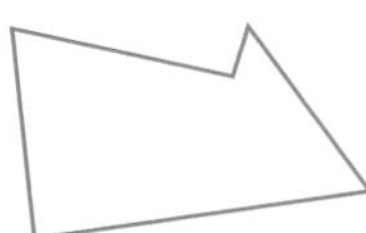

15. Lucy trazó un decágono (figura de diez lados) regular. ¿Cuánto suman las medidas de los ángulos internos? ¿Cuánto mide cada ángulo?

Clasifica cada uno de los siguientes polígonos como *siempre* regular, *algunas veces* regular o *nunca* regular.

		Siempre	Algunas veces	Nunca
16.	Triángulo equilátero	?	?	?
17.	Trapecio	?	?	?
18.	Triángulo rectángulo	?	?	?
19.	Paralelogramo	?	?	?

Razonamiento crítico Una *diagonal* es un segmento de recta que une dos vértices no adyacentes de un polígono. En cada figura se muestra una diagonal.

20. a. ¿Cuántas diagonales tiene un rectángulo?

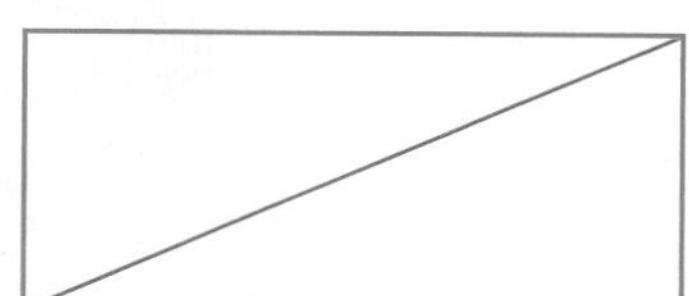

b. ¿Cuántas diagonales tiene un pentágono?

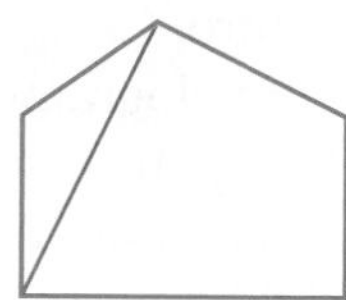

21. ¿Dónde está el error? Una estudiante dijo que un rectángulo nunca es un polígono regular porque las longitudes de los lados no son congruentes. ¿Qué error cometió? Explica por qué un rectángulo algunas veces es un polígono regular.

22. Escríbelo ¿Qué polígono se forma cuando dos triángulos equiláteros se colocan uno junto al otro y uno de ellos está invertido? Traza ejemplos y explica si un polígono formado por dos triángulos es regular.

23. Desafío Se forma una figura colocando 6 mosaicos en forma de triángulos equiláteros alrededor de un mosaico en forma de hexágono regular. La distancia alrededor del hexágono es 60 cm. Un caracol recorre los lados de la figura. ¿Qué distancia recorrerá el caracol hasta volver al punto donde comenzó?

Preparación para el examen y repaso en espiral

24. Opción múltiple ¿Qué cuadrilátero es regular?

Ⓐ Triángulo Ⓑ Trapecio Ⓒ Cuadrado Ⓓ Rombo

25. Respuesta gráfica ¿Cuánto mide, en grados, cada ángulo de un pentágono regular?

Resuelve cada ecuación. (Lección 3-9)

26. $5.5 = 5c$ **27.** $d + 4.96 = 9$ **28.** $j - 12.5 = 39.04$ **29.** $\frac{x}{2.4} = 3.5$

30. ¿Pueden los ángulos que miden 34°, 53° y 93° formar un triángulo? Si pueden, clasifica el triángulo como acutángulo, obtusángulo o rectángulo. (Lección 8-5)

8-8 Patrones geométricos

Aprender a reconocer, describir y continuar patrones geométricos

El arte de los indígenas estadounidenses muestra con frecuencia patrones geométricos. Los patrones se basan en la forma, el color, el tamaño, la posición y la cantidad de figuras geométricas.

Esta cobija tiene un patrón geométrico. La primera fila con una figura completa tiene un paralelogramo con un caballo en el centro. La siguiente fila tiene dos paralelogramos con vacas en el centro. Este patrón continúa. Si la tejedora hubiera querido alargar la cobija, la siguiente fila sería de dos paralelogramos con imágenes de vacas.

Esta cobija navajo fue hecha a fines del siglo XVII.

EJEMPLO 1 Continuar patrones geométricos

Identifica un posible patrón. Usa el patrón para dibujar la siguiente figura.

A

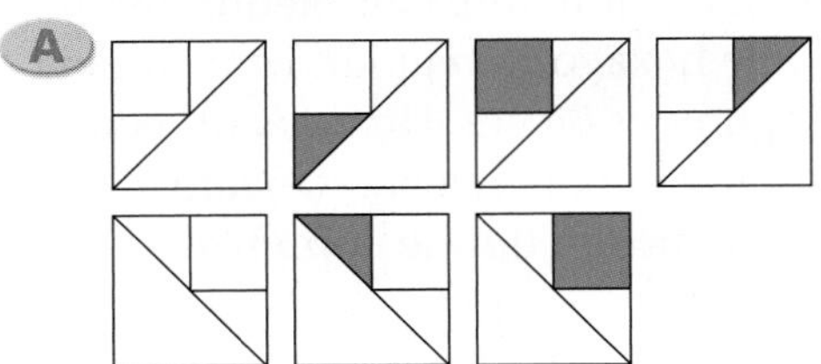

Las partes pequeñas dentro de la figura están sombreadas una por vez, de abajo arriba. Luego, se gira la figura y se sombrea el triángulo superior.

Por lo tanto, la siguiente figura podría verse así:

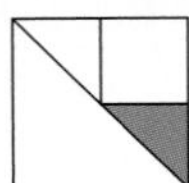

B

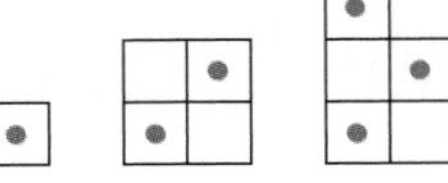

Las figuras de izquierda a derecha son un cuadrado de 1×1, uno de 2×2, uno de 3×3 y uno de 4×4.

Por lo tanto, la siguiente figura podría verse así:

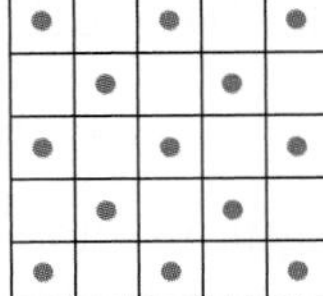

¡Recuerda!

Los cuadrados perfectos, como 2^2, 3^2 y 4^2, también se llaman "números cuadrados" porque pueden representarse como un cuadrado.

EJEMPLO 2 Completar patrones geométricos

Identifica un posible patrón. Usa el patrón para dibujar la figura que falta.

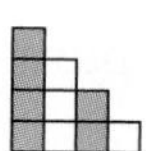 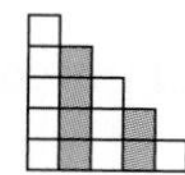 ? 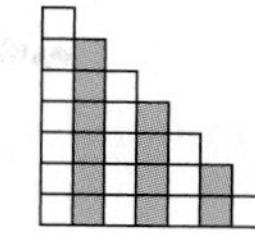

La primera figura tiene 4 cuadrados en la fila de abajo y luego 3, 2 y 1, de abajo arriba. La siguiente figura tiene 5 cuadrados en la fila de abajo y luego 4, 3, 2 y 1.

Por lo tanto, la figura que falta podría verse así:

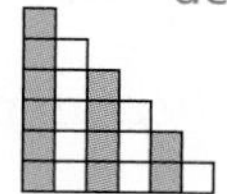

 ?  

Las figuras son triángulos equiláteros. La primera figura tiene 3 triángulos rojos en la base. La tercera figura tiene 5 triángulos rojos y la última figura tiene 6.

Por lo tanto, la figura que falta podría verse así:

EJEMPLO 3 *Aplicación al arte*

Daniel pinta una maceta. Identifica un patrón en su diseño e indica cómo se verá la maceta terminada.

El patrón de abajo arriba es una franja delgada, una ancha, una delgada, una ancha. El patrón de colores de abajo arriba es azul, verde, amarillo, azul, verde.

Si se sigue este patrón, la maceta terminada podría verse como la de la izquierda.

Razonar y comentar

1. **Explica** cómo usarías un patrón para hallar la cantidad de cuadrados en la figura que sigue, la quinta, del Ejemplo 2A.
2. **Indica** cómo usarías un patrón para hallar la cantidad de triángulos rojos pequeños en la sexta figura del Ejemplo 2B.

8-8 Ejercicios

go.hrw.com
Ayuda en línea para tareas*
CLAVE: MR7 8-8
Recursos en línea para padres
CLAVE: MR7 Parent
*(Disponible sólo en inglés)

PRÁCTICA GUIADA

Ver Ejemplo 1

Identifica un posible patrón. Usa el patrón para dibujar la siguiente figura.

1. 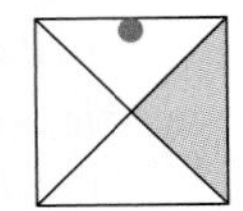 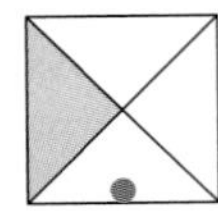 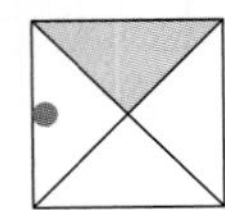

Ver Ejemplo 2

Identifica un posible patrón. Usa el patrón para dibujar la figura que falta.

2.   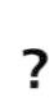 ? 

Ver Ejemplo 3

3. Oscar hace un collar de cuentas. Identifica un patrón en el diseño de Oscar. Luego, indica cuáles son las cinco cuentas que probablemente usará a continuación.

PRÁCTICA INDEPENDIENTE

Ver Ejemplo 1

Identifica un posible patrón. Usa el patrón para dibujar la siguiente figura.

4. 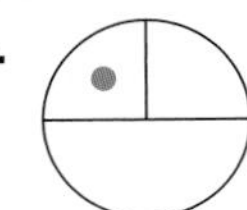 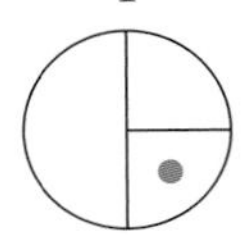 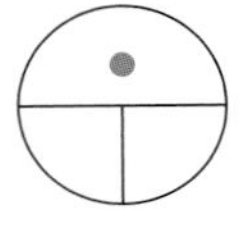 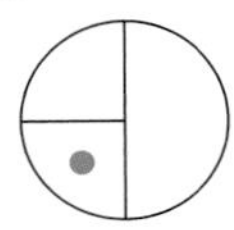 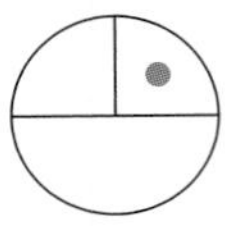

Ver Ejemplo 2

Identifica un posible patrón. Usa el patrón para dibujar la figura que falta.

5. 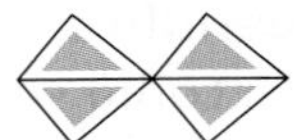  ? 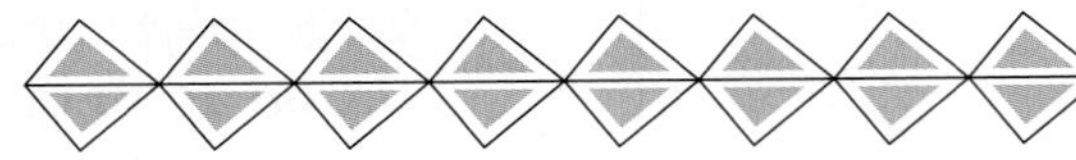

Ver Ejemplo 3

6. Tamara planta flores en su jardín. Forma grupos de flores púrpuras y grupos de flores rosadas.

Si continúa este patrón, ¿cuántas flores podría plantar Tamara en el siguiente grupo de flores púrpuras? ¿Cuántas flores podría plantar en el siguiente grupo de flores rosadas?

PRÁCTICA Y RESOLUCIÓN DE PROBLEMAS

Práctica adicional
Ver página 729

Dibuja la siguiente figura en el patrón.

7.   

8.  

9. 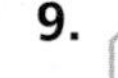 

con los estudios sociales

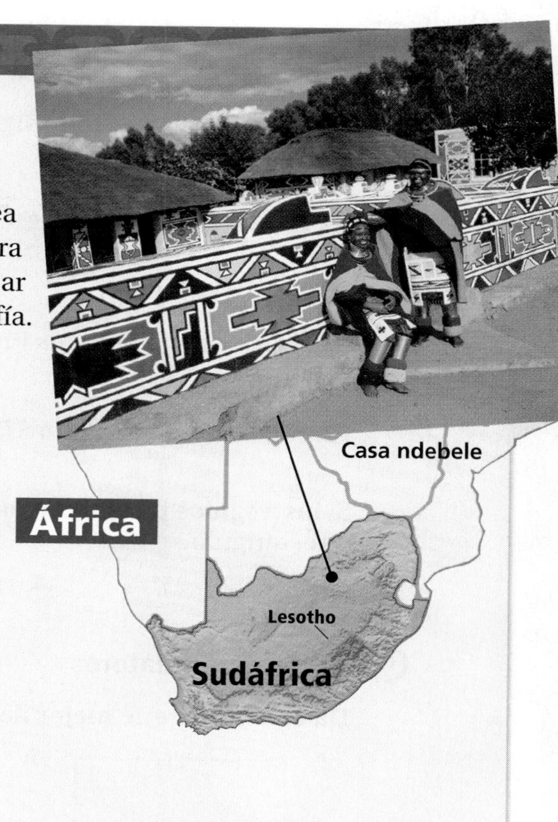

En Sudáfrica, los ndebeles pintan sus casas con patrones de colores brillantes formados por figuras geométricas.

10. Observa las figuras que se encuentran en el muro que rodea la casa ndebele. Identifica un posible patrón que se usó para pintar la franja superior del muro. Usa el patrón para dibujar las figuras ocultas tras los habitantes ndebele de la fotografía. (No tienes que colorear el patrón).

11. **Escríbelo** Observa atentamente la casa ndebele. Dibuja cuatro figuras geométricas que veas pintadas en la casa. Luego, úsalas para hacer un patrón. Describe tu patrón.

12. **Desafío** Observa los siguientes diseños, hechos con un motivo africano. Identifica un posible patrón. Si el patrón continúa, ¿cuántos motivos habrá en el sexto diseño? Si hay 45 motivos, ¿cuántos diseños habrá?

go.hrw.com
¡Web Extra!
CLAVE: MR7 Patterns

13. **Opción múltiple** Identifica un posible patrón en la imagen. Úsalo para determinar la figura que falta.

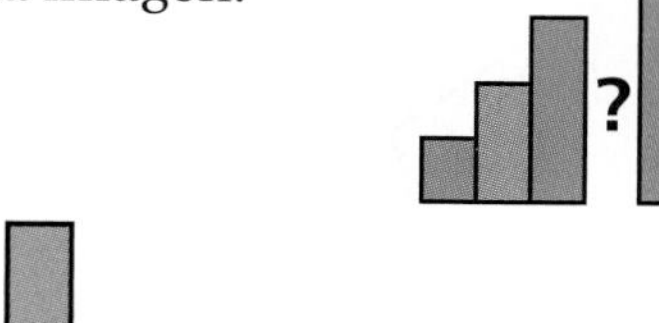

Ⓒ Ⓓ

14. **Respuesta breve** Determina la siguiente figura del patrón. Dibuja la figura. Explica tu respuesta.

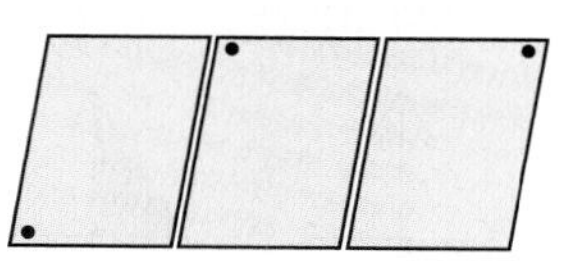

Halla cada valor. (Lección 1-3)

15. 9^2 **16.** 2^6 **17.** 3^3 **18.** 1^{12} **19.** 4^5

Escribe la factorización prima de cada número. (Lección 4-2)

20. 38 **21.** 50 **22.** 120 **23.** 214 **24.** 75

SECCIÓN 8B

Prueba de las Lecciones 8-5 a 8-8

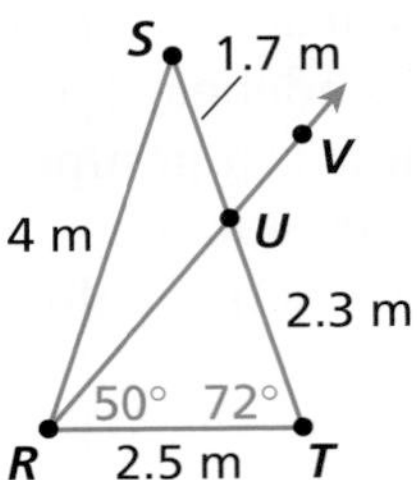

Usa el diagrama para los Problemas 1 y 2.

1. Halla m$\angle SUV$.
2. Clasifica el triángulo *STR* por sus ángulos y sus lados.

Si los ángulos pueden formar un triángulo, clasifícalo como acutángulo, obtusángulo o rectángulo.

3. 15°, 60°, 95°
4. 47°, 51°, 82°
5. 94°, 76°, 10°
6. 78°, 102°, 20°

Da el nombre que mejor describe cada figura.

7. 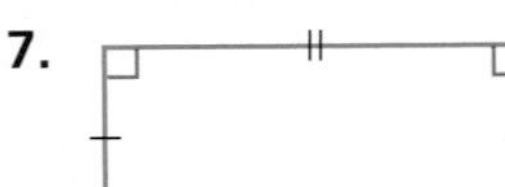
8. 
9. 
10. 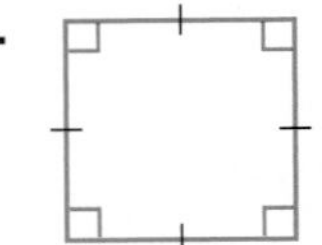

8-7 Polígonos

11. Nina recortó un hexágono regular en cartulina. ¿Cuánto mide cada ángulo del hexágono?
12. El perímetro de un triángulo equilátero es 186 centímetros. ¿Cuál es la longitud de un lado del triángulo?

Identifica cada polígono e indica si parece regular o irregular.

13. 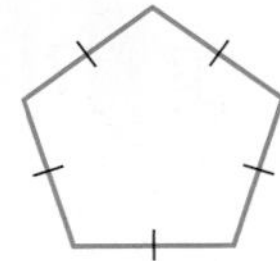
14. 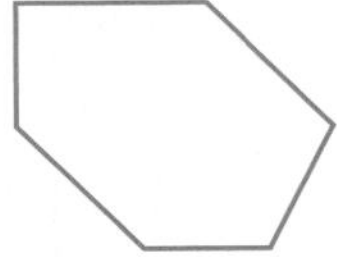
15. 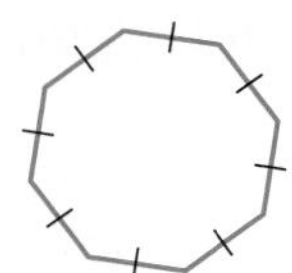
16. 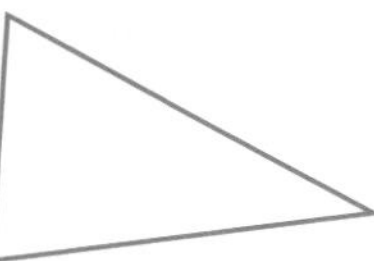

8-8 Patrones geométricos

Identifica un posible patrón. Usa el patrón para dibujar la figura que falta.

17. 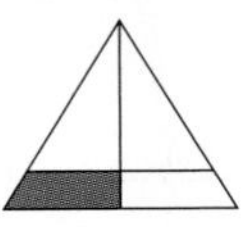 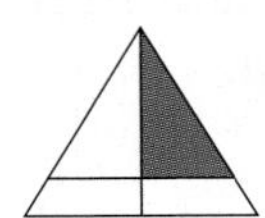 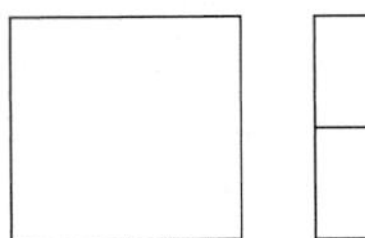 ?
18. 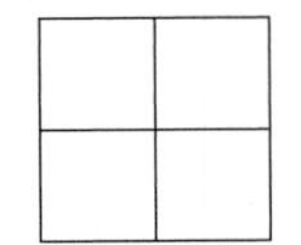 ? 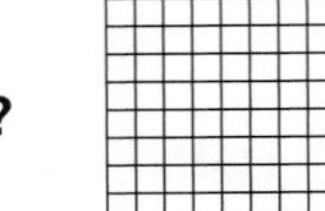
19. 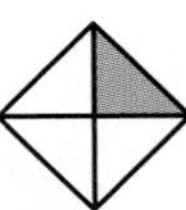 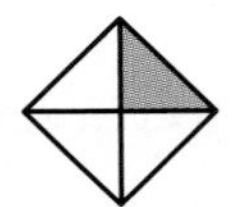 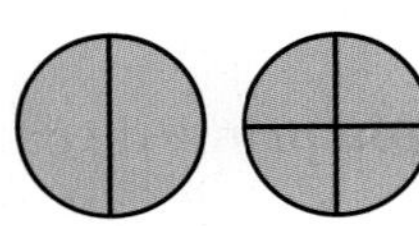 ?
20. 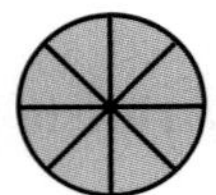 ?

¿Listo para seguir?

Enfoque en resolución de problemas

Haz un plan

- **Dibuja un diagrama**

A veces, un problema parece difícil porque se describe sólo con palabras. Puedes dibujar un diagrama para ilustrar el problema. Trata de rotular en el diagrama toda la información que tienes. Luego, usa el diagrama para resolver el problema.

Lee cada problema. Dibuja un diagrama para resolver el problema. Luego resuélvelo.

1. Bob usó una regla para dibujar un cuadrilátero. Primero trazó una línea de 3 pulg y la rotuló $\overline{AB}$. Desde B, trazó una línea de 2 pulg y rotuló el extremo C. Desde A, trazó una línea de $2\frac{1}{2}$ pulg y rotuló el extremo D. ¿Cuánto mide $\overline{CD}$ si el perímetro del cuadrilátero de Bob es $12\frac{1}{2}$ pulg?

2. Karen tiene un huerto de 12 pies de largo por 10 pies de ancho. Piensa plantar tomates en una mitad del huerto. Dividirá la otra mitad del huerto en tres partes iguales, donde cultivará coles, calabazas y rábanos.
   a. ¿Cuáles son las posibles dimensiones en números cabales del huerto de tomates?
   b. ¿Qué fracción del huerto usará Karen para cultivar coles?

3. Pam trazó tres líneas paralelas separadas por la misma distancia. Las dos líneas externas están a 8 cm entre sí. ¿A qué distancia se encuentra la línea central de las líneas externas?

4. Jan unió los siguientes puntos en una cuadrícula de coordenadas: (2, 4), (4, 6), (6, 6), (6, 2), (3, 2) y (2, 4).
   a. ¿Qué figura dibujó Jan?
   b. ¿Cuántos ángulos rectos tiene la figura?

5. El triángulo ABC es isósceles. La medida del ángulo B es igual a la medida del ángulo C. La medida del ángulo B es igual a 50°. ¿Cuánto mide el ángulo A?

8-9 Congruencia

Aprender a identificar figuras congruentes y a usar la congruencia para resolver problemas

Ya sabes que los ángulos que miden lo mismo son congruentes. Las figuras que tienen la misma forma y el mismo tamaño también son congruentes.

Puedes usar plantillas para decorar las páginas de un álbum de recortes. Las plantillas te ayudan a dibujar figuras congruentes.

EJEMPLO 1 Identificar figuras congruentes

Decide si las figuras de cada par son congruentes. Si no lo son, explica por qué.

A

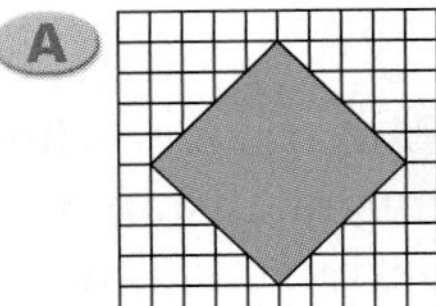

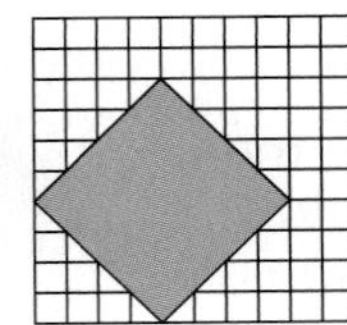

Estas figuras tienen la misma forma y el mismo tamaño.

Las figuras son congruentes.

B

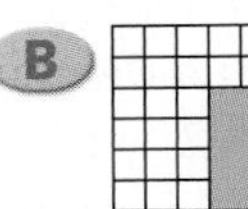

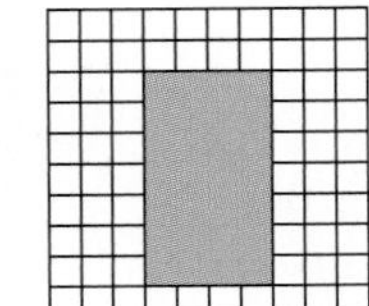

Ambas figuras son cuadriláteros, pero no tienen el mismo tamaño ni la misma forma.

Las figuras no son congruentes.

C

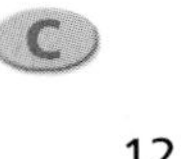

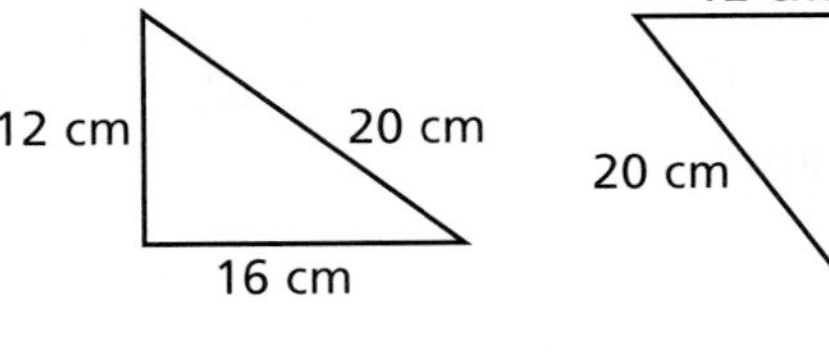

Cada triángulo tiene un lado de 12 cm, uno de 16 cm y otro de 20 cm.

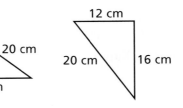

Los triángulos son congruentes.

D

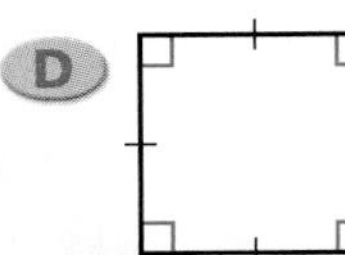

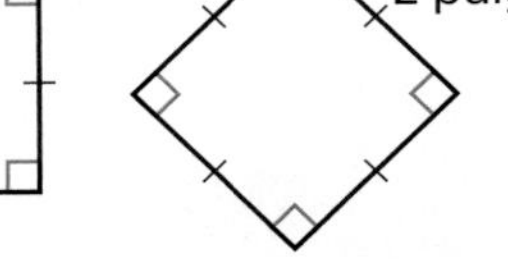

Las dos figuras son cuadrados. Cada lado de cada cuadrado mide 2 pulgadas.

Las figuras son congruentes.

EJEMPLO 2 ***Aplicación para el consumidor***

Landra necesita una tela impermeable que sea congruente con el fondo de la tienda de campaña. ¿Qué tela debe comprar?

Fondo de la tienda

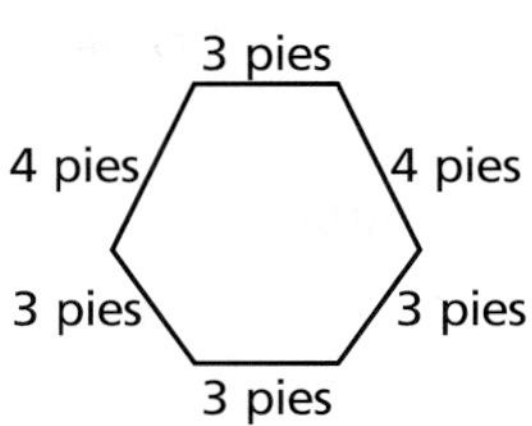

Tela A

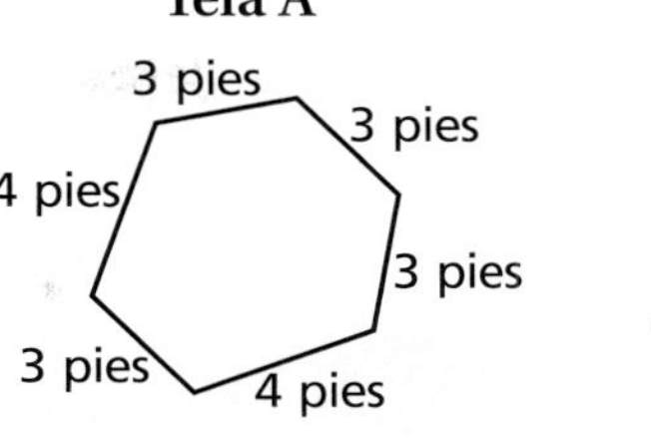

Tela B

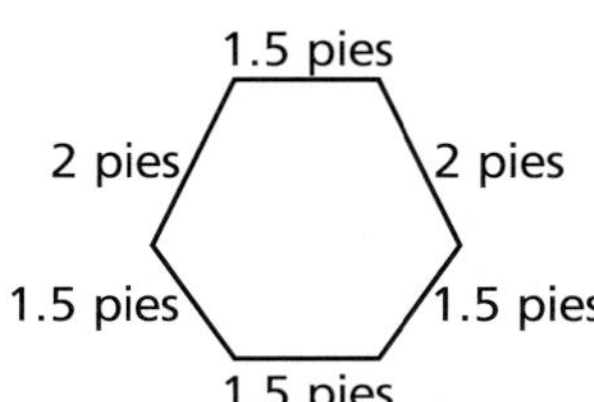

¿Qué tela tiene el mismo tamaño y la misma forma que el fondo de la tienda?

Las dos telas son hexágonos. Sólo la tela A tiene el mismo tamaño que el fondo de la tienda.

La tela A es congruente con el fondo de la tienda de campaña.

Razonar y comentar

1. **Explica** si puedes determinar que ciertas figuras son congruentes con sólo observarlas.
2. **Indica** qué información necesitarías conocer sobre dos rectángulos para determinar si son congruentes.

8-9 Ejercicios

go.hrw.com
Ayuda en línea para tareas*
CLAVE: MR7 8-9
Recursos en línea para padres
CLAVE: MR7 Parent
*(Disponible sólo en inglés)

PRÁCTICA GUIADA

Ver Ejemplo 1

Decide si las figuras de cada par son congruentes. Si no lo son, explica por qué.

1.

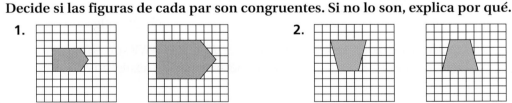

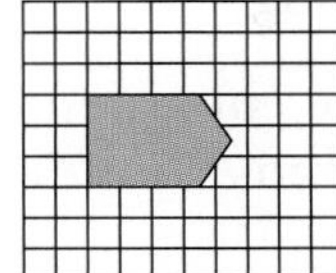

2.

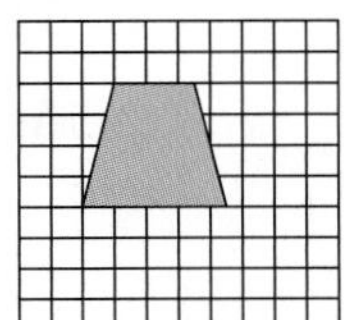

Ver Ejemplo 2

3. ¿Qué cuadrilátero es congruente con el fondo de la caja?

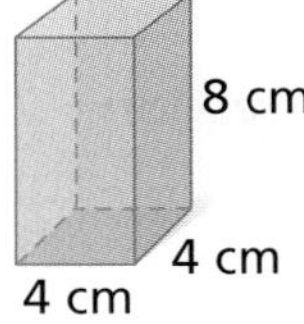

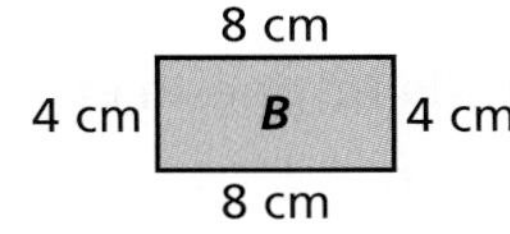

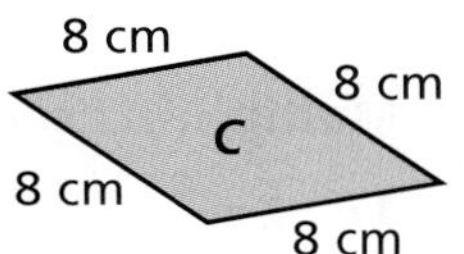

PRÁCTICA INDEPENDIENTE

Ver Ejemplo 1 **Decide si las figuras de cada par son congruentes. Si no lo son, explica por qué.**

4. 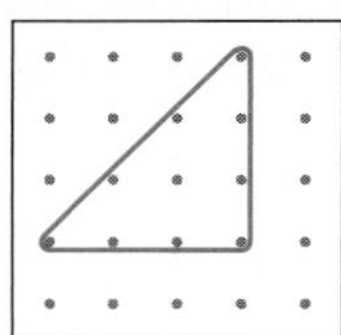

5.

Ver Ejemplo 2 **6.** ¿Qué pieza de rompecabezas llenaría el hueco?

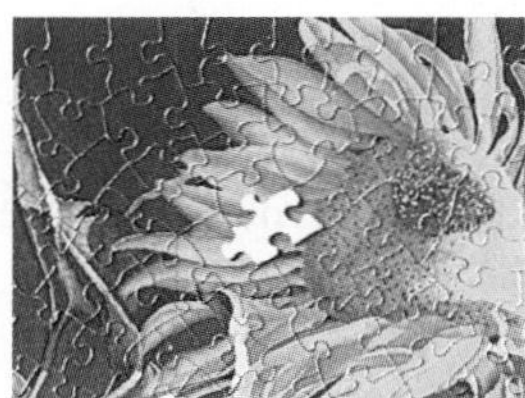

a. 

b. 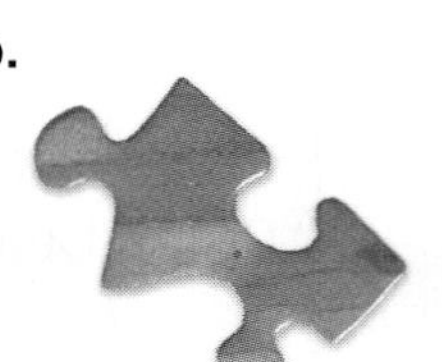

c. 

PRÁCTICA Y RESOLUCIÓN DE PROBLEMAS

Práctica adicional
Ver página 730

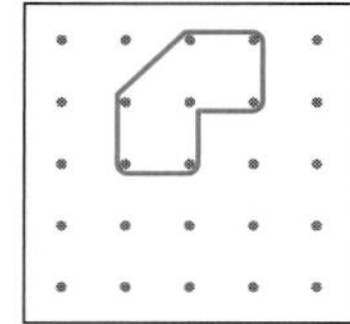

7. Copia la cuadrícula de puntos. Luego, dibuja tres figuras congruentes con la figura dada. Las figuras pueden tener lados comunes, pero no pueden superponerse.

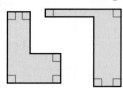

8. **Medición** Traza con una regla en pulgadas dos rectángulos congruentes con lados de más de 2 pulg y menos de 6. Rotula la longitud de cada lado.

9. **Escríbelo** Explica cómo sabes si dos polígonos son congruentes.

10. **Desafío** Los lados de dos cuadriláteros miden 2 cm, 2 cm, 5 cm y 5 cm. ¿Son congruentes los dos cuadriláteros? Explica.

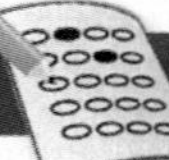

PREPARACIÓN PARA EL EXAMEN y repaso en espiral

11. **Opción múltiple** Los cuadrados *ABCD* y *WXYZ* son congruentes. La longitud de $\overline{AB}$ es 5 pulg. ¿Cuál es la longitud de $\overline{WX}$?

Ⓐ 5 pulg Ⓑ 9 pulg Ⓒ 20 pulg Ⓓ 25 pulg

12. **Opción múltiple** Los hexágonos *FGHJKL* y *RSTWXY* son congruentes y regulares. La longitud de $\overline{FG}$ es 7 km. Halla el perímetro del hexágono *RSTWXY*.

Ⓕ 7 km Ⓖ 35 km Ⓗ 42 km Ⓙ 49 km

Resuelve cada ecuación. Comprueba tus respuestas. (Lección 2-7)

13. $9y = 81$ **14.** $70 = 10x$ **15.** $64 = 8n$ **16.** $60 = 12m$

Multiplica. Escribe cada respuesta en su mínima expresión. (Lección 5-7)

17. $\frac{2}{3} \cdot \frac{4}{7}$ **18.** $\frac{1}{5} \cdot \frac{3}{8}$ **19.** $\frac{3}{4} \cdot \frac{1}{2}$ **20.** $\frac{4}{5} \cdot \frac{1}{3}$

8-10 Transformaciones

Aprender a usar traslaciones, reflexiones y rotaciones para transformar figuras geométricas

Vocabulario

transformación
traslación
rotación
reflexión
línea de reflexión

Una **transformación** rígida mueve una figura sin cambiar su tamaño ni su forma. Por lo tanto, la figura original y la figura transformada siempre son congruentes.

Las ilustraciones del extraterrestre muestran tres transformaciones: una *traslación,* una *rotación* y una *reflexión.* Observa que el extraterrestre transformado no cambia de tamaño ni de forma.

Una **traslación** es el movimiento de una figura sobre una línea recta.

En una traslación, sólo cambia la ubicación de la figura.

Una **rotación** es el movimiento de una figura alrededor de un punto. Un punto de rotación puede estar dentro o fuera de una figura.

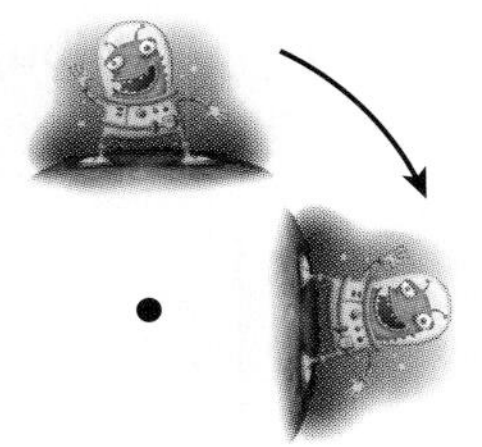

Una rotación puede cambiar la ubicación y la posición de una figura.

Cuando una figura se invierte sobre una línea y crea una imagen de espejo, se produce una **reflexión.** La línea sobre la que se invierte la figura se llama **línea de reflexión.**

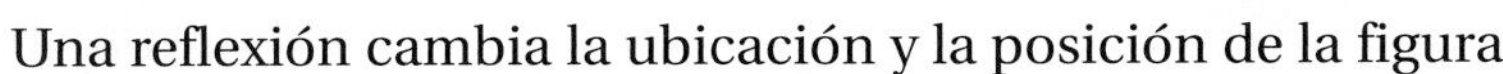

Una reflexión cambia la ubicación y la posición de la figura.

EJEMPLO 1 Identificar transformaciones

Indica si en cada caso hay traslación, rotación o reflexión.

A

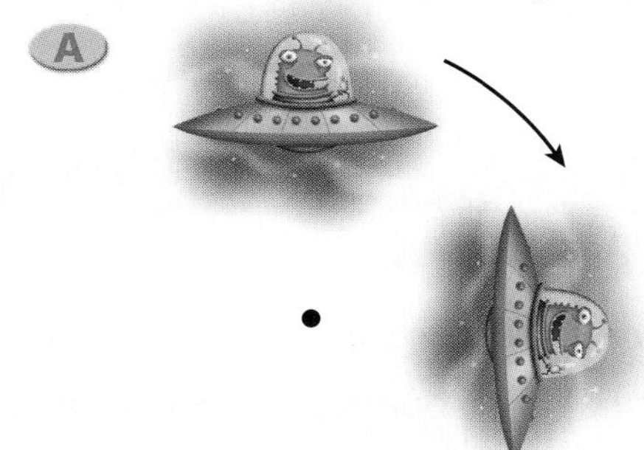

La figura se mueve alrededor de un punto.

Es una rotación.

Indica si en cada caso hay traslación, rotación o reflexión.

B

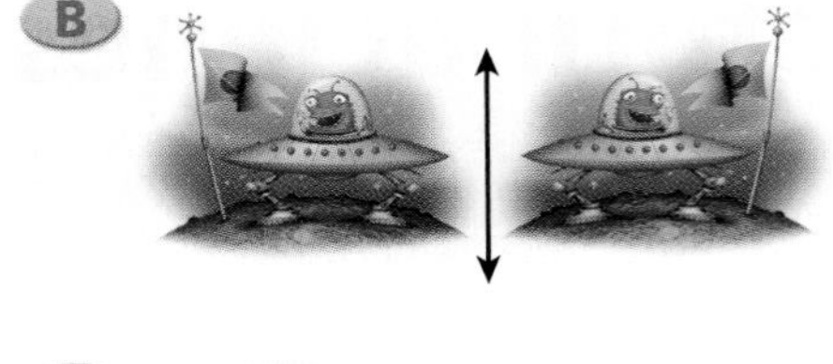

La figura se invierte sobre una línea.
Es una reflexión.

C

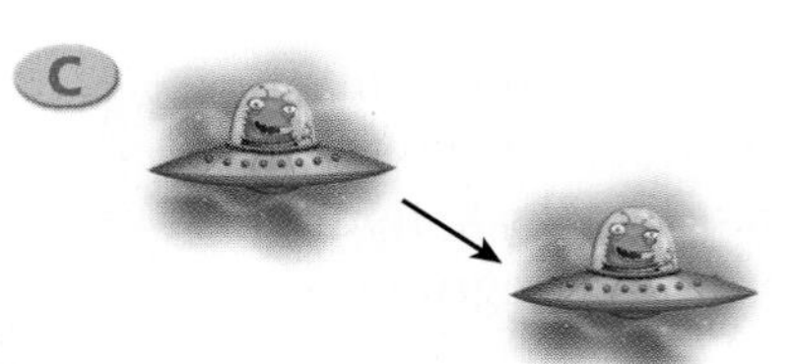

La figura se mueve sobre una línea.
Es una traslación.

Un giro completo es una rotación de 360°. Por lo tanto, $\frac{1}{4}$ de giro son 90° y $\frac{1}{2}$ giro son 180°.

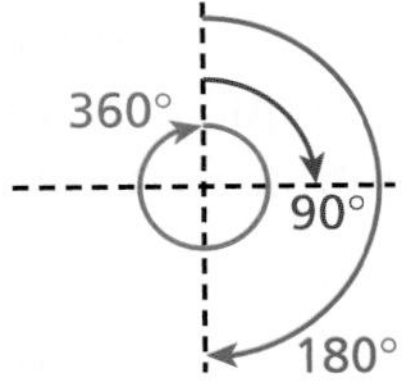

EJEMPLO 2 Dibujar transformaciones

Dibuja cada transformación.

A

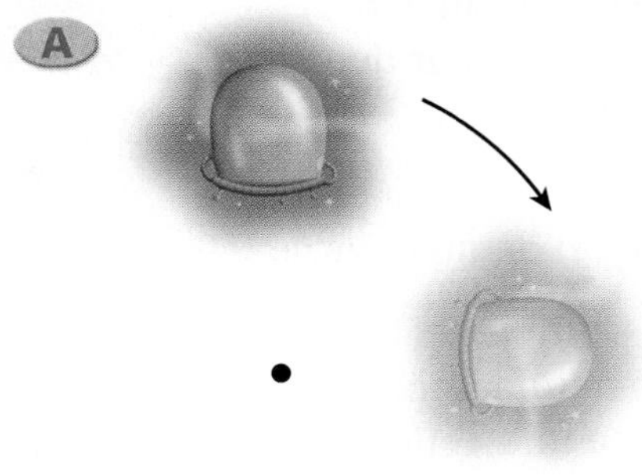

Dibuja una rotación de 90° en el sentido de las manecillas del reloj alrededor del punto que se muestra.

Traza la figura y el punto de rotación.

Coloca el lápiz sobre el punto de rotación.

Gira la figura 90° en el sentido de las manecillas del reloj.

Dibuja la figura en su nueva ubicación.

B

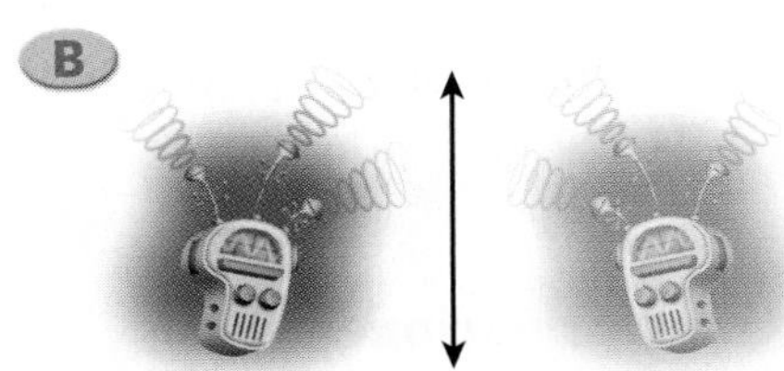

Dibuja una reflexión horizontal.

Traza la figura y la línea de reflexión.

Dobla por la línea de reflexión.

Dibuja la figura en su nueva ubicación.

Razonar y comentar

1. **Da ejemplos** de reflexiones que ocurren en el mundo real.
2. **Identifica** una figura que al girar quede encima de sí misma.

8-10 Ejercicios

go.hrw.com
Ayuda en línea para tareas*
CLAVE: MR7 8-10
Recursos en línea para padres
CLAVE: MR7 Parent
*(Disponible sólo en inglés)

PRÁCTICA GUIADA

Ver Ejemplo  **Indica si en cada caso hay traslación, rotación o reflexión.**

1. 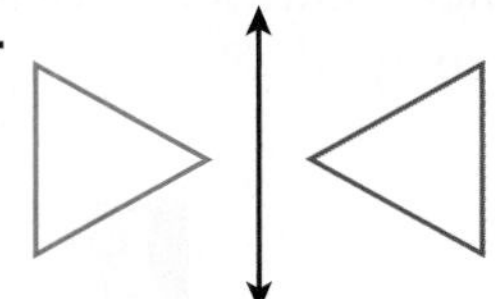

2. 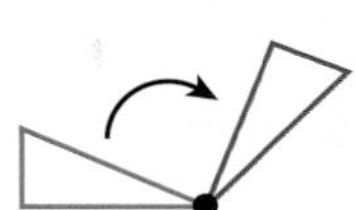

3. 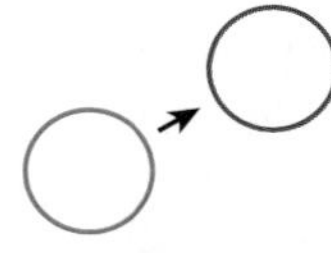

Ver Ejemplo  **Dibuja cada transformación.**

4. Dibuja una rotación de 180° en el sentido de las manecillas del reloj alrededor del punto que se muestra.

5. Dibuja una reflexión horizontal sobre la línea.

PRÁCTICA INDEPENDIENTE

Ver Ejemplo  **Indica si en cada caso hay traslación, rotación o reflexión.**

6. 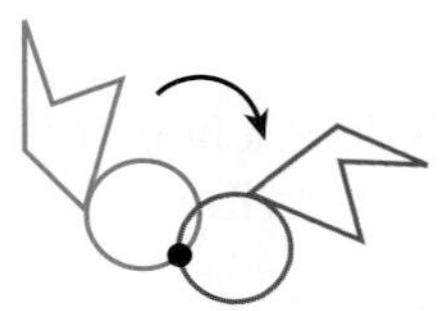

7. 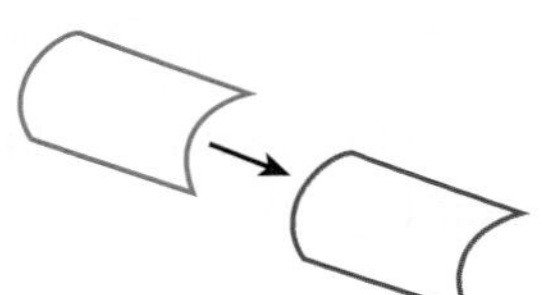

8. 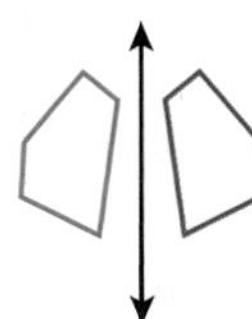

Ver Ejemplo  **Dibuja cada transformación.**

9. Dibuja una reflexión vertical sobre la línea.

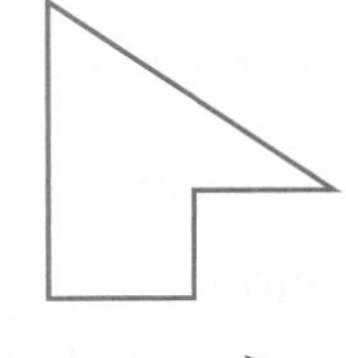

10. Dibuja una rotación de 90° en sentido contrario a las manecillas del reloj.

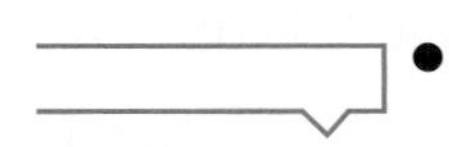

11. Dibuja una traslación.

12. Dibuja una traslación.

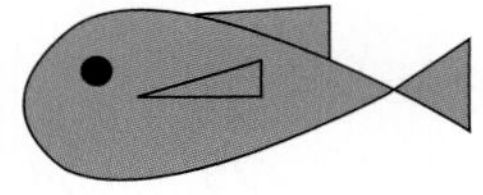

13. Dibuja una rotación de 90° en el sentido de las manecillas del reloj alrededor del punto.

14. Dibuja una reflexión horizontal sobre la línea.

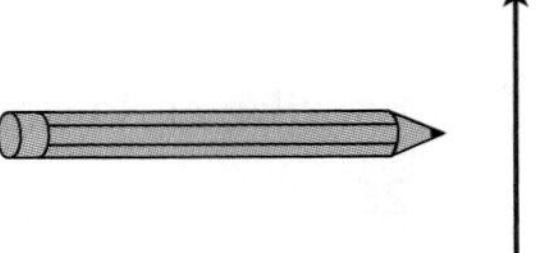

PRÁCTICA Y RESOLUCIÓN DE PROBLEMAS

Práctica adicional
Ver página 730

15. ¿Cuál es la reflexión horizontal de esta flecha roja?

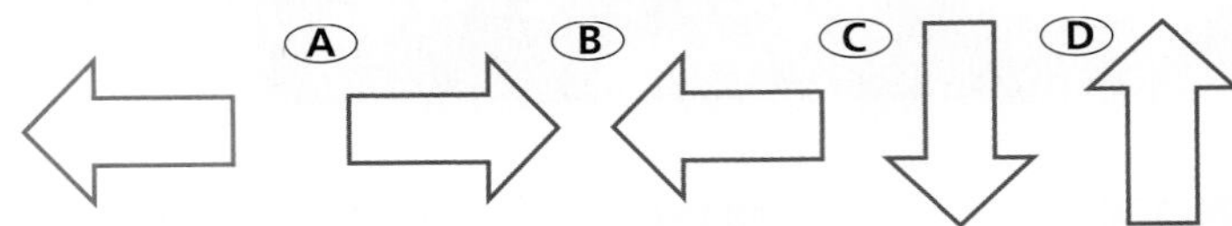

Pasatiempos

En un juego de ajedrez, cada jugador tiene 318,979,564,000 posibilidades de hacer los primeros cuatro movimientos.

16. Artes del lenguaje ¿Qué letras del alfabeto pueden reflejarse horizontalmente sin dejar de verse iguales? ¿Qué letras del alfabeto pueden reflejarse verticalmente sin dejar de verse iguales?

Usa el tablero de ajedrez para los Ejercicios del 17 al 20.

Pasatiempos El ajedrez es un juego de destreza que se juega con un tablero de 64 cuadrados. Cada pieza se mueve de modo diferente.

17. Copia la esquina inferior izquierda del tablero de ajedrez. Luego, muestra el movimiento del caballo indicado en una traslación de dos cuadrados hacia adelante y uno hacia la derecha.

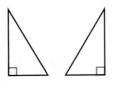

Caballo

Rey

Peón

18. Elige una estrategia Si el caballo, el rey y el peón se colocan en línea recta, ¿de cuántas maneras pueden ordenarse?

Ⓐ 3 Ⓑ 4 Ⓒ 6 Ⓓ 12

19. Escríbelo Dibuja una de las piezas de ajedrez. Luego dibuja una traslación, una rotación y una reflexión de esa pieza. Describe cada transformación.

20. Desafío Dibuja una pieza de ajedrez con una rotación de 90° en el sentido de las manecillas del reloj alrededor del vértice de un cuadrado del tablero y luego con una reflexión horizontal.

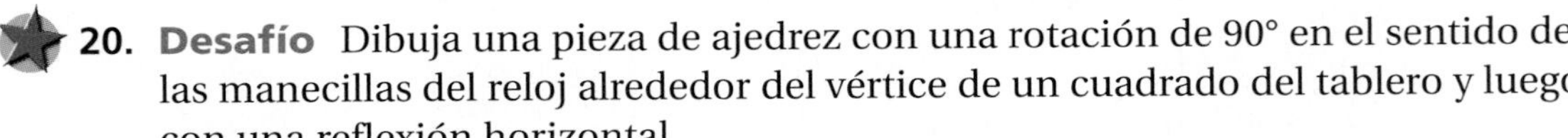

21. Opción múltiple ¿Cómo se llama el movimiento de una figura alrededor de un punto?

Ⓐ Traslación Ⓑ Teselado Ⓒ Reflexión Ⓓ Rotación

22. Respuesta breve Indica si la figura muestra una rotación, una traslación o una reflexión. Explica.

Escribe cada frase como una expresión numérica o algebraica. (Lección 2-2)

23. 19 por 3 **24.** el cociente de g dividido entre 6 **25.** la suma de 5 y 9

Escribe cada decimal como fracción o número mixto. (Lección 4-4)

26. 0.9 **27.** 6.71 **28.** 0.20 **29.** 2.88 **30.** 0.55

Transformaciones en el plano cartesiano

Para usar con la Lección 8-10

go.hrw.com
Recursos en línea para el laboratorio
CLAVE: MR7 Lab8

Actividad

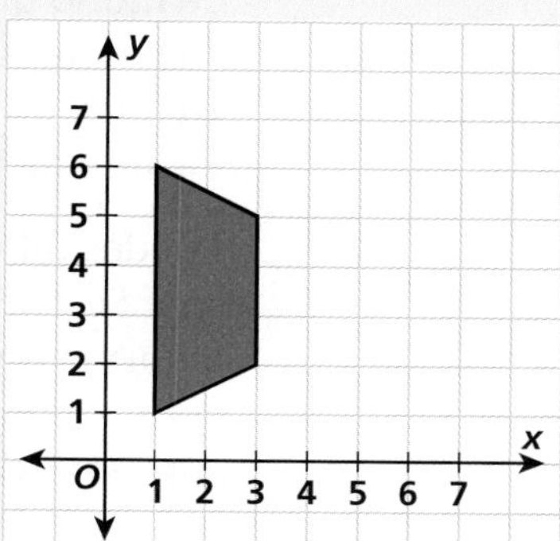

1. Traza el primer cuadrante de un plano cartesiano en papel cuadriculado.

   Coloca un bloque rojo sobre el plano cartesiano de modo que sus extremos se ubiquen en (1, 1), (1, 6), (3, 5) y (3, 2). Traza el contorno de la figura y rotúlala Figura A.

   Mueve el bloque de modo que sus extremos queden en (5, 1), (5, 6), (7, 5) y (7, 2). Traza el contorno de la figura y rotúlala Figura B.

   Describe la forma, el tamaño y la posición de la Figura B en comparación con los de la Figura A.

El tipo de transformación en el que sólo cambia la ubicación de una figura se llama *traslación.*

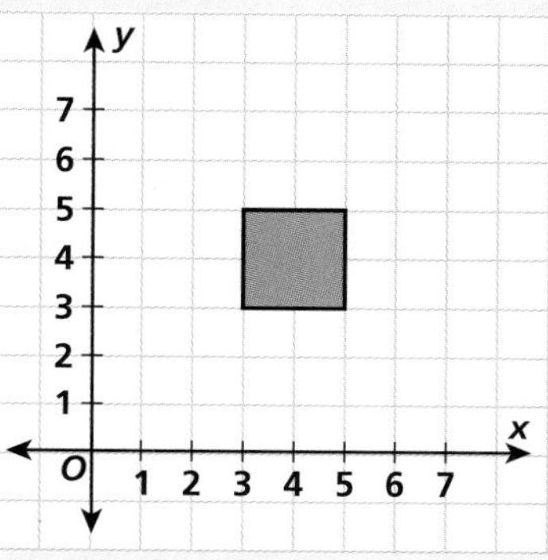

2. Traza el primer cuadrante de un plano cartesiano en papel cuadriculado.

   Coloca un bloque anaranjado sobre el plano de modo que sus extremos queden en (3, 3), (3, 5), (5, 5) y (5, 3). Traza el contorno para formar una figura y rotúlala Figura C.

   Dibuja la Figura D de manera que sus extremos queden en (3, 1), (3, 5), (7, 5) y (7, 1).

   Describe la forma, el tamaño y la posición de la Figura C en comparación con los de la Figura D.

Cuando una figura cambia de tamaño, pero mantiene la misma forma, la transformación se llama *dilatación.*

Razonar y comentar

1.¿Qué transformación da como resultado una figura congruente? ¿Y una semejante?

Inténtalo

Dibuja cada transformación.

1. una traslación 2 unidades hacia abajo

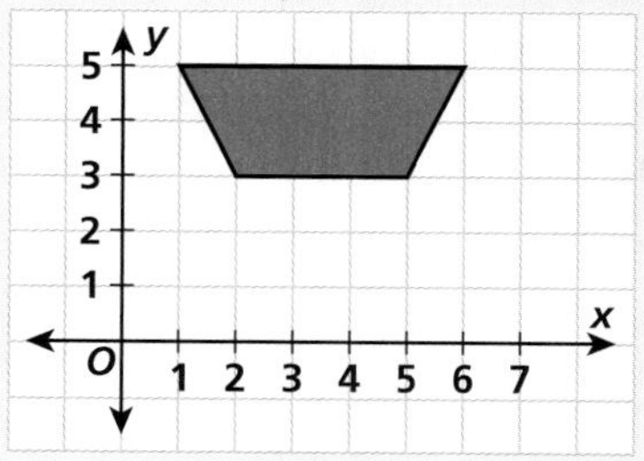

2. una dilatación 2 veces más grande

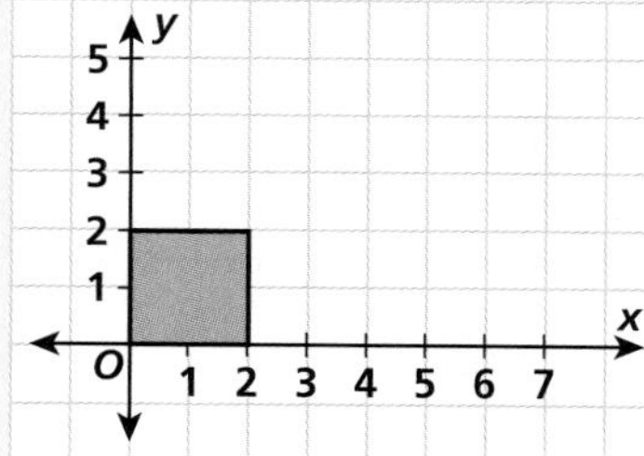

3. una traslación 6 unidades hacia la izquierda

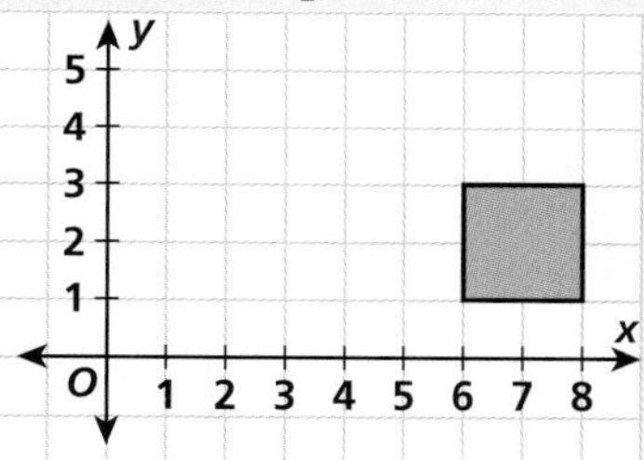

8-11 Simetría axial

Aprender a identificar la simetría axial

Vocabulario

simetría axial

eje de simetría

Una figura tiene **simetría axial** si puede doblarse o reflejarse de modo que sus dos partes coincidan o sean congruentes. La línea de reflexión se llama **eje de simetría.**

Puedes dibujar un eje de simetría sobre este molino de viento. Tanto la forma que tiene el edificio como la posición de las aspas son simétricas.

EJEMPLO 1 Identificar ejes de simetría

Determina si cada línea discontinua parece un eje de simetría.

A

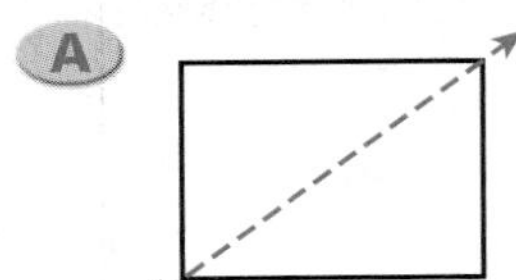

Las dos partes de la figura son congruentes, pero no coinciden exactamente cuando se doblan o se reflejan sobre la línea.

La línea no parece un eje de simetría.

B

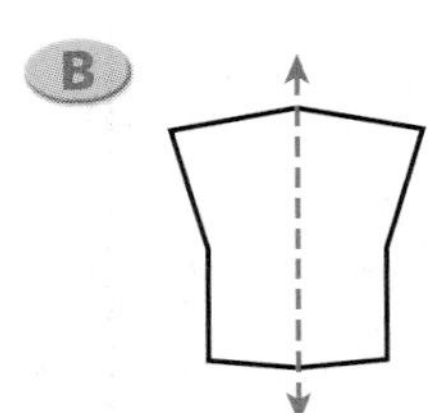

Las dos partes de la figura parecen coincidir exactamente al doblarlas o reflejarlas sobre la línea.

La línea parece un eje de simetría.

Algunas figuras tienen más de un eje de simetría.

EJEMPLO 2 Hallar múltiples ejes de simetría

Halla todos los ejes de simetría de cada polígono regular.

A

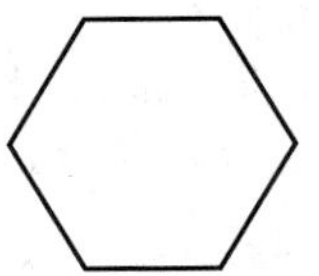

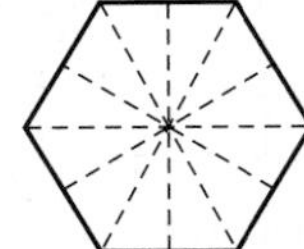

Dibuja cada figura y recórtala. Dobla a la mitad de diferentes maneras. Cuenta los ejes de simetría.

6 ejes de simetría

Halla todos los ejes de simetría de cada polígono regular.

B

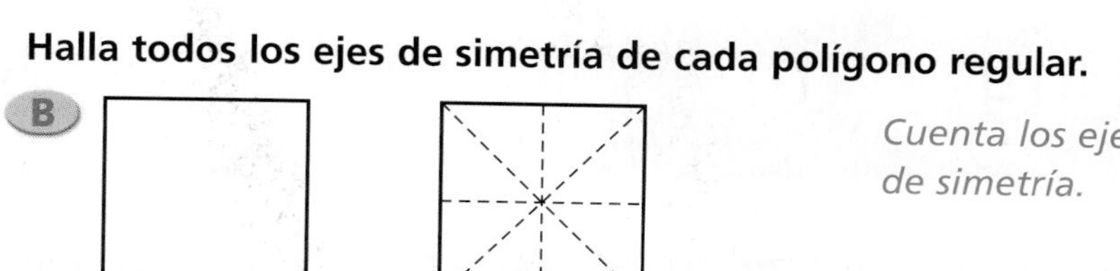

Cuenta los ejes de simetría.

4 ejes de simetría

C

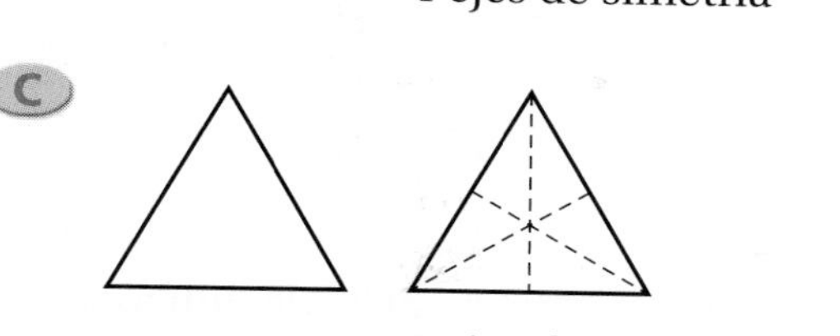

Cuenta los ejes de simetría.

3 ejes de simetría

EJEMPLO 3 *Aplicación a los estudios sociales*

Halla todos los ejes de simetría de cada bandera.

A **Antigua y Barbuda**

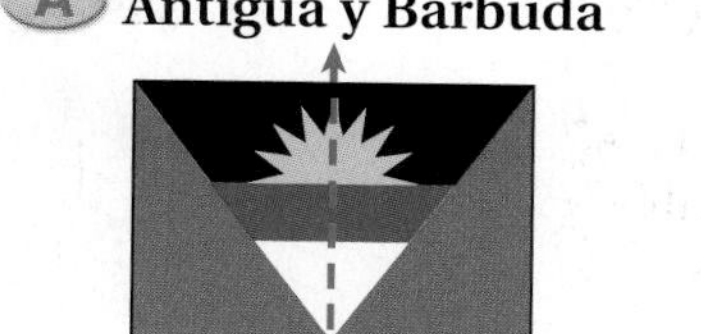

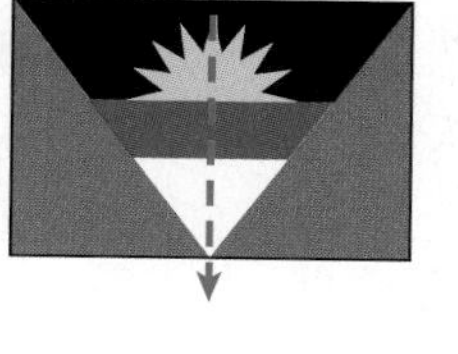

1 eje de simetría

B **Macedonia**

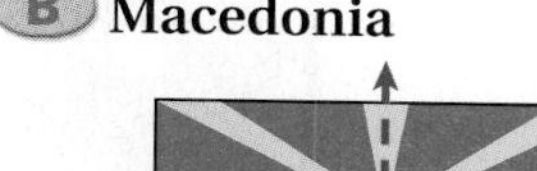

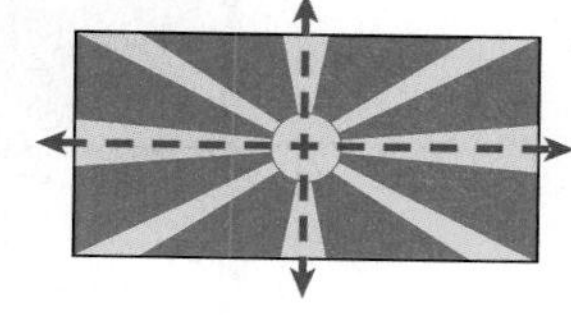

2 ejes de simetría

C **Noruega**

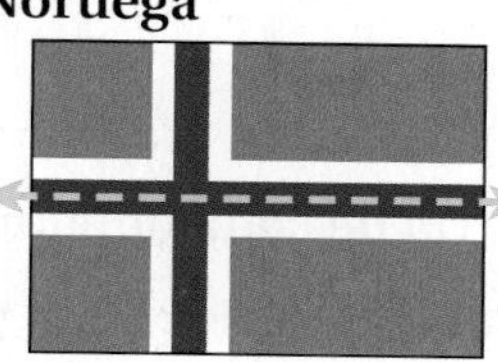

1 eje de simetría

D **Lesotho**

No hay ejes de simetría.

Razonar y comentar

1. **Explica** cómo puedes usar tus conocimientos sobre la reflexión para crear una figura que tenga un eje de simetría.
2. **Determina** si todos los hexágonos tienen seis ejes de simetría.
3. **Identifica** objetos de tu salón de clases que tengan ejes de simetría. Indica cuántos ejes de simetría tiene cada objeto.

8-11 Ejercicios

go.hrw.com
Ayuda en línea para tareas*
CLAVE: MR7 8-11
Recursos en línea para padres
CLAVE: MR7 Parent
*(Disponible sólo en inglés)

PRÁCTICA GUIADA

Ver Ejemplo 

Determina si cada línea discontinua parece un eje de simetría.

1. 

2. 

3. 

Ver Ejemplo 

Halla todos los ejes de simetría de cada polígono regular.

4. 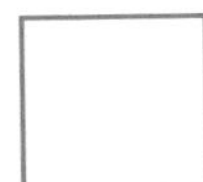

5. 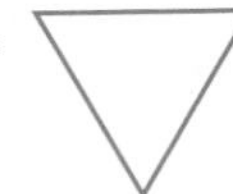

6. 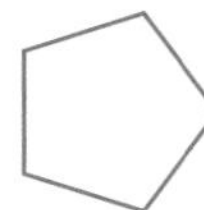

Ver Ejemplo 

Halla todos los ejes de simetría de cada diseño.

7. 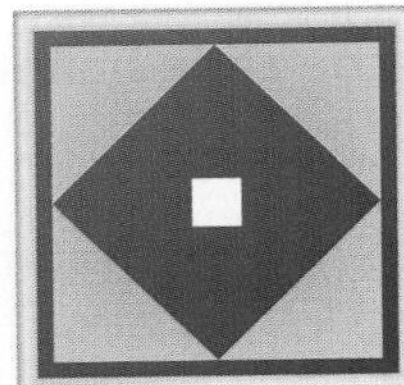

8. 

PRÁCTICA INDEPENDIENTE

Ver Ejemplo 

Determina si cada línea discontinua parece un eje de simetría.

9. 

10. 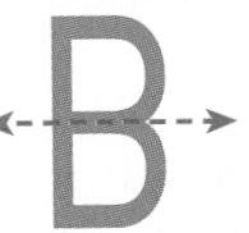

11. 

Ver Ejemplo 

Halla todos los ejes de simetría de cada polígono regular.

12. 

13. 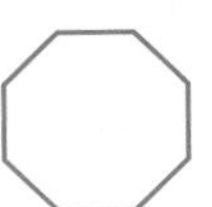

14. 

Ver Ejemplo 

Halla todos los ejes de simetría de cada objeto.

15. 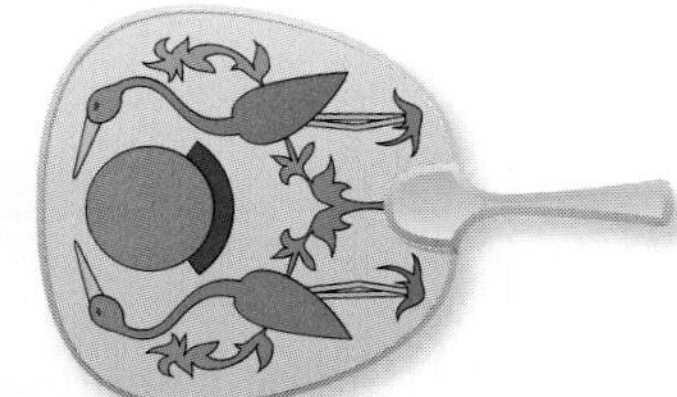

16. 

PRÁCTICA Y RESOLUCIÓN DE PROBLEMAS

Práctica adicional
Ver página 730

17. ¿Cuántos ejes de simetría tiene un triángulo equilátero? ¿Y uno isósceles? ¿Y uno escaleno? Dibuja diagramas para respaldar tu respuesta.

con la música

Muchas culturas interpretan música con instrumentos únicos. Podemos oír el tambor solar o el tambor tortuga en la música de los indígenas estadounidenses. En la música de los pueblos de los Apalaches se puede escuchar los acordes del salterio. En la foto se muestra a jóvenes músicos tocando el sitar, un instrumento de la música tradicional del norte de la India.

18. Determina si la línea discontinua de cada dibujo es un eje de simetría.

a.

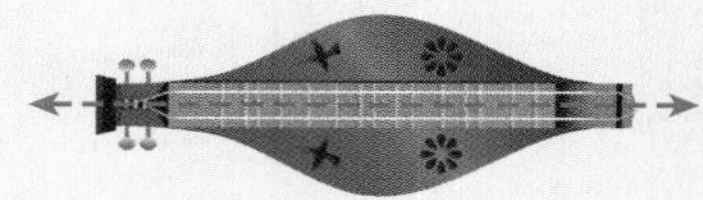

b.

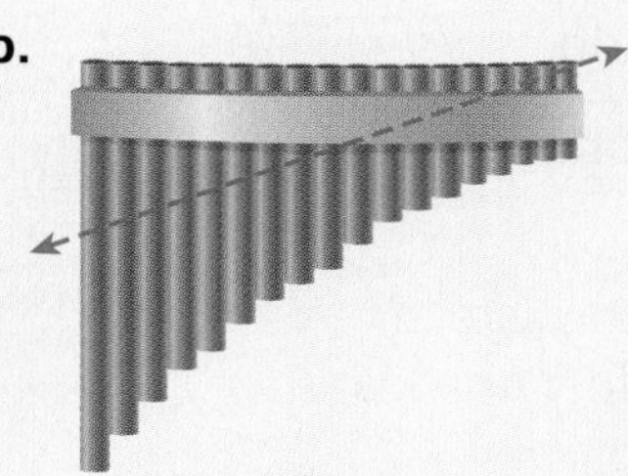

19. **Escríbelo** El tambor tortuga es un octágono regular. ¿Cómo puedes hallar todos los ejes de simetría de un polígono regular?

20. **Desafío** Un estudiante dibujó en una cuadrícula un tambor con forma de octágono. ¿Cuáles son las coordenadas de los vértices de la mitad del dibujo que no está doblada si el doblez que se muestra es un eje de simetría?

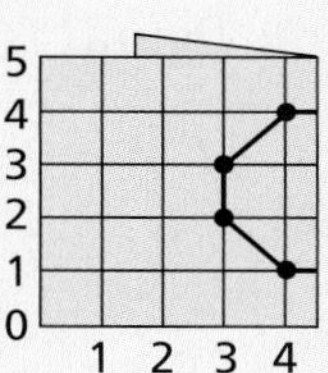

Preparación para el examen y repaso en espiral

21. **Opción múltiple** ¿Cuántos ejes de simetría hay en un rectángulo que NO es un cuadrado?

Ⓐ 1　　Ⓑ 2　　Ⓒ 4　　Ⓓ 6

22. **Respuesta breve** Traza los ejes de simetría de la figura.

Compara. Escribe <, > ó =. (Lección 1-1)

23. 4,897,204 ▢ 4,895,190　　**24.** 133,099,588 ▢ 133,099,600

Halla cada suma o diferencia. (Lección 3-3)

25. 30 − 5.32　　**26.** 80.37 + 15.125　　**27.** 100 − 25.65　　**28.** 200.6 + 62.78

Crear teselados

Para usar con la Lección 8-11

go.hrw.com
Recursos en línea para el laboratorio
CLAVE: MR7 Lab8

Se llama *teselado* a un arreglo de una o más figuras repetidas que cubren completamente un plano sin dejar huecos ni superponerse. Puedes hacer tus propios teselados con papel, tijeras y cinta adhesiva.

Actividad

1. Comienza con un cuadrado.

   Usa tijeras para recortar una figura en un lado del cuadrado.

   Traslada la forma que recortaste al lado opuesto del cuadrado y une las dos piezas con cinta adhesiva.

   Dibuja la nueva figura para formar por lo menos dos filas de un teselado. Tendrás que trasladar, girar o reflejar la figura.

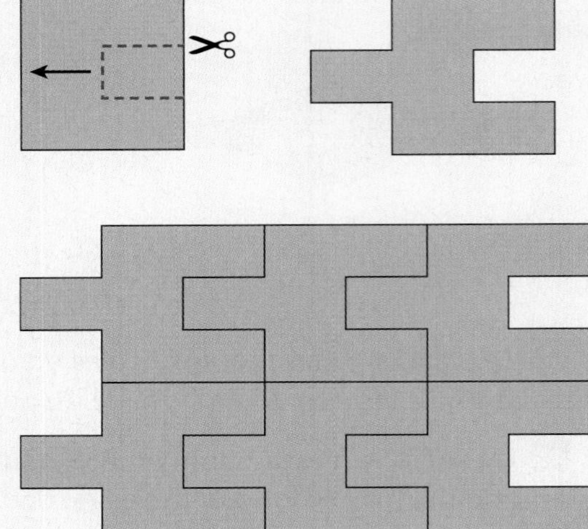

2. Comienza de nuevo con un cuadrado.

   Usa tijeras para recortar figuras y colócalas en los lados opuestos del cuadrado.

   Dibuja la nueva figura para formar por lo menos dos filas de un teselado. Tendrás que trasladar, girar o reflejar la figura.

❸ Puedes usar otros polígonos para formar teselados.

Haz la prueba con un hexágono.

Usa tijeras para recortar una figura en un lado del hexágono. Traslada la figura al lado opuesto del hexágono.

Trata de repetir estos pasos en otros lados del hexágono.

Dibuja la nueva figura para formar un teselado. Tendrás que trasladar, girar o reflejar la figura.

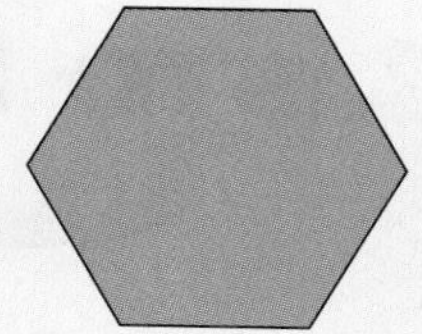

Razonar y comentar

1. Indica si puedes hacer un teselado con círculos.
2. Indica si cualquier polígono puede formar teselados.

Inténtalo

Haz cada figura como se describe. Luego forma dos filas de un teselado.

1. 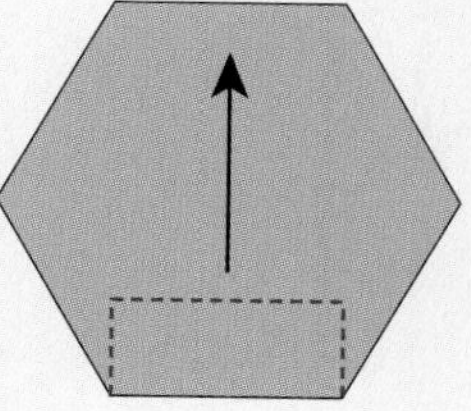

2. 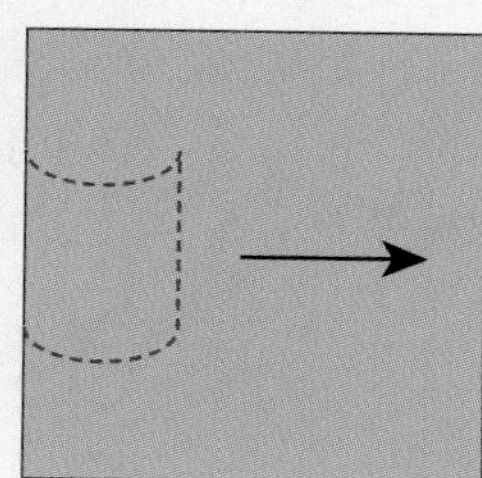

3. 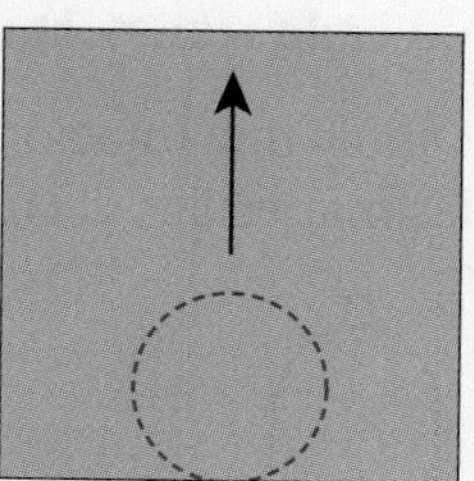

Indica si puede usarse cada figura para formar un teselado.

4. 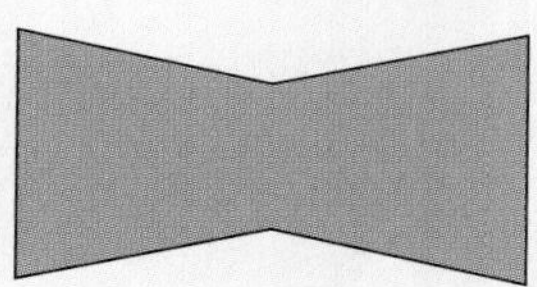

5. 

6. 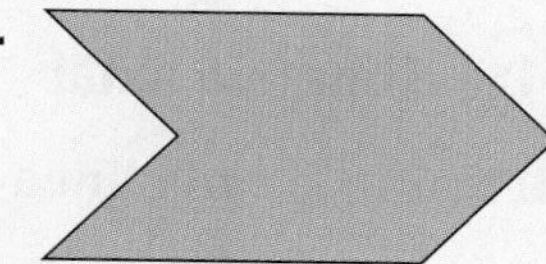

7. Recorta un polígono y cámbialo recortando una parte de un lado. Traslada la parte recortada al lado opuesto. ¿Puede tu figura formar un teselado? Haz un dibujo en el que muestres tu respuesta.

SECCIÓN 8C

Prueba de las Lecciones 8-9 a 8-11

8-9 Congruencia

Decide si las figuras de cada par son congruentes. Si no lo son, explica por qué.

1. 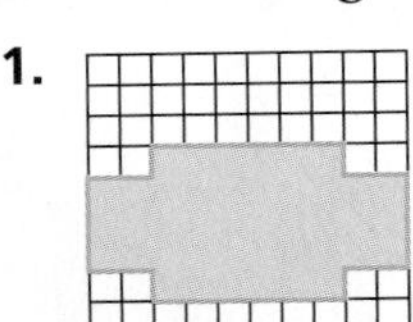 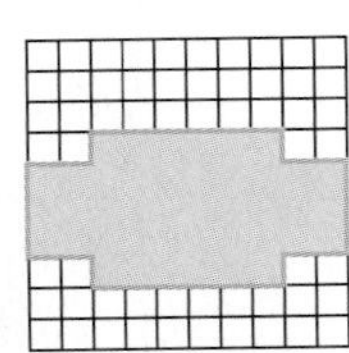

2. 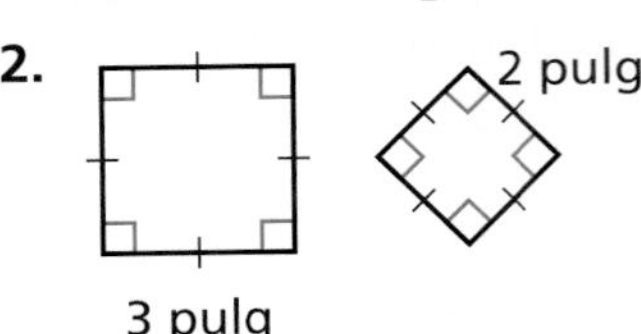

3. Marcus necesita una tapa para su caja. ¿Qué tapa debe comprar?

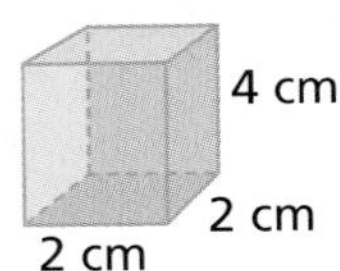

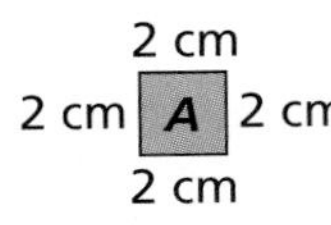

4 cm
2 cm **B** 2 cm
4 cm

4 cm
4 cm **C** 4 cm
4 cm

8-10 Transformaciones

Indica si en cada caso hay traslación, rotación o reflexión.

4. 

5. 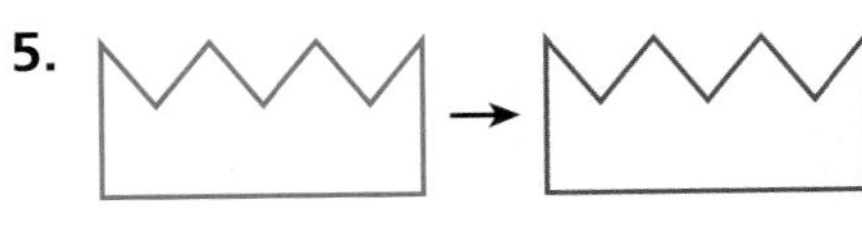

Dibuja cada transformación.

6. Dibuja una rotación de180° en el sentido de las manecillas del reloj alrededor del punto.

7. Dibuja una traslación.

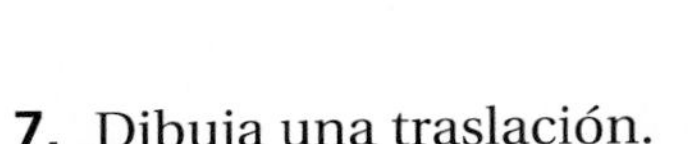

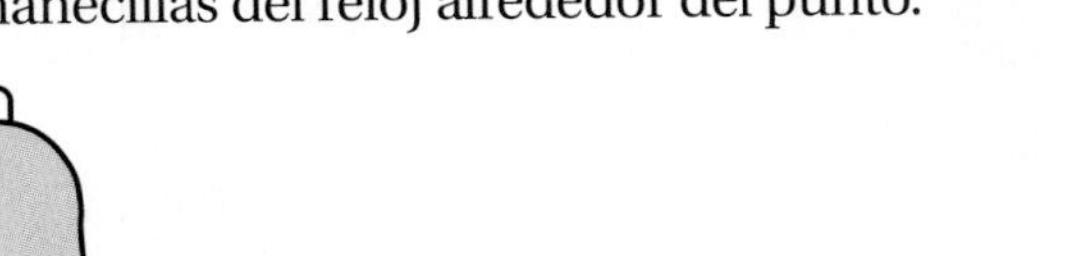

8-11 Simetría axial

Determina si cada línea discontinua parece un eje de simetría.

8. 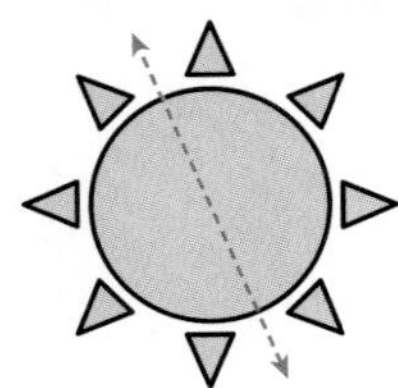

9. 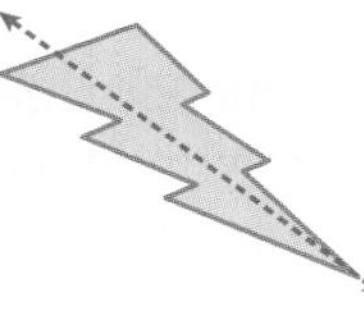

10. 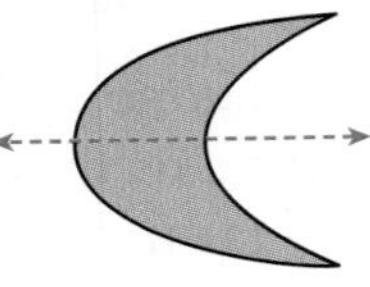

PREPARACIÓN DE VARIOS PASOS PARA EL EXAMEN

CAPÍTULO 8

Las baldosas de Tonya Tonya fabrica y vende baldosas de cerámica con las formas que se muestran a la derecha. Está creando una base de datos con información sobre las baldosas.

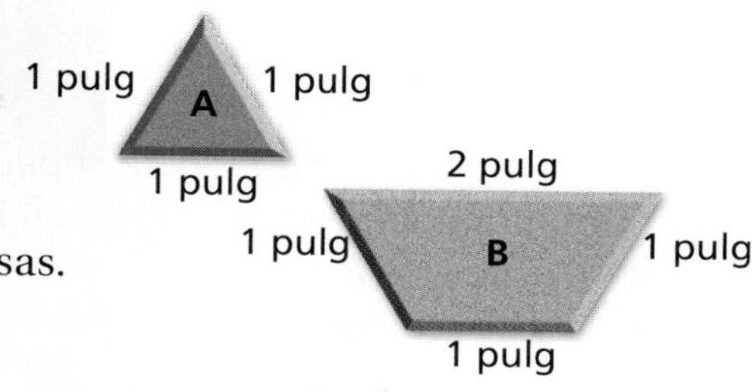

1. La base de datos contiene una descripción de cada baldosa. Para describir cada baldosa, clasifica su forma tan específicamente como puedas.
2. La base de datos también incluye información acerca de la simetría. Indica la cantidad de ejes de simetría de cada baldosa.
3. Tonya quiere dar información sobre los ángulos de algunas de las baldosas. En la baldosa G, los dos ángulos agudos miden lo mismo. ¿Cuánto mide cada uno de los ángulos agudos? Explica.
4. La baldosa C es un polígono regular. ¿Cuánto mide cada uno de sus ángulos? Explica cómo sabes la respuesta.
5. Un cliente quiere usar las baldosas A y B para crear una franja larga con el siguiente patrón.

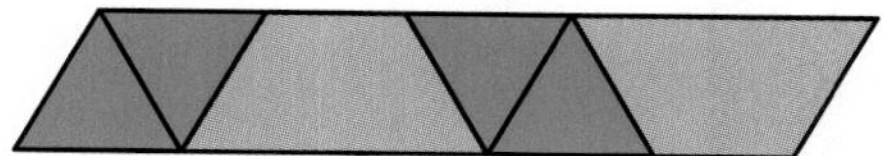

   Dibuja las siguientes cinco baldosas del patrón.
6. El cliente quiere que el borde superior y el borde inferior de la franja midan 25 pulgadas de largo cada uno. ¿Cuántas baldosas de cada tipo necesitará?

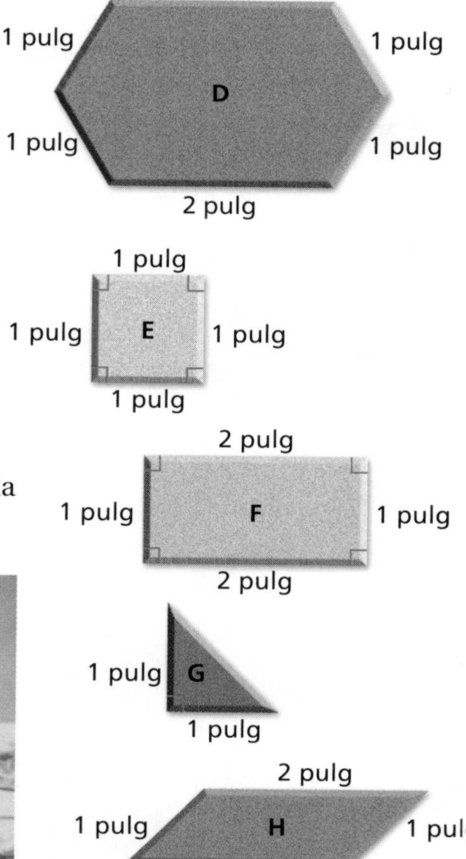

Preparación de varios pasos para el examen

¡Vamos a jugar!

Tangrams

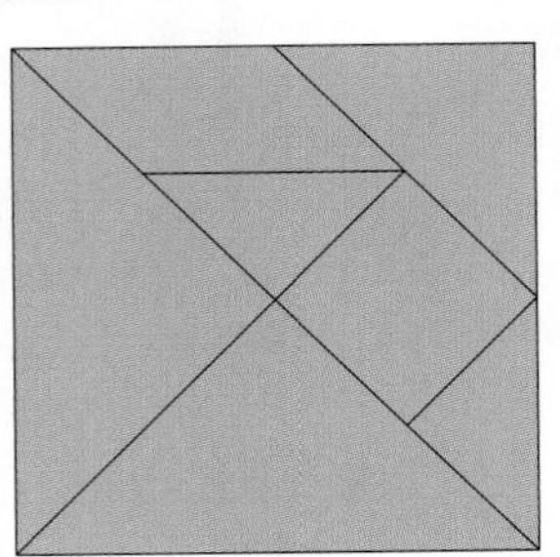

Un tangram es un antiguo rompecabezas chino. Con las siete figuras que componen este cuadrado se pueden crear muchas otras. Copia las figuras que forman este cuadrado y luego recórtalas. Trata de ordenar las piezas para hacer las siguientes figuras.

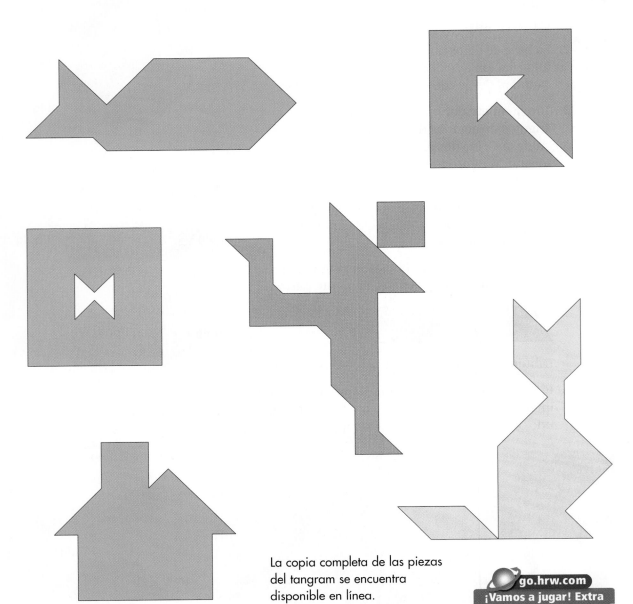

La copia completa de las piezas del tangram se encuentra disponible en línea.

go.hrw.com
¡Vamos a jugar! Extra
CLAVE: MR7 Games

PROYECTO Bolsa de sorpresas geométricas

Con una bolsa de regalos reciclada, haz un diario para tus notas de geometría.

Instrucciones

1. Recorta los lados y el fondo de la bolsa. Te quedarán dos rectángulos con asas. **Figura A**

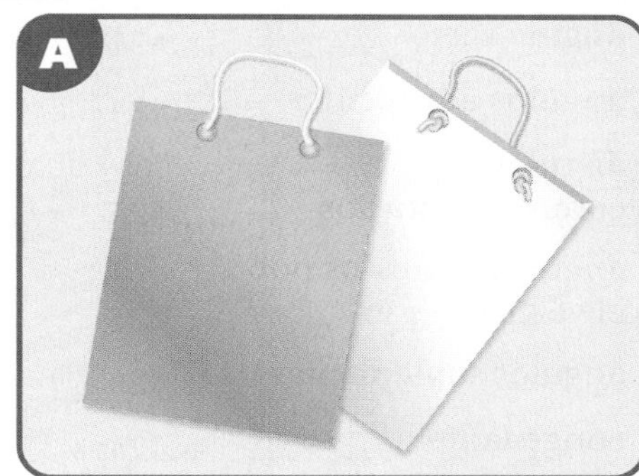

2. Coloca las dos mitades de la bolsa con el lado exterior hacia abajo y únelas con cinta como se muestra, dejando un pequeño espacio entre ellas. Serán las tapas de tu diario. **Figura B**

3. Recorta varias hojas de papel blanco y cartulina del mismo tamaño, un poco más pequeñas que las tapas de tu diario. Engrápalas, con un trozo de cartulina arriba y abajo de la pila. **Figura C**

4. Pega la cartulina de arriba al lado interior de la tapa del frente. Pega la cartulina de abajo al lado interior de la tapa de atrás.

Tomar notas de matemáticas

Escribe el nombre y el título del capítulo en el frente del diario. Luego usa las páginas para tomar notas sobre ángulos, polígonos y transformaciones.

CAPÍTULO 8 Guía de estudio: Repaso

Vocabulario

Completa los enunciados con las palabras del vocabulario.

1. Un cuadrilátero con exactamente dos lados paralelos se llama __?__.

2. Un(a) __?__ es una figura plana cerrada formada por tres o más segmentos de recta.

8-1 Figuras básicas de la geometría (págs. 416-419)

EJEMPLO

■ **Usa el diagrama.**

Identifica una línea. $\overleftrightarrow{RS}$
Identifica un segmento de recta. $\overline{ST}$

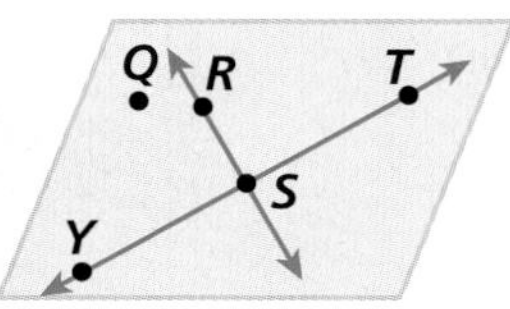

EJERCICIOS

Usa el diagrama.

3. Identifica dos líneas.

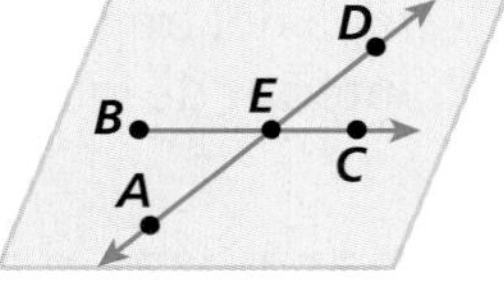

8-2 Cómo medir y clasificar ángulos (págs. 420-423)

EJEMPLO

■ **Clasifica cada ángulo como agudo, recto, obtuso o llano.**

$m\angle A = 80°$
$80° < 90°$, por lo tanto, $\angle A$ es agudo.

EJERCICIOS

Clasifica cada ángulo como agudo, recto, obtuso o llano.

4. $m\angle x = 60°$
5. $m\angle x = 100°$
6. $m\angle x = 45°$
7. $m\angle x = 180°$

8-3 Relaciones entre los ángulos (págs. 424-427)

EJEMPLO

- **Halla la medida desconocida.**

$m\angle a = 40°$ *Los ángulos opuestos por el vértice son congruentes.*

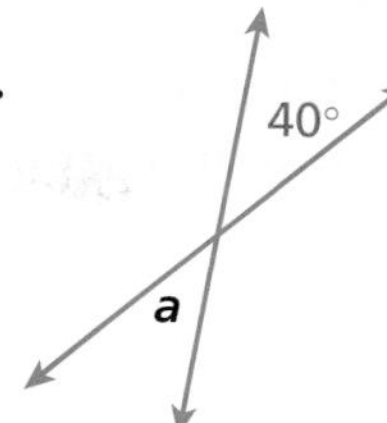

EJERCICIOS

Halla cada medida de ángulo desconocida.

8.

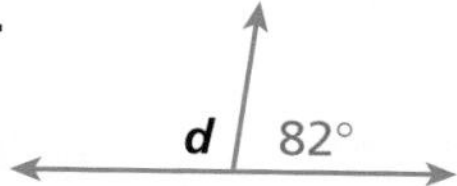

9.
d
82°

8-4 Cómo clasificar líneas (págs. 428-431)

EJEMPLO

- **Clasifica cada par de líneas.**

Las líneas rojas son paralelas.
Las líneas azules son perpendiculares.

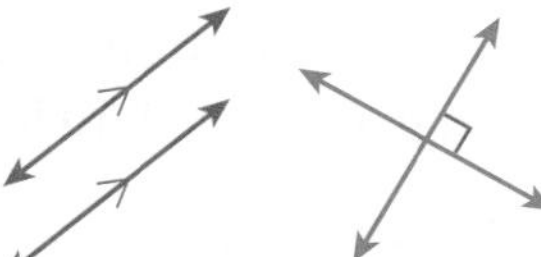

EJERCICIOS

Clasifica cada par de líneas.

10.

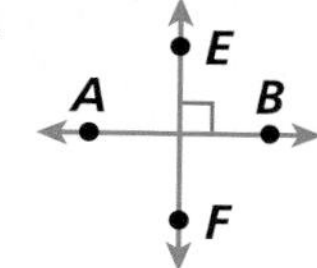

11.

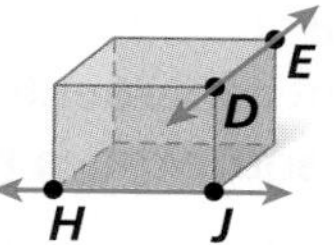

8-5 Triángulos (págs. 437-440)

EJEMPLO

- **Clasifica el triángulo con la información que se da.**

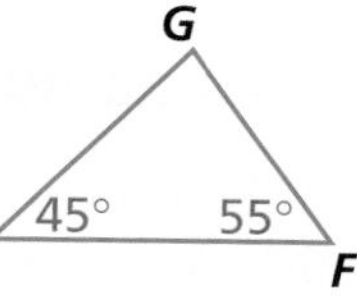

$m\angle G + 45° + 55° = 180°$
$m\angle G = 80°$, por lo tanto, $\triangle EFG$ es un triángulo acutángulo.

EJERCICIOS

Clasifica el triángulo con la información que se da.

12.

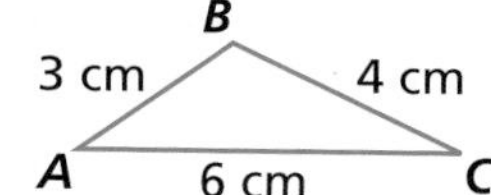

8-6 Cuadriláteros (págs. 442-445)

EJEMPLO

- **Da el nombre más exacto de la figura.**

El nombre más exacto es rectángulo.

EJERCICIOS

Da el nombre más exacto de la figura.

13.

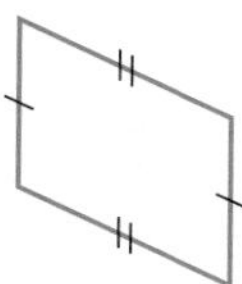

8-7 Polígonos (págs. 446-449)

EJEMPLO

- **Identifica el polígono e indica si parece regular o irregular.**

Es un octágono regular.

EJERCICIOS

Identifica cada polígono e indica si parece regular o irregular.

14.

15. CALLE MAIN

8-8 Patrones geométricos (págs. 450-453)

EJEMPLO

- **Identifica un posible patrón. Usa el patrón para dibujar la figura que falta.**

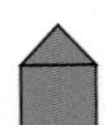 ? 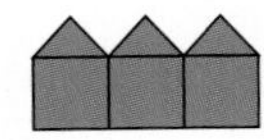 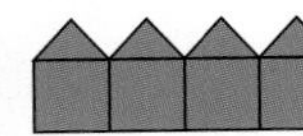

La figura que falta podría ser 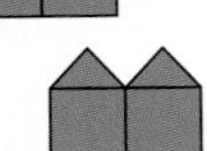.

EJERCICIOS

Identifica un posible patrón. Usa el patrón para dibujar la figura que falta.

16.  ? 

8-9 Congruencia (págs. 456-458)

EJEMPLO

- **Decide si las figuras son congruentes. Si no lo son, explica por qué.**

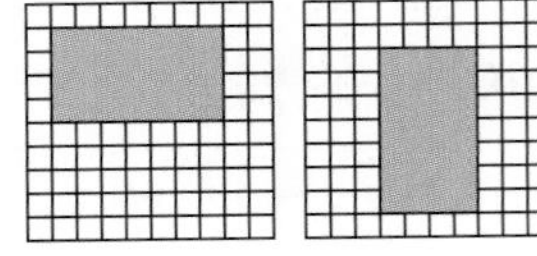

Las figuras son congruentes.

EJERCICIOS

Decide si las figuras de cada par son congruentes. Si no lo son, explica por qué.

17. 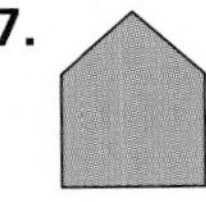

18. 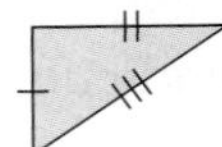 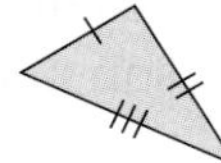

8-10 Transformaciones (págs. 459-462)

EJEMPLO

- **Indica si la transformación es una traslación, una rotación o una reflexión.**

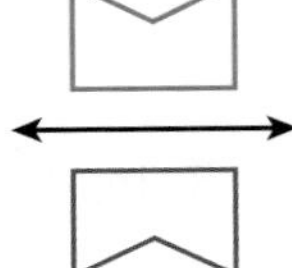

La transformación es una reflexión.

- **Dibuja la transformación.**

Dibuja una reflexión horizontal.

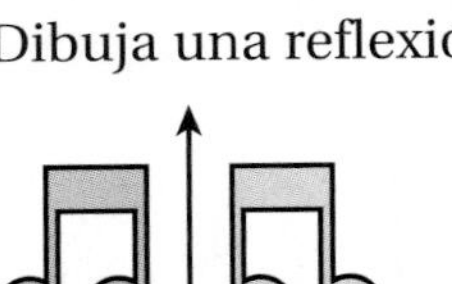

EJERCICIOS

Indica si la transformación es una traslación, una rotación o una reflexión.

19. 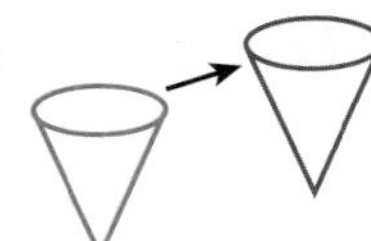

Dibuja cada transformación.

20. Dibuja una traslación.

21. Dibuja una rotación de 90° en el sentido de las manecillas del reloj alrededor del punto.

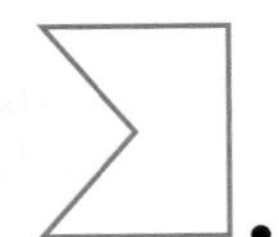

8-11 Simetría axial (págs. 464-467)

EJEMPLO

- **Determina si la línea discontinua parece un eje de simetría.**

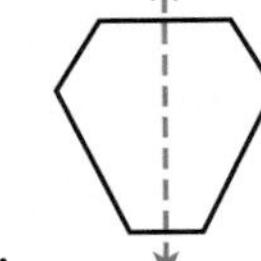

La línea parece un eje de simetría.

EJERCICIOS

Determina si la línea discontinua parece un eje de simetría.

22. 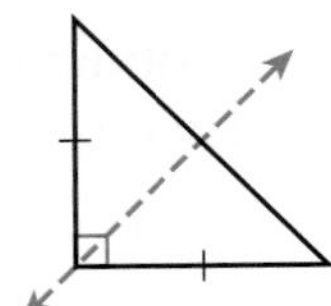

Guía de estudio: Repaso

EXAMEN DEL CAPÍTULO

CAPÍTULO 8

Clasifica cada par de ángulos o líneas.

1. 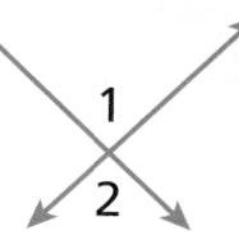

2. 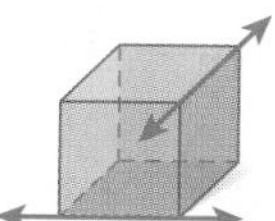

3. O S T P

Clasifica los triángulos por la medida de sus ángulos y sus lados.

4. 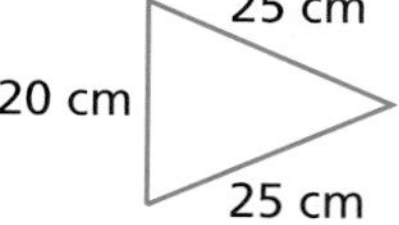

5. 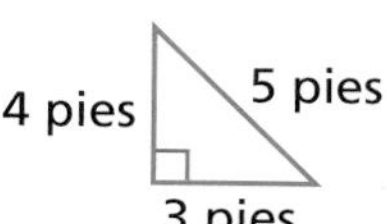

6. 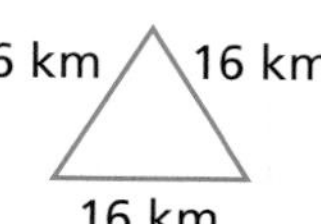

Halla la medida de ángulo desconocida.

7. 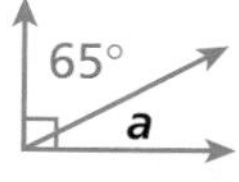

8. 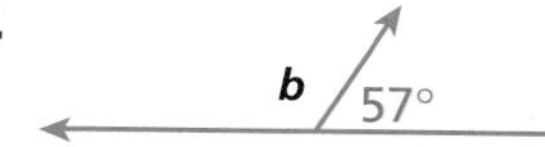

9. 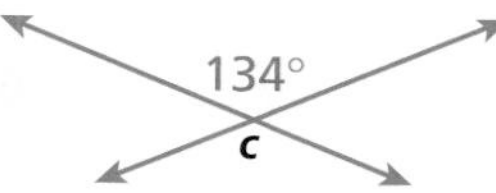

10. El triángulo *ABC* tiene lados de la misma longitud. La medida de $\angle A$ es 60° y la medida de $\angle B$ es 60°. ¿Cuánto mide $\angle C$? Clasifica el triángulo según la medida de sus ángulos y la longitud de sus lados.

Dibuja cada transformación.

11. Reflexión sobre la línea

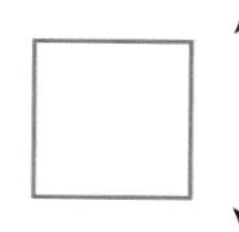

12. Rotación de 270° en el sentido de las manecillas del reloj alrededor del punto

13. Traslación de $\frac{3}{4}$ pulg hacia la derecha

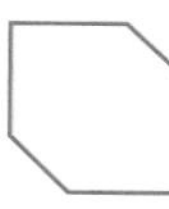

Determina si cada línea discontinua parece un eje de simetría.

14. 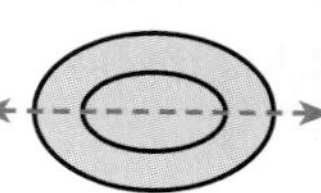

15. 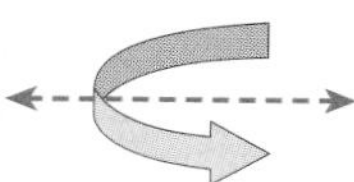

16. 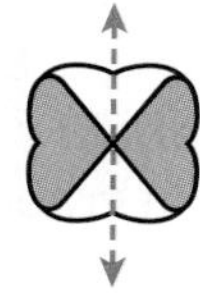

Decide si las figuras de cada par son congruentes. Si no lo son, explica por qué.

17. 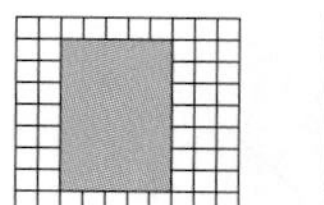

18. 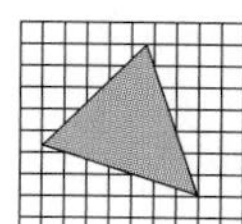

Identifica un posible patrón. Usa tu patrón para dibujar la siguiente figura.

19. 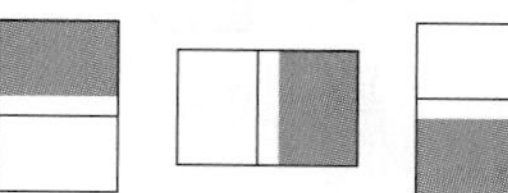

20. 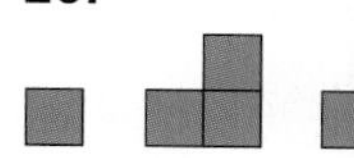

Examen del capítulo

CAPÍTULO 8

PREPARACIÓN PARA EL EXAMEN ESTANDARIZADO

go.hrw.com
Práctica en línea para el examen estatal
CLAVE: MR7 TestPrep

Evaluación acumulativa, Capítulos 1–8

Opción múltiple

1. ¿Cuál de las siguientes opciones es un ejemplo de ángulo obtuso?

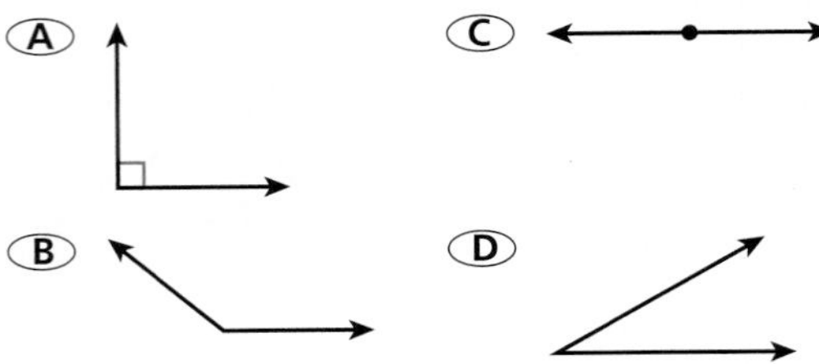

2. Hillary compró 6 ramos de flores para decorar mesas. Cada ramo cuesta $16. El impuesto sobre la venta es del 6.5%. ¿Cuál es el costo total de su compra?

   F $17.03　　H $101.70

   G $95.94　　J $102.24

3. Dos ángulos son complementarios. Si la medida de un ángulo es 36°, ¿cuánto mide el segundo ángulo?

   A 36°　　C 64°

   B 54°　　D 144°

4. Steve, Ashley y Jeremy trabajan en el mismo restaurante. Steve trabaja cada 4 días. Ashley trabaja cada 6 días. Jeremy trabaja cada 3 días. Si el 1° de mayo todos trabajan en el restaurante, ¿en qué fecha volverán a coincidir?

   F 6 de mayo　　H 18 de mayo

   G 12 de mayo　　J 24 de mayo

5. Terri mide $60\frac{1}{2}$ pulgadas de estatura. Steve mide $65\frac{1}{4}$ pulgadas de estatura. ¿Cuál es la diferencia de altura en pulgadas?

   A $4\frac{1}{4}$　　C $4\frac{3}{4}$

   B $4\frac{1}{2}$　　D $5\frac{1}{4}$

6. En la figura de abajo, ¿cuál de los siguientes pares de ángulos NO son ángulos adyacentes?

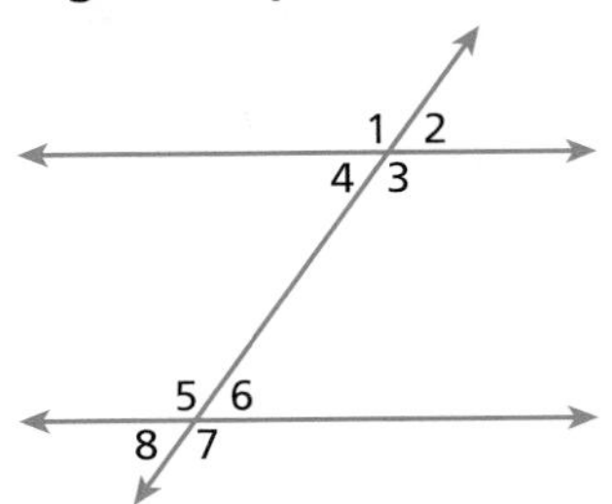

   F $\angle 1$ y $\angle 2$　　H $\angle 1$ y $\angle 3$

   G $\angle 5$ y $\angle 8$　　J $\angle 6$ y $\angle 7$

7. Reggie es un corredor de fondo. Sus $2\frac{1}{2}$ horas diarias de entrenamiento se dividen por igual en tres áreas: calentamiento, carrera y enfriamiento. ¿Cuántos minutos dedica Reggie cada día al calentamiento y enfriamiento?

   A 100 min　　C 60 min

   B 75 min　　D 50 min

8. La flecha se refleja sobre la línea negra. ¿En cuál de las siguientes opciones se muestra correctamente la flecha después de la reflexión?

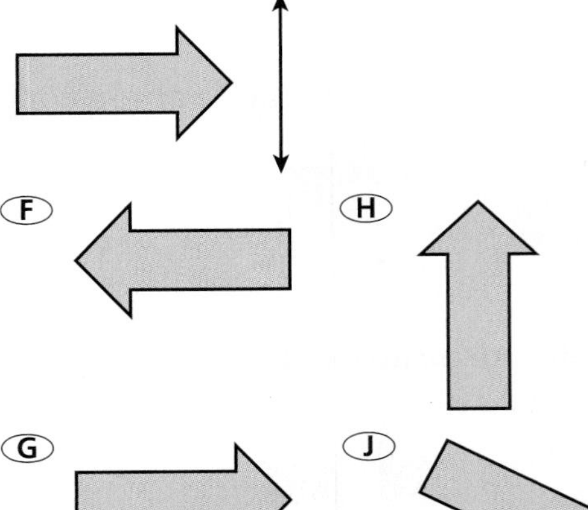

9. Abajo se muestra un mapa de ciertas zonas del parque Boone. ¿Cuál de las siguientes opciones está en el punto (7, 6) del mapa?

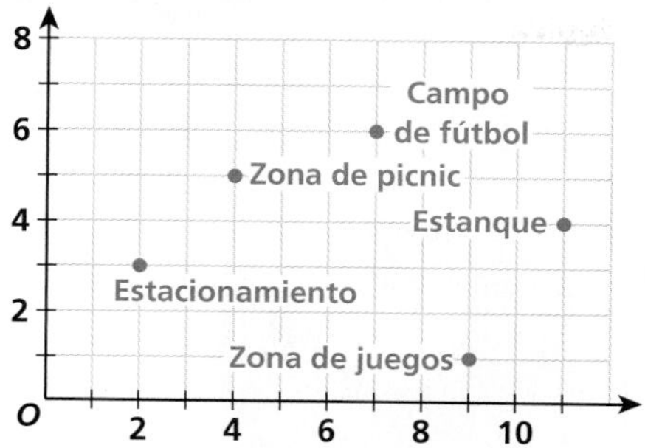

Ⓐ Zona de juegos Ⓒ Estanque

Ⓑ Estacionamiento Ⓓ Campo de fútbol

10. ¿Cuál es el nombre que mejor describe la figura de abajo?

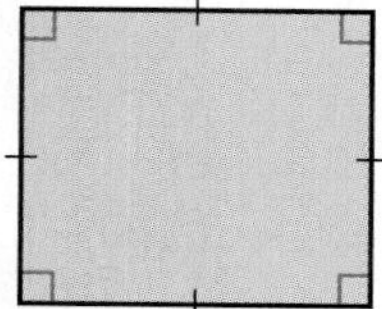

Ⓕ Rombo Ⓗ Cuadrado

Ⓖ Rectángulo Ⓙ Paralelogramo

Haz un dibujo para resolver problemas con figuras planas. Asegúrate de rotular tus dibujos con exactitud.

Respuesta gráfica

11. ¿Cuál es el valor de 9^3?

12. La distancia alrededor de un cantero cuadrado es 128.4 pulgadas. ¿Cuántas pulgadas de largo mide un lado del cantero?

13. Maggie le da clases particulares a Anne después del horario escolar. Maggie cobra $7 por hora. Si Anne le paga $84, ¿cuántas horas de clase dio Maggie?

14. Se presentaron 120 estudiantes a la prueba para la obra teatral de la escuela. Sólo el 5% conseguirá papeles hablados. Escribe este porcentaje como una fracción en su mínima expresión.

Respuesta breve

15. Identifica la figura.

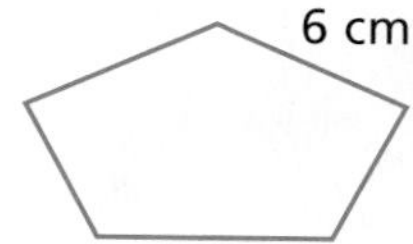

Traza una figura que sea congruente con ésta. Explica por qué tu figura es congruente con la figura dada.

16. En la tabla se muestran las diez distancias a las que bateó un jugador de béisbol.

Distancias (pies)				
334	360	350	343	330
320	265	327	335	270

¿La distancia media a la que batea este jugador es mayor o menor que la distancia mediana? Explica cómo hallaste la respuesta.

17. El triángulo *JKL* es rectángulo.

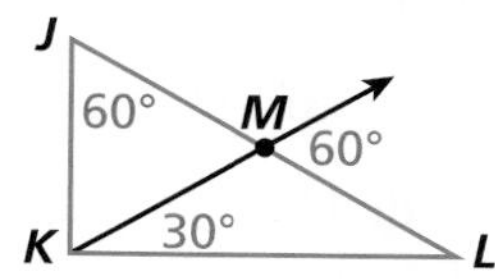

a. ¿Cuánto miden $\angle JKM$, $\angle KLM$, $\angle KML$ y $\angle KMJ$?

b. Identifica otros dos triángulos. Clasifica estos triángulos por sus ángulos. Explica tus clasificaciones.

Respuesta desarrollada

18. Un estudiante traza un trapecio en una cuadrícula de coordenadas. Las coordenadas son *A* (3, 1), *B* (2, 2), *C* (2, 3) y *D* (3, 4).

a. Marca estos puntos en una cuadrícula y únelos.

b. Traza una línea que pase por los puntos *A* y *D*. Refleja el trapecio sobre esa línea, rotula los puntos del nuevo trapecio y da las nuevas coordenadas.

c. ¿Qué nueva figura plana se crea? ¿Esta nueva figura tiene simetría axial? Explica tu respuesta.

Resolución de problemas en lugares

NUEVO MÉXICO

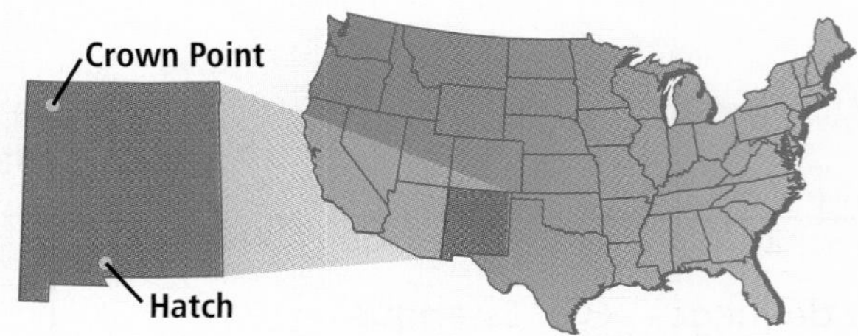

El Festival del chile de Hatch

Es posible que Hatch, Nuevo México, sea una ciudad pequeña, pero es sede de uno de los acontecimientos más “picantes” del año. Cada verano, 30,000 entusiastas de la comida picante llegan al Festival del chile de Hatch. Entre las actividades hay un desfile, un concurso de ingestión de chiles y una muestra de cocina, ¡pero la atracción principal es la comida picosísima!

Elige una o más estrategias para resolver cada problema.

1. En el Festival del chile de Hatch se ofrece guiso de chile, enchiladas, hamburguesas con queso y chile y burritos de chile. Un visitante quiere probar las cuatro comidas. ¿En cuántas combinaciones de orden puede probarlas?

La acritud (o factor de picor) de un pimiento de chile se mide en unidades Scoville. Cuanto más picoso el pimiento, mayor es el número de unidades Scoville.

2. La razón del factor de picor de un chile chipotle a un chile *hot-wax* es 4:5. La suma de sus factores de picor es 18,000 unidades Scoville. ¿Qué factor de picor tiene el chile chipotle?

Usa la tabla para los Ejercicios 3 y 4.

3. El factor de picor de un chile Coronado es el 50% del factor de picor de un chile poblano. El factor de picor de un chile poblano es el 25% del factor de picor de un jalapeño. ¿Cuál es el factor de picor del chile Coronado?

4. En el festival se puede adquirir gelatina hecha con uno de los chiles de la tabla. El factor de picor del chile que se usa en la gelatina es menos del 5% del factor del chile habanero, pero mayor que el del chile Anaheim. ¿Con qué chile se hace la gelatina?

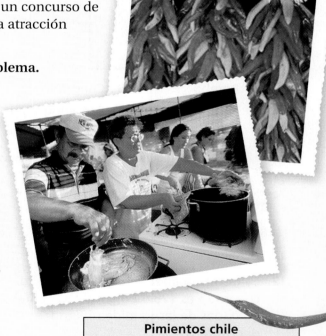

Pimientos chile

Chile	Factor de picor (unidades Scoville)
Bell	0
Anaheim	2,500
Jalapeño	8,000
Serrano	22,000
Cayena	50,000
Habanero	325,000

Estrategias de resolución de problemas

Dibujar un diagrama
Hacer un modelo
Calcular y poner a prueba
Trabajar en sentido inverso
Hallar un patrón
Resolver un problema más sencillo
Usar el razonamiento lógico
Representar
Hacer una lista organizada

La subasta de tapetes navajos de Crownpoint

En 1968, un comerciante indígena estadounidense llamado Lavonne Palmer organizó una pequeña subasta para que los tejedores navajos pudieran vender sus tapetes directamente al público. Unas décadas después, la subasta creció hasta convertirse en el principal acontecimiento de venta de tapetes navajos del país. Crownpoint, Nuevo México, es la sede de muchos eventos que atraen a los mejores tejedores navajos de la región.

Elige una o más estrategias para resolver cada problema.

1. Antes de la subasta, se exhiben en una pared tapetes rectangulares de 3 pies por 5 pies cada uno. La pared mide 10 pies de altura y 24 pies de largo. ¿Cuál es la máxima cantidad de tapetes que se pueden colgar en la pared sin superponerse?

2. El diseño de un tapete rectangular tiene un eje de simetría vertical y uno horizontal. Cerca de una esquina del tapete hay tres paralelogramos. ¿Cuántos paralelogramos hay en total en el diseño?

3. Un tapete navajo tiene el patrón que se muestra en la figura. ¿Cuál es el total de círculos y triángulos que hay en la 10ma fila del patrón?

Fila 1 ●
Fila 2 ● ▲ ●
Fila 3 ● ▲ ● ▲ ●
Fila 4 ● ▲ ● ▲ ● ▲ ●

4. En la tabla se muestra la cantidad de horas que suele llevarle a un tejedor completar un tapete navajo. Predice cuántas horas le llevará tejer un tapete de 8 pies por 10 pies.

Tiempo necesario para tejer un tapete navajo

Tamaño	Cantidad de horas
3 pies por 5 pies	300
4 pies por 6 pies	480
6 pies por 8 pies	960

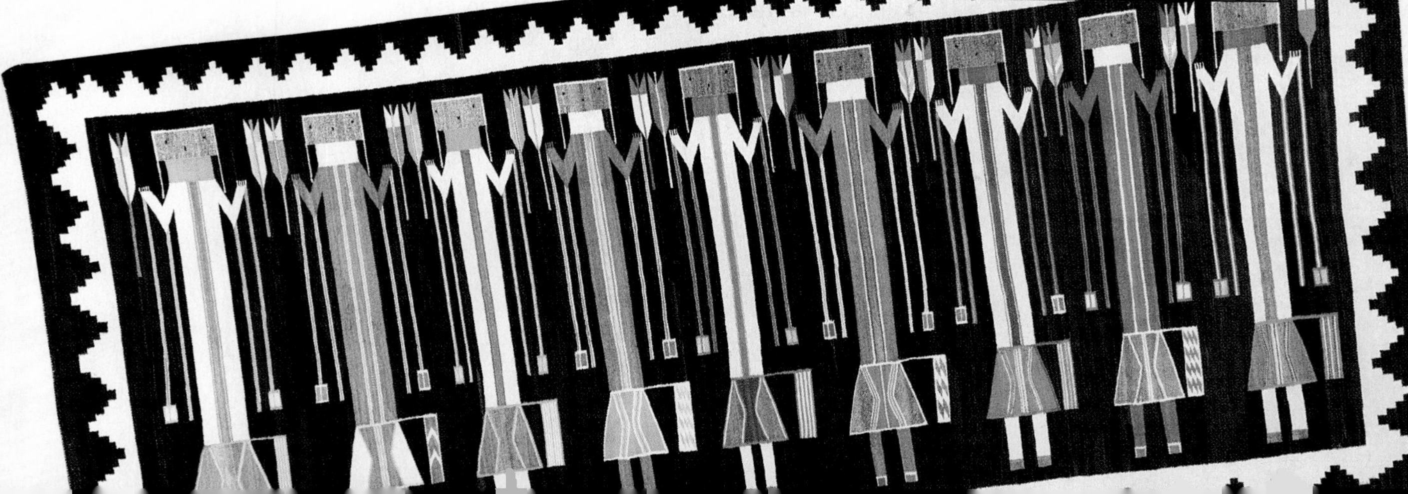

CAPÍTULO 9

Medición y geometría

PREPARACIÓN DE VARIOS PASOS PARA EL EXAMEN

go.hrw.com
Presentación del capítulo en línea
CLAVE: MR7 Ch9

Profesión *Matemática*

Algunos matemáticos aplican sus conocimientos en áreas como programación de vuelos, seguridad médica e investigación automovilística e industrial. Otros matemáticos prefieren el estudio de los conceptos en que se basan las matemáticas.

Durante cientos de años, los matemáticos han estudiado las relaciones entre la circunferencia y el diámetro de un círculo. Esta razón se llama *pi* y se representa con la letra griega π.

¿ESTÁS LISTO?

Vocabulario

Elige de la lista el término que mejor complete cada enunciado.

capacidad
longitud
peso
proporción
rectángulo
temperatura
transportador

1. Si hallas qué tan pesado es un objeto, estás hallando su __?__.
2. Para medir un ángulo se usa un(a) __?__ .
3. Si hallas cuánto puede contener un recipiente cuando se llena, estás hallando su __?__.
4. Un(a) __?__ es una ecuación en la que se muestran dos razones equivalentes.
5. Un paralelogramo con cuatro ángulos rectos es un(a) __?__.

Resuelve los ejercicios para practicar las destrezas que usarás en este capítulo.

Escribir y leer decimales

Escribe cada decimal en forma estándar.

6. 12 y 4 décimas **7.** 150 y 18 centésimas **8.** 1 millar, 60 y 5 décimas

Simplificar fracciones

Escribe cada fracción en su mínima expresión.

9. $\frac{8}{12}$ **10.** $\frac{4}{20}$ **11.** $\frac{6}{8}$ **12.** $\frac{8}{16}$

Escribir razones

Escribe cada razón de tres maneras diferentes.

13. corazones a rectángulos
14. rectángulos a círculos

15. triángulos a cuadrados
16. hexágonos a triángulos

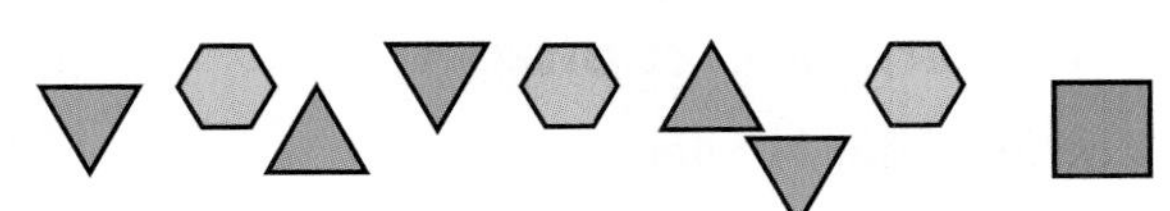

Resolver proporciones

Halla n.

17. $\frac{2}{n} = \frac{4}{10}$ **18.** $\frac{3}{8} = \frac{6}{n}$ **19.** $\frac{n}{7} = \frac{8}{14}$ **20.** $\frac{5}{9} = \frac{n}{18}$

CAPÍTULO 9

Guía de estudio: Avance

De dónde vienes

Antes,

- realizaste conversiones sencillas en el sistema métrico.
- usaste medidas de ángulos para clasificar ángulos.
- clasificaste polígonos según sus lados.

En este capítulo

Estudiarás

- cómo convertir medidas dentro del mismo sistema de medidas.
- cómo identificar relaciones entre los ángulos de triángulos y cuadriláteros.
- cómo resolver problemas relacionados con el perímetro.
- cómo describir la relación entre el radio, el diámetro y la circunferencia de un círculo.

Adónde vas

Puedes usar las destrezas aprendidas en este capítulo

- para comprender la relación que hay entre el perímetro y el área de un polígono.
- para calcular qué longitud de cerca tendrías que comprar para rodear un corral o un jardín.

Vocabulario/Key Vocabulary

centro de un círculo	center of a circle
círculo	circle
circunferencia	circumference
diámetro	diameter
perímetro	perimeter
pi	*pi*
radio	radius
sistema métrico	metric system
sistema usual de medidas	customary system

Conexiones de vocabulario

Considera lo siguiente para familiarizarte con algunos de los términos de vocabulario del capítulo. Puedes consultar el capítulo, el glosario o un diccionario si lo deseas.

1. La palabra *perímetro* tiene el prefijo *peri-*, que significa "alrededor o rodeando", y la raíz *metro,* que es la unidad básica de longitud del sistema métrico. ¿Qué piensas que es el **perímetro** de un objeto?
2. *Circunferencia* tiene el prefijo *circun-*, que significa "alrededor de un círculo". ¿Qué piensas que medirás si hallas la **circunferencia** de un círculo?
3. La palabra *radio* se relaciona con *irradiar,* que significa moverse hacia afuera en todas direcciones desde un centro. ¿Qué crees que es el **radio** de un círculo?
4. La palabra *diámetro* tiene el prefijo *dia-*, que significa "a través". ¿Qué piensas que medirás si hallas el **diámetro** de un círculo?

Estrategia de estudio: Usa múltiples representaciones

Los conceptos matemáticos pueden explicarse mediante múltiples representaciones. Cuando estudies, presta atención a las tablas, listas, gráficas, diagramas, símbolos y palabras que se usan para describir un concepto.

De la Lección 8-4

En este ejemplo, el concepto de clasificación de líneas se explica mediante palabras, diagramas, símbolos y ejemplos.

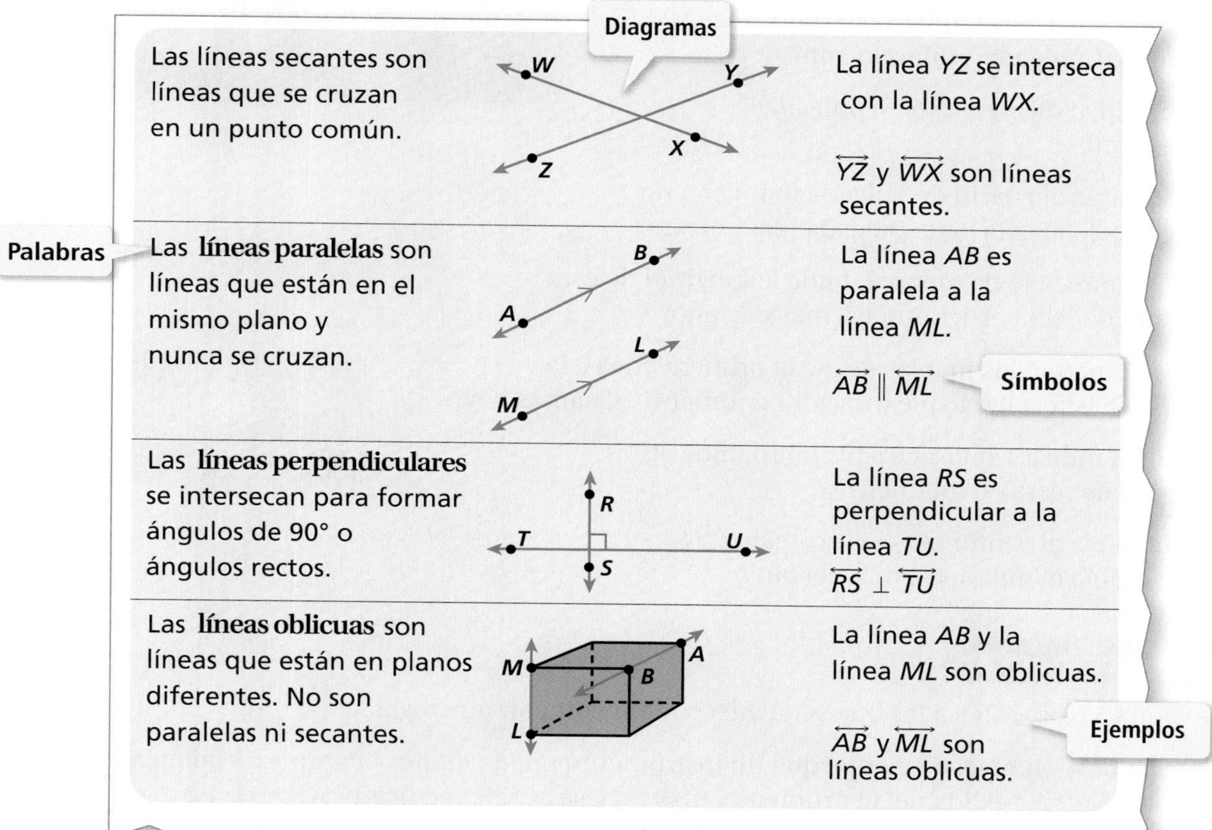

Diagramas
Palabras
Símbolos
Ejemplos
Las líneas secantes son líneas que se cruzan en un punto común.
W
Y
X
Z
La línea YZ se interseca con la línea WX.
$\overleftrightarrow{YZ}$ y $\overleftrightarrow{WX}$ son líneas secantes.
Las **líneas paralelas** son líneas que están en el mismo plano y nunca se cruzan.
B
A
L
M
La línea AB es paralela a la línea ML.
$\overleftrightarrow{AB} \parallel \overleftrightarrow{ML}$
Las **líneas perpendiculares** se intersecan para formar ángulos de 90° o ángulos rectos.
R
T
U
S
La línea RS es perpendicular a la línea TU.
$\overleftrightarrow{RS} \perp \overleftrightarrow{TU}$
Las **líneas oblicuas** son líneas que están en planos diferentes. No son paralelas ni secantes.
M
A
B
L
La línea AB y la línea ML son oblicuas.
$\overleftrightarrow{AB}$ y $\overleftrightarrow{ML}$ son líneas oblicuas.

Inténtalo

1. Clasifica uno de los tipos de triángulos de la Lección 8-5 usando las mismas cuatro representaciones que se muestran arriba.
2. Repasa tus apuntes del capítulo previo. ¿Qué distintas representaciones usaste para explicar cómo se clasifican las líneas? ¿Cuál de ellas prefieres? ¿Por qué?

Elegir y usar las herramientas de medición adecuadas

Para usar con las Lecciones 9-1 y 9-2

Actividad 1

1. Mide la longitud de un clip a la pulgada más cercana. Selecciona una regla en milímetros o en pulgadas para medir la longitud del clip.

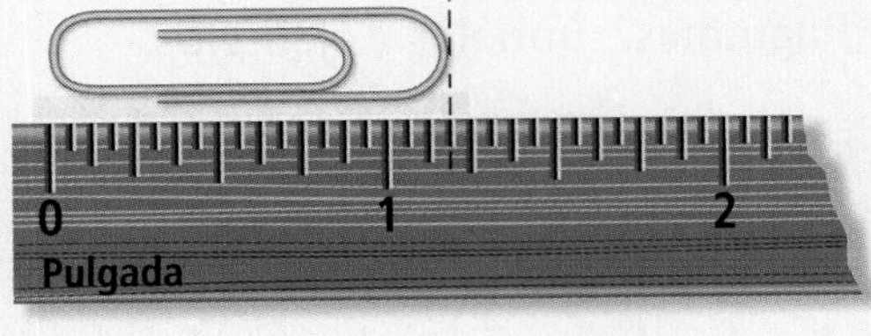

2. Cuenta las pequeñas marcas que hay desde la primera línea a la izquierda hasta la línea que indica 1 pulgada. ¿Cuántas son?

   Mide el clip al dieciseisavo de pulgada más cercano.

3. Mide un lápiz al cuarto de pulgada más cercano. Luego mídelo al octavo de pulgada más cercano.
4. Usando ahora la regla métrica, mide la longitud de este segmento de recta al centímetro más cercano.

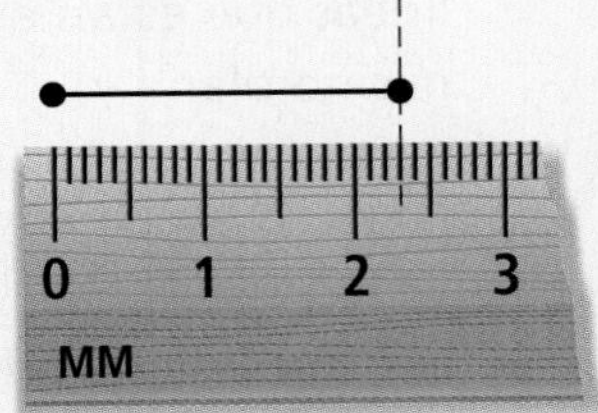

5. Cuenta las pequeñas marcas desde la primera línea a la izquierda hasta la línea que indica 1 centímetro. ¿Cuántas hay?
6. Cada línea indica 1 milímetro. ¿Cuánto mide el segmento de recta en milímetros?
7. Mide un lápiz al centímetro más cercano. Luego mídelo al milímetro más cercano.

Razonar y comentar

1. Menciona 5 elementos a los que sería adecuado medir con una regla.
2. La precisión es el nivel de detalle que un instrumento puede medir. Cuanto más pequeña sea la unidad de medida del instrumento, más precisa será la medición. ¿Cuál de las dos mediciones es más precisa: la 1 ó la 2? Explica.

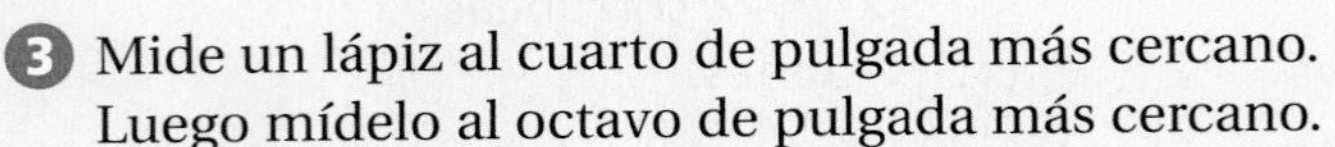

Inténtalo

Usa una regla para medir cada objeto al dieciseisavo de pulgada más cercano y al milímetro más cercano.

1. tu dedo meñique
2. tu escritorio
3. tu zapato

Actividad 2

1 Halla el peso de un racimo de uvas. Usa una balanza métrica o usual.

¿Cuánto pesan las uvas en libras?

¿Cuánto pesan las uvas en kilogramos?

Libras

Kilogramos

2 ¿Cuánto pesa tu libro de matemáticas en libras y en kilogramos?

Razonar y comentar

1. ¿Qué pesa más: una libra de uvas o un kilogramo de uvas?

Inténtalo

Usa una balanza para pesar cada objeto en libras y en kilogramos.

1. tu zapato
2. 5 lápices
3. una caja de pañuelos de papel

Actividad 3

1 Usa una taza de medir que indique onzas líquidas y mililitros. Llénala con agua hasta la marca de 8 onzas líquidas. ¿Cuántos mililitros son, aproximadamente?

2 Llena una taza de medir con 150 mililitros de agua. ¿Cuántas onzas líquidas son, aproximadamente?

Razonar y comentar

1. Explica cómo puedes usar una taza de medir y una balanza métrica para hallar la masa de 2 tazas de agua.
2. ¿Aproximadamente cuántos mililitros hay en 2 tazas?

Inténtalo

1. Echa 25 cucharadas de agua en una taza de medir. ¿Cuántas onzas líquidas son? ¿Cuántos mililitros?
2. Halla la masa de 2 tazas de agua.

9-1 Cómo comprender las unidades usuales de medida

Aprender a comprender y elegir las unidades usuales de medida adecuadas

Vocabulario

sistema usual

Si no dispones de un instrumento, como una regla, una balanza o una taza de medir, puedes estimar la longitud, el peso o la capacidad de un objeto usando alguna medida de referencia.

El **sistema usual** es el sistema de medidas que se usa con más frecuencia en Estados Unidos. Incluye unidades de medida de longitud, peso y capacidad.

Unidades usuales de longitud		
Unidad	**Abreviatura**	**Medida de referencia**
Pulgada	pulg	el ancho de tu pulgar
Pie	pie	la distancia de tu codo a tu muñeca
Yarda	yd	el ancho de la puerta del salón de clases
Milla	mi	la longitud total de 18 campos de fútbol americano

EJEMPLO 1 **Elegir las unidades de longitud adecuadas**

¿Qué unidad de medida da la mejor estimación? Explica.

A **Una mesa mide aproximadamente 4 __?__ de largo.**

Una mesa mide aproximadamente 4 pies de largo.

Razona: La longitud de una mesa es aproximadamente 4 veces la distancia que hay de tu codo a tu muñeca.

B **La altura de un techo es aproximadamente 3 __?__.**

La altura de un techo es aproximadamente 3 yd.

Razona: La altura de un techo es aproximadamente 3 veces el ancho de la puerta del salón de clases.

Unidades usuales de peso		
Unidad	**Abreviatura**	**Medida de referencia**
Onza	oz	una rebanada de pan
Libra	lb	una hogaza de pan
Tonelada	T	un automóvil pequeño

EJEMPLO 2 **Elegir las unidades de peso adecuadas**

¿Qué unidad de medida da la mejor estimación? Explica.

A **Una elefanta puede pesar hasta 4 __?__.**

Una elefanta puede pesar hasta 4 T.

Razona: Una elefanta tiene el peso aproximado de 4 automóviles pequeños.

¿Qué unidad de medida da la mejor estimación? Explica.

B **Un control remoto pesa aproximadamente 5 __?__.**

Razona: Un control remoto tiene el peso de unas 5 rebanadas de pan.

Un control remoto pesa aproximadamente 5 oz.

La capacidad se refiere al volumen o cantidad que puede contener un recipiente.

Unidades usuales de capacidad

Unidad	Abreviatura	Medida de referencia
Onza líquida	oz líq	una cucharada
Taza	tz	un vaso de jugo
Pinta	pt	una botella pequeña de aderezo para ensalada
Cuarto	ct	un recipiente pequeño de pintura
Galón	gal	un envase grande de leche

EJEMPLO 3 Elegir las unidades de capacidad adecuadas

¿Qué unidad de medida da la mejor estimación? Explica.

En una tina de baño caben aproximadamente 50 __?__ de agua.

Razona: En una tina caben aproximadamente 50 envases grandes de leche.

En una tina de baño caben aproximadamente 50 gal de agua.

Las reglas en pulgadas por lo general se separan en dieciseisavos de pulgada.

EJEMPLO 4 Hallar medidas

Mide la longitud del tee de golf a la media pulgada, al cuarto o al octavo de pulgada más cercanos.

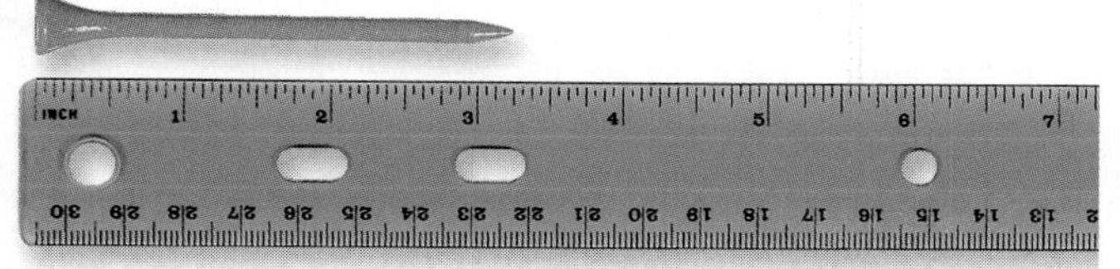

El tee de golf mide entre $3\frac{1}{4}$ pulg y $3\frac{3}{8}$ pulg. Está más cerca de $3\frac{1}{4}$ pulg.

La longitud del tee de golf es aproximadamente $3\frac{1}{4}$ pulg.

Razonar y comentar

1. **Da un ejemplo** de cuándo necesitarías estimar el peso de un objeto.
2. **Da un ejemplo** de cuándo necesitarías estimar la capacidad de un recipiente.

9-1 Ejercicios

go.hrw.com
Ayuda en línea para tareas*
CLAVE: MR7 9-1
Recursos en línea para padres
CLAVE: MR7 Parent
*(Disponible sólo en inglés)

PRÁCTICA GUIADA

Ver Ejemplo 1 **¿Qué unidad de medida da la mejor estimación? Explica.**

1. Un lápiz mide aproximadamente 7 __?__ de largo.

Ver Ejemplo 2
2. Un tubo de pasta dental pesa aproximadamente 8 __?__.

Ver Ejemplo 3
3. Una piscina contiene aproximadamente 20,000 __?__ de agua.

Ver Ejemplo 4
4. Mide la longitud de la llave a la media pulgada, al cuarto o al octavo de pulgada más cercanos.

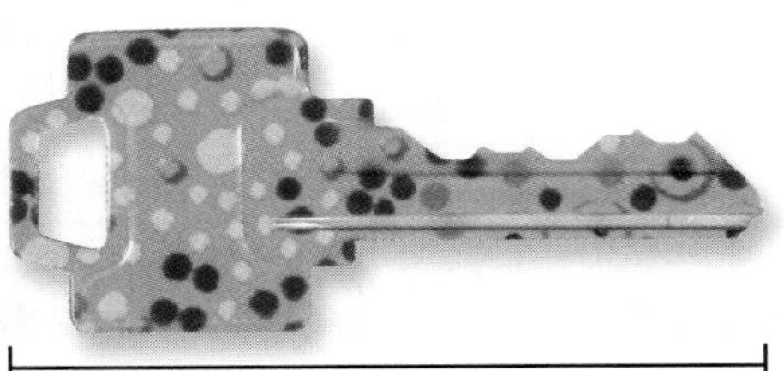

PRÁCTICA INDEPENDIENTE

Ver Ejemplo 1 **¿Qué unidad de medida da la mejor estimación? Explica.**

5. La distancia entre la Ciudad de Nueva York y Boston es aproximadamente 200 __?__.

Ver Ejemplo 2
6. Un perro pequeño pesa aproximadamente 12 __?__.

Ver Ejemplo 3
7. Una olla para hacer sopa contiene aproximadamente 10 __?__ de agua.

Ver Ejemplo 4
8. Mide la longitud del ejote a la media pulgada, al cuarto o al octavo de pulgada más cercanos.

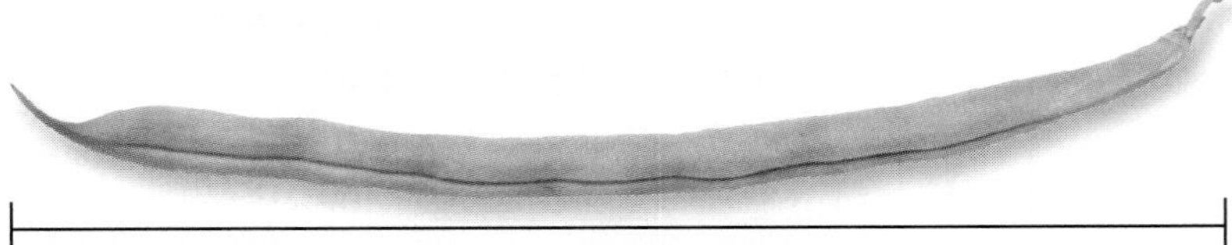

PRÁCTICA Y RESOLUCIÓN DE PROBLEMAS

Práctica adicional
Ver página 731

¿Qué unidad de medida usarías en cada caso? Justifica tu respuesta.

9. la altura del asta de una bandera
10. el ancho de una caja de CD
11. la capacidad de un tanque de gasolina
12. la capacidad de un biberón
13. el peso de un huevo
14. el peso de una silla

Usa medidas de referencia para estimar cada medida.

15. el ancho de tu libro de matemáticas
16. el ancho de un sillón
17. la capacidad de un florero
18. el peso de un reloj despertador
19. **Razonamiento crítico** ¿Cuándo optarías por medir al octavo de pulgada más cercano en lugar de al cuarto de pulgada más cercano?

Alfredo el Grande fue uno de los más famosos reyes anglosajones. Defendió Inglaterra del ataque de los vikingos y contribuyó a fundar la marina británica. Es el único monarca inglés llamado "el Grande".

Halla el peso del objeto a la media libra, al cuarto o al octavo de libra más cercanos.

20.

21.

22. **Historia** Los primeros reyes sajones de Inglaterra usaban una faja en la cintura como medida de referencia para medir longitudes. El nombre de la faja pasó a ser finalmente el nombre de una de las unidades usuales de longitud. ¿Qué unidad de longitud representaba la faja: la pulgada, el pie, la yarda o la milla? Explica.

Halla cuánto líquido hay en cada recipiente al medio, al cuarto o al octavo de taza o de cuarto de galón más cercanos.

23.

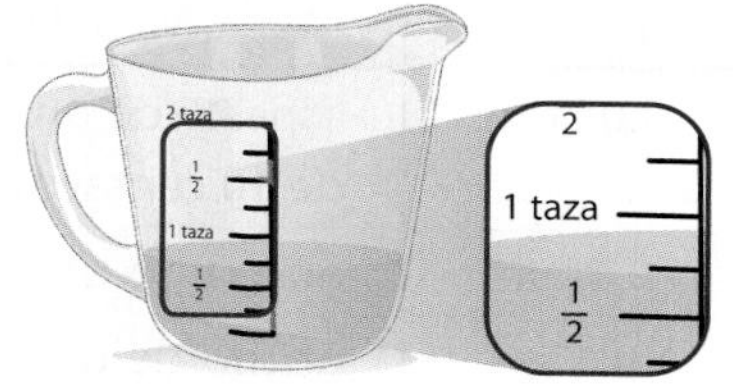

24.

25. **Escribe un problema** Escribe un problema que se pueda responder usando como medida de referencia una pluma.

26. **Escríbelo** Imagina tus propias medidas de referencia para una pulgada, una taza y una libra.

27. **Desafío** Busca en un diccionario las palabras *vara, picotín* y *drama.* Indica qué es cada una y en qué mediciones se usa.

Preparación para el examen y repaso en espiral

28. **Opción múltiple** ¿Cuál es la mejor estimación del ancho de un salón de clases?

Ⓐ 30 pulg Ⓑ 30 pies Ⓒ 30 yd Ⓓ 30 mi

29. **Opción múltiple** Madison debe comprar un pavo para alimentar a 12 personas. ¿Cuánto debe pesar el pavo que compre?

Ⓕ 16 lb Ⓖ 16 oz Ⓗ 16 tz Ⓘ 16 T

Anota todos los factores de cada número. (Lección 4-2)

30. 24 **31.** 45 **32.** 56 **33.** 80

Se dan dos ángulos de un triángulo. Clasifica el triángulo. (Lección 8-5)

34. 55°, 35° **35.** 18°, 82° **36.** 47°, 26° **37.** 95°, 45°

9-2 Cómo comprender las unidades métricas de medida

Aprender a comprender y elegir las unidades métricas de medida adecuadas

Vocabulario
sistema métrico

El **sistema métrico** de medidas se usa en casi todas partes del mundo. Su ventaja sobre el sistema usual es que todas las unidades métricas están relacionadas con el sistema decimal.

La carrera olímpica más corta es de 100 metros. Usa la longitud de tu salón de clases como medida de referencia. Un salón de clases mide aproximadamente 10 metros de largo, de modo que una carrera de 100 metros equivale aproximadamente a la longitud de 10 salones de clases.

Unidades métricas de longitud

Unidad	Abreviatura	Relación con un metro	Medida de referencia
Milímetro	mm	0.001 m	espesor de una moneda de 10 centavos
Centímetro	cm	0.01 m	ancho de una uña
Decímetro	dm	0.1 m	ancho de una caja de CD
Metro	m	1 m	ancho de una cama de 1 plaza
Kilómetro	km	1,000 m	distancia alrededor de una manzana

EJEMPLO 1 Elegir las unidades de longitud adecuadas

¿Qué unidad de medida da la mejor estimación? Explica.

A **Un control remoto de TV mide aproximadamente 19 ___?___ de largo.**

Razona: Un control remoto de TV tiene unas 19 veces el ancho de una uña.

Un control remoto de TV mide aproximadamente 19 cm de largo.

B **El auditorio de una escuela mide aproximadamente 40 ___?___ de largo.**

Razona: Un auditorio tiene aproximadamente 40 veces el ancho de una cama de una plaza.

El auditorio de una escuela mide aproximadamente 40 m de largo.

Unidades métricas de masa

Unidad	Abreviatura	Relación con un gramo	Medida de referencia
Miligramo	mg	0.001 g	insecto muy pequeño
Gramo	g	1 g	clip grande
Kilogramo	kg	1,000 g	libro de texto

EJEMPLO 2 Elegir las unidades de masa adecuadas

¿Qué unidad de medida da la mejor estimación? Explica.

Un sándwich tiene una masa de aproximadamente 400 __?__.

Razona: Un sándwich tiene una masa aproximada a la de 400 clips.

Un sándwich tiene una masa de aproximadamente 400 g.

Unidades métricas de capacidad			
Unidad	**Abreviatura**	**Relación con un litro**	**Medida de referencia**
Mililitro	mL	0.001 L	gota de agua
Litro	L	1 L	vaso de licuadora

EJEMPLO 3 Elegir las unidades de capacidad adecuadas

¿Qué unidad de medida da la mejor estimación? Explica.

Un balde tiene una capacidad de aproximadamente 10 __?__.

Razona: Un balde tiene una capacidad de aproximadamente 10 vasos de licuadora.

Un balde tiene una capacidad de aproximadamente 10 L.

EJEMPLO  Hallar medidas

Mide la longitud del cepillo de dientes al centímetro más cercano.

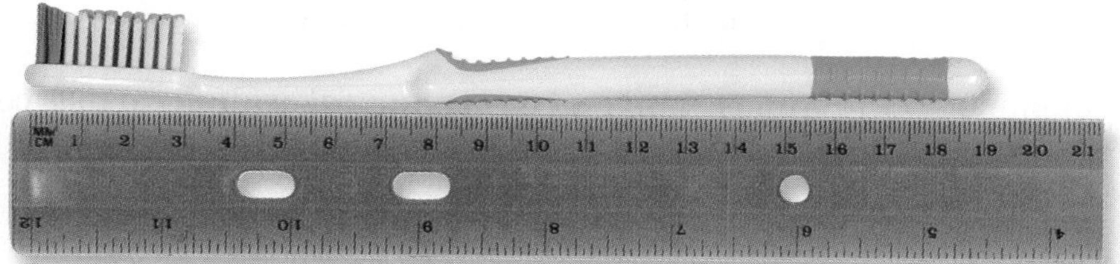

El cepillo de dientes mide entre 18 y 19 cm. Está más cerca de 19 cm que de 18 cm.

La longitud del cepillo de dientes es aproximadamente 19 cm.

Razonar y comentar

1. **Explica** cómo estimarías la longitud del pizarrón de tu salón de clases usando como medida de referencia el cepillo de dientes del Ejemplo 4.

9-2 Ejercicios

go.hrw.com
Ayuda en línea para tareas*
CLAVE: MR7 9-2
Recursos en línea para padres
CLAVE:MR7 Parent
*(Disponible sólo en inglés)

PRÁCTICA GUIADA

Ver Ejemplo 1 **¿Qué unidad de medida da la mejor estimación? Explica.**

1. La altura desde el piso hasta la perilla de una puerta es aproximadamente 1 __?__.

Ver Ejemplo 2 **2.** Una tarjeta postal tiene una masa de aproximadamente 28 __?__.

Ver Ejemplo 3 **3.** Un fregadero contiene aproximadamente 20 __?__ de agua.

4. Un tazón contiene aproximadamente 350 __?__ de sopa.

Ver Ejemplo 4 **Estima la longitud de la sorpresa de cumpleaños al centímetro más cercano.**

5.

PRÁCTICA INDEPENDIENTE

Ver Ejemplo 1 **¿Qué unidad de medida da la mejor estimación? Explica.**

6. El ancho de un escritorio es aproximadamente 10 __?__.

Ver Ejemplo 2 **7.** La masa de un paquete de azúcar es aproximadamente 3 __?__.

Ver Ejemplo 3 **8.** Una tina de baño contiene aproximadamente 50 __?__ de agua.

9. Una olla contiene aproximadamente 1.5 __?__.

Ver Ejemplo 4 **Estima la longitud de la pluma al centímetro más cercano.**

10.

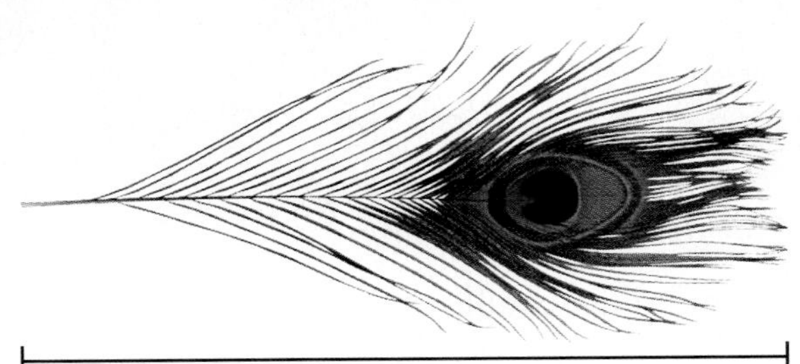

PRÁCTICA Y RESOLUCIÓN DE PROBLEMAS

Práctica adicional
Ver página 731

11. **Estimación** Felipe estima la longitud de su bate de béisbol con una medida de referencia. Obtiene una estimación de aproximadamente 10 __?__. ¿Qué medida de referencia es más probable que haya usado: el ancho de su puño, el largo de su pie, la distancia desde el codo hasta la punta de sus dedos o la longitud de su gorra de béisbol?

¿Qué unidad de medida usarías en cada caso? Justifica tu respuesta.

12. la longitud de una pantalla de cine

13. la longitud alrededor de un campus

14. la masa de una flor

15. la masa de una caja de CD

16. la capacidad de una jarra

17. la capacidad de un dedal

18. **Varios pasos** Un envío de reproductores de DVD contiene 8 cajas. En cada caja hay 6 reproductores. Un reproductor pesa 1,500 g. Todos los equipos pueden desempacarse y colocarse en un estante del depósito. Un letrero sobre la estantería dice: "Peso máximo: 80 __?__". ¿Cuál es la unidad de medida que falta en ese letrero?

19. **Física** Un globo vacío pesa 4.5 g. Un globo inflado pesa 5.3 g. Halla la masa del aire dentro del globo. ¿Tiene masa el aire? Explica.

20. **¿Dónde está el error?** Ellis preparó un folleto de viaje para su proyecto de estudios sociales. Escribió que la velocidad habitual en las carreteras de Canadá es 8,000 km por hora. ¿Qué error cometió Ellis?

21. **Escríbelo** Mide las dimensiones de una caja de zapatos y estima la masa de la caja con un par de zapatos dentro. Describe qué unidades métricas de medida usaste.

22. **Desafío** Jermaine trata de limitar la cantidad de grasa en su dieta a 50 g diarios. En el desayuno toma una porción de leche, dos porciones de crema de cacahuate y una porción de manzana, que casi no contiene grasa. Si su almuerzo y su cena contienen la misma cantidad de grasa que su desayuno, ¿podrá Jermaine alcanzar su meta del día? Explica.

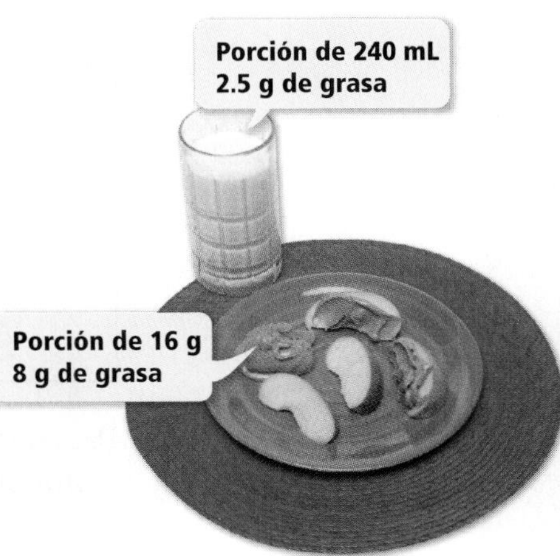

Preparación para el examen y repaso en espiral

23. **Opción múltiple** ¿Qué unidad NO sería razonable usar para medir algo de un acuario doméstico?

Ⓐ Un litro Ⓑ Un metro Ⓒ Un kilómetro Ⓓ Un kilogramo

24. **Respuesta breve** ¿Qué unidad métrica de medida da la mejor estimación del ancho de la ventana de una habitación? Explica tu respuesta.

Halla el máximo común divisor (MCD) de cada conjunto de números. (Lección 4-3)

25. 16 y 24 **26.** 84 y 28 **27.** 48 y 112 **28.** 5, 10 y 105

Halla el mínimo común múltiplo (mcm). (Lección 5-1)

29. 4 y 9 **30.** 6 y 11 **31.** 15 y 20 **32.** 2, 8 y 10

9-3 Cómo convertir unidades usuales

Aprender a convertir las unidades usuales de medida

Jacques Freitag es el primer atleta que ganó medallas de oro en los campeonatos de niños, jóvenes y adultos de la Asociación Internacional de Federaciones de Atletas (IAAF). Su récord personal en el salto de altura es más de 93 pulgadas. ¿Cuántos pies es esto?

Puedes usar la información de la tabla para convertir de una unidad usual a otra.

Medidas usuales comunes		
Longitud	**Peso**	**Capacidad**
1 pie = 12 pulgadas	1 libra = 16 onzas	1 taza = 8 onzas líquidas
1 yarda = 36 pulgadas	1 tonelada = 2,000 libras	1 pinta = 2 tazas
1 yarda = 3 pies		1 cuarto = 2 pintas
1 milla = 5,280 pies		1 cuarto = 4 tazas
1 milla = 1,760 yardas		1 galón = 4 cuartos
		1 galón = 16 tazas
		1 galón = 128 onzas líquidas

Para convertir de una unidad de medida a otra, puedes multiplicar por un factor de conversión.

EJEMPLO 1 **Usar un factor de conversión**

¡Atención!

Escribe la unidad *a la que estás convirtiendo* en el numerador y la unidad *que estás convirtiendo* en el denominador.

A **Convierte 93 pulgadas a pies.**

Establece un factor de conversión.

$93 \text{ pulg} \times \frac{1 \text{ pie}}{12 \text{ pulg}}$ *Razona: pulgadas a pies: 1 pie = 12 pulg. Por lo tanto, usa $\frac{1 \text{ pie}}{12 \text{ pulg}}$.*

$93 \text{ pulg} = 6.75 \text{ pies}$ *Multiplica 93 pulg por el factor de conversión. Cancela la unidad común, pulg.*

B **Convierte 2 libras a onzas.**

Establece un factor de conversión.

$2 \text{ lb} \times \frac{16 \text{ oz}}{1 \text{ lb}} = 32 \text{ oz}$ *Razona: onzas a libras: 16 oz = 1 lb. Por lo tanto, usa $\frac{16 \text{ oz}}{1 \text{ lb}}$.*

$2 \text{ lb} = 32 \text{ oz}$ *Multiplica 2 lb por el factor de conversión. Cancela la unidad común, lb.*

Otra manera de convertir unidades es usar proporciones.

EJEMPLO 2 Convertir unidades de medida usando proporciones

¡Recuerda!

Una proporción muestra que dos razones son equivalentes. Usa un factor de conversión para una de las razones.

Convierte 48 cuartos de galón a galones.

48 ct =  gal

$\frac{4 \text{ ct}}{1 \text{ gal}} = \frac{48 \text{ ct}}{x \text{ gal}}$ *1 galón es igual a 4 cuartos. Escribe una proporción. Usa una variable para el valor que buscas.*

$4 \cdot x = 1 \cdot 48$ *Los productos cruzados son iguales.*

$4x = 48$ *Divide ambos lados entre 4 para cancelar la multiplicación.*

$x = 12$

48 ct = 12 gal

EJEMPLO 3 APLICACIÓN A LA RESOLUCIÓN DE PROBLEMAS

El Monumento a Washington mide aproximadamente 185 yardas de altura. Esta altura es casi igual a la longitud de dos campos de fútbol americano. ¿Cuántos pies son, aproximadamente?

1 Comprende el problema

La **respuesta** será la altura del Monumento a Washington en pies.

Haz una lista con la **información importante:**

- La altura del Monumento a Washington es aproximadamente 185 yardas.

2 Haz un plan

Haz una tabla con la información para mostrar la cantidad de pies que hay en 1, 2 y 3 yardas. Luego halla la cantidad de pies en n yardas.

3 Resuelve

Yardas	Pies
1	3
2	6
3	9
n	$3n$

Busca un patrón.

$1 \cdot 3 = 3$

$2 \cdot 3 = 6$

$3 \cdot 3 = 9$

$n \cdot 3 = 3n$

$185 \cdot 3 = 555$. Por lo tanto, el Monumento a Washington mide aproximadamente 555 pies de altura.

4 Repasa

Redondea 185 a 200. Luego multiplica por 3.

$200 \cdot 3 = 600$

La respuesta es razonable porque 555 está cerca de 600.

Razonar y comentar

1. Explica cómo establecer una proporción para convertir de millas a yardas.

9-3 Ejercicios

go.hrw.com
Ayuda en línea para tareas*
CLAVE: MR7 9-3
Recursos en línea para padres
CLAVE: MR7 Parent
*(Disponible sólo en inglés)

PRÁCTICA GUIADA

Ver Ejemplo 

Convierte.

1. 9 pies = ■ pulg **2.** 10 pt = ■ ct **3.** 14,000 lb = ■ T

4. 5 yd = ■ pies **5.** 24 oz líq = ■ tz **6.** 4 lb = ■ oz

Ver Ejemplo 2

7. 32 ct = ■ gal **8.** 9 lb = ■ oz **9.** 36 pulg = ■ pies

10. 2 yd = ■ pulg **11.** 11 ct = ■ pt **12.** 6 T = ■ lb

Ver Ejemplo 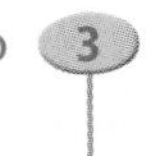

13. Ciencias biológicas Un hombre adulto de tamaño promedio tiene en su cuerpo aproximadamente 6 cuartos de sangre. ¿Aproximadamente cuántas tazas de sangre tiene un hombre adulto promedio en su cuerpo?

PRÁCTICA INDEPEDIENTE

Ver Ejemplo 

Convierte.

14. 96 oz = ■ lb **15.** 6 tz = ■ oz líq **16.** 3 mi = ■ pies

17. 4,000 lb = ■ T **18.** 6 lb = ■ oz **19.** 3,520 yd = ■ mi

Ver Ejemplo 2

20. 27 pies = ■ yd **21.** 3 T = ■ lb **22.** 16 ct = ■ gal

23. 48 oz = ■ lb **24.** 3 yd = ■ pulg **25.** 10 pt = ■ tz

Ver Ejemplo 

26. Arquitectura El acero que se usó para construir la Estatua de la Libertad pesa aproximadamente 125 toneladas. ¿Aproximadamente cuántas libras de acero se usaron para hacer la Estatua de la Libertad?

PRÁCTICA Y RESOLUCIÓN DE PROBLEMAS

Práctica adicional
Ver página 731

Compara. Usa <, > ó =.

27. 18 pies ■ 220 pulg **28.** 24 lb ■ 388 oz **29.** $\frac{1}{2}$ pt ■ 1 tz

30. 2 mi ■ 10,000 pies **31.** 12 pt ■ 3 gal **32.** 72 pies ■ 24 yd

33. 9 tz ■ 72 oz líq **34.** 30 yd ■ 93 pies **35.** 145 pulg ■ 4 yd

36. Linda cortó $1\frac{1}{2}$ pie de su cabello para donarlo a una organización que hace pelucas para niños con cáncer. ¿Cuántas pulgadas de su pelo cortó Linda?

37. Geografía El lago Superior tiene una profundidad de aproximadamente 1,302 pies en su punto más profundo. ¿Cuál es su profundidad en yardas?

38. Varios pasos Una compañía produce 3 toneladas de cereal por semana. ¿Cuántas cajas de cereal de 12 onzas puede llenar por semana?

39. Deportes El ancho de una cancha de tenis de singles es 27 pies.

a. ¿Cuántas yardas de ancho mide una cancha de tenis de singles?

b. ¿Cuántas pulgadas de ancho mide una cancha de tenis de singles?

Estacionamiento de largo plazo mide 65 pies de altura y está frente a una playa de estacionamiento en París.

Convierte.

40. 108 pulg = ___ pies = ___ yd

41. 10,560 pies = ___ yd = ___ mi

42. 12 ct = ___ tz = ___ oz líq

43. 2 gal = ___ ct = ___ pt

44. Arte En París, la escultura *Estacionamiento de largo plazo,* creada por Armand Fernández, contiene 60 automóviles incrustados en 3.5 millones de libras de concreto. ¿Cuántas toneladas de concreto es esto?

45. Varios pasos Si medio galón de leche vale $1.60, ¿cuánto cuesta una onza líquida de leche? (Redondea tu respuesta al centavo más cercano).

46. Razonamiento crítico Haz una tabla para convertir onzas a libras. Escribe una expresión para la cantidad de libras que hay en n onzas. Luego escribe una expresión para la cantidad de onzas que hay en n libras.

47. Varios pasos Si bebes 14 cuartos de agua por semana en promedio, ¿cuántas pintas bebes por día?

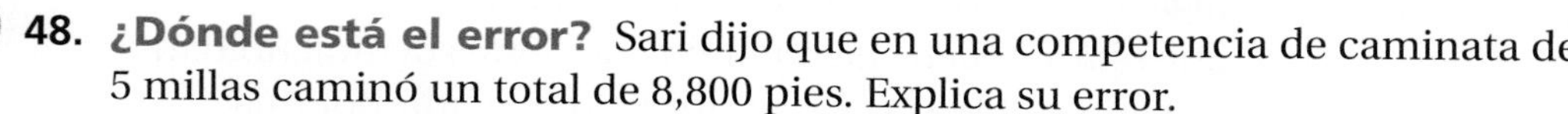

48. ¿Dónde está el error? Sari dijo que en una competencia de caminata de 5 millas caminó un total de 8,800 pies. Explica su error.

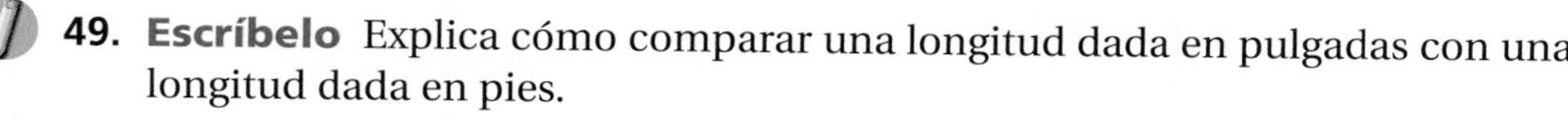

49. Escríbelo Explica cómo comparar una longitud dada en pulgadas con una longitud dada en pies.

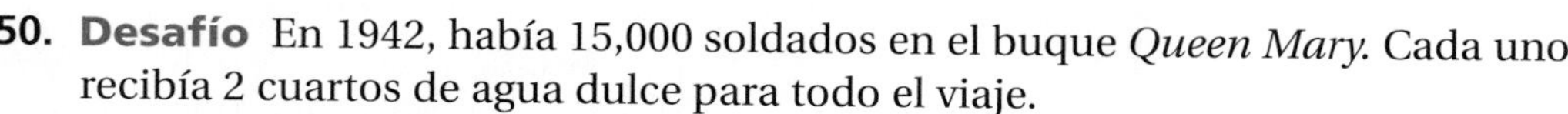

50. Desafío En 1942, había 15,000 soldados en el buque *Queen Mary.* Cada uno recibía 2 cuartos de agua dulce para todo el viaje.

a. ¿Con cuántos galones de agua dulce contaban en total los soldados?

b. Estimación Si el viaje duraba 5 días, ¿de cuántas onzas líquidas era la ración diaria disponible para cada soldado?

Preparación para el examen y repaso en espiral

51. Opción múltiple ¿Cuál de las siguientes cantidades NO es equivalente a 1 gal?

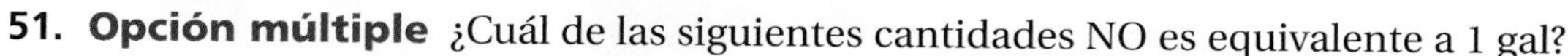

Ⓐ 64 oz líq   Ⓑ 16 tz   Ⓒ 8 pt   Ⓓ 4 ct

52. Opción múltiple El sundae helado más grande del mundo pesaba aproximadamente 55,000 libras. ¿Cuántas toneladas pesaba?

Ⓕ 2.7 T   Ⓖ 27.5 T   Ⓗ 275 T   Ⓙ 2,750 T

Resuelve cada ecuación. (Lecciones 2-5, 2-6)

53. $6 + x = 15$

54. $y - 17 = 29$

55. $43 = 26 + d$

56. $32 = w - 8$

Da el nombre que mejor describe cada figura. (Lección 8-6)

57.

58.

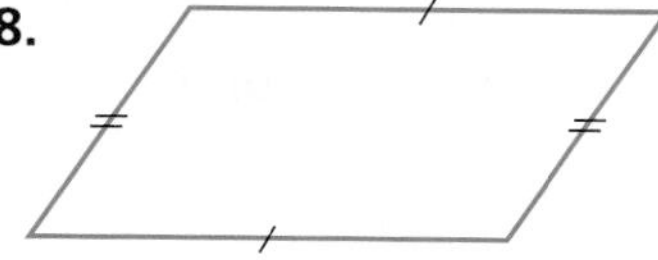

59.

9-4 Cómo convertir unidades métricas

Tour de France 2005

Aprender a convertir unidades métricas de medida

El primer Tour de France se realizó en 1903 y tuvo un recorrido de 2,428 km. Se hizo en sólo 6 etapas. Compáralo con el Tour de France de 2005, que se hizo en 21 etapas y abarcó 3,607 km.

En el Tour de France de 2005, Lance Armstrong ganó la etapa de Tours a Blois, una distancia de 67.5 km. ¿Cuántos metros es esta distancia?

En el sistema métrico, el valor posicional de cada lugar es 10 veces mayor que el de la posición que está a su derecha. Cuando conviertes de una unidad de medida a otra, puedes multiplicar o dividir por una potencia de 10.

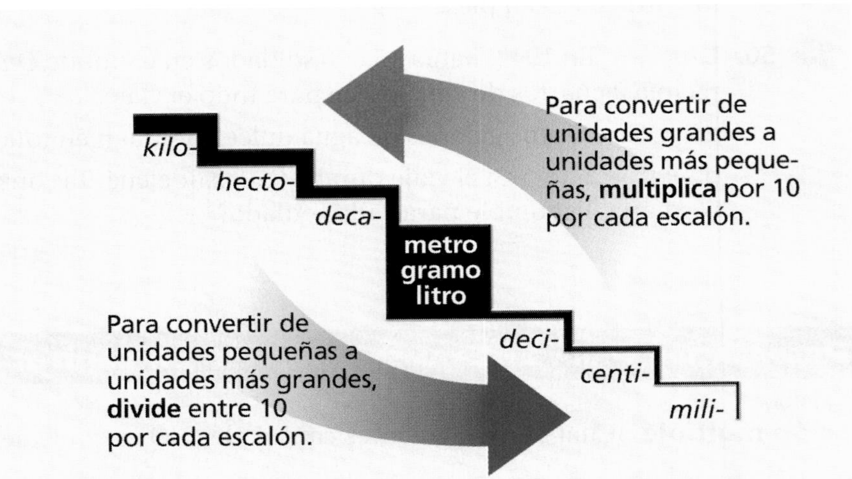
kilo-
hecto-
deca-
metro
gramo
litro
deci-
centi-
mili-
Para convertir de unidades grandes a unidades más pequeñas, **multiplica** por 10 por cada escalón.
Para convertir de unidades pequeñas a unidades más grandes, **divide** entre 10 por cada escalón.

EJEMPLO 1 *Aplicación a los deportes*

Pista útil

Para decidir si debes multiplicar o dividir, piensa en un modelo más sencillo, como tus dedos y tu mano.
dedos → mano
unidad más pequeña → unidad más grande ÷ 5
mano → dedos
unidad más grande → unidad más pequeña × 5

En el Tour de France de 2005, Lance Armstrong ganó la etapa de Tours a Blois, una distancia de 67.5 km. ¿Cuánto es esta distancia expresada en metros?

67.5 km = ▒ m	*Razona: De kilómetros a metros se pasa de una unidad más grande a una más pequeña. En la gráfica, el metro está 3 posiciones a la derecha del kilómetro, por lo tanto, $10 \cdot 10 \cdot 10$ ó $10^3 = 1{,}000$.*
67.5 km = $(67.5 \cdot 1{,}000)$ m	*1 km = 1,000 m. Estás convirtiendo de una unidad más grande a una más pequeña, por lo tanto, multiplica por 1,000.*
67.5 km = 67,500 m	*Mueve el punto decimal 3 posiciones hacia la derecha.*

EJEMPLO 2 Usar potencias de diez para convertir unidades métricas de medida

¡Atención!

Asegúrate de multiplicar o dividir por la potencia correcta de diez.

Convierte.

A El ancho de un libro es aproximadamente 22 cm. 22 cm = ▒ mm

22 cm = (22 · 10) mm — *1 cm = 10 mm, de unidad más grande a más pequeña; por lo tanto, multiplica por 10.*

22 cm = 220 mm — *Mueve el punto decimal 1 posición hacia la derecha.*

B Una mochila tiene una masa de 6 kg. 6 kg. = ▒ g

6 kg = (6 · 1,000) g — *1 kg = 1,000 g, de unidad más grande a más pequeña; por lo tanto, multiplica por 1,000.*

6 kg = 6,000 g — *Mueve el punto decimal 3 posiciones hacia la derecha.*

C En una botella de agua caben 400 mL. 400 mL = ▒ L

400 mL = (400 ÷ 1,000) L — *1,000 mL = 1 L, de unidad más pequeña a más grande; por lo tanto, divide entre 1,000.*

400 mL = 0.4 L — *Mueve el punto decimal 3 posiciones hacia la izquierda.*

Medidas métricas		
Distancia	**Masa**	**Capacidad**
1 km = 1,000 m 1 m = 100 cm 1 cm = 10 mm	1 kg = 1,000 g 1 g = 1,000 mg	1 L = 1,000 mL

Convierte unidades métricas usando un factor de conversión o proporciones.

EJEMPLO 3 Convertir unidades métricas de medida

Convierte.

A Método 1: Usar un factor de conversión

11 m = ▒ cm — *Razona: 100 cm = 1 m, por lo tanto, usa $\frac{100 \text{ cm}}{1 \text{ m}}$.*

$11 \not{m} \cdot \frac{100 \text{ cm}}{1 \not{m}} = 1{,}100 \text{ cm}$ — *Multiplica 11 m por el factor de conversión. Cancela la unidad común, m.*

B Método 2: Usar proporciones

190 mL = ▒ L

$\frac{190 \text{ mL}}{x \text{ L}} = \frac{1{,}000 \text{ mL}}{1 \text{ L}}$ — *Escribe una proporción.*

$1{,}000x = 190$ — *Los productos cruzados son iguales.*

$x = 0{,}19 \text{ L}$ — *Divide ambos lados entre 1,000 para cancelar la multiplicación.*

Razonar y comentar

1. Describe cómo convertir 825 cm a mm.

9-4 Ejercicios

go.hrw.com
Ayuda en línea para tareas*
CLAVE: MR7 9-4
Recursos en línea para padres
CLAVE: MR7 Parent
*(Disponible sólo en inglés)

PRÁCTICA GUIADA

Ver Ejemplo 

1. La longitud del corredor de una escuela es 115 metros. ¿Cuántos kilómetros de longitud tiene el corredor?

Ver Ejemplo 

Convierte.

2. El diámetro de un ventilador de techo es aproximadamente 95 cm. 95 cm = ■ m
3. Una piedra tiene una masa de aproximadamente 852 g. 852 g = ■ kg
4. Un florero contiene aproximadamente 1.25 L de agua. 1.25 L = ■ mL
5. La masa de una hoja de papel es de aproximadamente 3.5 g. 3.5 g = ■ mg

Ver Ejemplo 

6. 3 kg = ■ g
7. 4.4 L = ■ mL
8. 1 kg = ■ mg
9. 50 mm = ■ m
10. 21 km = ■ cm
11. 6 mL = ■ L

PRÁCTICA INDEPENDIENTE

Ver Ejemplo 

12. Un recipiente de jugo contiene 300 mililitros. ¿Cuántos litros de jugo hay en el recipiente?

Ver Ejemplo 

Convierte.

13. Una taza de té contiene aproximadamente 110 mL. 110 mL = ■ L
14. La distancia alrededor de una escuela es de aproximadamente 825 m. 825 m = ■ km
15. Una silla tiene una masa de aproximadamente 22.5 k. 22.5 kg = ■ g
16. Un tanque de gas contiene aproximadamente 85 L. 85 L = ■ mL

Ver Ejemplo 

17. 2,460 m = ■ km
18. 842 mm = ■ cm
19. 9,680 mg = ■ g
20. 25 cm = ■ mm
21. 782 g = ■ kg
22. 1.2 km = ■ m

PRÁCTICA Y RESOLUCIÓN DE PROBLEMAS

Práctica adicional
Ver página 731

23. **Varios pasos** En una olla hay 28 L de sopa. Marshall sirve 400 mL en cada tazón. Si llena 16 tazones, ¿cuánta sopa queda en la olla? Escribe tu respuesta de dos maneras: como cantidad de litros y como cantidad de mililitros.
24. **Varios pasos** Joanie quiere enmarcar una fotografía rectangular de 1.7 m por 0.9 m. Tiene 500 cm de madera para hacer el marco. ¿Le alcanza la madera? Explica.

Convierte.

25. $\frac{23{,}850 \text{ cm}}{x \text{ km}} = \frac{100{,}000 \text{ cm}}{1 \text{ km}}$
26. $\frac{350 \text{ L}}{x \text{ mL}} = \frac{1 \text{ L}}{1{,}000 \text{ mL}}$
27. $7 \text{ km} \cdot \frac{1{,}000 \text{ m}}{\text{km}} =$ ■ m
28. $9.5 \text{ L} \cdot \frac{1{,}000 \text{ mL}}{\text{L}} =$ ■ mL

Compara. Usa <, > ó =.

29. 1,000 mm ■ 1 m **30.** 5.2 kg ■ 60 g **31.** 3 L ■ 6,000 mL

32. 2 g ■ 20,000 mg **33.** 0.0065 m ■ 6.5 mm **34.** 0.1 km ■ 10 mm

35. Varios pasos El *Gateway Arch* de St. Louis, Missouri, mide aproximadamente 19,200 centímetros de altura. El Monumento de San Jacinto, en las afueras de Houston, Texas, tiene una altura de aproximadamente 174 m. ¿Cuál de estas estructuras es más alta? ¿Cuánto más alta? Da tu respuesta en metros.

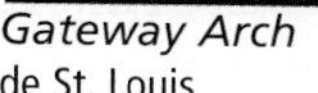

Gateway Arch de St. Louis

Monumento de San Jacinto

36. Razonamiento crítico Un *milimicrón* es igual a una milmillonésima de metro. ¿Cuántos milimicrones hay en 2.5 metros?

37. ¿Dónde está el error? Edgar quiere saber cuál es la masa en kilogramos de un paquete de cereales. La etiqueta de la caja dice 672 g. Edgar dice que la masa es 672,000 kg. Explica su error y da la respuesta correcta.

38. Escríbelo Amy corrió una carrera de 1,000 metros. Explica cómo hallar la cantidad de centímetros que hay en 1,000 metros.

39. Desafío En el refrigerador de limonada del picnic de la clase caben 12.5 L. En cada taza de plástico caben 225 mL. ¿Cuántas tazas se pueden llenar con el contenido del refrigerador? Si no se derrama nada de limonada, ¿cuántos mililitros quedarán en el refrigerador una vez que se hayan llenado todas las tazas posibles?

Preparación para el examen y repaso en espiral

40. Opción múltiple Completa la oración con la unidad métrica más razonable. Un caracol puede arrastrarse a una velocidad de aproximadamente 0.01 __?__ por hora.

Ⓐ mm Ⓑ m Ⓒ mL Ⓓ km

41. Respuesta desarrollada Liza, Toni y Kim usan una balanza métrica para pesar unas conchas que juntaron en la playa. Las masas de las conchas son 29 g, 52 g, 18 g, 103 g, 154 g y 96 g. ¿Cuál es la masa total de las conchas en kilogramos? ¿Y en miligramos? ¿Qué diferencia hay, en kilos, entre la concha más pesada y la más liviana?

Si los ángulos pueden formar un triángulo, clasifícalo como acutángulo, obtusángulo o rectángulo. (Lección 8-5)

42. 49°, 41°, 90° **43.** 92°, 41°, 47° **44.** 57°, 63°, 60°

Determina si los siguientes enunciados son verdaderos *algunas veces, siempre* o *nunca*. (Lección 8-6)

45. Un rombo es un cuadrado. **46.** Un cuadrado es un rombo.

47. Un círculo es un polígono. **48.** Un polígono tiene menos de 3 lados.

9-5 El tiempo y la temperatura

Aprender a hallar medidas del tiempo y la temperatura

Jamie hizo una excursión por Londres en un autobús de dos pisos. La excursión empezó a las 11:45 am y terminó a las 3:15 pm. Jamie estuvo en el autobús durante 3 horas y 30 minutos.

Puedes usar la información de la siguiente tabla para convertir de una unidad de tiempo a otra.

Tiempo	
1 año (a) = 365 días	1 día = 24 horas (h)
1 año = 12 meses	1 hora = 60 minutos (min)
1 año = 52 semanas	1 minuto = 60 segundos (s)
1 semana = 7 días	

EJEMPLO 1 Convertir medidas de tiempo

Convierte.

A **1 min 45 s = ▢ s**

1 minuto 45 segundos

60 segundos + 45 segundos — *Razona: 1 minuto = 60 segundos.*

105 segundos

1 min 45 s = 105 s

B **450 min = ▢ h**

$450 \not{min} \cdot \frac{1 \text{ hr}}{60 \not{min}} = \frac{450}{60} \text{ h}$ — *Razona: 1 hora = 60 minutos.*

$450 \text{ min} = 7\frac{1}{2} \text{ h}$ — *Escríbelo como un número mixto.*

C **6 semanas = ▢ h**

$6 \not{sem} \cdot \frac{7 \not{días}}{1 \not{sem}} \cdot \frac{24 \text{ h}}{1 \not{día}} = 1{,}008 \text{ h}$ — *Razona: 1 semana = 7 días y 1 día = 24 horas.*

6 semanas = 1,008 h

El tiempo que pasa entre el comienzo de una actividad y su fin se llama *tiempo transcurrido.*

EJEMPLO 2 Hallar el tiempo transcurrido

A La llegada a Londres del vuelo de Jamie estaba programada para las 9:10 am. Llegó con 4 horas 25 minutos de retraso. ¿A qué hora llegó?

Hora programada: 9:10 am

Hora de llegada: 1:35 pm

Razona: 4 horas después de las 9:10 am es la 1:10 pm. 25 minutos después de la 1:10 pm es la 1:35 pm.

El vuelo llegó a la 1:35 pm.

B Tina, la amiga de Jamie, se encontró con ella en Londres. El vuelo de Tina llegó a las 2:30 pm. Su vuelo tardó 3 horas 15 minutos. ¿A qué hora salió el avión de Tina?

Hora de llegada: 2:30 pm

Hora de salida: 11:15 am.

Razona: 3 horas antes de las 2:30 pm son las 11:30 am. 15 minutos antes de las 11:30 am son las 11:15 am.

El avión salió a las 11:15 am.

Las escalas Celsius y Fahrenheit se usan para medir la temperatura. Puedes usar estas fórmulas para convertir temperaturas.

Conversión de temperaturas	
Para convertir de Celsius a Fahrenheit, usa $F = \frac{9}{5}C + 32$.	Para convertir de Fahrenheit a Celsius, usa $C = \frac{5}{9}(F - 32)$.

EJEMPLO 3 Estimar temperaturas

Estima la temperatura.

¡Recuerda!

Dividir entre 2 es lo mismo que multiplicar por $\frac{1}{2}$.

A 20° C es aprox. ▇ ° F.

$F = \frac{9}{5} \cdot C + 32$ *Usa la fórmula.*

Redondea $\frac{9}{5}$ a 2 y 32 a 30.

$F \approx 2 \cdot 20 + 30$ *Usa el orden de las operaciones.*

$F \approx 40 + 30$

$F \approx 70$

20° C es aproximadamente 70° F.

B 50°F es aprox. ▇ °C.

$C = \frac{5}{9}(F - 32)$ *Usa la fórmula.*

Redondea $\frac{5}{9}$ a $\frac{1}{2}$ y 32 a 30.

$C \approx \frac{1}{2}(50 - 30)$ *Usa el orden de las operaciones.*

$C \approx \frac{1}{2}(20)$

$C \approx 10$

50° F es aproximadamente 10° C.

Razonar y comentar

1. **Explica** cómo hallar la cantidad de minutos que hay en una semana.
2. **Explica** cómo hallar el tiempo transcurrido entre las 7:45 am y las 10:30 pm si conoces el tiempo transcurrido entre las 7:45 am y las 10:30 am.

9-5 Ejercicios

go.hrw.com
Ayuda en línea para tareas*
CLAVE: MR7 9-5
Recursos en línea para padres
CLAVE: MR7 Parent
*(Disponible sólo en inglés)

PRÁCTICA GUIADA

Ver Ejemplo 1

Convierte.

1. 20 min = ■ s
2. 98 días = ■ semanas
3. 30 meses = ■ años
4. 3 min 25 s = ■ s
5. 8 h = ■ min
6. 4,320 min = ■ días

Ver Ejemplo 2

7. Una película empieza a las 11:50 am y dura 2 horas 25 minutos. ¿A qué hora termina la película?
8. Nick fue en automóvil a visitar a unos amigos. Si llegó a la 1:30 pm y el viaje le llevó 4 horas 30 minutos, ¿a qué hora salió Nick?

Ver Ejemplo 3

Estima la temperatura.

9. 12° C es aprox. ■° F
10. 78° F es aprox. ■° C
11. 15° C es aprox. ■° F

PRÁCTICA INDEPENDIENTE

Ver Ejemplo 1

Convierte.

12. 2 h 25 min = ■ min
13. 96 h = ■ días
14. 1 año 6 meses = ■ meses
15. 7,200 s = ■ h
16. 5 semanas 1 día = ■ días
17. 4,368 h = ■ semanas

Ver Ejemplo 2

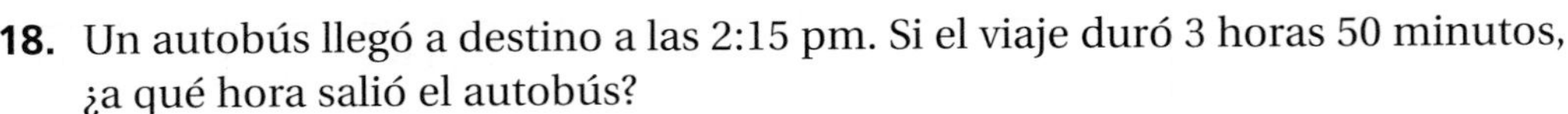

18. Un autobús llegó a destino a las 2:15 pm. Si el viaje duró 3 horas 50 minutos, ¿a qué hora salió el autobús?
19. **Varios pasos** La obra de teatro de la escuela dura 1 hora 25 minutos, y hay un intervalo de 15 minutos. La obra empezó a las 10:30 am. ¿A qué hora terminará?

Ver Ejemplo 3

Estima la temperatura.

20. 56° F es aprox. ■° C
21. 84° C es aprox. ■° F
22. 75° F es aprox. ■° C

PRÁCTICA Y RESOLUCIÓN DE PROBLEMAS

Práctica adicional
Ver página 731

Compara. Usa $<$, $>$ ó $=$.

23. 21 h ■ $\frac{5}{6}$ de día
24. 2 años ■ 104 semanas
25. 80,000 s ■ 1 día
26. **Patrones** La sucesión de abajo indica la cantidad de veces que una estación de radio informa el estado del tránsito. ¿Cuándo será el próximo informe de tránsito de la estación? 11:18 am, 11:30 am, 11:42 am, 11:54 am, …

Usa la tabla para los Ejercicios 27 y 28.

27. ¿Qué autobús de Miami a Orlando tomarías para pasar la menor cantidad de tiempo posible en el autobús? ¿Y cuál para pasar la mayor cantidad de tiempo?
28. El autobús 490 se retrasó 1 hora y 15 minutos debido al tránsito. ¿A qué hora llegó finalmente?

Horarios de Miami a Orlando

Autobús	Salida	Llegada
460	8:00 am	2:45 pm
470	10:50 am	5:45 pm
480	1:00 am	7:40 pm
490	4:30 am	11:20 pm

con los estudios sociales

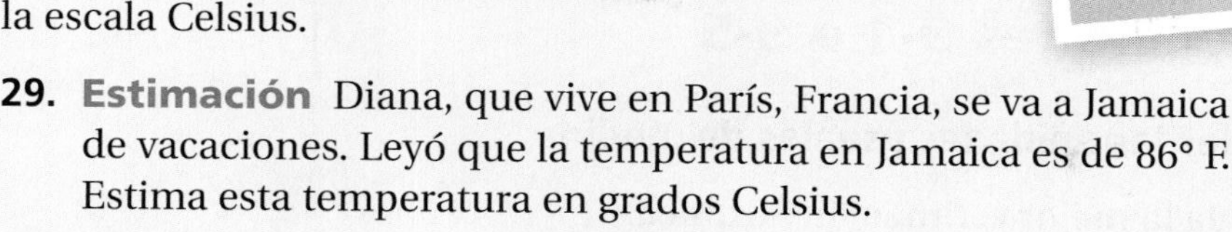

Estados Unidos y Jamaica son los únicos dos países del mundo que usan la escala Fahrenheit para medir la temperatura diaria. Todos los demás países usan la escala Celsius.

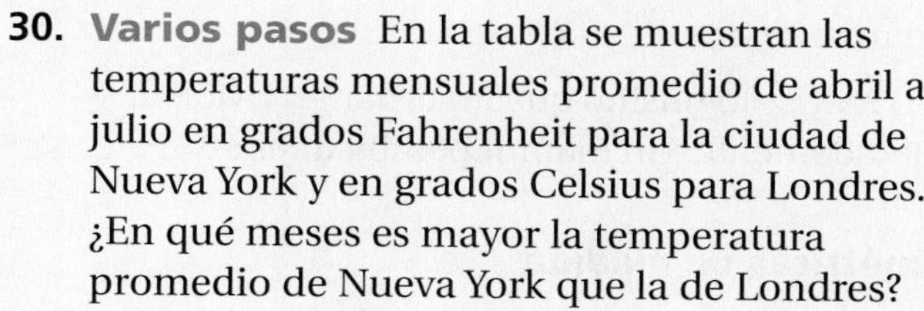

29. Estimación Diana, que vive en París, Francia, se va a Jamaica de vacaciones. Leyó que la temperatura en Jamaica es de 86° F. Estima esta temperatura en grados Celsius.

30. Varios pasos En la tabla se muestran las temperaturas mensuales promedio de abril a julio en grados Fahrenheit para la ciudad de Nueva York y en grados Celsius para Londres. ¿En qué meses es mayor la temperatura promedio de Nueva York que la de Londres?

Temperaturas mensuales promedio

Mes	Nueva York (° F)	Londres (° C)
Abril	50	10
Mayo	61	13
Junio	70	16
Julio	76	19

31. El viaje de Bobby de Paris, Texas, a París, Francia, debía durar $10\frac{1}{2}$ horas, pero tardó 3 horas y 20 minutos más. ¿Cuánto duró su vuelo?

32. ¿Dónde está el error? David irá a Dublín, Irlanda, en julio. Leyó en una guía de viajes que la temperatura promedio en Dublín en julio es de 15° C. David estimó la temperatura en grados Fahrenheit agregando 30 a la temperatura en Celsius y multiplicando después por 2. ¿Qué error cometió David?

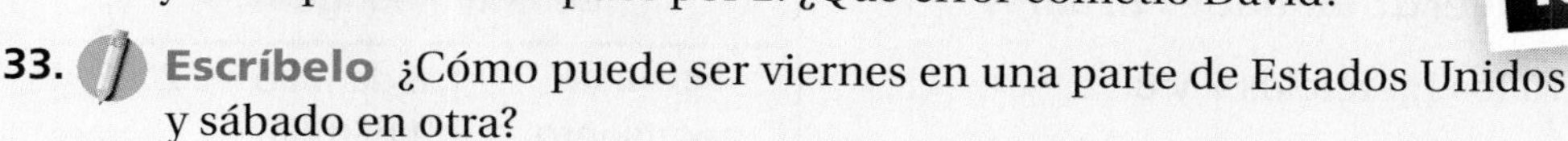

33. Escríbelo ¿Cómo puede ser viernes en una parte de Estados Unidos y sábado en otra?

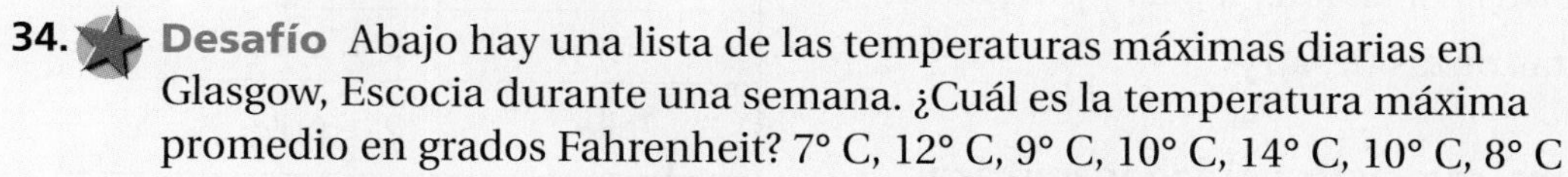

34. Desafío Abajo hay una lista de las temperaturas máximas diarias en Glasgow, Escocia durante una semana. ¿Cuál es la temperatura máxima promedio en grados Fahrenheit? 7° C, 12° C, 9° C, 10° C, 14° C, 10° C, 8° C

Preparación para el examen y repaso en espiral

35. Opción múltiple ¿Qué medida NO es equivalente a las otras?

Ⓐ 8 h Ⓑ 480 min Ⓒ 28,000 s Ⓓ $\frac{1}{3}$ día

36. Opción múltiple Un vuelo sale a las 11:35 am. El vuelo debe durar 2 horas 45 minutos, pero demora 30 minutos más. ¿Cuál es la nueva hora de llegada?

Ⓕ 2:20 pm Ⓖ 2:50 pm Ⓗ 3:05 pm Ⓙ 3:15 pm

Compara. Escribe <, > ó =. (Lección 3-1)

37. 9.17 ▢ 9.107 **38.** 3.456 ▢ 3.65 **39.** 0.051 ▢ 0.052 **40.** 12.5 ▢ 12.50

Evalúa 10.35 − w para cada valor de w. (Lección 3-3)

41. $w = 4.8$ **42.** $w = 8.62$ **43.** $w = 0.903$ **44.** $w = 5.075$

SECCIÓN 9A

Prueba de las Lecciones 9-1 a 9-5

9-1 Cómo comprender las unidades usuales de medida

¿Qué unidad de medida da la mejor estimación? Explica.

1. Una pecera puede contener aproximadamente 2 __?__ de agua.
2. El mamut de Columbia, que medía más o menos lo mismo que un elefante, vivió en México hace 1.5 millones de años aproximadamente. Un mamut pesaba unas 10 __?__.

9-2 Cómo comprender las unidades métricas de medida

¿Qué unidad de medida da la mejor estimación? Explica.

3. Un gato tiene una masa de aproximadamente 3 __?__.
4. Una pista de aeropuerto mide aproximadamente 3 __?__ de longitud.

Mide la longitud de cada segmento al centímetro más cercano.

5. •————————•

6. •———————————————•

9-3 Cómo convertir unidades usuales

Usa la tabla para los Ejercicios 7 y 8.

7. Convierte la talla de Ty a pies y pulgadas.
8. ¿Cuántas onzas pesa Ty?

Bebé Ty Rodríguez	
Fecha de nacimiento	8 de julio de 2005, 11:50 pm
Peso	9 lb 8 oz
Talla	$21\frac{1}{2}$ pulg

9-4 Cómo convertir unidades métricas

Convierte.

9. 8 m = ▢ cm
10. 12 kg = ▢ g
11. 2,000 mL = ▢ L

9-5 El tiempo y la temperatura

Convierte.

12. 5 min 32 s = ▢ s
13. 3 días = ▢ min
14. 24 meses = ▢ años
15. 330 s = ▢ h

Estima la temperatura.

16. 30° C es aprox. ▢° F
17. 80° F es aprox. ▢° C
18. 54° F es aprox. ▢° C
19. ¿Cuál es el tiempo transcurrido entre las 8:45 pm y las 12:15 am?
20. Un tren que debía llegar a las 10:35 am se atrasó 3 horas y 20 minutos. ¿A qué hora llegó?

¿Listo para seguir?

Enfoque en resolución de problemas

Repasa

- **Comprueba que se haya respondido a la pregunta.**

Algunas veces un problema requiere que sigas varios pasos para hallar la respuesta. Cuando leas una pregunta, pregúntate qué información necesitas hallar para responderla. Una vez resuelto el problema, vuelve a leer la pregunta para asegurarte de que la hayas respondido por completo.

Lee cada problema y determina si la solución dada responde a la pregunta del problema. Si no es así, escribe la respuesta correcta.

1. La araña doméstica gigante mide 70 milímetros de una punta a otra de sus patas. La viuda negra occidental mide 4 centímetros de una punta a otra de sus patas. ¿Cuántos centímetros más larga es la distancia de una punta a otra de las patas de la araña gigante doméstica?
Solución: 3 centímetros

2. La película *Lo que el viento se llevó,* que se estrenó en el año 1939, duraba 3 horas 50 minutos. Usualmente se exhibía con un intervalo de 15 minutos. Una exhibición de la tarde de esta película comenzó a las 2:30 pm. ¿A qué hora terminó?
Solución: 4 h 5 min

3. Una receta de ponche de frutas requiere 8 onzas líquidas de jugo de piña. Daryl echa la cantidad indicada de jugo de piña en un recipiente en el que cabe 1 galón. ¿Cuántas onzas líquidas más caben en el recipiente?
Solución: 120 onzas líquidas

4. Un huevo de gallina pesa por lo común 2 onzas. Un huevo de avestruz pesa por lo común 3 libras. ¿Cuántas veces más que un huevo de gallina pesa un huevo de avestruz?
Solución: 48 onzas

5. La distancia de Belleville a Cedar Falls es el doble de la distancia de Appleton a Belleville. La distancia de Cedar Falls a Donner es el doble de la distancia de Belleville a Cedar Falls. ¿Cuál es la distancia de Belleville a Donner?

2 km

Appleton Belleville Cedar Falls Donner

Solución: 8 kilómetros

9-6 Cómo hallar la medida de los ángulos en polígonos

Aprender a hallar medidas de ángulos en polígonos

Todos los campos de softbol y de béisbol tienen una base. La base tiene la forma de un pentágono.

Puedes usar un transportador y tu conocimiento de los ángulos de los polígonos para hallar las medidas de los ángulos de la base.

EJEMPLO 1 **Restar para hallar medidas de ángulos**

¡Atención!

También puede leerse que el rayo *BA* cruza a 140° y que el rayo *BC* cruza a 60°. La medida del ángulo sigue siendo 80°. Asegúrate de leer las medidas en la misma escala.

Usa un transportador para hallar la medida de $\angle ABC$. Luego clasifica el ángulo.

- Coloca el punto central del transportador en el vértice del ángulo.
- Lee las medidas donde se cruzan los rayos *BA* y *BC*.
- El rayo *BA* cruza a 40° y el rayo *BC* cruza a 120°.

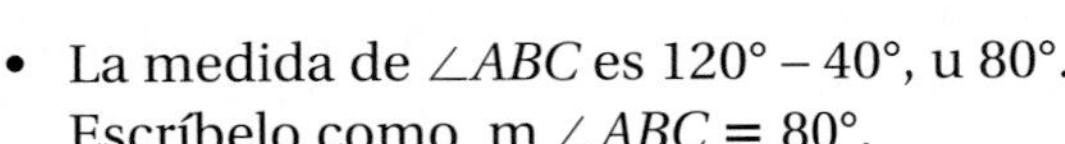

- La medida de $\angle ABC$ es $120° - 40°$, u 80°. Escríbelo como $m\angle ABC = 80°$.
- Como $80° < 90°$, el ángulo es agudo.
- ***Comprueba***

Usa la otra escala del transportador para hallar la medida de $\angle ABC$ $140° - 60° = 80°$

Para estimar la medida de un ángulo, compáralo con un ángulo cuya medida ya conozcas. Un ángulo recto mide la mitad de un ángulo llano. Un ángulo de 45° mide la mitad de un ángulo recto.

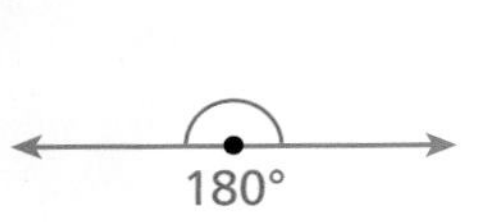

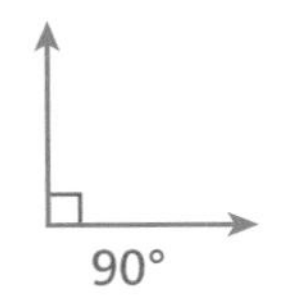

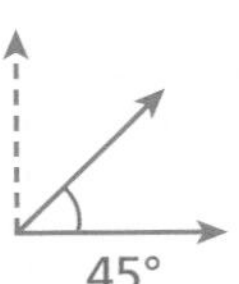

EJEMPLO 2 Estimar medidas de ángulos

Estima la medida de $\angle J$ en el paralelogramo *JKLM*. Luego usa un transportador para comprobar si tu respuesta es razonable.

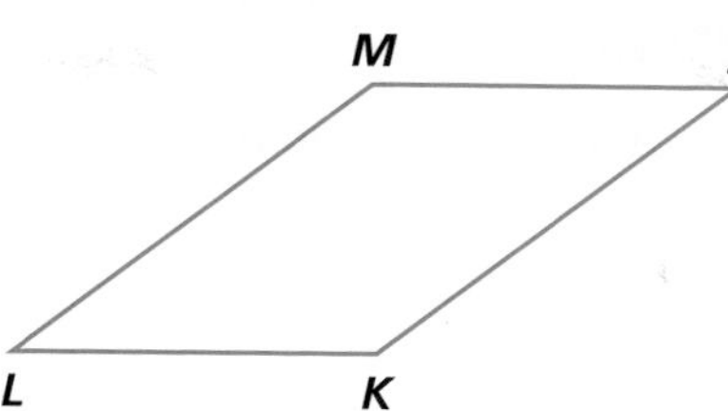

Razona: La medida del ángulo está cerca de los 45°, pero es un poco menor. Una buena estimación sería 35°.

¡Atención!

Usa la escala del transportador que empieza en 0°.

Recuerda que en un paralelogramo los ángulos opuestos son congruentes.

Por lo tanto, usa el ángulo opuesto a $\angle J$ para hallar su medida.

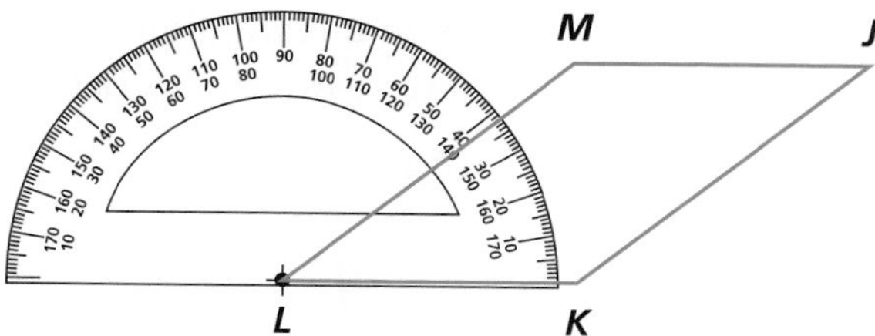

Usa el transportador. La medida del ángulo es 38°.

$m\angle J = 38°$; por lo tanto, la estimación de 35° es razonable.

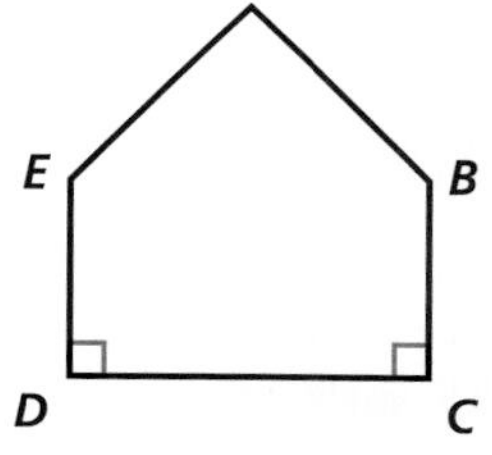

EJEMPLO 3

Aplicación a los deportes

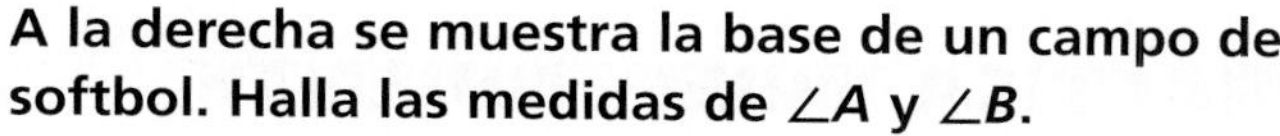

A la derecha se muestra la base de un campo de softbol. Halla las medidas de $\angle A$ y $\angle B$.

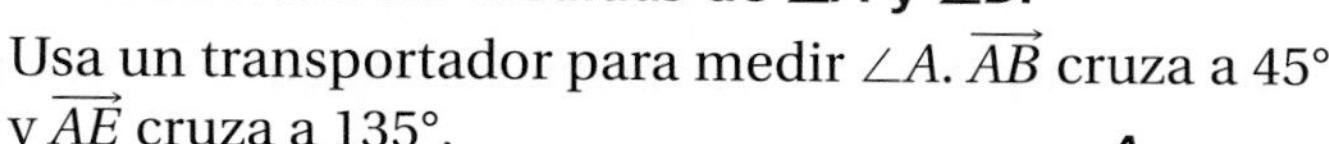

Usa un transportador para medir $\angle A$. $\overrightarrow{AB}$ cruza a 45° y $\overrightarrow{AE}$ cruza a 135°.

Resta. $135° - 45° = 90°$.

$m\angle A = 90°$

Estima $m\angle B$.

Es mayor que 90°, de modo que es obtuso. Parece que la medida del ángulo es 90° + 45°. Por lo tanto, $m\angle B$ es aproximadamente 135°.

Usa un transportador para medir $\angle B$.

$m\angle B = 135°$

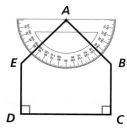

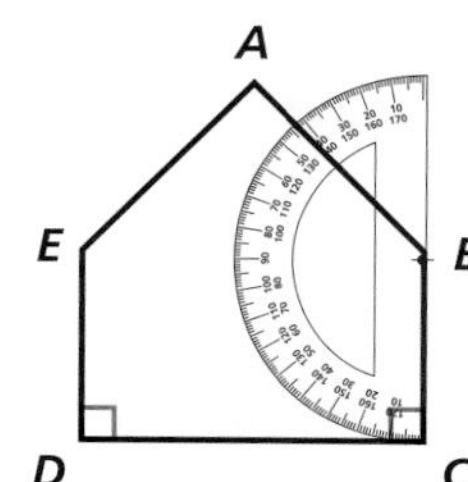

Razonar y comentar

1. **Explica** cómo hallar las medidas de $\angle K$ y $\angle M$ del Ejemplo 2 sin usar un transportador una vez que conoces la medida de $\angle J$.

9-6 Ejercicios

go.hrw.com
Ayuda en línea para tareas*
CLAVE: MR7 9-6
Recursos en línea para padres
CLAVE: MR7 Parent
*(Disponible sólo en inglés)

PRÁCTICA GUIADA

Ver Ejemplo 1 **Usa un transportador para hallar la medida de cada ángulo. Luego clasifica los ángulos.**

1. 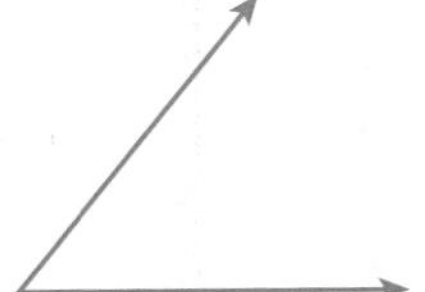

2. 

3. 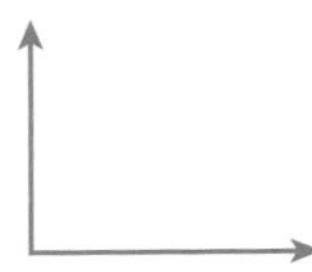

Ver Ejemplo 2 **Estima la medida de $\angle A$ en cada figura. Luego usa un transportador para comprobar si tu respuesta es razonable.**

4. 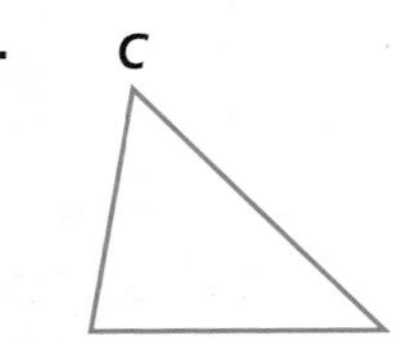

5. 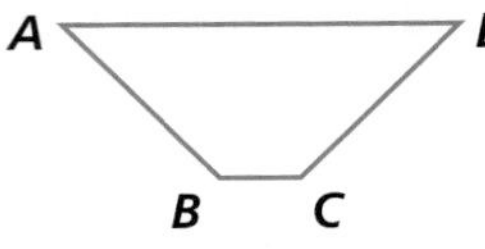

6. 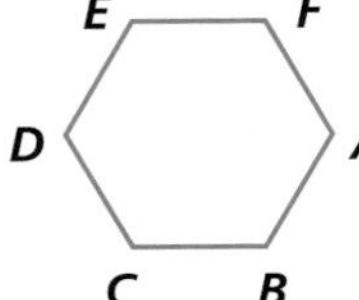

Ver Ejemplo  3

7. A la derecha se muestra la forma de un estanque. Halla las medidas de $\angle A$ y $\angle B$.

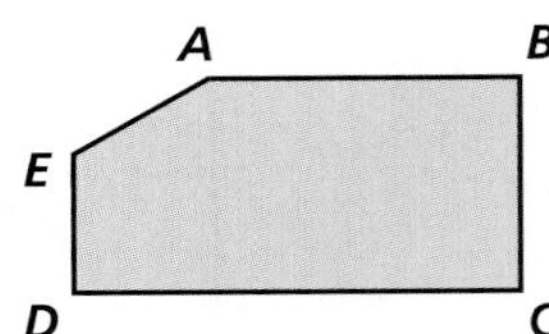

PRÁCTICA INDEPENDIENTE

Ver Ejemplo  1 **Usa un transportador para hallar la medida de cada ángulo. Luego clasifica los ángulos.**

8. 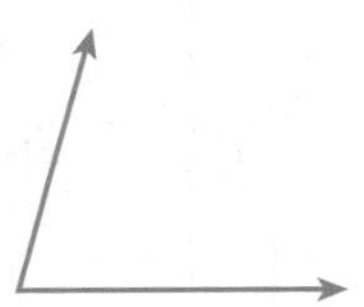

9. 

10. 

Ver Ejemplo  2 **Estima la medida de $\angle A$ en cada figura. Luego usa un transportador para comprobar si tu respuesta es razonable.**

11. 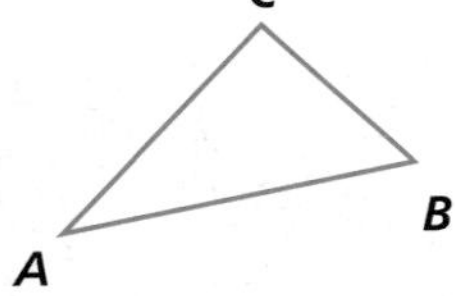

12. 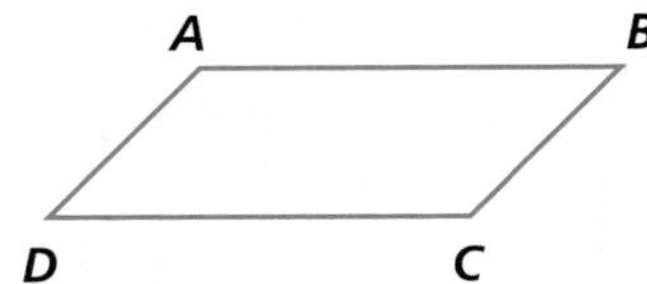

13. 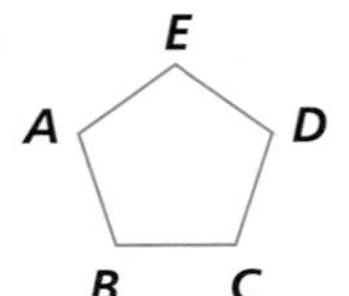

Ver Ejemplo  3

14. A la derecha se muestra la forma de un parque. Halla las medidas de $\angle A$ y $\angle B$.

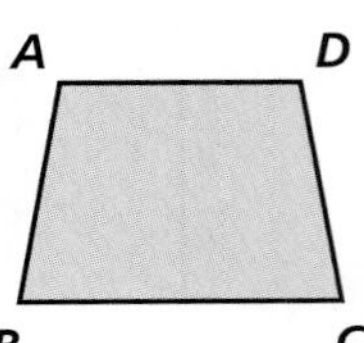

PRÁCTICA Y RESOLUCIÓN DE PROBLEMAS

Práctica adicional
Ver página 732

Halla la medida del ángulo dado y la del ángulo que forma su suplemento.

15.

16.

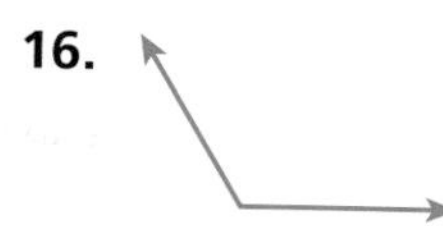

17. **Arquitectura** La mayoría de los edificios se construyen a un ángulo de 90° con respecto al suelo. La Torre Inclinada de Pisa, en Pisa, Italia, está a un ángulo de aproximadamente 84.5° con respecto al suelo. ¿Cuántos grados está inclinada?

18. **Razonamiento crítico** Tres ángulos suman 180°. Si $m\angle 3 = 80°$ y $\angle 1$ y $\angle 2$ son congruentes, ¿cuánto mide $\angle 1$?

3
1 2

19. **¿Dónde está el error?** Loni dijo que la medida de $\angle J$ es 20°. ¿Qué error cometió?

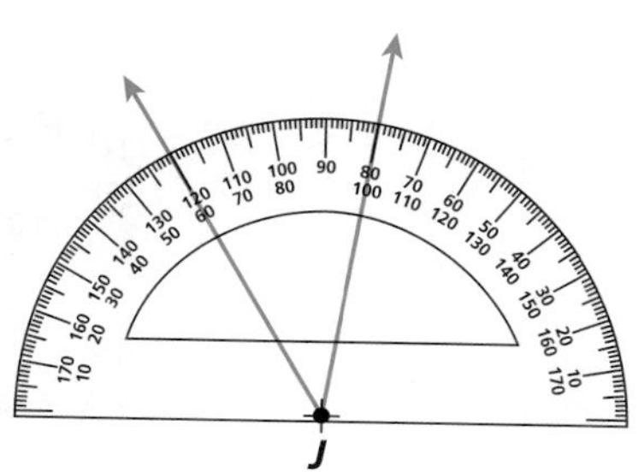

20. **Escríbelo** Describe dos maneras de medir un ángulo.

21. **Desafío** Otro modo de medir ángulos es usar radianes. 2π radianes es igual a 360°. ¿A cuántos radianes equivalen 90°?

PREPARACIÓN PARA EL EXAMEN y repaso en espiral

22. **Opción múltiple** Halla la medida de $\angle C$ al grado más cercano.

Ⓐ 30° Ⓑ 60° Ⓒ 75° Ⓓ 115°

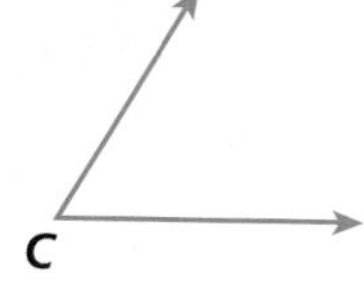

23. **Respuesta breve** Usa un transportador para medir $\angle A$. Clasifica el ángulo. Explica.

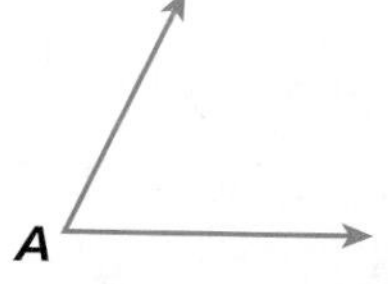

Convierte. (Lección 9-3)

24. 6 pies = ▢ pulg **25.** 8 ct = ▢ gal **26.** 7 lb = ▢ oz **27.** 4 ct = ▢ pt

28. Pete se zambulló en la piscina a las 2:10 pm. Salió de la piscina a las 3:25 pm. ¿Cuánto tiempo estuvo en la piscina? (Lección 9-5)

9-7 Perímetro

Aprender a hallar el perímetro y la longitud de los lados que faltan en un polígono

Vocabulario

perímetro

Una de las pinturas más grandes hechas con los dedos es *Ten Fingers, Ten Toes.* Mide 8.53 metros de ancho y 10.66 metros de largo.

El **perímetro** de una figura es la distancia alrededor de ella. Para hallar el perímetro de la pintura, puedes sumar las longitudes de los lados.

$8.53 + 10.66 + 8.53 + 10.66 = 38.38$

El perímetro de la pintura es 38.38 metros.

EJEMPLO 1 Hallar el perímetro de un polígono

Halla el perímetro de la figura.

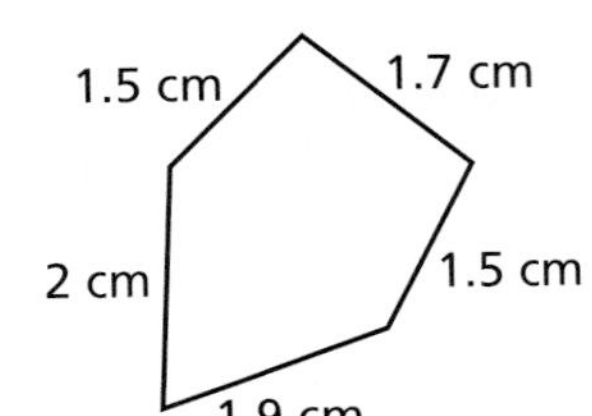

$1.5 + 1.7 + 1.5 + 1.9 + 2 = 8.6$

Suma las longitudes de todos los lados.

El perímetro es 8.6 cm.

PERÍMETRO DE UN RECTÁNGULO

Los lados opuestos de un rectángulo tienen la misma medida. Halla el perímetro de un rectángulo usando la fórmula, donde ℓ es la longitud y a es el ancho.

$P = 2\ell + 2a$

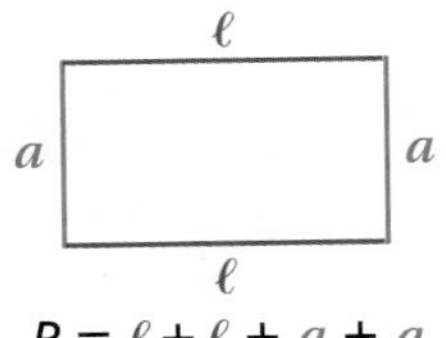

$P = \ell + \ell + a + a$

EJEMPLO 2 Usar una fórmula para hallar el perímetro

Halla el perímetro P del rectángulo.

$P = 2\ell + 2a$

$P = (2 \cdot 3) + (2 \cdot 2)$ — *Sustituye ℓ por 3 y a por 2.*

$P = 6 + 4$ — *Multiplica.*

$P = 10$ — *Suma.*

El perímetro es 10 pies.

EJEMPLO 3 Hallar las longitudes de los lados y el perímetro de un polígono

Halla la medida desconocida.

A ¿Cuál es la longitud del lado a si el perímetro es 105 m?

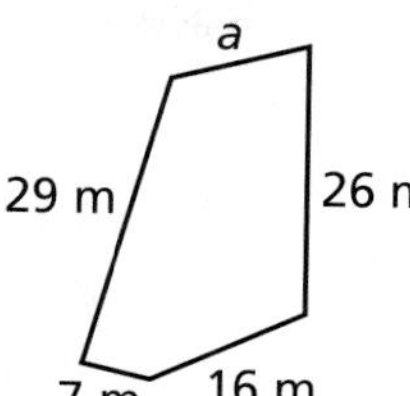

P = suma de los lados

$105 = a + 26 + 16 + 7 + 29$ *Usa los valores conocidos.*

$105 = a + 78$ *Suma las longitudes conocidas.*

$105 - 78 = a + 78 - 78$ *Resta 78 de ambos lados.*

$27 = a$

El lado a mide 27 m.

B ¿Cuál es el perímetro del polígono?

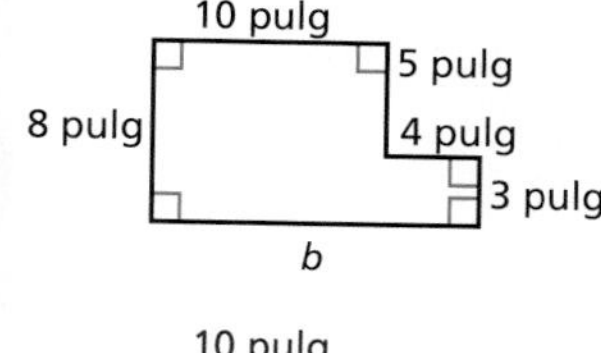

Primero halla el lado desconocido.

Halla los lados opuestos al lado b.

La longitud del lado b = 10 + 4.

El lado b mide 14 pulg.

10 pulg
5 pulg
8 pulg
4 pulg
3 pulg
14 pulg

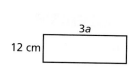

Halla el perímetro.

$P = 14 + 8 + 10 + 5 + 4 + 3$

$P = 44$

El perímetro del polígono es 44 pulg.

C El ancho de un rectángulo es 12 cm. ¿Cuál es el perímetro del rectángulo si la longitud es 3 veces mayor que el ancho?

3a
12 cm

$\ell = 3a$ *Halla la longitud.*

$\ell = (3 \cdot 12)$ *Sustituye a por 12.*

$\ell = 36$ *Multiplica.*

36 cm
12 cm

$P = 2\ell + 2a$ *Usa la fórmula del perímetro de un rectángulo.*

$P = 2(36) + 2(12)$ *Sustituye por 36 y 12.*

$P = 72 + 24$ *Multiplica.*

$P = 96$ *Suma.*

El perímetro del rectángulo es 96 cm.

Razonar y comentar

1. **Explica** cómo hallar el perímetro de un pentágono regular si conoces la longitud de un lado.
2. **Indica** qué fórmula puedes usar para hallar el perímetro de un cuadrado.

9-7 Ejercicios

go.hrw.com
Ayuda en línea para tareas*
CLAVE: MR7 9-7
Recursos en línea para padres
CLAVE: MR7 Parent
*(Disponible sólo en inglés)

PRÁCTICA GUIADA

Ver Ejemplo 1 **Halla el perímetro de cada figura.**

1. 0.5 pulg, 0.5 pulg, 0.5 pulg, 0.5 pulg

2. 7 cm, 9 cm, 12 cm

Ver Ejemplo 2 **Halla el perímetro *P* de cada rectángulo.**

3. 12 m, 8 m

4. 7.3 pulg, 4 pulg

Ver Ejemplo 3 **Halla la medida desconocida.**

5. ¿Cuál es la longitud del lado *b* si el perímetro es igual a 21 yd?

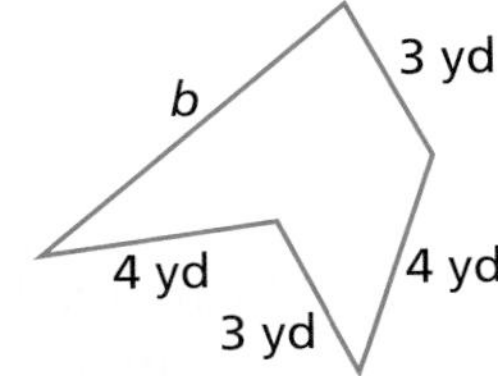

PRÁCTICA INDEPENDIENTE

Ver Ejemplo 1 **Halla el perímetro de cada figura.**

6. $1\frac{1}{4}$ pie, 3 pies, $2\frac{3}{4}$ pies

7. octágono regular

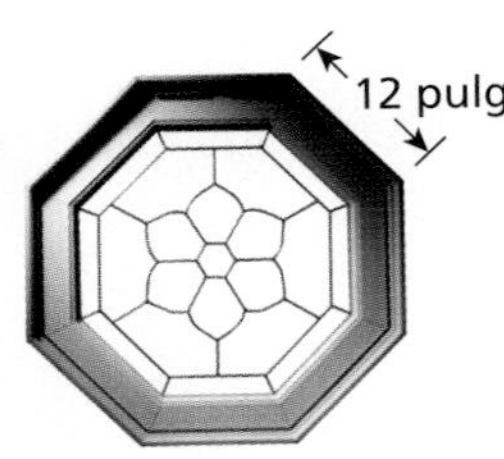

Ver Ejemplo 2 **Halla el perímetro *P* de cada rectángulo.**

8. 11 pulg, 5 pulg

9. 1.75 cm

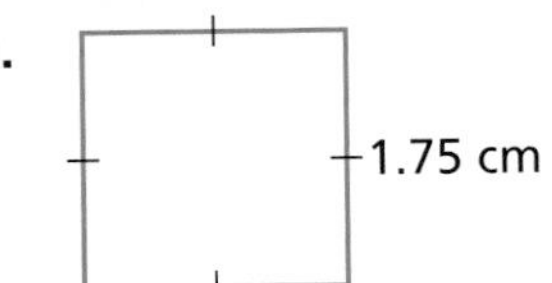

10. 7 m, $2\frac{1}{2}$ m

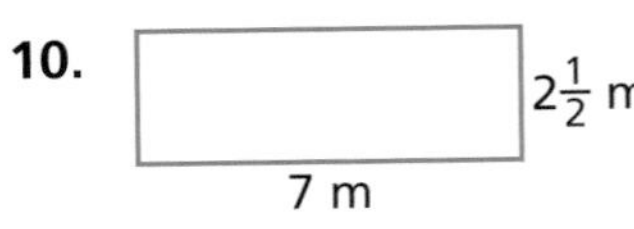

Ver Ejemplo 3 **Halla cada medida desconocida.**

11. ¿Cuál es el perímetro del polígono?

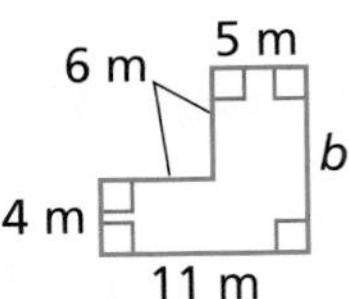

12. El ancho de un rectángulo es 15 pies. ¿Cuál es el perímetro del rectángulo si la longitud es 5 pies mayor que el ancho?

PRÁCTICA Y RESOLUCIÓN DE PROBLEMAS

Práctica adicional
Ver página 732

Usa la figura *ACDEFG* para resolver los Ejercicios del 13 al 15.

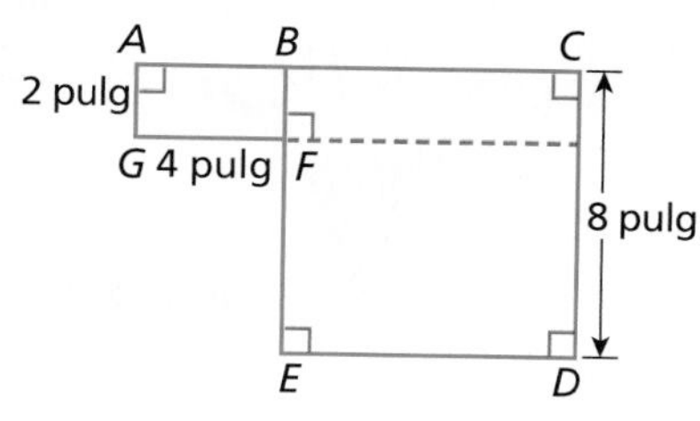

13. ¿Cuál es la longitud del lado *FE*?

14. Si el perímetro del rectángulo *BCDE* es 34 pulg, ¿cuál es la longitud del lado *BC*?

15. Usa tu respuesta del Ejercicio 14 para hallar el perímetro de la figura *ACDEFG*.

Halla el perímetro de cada figura.

16. un triángulo con lados de 6 pulg, 8 pulg y 10 pulg

17. un pentágono regular con lados de $\frac{2}{5}$ km

18. un dodecágono (figura de 12 lados) regular con lados de 3 m

19. Deportes En el diagrama se muestra la mitad de una cancha de bádminton.

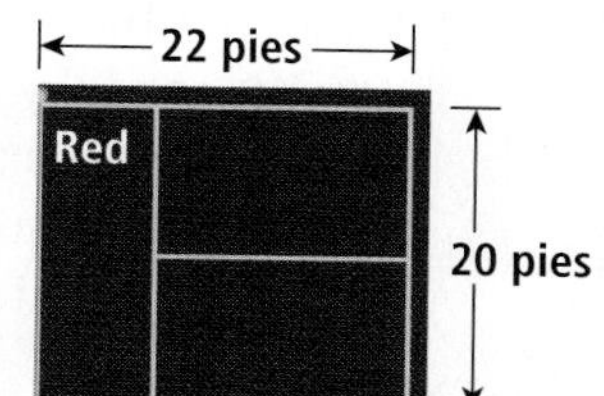

a. ¿Cuáles son las dimensiones de la cancha completa?

b. ¿Cuál es el perímetro de la cancha completa?

20. ¿Dónde está el error? Un estudiante halló que el perímetro de un rectángulo de 10 pulg por 13 pulg es 23 pulgadas. Explica qué error cometió el estudiante. Luego halla el perímetro correcto.

21. Escríbelo Explica cómo hallar la longitud desconocida de un lado de un triángulo que tiene un perímetro de 24 yd y dos lados que miden 6 yd y 8 yd.

22. Desafío El perímetro de un octágono regular es 20 m. ¿Cuál es la longitud de un lado del octágono?

PREPARACIÓN PARA EL EXAMEN y repaso en espiral

23. Opción múltiple Halla el perímetro de la figura.

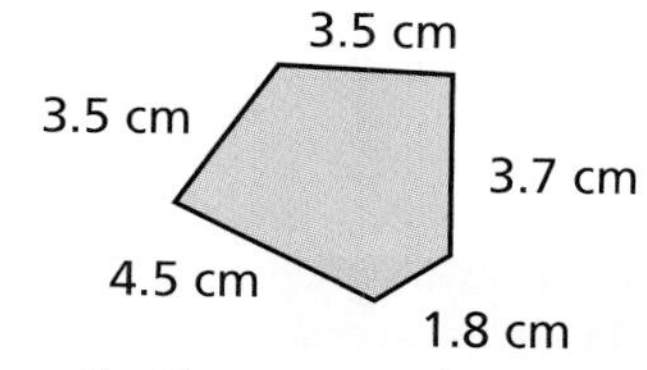

Ⓐ 17 cm　Ⓑ 19 cm　Ⓒ 21 cm　Ⓓ 25 cm

24. Opción múltiple El ancho de un rectángulo es 16 m. ¿Cuál es su perímetro si su longitud es el doble de su ancho?

Ⓕ 16 m　Ⓖ 32 m　Ⓗ 64 m　Ⓙ 96 m

Halla cada suma o diferencia. (Lección 3-3)

25. $30 - 5.32$　**26.** $80.31 + 15.125$　**27.** $100 - 25.65$　**28.** $200.6 + 1$

Halla el valor que falta en cada proporción. (Lección 7-3)

29. $\frac{9}{15} = \frac{x}{5}$　**30.** $\frac{a}{20} = \frac{3}{15}$　**31.** $\frac{1}{7} = \frac{6}{k}$　**32.** $\frac{4}{5} = \frac{x}{5}$

Explorar la circunferencia

Para usar con la Lección 9-8

En este laboratorio vas a medir objetos para investigar la distancia alrededor de un círculo. La distancia alrededor de un círculo se llama *circunferencia*.

Actividad 1

1. Elige un objeto cilíndrico, como una lata o un jarro. Rodéalo con un cordel y marca en el cordel el punto donde se encuentra un extremo con el otro. Mide esta longitud en el cordel y anótala en una tabla como la de abajo como la circunferencia.

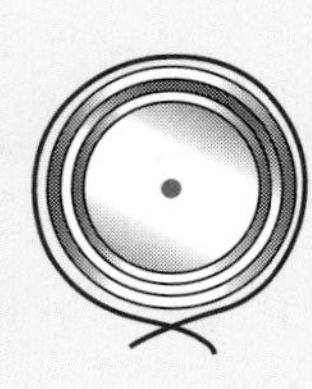

2. Con una regla, mide la distancia de un lado a otro del objeto pasando por el centro. Anota esta medida como el *diámetro.*
3. Con una calculadora, halla la razón de la circunferencia C al diámetro d. Redondea este valor a la centésima más cercana y anótalo en la tabla.
4. Repite el proceso con otros tres objetos cilíndricos.

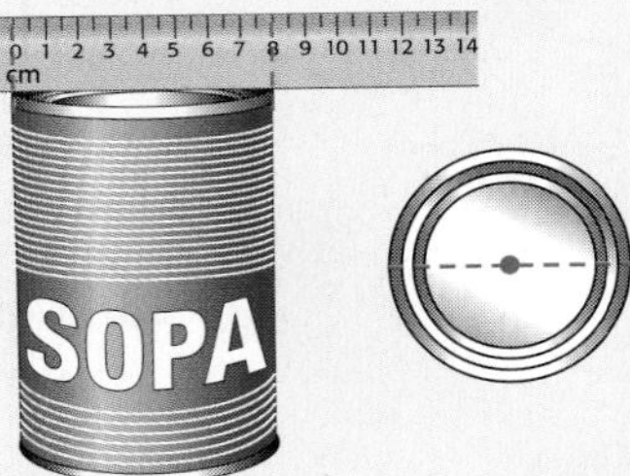

	Objeto 1	Objeto 2	Objeto 3	Objeto 4
Circunferencia C				
Diámetro d				
$\frac{C}{d}$				

Razonar y comentar

1. Describe lo que notaste acerca de la razón $\frac{C}{d}$ en tu tabla.

Inténtalo

Halla la razón $\frac{C}{d}$ para cada círculo.

1. $C = 12.57$ pulg; diámetro: 4 pulg
2. $C = 9.42$ cm; diámetro: 3 cm
3. $C = 15.71$ pies; diámetro: 5 pies

La razón de la circunferencia de un círculo a su diámetro se llama *pi*, que se representa con la letra griega π. Como viste en la Actividad 1, el valor de π está cerca de 3. Puedes estimar π como 3.14 ó $\frac{22}{7}$.

En cualquier círculo, $\frac{C}{d} = \pi$. Puedes resolver esta ecuación para C para obtener una ecuación de la circunferencia de un círculo en función de su diámetro. La ecuación es $C = \pi d$.

Actividad 2

1. Abre tu compás con un ancho de 4 cm. Úsalo para trazar un círculo con un radio de 4 cm. ¿Cuál es el diámetro del círculo?

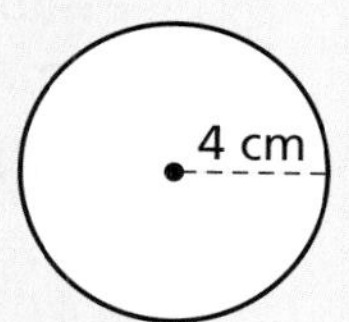

2. Usa la ecuación $C = \pi d$ y la aproximación $\pi \approx 3.14$ para predecir la circunferencia del círculo.

3. Coloca con cuidado un trozo de cordel encima del círculo. Asegúrate de que el cordel coincida lo más posible con el círculo.

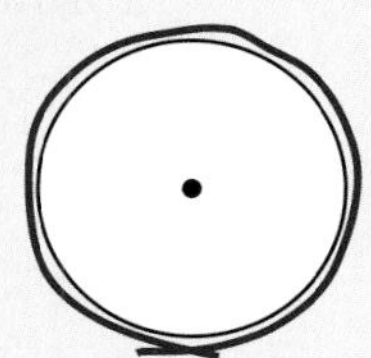

4. Marca el cordel en el punto en que se encuentra un extremo con el otro y mide la longitud.

5. Repite el proceso, esta vez con un círculo de 3.5 cm de radio. Usa la ecuación $C = \pi d$ para predecir la circunferencia del círculo y comprueba tu predicción usando un cordel para medir la circunferencia.

Razonar y comentar

1. En cada caso, ¿cuál fue la diferencia entre la longitud del cordel y la circunferencia que predijiste?
2. Si conoces el diámetro de un círculo, ¿qué debes hacer para hallar la circunferencia del círculo?
3. Si conoces la circunferencia de un círculo, ¿qué debes hacer para hallar el diámetro del círculo?

Inténtalo

Halla la circunferencia de cada círculo. Usa 3.14 para π.

1. 9 pulg
2. 5 pies
3. 10 cm

9-8 Círculos y circunferencia

Aprender a identificar las partes de un círculo y a hallar la circunferencia de un círculo

Vocabulario

círculo
centro
radio
diámetro
circunferencia
pi

Un tambor tiene forma de *círculo*. Un **círculo** es el conjunto de todos los puntos de un plano que están a la misma distancia de un punto dado, llamado **centro.**

La longitud del diámetro es el doble de la longitud del radio.

Como el polígono, el círculo es una figura plana. Pero el círculo no es un polígono porque no está formado por segmentos de recta.

Centro
Circunferencia
Diámetro Un segmento de recta que pasa por el centro del círculo y tiene ambos extremos sobre la circunferencia
Radio Un segmento de recta que tiene un extremo en el centro del círculo y el otro extremo sobre la circunferencia

EJEMPLO 1 Identificar las partes del círculo

Identifica el círculo, un diámetro y tres radios.

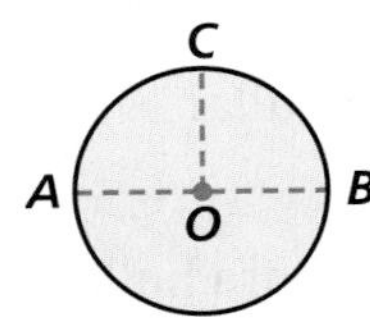
C
A
O
B

Un círculo se identifica por su centro; por lo tanto, éste es el círculo O.
$\overline{AB}$ es un diámetro.
$\overline{OA}$, $\overline{OB}$ y $\overline{OC}$ son radios.

La distancia alrededor de un círculo se llama **circunferencia.**

La razón de la circunferencia al diámetro, $\frac{C}{d}$, es la misma para cualquier círculo. Esta razón se representa con la letra griega π, que se lee "***pi***".

$$\frac{C}{d} = \pi$$

La representación decimal de *pi* empieza con 3.14159265… y continúa sin fin y sin repetirse. La mayoría de las personas usan 3.14 ó $\frac{22}{7}$ como aproximación a π. Para que te sea más fácil multiplicar por *pi*, puedes redondear π a 3.

La fórmula de la circunferencia de un círculo es $C = \pi d$ ó $C = 2\pi r$.

Circunferencia de un círculo	
Con palabras	**Fórmula**
La circunferencia de cualquier círculo es igual a π por el diámetro ó 2π por el radio.	$C = \pi d$ ó $C = 2\pi r$

EJEMPLO 2 **Aplicación a la arquitectura**

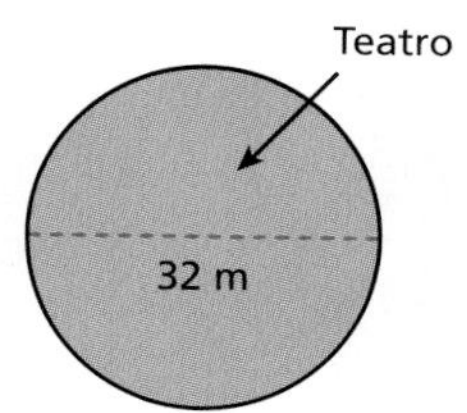

Un arquitecto traza el plano de un nuevo teatro circular. Halla la circunferencia del teatro redondeando π a 3.

$C = \pi d$ *Usa la fórmula.*

$C \approx 3 \cdot 32$ *Sustituye π por 3 y d por 32.*

$C \approx 96$ metros

La circunferencia del círculo mide aproximadamente 96 metros.

EJEMPLO 3 **Usar la fórmula de la circunferencia de un círculo**

Halla cada valor que falta a la centésima más cercana. Usa 3.14 para π.

A

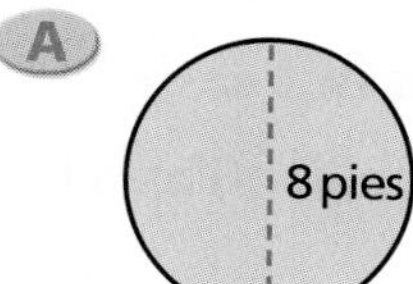

$d = 8$ pies; $C = ?$

$C = \pi d$ *Escribe la fórmula.*

$C \approx 3.14 \cdot 8$ *Sustituye π por 3.14 y d por 8.*

$C \approx 25.12$ pies

B

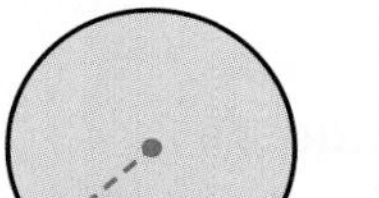

$r = 3$ cm; $C = ?$

$C = 2\pi r$ *Escribe la fórmula.*

$C \approx 2 \cdot 3.14 \cdot 3$ *Sustituye π por 3.14 y r por 3.*

$C \approx 18.84$ cm

C $C = 37.68$ pulg; $d = ?$

$C = \pi d$ *Escribe la fórmula.*

$37.68 \approx 3.14d$ *Sustituye C por 37.68 y π por 3.14.*

$\frac{37.68}{3.14} \approx \frac{3.14d}{3.14}$ *Divide ambos lados entre 3.14.*

$12.00 \text{ pulg} \approx d$

Razonar y comentar

1. **Explica** cómo hallar el radio en el Ejemplo 3C.
2. **Indica** si redondear *pi* a 3 dará como resultado una estimación alta o una estimación baja.
3. **Explica** por qué un círculo no es un polígono.

9-8 Ejercicios

go.hrw.com
Ayuda en línea para tareas*
CLAVE: MR7 9-8
Recursos en línea para padres
CLAVE: MR7 Parent
*(Disponible sólo en inglés)

PRÁCTICA GUIADA

Ver Ejemplo 

1. El punto G es el centro del círculo. Identifica el círculo, un diámetro y tres radios.

Ver Ejemplo 

Un constructor coloca una ventana circular. Halla la circunferencia redondeando π a 3.

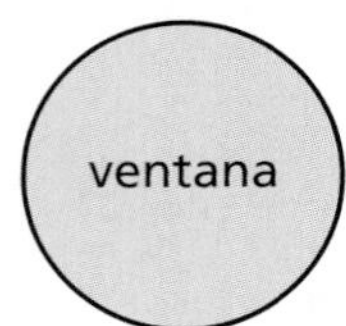

2. ¿Cuál es la circunferencia si el diámetro es 8 pies?
3. ¿Cuál es la circunferencia si el radio es 2 pies?

Ver Ejemplo 

Halla cada valor que falta a la centésima más cercana. Usa 3.14 para π.

4. $C =$?

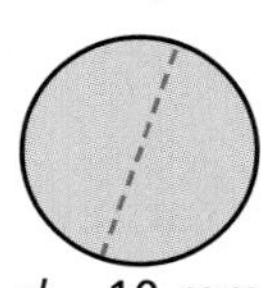

5. $C =$?

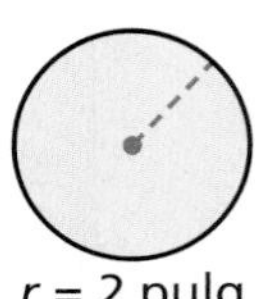

PRÁCTICA INDEPENDIENTE

Ver Ejemplo 

6. El punto P es el centro del círculo. Identifica el círculo, un diámetro y tres radios.

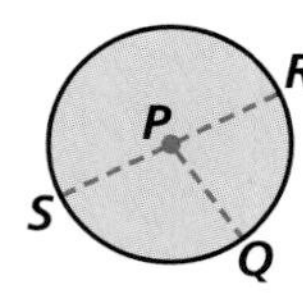

Ver Ejemplo 

Un jardinero cava un estanque circular y planta a su alrededor un jardín circular de hierbas. Halla la circunferencia redondeando π a 3.

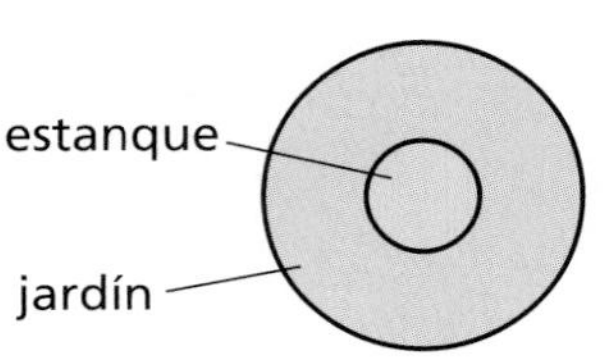

7. Si el diámetro del estanque es 5 yardas, ¿cuál es su circunferencia?

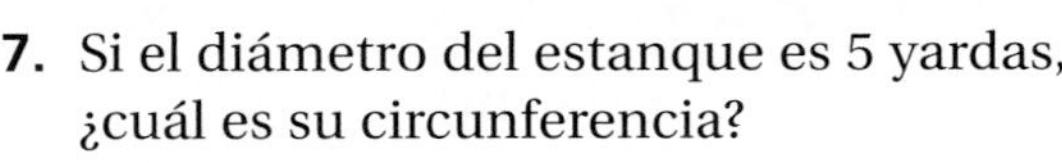

8. Si el radio del jardín es 7 yardas, ¿cuál es su circunferencia?

Ver Ejemplo 

Halla cada valor que falta a la centésima más cercana. Usa 3.14 para π.

9. $C =$?

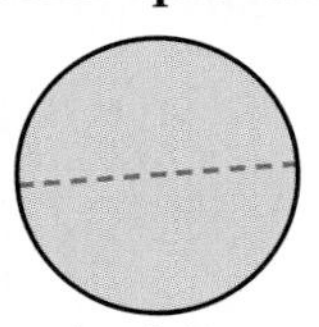

10. $C =$?

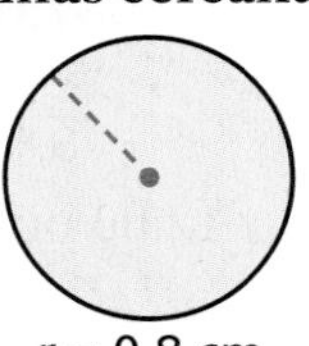

11. $d =$?

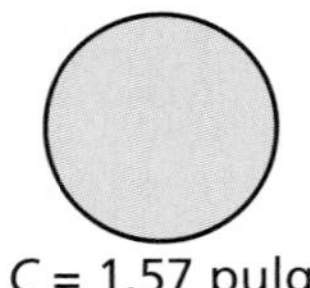

PRÁCTICA Y RESOLUCIÓN DE PROBLEMAS

Práctica adicional
Ver página 732

Completa los espacios en blanco. Usa 3.14 para π y redondea a la centésima más cercana.

12. Si $r = 7$ m, entonces $d =$ ___?___ y $C =$ ___?___.
13. Si $d = 11.5$ pies, entonces $r =$ ___?___ y $C =$ ___?___.
14. Si $C = 7.065$ cm, entonces $d =$ ___?___ y $r =$ ___?___.
15. Si $C = 16.956$ pulg, entonces $d =$ ___?___ y $r =$ ___?___.

Artistas como Patsy Rosales han aprendido a hacer girar múltiples aros Hula Hoop. El récord mundial de cantidad de aros Hula Hoop girando está en manos de Yana Rodinova, que hizo girar 95 aros a la vez.

16. **Medición** Traza un círculo. Da el nombre P al centro y haz un radio de 2 pulg de longitud.

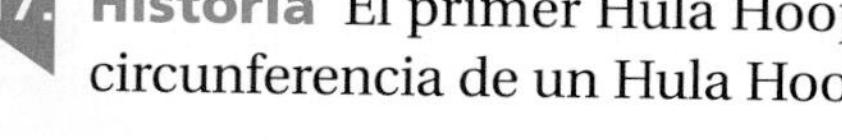

   a. Traza el diámetro $\overline{AB}$ e indica su longitud.
   b. Halla la circunferencia. Usa 3.14 para π. Redondea tu respuesta a la centésima más cercana.

17. **Historia** El primer Hula Hoop® se presentó en 1958. ¿Cuál es la circunferencia de un Hula Hoop con un diámetro de 3 pies? Usa 3.14 para π.

Usa los cilindros para los Ejercicios 18 y 19.

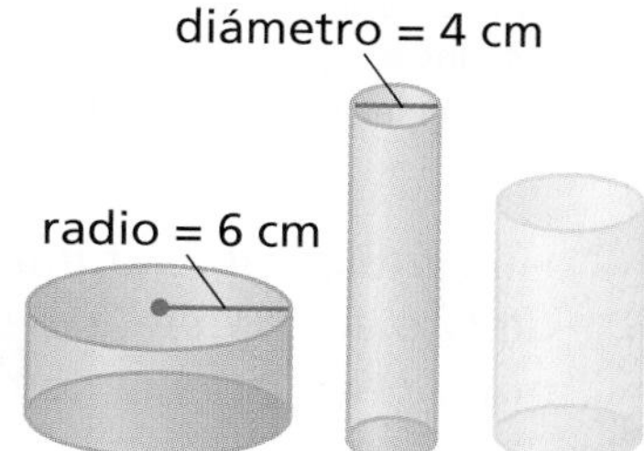

18. **Estimación** ¿Aproximadamente cuántas veces mayor es la circunferencia de la parte superior del cilindro morado que la de la parte superior del cilindro azul?

19. **Elige una estrategia** Si la circunferencia de la parte superior del cilindro amarillo es 22.5 centímetros, ¿qué método puedes usar para hallar el radio?

   (A) dividir 22.5 entre π

   (B) multiplicar 22.5 por π

   (C) dividir 22.5 entre π y luego dividir el cociente entre 2

   (D) multiplicar 22.5 por π y luego multiplicar el producto por 2

20. **Escríbelo** La circunferencia de un círculo es de 3.14 m. Explica cómo puedes hallar el diámetro y el radio del círculo.

21. **Desafío** El blanco para tiro con arco olímpico al aire libre se compone de 10 círculos concéntricos igualmente espaciados. *Concéntrico* significa que todos los círculos tienen el mismo centro. Si el diámetro del anillo más grande del blanco mide 122 cm y el diámetro del círculo interior mide 12.2 cm, ¿cuál es el diámetro del cuarto anillo desde adentro?

Preparación para el examen y repaso en espiral

22. **Opción múltiple** Un mini DVD tiene un radio de 4 centímetros. ¿Qué expresión puedes usar para hallar la circunferencia del mini DVD?

   (A) 4π (B) 8π (C) 16π (D) $2 \cdot 2 \cdot \pi \cdot 8$

23. **Respuesta breve** Las ruedas de la bicicleta de Ryan miden aproximadamente 2 pies de diámetro cada una. Si Ryan anda en su bicicleta 1 milla, ¿cuántas vueltas dará cada rueda aproximadamente? Usa 3 para π.

Ordena las fracciones de mayor a menor. (Lección 4-7)

24. $\frac{1}{2}, \frac{3}{8}, \frac{5}{8}$ 25. $\frac{3}{4}, \frac{10}{12}, \frac{1}{12}$ 26. $\frac{3}{10}, \frac{3}{5}, \frac{7}{10}$ 27. $\frac{7}{16}, \frac{3}{4}, \frac{5}{8}$

Escribe cada porcentaje como decimal. (Lección 7-7)

28. 50% 29. 5% 30. 85% 31. 100% 32. 15%

Construir gráficas circulares

Para usar con la Lección 9-8

RECUERDA
La suma de las medidas de los ángulos de cualquier círculo es 360°.

Una gráfica circular muestra las partes de un todo. Si piensas que un círculo completo es el 100%, puedes expresar las secciones de una gráfica circular como porcentajes.

- La clase de la maestra Shipley ganó $400 en la feria de la escuela. ¿Qué fracción de los $400 ganó la clase en la venta de pasteles?
- ¿Qué porcentaje de los $400 ganó la clase en la venta de pasteles?

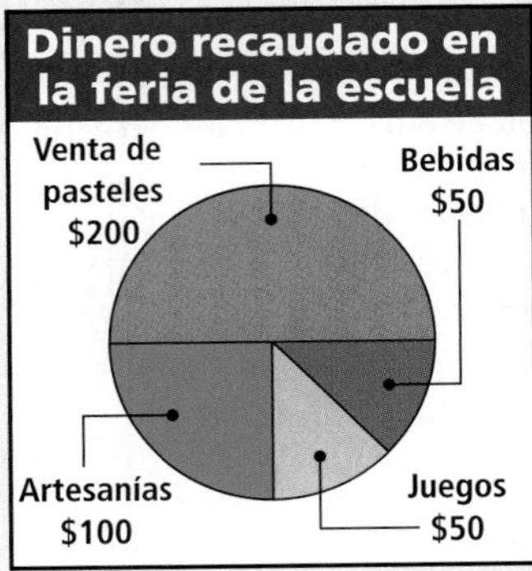

Actividad

En la Intermedia Mazel se hizo una encuesta a los estudiantes sobre los tipos de programas de TV que prefieren. Haz una gráfica circular para representar los resultados.

Programas favoritos de los estudiantes	
Tipo de programa	**Cantidad de estudiantes**
Ciencias	25
Cocina	15
Deportes	50
Comedias	150
Películas	60
Dibujos animados	200

1. Halla la cantidad total de estudiantes encuestados.

   $25 + 15 + 50 + 150 + 60 + 200 = 500$

2. Halla el porcentaje del total representado por los estudiantes a los que les gustan los programas de ciencias.

   $$\frac{25}{500} = 5\%$$

3. Como un círculo mide 360°, multiplica 5% por 360°. Así obtendrás la medida de un ángulos en grados.

   $$0.05 \cdot 360° = 18°$$

4. Traza un círculo con un compás. Marca el centro y usa una regla para trazar una línea desde el centro hasta el borde del círculo.

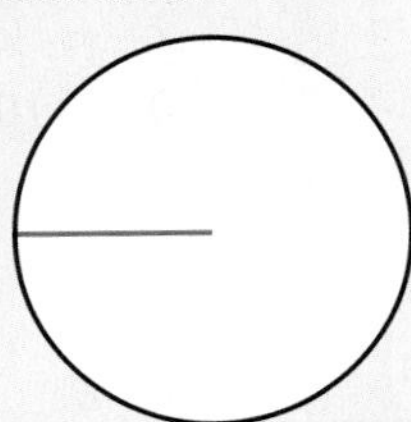

5. Usa tu transportador para trazar un ángulo que mida 18°. El vértice del ángulo será el centro del círculo y uno de los lados será la línea que trazaste. La sección que se forma representa el porcentaje de estudiantes que prefieren los programas de ciencias.

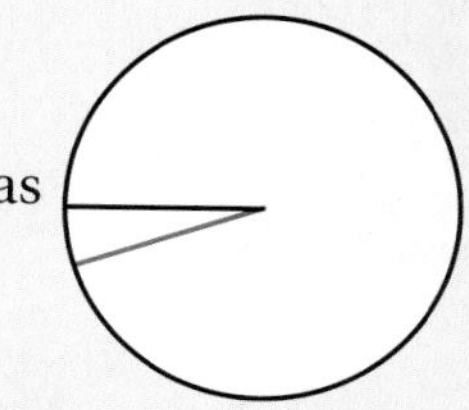

6. Repite los Ejercicios del 2 al 5 para cada tipo de programa. Rotula cada sección y ponle un título a la gráfica.

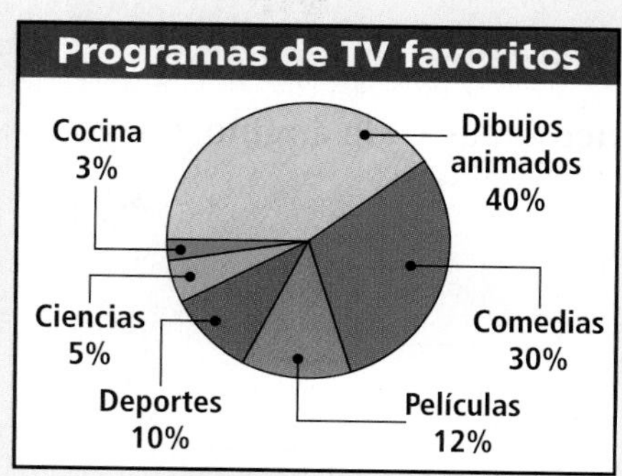

Razonar y comentar

1. Observa tu gráfica circular y comenta cinco datos que hayas aprendido acerca de los hábitos televisivos de los estudiantes de la Intermedia Mazel.
2. ¿Qué representa el círculo entero?
3. ¿Por qué necesitas saber que un círculo mide 360°?
4. ¿Cómo se relaciona el tamaño de cada sección de tu gráfica circular con el porcentaje que representa?

Inténtalo

1. Se hizo una encuesta en un centro comercial sobre las mascotas favoritas. Haz una gráfica circular para mostrar los resultados de la encuesta. Redondea a la décima más cercana.

Mascotas favoritas	
Tipo de mascota	**Cantidad de personas**
Perro	225
Pez	150
Pájaro	112
Gato	198
Otra	65

2. Pregunta a tus compañeros de clase sobre sus colores favoritos. Usa los datos para hacer una gráfica circular con cinco secciones como máximo.
3. La gráfica circular muestra los resultados de una encuesta sobre qué desayuno prefieren los estadounidenses. Si de esta encuesta participaron 1,500 personas, ¿cuántas dijeron que prefieren cereales en el desayuno?

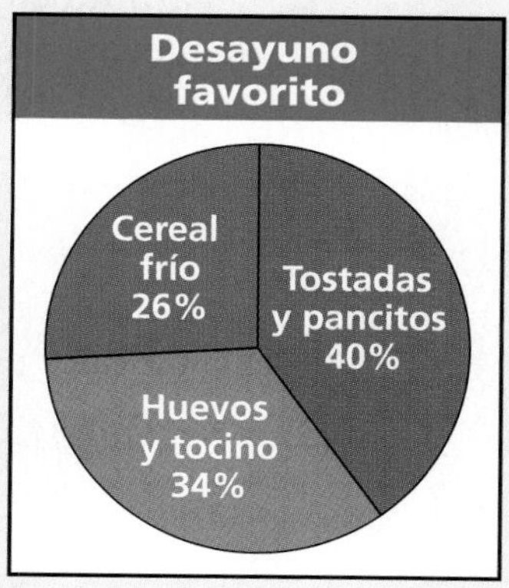

CAPÍTULO 9

SECCIÓN 9B

Prueba de las Lecciones 9-6 a 9-8

9-6 Cómo hallar la medida de los ángulos en polígonos

Usa un transportador para hallar la medida de cada ángulo. Luego clasifica el ángulo.

1. 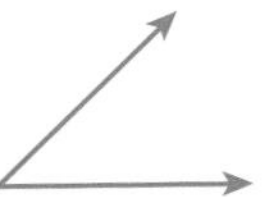

2. 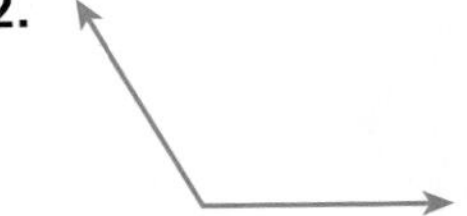

3. 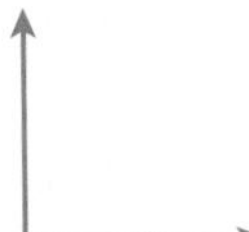

4. A la derecha se muestra la forma de un jardín. Halla las medidas de $\angle A$ y $\angle B$.

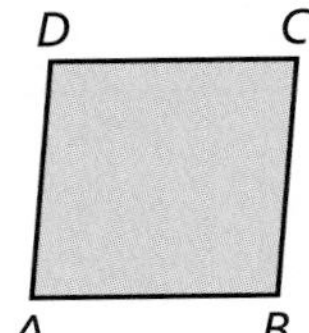

9-7 Perímetro

Halla el perímetro de cada figura.

5. 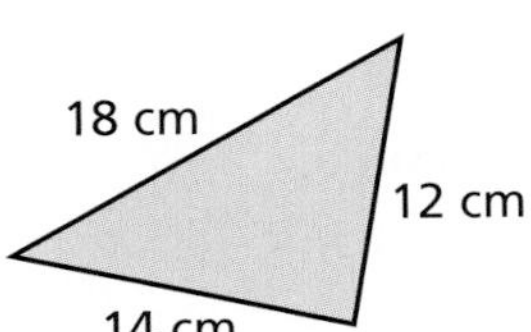

6. 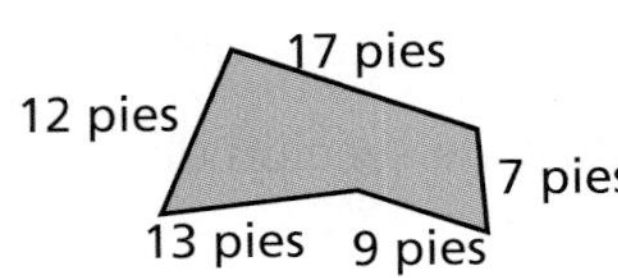

7. 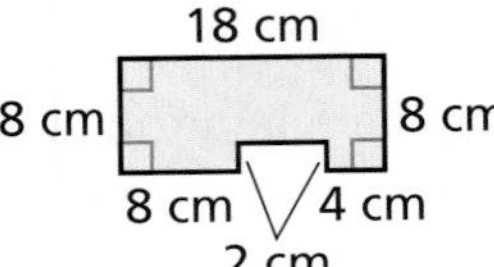

9-8 Círculos y circunferencia

Identifica el círculo y dos radios y luego halla la circunferencia de cada círculo. Usa 3.14 para π y redondea a la centésima más cercana.

8. 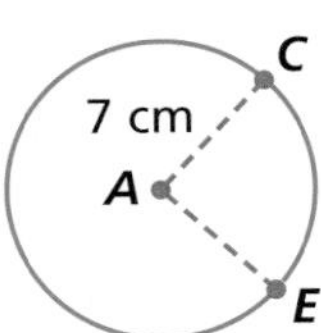

9. 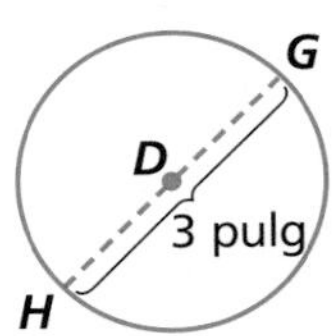

10. 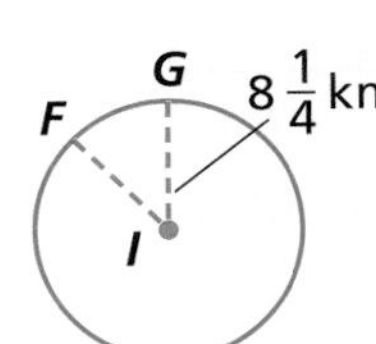

11. 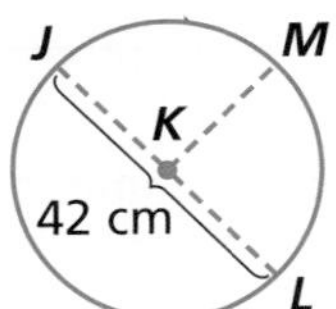

12. Un arquitecto traza el plano de un nuevo campo de juegos circular. Halla la circunferencia del campo de juegos redondeando π a 3.

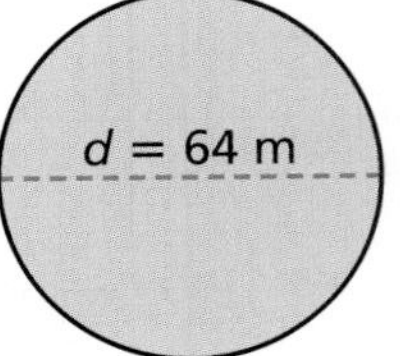

Halla cada valor que falta a la centésima más cercana. Usa 3.14 para π.

13. $r = 9$ pulg; $C =$ __?__ 14. $d = 20$ m; $C =$ __?__ 15. $C = 37.68$ pies; $d =$ __?__

Preparación de varios pasos para el examen

CAPÍTULO 9

Cercados En el jardín botánico Midland hay un cantero rectangular de dalias y un cantero circular de tulipanes. El paisajista del jardín decidió instalar nuevas cercas alrededor de ambos canteros.

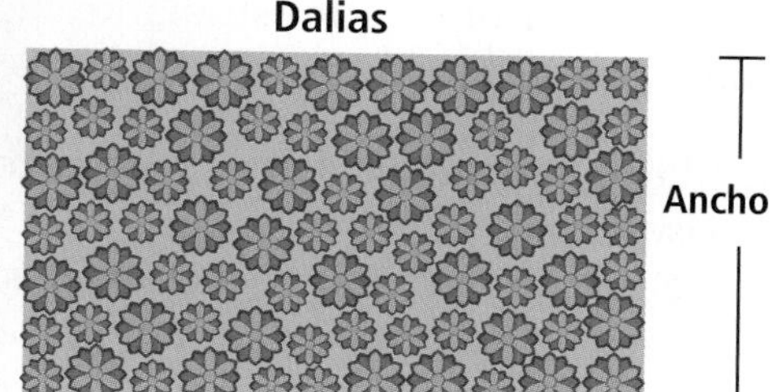

1. La longitud del cantero de dalias es 3 pies más larga que su ancho. ¿Cuál es el perímetro del cantero de dalias?
2. La nueva cerca para el cantero de dalias viene en tramos de 18 pulgadas cada uno. ¿Cuántos tramos debe comprar el paisajista? Explica.
3. ¿Cuál es la circunferencia del cantero de tulipanes al metro más cercano? Redondea *pi* a 3.
4. La nueva cerca para el cantero de tulipanes viene en tramos de 44 cm de largo cada uno. ¿Cuántos tramos debe comprar el paisajista? Explica.
5. El paisajista puede instalar un tramo de cerca en 6 minutos. ¿Cuánto tiempo le tomará instalar las cercas de ambos canteros? ¿Podrá completar su tarea en menos de 5 horas? ¿Por qué sí o por qué no?

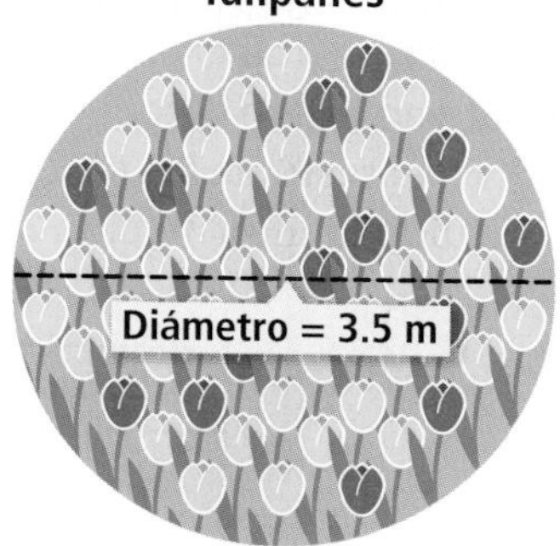

¡Vamos a jugar!

Acertijo lógico

Cada día, de lunes a viernes, Mayuri, Naomi, Brett, Thomas y Ángela se turnan para elegir el restaurante donde almorzarán. En los restaurantes donde comen sirven comida china, hamburguesas, pizza, mariscos o tacos. Usa las siguientes claves para determinar qué estudiante eligió un restaurante cada día y qué restaurante eligió.

1. Ángela no almorzó el viernes porque tenía un partido de básquetbol.
2. Brett eligió un restaurante el miércoles.
3. El viernes los estudiantes comieron tacos.
4. Naomi es alérgica a los mariscos y se propuso para elegir el primer restaurante.
5. Thomas eligió una hamburguesería el día anterior al que otro estudiante eligió una pizzería.

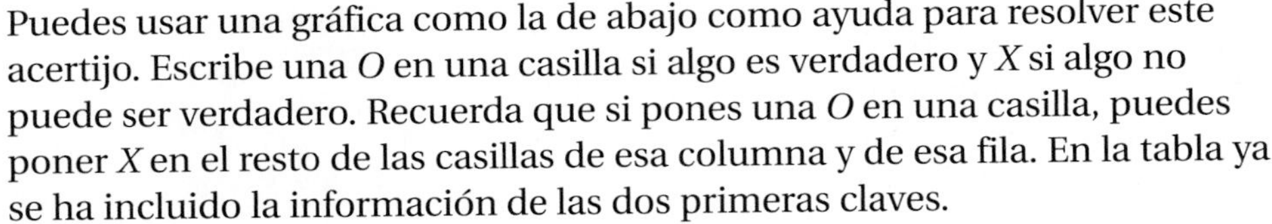

Puedes usar una gráfica como la de abajo como ayuda para resolver este acertijo. Escribe una *O* en una casilla si algo es verdadero y *X* si algo no puede ser verdadero. Recuerda que si pones una *O* en una casilla, puedes poner *X* en el resto de las casillas de esa columna y de esa fila. En la tabla ya se ha incluido la información de las dos primeras claves.

		Estudiante					Restaurante				
		Mayuri	Naomi	Brett	Thomas	Ángela	Mariscos	Pizza	Hamburguesas	Comida china	Tacos
Día	Lunes			X							
	Martes			X							
	Miércoles	X	X	O	X	X					
	Jueves			X							
	Viernes			X		X					
Restaurante	Mariscos										
	Pizza										
	Hamburguesas										
	Comida china										
	Tacos										

La copia de la tabla en blanco del acertijo lógico se encuentra disponible en línea.

go.hrw.com
¡Vamos a jugar! Extra
CLAVE: MR7 Games

PROYECTO Perímetros bien guardados

En esta caja metálica guardarás fichas magnéticas de vocabulario y pequeños cuadrados con los que podrás crear distintas formas.

Instrucciones

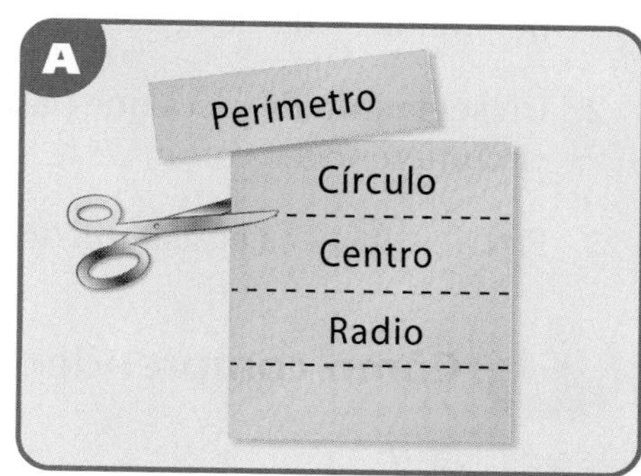

1. Pega tiras de cartulina sobre la cinta magnética.
2. Escribe palabras del vocabulario de este capítulo sobre la cinta magnética. Luego corta las palabras para formar fichas magnéticas de vocabulario. **Figura A**
3. Recorta las tiras de colores en cuadrados más pequeños, cada uno de $1\frac{1}{4}$ pulgada por $1\frac{1}{4}$ pulgada.
4. Pega un pequeño trozo de cartulina en la tapa de la caja metálica. Rotúlalo con el número y el título del capítulo. **Figura B**
5. Guarda las fichas de vocabulario y los pequeños cuadrados en la caja metálica.

Matemáticas en acción

Coloca las fichas de vocabulario en la parte exterior de la caja o en otra superficie metálica para repasar palabras importantes del capítulo. Ordena los cuadrados pequeños para crear formas de distintos perímetros. ¿Cuál es el perímetro más largo que puedes formar?

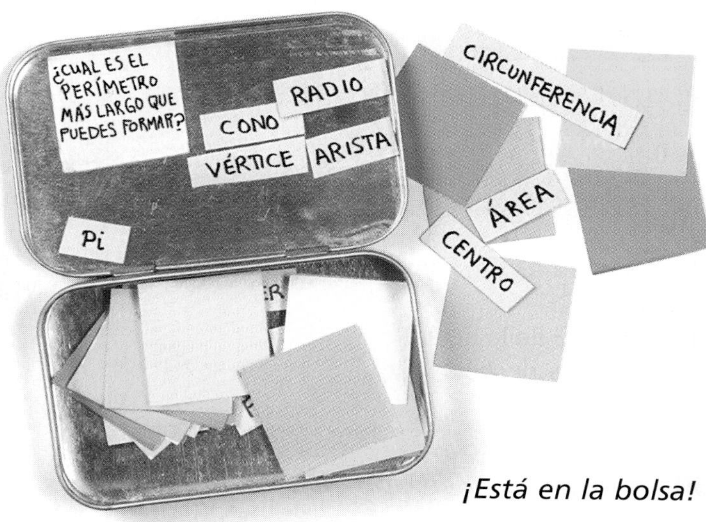

CAPÍTULO 9 Guía de estudio: Repaso

Vocabulario

Completa los enunciados con las palabras del vocabulario.

1. La distancia alrededor de un polígono se llama __?__ y la distancia alrededor de un círculo se llama __?__.
2. Un segmento de recta que pasa por el centro de un círculo y tiene ambos extremos sobre la circunferencia es un(a) __?__.
3. El/La __?__ es el sistema de medidas que se usa habitualmente en Estados Unidos.

9-1 Cómo comprender las unidades usuales de medida (págs. 488-491)

EJEMPLO

- **¿Qué unidad de medida da la mejor estimación? Explica.**

  Un escritorio mide aprox. 3 __?__ de largo.

  Razona: La longitud de un escritorio es aprox. 3 veces la distancia de tu hombro a tu codo.

  Un escritorio mide aprox. 3 pies de largo.

  Mide la longitud de la flecha a la media pulgada, al cuarto o al octavo de pulgada más cercanos.

La flecha mide entre $1\frac{1}{4}$ y $1\frac{3}{8}$ pulg. Está más cerca de $1\frac{3}{8}$.
La longitud de la flecha es aproximadamente $1\frac{3}{8}$pulg.

EJERCICIOS

¿Qué unidad de medida da la mejor estimación? Explica.

4. Un lápiz mide aprox. 5 __?__ de largo.
5. La distancia desde Denver, CO, hasta Dallas, TX, es aprox. 800 __?__.
6. Un racimo de bananas pesa aprox. 2 __?__.
7. Un cuentagotas contiene aprox. 1 __?__ de líquido.
8. Mide la longitud de la flecha a la media pulgada, al cuarto o al octavo de pulgada más cercanos.

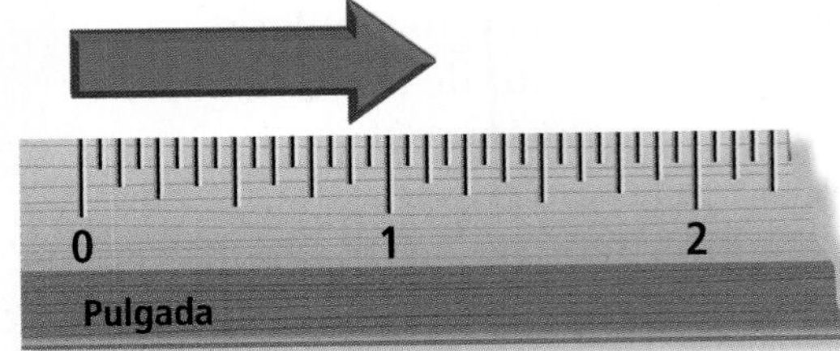

9-2 Cómo comprender las unidades métricas de medida (págs. 492-495)

EJEMPLO

■ **¿Qué unidad de medida da la mejor estimación? Explica.**

Un sofá mide aprox. 3 __?__ de largo.

Razona: La longitud de un sofá es aproximadamente 3 veces el ancho de una cama de una plaza.

Un sofá mide aprox. 3 m de largo.

Mide la longitud de la flecha al centímetro más cercano.

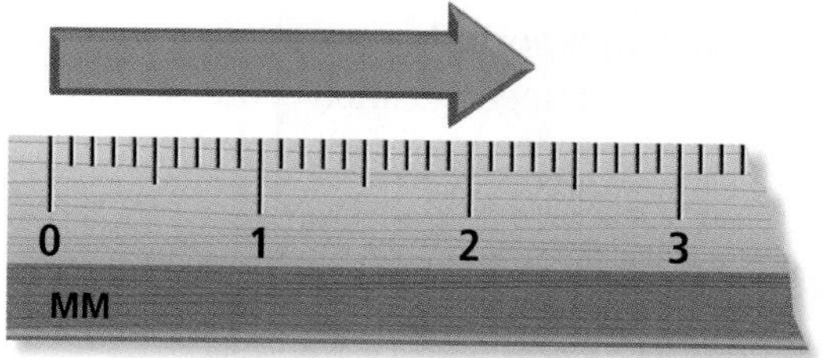

La flecha está entre 2 y 3 cm. Está más cerca de 2 cm.

La longitud de la flecha es aprox. 2 cm.

EJERCICIOS

¿Qué unidad de medida da la mejor estimación? Explica.

9. Un clip mide aprox. 32 __?__ de largo.
10. Un grano de arroz tiene una masa de aprox. 5 __?__.
11. Una computadora portátil tiene una masa de aprox. 2 __?__.
12. Una jarra grande tiene una capacidad de aprox. 2 __?__.
13. Mide la longitud de la flecha al centímetro más cercano.

9-3 Cómo convertir unidades usuales (págs. 496-499)

EJEMPLO

■ **Convierte 5 yardas a pies.**

Establece un factor de conversión.

$5\ \cancel{yd} \times \frac{3\text{ pies}}{1\ \cancel{yd}}$ *Razona: Yardas a pies: 3 pies = 1 yd. Por lo tanto, usa 3 pies / yd*

5 yd = 15 pies *Multiplica 5 yd por el factor de conversión. Cancela la unidad común, yd.*

EJERCICIOS

Convierte.

14. 3 mi a pies
15. 18 pies a yardas
16. 3 ct a tazas
17. 48 tz a gal
18. 128 oz a libras
19. 8,000 lb a toneladas
20. $\frac{64\text{ oz}}{x\text{ lb}} = \frac{16\text{ oz}}{1\text{ lb}}$
21. $\frac{12\text{ pies}}{x\text{ pulg}} = \frac{1\text{ pie}}{12\text{ pulg}}$
22. $\frac{8\text{ pt}}{x\text{ ct}} = \frac{2\text{ pt}}{1\text{ ct}}$
23. $\frac{3\text{ pies}}{1\text{ yd}} = \frac{x\text{ pies}}{33\text{ yd}}$
24. La altura de las torres del puente Golden Gate, en San Francisco, es 750 pies. ¿De cuántas yardas es esta altura?

9-4 Cómo convertir unidades métricas (págs. 500–503)

EJEMPLO

■ **Convierte.**

29 cm = ▢ m

$\cancel{29}\text{ cm} \cdot \frac{1\text{ m}}{\cancel{100}\text{ cm}} = 0.29\text{ m}$ *Cancela la unidad común, cm.*

EJERCICIOS

Convierte.

25. 3.2 L = ▢ mL
26. 7 mL = ▢ L
27. 342 m = ▢ km
28. 42 g = ▢ kg
29. 51 mm = ▢ m
30. 71 km = ▢ m

Guía de estudio: Repaso

9-5 El tiempo y la temperatura (págs. 504–507)

EJEMPLO

- **Convierte.**

14 horas = ▢ minutos

$14\,\cancel{h} \cdot \frac{60 \text{ min}}{1\,\cancel{h}} = 840 \text{ min}$

1 hora = 60 minutos

EJERCICIOS

Convierte.

31. 3,600 segundos = ▢ horas

32. 990 minutos = ▢ segundos

33. 15 semanas = ▢ días

9-6 Cómo hallar la medida de los ángulos en polígonos (págs. 510–513)

EJEMPLO

- **Usa un transportador para hallar la medida de $\angle ABC$. Luego clasifica el ángulo.**

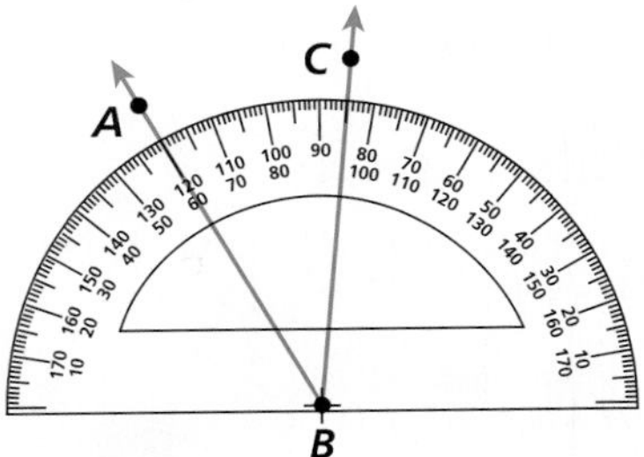

$\angle ABC = 95° - 60° = 35°$

Como $35° < 90°$, el ángulo es agudo.

EJERCICIOS

34. Usa un transportador para hallar la medida del $\angle ABC$. Luego clasifica el ángulo.

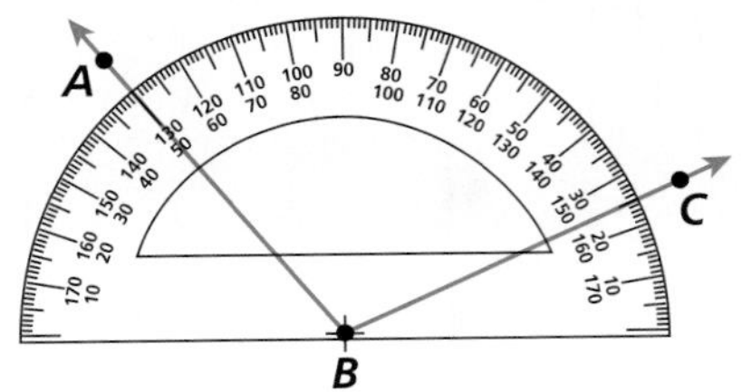

9-7 Perímetro (págs. 514–517)

EJEMPLO

- **Halla el perímetro de la figura.**

Suma las longitudes de todos los lados.

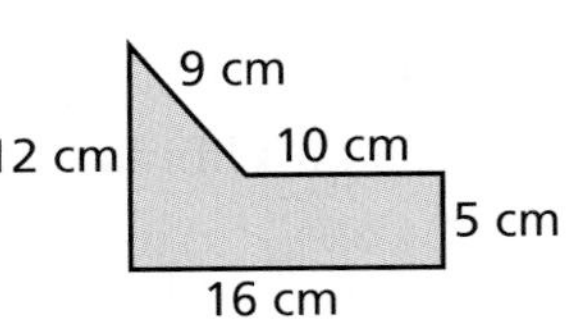

$P = 9 + 10 + 5 + 16 + 12$ $P = 52$

El perímetro es 52 cm.

EJERCICIOS

35. Halla el perímetro de la figura.

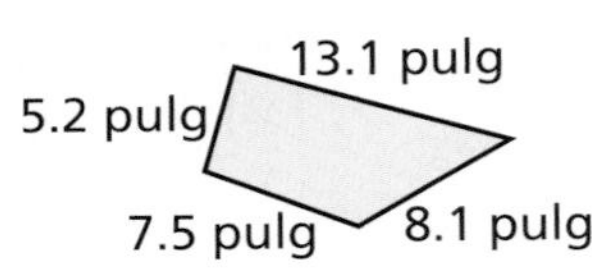

36. ¿Cuál es la longitud de n si el perímetro es 20 pies?

4 pie, 1 pie, 3 pies, 1 pie, 1 pie, 3 pies, n

9-8 Círculos y circunferencia (págs. 520–523)

EJEMPLO

- **Halla la circunferencia del círculo. Usa 3.14 para π.**

$C = \pi d$

$C \approx 3.14 \cdot 6$

$C \approx 18.84$ cm

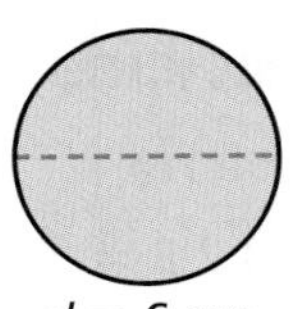

EJERCICIOS

Halla los valores que faltan a la centésima más cercana. Usa 3.14 para π.

37. $d = 10$ pies; $C = \underline{?}$

38. $r = 8$ cm; $C = \underline{?}$

39. $C = 28.26$ m; $d = \underline{?}$

40. $C = 69.08$ pies; $r = \underline{?}$

EXAMEN DEL CAPÍTULO

CAPÍTULO 9

¿Qué unidad métrica de medida da la mejor estimación? Explica.

1. Una maceta puede contener aproximadamente 1 __?__ de agua.
2. Un pichón de pájaro tiene una masa de aproximadamente 15 __?__.
3. La longitud de un grillo es aproximadamente 3 __?__.

Usa la tabla para los Problemas del 4 al 6.

4. Si a Darian lo llevaron a la nursery a las 2:25 pm, ¿cuánto tiempo estuvo en la habitación del hospital?
5. Convierte el peso de Darian a onzas.
6. ¿Cuánto mide Darian en pulgadas?

Bebé Darian Cole	
Fecha de nacimiento	1ro de mayo de 2005, 11:45 am
Peso	7 lb
Talla	1 pie 8 pulg

Estima la temperatura.

7. 48° C es aproximadamente ▒ ° F.

8. 70° F es aproximadamente ▒ ° C.

Usa un transportador para hallar la medida de cada ángulo. Luego clasifica el ángulo.

9. 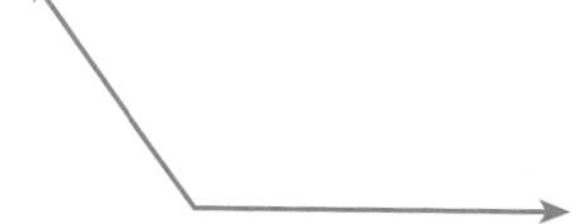

10. 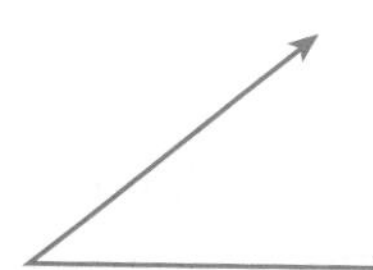

Halla el perímetro de cada figura.

11. 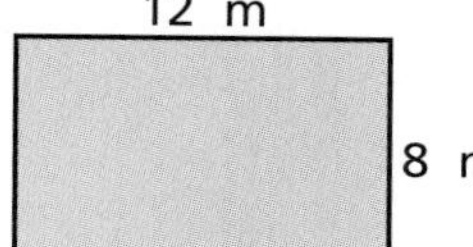

12. 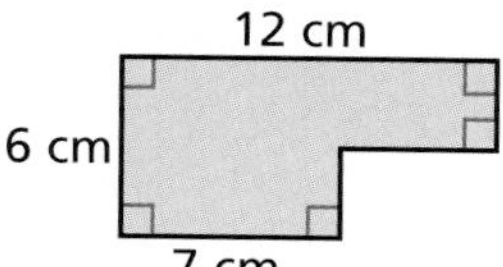

13. 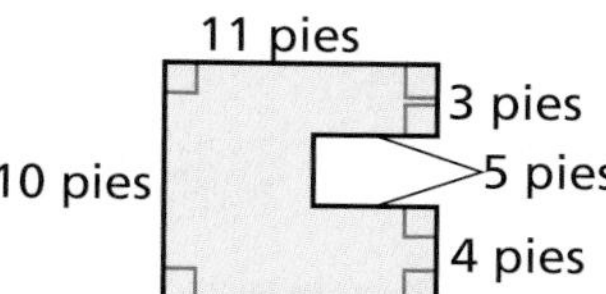

Identifica el círculo y dos radios y luego halla la circunferencia de cada círculo. Usa 3.14 para π y redondea a la centésima más cercana.

14. 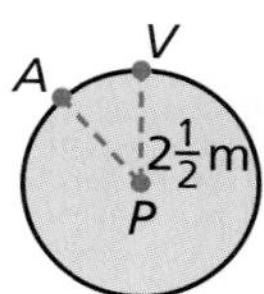

15. 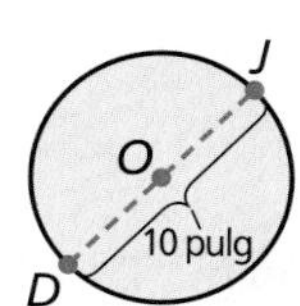

16. 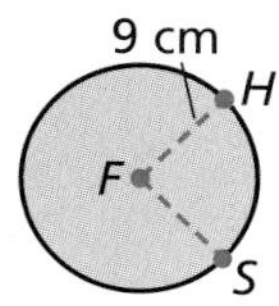

Halla cada valor que falta a la centésima más cercana. Usa 3.14 para π.

17. $r = 4$ cm; $C =$ __?__

18. $d = 10$ pies; $C =$ __?__

19. $C = 37.68$ pies; $d =$ __?__

20. Un jardinero cava un jardín de rosas. Halla la circunferencia del jardín de rosas redondeando π a 3.

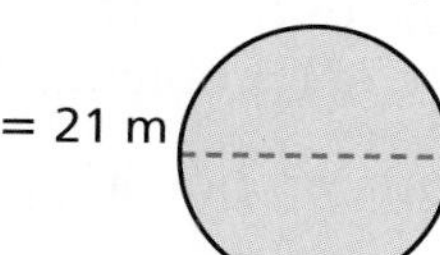

Examen del capítulo

CAPÍTULO 9

AYUDA PARA EXAMEN

Estrategias para el examen estandarizado

Cualquier tipo de pregunta: Usa un diagrama

Los diagramas son un instrumento útil. Si un punto de un examen incluye un diagrama, estúdialo cuidadosamente porque puede contener información útil. A veces ayuda que dibujes tu propio diagrama.

EJEMPLO 1

Opción múltiple Dentro de un círculo grande hay un círculo pequeño. El diámetro del círculo pequeño es 10 pies. Si la circunferencia del círculo grande es 4 veces mayor que la circunferencia del círculo pequeño, ¿cuál es el radio del círculo grande? (Redondea *pi* a 3).

(A) 20 pies (B) 30 pies (C) 40 pies (D) 120 pies

Dibuja un diagrama para visualizar el problema.
Dibuja dos círculos y rótulalos con toda la información que da el problema.

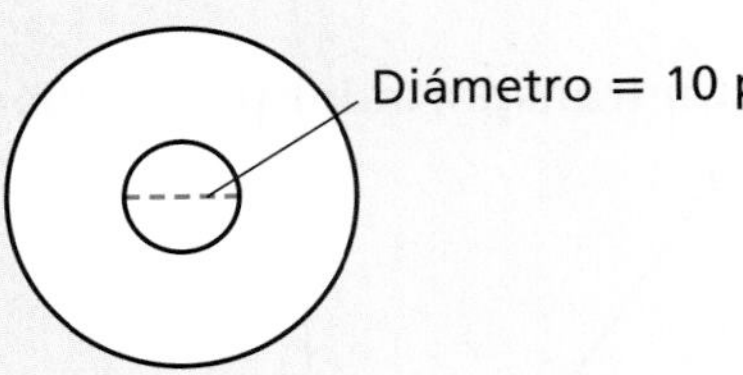

La circunferencia del círculo pequeño mide aproximadamente 30 pies. La circunferencia del círculo grande mide aproximadamente 120 pies. Divide entre 2π.
$120 \div (3 \cdot 2) = 20$, de modo que el radio sea aproximadamente 20 pies.

La opción A es la correcta.

EJEMPLO 2

Respuesta breve $\triangle ABC$ es semejante a $\triangle FDE$. Halla la longitud que falta.

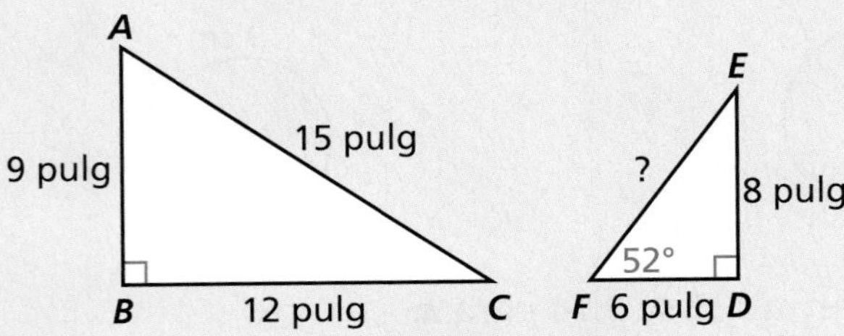

Estos triángulos no parecen semejantes y no están dibujados a escala, pero la información del problema dice que sí.

Establece una proporción para hallar la longitud que falta y halla x. $\frac{x}{6} = \frac{15}{9}$

La longitud desconocida es 10 pulg.

Si tienes dificultades para entender qué pregunta un punto del examen, dibuja un diagrama para visualizar la pregunta.

Lee cada punto del examen y contesta las preguntas que le siguen.

A

Opción múltiple La temperatura en la cabaña de esquí era 21° F a las 9:00 pm. Al salir el sol, la temperatura era 34° F. ¿Cuántos grados aumentó la temperatura durante la noche?

Ⓐ 54° F
Ⓑ 25° F
Ⓒ 13° F
Ⓓ 4° F

1. ¿Qué información te ayudará a resolver el problema?
2. Traza un diagrama para resolver este problema. No olvides rotular el diagrama con toda la información que conoces.

B

Respuesta breve Demuestra que los siguientes dos rectángulos son semejantes. Explica tu razonamiento.

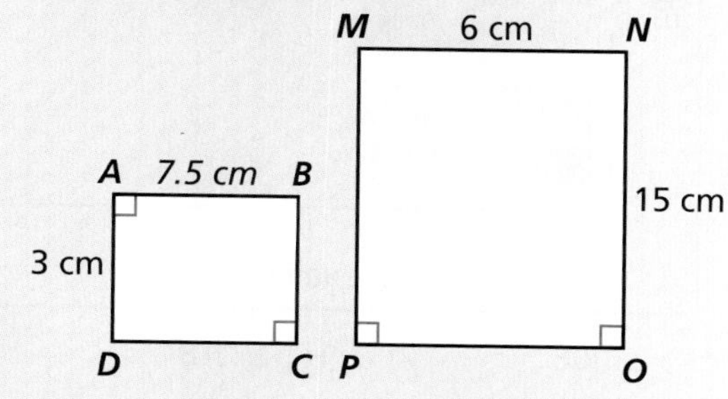

3. ¿Qué información puedes extraer del diagrama que te ayude a demostrar que las figuras son semejantes?
4. ¿Crees que los dibujos ilustran con precisión la información dada? Si no es así, ¿por qué?
5. ¿Cuál es la longitud de $\overline{DC}$?

C

Respuesta gráfica El lado más largo de un triángulo mide 14.4 centímetros. Su lado más corto es 5.9 centímetros más corto que el lado más largo. Si el perímetro del triángulo es 35.2 centímetros, ¿cuánto mide el tercer lado?

6. ¿Cómo determinas el perímetro de un triángulo?
7. Dibuja un diagrama del triángulo. Explica de qué manera trazar el diagrama puede ayudarte a resolver el problema.
8. Indica cómo marcarías tu respuesta a este punto de examen en una cuadrícula.

D

Opción múltiple ¿Qué pares de ángulos son opuestos por el vértice?

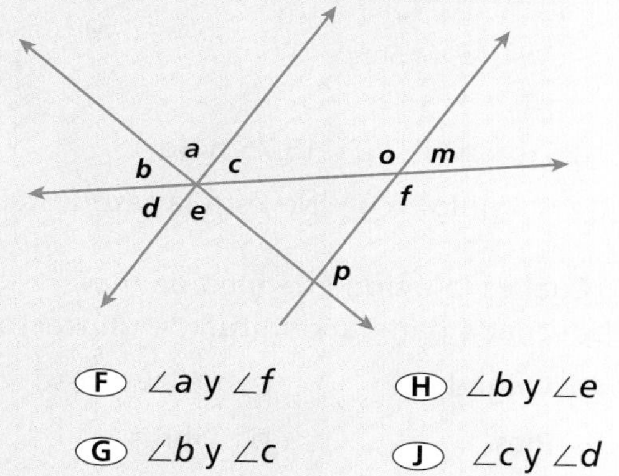

Ⓕ $\angle a$ y $\angle f$
Ⓖ $\angle b$ y $\angle c$
Ⓗ $\angle b$ y $\angle e$
Ⓙ $\angle c$ y $\angle d$

9. ¿Qué opción de respuesta puedes eliminar de inmediato? ¿Por qué?
10. ¿Cómo puedes usar el diagrama para eliminar las otras opciones?
11. Explica cuál es la opción de respuesta correcta.

CAPÍTULO 9

PREPARACIÓN PARA EL EXAMEN ESTANDARIZADO

go.hrw.com
Práctica en línea para el examen estatal
CLAVE: MR7 TestPrep

Evaluación acumulativa, Capítulos 1–9

Opción múltiple

1. La bola de cordel más grande del mundo está en Cawker City, Kansas. Pesa 17,571 libras. ¿Cuántas toneladas pesa aproximadamente esta bola de cordel?

Ⓐ 9 toneladas Ⓒ 11 toneladas
Ⓑ 10 toneladas Ⓓ 12 toneladas

2. Los siguientes dos triángulos son semejantes. ¿Cuánto mide el lado desconocido, n?

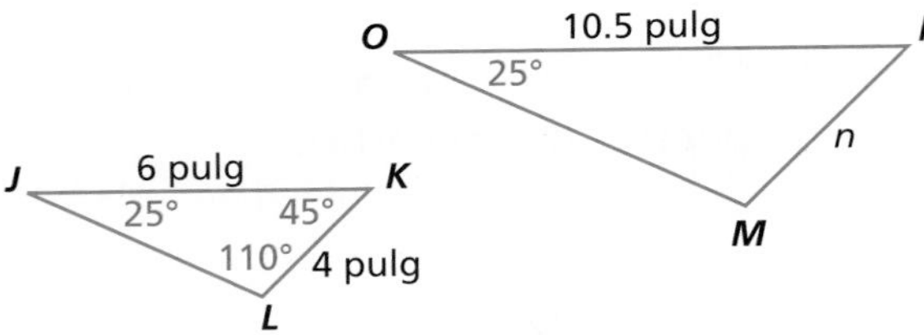

Ⓕ 7 pulg Ⓗ 15.75 pulg
Ⓖ 8.5 pulg Ⓙ No está la respuesta.

3. ¿Cuál es la unidad de medida más adecuada para la longitud de un tractor?

Ⓐ Pulgadas Ⓒ Milímetros
Ⓑ Pies Ⓓ Libras

4. En 2002, el Censo de Estados Unidos informó que había 37.4 millones de latinos viviendo en el país. Aproximadamente 3.2 millones de esos latinos provenían de Puerto Rico. ¿Qué porcentaje de la población latina en 2002 provenía de Puerto Rico?

Ⓕ 0.086% Ⓗ 8.6%
Ⓖ 0.86% Ⓙ 86%

5. Las clases de violín de Josh comienzan a las 8:55 am y duran 95 minutos. ¿A qué hora terminará la lección de Josh?

Ⓐ 9:45 am Ⓒ 10:30 am
Ⓑ 10:15 am Ⓓ 10:45 am

6. Una encuesta en línea de Kids' Money les pidió a los niños que informaran cuánto dinero recibían como mensualidad. Abajo se muestran los resultados para los niños de 6 a 12 años. Según esta encuesta, ¿cuál es la mensualidad promedio de los niños de 8 a 12 años?

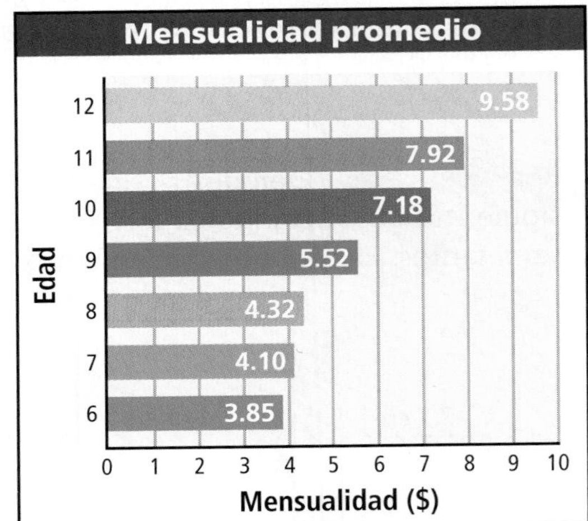

Ⓕ $6.06 Ⓗ $7.18
Ⓖ $6.90 Ⓙ $8.49

7. Shelly tiene un estante para libros que mide $48\frac{3}{4}$ pulg de largo. Si los libros de texto de Shelly miden $3\frac{1}{2}$ pulg de ancho, ¿cuántos libros caben en su estante?

Ⓐ 15 libros Ⓒ 13 libros
Ⓑ 14 libros Ⓓ 12 libros

Preparación para el examen estandarizado

8. ¿Qué unidad métrica debe usarse para indicar cuánto líquido cabe en un tarro?

   Ⓕ Kilogramos
   Ⓗ Milímetros
   Ⓖ Miligramos
   Ⓙ Mililitros

9. ¿Cuál de los siguientes enunciados sobre figuras planas NO es verdadero?

   Ⓐ Un cuadrado es siempre un rombo.
   Ⓑ Un rectángulo es siempre un cuadrado.
   Ⓒ Un trapecio es siempre un cuadrilátero.
   Ⓓ Un rombo es siempre un paralelogramo.

Para convertir entre unidades métricas, multiplica por una potencia de 10 cuando cambies de unidades grandes a unidades más pequeñas. Divide entre una potencia de 10 cuando cambies de unidades pequeñas a unidades más grandes.

Respuesta gráfica

10. Nicole sube al tren a las 8:13 am y baja a las 9:02 am. ¿Durante cuántos minutos estuvo Nicole en el tren?

11. Halla el valor de la expresión $5(6x + 4y^2 - 2z)$ cuando $x = 4$, $y = 5$ y $z = 6$.

12. El número del casillero de Jordan es mayor que 225 pero menor que 250. Es divisible entre 3 y 9, pero no entre 2, 4 ó 5. ¿Cuál es el número del casillero de Jordan?

13. En 1912 se encontró una pitón reticulada de 10.7 metros de largo. ¿Cuántos centímetros de largo medía esta serpiente?

14. ¿Cuál es el 5° término de una sucesión que empieza en 6 y se divide cada vez entre $\frac{1}{3}$?

15. Jessie es $1\frac{1}{2}$ vez más alta que su hermana. Si su hermana mide 4 pies de estatura, ¿cuántas pulgadas más que su hermana mide Jessie?

Respuesta breve

16. Los tanques de gasolina de Gene y Janice están vacíos. A Gene le costó $48.52 llenar su tanque de 25.7 galones. En otra gasolinera, Janice llenó su tanque de 13.8 galones y pagó $25.80. ¿Quién pagó más por galón? Explica.

17. Larry hace una maqueta de una piscina olímpica. La escala es 2 cm = 5 m.

    a. Una piscina olímpica mide 50 m de largo por 25 m de ancho. ¿Cuáles son las dimensiones de la maqueta? Muestra tu trabajo.

    b. En la piscina real hay 8 carriles. Cada carril mide 2.5 m de ancho. ¿Cuántos centímetros tienen los carriles en la maqueta? Muestra tu trabajo.

18. Un campo de fútbol americano reglamentario mide 160 pies de ancho y 420 pies de largo. Estas dimensiones incluyen las zonas finales.

    a. ¿Cuál es el perímetro en yardas de un campo de fútbol americano reglamentario? Muestra tu trabajo.

    b. Un campo de fútbol americano tiene dos zonas finales al final de cada lado del campo de juego. Si el campo de juego mide 100 yardas de largo, ¿cuántas pulgadas de largo mide una zona final? Muestra tu trabajo.

Respuesta desarrollada

19. Teresa quiere construir un borde de piedra alrededor de un gran nogal. Las piedras miden 6 pulgadas de largo.

    a. ¿Cuántas piedras necesita Teresa si construye un borde cuadrado de 8 pies de largo? Muestra tu trabajo.

    b. ¿Cuántas piedras necesita Teresa si hace un borde circular de 8 pies de diámetro? Usa $\frac{22}{7}$ para π. Muestra tu trabajo.

    c. Si las piedras cuestan $2.69 cada una, ¿cuánto dinero ahorrará Teresa si construye un borde circular en lugar de uno cuadrado? Explica.

CAPÍTULO

10

Medición: área y volumen

PREPARACIÓN DE VARIOS PASOS PARA EL EXAMEN

go.hrw.com

Presentación del capítulo en línea

CLAVE: MR7 Ch10

Tabla de cobertura (1 yd^3 de viruta de madera)

Profundidad de la viruta (pulg)	Área cubierta (pies^2)
$\frac{1}{2}$	640
1	320
2	160
3	$106\frac{2}{3}$
4	80

Profesión *Arquitecta paisajista*

Casi todos los centros de compras tienen pasajes, jardines y árboles. Un arquitecto paisajista los diseña de modo que resulten agradables y adecuados al ambiente. Los arquitectos paisajistas también proyectan la ubicación de zonas residenciales, parques de oficinas y campus escolares.

Para calcular los costos, los arquitectos paisajistas deben estimar cuánto material se necesita para cubrir las áreas plantadas. Por ejemplo, en la tabla se muestra la cantidad de pies cuadrados que se pueden cubrir con 1 yarda cúbica de viruta de madera.

Vocabulario

Elige de la lista el término que mejor complete cada enunciado.

centímetros
cuadrado
cubo
hexágono
litros
metros
paralelogramo
pies
pulgadas
trapecio

1. Un __?__ es un cuadrilátero con lados opuestos paralelos y congruentes.
2. Algunas de las unidades usuales de longitud son __?__ y __?__. Algunas de las unidades métricas de longitud son __?__ y __?__.
3. Un __?__ es un cuadrilátero con lados congruentes y cuatro ángulos rectos.
4. Un __?__ es un polígono con seis lados.

Resuelve los ejercicios para practicar las destrezas que usarás en este capítulo.

Sumar y multiplicar números cabales, fracciones y decimales

Halla cada suma o producto.

5. $1.5 + 2.4 + 3.6 + 2.5$ **6.** $2 \cdot 3.5 \cdot 4$ **7.** $\frac{22}{7} \cdot 21$

8. $\frac{1}{2} \cdot 5 \cdot 4$ **9.** $3.2 \cdot 5.6$ **10.** $\frac{1}{2} \cdot 10 \cdot 3$

11. $(2 \cdot 5) + (6 \cdot 8)$ **12.** $2(3.5) + 2(1.5)$ **13.** $9(20 + 7)$

Estimar longitudes métricas

Usa una regla en centímetros para medir cada línea al centímetro más cercano.

14. ____

15. ________________________

Identificar polígonos

Identifica cada polígono. Determina si es regular o irregular.

16.

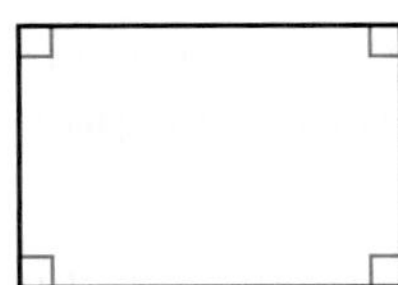

17.

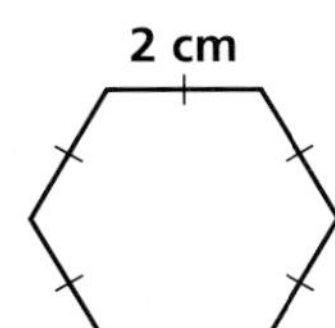

18.

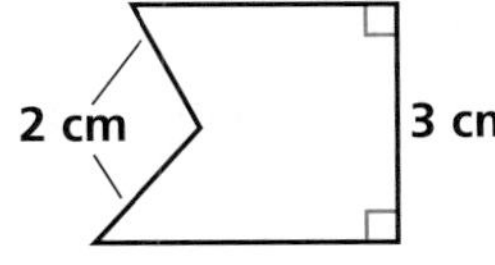

CAPÍTULO 10

Guía de estudio: Avance

De dónde vienes

Antes,

- seleccionaste las unidades apropiadas para medir el perímetro, el área y el volumen.
- clasificaste polígonos.
- identificaste figuras tridimensionales.

En este capítulo

Estudiarás

- cómo resolver problemas relacionados con el área.
- cómo identificar, trazar y construir figuras tridimensionales.
- cómo hallar el área total de prismas, pirámides y cilindros.
- cómo hallar el volumen de prismas y cilindros.

Adónde vas

Puedes usar las destrezas aprendidas en este capítulo

- para hallar el volumen de pirámides, conos y esferas.
- para hallar el área total de esferas.

Vocabulario/Key Vocabulary

área	area
área total	surface area
arista	edge
base (de un polígono o figura tridimensional)	base
cara	face
cilindro	cylinder
pirámide	pyramid
poliedro	polyhedron
vértice	vertex
volumen	volume

Conexiones de vocabulario

Considera lo siguiente para familiarizarte con algunos de los términos de vocabulario del capítulo. Puedes consultar el capítulo, el glosario o un diccionario si lo deseas.

1. La palabra *cilindro* viene del griego *kylindein,* que significa "rodar". ¿Qué te parece que puede hacer una figura tridimensional de **cilindro?** ¿Qué forma supones que tendrá su base?
2. La palabra *poliedro* viene del griego *polis,* que significa "muchos", y *hedra,* que significa "base". ¿Cómo crees que están formados los **poliedros?**
3. Las pirámides egipcias son enormes estructuras de piedra cuyas paredes exteriores, que tienen la forma de cuatro triángulos, se encuentran en un punto en la parte superior. ¿Qué formas crees que componen una **pirámide?**
4. La palabra *vértice* puede significar "el punto más alto". ¿Dónde te parece que puedes hallar un **vértice** de una figura tridimensional?

Estrategia de lectura: Aprende el vocabulario matemático

En las páginas de tu libro de texto aparecen muchos términos matemáticos nuevos. Si aprendes estos nuevos términos y su significado cuando aparecen por primera vez, podrás aplicar este conocimiento a diferentes conceptos en tus clases de matemáticas.

Algunas maneras de aprender vocabulario son las siguientes:

- Trata de encontrar el significado de un término nuevo por su contexto.
- Usa el prefijo o el sufijo para entender el significado del término.
- Relaciona el nuevo término con palabras o situaciones familiares y cotidianas.

Palabra del vocabulario	Definición	Sugerencia de estudio
Origen	El punto (0, 0) donde se cruzan el eje *x* y el eje *y* en el plano cartesiano	La primera letra de la palabra es una "O"; eso te puede recordar que las coordenadas del origen son (0, 0).
Cuadrantes	El eje *x* y el eje *y* dividen el plano cartesiano en cuatro regiones. Cada una de las regiones se llama cuadrante.	El prefijo *cuad* significa "cuatro". Por ejemplo, un *cuadrilátero* es una figura de cuatro lados.
Coordenada	Uno de los números de un par ordenado que ubican un punto en una gráfica de coordenadas	*Razona: x* coordina con *y.*

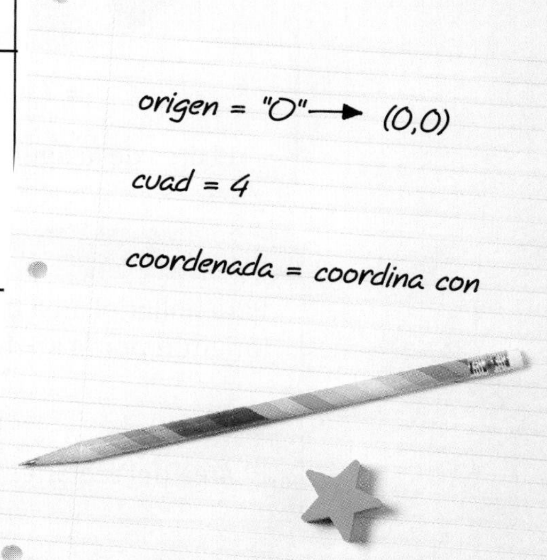

Inténtalo

A medida que avanzas en el capítulo, completa la tabla como ayuda para aprender las palabras del vocabulario.

	Palabra del vocabulario	Definición	Sugerencia de estudio
1.	Área	■	■
2.	■	■	■
3.	■	■	■

10-1 Cómo estimar y hallar el área

Aprender a estimar el área de figuras irregulares y a hallar el área de rectángulos y paralelogramos

Vocabulario

área

Cuando los primeros habitantes se establecieron en las tierras que se convirtieron en Estados Unidos, a veces los límites de la propiedad eran formaciones naturales, como ríos, árboles y colinas. Para conocer la extensión de sus propiedades, los hacendados debían estimar el área de sus tierras.

El **área** de una figura es la cantidad de superficie que cubre. El área se mide en unidades cuadradas.

EJEMPLO 1 Estimar el área de una figura irregular

Estima el área de la figura.

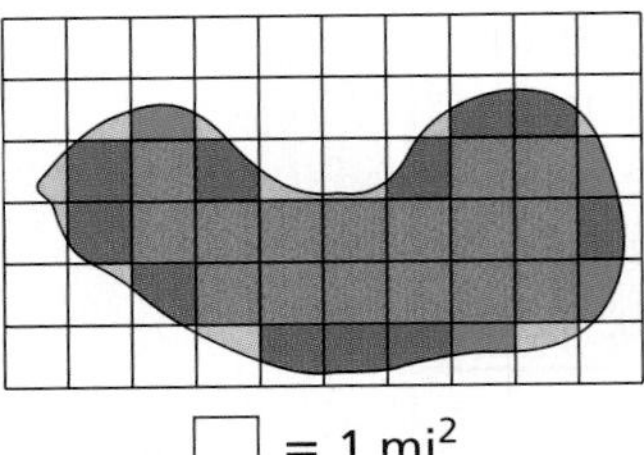

Cuenta los cuadrados llenos: 16 cuadrados rojos.

Cuenta los cuadrados casi llenos: 11 cuadrados azules.

Cuenta los cuadrados casi llenos a la mitad: 4 cuadrados verdes ≈ 2 cuadrados llenos.

No cuentes los cuadrados amarillos casi vacíos.

Suma. $16 + 11 + 2 = 29$

El área de la figura mide aproximadamente 29 mi^2.

ÁREA DE UN RECTÁNGULO

Para hallar el área de un rectángulo, multiplica la longitud por el ancho.

$$A = \ell a$$
$$A = 4 \cdot 3 = 12$$

El área del rectángulo mide 12 unidades cuadradas.

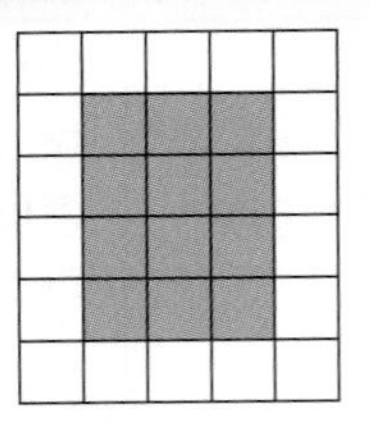

EJEMPLO 2 Hallar el área de un rectángulo

Halla el área del rectángulo.

13 m

8 m

$A = \ell a$ *Escribe la fórmula.*

$A = 13 \cdot 8$ *Sustituye ℓ por 13 y a por 8.*

$A = 104$ *Multiplica.*

El área mide 104 m^2.

Puedes usar la fórmula del área de un rectángulo para escribir la fórmula del área de un paralelogramo. Supongamos que recortas el triángulo dibujado en el paralelogramo y lo corres a la derecha para formar un rectángulo.

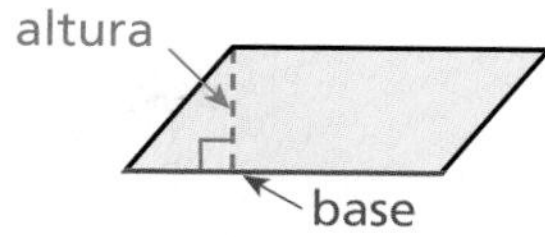

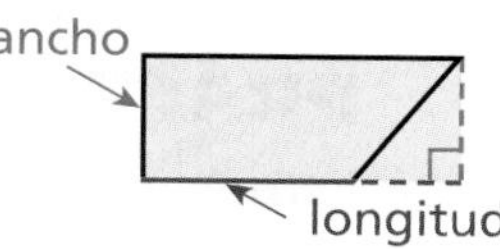

El área de un paralelogramo = bh. El área de un rectángulo = ℓa.

La **base** del paralelogramo es la **longitud** del rectángulo.
La **altura** del paralelogramo es el **ancho** del rectángulo.

EJEMPLO 3 Hallar el área de un paralelogramo

Halla el área del paralelogramo.

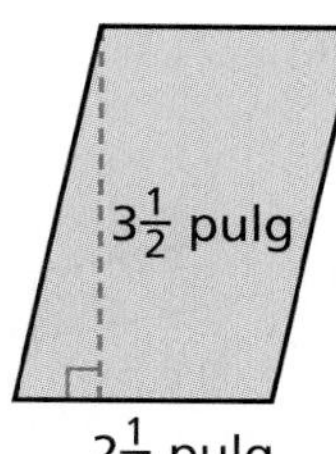

$A = bh$ *Escribe la fórmula.*

$A = 2\frac{1}{3} \cdot 3\frac{1}{2}$ *Sustituye b por $2\frac{1}{3}$ y h por $3\frac{1}{2}$.*

$A = \frac{7}{3} \cdot \frac{7}{2}$ *Multiplica.*

$A = \frac{49}{6}$ ó $8\frac{1}{6}$ El área mide $8\frac{1}{6}$ pulg^2.

EJEMPLO 4 *Aplicación al tiempo libre*

Un parque rectangular se compone de una piscina rectangular que se alimenta de un manantial y un terreno para picnic de piedra caliza que la rodea. El parque rectangular mide 30 yd por 25 yd y la piscina mide 10 yd por 4 yd. ¿Cuál es el área del terreno para picnic?

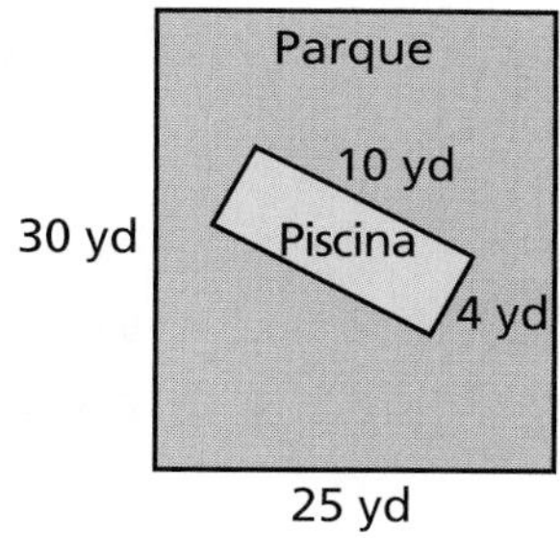

Para hallar el área del terreno para picnic, resta el área de la piscina del área del parque.

área del parque	−	área de la piscina	=	área del terreno para picnic	
$(30 \cdot 25)$	−	$(10 \cdot 4)$	=	n	*Sustituye ℓ y a en $A = \ell a$.*
750	−	40	=	710	*Usa el orden de las operaciones.*

El área del terreno para picnic mide 710 yd^2.

Razonar y comentar

1. Explica cómo se relacionan el área de un triángulo y el área de un rectángulo que tienen la misma base y la misma altura.

2. Da la fórmula del área de un cuadrado.

10-1 Ejercicios

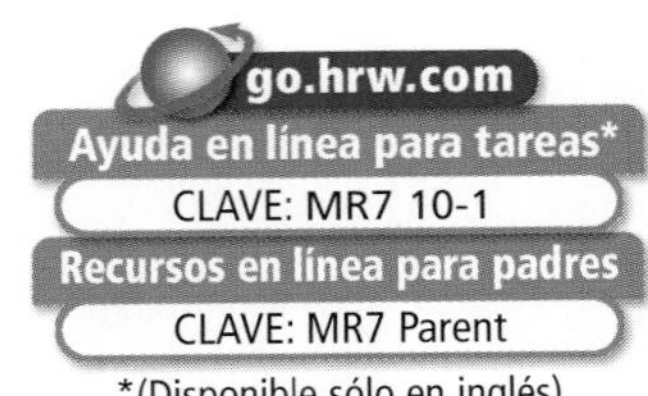

PRÁCTICA GUIADA

Ver Ejemplo 

Estima el área de cada figura.

1. 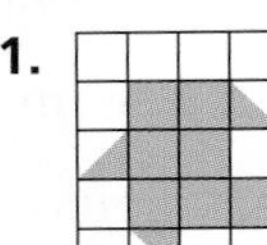

2. 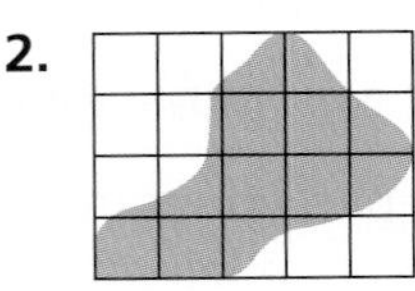

3. 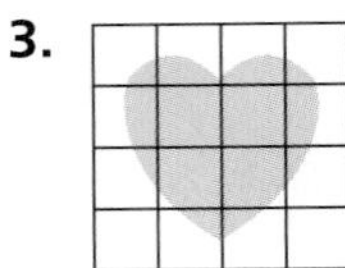

Ver Ejemplo 

Halla el área de cada rectángulo.

4. 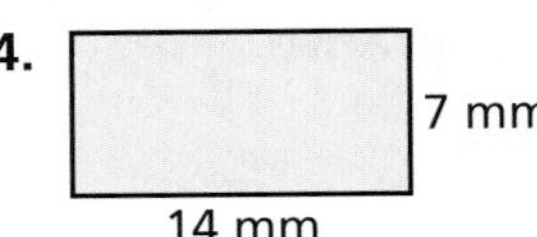

5. 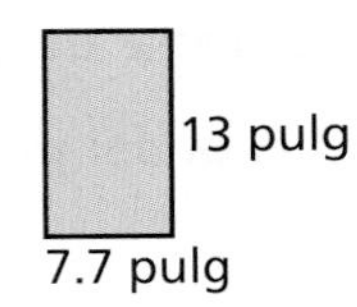

6. 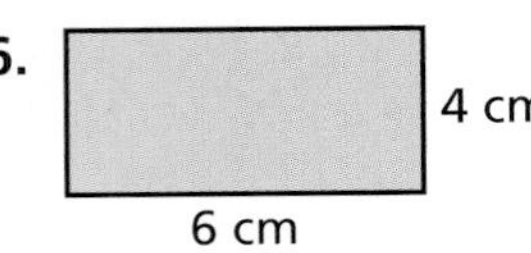

Ver Ejemplo 

Halla el área de cada paralelogramo.

7. 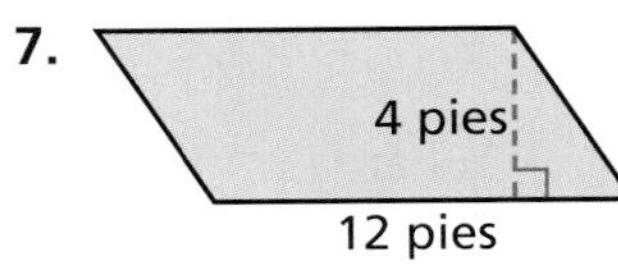

8. 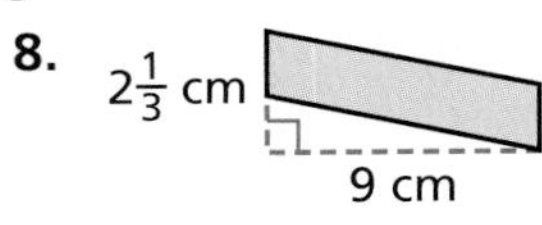

9. 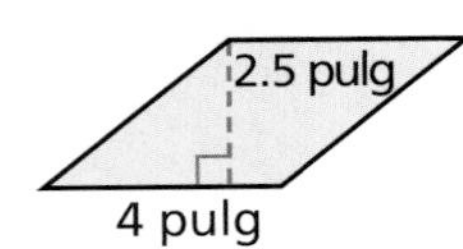

Ver Ejemplo 

10. Mindy diseña una fuente rectangular para un patio. El resto del patio se cubrirá con piedras. El patio rectangular mide 12 pies por 15 pies. ¿Cuál es el área del patio que se cubrirá con piedras?

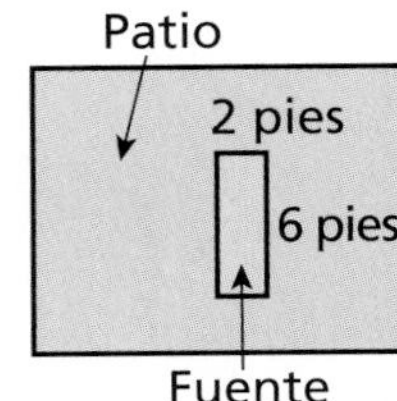

PRÁCTICA INDEPENDIENTE

Ver Ejemplo 

Estima el área de cada figura.

11. 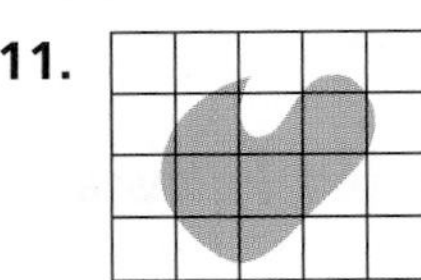

12. 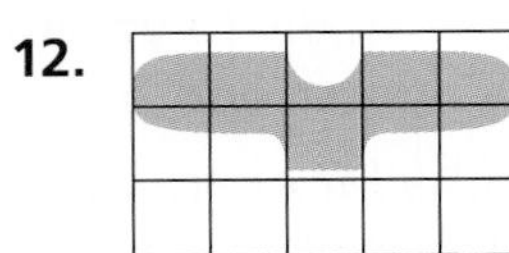

13. 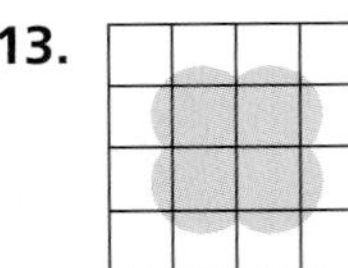

Ver Ejemplo 2

Halla el área de cada rectángulo.

14. 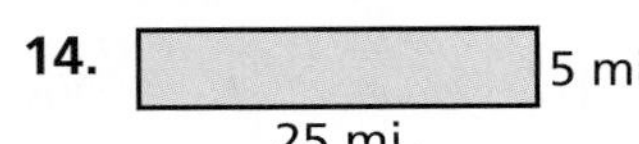

15. 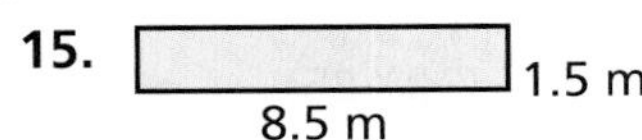

16. 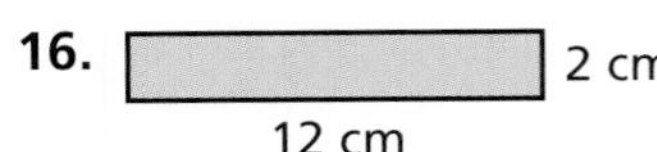

Ver Ejemplo 

Halla el área de cada paralelogramo.

17. 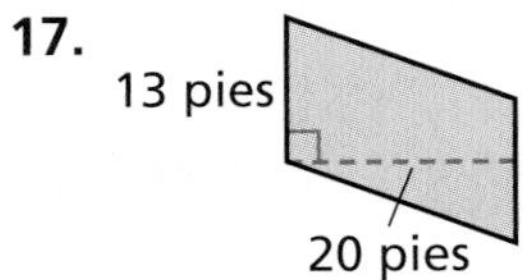

18. 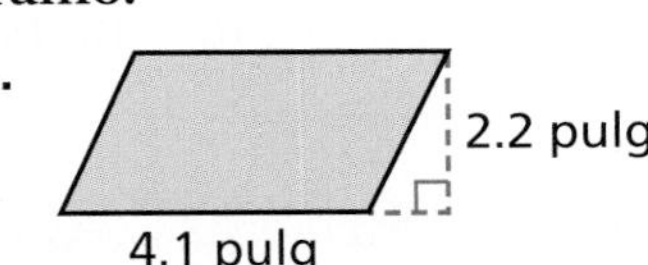

19. 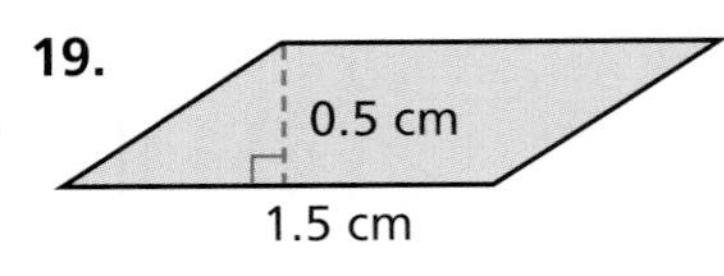

Ver Ejemplo 4

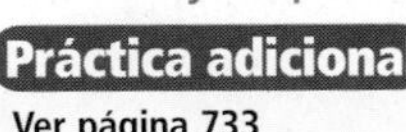

Ver página 733

20. Bob planta en una maceta rectangular. En el centro de la maceta, coloca una cuba rectangular más pequeña con plantas de menta. La cuba mide 8 pulg por 3 pulg. Alrededor de la cuba planta flores. ¿Cuánto mide el área plantada con flores?

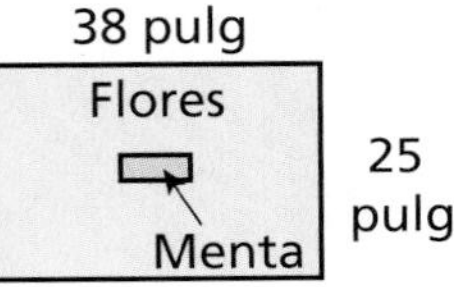

con los estudios sociales

Islandia tiene muchos volcanes activos y terremotos frecuentes. Hay más manantiales calientes en Islandia que en cualquier otro país del mundo.

Unos turistas observan la erupción del géiser Namafjall en la región de Myvatn, al norte de Islandia.

Usa el mapa para los Ejercicios 21 y 22.

21. **Elige una estrategia** Un cuadrado del mapa representa 1,700 km^2. ¿Cuál sería una estimación razonable del área de Islandia?

Ⓐ Menos de 65,000 km^2
Ⓑ Entre 90,000 y 105,000 km^2
Ⓒ Entre 120,000 y 135,000 km^2
Ⓓ Más de 150,000 km^2

22. **Estimación** Aproximadamente el 10% del área de Islandia está cubierta por glaciares. Estima el área cubierta por los glaciares.

23. **Escríbelo** La Casa es el edificio más antiguo de Islandia. Cuando fue construida, en 1765, los constructores midieron su longitud en *ells*. La base de La Casa mide 14 ells de ancho y 20 ells de largo. Explica cómo hallar el área en ells de La Casa.

24. **Desafío** La longitud de un ell variaba de un país a otro. En Inglaterra, un ell era igual a $1\frac{1}{4}$ yd. Supongamos que se hubiera medido La Casa en ells ingleses. Halla el área de La Casa en yardas.

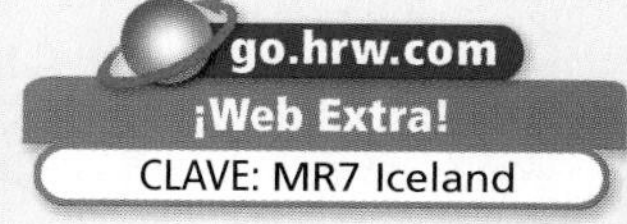

go.hrw.com
¡Web Extra!
CLAVE: MR7 Iceland

Preparación para el examen y repaso en espiral

25. **Opción múltiple** Hay un cuadrado pequeño dentro de otro cuadrado más grande. El cuadrado más grande mide 14 pies de largo. El más pequeño mide 2 pies de largo. ¿Cuál es el área de la región sombreada?

14 pies
2 pies

Ⓐ 52 pies^2 Ⓑ 192 pies^2 Ⓒ 196 pies^2 Ⓓ 200 pies^2

26. **Opción múltiple** Halla el área de un rectángulo de 3 pulg de longitud y 12 pulg de ancho.

Ⓕ 9 pulg^2 Ⓖ 18 pulg^2 Ⓗ 36 pulg^2 Ⓙ 144 pulg^2

Escribe todos los factores de cada número. (Lección 4-2)

27. 20 **28.** 85 **29.** 59 **30.** 40

31. Un árbol proyecta una sombra de 14 pies de largo. Al mismo tiempo, un chico de 5.5 pies de altura proyecta una sombra de 11 pies de largo. ¿Cuál es la altura del árbol? (Lección 7-5)

10-2 El área de triángulos y trapecios

Aprender **a hallar el área de triángulos y trapecios**

El edificio Flatiron (La Plancha), de la ciudad de Nueva York, se construyó en 1902. Muchos consideran que es el primer rascacielos de esa ciudad. La base del edificio tiene forma de triángulo. Puedes hallar la superficie del triángulo para saber cuánto terreno ocupa el edificio.

Puedes dividir cualquier paralelogramo en dos triángulos congruentes. El área de cada triángulo es la mitad del área del paralelogramo.

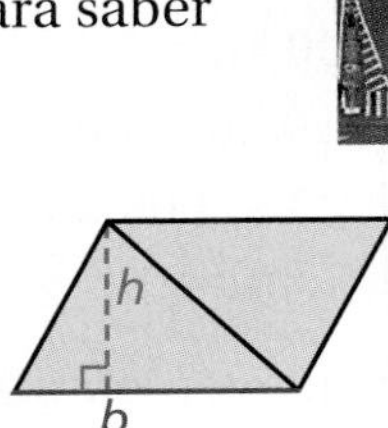

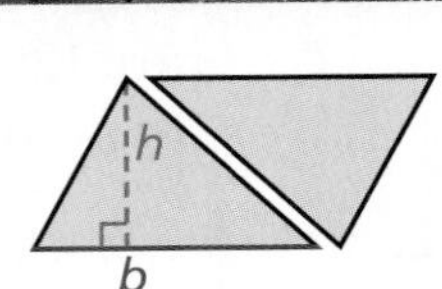

ÁREA DE UN TRIÁNGULO

El área *A* de un triángulo es la mitad del producto de su base *b* y su altura *h*.

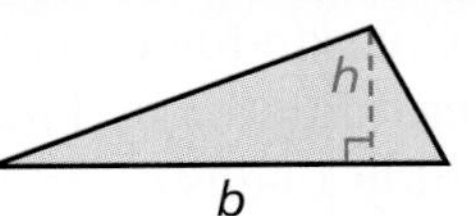

$A = \frac{1}{2}bh$

EJEMPLO 1 **Hallar el área de un triángulo**

Halla el área de cada triángulo.

A

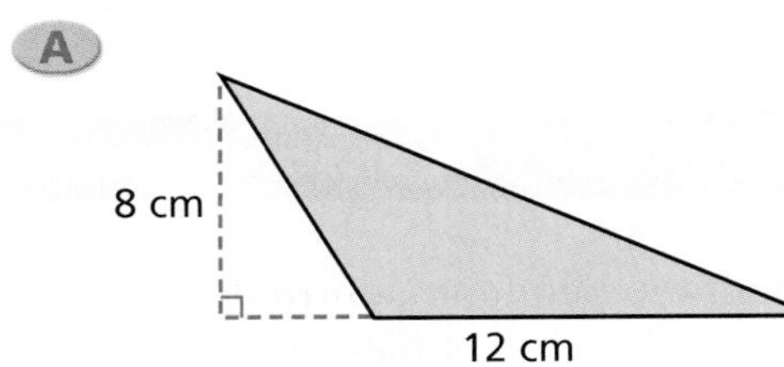

$A = \frac{1}{2}bh$ *Escribe la fórmula.*

$A = \frac{1}{2}(12 \cdot 8)$ *Sustituye b por 12. Sustituye h por 8.*

$A = \frac{1}{2}(96)$ *Multiplica.*

$A = 48$

El área mide 48 cm^2.

B

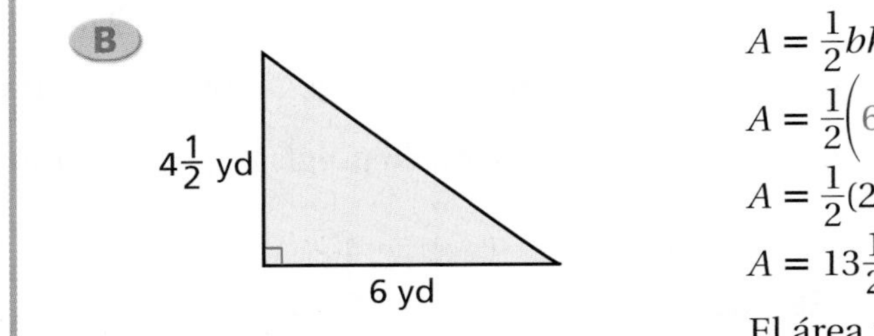

$A = \frac{1}{2}bh$ *Escribe la fórmula.*

$A = \frac{1}{2}\left(6 \cdot 4\frac{1}{2}\right)$ *Sustituye b por 6. Sustituye h por $4\frac{1}{2}$.*

$A = \frac{1}{2}(27)$ *Multiplica.*

$A = 13\frac{1}{2}$

El área mide $13\frac{1}{2}$ yd^2.

¡Atención!

Los catetos de un triángulo deben unirse en un ángulo de 90° para usar sus longitudes como la base y la altura del triángulo.

EJEMPLO 2 *Aplicación a la arquitectura*

En el diagrama se muestra el borde de la base del edificio Flatiron. ¿Cuál es el área de la base?

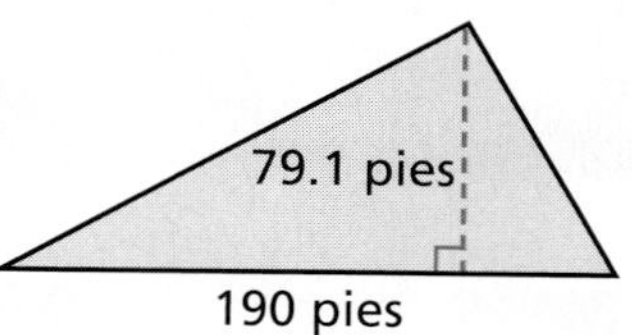

$A = \frac{1}{2}bh$ — *Escribe la fórmula.*

$A = \frac{1}{2}(190 \cdot 79.1)$ — *Sustituye b por 190. Sustituye h por 79.1.*

$A = \frac{1}{2}(15{,}029) = 7{,}514.5$ — *Multiplica.*

El área de la base mide 7,514.5 pies^2.

Un trapecio se puede dividir en un rectángulo y dos triángulos. El área del trapecio es la suma de las áreas del rectángulo y los triángulos.

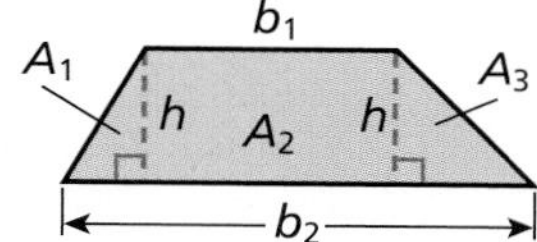

ÁREA DE UN TRAPECIO

El área A de un trapecio es el producto de la mitad de su altura h y la suma de sus bases b_1 y b_2.

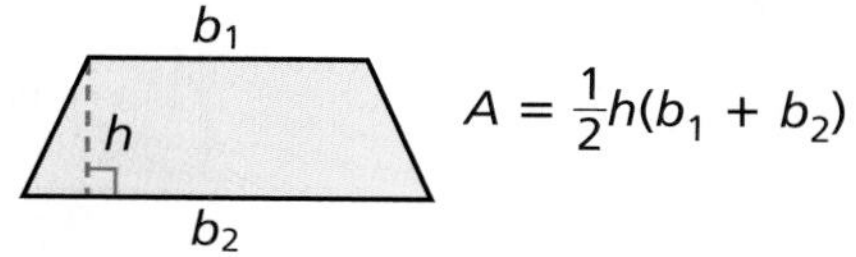

EJEMPLO 3 Hallar el área de un trapecio

Halla el área del trapecio.

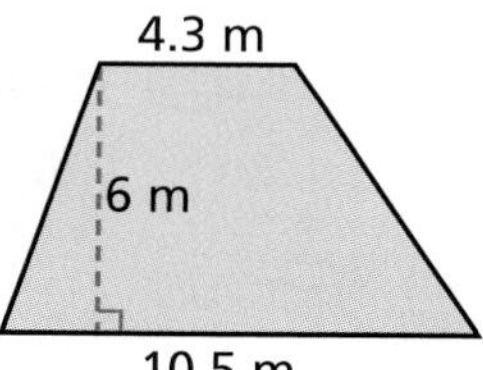

$A = \frac{1}{2}h(b_1 + b_2)$ — *Escribe la fórmula.*

$A = \frac{1}{2}(6)(4.3 + 10.5)$ — *Sustituye h por 6, b_1 por 4.3 y b_2 por 10.5.*

$A = \frac{1}{2}(6)(14.8) = 44.4$ — *Multiplica.*

El área mide 44.4 m^2.

Razonar y comentar

1. **Explica** cómo se relacionan las áreas de un triángulo y un paralelogramo que tienen la misma base y la misma altura.

2. **Explica** si el trabajo de Max es correcto. Para hallar el área de un trapecio, Max multiplicó la altura por la base superior y la altura por la base inferior. Sumó los dos números y después dividió la suma entre 2.

10-2 Ejercicios

go.hrw.com
Ayuda en línea para tareas*
CLAVE: MR7 10-2
Recursos en línea para padres
CLAVE: MR7 Parent
*(Disponible sólo en inglés)

PRÁCTICA GUIADA

Ver Ejemplo  Halla el área de cada triángulo.

1. 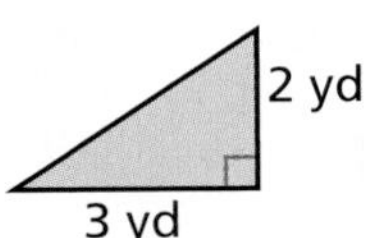

2. 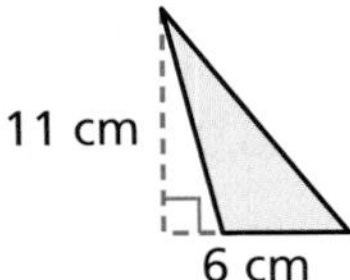

3. 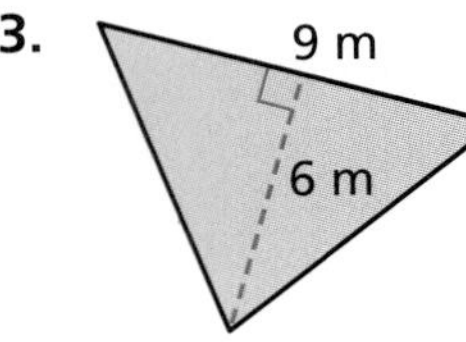

Ver Ejemplo 

4. Harry piensa pintar la parte triangular del lado de su casa. ¿Cuántos pies cuadrados debe pintar?

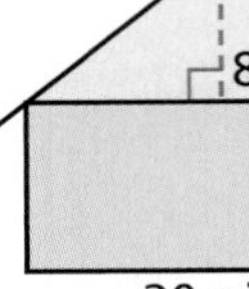

Ver Ejemplo  Halla el área de cada trapecio.

5. 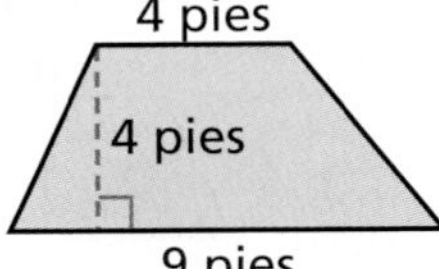

6. 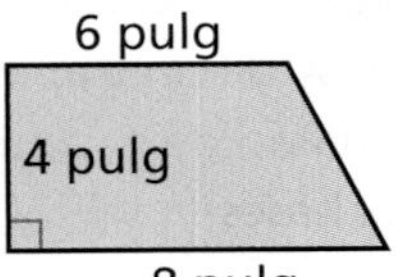

7. 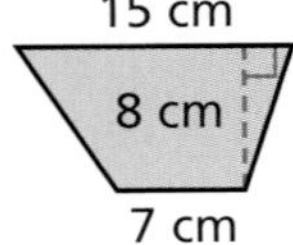

PRÁCTICA INDEPENDIENTE

Ver Ejemplo  Halla el área de cada triángulo.

8. 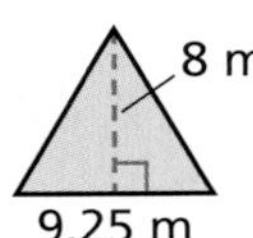

9. 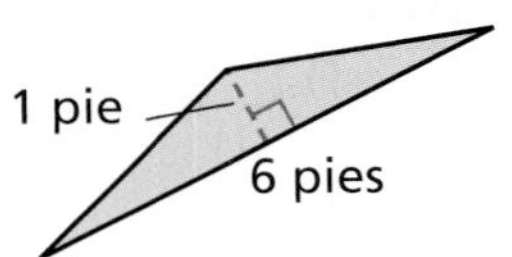

10. 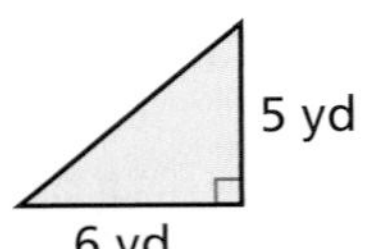

Ver Ejemplo 

11. John hace banderines para el equipo de fútbol americano de la escuela. ¿Cuántas pulgadas de fieltro usa para un banderín?

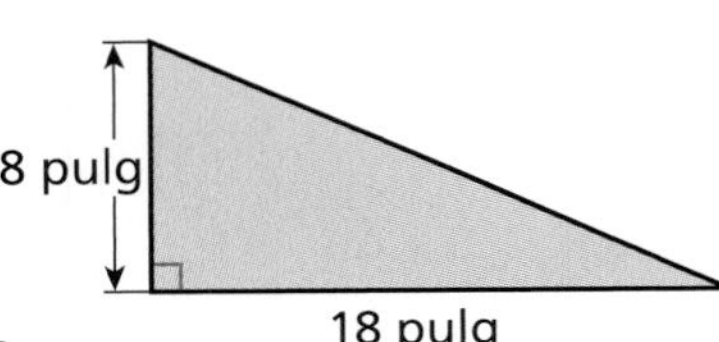

12. Erin tiene un jardín triangular que mide 5 metros de longitud y 3 metros de altura. ¿Cuál es el área de su jardín?

Ver Ejemplo  Halla el área de cada trapecio.

13. 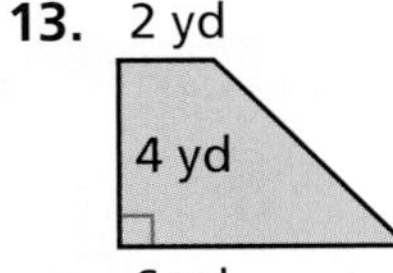

14. 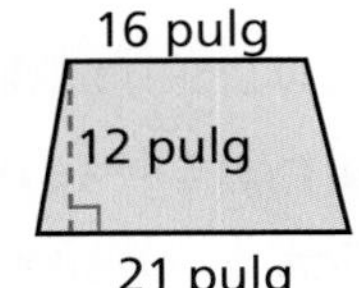

15. 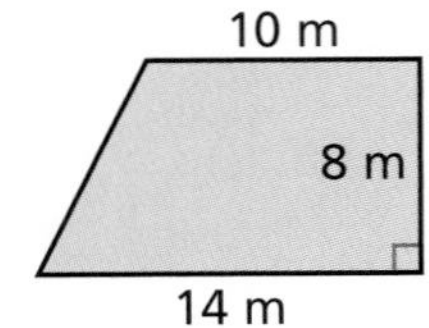

PRÁCTICA Y RESOLUCIÓN DE PROBLEMAS

Práctica adicional
Ver página 733

16. El agua de un canal de desagüe tiene una profundidad de 4 pies. ¿Cuál es el área de una sección transversal del agua en la zanja, que tiene forma de trapecio?

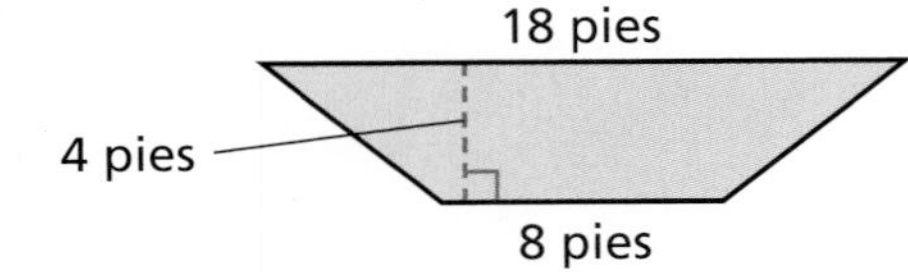

En el estado de Nevada hay muchos pueblos fantasma. Muchos fueron alguna vez pueblos de rápido crecimiento que se establecieron durante la fiebre del oro y la plata.

Para los Ejercicios del 17 al 21, halla el área de cada figura.

17. 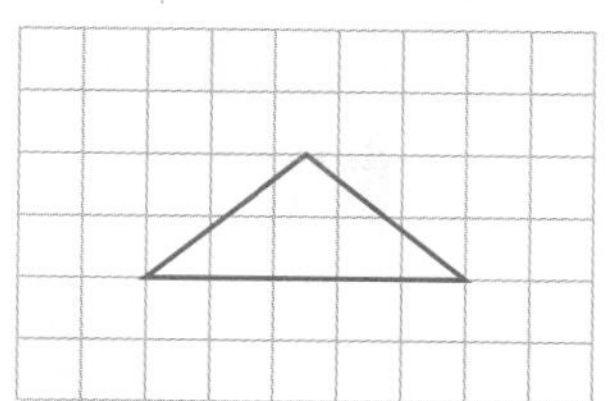

18. 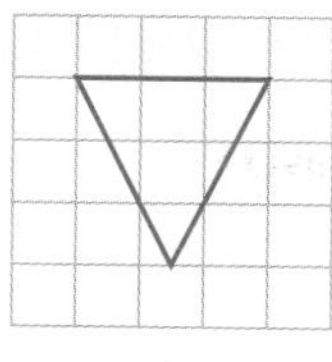

19. 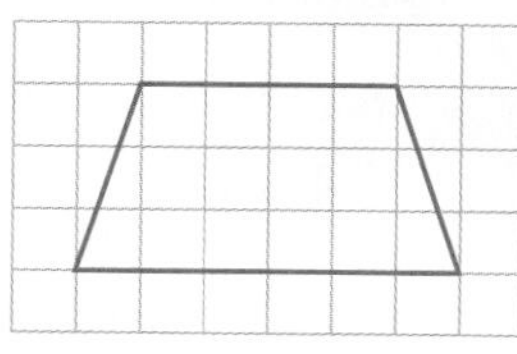

20. triángulo: $b = 2\frac{1}{2}$ pulg; $h = 1\frac{3}{4}$ pulg

21. trapecio: $b_1 = 18$ m; $b_2 = 27$ m; $h = 15.4$ m

22. **Estudios sociales** La forma del estado de Nevada es similar a un trapecio con las medidas que se muestran. Estima el área del estado en millas cuadradas.

23. Marina quiere hacer una portezuela de malla para una tienda de campaña. La abertura de la tienda tiene 4 pies de ancho y 6 pies de altura. ¿Cuántos pies cuadrados de malla necesita Marina?

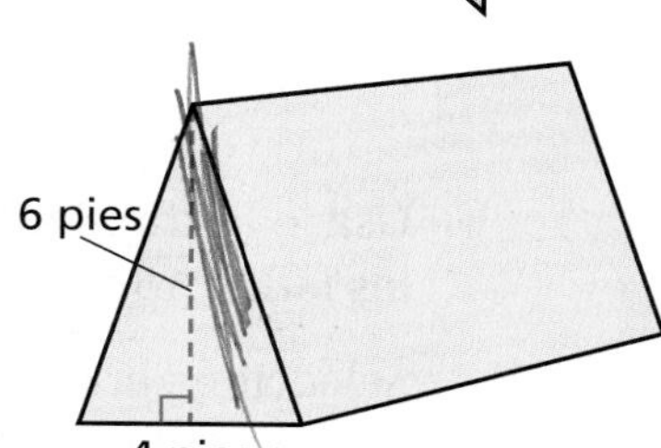

24. **Razonamiento crítico** Un triángulo y un rectángulo tienen la misma área y la misma altura. ¿Qué relación hay entre las longitudes de sus bases?

25. **Escribe un problema** Escribe un problema sobre un trapecio con bases de 12 pies y 18 pies y una altura de 10 pies.

26. **Escríbelo** Dos triángulos tienen la misma base. La altura de un triángulo es la mitad de la altura del otro. ¿Qué relación hay entre las áreas de los triángulos?

27. **Desafío** Halla el área de la porción del trapecio sin sombrear.

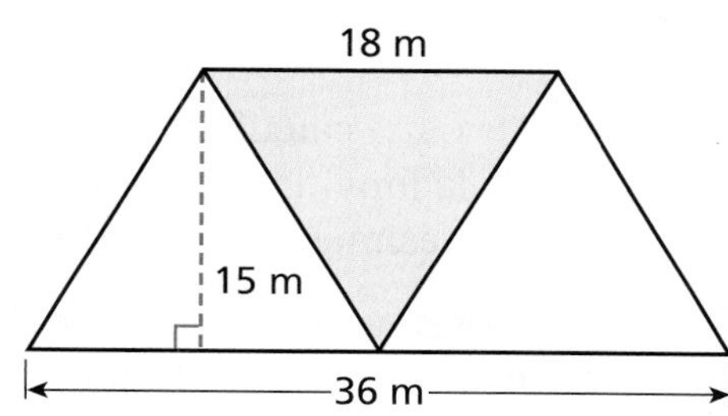

Preparación para el examen y repaso en espiral

28. **Opción múltiple** El cartel de un edificio tiene la forma de un trapecio con las medidas que se muestran. ¿Qué expresión se puede usar para hallar el área del cartel?

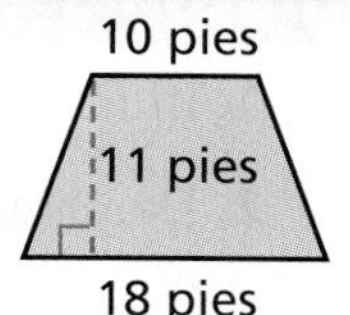

Ⓐ $\frac{1}{2}(11)(10 + 18)$ Ⓑ $\frac{1}{2}(18)(10)$ Ⓒ $\frac{1}{2}(11)(10)(18)$ Ⓓ $(11)(10 + 18)$

29. **Respuesta breve** Halla el área de un triángulo rectángulo con catetos que miden 14 cm y 25 cm.

Multiplica. Escribe cada respuesta en su mínima expresión. (Lección 5-6)

30. $3 \cdot \frac{2}{7}$ **31.** $4 \cdot \frac{3}{5}$ **32.** $12 \cdot \frac{9}{10}$ **33.** $15 \cdot \frac{1}{2}$

34. Zeb ganó $24,000 el año pasado. Este año, su salario aumentó un 5%. ¿Cuánto ganará Zeb? (Lección 7-9)

Fórmulas de área

Para usar con la Lección 10-2

Puedes usar un software de geometría para explorar las fórmulas geométricas.

Actividad

1 Usa tu software de geometría para explorar la fórmula del área de un rectángulo, $A = \ell \cdot a$.

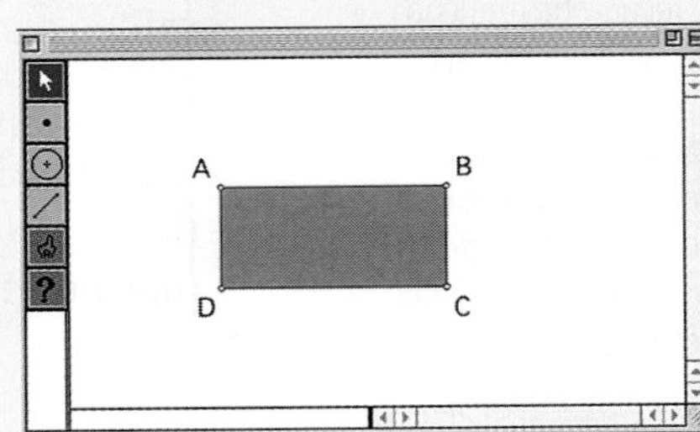

a. Traza un rectángulo *ABCD*. Elige cuatro puntos y únelos con segmentos de recta; comprueba que los lados opuestos sean paralelos.

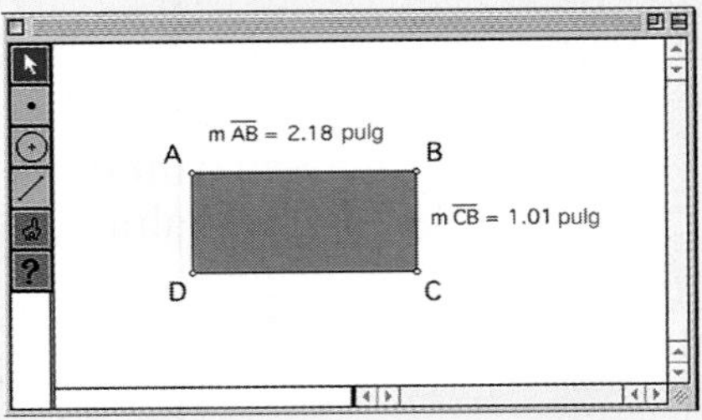

b. Usa la herramienta de distancia para medir la longitud de los lados $\overline{AB}$ y $\overline{CB}$.

Selecciona el interior del rectángulo y luego usa la herramienta de área para medir el área.

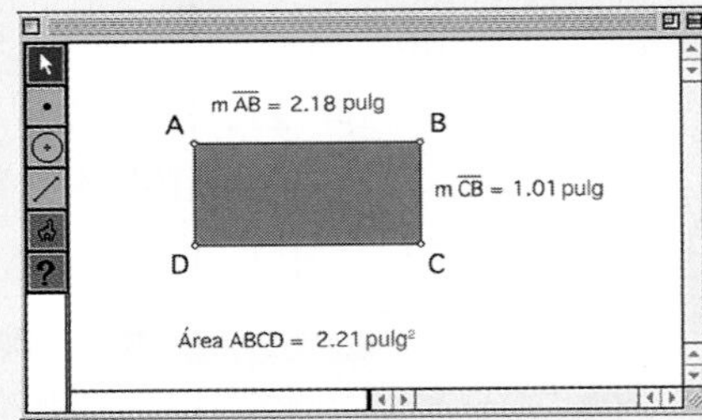

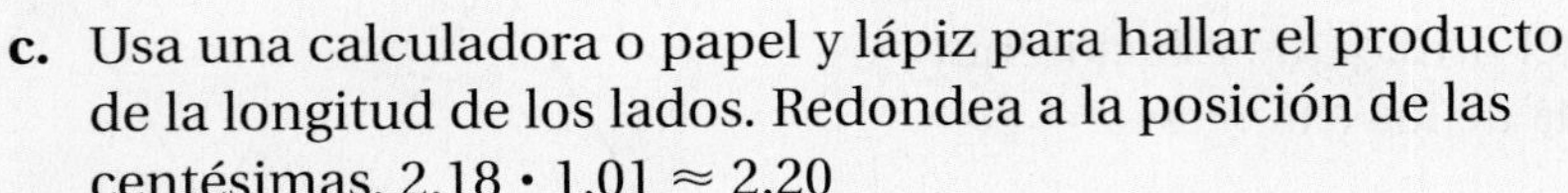

c. Usa una calculadora o papel y lápiz para hallar el producto de la longitud de los lados. Redondea a la posición de las centésimas. $2.18 \cdot 1.01 \approx 2.20$

Observa que el software de geometría redondea el producto a 2.21, que está cerca de 2.20. Por lo tanto, *Área* $= AB \cdot CB = \ell \cdot a$.

Razonar y comentar

1. Indica si el perímetro *P* del rectángulo *ABCD* es igual a $2 \cdot (AB + CB)$.

2. Determina si el área del rectángulo *ABCD* dividida entre 2 es igual al perímetro.

Inténtalo

1. Usa un software de geometría para trazar un triángulo *ABC* donde $m\angle B = 90°$.

a. Mide el área del triángulo y la longitud de los lados $\overline{AB}$ y $\overline{CB}$. Halla $\frac{1}{2} \cdot AB \cdot CB$.

b. Arrastra el ángulo *A* y asegúrate de que $m\angle B = 90°$. Haz esto tres veces más para trazar triángulos con diferentes áreas y medidas de lados. En cada triángulo, halla $\frac{1}{2} \cdot AB \cdot CB$. ¿A qué conclusión puedes llegar?

10-3 El área de figuras compuestas

Aprender **a dividir un polígono en partes más simples para hallar su área**

Puedes hallar el área de polígonos irregulares dividiéndolos en rectángulos, paralelogramos y triángulos.

EJEMPLO 1 Hallar áreas de figuras compuestas

Halla el área de cada polígono.

A

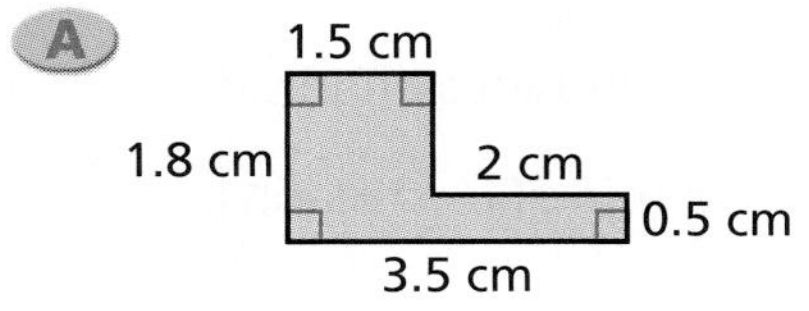

Razona: Divide el polígono en rectángulos.

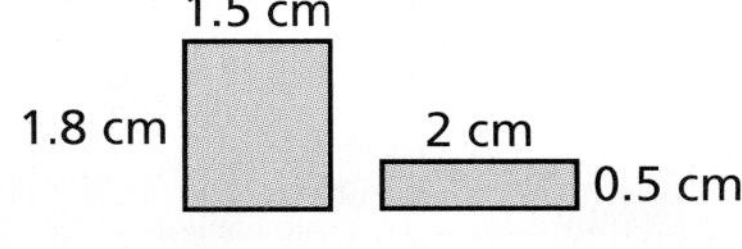

Halla el área de cada rectángulo.

$A = \ell a$ $\quad$ $A = \ell a$ $\quad$ *Escribe la fórmula del área de un rectángulo.*

$A = \mathbf{1.8} \cdot 1.5$ $\quad$ $A = \mathbf{2} \cdot 0.5$

$A = 2.7$ $\quad$ $A = 1$

$2.7 + 1 = 3.7$ $\quad$ *Suma para hallar el área total.*

El área del polígono mide 3.7 cm^2.

B

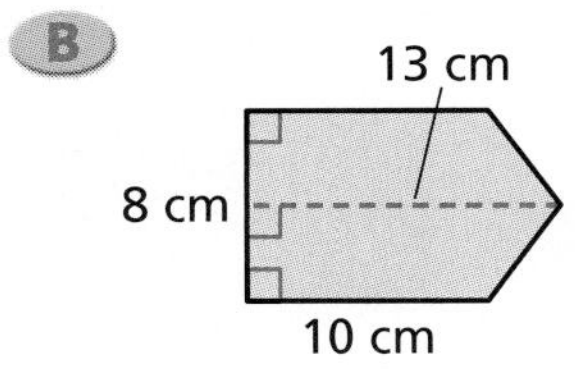

Razona: Divide la figura en un triángulo y un rectángulo.

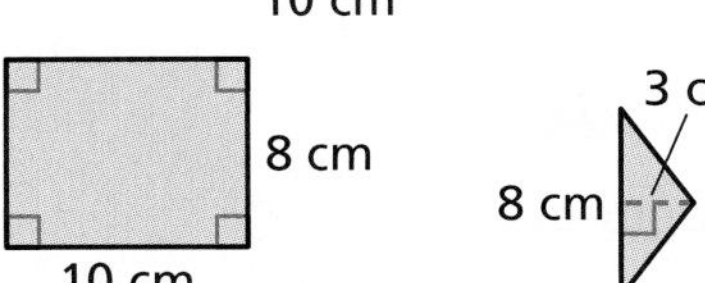

$A = \ell a$ $\quad$ $A = \frac{1}{2}bh$ $\quad$ *Halla el área de cada polígono.*

$A = \mathbf{8} \cdot 10$ $\quad$ $A = \frac{1}{2} \cdot \mathbf{8} \cdot 3$

$A = 80$ $\quad$ $A = 12$

$80 + 12 = 92$ $\quad$ *Suma para hallar el área total de la figura.*

El área de la figura mide 92 cm^2.

EJEMPLO 2 *Aplicación al arte*

Pista útil

También puedes contar los cuadrados y multiplicar por el área de un cuadrado.
1 cuadrado = 4 unidades cuadradas
17 · 4 = 68 unidades cuadradas

Stan hizo un adorno para la pared. Usa la cuadrícula de coordenadas para hallar su área.

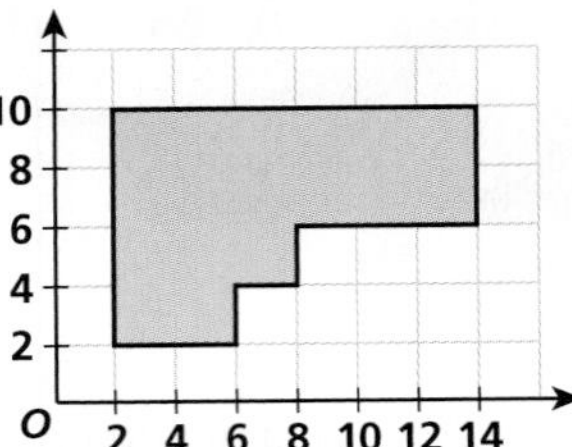

Razona: Divide el adorno en rectángulos.

Halla el área de cada rectángulo.

Rectángulo 1

$\ell = 8, a = 4; A = 8 \bullet 4 = 32$

Rectángulo 2

$\ell = 6, a = 2; A = 6 \bullet 2 = 12$

Rectángulo 3

$\ell = 4, a = 6; A = 4 \bullet 6 = 24$

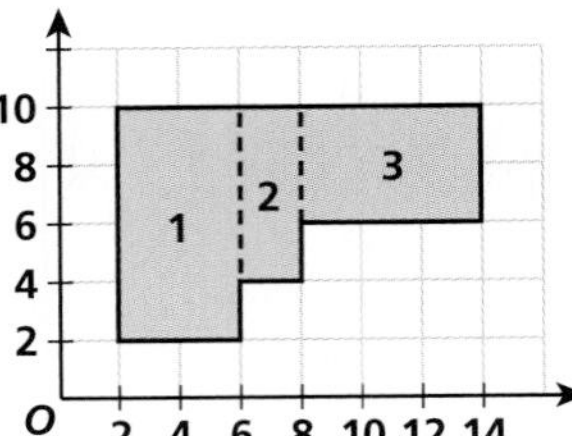

Suma las áreas de los tres rectángulos para hallar el área total del adorno.

$32 + 12 + 24 = 68$ unidades cuadradas

El área del adorno mide 68 unidades cuadradas.

Razonar y comentar

1. **Explica** cómo hallarías el área de un octágono regular dividiéndolo en triángulos congruentes si conoces el área de un triángulo.
2. **Explica** otra manera de dividir el adorno del Ejemplo 2.

10-3 Ejercicios

go.hrw.com
Ayuda en línea para tareas*
CLAVE: MR7 10-3
Recursos en línea para padres
CLAVE: MR7 Parent
*(Disponible sólo en inglés)

PRÁCTICA GUIADA

Ver Ejemplo  1

Halla el área de cada polígono.

1. 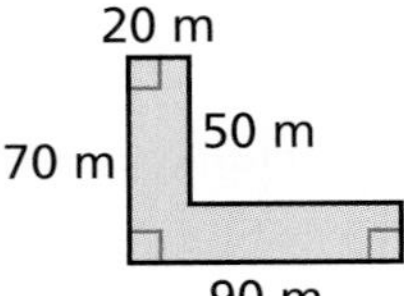

2. 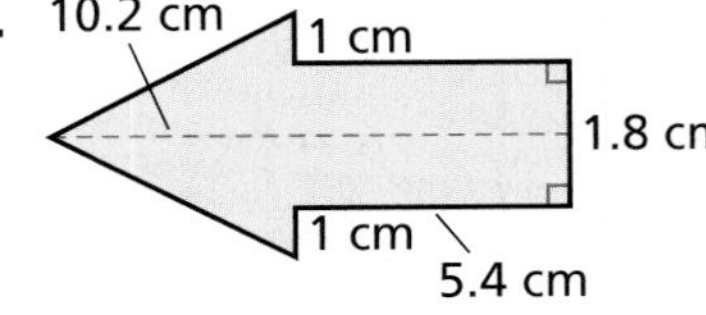

Ver Ejemplo  2

3. Gina creó un diseño con mosaicos. Usa la cuadrícula de coordenadas para hallar el área del diseño de Gina.

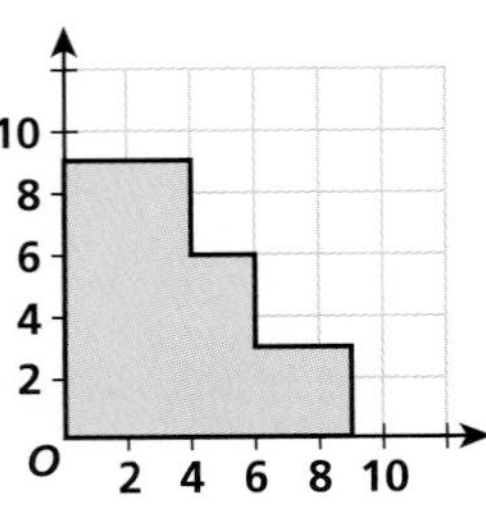

PRÁCTICA INDEPENDIENTE

Ver Ejemplo 1 **Halla el área de cada polígono.**

4. $9\frac{1}{2}$ pulg; 2 pulg; $4\frac{1}{3}$ pulg; $6\frac{1}{3}$ pulg; 3 pulg

5. 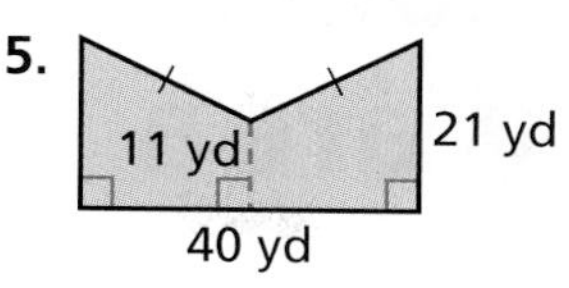

Ver Ejemplo 

6. Edgar plantó narcisos alrededor de un estanque rectangular. En la parte amarilla del diagrama se muestra dónde plantó los narcisos. Usa la cuadrícula de coordenadas para hallar el área de la parte amarilla del diagrama.

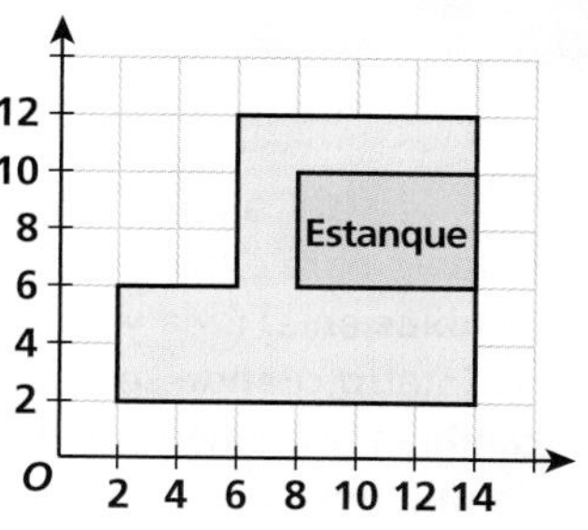

PRÁCTICA Y RESOLUCIÓN DE PROBLEMAS

Práctica adicional
Ver página 733

7. **Estudios sociales** En el mapa se muestran las dimensiones aproximadas del estado de Australia del Sur, señalado en rojo.
   a. Estima el área de del estado Australia del Sur.
   b. El área completa de Australia mide unos 7.7 millones de km^2. ¿Aproximadamente qué fracción del área total de Australia es el área del estado de Australia del Sur?

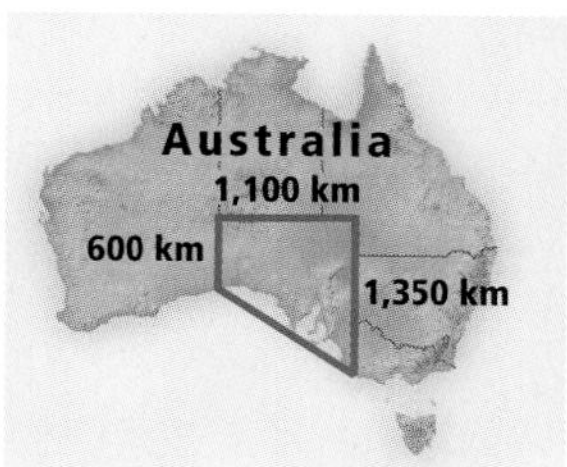

8. **Escríbelo** Dibuja una figura que pueda dividirse en dos rectángulos. Rotula la longitud de cada lado. Explica cómo hallarías el área de la figura y luego hállala.

9. **Desafío** El perímetro de la figura es 42.5 cm. Halla su área.

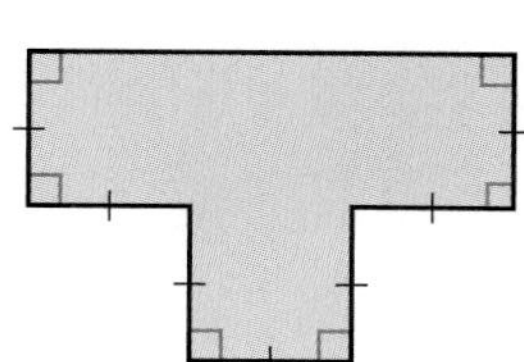

PREPARACIÓN PARA EL EXAMEN y repaso en espiral

10. **Opción múltiple** ¿Cuál es el área del polígono?

Ⓕ 40 cm^2 Ⓖ 65 cm^2 Ⓗ 45 cm^2 Ⓙ 90 cm^2

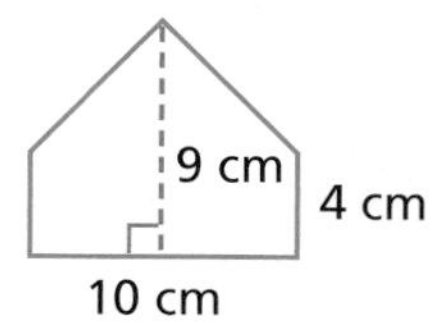

11. **Respuesta gráfica** Usa la cuadrícula de coordenadas para hallar el área del polígono en unidades cuadradas.

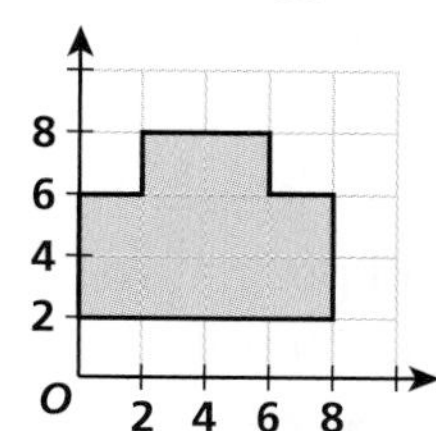

Halla cada suma o diferencia. Escribe la respuesta en su mínima expresión. (Lección 5-3)

12. $4\frac{1}{3} + 7\frac{5}{12}$ 13. $8\frac{1}{2} - 3\frac{1}{3}$ 14. $6\frac{2}{3} + 3\frac{1}{6}$ 15. $8\frac{7}{10} - 2\frac{2}{5}$

Halla el área de cada polígono. (Lección 10-1)

16. rectángulo: $\ell = 14$ m; $a = 11$ m 17. paralelogramo: $b = 18$ cm; $h = 8$ cm

10-4 Cómo comparar perímetro y área

Aprender a hacer un modelo para explorar los cambios en el área y el perímetro cuando se cambian las dimensiones de una figura

La señora Cohn quiere agrandar una foto al doble de su longitud y ancho.

Recuerda que las figuras semejantes tienen exactamente la misma forma pero no necesariamente el mismo tamaño. Duplicar las dimensiones de la foto creará una foto más grande semejante a la original.

Puedes dibujar un modelo en papel cuadriculado para ver cómo cambian el área y el perímetro de una figura cuando cambian sus dimensiones.

EJEMPLO 1 Cambiar dimensiones

Halla cómo cambian el perímetro y el área de una figura cuando cambian sus dimensiones.

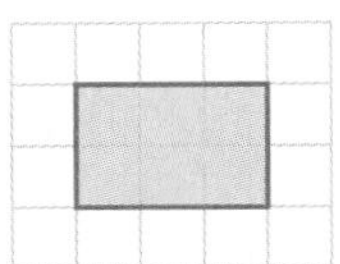

□ = 1 $pulg^2$

Dibuja un modelo de las dos figuras en papel cuadriculado. Rotula las dimensiones.

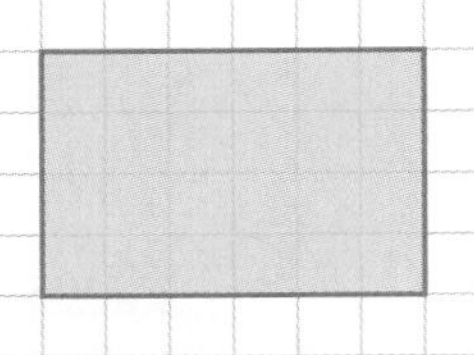

La foto original es un rectángulo de 3 pulg × 2 pulg.

La foto aumentada es un rectángulo de 6 pulg × 4 pulg.

Foto original		Foto aumentada
$P = 2(\ell + a)$	*Usa la fórmula del perímetro de un rectángulo.*	$P = 2(\ell + a)$
$= 2(3 + 2)$	*Sustituye ℓ y a.*	$= 2(6 + 4)$
$= 2(5) = 10$	*Simplifica.*	$= 2(10) = 20$
El perímetro es 10 pulg.		El perímetro es 20 pulg.
$A = \ell a$	*Usa la fórmula del área de un rectángulo*	$A = \ell a$
$= 3 \times 2$	*Sustituye ℓ y a.*	$= 6 \times 4$
$= 6$	*Simplifica.*	$= 24$
El área mide 6 $pulg^2$.		El área mide 24 $pulg^2$.

Cuando se duplican las dimensiones del rectángulo, el perímetro también se duplica y el área se multiplica por cuatro.

EJEMPLO  *Aplicación a las mediciones*

Usa una regla en centímetros para medir la foto. Dibuja un rectángulo cuyos lados sean 3 veces más largos para agrandar la foto. ¿Cómo cambian el perímetro y el área?

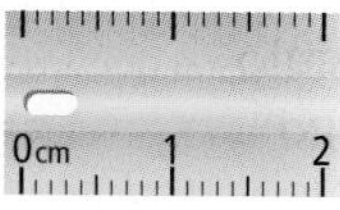

$P = 6$ cm
$A = 2$ cm^2

Multiplica cada dimensión por 3. $P = 18$ cm
$A = 18$ cm^2

Cuando las dimensiones del rectángulo se multiplican por 3, el perímetro se multiplica por 3 y el área se multiplica por 9 ó 3^2.

Razonar y comentar

1. **Explica** cómo cambia el perímetro de un triángulo cuando se duplica la longitud de todos los lados.
2. **Indica** cómo cambia el área de un rectángulo cuando se dividen a la mitad todos los lados.

10-4 Ejercicios

go.hrw.com
Ayuda en línea para tareas*
CLAVE: MR7 10-4
Recursos en línea para padres
CLAVE: MR7 Parent
*(Disponible sólo en inglés)

PRÁCTICA GUIADA

Ver Ejemplo 

1. Halla cómo cambian el perímetro y el área de la figura cuando cambian sus dimensiones.

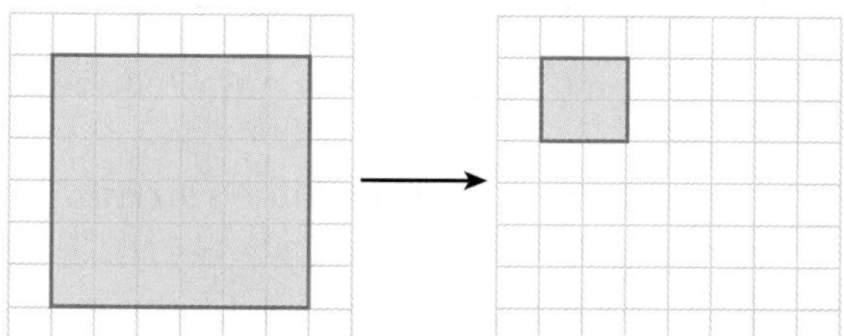

Ver Ejemplo 

2. Usa una regla en centímetros para medir el rectángulo. Dibuja un rectángulo cuyos lados sean 2 veces más largos para agrandarlo. ¿Cómo cambian el perímetro y el área?

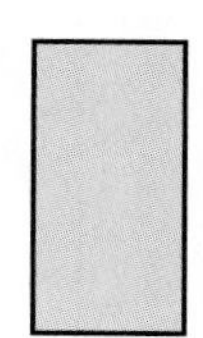

PRÁCTICA INDEPENDIENTE

Ver Ejemplo 

3. Halla cómo cambian el perímetro y el área de la figura cuando cambian sus dimensiones.

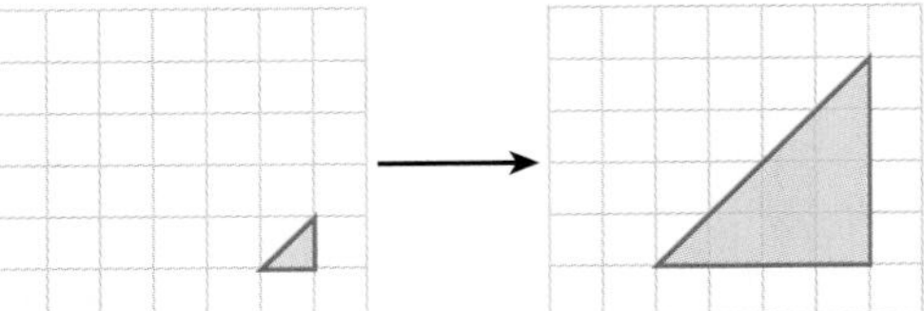

Ver Ejemplo 

4. Usa una regla en centímetros para medir el triángulo. Dibuja un triángulo cuyos lados tengan la mitad del largo para reducirlo. ¿Cómo cambian el perímetro y el área?

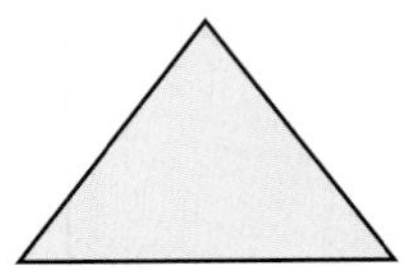

PRÁCTICA Y RESOLUCIÓN DE PROBLEMAS

Práctica adicional
Ver página 733

5. El patio escolar es un rectángulo de 120 pies de largo y 80 pies de ancho. La maestra de educación física piensa hacer un campo de juegos.
   a. ¿Cuál será el área del campo si la maestra divide a la mitad sólo una de las dimensiones del patio?
   b. ¿Cuál será el perímetro del campo si divide a la mitad sólo la longitud? ¿Y si divide a la mitad sólo el ancho?

6. **Razonamiento crítico** Si George agranda una foto de 3 pulg × 4 pulg para que mida 12 pulg × 16 pulg, ¿cómo cambiará su área?

7. **Escríbelo** ¿Qué ocurre con el área y el perímetro de un rectángulo cuando la longitud y el ancho se multiplican por 4?

8. **Desafío** Un rectángulo tiene un perímetro de 24 metros. Si su longitud y su ancho son números cabales, ¿cuál es la mayor área posible?

PREPARACIÓN PARA EL EXAMEN y repaso en espiral

9. **Opción múltiple** Una fotografía mide 4 pulg de ancho × 6 pulg de largo. Para agrandarla, Liz duplica tanto su ancho como su longitud. Halla el perímetro de la fotografía aumentada.

   Ⓐ 8 pulg   Ⓑ 12 pulg   Ⓒ 20 pulg   Ⓓ 40 pulg

10. **Opción múltiple** Si Jinny aumenta una fotografía de 3 pulg × 4 pulg de modo que mida 12 pulg × 16 pulg, ¿cómo cambia su área?

    Ⓕ El área aumenta 2 veces.
    Ⓖ El área aumenta 2^2 veces.
    Ⓗ El área aumenta 3^2 veces.
    Ⓙ El área aumenta 4^2 veces.

Escribe cada fracción en su mínima expresión. (Lección 4-5)

11. $\frac{9}{12}$ 12. $\frac{4}{16}$ 13. $\frac{5}{10}$ 14. $\frac{25}{100}$ 15. $\frac{65}{100}$

Halla el perímetro de cada figura. (Lección 9-7)

16. Rectángulo: 125 pies; 30 pies

17. Figura: 18 cm; 8 cm; 8 cm; 8 cm; 4 cm; 2 cm

Explorar el área de los círculos

Para usar con la Lección 10-5

go.hrw.com
Recursos en línea para el laboratorio
CLAVE: MR7 Lab10

Puedes usar lo que sabes acerca de los círculos y de *pi* para aprender acerca del área de los círculos.

Actividad

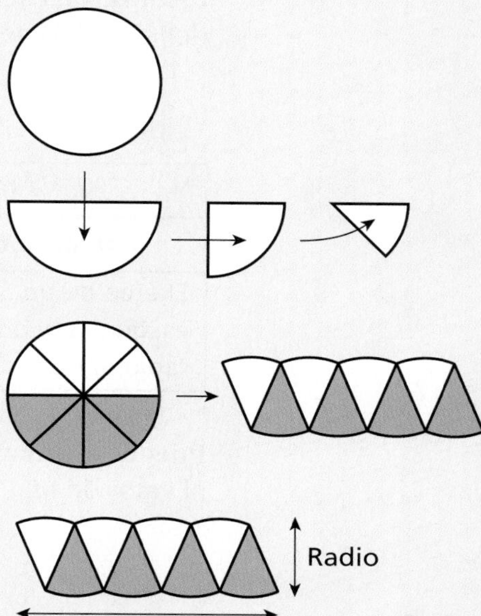

1. El *radio* de un círculo es la mitad de su diámetro. Dibuja con un compás un círculo con un radio de 2 pulgadas. Recorta tu círculo y dóblalo tres veces, como se muestra.
2. Desdobla el círculo, remarca los dobleces y sombrea la mitad del círculo.
3. Recorta por los dobleces y acomoda las piezas para hacer una figura parecida a un paralelogramo.

   Piensa en esta figura como un paralelogramo. La base y la altura se relacionan con las partes del círculo.

   base $b = \frac{1}{2}$ de la circunferencia del círculo, o sea πr

   altura $h =$ el radio del círculo, o sea r

   Para hallar el área de un paralelogramo, usa la ecuación $A = bh$.

   Para hallar el área de un círculo, usa la ecuación $A = \pi r(r) = \pi r^2$.

Razonar y comentar

1. Compara la longitud de todos los diámetros de un círculo.

2. Compara la longitud de todos los radios de un círculo.

Inténtalo

Halla el área de los círculos con la medida que se da. Usa 3.14 para π. Redondea a la décima más cercana.

1. $r = 4$ yd

2. 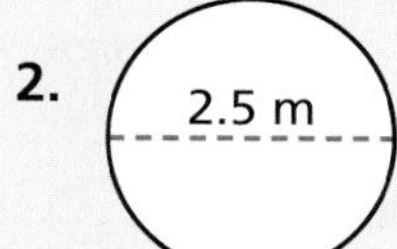

3. $d = 10$ m

4. 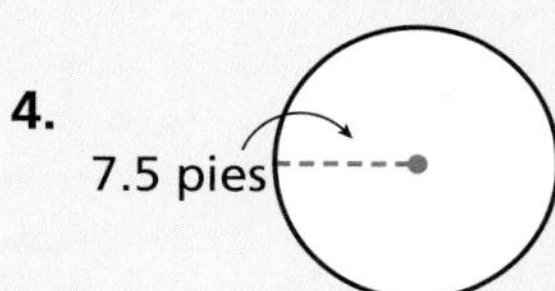

10-5 El área de los círculos

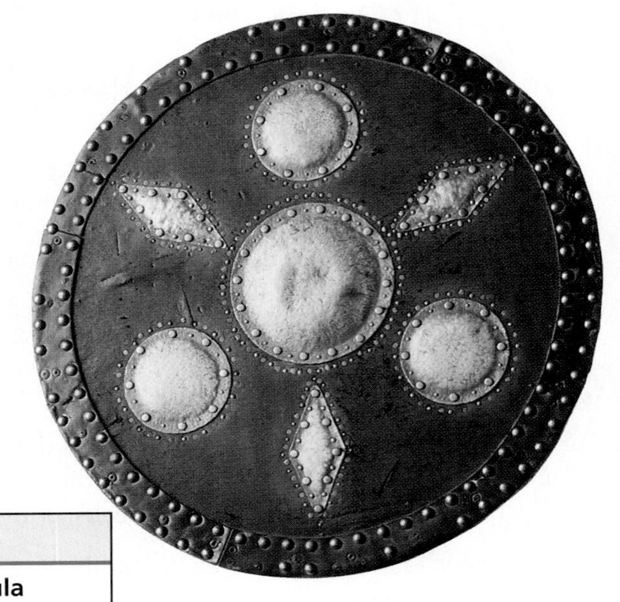

Aprender **a hallar el área de un círculo**

En la época medieval, los escudos circulares se solían hacer de madera y se revestían de cuero o acero. La cantidad de cuero o acero necesaria para recubrir un escudo dependía del área del escudo.

Área de un círculo	
Con palabras	**Fórmula**
El área de un círculo es igual a *pi* por el radio al cuadrado.	$A = \pi r^2$

Puedes estimar el área de un círculo usando 3 como aproximación al valor de *pi*.

EJEMPLO 1

Estimar el área de un círculo

Estima el área de cada círculo. Usa 3 para aproximarte a *pi*.

A

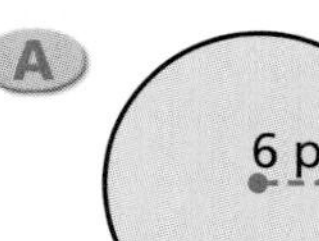

$A = \pi r^2$ — *Escribe la fórmula del área.*

$A \approx 3 \cdot 6^2$ — *Sustituye π por 3 y **r** por **6**.*

$A \approx 3 \cdot 36$ — *Usa el orden de las operaciones.*

$A \approx 108 \text{ pulg}^2$ — *Multiplica.*

B

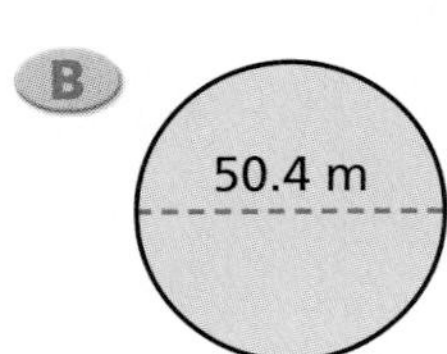

$A = \pi r^2$ — *Escribe la fórmula del área.*

$r = d \div 2$ — *La longitud del radio es la mitad de la longitud del diámetro.*

$r = 50.4 \div 2$

$r = 25.2$ — *Divide.*

$r \approx 25$ — *Redondea 25.2 a 25.*

$A \approx 3 \cdot 25^2$ — *Sustituye π por 3 y **r** por **25**.*

$A \approx 3 \cdot 625$ — *Usa el orden de las operaciones.*

$A \approx 1{,}875 \text{ m}^2$ — *Multiplica.*

EJEMPLO 2 Usar la fórmula del área de un círculo

Halla el área de cada círculo. Usa $\frac{22}{7}$ para *pi*.

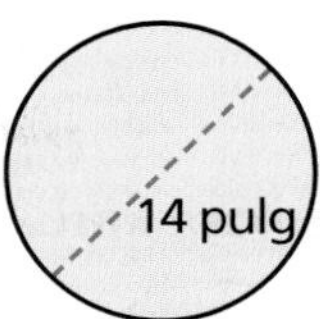

$A = \pi r^2$	*Escribe la fórmula del área.*
$r = d \div 2$	*La longitud del radio es la mitad de la longitud del diámetro.*
$r = 14 \div 2 = 7$	*Divide.*
$A \approx \frac{22}{7} \cdot 7^2$	*Sustituye π por $\frac{22}{7}$ y **r** por **7**.*
$A \approx \frac{22}{\cancel{7}_1} \cdot \cancel{49}^{7}$	*Usa el MCD para simplificar.*
$A \approx 154 \text{ pulg}^2$	*Multiplica.*

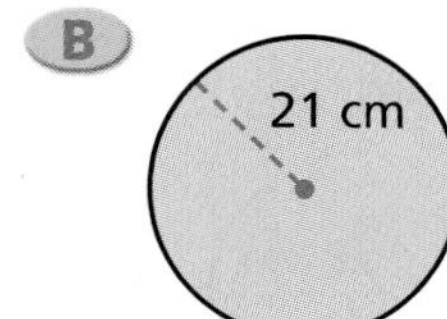

$A = \pi r^2$	*Escribe la fórmula del área.*
$A \approx \frac{22}{7} \cdot 21^2$	*Sustituye π por $\frac{22}{7}$ y **r** por **21**.*
$A \approx \frac{22}{7} \cdot 441$	*Usa el orden de las operaciones.*
$A \approx \frac{97.02}{7}$	*Multiplica.*
$A \approx 1386 \text{ cm}^2$	*Divide.*

EJEMPLO 3 *Aplicación al arte*

El mosaico tiene un diámetro de aproximadamente 380 pulgadas. Halla el área del terrazo necesario para revestir el suelo. Usa 3.14 para *pi*.

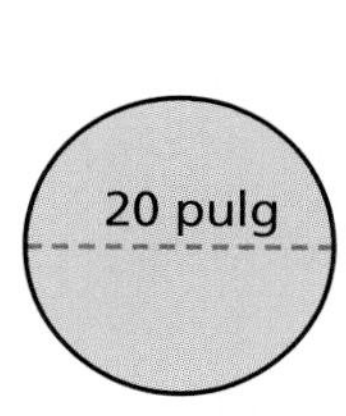

$A = \pi r^2$	*Escribe la fórmula del área.*
$r = d \div 2$	*La longitud del radio es la mitad de la longitud del diámetro.*
$r = 378 \div 2$	
$r = 189$	*Divide.*
$A \approx 3.14 \cdot 189^2$	*Sustituye π por 3.14 y **r** por **190**.*
$A \approx 3.14 \cdot 35{,}721$	*Usa el orden de las operaciones.*
$A \approx 112{,}163.94 \text{ pulg}^2$	*Multiplica.*

Comprueba Usa 3 como aproximación a π. El área, πr^2, es aproximadamente igual a $3 \cdot 189^2 = 3 \cdot 35{,}721 = 107.163$, de modo que la respuesta es razonable.

Razonar y comentar

1. Describe cómo podrías estimar el área de un círculo de radio igual a 1 cm.

2. Explica por qué el área de un círculo con un radio de 5 pies debe ser mayor que 75 pies^2.

3. Indica cómo puedes comprobar que tu respuesta es razonable después de calcular el área de un círculo.

10-5 Ejercicios

go.hrw.com
Ayuda en línea para tareas*
CLAVE: MR7 10-5
Recursos en línea para padres
CLAVE: MR7 Parent
*(Disponible sólo en inglés)

PRÁCTICA GUIADA

Ver Ejemplo 

Estima el área de cada círculo. Usa 3 para aproximarte a *pi*.

1. 

2. 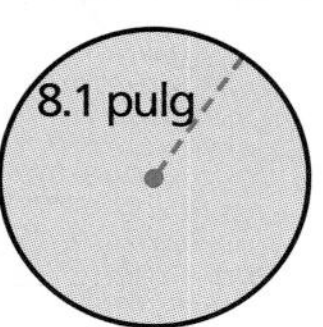

3. 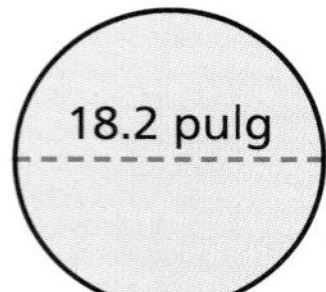

Ver Ejemplo 

Halla el área de cada círculo. Usa $\frac{22}{7}$ para *pi*.

4. 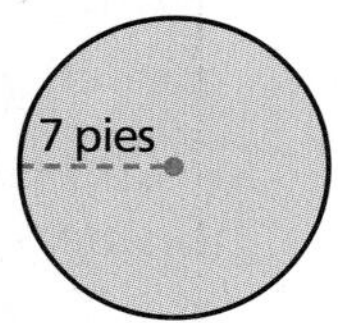

5. 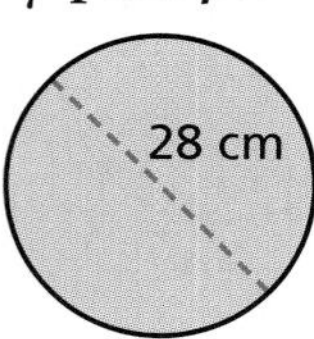

6. 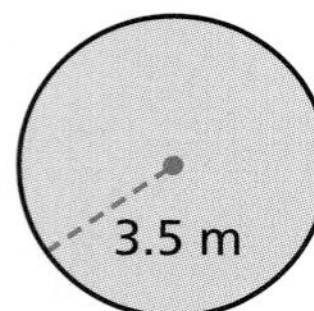

Ver Ejemplo 

7. **Arquitectura** Una ventana circular tiene un diámetro de 4 pies. Halla el área del vidrio necesario para llenar la ventana. Usa 3.14 para *pi*.

PRÁCTICA INDEPENDIENTE

Ver Ejemplo 

Estima el área de cada círculo. Usa 3 para aproximarte a *pi*.

8. 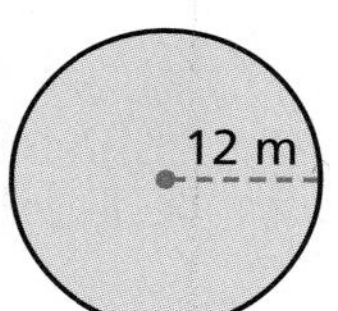

9. 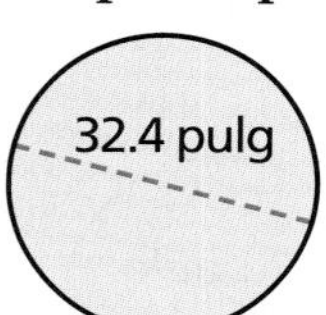

10. 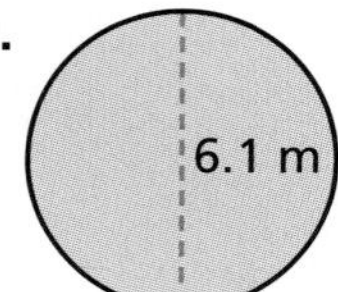

Ver Ejemplo 

Halla el área de cada círculo. Usa $\frac{22}{7}$ para *pi*.

11. 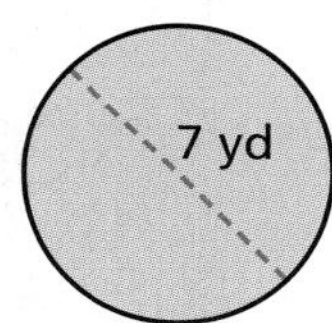

12. 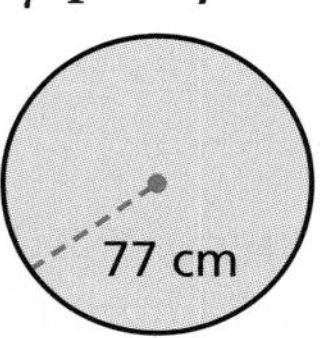

13. 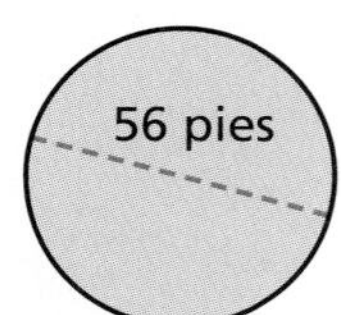

Ver Ejemplo 

14. **Cocina** Una receta para hacer pizza requiere estirar la masa hasta formar un círculo con un diámetro de 18 pulg. Halla el área de la masa estirada. Usa 3.14 para *pi*.

PRÁCTICA Y RESOLUCIÓN DE PROBLEMAS

Práctica adicional
Ver página 733

Halla el área y la circunferencia de cada círculo. Usa 3.14 para *pi* y redondea a la centésima más cercana.

15. 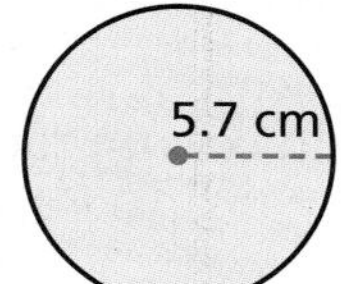

16. 

17. 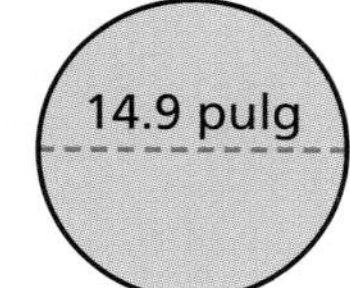

CONEXIÓN

Ciencias de la Tierra

Los científicos estiman que el asteroide que chocó con la Tierra y formó el cráter Meteoro medía unos 80 pies de diámetro.

18. **Deportes** El diámetro del círculo donde se para el lanzador de bala es 7 pies. ¿Cuál es el área del círculo? Usa $\frac{22}{7}$ para *pi.*

19. **Ciencias de la Tierra** El cráter Meteoro, en Arizona central, se formó cuando un asteroide chocó contra la Tierra entre 20,000 y 50,000 años atrás. El cráter circular tiene un diámetro de 1.2 km. Halla el área del cráter a la centésima más cercana. Usa 3.14 para *pi.*

20. **Varios pasos** Un restaurante hace pizzas con diámetros de 6 pulgadas y de 12 pulgadas.

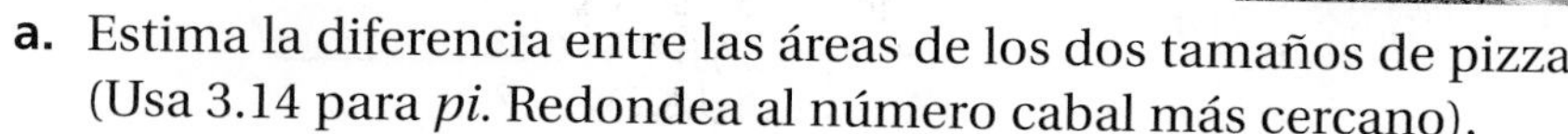

a. Estima la diferencia entre las áreas de los dos tamaños de pizza. (Usa 3.14 para *pi.* Redondea al número cabal más cercano).

b. ¿El área de la pizza de 12 pulgadas es aproximadamente el doble del área de la pizza de 6 pulgadas? Explica.

21. **Razonamiento crítico** El área del terreno de un jardín circular mide 30 pies^2. Explica por qué el diámetro del terreno debe ser mayor que 6 pies.

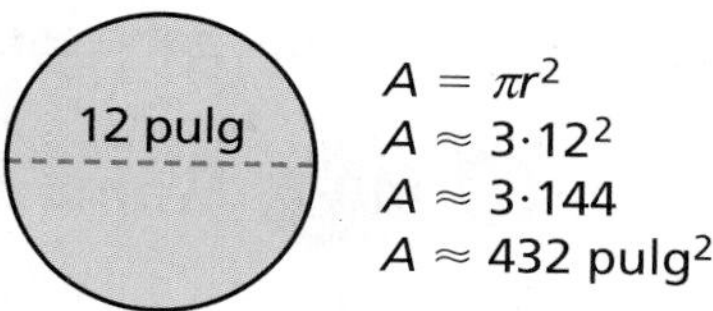

22. **¿Dónde está el error?** Un estudiante estimó el área de este círculo como se muestra. Explica su error.

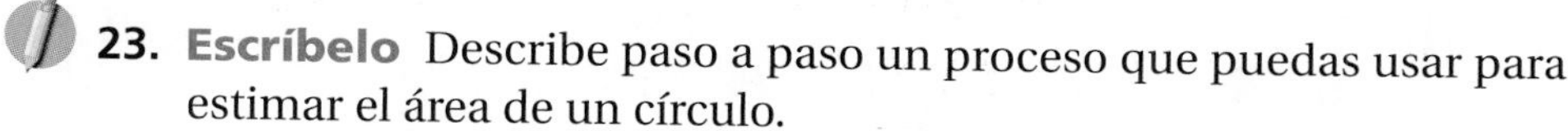

23. **Escríbelo** Describe paso a paso un proceso que puedas usar para estimar el área de un círculo.

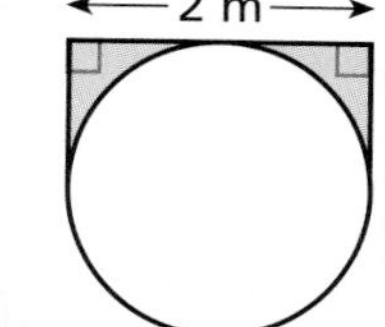

24. **Desafío** ¿Cuál es el área de la parte sombreada de la figura? Usa 3.14 para *pi.* Redondea la respuesta a la centésima más cercana.

PREPARACIÓN PARA EL EXAMEN y repaso en espiral

25. **Opción múltiple** Jerome conoce el radio de una asadera. Necesita estimar el área de la asadera. ¿Qué método puede usar Jerome para estimar el área?

Ⓐ Multiplicar el radio por 3

Ⓑ Dividir el radio entre 2 y elevar el resultado al cuadrado

Ⓒ Elevar el radio al cuadrado y multiplicar el resultado por 3

Ⓓ Multiplicar el radio por 3 y elevar el resultado al cuadrado

26. **Respuesta gráfica** Halla el área, en pulgadas cuadradas, de un círculo con un diámetro de 10 pulg. Usa 3.14 para *pi.*

Multiplica. Escribe cada respuesta en su mínima expresión. (Lección 5-7)

27. $\frac{3}{8} \cdot \frac{4}{9}$
28. $\frac{7}{10} \cdot \frac{3}{14}$
29. $\frac{8}{9} \cdot \frac{5}{16}$
30. $\frac{6}{15} \cdot \frac{10}{21}$

Divide. Escribe cada respuesta en su mínima expresión. (Lección 5-9)

31. $\frac{3}{5} \div 5$
32. $\frac{4}{9} \div 12$
33. $\frac{5}{6} \div \frac{2}{3}$
34. $2\frac{4}{5} \div 1\frac{1}{2}$

CAPÍTULO 10

SECCIÓN 10A

Prueba de las Lecciones 10-1 a 10-5

10-1 Cómo estimar y hallar el área

Halla el área de cada figura.

1. 41 cm; 62 cm

2. 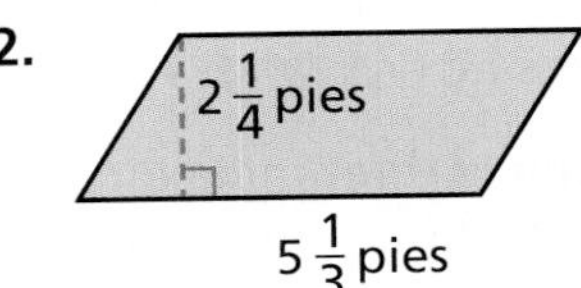

3. Mark hace un huerto rectangular en el patio trasero. El resto del patio está cubierto con grava. ¿Qué área del patio está cubierta con grava?

Patio; 75 pies; 120 pies; 24 pies; 15 pies

10-2 El área de triángulos y trapecios

Halla el área de cada figura.

4. 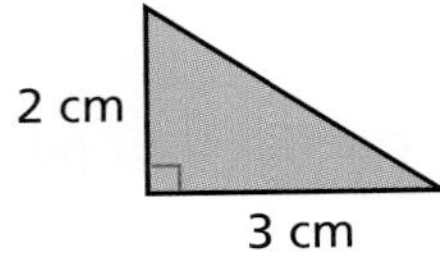

3. 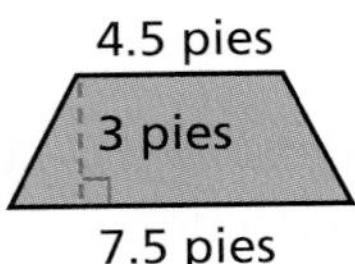

5. 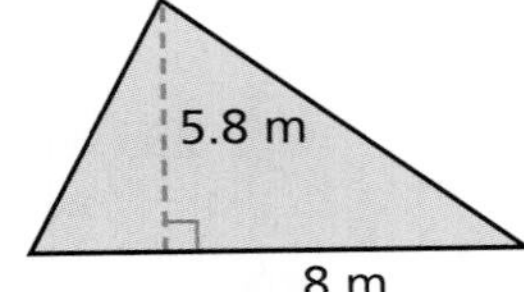

10-3 El área de figuras compuestas

7. Halla el área del polígono.

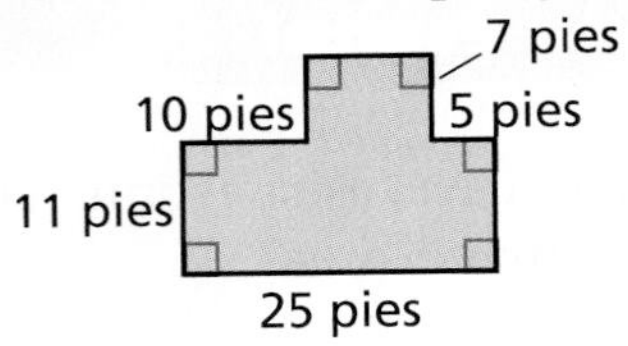

8. Estima el área del estado de Oklahoma con las dimensiones aproximadas.

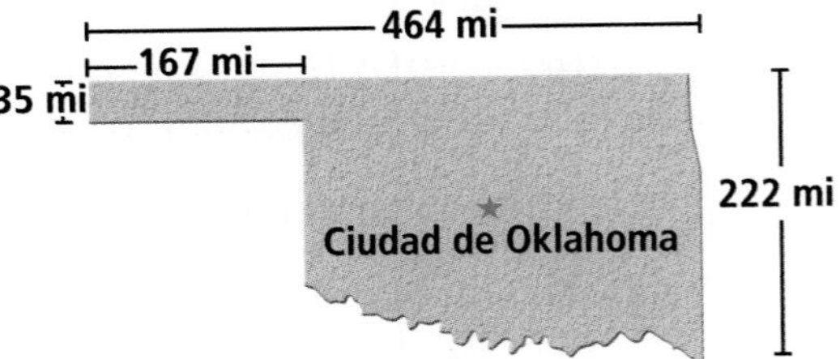

10-4 Cómo comparar perímetro y área

9. La longitud y el ancho de un rectángulo se multiplican por 4. Halla cómo cambian el perímetro y el área del rectángulo.

10-5 El área de los círculos

Halla el área de cada círculo. Usa 3.14 para *pi*. Redondea a la centésima más cercana.

10. 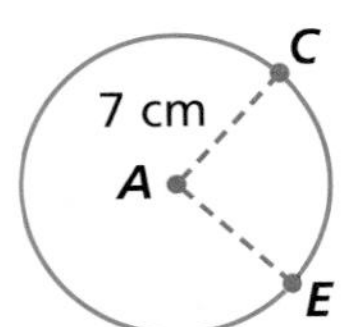

11. 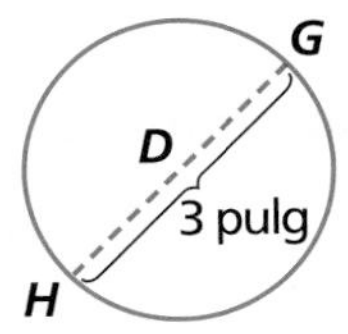

12. 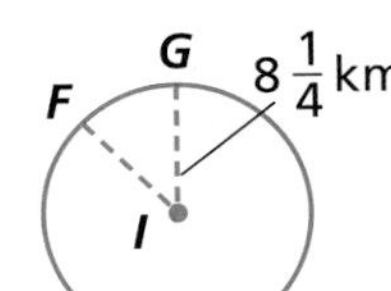

13. 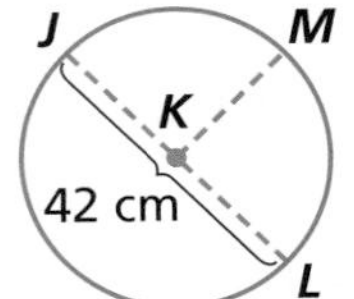

¿Listo para seguir?

Enfoque en resolución de problemas

Resuelve

• Elige la operación

Lee el problema completo antes de tratar de resolverlo. Determina qué sucede en el problema. Luego decide si necesitas sumar, restar, multiplicar o dividir para resolver el problema.

Acción	Operación
Combinar o juntar	Sumar
Quitar o eliminar Comparar o hallar la diferencia	Restar
Combinar grupos iguales	Multiplicar
Repartir en partes iguales o separar en grupos iguales	Dividir

Lee cada problema. Determina la acción que se desarrolla en cada uno. Elige una operación y resuelve el problema.

1. Hay 3 estanques de lirios en el jardín botánico. Son idénticos en tamaño y forma. El área completa de los estanques mide 165 $pies^2$. ¿Cuál es el área de cada estanque?

2. El invernadero se compone de 6 cuartos rectangulares con un área de 4,800 $pies^2$ cada uno. ¿Cuál es el área total del invernadero?

3. Un área sombreada con 17 variedades de árboles de magnolia, que florecen de marzo a junio, rodea la plaza del parque Magnolia. En el centro de la plaza hay un cantero circular de arbustos, como se muestra abajo. Si el área total del parque mide 625 $pies^2$, ¿cuál es el área de la plaza?

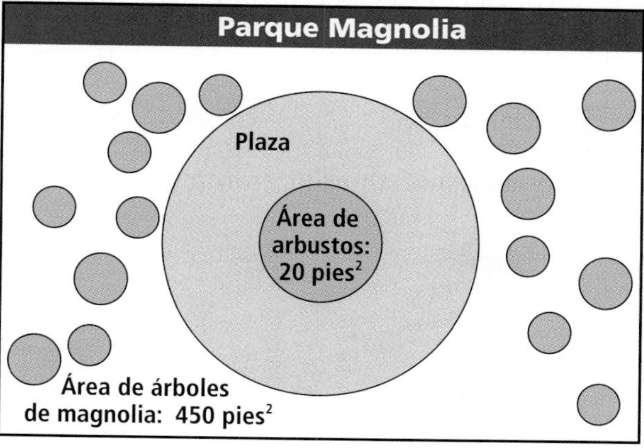

Dibujar vistas de figuras tridimensionales

Para usar con la Lección 10-6

go.hrw.com
Recursos en línea para el laboratorio
CLAVE: MR7 Lab10

Actividad 1

1. Dibuja un prisma rectangular. Imagina que observas la parte superior del prisma y dibuja lo que verías. Dibuja las vistas frontal y lateral del prisma.

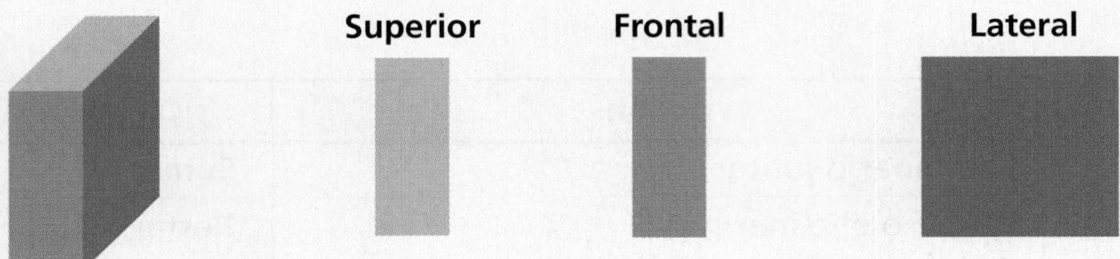

Todas las caras de un prisma rectangular son rectángulos.

2. Apila cubos de 1 centímetro para hacer la figura tridimensional que se muestra. Dibuja las vistas superior, frontal y lateral.

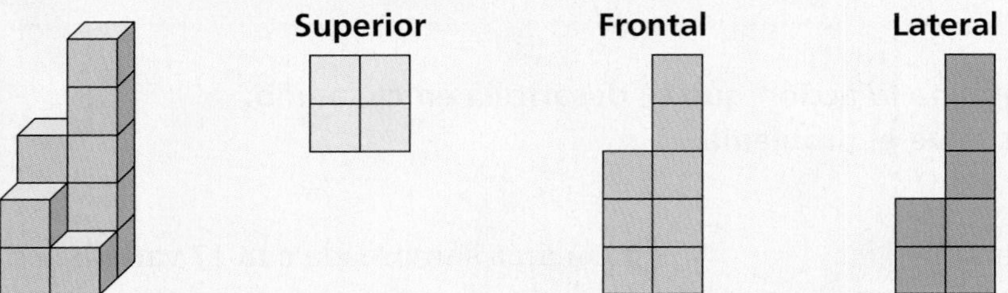

En cada vista se muestra una configuración diferente de cuadrados que representa los cubos que ves.

Razonar y comentar

1. Explica por qué la vista lateral de una figura tridimensional podría cambiar si miras un lado diferente.

Inténtalo

Dibuja las vistas superior, frontal y lateral de cada figura tridimensional.

1. 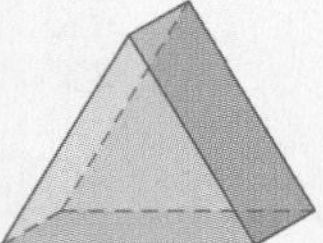

2. 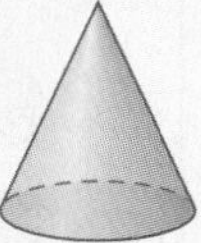

3. 

Actividad 2

Puedes usar diferentes vistas de una figura tridimensional para construirla.

Usando cubos de 1 centímetro, construye la figura tridimensional que tiene las vistas dadas.

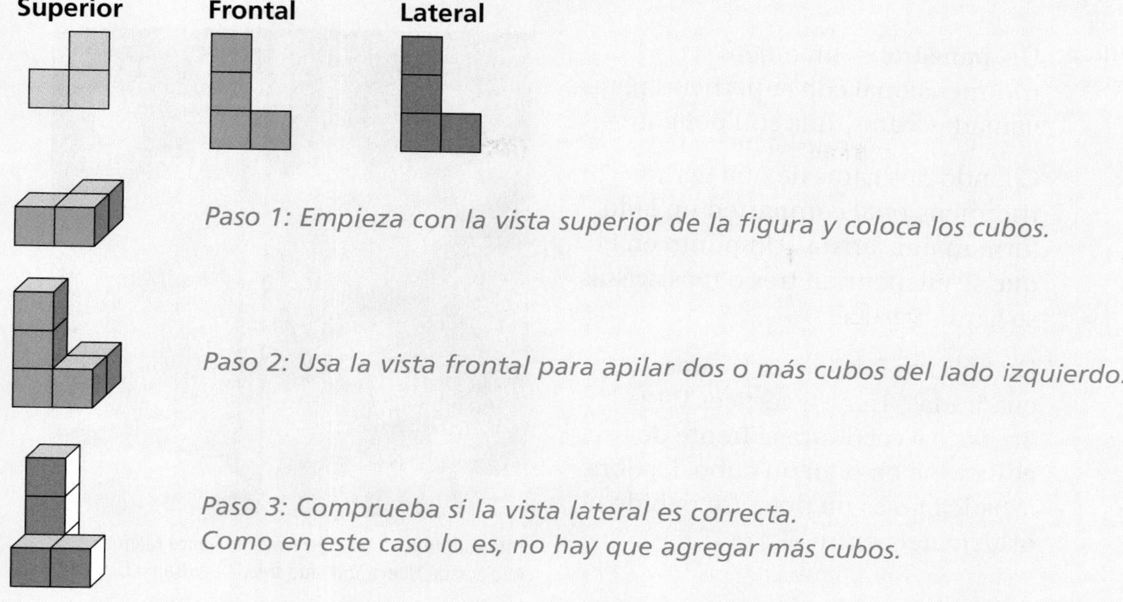

Superior
Frontal
Lateral
Paso 1: Empieza con la vista superior de la figura y coloca los cubos.
Paso 2: Usa la vista frontal para apilar dos o más cubos del lado izquierdo.
Paso 3: Comprueba si la vista lateral es correcta.
Como en este caso lo es, no hay que agregar más cubos.

Ésta es la figura tridimensional que tiene las vistas dadas.

Razonar y comentar

1. Explica por qué es una buena idea empezar con la vista superior.

Inténtalo

Con cubos de 1 centímetro, construye la figura tridimensional que tiene las vistas dadas.

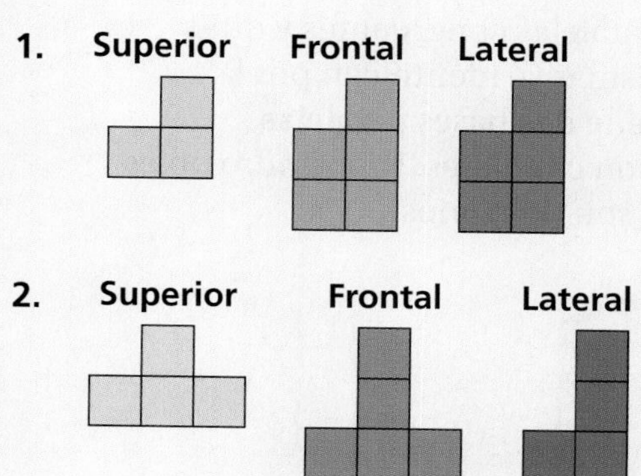

10-6 Las figuras tridimensionales

Aprender a identificar figuras tridimensionales

Vocabulario
- poliedro
- cara
- arista
- vértice
- prisma
- base
- pirámide
- cilindro
- cono

Un **poliedro** es un objeto tridimensional con superficies planas llamadas **caras,** que son polígonos.

Cuando dos caras de una figura tridimensional comparten un lado, forman una **arista.** Un punto en el que se encuentran tres o más aristas se llama **vértice.**

Un cubo se forma con 6 caras cuadradas. Tiene 8 vértices y 12 aristas. La escultura al frente de este edificio se basa en un cubo. La obra artística no es un poliedro debido al orificio del centro.

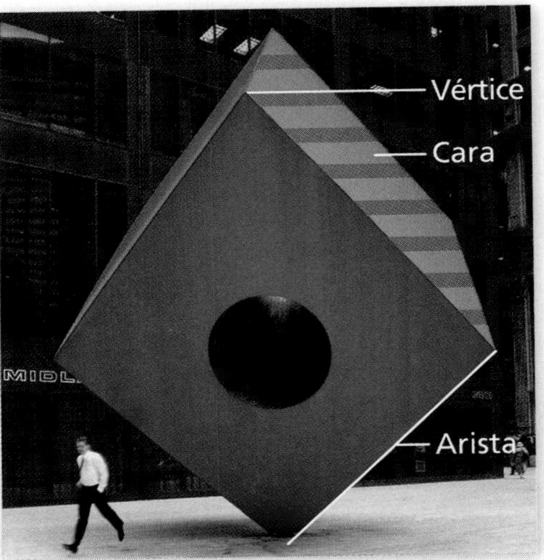

Esta escultura, *Cubo Rojo,* frente al Banco Marine Midland de Nueva York, fue creada por Isamu Noguchi.

EJEMPLO 1 Identificar caras, aristas y vértices

Identifica el número de caras, aristas y vértices de cada figura tridimensional.

A

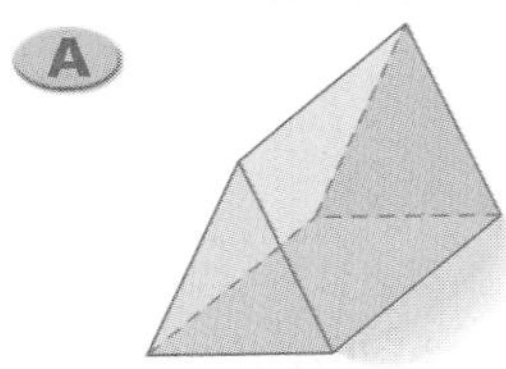

5 caras
9 aristas
6 vértices

B

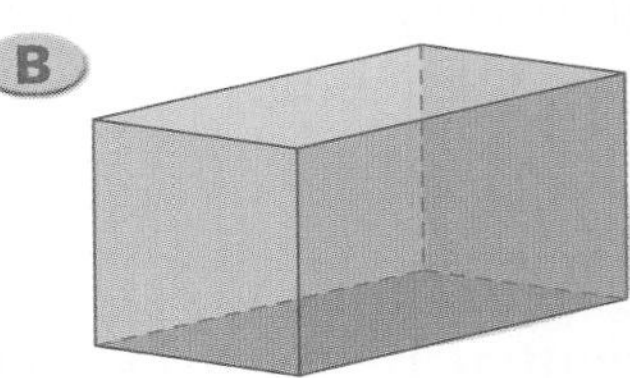

6 caras
12 aristas
8 vértices

Un **prisma** es un poliedro con dos **bases** paralelas congruentes y otras caras que son todas paralelogramos. Los prismas se identifican por la forma de sus bases. Un **cilindro** también tiene dos bases paralelas congruentes, pero las bases de un cilindro son circulares. Un cilindro no es un poliedro porque no todas las superficies son polígonos.

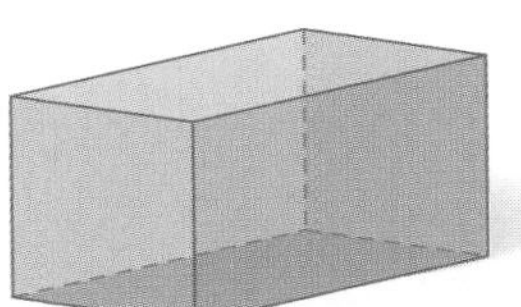

Prisma rectangular

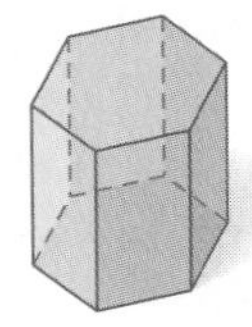

Prisma hexagonal

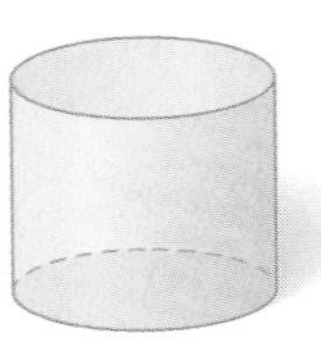

Cilindro

> **Pista útil**
>
> El extremo de un cono se llama *vértice*.

Una **pirámide** tiene una base en forma de polígono y tres o más caras triangulares que comparten un vértice. Las pirámides se identifican por la forma de su base. Un **cono** tiene una base circular y una superficie curva que converge en un punto. Un cono no es un poliedro porque no todas sus caras son polígonos.

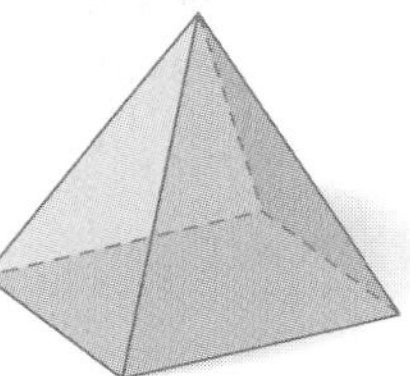

Pirámide cuadrangular

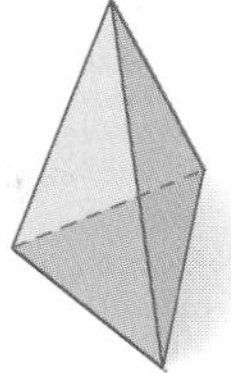

Pirámide triangular

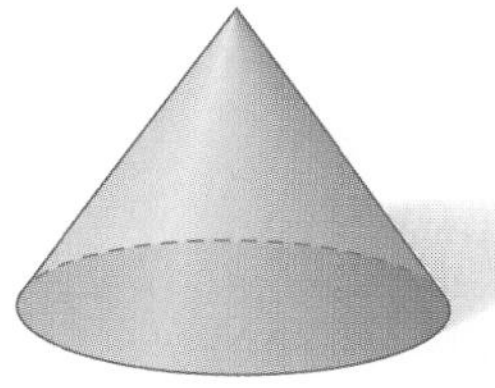

Cono

EJEMPLO 2 Identificar figuras tridimensionales

Identifica la figura tridimensional que representa cada objeto.

A

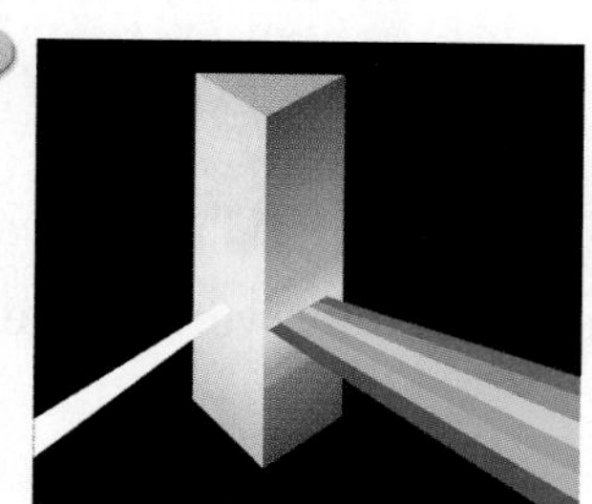

Todas las caras son planas y son polígonos.

La figura es un poliedro.

Hay dos bases paralelas congruentes, por lo tanto, la figura es un prisma.

Las bases son triángulos.

La figura es un prisma triangular.

Hay una superficie curva.

La figura no es un poliedro.

Hay una base circular plana.

La superficie lateral converge en un punto.

La figura representa un cono.

Todas las caras son planas y son polígonos.

La figura es un poliedro.

Tiene una base y las otras caras son triángulos que convergen en un punto, por lo tanto, la figura es una pirámide.

La base es un cuadrado.

La figura es una pirámide cuadrangular.

Razonar y comentar

1. **Explica** en qué se parecen y en qué se diferencian una pirámide y un prisma.
2. **Explica** en qué se parecen y en qué se diferencian un cono y una pirámide.

10-6 Ejercicios

go.hrw.com
Ayuda en línea para tareas*
CLAVE: MR7 10-6
Recursos en línea para padres
CLAVE: MR7 Parent
*(Disponible sólo en inglés)

PRÁCTICA GUIADA

Ver Ejemplo 1 **Identifica el número de caras, aristas y vértices de cada figura tridimensional.**

1. 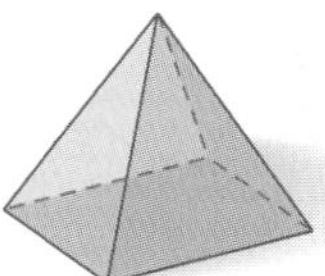

2. 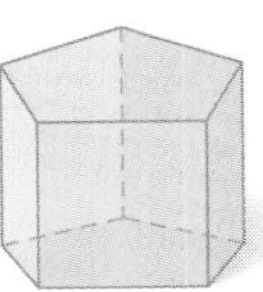

3. 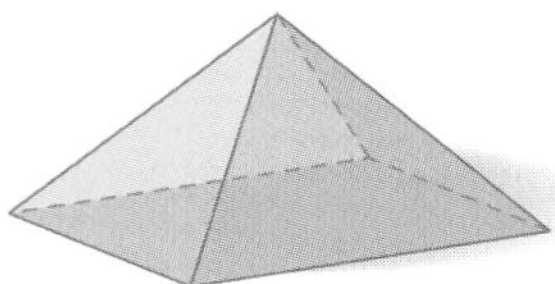

Ver Ejemplo 2 **Identifica la figura tridimensional que representa cada objeto.**

4. 

5. 

6. 

PRÁCTICA INDEPENDIENTE

Ver Ejemplo  **Identifica el número de caras, aristas y vértices de cada figura tridimensional.**

7. 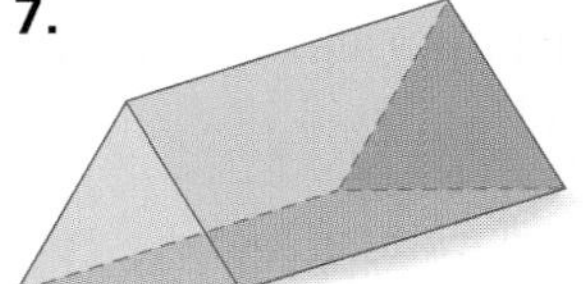

8. 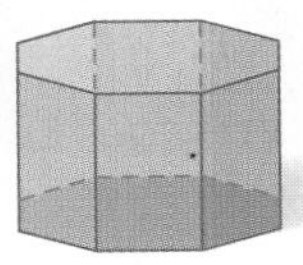

9. 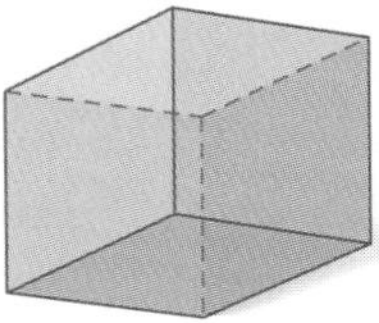

Ver Ejemplo  **Identifica la figura tridimensional que representa cada objeto.**

10. 

11. 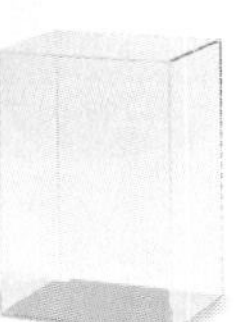

12. 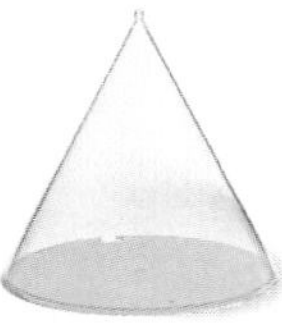

PRÁCTICA Y RESOLUCIÓN DE PROBLEMAS

Práctica adicional
Ver página 734

Identifica cada figura e indica si es un poliedro.

13. 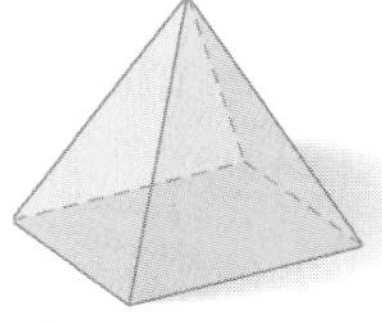

14. 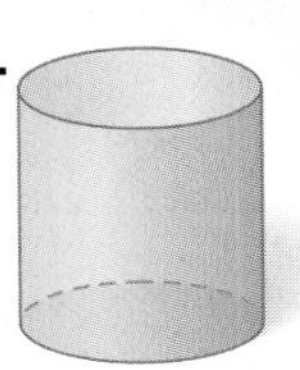

15. 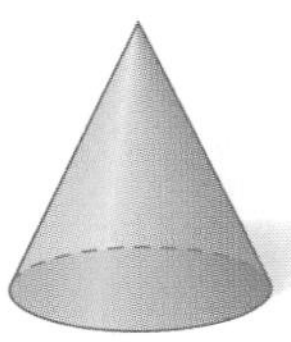

Escribe la letra de todas las figuras que corresponden a cada descripción.

16. prisma

17. Tiene caras triangulares.

18. Tiene 6 caras.

19. Tiene 5 vértices.

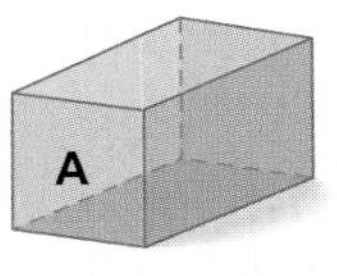

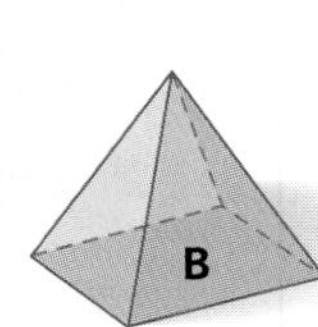

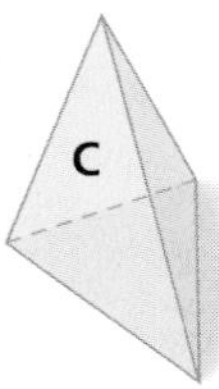

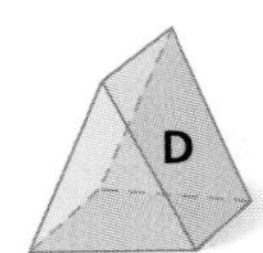

Indica si cada enunciado es *verdadero* o *falso*.

20. Un cono no tiene una superficie plana.

21. Las bases de un cilindro son congruentes.

22. Todas las pirámides tienen cinco o más vértices.

23. Todas las aristas de un cubo son congruentes.

24. **Arquitectura** Identifica la figura tridimensional que representa cada edificio.

a. 

b. 

c. 

25. **Razonamiento crítico** Li hace velas con su madre. Hizo una vela en forma de una pirámide que tenía 9 caras. ¿Cuántos lados tenía la base de la vela? Identifica el poliedro que formaba la vela.

26. **¿Dónde está el error?** Un estudiante dice que se puede identificar cualquier poliedro si se sabe el número de caras que tiene. ¿Qué error cometió?

27. **Escríbelo** ¿En qué se parecen un cono y un cilindro? ¿En qué se diferencian?

28. **Desafío** Se corta una pirámide cuadrangular a la mitad, con un corte paralelo a la base de la pirámide. ¿Qué forma tienen las caras de la mitad inferior de la pirámide?

PREPARACIÓN PARA EL EXAMEN y repaso en espiral

29. **Opción múltiple** ¿Qué figura tiene la mayor cantidad de caras?

Ⓐ Cono Ⓑ Cubo Ⓒ Prisma octogonal Ⓓ Prisma triangular

30. **Opción múltiple** ¿Qué figura tiene una base circular?

Ⓕ Cubo Ⓖ Cilindro Ⓗ Pirámide cuadrangular Ⓙ Prisma triangular

Compara. Escribe <, > ó =. (Lección 3-1)

31. 9.04 ▒ 9.404 32. 12.7 ▒ 12.70 33. 0.03 ▒ 0.003 34. 5.12 ▒ 5.125

Clasifica cada par de líneas. (Lección 8-4)

35. 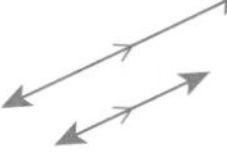

36. 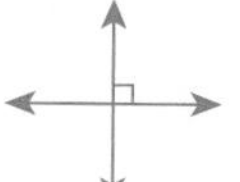

37. 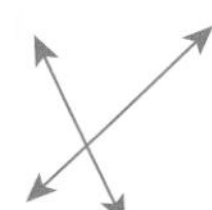

Explorar el volumen de prismas y cilindros

Para usar con la Lección 10-7

RECUERDA

- **El volumen es la cantidad de unidades cúbicas que se necesitan para llenar un espacio.**

Puedes usar cubos de 1 centímetro para hallar el volumen de un *prisma.*

Actividad 1

Usa los pasos y diagramas para completar la tabla.

	Longitud (ℓ)	Ancho (a)	Altura (h)	Cantidad total de cubos (V)
Figura A				
Figura B				
Figura C				

Figura A

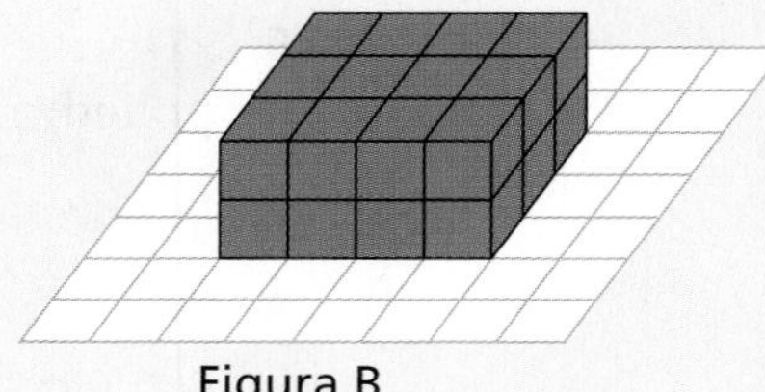
Figura B

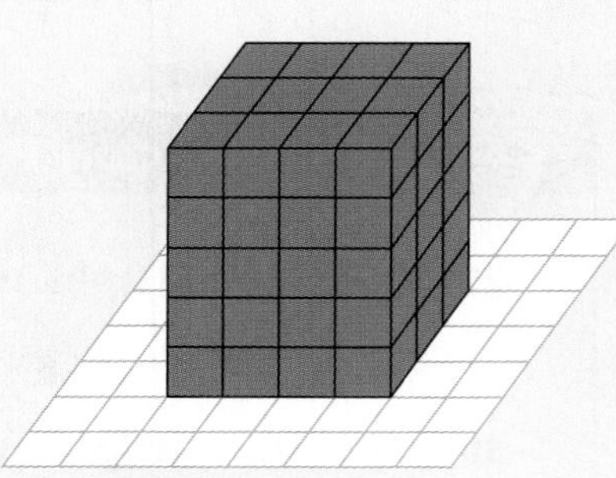
Figura C

1. Dibuja un rectángulo de 4 × 3 en un papel cuadriculado en centímetros. Coloca cubos de 1 centímetro sobre el rectángulo. *(Figura A)* ¿Cuántos cubos usaste? ¿Cuál es la altura de este prisma?
2. Haz un prisma de 2 unidades de altura. *(Figura B)* ¿Cuántos cubos usaste?
3. Haz un prisma de 5 unidades de altura. *(Figura C)* ¿Cuántos cubos usaste?

Razonar y comentar

1. ¿Cómo puedes usar la longitud, el ancho y la altura de un prisma para hallar la cantidad total de cubos sin contarlos?
2. Basándote en tu respuesta al Problema **1,** escribe una fórmula para el volumen de un prisma.
3. Cuando se duplica la altura del prisma, ¿qué pasa con el volumen?

Inténtalo

Construye cada prisma rectangular y halla su volumen.

1. $\ell = 4; a = 2; h = 3$ **2.** $\ell = 1; a = 4; h = 5$ **3.** $\ell = 3; a = 3; h = 3$ **4.** $\ell = 5; a = 10; h = 2$

5. Estima el volumen de una caja de zapatos. Llénala con cubos de 1 centímetro. ¿Qué tan cercana fue tu estimación?

Puedes usar papel cuadriculado y cubos de 1 centímetro para estimar el volumen de un *cilindro.*

Actividad 2

Usa los pasos para completar la tabla y estimar el volumen de una lata.

	Área estimada de la base (*A*)	Altura (*h*)	Volumen (*V*)
Lata	■	■	■

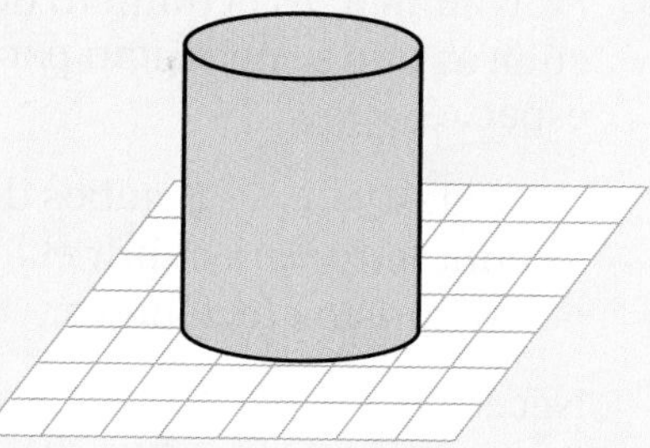

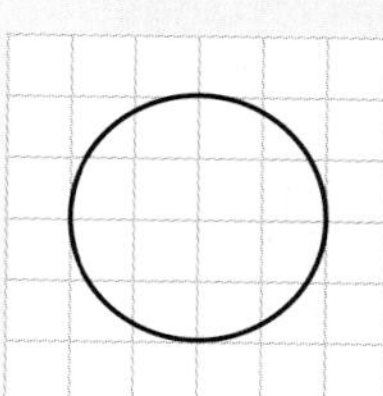

1. Traza el contorno del fondo de una lata sobre papel cuadriculado. Cuenta los cuadrados dentro del círculo para estimar el área A del fondo de la lata.

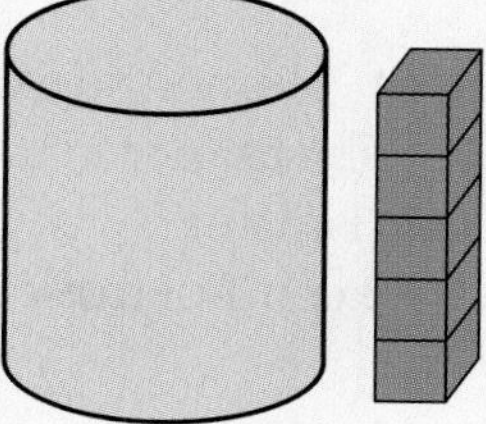

2. Usa cubos de 1 centímetro para hallar la altura de la lata.

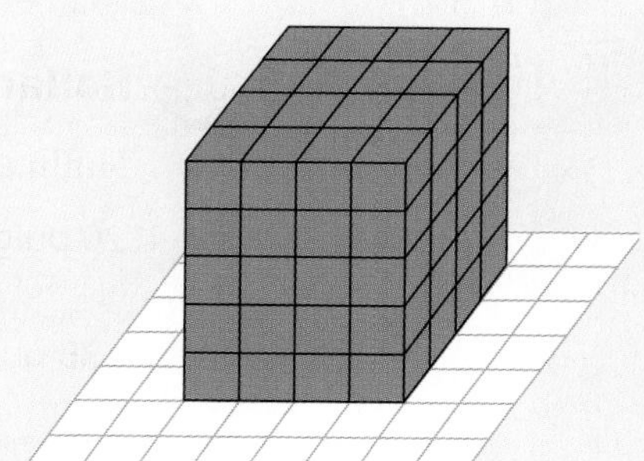

3. Usa cubos de 1 centímetro para construir un prisma que cubra el área del círculo y que tenga la altura de la lata. Halla el volumen de la lata contando los cubos que usaste para construir el prisma o usando $V = A \times h$.

Razonar y comentar

1. Si mides el radio de la base, ¿qué expresión puedes usar para hallar el área exacta del círculo?
2. Usando la expresión que hallaste en el Problema **1,** escribe una fórmula para el volumen de un cilindro.
3. Cuando se duplica la altura del cilindro, ¿cómo cambia el volumen?

Inténtalo

Estima el volumen de latas de diferentes tamaños.

		Área estimada de la base (*A*)	Altura (*h*)	Volumen (*V*)
1.	Lata de atún	■	■	■
2.		■	■	■
3.		■	■	■

10-7 El volumen de los prismas

Aprender a estimar y hallar el volumen de prismas rectangulares y triangulares

Vocabulario

volumen

El **volumen** es el número de unidades cúbicas que se necesitan para llenar un espacio.

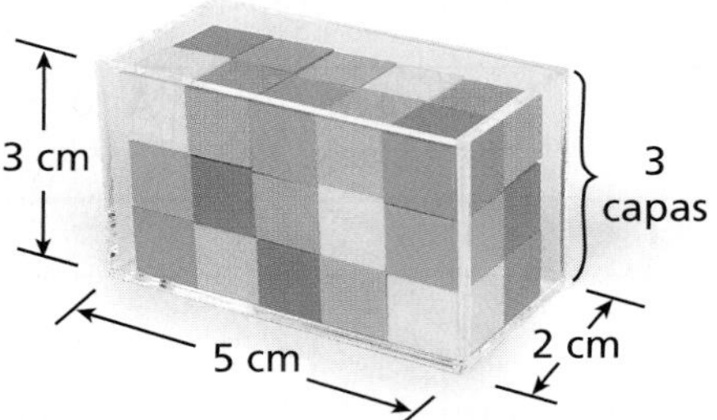

Necesitas 10, ó 5 · 2, cubos de 1 centímetro para cubrir el fondo de este prisma rectangular.

Necesitas 3 capas de 10 cubos cada una para llenar el prisma. Se necesitan 30, ó 5 · 2 · 3, cubos.

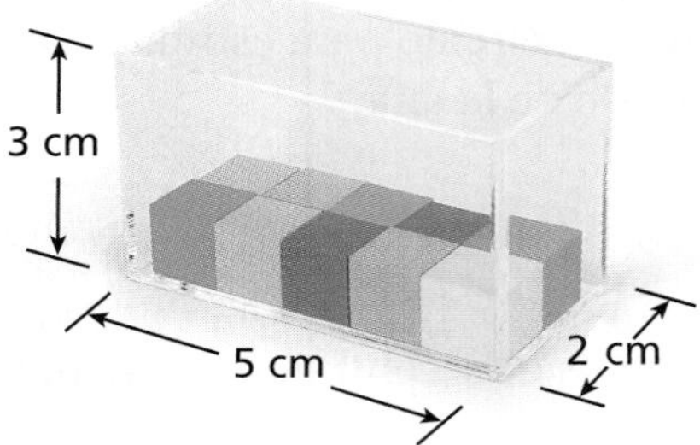

El volumen se expresa en unidades cúbicas, por lo tanto, el volumen del prisma es 5 cm · 2 cm · 3 cm = 30 centímetros cúbicos, ó 30 cm^3.

EJEMPLO 1 Hallar el volumen de un prisma rectangular

Halla el volumen del prisma rectangular.

20 pulg, 36 pulg, 80 pulg

$V = \ell ah$ — *Escribe la fórmula.*

$V = 80 \cdot 36 \cdot 20$ — *ℓ = 80; a = 36; h = 20*

$V = 57{,}600$ pulg^3 — *Multiplica.*

Para hallar el volumen de un prisma puedes usar la fórmula $V = Bh$, donde B es el área de la base y h es la altura del prisma.

EJEMPLO 2 Hallar el volumen de un prisma triangular

Halla el volumen de cada prisma triangular.

A

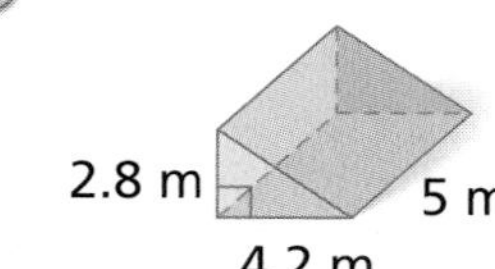

$V = Bh$ — *Escribe la fórmula.*

$V = \left(\frac{1}{2} \cdot 2.8 \cdot 4.2\right) \cdot 5$ — *$B = \frac{1}{2} \cdot 2.8 \cdot 4.2$; $h = 5$*

$V = 29.4$ m^3 — *Multiplica.*

B

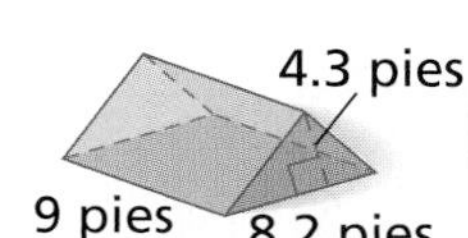

$V = Bh$ — *Escribe la fórmula.*

$V = \left(\frac{1}{2} \cdot 8.2 \cdot 4.3\right) \cdot 9$ — *$B = \frac{1}{2} \cdot 8.2 \cdot 4.3$; $h = 9$*

$V = 158.67$ pies^3 — *Multiplica.*

¡Atención!

Las bases de un prisma son siempre dos polígonos congruentes y paralelos.

EJEMPLO 3 APLICACIÓN A LA RESOLUCIÓN DE PROBLEMAS

Un proveedor envía 12 cajas cúbicas en un paquete. ¿Cuáles son las dimensiones posibles del paquete?

1 Comprende el problema

La **respuesta** serán todas las dimensiones posibles de un paquete con 12 cajas cúbicas.

Haz una lista con la **información importante:**

- Hay 12 cajas en un paquete.
- Las cajas son cúbicas, o prismas cuadrangulares.

2 Haz un plan

Puedes hacer modelos con cubos para hallar las dimensiones posibles de un paquete con 12 cajas.

3 Resuelve

Haz diferentes arreglos de 12 cubos.

$12 \times 1 \times 1$

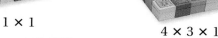

$4 \times 3 \times 1$

$6 \times 2 \times 1$

$3 \times 2 \times 2$

Las dimensiones posibles de un paquete de 12 cajas cúbicas son las siguientes: $12 \times 1 \times 1$, $4 \times 3 \times 1$, $6 \times 2 \times 1$ y $3 \times 2 \times 2$.

4 Repasa

Observa que cada dimensión es un factor de 12. Además, el producto de las dimensiones (longitud • ancho • altura) es 12, lo que demuestra que el volumen de cada paquete es 12 cubos.

Razonar y comentar

1. **Explica** cómo hallar la altura de un prisma rectangular si conoces su longitud, su ancho y su volumen.
2. **Describe** la diferencia entre las unidades que se usan para medir el perímetro, el área y el volumen.

10-7 Ejercicios

PRÁCTICA GUIADA

Ver Ejemplo 1 **Halla el volumen de cada prisma rectangular.**

1.
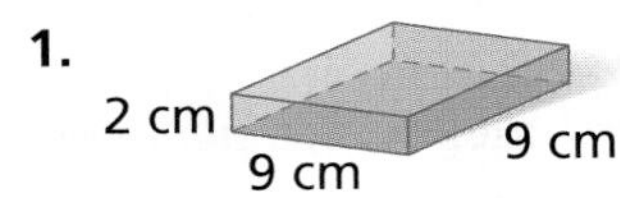

2.
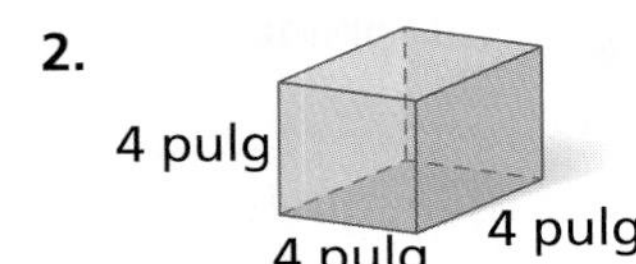

3.
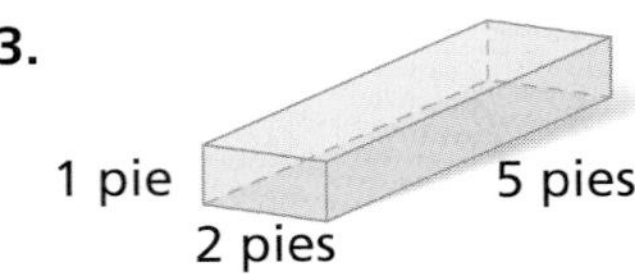

Ver Ejemplo 2 **Halla el volumen de cada prisma triangular.**

4.
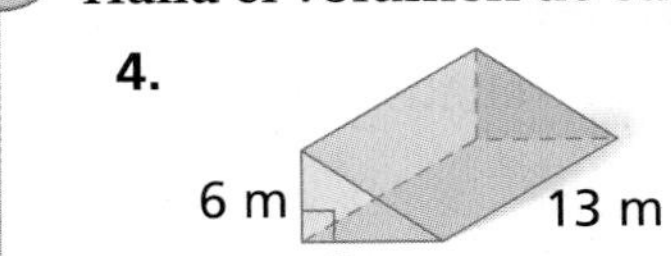

5.

4 pies
8 pies
20 pies

6.
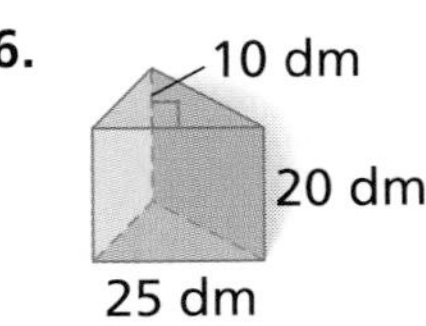

Ver Ejemplo 3 **7.** Una fábrica de juguetes empaca 10 cajas cúbicas de juguetes en un cajón. ¿Cuáles son las dimensiones posibles del cajón de juguetes?

PRÁCTICA INDEPENDIENTE

Ver Ejemplo 1 **Halla el volumen de cada prisma rectangular.**

8.
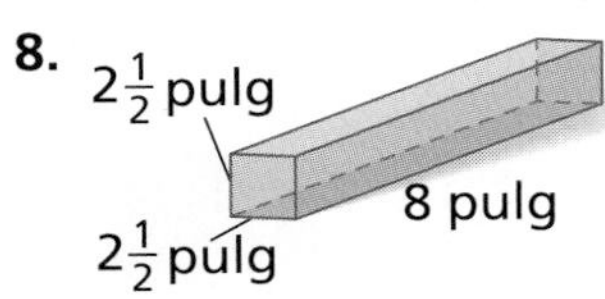

9.

3.2 pulg
3.2 pulg
7.75 pulg

10.
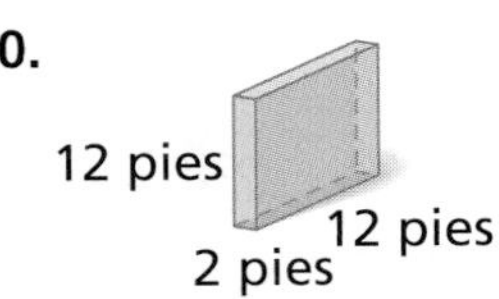

Ver Ejemplo 2 **Halla el volumen de cada prisma triangular.**

11.

3 m
4 m
9 m

12.

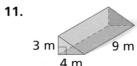

$2\frac{1}{2}$ cm
8 cm
$8\frac{3}{4}$ cm

13.

4.5 pies
3.75 pies
8.5 pies

Ver Ejemplo 3 **14.** Una imprenta empaca 18 cajas cúbicas de tarjetas de visita en una caja grande de embalaje. ¿Cuáles son las dimensiones posibles de la caja de embalaje?

PRÁCTICA Y RESOLUCIÓN DE PROBLEMAS

Práctica adicional
Ver página 734

Halla el volumen de cada figura.

15.
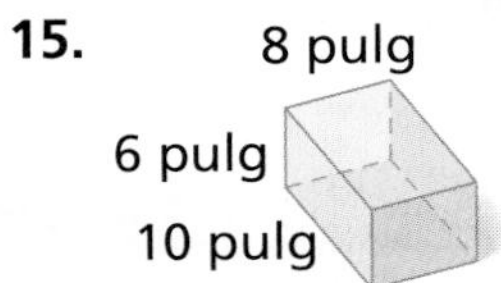

16.

3.5 cm
3.5 cm
7.25 cm

17.
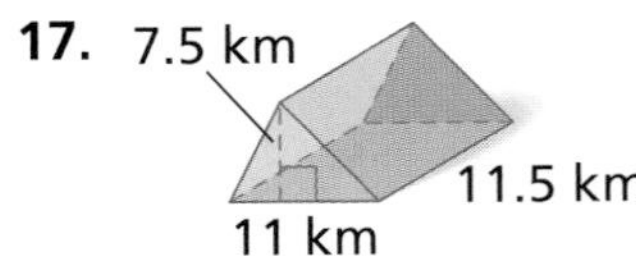

Halla las medidas que faltan en cada prisma.

18. ℓ = ___?___; $a = 25$ m; $h = 4$ m; $V = 300$ m^3

19. $\ell = 9$ pies; a = ___?___; $h = 5$ pies; $V = 900$ pies^3

20. $B = 9.28$ pulg; h = ___?___; $V = 55.68$ pulg^3

con las ciencias físicas

La densidad de una sustancia es la medida de su masa por unidad de volumen. La densidad de una sustancia particular es siempre la misma. La fórmula de la densidad D es la masa m de una sustancia dividida entre su volumen V, ó $D = \frac{m}{V}$.

Un imán atrae las limaduras de hierro.

Los cables telefónicos codificados con colores están hechos de cobre.

21. Halla el volumen de cada sustancia de la tabla.

22. Calcula la densidad de cada sustancia.

23. El agua tiene una densidad de 1 g/cm^3. Una sustancia cuya densidad sea menor que la del agua, flotará. ¿Qué sustancias de la tabla flotan en el agua?

24. Un huevo fresco tiene una densidad aproximada de 1.2 g/cm^3. Un huevo podrido tiene una densidad aproximada de 0.9 g/cm^3. ¿Cómo puedes saber si un huevo es fresco sin romperlo?

25. **Varios pasos** Alicia tiene un prisma rectangular sólido de una sustancia que ella cree que es oro. Las dimensiones del prisma son 2 cm por 1 cm por 2 cm y la masa es 20.08 g. ¿Es oro la sustancia que tiene Alicia? Explica.

26. **Escríbelo** En un laboratorio de ciencias, te entregan un prisma de cobre. Tú determinas que sus dimensiones son 4 cm, 2 cm y 6 cm. Sin pesar el prisma, ¿cómo puedes determinar su masa? Explica tu respuesta.

Prismas rectangulares

Sustancia	Longitud (cm)	Ancho (cm)	Altura (cm)	Masa (g)
Cobre	2	1	5	89.6
Oro	$\frac{2}{3}$	$\frac{3}{4}$	2	19.32
Pirita de hierro	0.25	2	7	17.57
Pino	10	10	3	120
Plata	2.5	4	2	210

27. **Desafío** Un prisma rectangular sólido de plata tiene una masa de 84 g. ¿Cuáles son algunas dimensiones posibles?

Muchas joyas se hacen de oro.

Preparación para el examen y repaso en espiral

28. **Opción múltiple** Un prisma rectangular tiene un volumen de 1,080 pies^3. La altura del prisma es 8 pies y su ancho es 9 pies. ¿Cuál es la longitud del prisma?

Ⓐ 15 pies Ⓑ 120 pies Ⓒ 135 pies Ⓓ 77,760 pies

29. **Respuesta gráfica** Las dimensiones de un prisma rectangular son 4.3 pulgadas, 12 pulgadas y 1.5 pulgadas. ¿Cuál es el volumen del prisma en pulgadas cúbicas?

Halla el MCD de cada conjunto de números. (Lección 4-3)

30. 12, 18, 24 **31.** 15, 18, 30 **32.** 16, 24, 42 **33.** 18, 54, 63

10-8 El volumen de los cilindros

Aprender a hallar el volumen de cilindros

Thomas Edison inventó el primer fonógrafo en 1877. La parte principal de este fonógrafo era un cilindro con un diámetro de 4 pulgadas y una altura de $3\frac{3}{8}$ pulgadas.

Para hallar el volumen de un cilindro, puedes usar el mismo método que usaste para los prismas: multiplica el área de la base por la altura.

volumen de un cilindro = área de la base × altura

El área de la base circular es πr^2, por lo tanto, la fórmula es $V = Bh = \pi r^2 h$.

EJEMPLO 1 Hallar el volumen de un cilindro

Halla el volumen *V* de cada cilindro a la unidad cúbica más cercana.

A

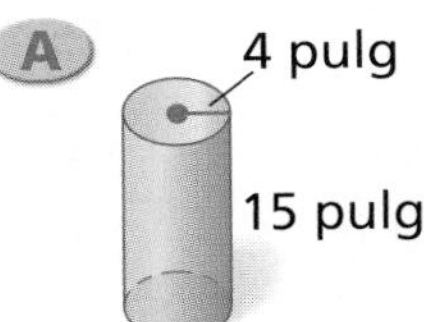

$V = \pi r^2 h$ — *Escribe la fórmula.*

$V \approx 3.14 \times 4^2 \times 15$ — *Sustituye π por 3.14, r por 4 y h por 15.*

$V \approx 753.6$ — *Multiplica.*

El volumen es aproximadamente 754 pulg^3.

B

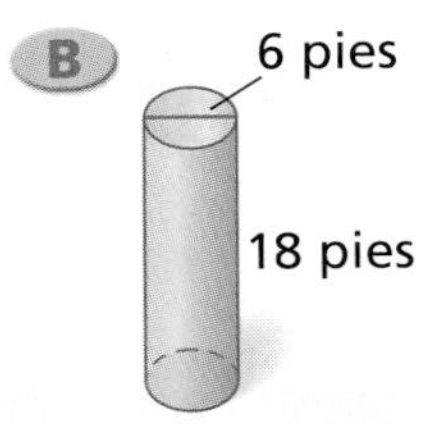

6 pies ÷ 2 = 3 pies — *Halla el radio.*

$V = \pi r^2 h$ — *Escribe la fórmula.*

$V \approx 3.14 \times 3^2 \times 18$ — *Sustituye π por 3.14, r por 3 y h por 18.*

$V \approx 508.68$ — *Multiplica.*

El volumen es aproximadamente 509 pies^3.

C

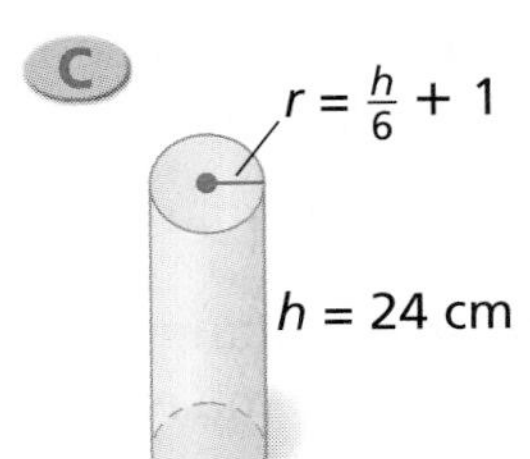

$r = \frac{h}{6} + 1$ — *Halla el radio.*

$r = \frac{24}{6} + 1 = 5$ — *Sustituye h por 24.*

$V = \pi r^2 h$ — *Escribe la fórmula.*

$V \approx 3.14 \times 5^2 \times 24$ — *Sustituye π por 3.14, r por 5 y h por 24.*

$V \approx 1{,}884$ — *Multiplica.*

El volumen es aproximadamente 1,884 cm^3.

EJEMPLO 2 *Aplicación a la música*

El cilindro del primer fonógrafo de Edison tenía 4 pulg de diámetro y una altura de aproximadamente 3 pulg. El fonógrafo normal que se fabricaba 21 años después tenía 2 pulg de diámetro y 4 pulg de altura. Estima el volumen de cada cilindro a la pulgada cúbica más cercana.

¡Recuerda!

El valor de *pi* puede aproximarse como 3.14 ó $\frac{22}{7}$.

A Primer fonógrafo de Edison

$4 \text{ pulg} \div 2 = 2 \text{ pulg}$	*Halla el radio.*
$V = \pi r^2 h$	*Escribe la fórmula.*
$V \approx 3.14 \times 2^2 \times 3$	*Sustituye π por 3.14, r por 2 y h por 3.*
$V \approx 37.68$	*Multiplica.*

El volumen del primer fonógrafo de Edison era aproximadamente 38 pulg^3.

B Fonógrafo normal de Edison

$2 \text{ pulg} \div 2 = 1 \text{ pulg}$	*Halla el radio.*
$V = \pi r^2 h$	*Escribe la fórmula.*
$V \approx \frac{22}{7} \times 1^2 \times 4$	*Sustituye π por $\frac{22}{7}$, r por 1 y h por 4.*
$V \approx \frac{88}{7} = 12\frac{4}{7}$	*Multiplica.*

El volumen del fonógrafo normal era aproximadamente 13 pulg^3.

EJEMPLO 3 Comparar el volumen de cilindros

Halla qué cilindro tiene el mayor volumen.

Cilindro 1: $V = \pi r^2 h$

$V \approx 3.14 \times 6^2 \times 12$

$V \approx 1{,}356.48 \text{ cm}^3$

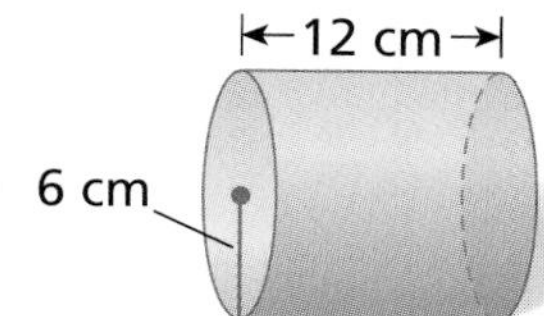

Cilindro 2: $V = \pi r^2 h$

$V \approx 3.14 \times 4^2 \times 16$

$V \approx 803.84 \text{ cm}^3$

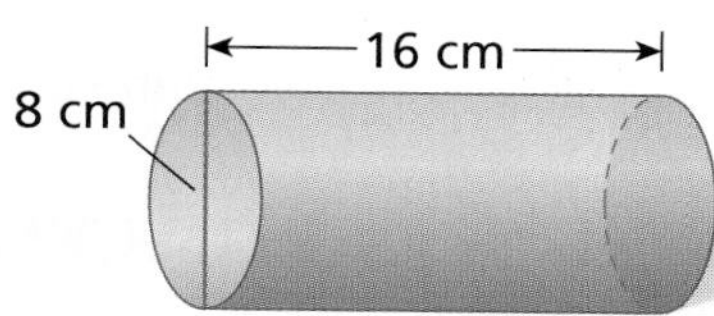

El cilindro 1 tiene el mayor volumen porque $1{,}356.48 \text{ cm}^3 > 803.84 \text{ cm}^3$.

Razonar y comentar

1. **Explica** en qué se parece la fórmula del volumen del cilindro a la fórmula del volumen de un prisma rectangular.
2. **Explica** qué partes de un cilindro se representan con πr^2 y h en la fórmula $V = \pi r^2 h$.

10-8 Ejercicios

*(Disponible sólo en inglés)

PRÁCTICA GUIADA

Ver Ejemplo 1

Halla el volumen *V* de cada cilindro a la unidad cúbica más cercana.

1. 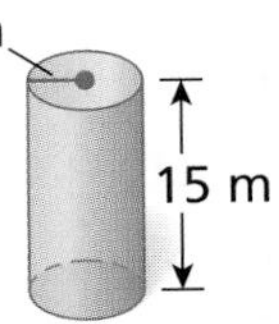

2. 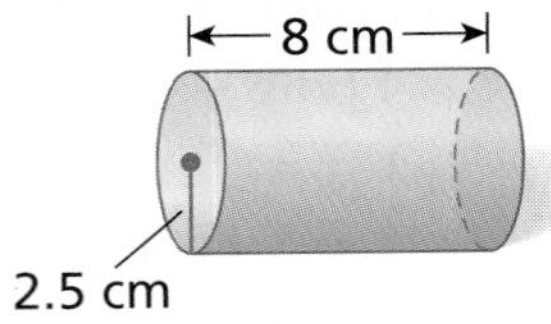

3. 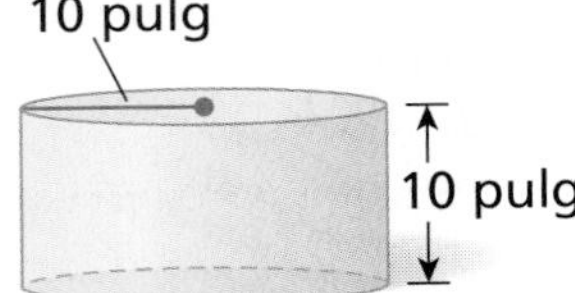

Ver Ejemplo 2

4. Una cubeta cilíndrica con un diámetro de 4 pulgadas se llena con agua de lluvia a una altura de 2.5 pulgadas. Estima el volumen de agua de lluvia a la pulgada cúbica más cercana.

Ver Ejemplo 3

5. Halla qué cilindro, A o B, tiene el mayor volumen.

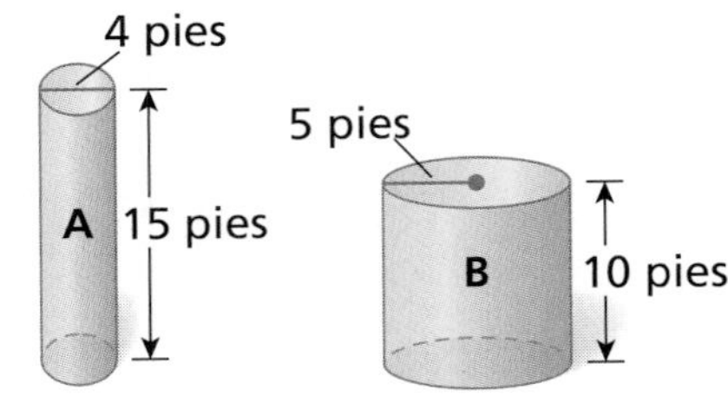

PRÁCTICA INDEPENDIENTE

Ver Ejemplo 1

Halla el volumen *V* de cada cilindro a la unidad cúbica más cercana.

6. 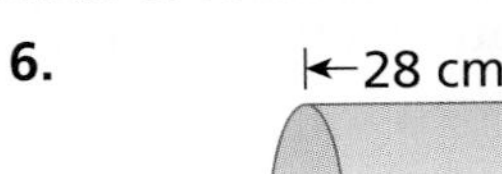

7.  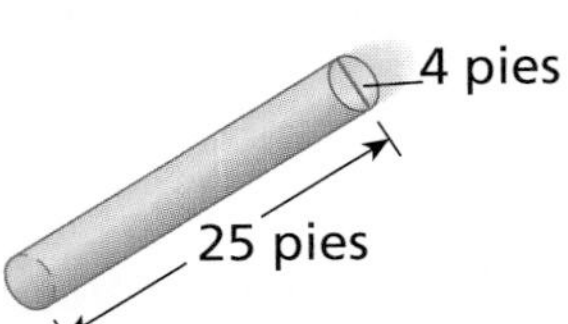

8. 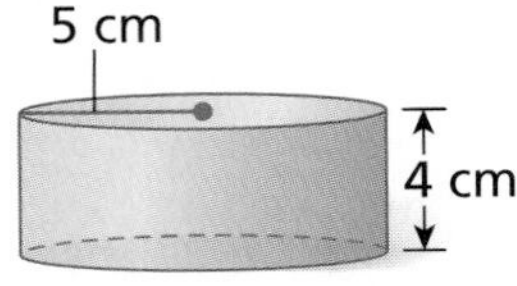

Ver Ejemplo 2

9. Los tacos de madera son cilindros sólidos. Un taco tiene un radio de 1 cm y otro tiene un radio de 3 cm. Ambos tacos tienen una altura de 10 cm. Estima el volumen de cada uno al centímetro cúbico más cercano.

Ver Ejemplo 3

10. Halla qué cilindro, X o Y, tiene el mayor volumen.

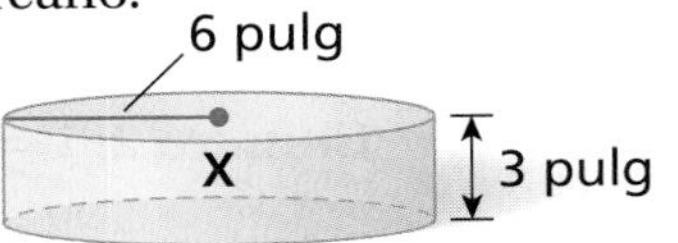

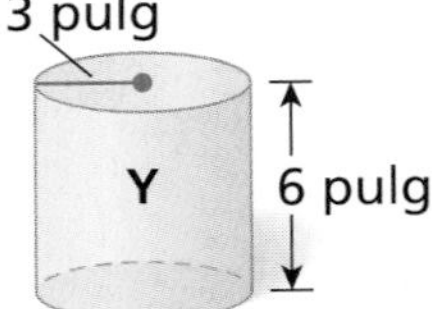

PRÁCTICA Y RESOLUCIÓN DE PROBLEMAS

Práctica adicional
Ver página 734

Halla el volumen de cada cilindro a la unidad cúbica más cercana.

11. 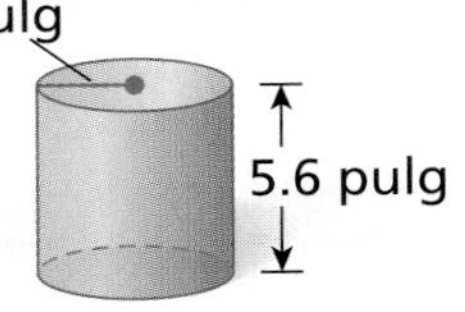

12. 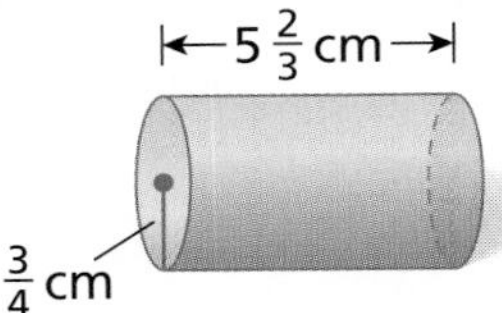

13. 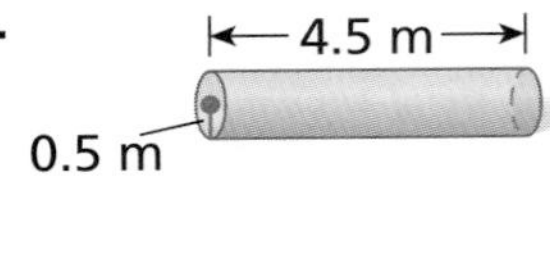

Halla el volumen de cada cilindro con la información que se da.

14. $r = 6$ cm; $h = 6$ cm
15. $d = 4$ pulg; $h = 8$ pulg
16. $r = 2$ m; $h = 5$ m
17. $r = 7.5$ pies; $h = 11.25$ pies
18. $d = 12\frac{1}{4}$ yd; $h = 5\frac{3}{5}$ yd
19. $d = 20$ mm; $h = 40$ mm

Varios pasos **Halla el volumen de cada cilindro sombreado a la unidad cúbica más cercana.**

20.

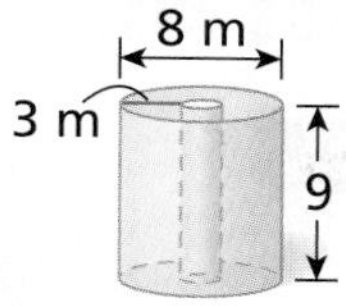
8 m
3 m
9 m

21.

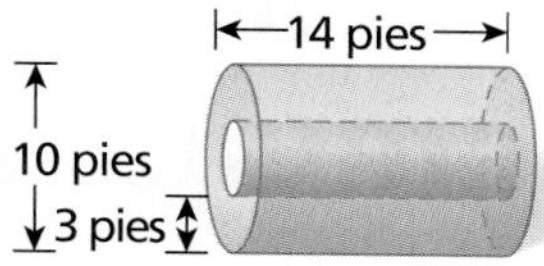
14 pies
10 pies
3 pies

22.

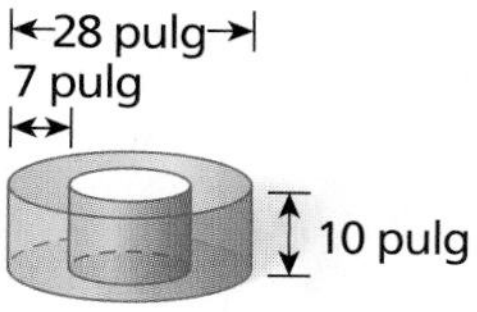
28 pulg
7 pulg
10 pulg

23. Medición ¿Puede esta lata azul contener 200 cm^3 de jugo? ¿Cómo lo sabes?

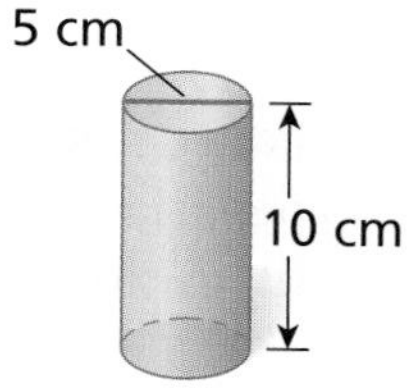
5 cm
10 cm

24. Ciencias Un científico llenó un recipiente cilíndrico con 942 mm^3 de una solución química. El área de la base del cilindro mide 78.5 mm^2. ¿Cuál es la altura de la solución?

25. Elige una estrategia Fran, Gene, Helen e Ira tienen cilindros con diferente volumen. El cilindro de Gene tiene más capacidad que el de Fran. El cilindro de Ira tiene más capacidad que el de Helen, pero menos capacidad que el de Fran. ¿Qué cilindro tiene el mayor volumen? ¿Qué color de cilindro tiene cada uno?

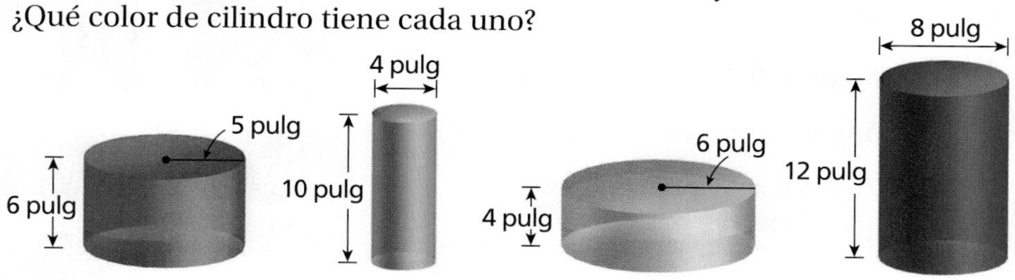
5 pulg
6 pulg
4 pulg
10 pulg
6 pulg
4 pulg
8 pulg
12 pulg

26. Escríbelo Explica por qué el volumen se expresa en unidades cúbicas de medida.

27. Desafío Halla el volumen del área sombreada.

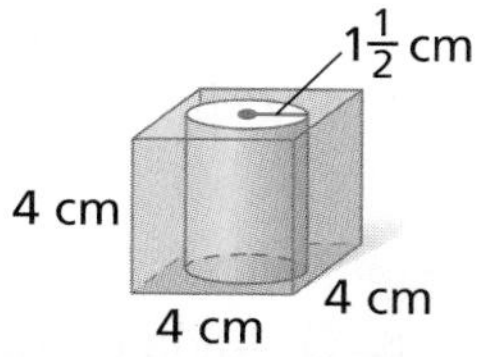
$1\frac{1}{2}$ cm
4 cm
4 cm
4 cm

Preparación para el examen y repaso en espiral

28. Opción múltiple Halla el volumen de un cilindro con una altura de $2\frac{1}{3}$ pies y un radio de $1\frac{1}{2}$ pie.

Ⓕ 19.75 $pies^3$ Ⓖ 16.5 $pies^3$ Ⓗ 11 $pies^3$ Ⓙ 5.5 $pies^3$

29. Respuesta breve La sopa de pollo y fideos se vende en una lata que tiene 11 cm de altura y un radio de 2.5 cm. La sopa de tomate se vende en una lata que tiene 7.5 cm de altura y un radio de 4 cm. Halla el volumen de las dos latas. ¿En cuál de ellas cabe más sopa?

Identifica un patrón en cada sucesión. Indica los términos que faltan. (Lección 1-7)

30. 10, 13, 16, 19, ▒, ▒, . . . **31.** 5, 8, 7, 10, ▒, ▒, . . . **32.** 4, 16, 64, 256, ▒, ▒, . . .

33. En el diagrama se muestra el patio de una escuela. ¿Cuánto mide $\angle W$? (Lección 9-6)

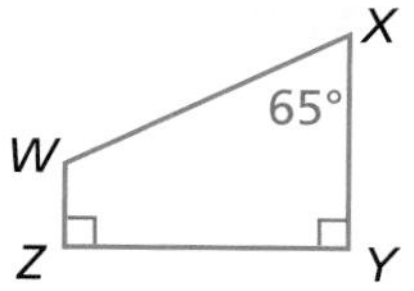
X
65°
W
Z
Y

Modelos de figuras tridimensionales

Para usar con la Lección 10-9

Para construir una figura tridimensional, puedes recortar sus caras en papel, pegarlas con cinta adhesiva y doblarlas para que formen la figura. Un patrón de figuras que puede doblarse para formar un cuerpo geométrico se llama *plantilla.*

Actividad

1 Para hacer un patrón de un prisma rectangular, sigue estos pasos.

a. Dibuja los siguientes rectángulos y recórtalos:

Dos rectángulos de 2 pulg × 3 pulg

Dos rectángulos de 1 pulg × 3 pulg

Dos rectángulos de 1 pulg × 2 pulg

b. Pega las piezas con cinta adhesiva para formar el prisma.

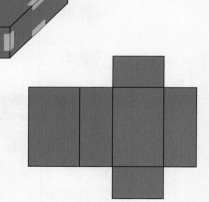

c. Quita la cinta adhesiva de algunas aristas para aplanar el patrón.

2 Crea una plantilla para un cilindro.

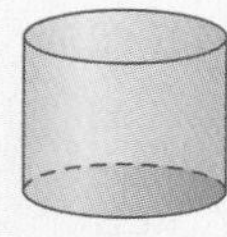

Razona: ¿Qué figuras pueden formar un cilindro?

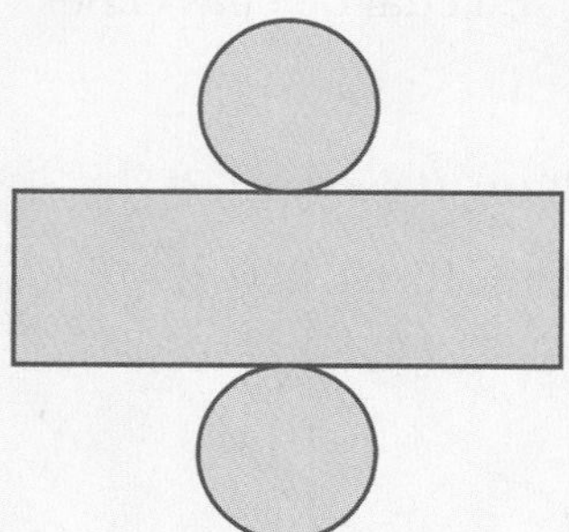

Si un cilindro se "despliega", sus bases son círculos y la superficie curva es un rectángulo.

La plantilla está formada por dos círculos y un rectángulo.

3 Crea una plantilla de una pirámide cuadrangular.

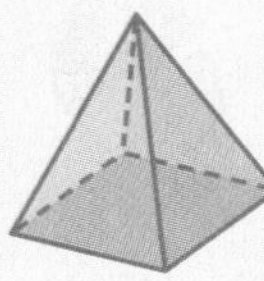

Razona: ¿Qué figuras pueden formar una pirámide cuadrangular?

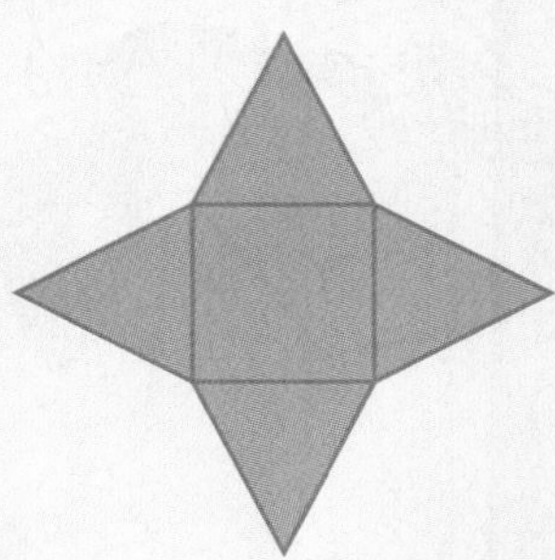

Si la pirámide cuadrangular se "despliega", la base es un cuadrado y los lados son triángulos.

La plantilla está formada por un cuadrado y cuatro triángulos.

Razonar y comentar

1. Compara las plantillas de un prisma rectangular y de un cubo.
2. Indica qué figuras aparecerán siempre en una plantilla de una pirámide triangular.
3. Indica qué figuras aparecerán siempre en una plantilla de un prisma hexagonal.

Inténtalo

Indica si cada plantilla puede doblarse para formar un cubo. Si no, explica.

1. 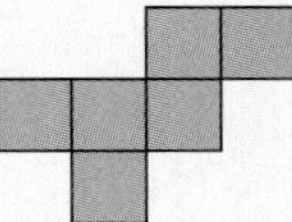

2. 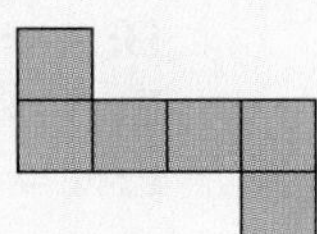

3. 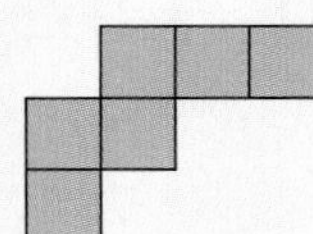

4. 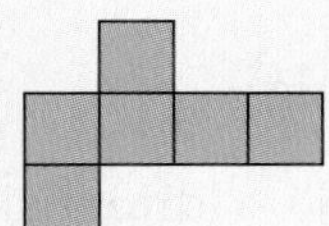

Identifica la figura tridimensional que puede formarse con cada plantilla.

5. 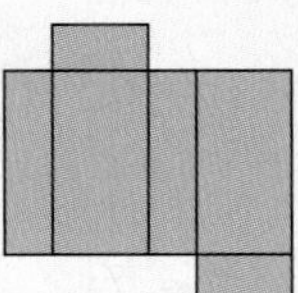

6. 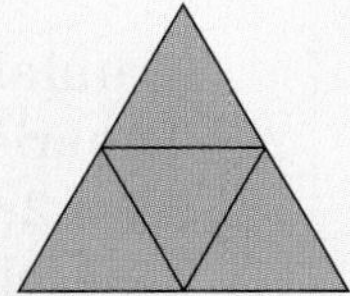

7. Crea la plantilla de un cono.

10-9 El área total

Aprender **a hallar el área total de prismas, pirámides y cilindros**

Vocabulario

área total

plantilla

Katie hizo un juguete para su gato. Pegó alfombra a las caras de un cajón de madera. La cantidad de alfombra necesaria para cubrir el cajón es igual al área total del cajón.

El **área total** de una figura tridimensional es la suma de las áreas de sus superficies. Para ver todas las superficies de una figura tridimensional, puedes usar una *plantilla*. Una **plantilla** es un patrón que se hace al extender la superficie de una figura tridimensional en un plano para mostrar todas sus caras.

EJEMPLO 1 Hallar el área total de un prisma

Halla el área total A de cada prisma.

A **Método 1: Usar una plantilla**

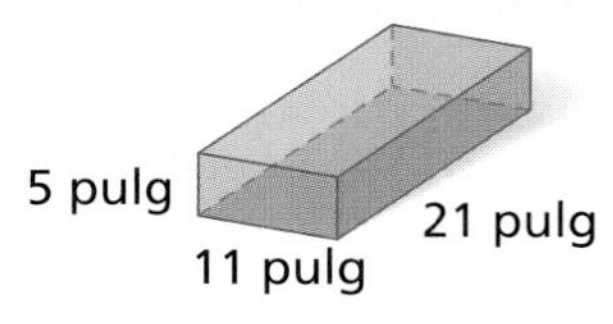

Dibuja una plantilla para ver cada cara del prisma.

Usa la fórmula $A = \ell a$ para hallar el área de cada cara.

5 pulg, 5 pulg, 21 pulg, 5 pulg; caras A, B (11 pulg), C, D (11 pulg), E, F

A: $A = 11 \times 5 = 55$
B: $A = 21 \times 11 = 231$
C: $A = 21 \times 5 = 105$
D: $A = 21 \times 11 = 231$
E: $A = 21 \times 5 = 105$
F: $A = 11 \times 5 = 55$

A (área total) $= 55 + 231 + 105 + 231 + 105 + 55 = 782$ *Suma las áreas de cada cara.*

El área total mide 782 pulg^2.

B **Método 2: Usar un dibujo tridimensional**

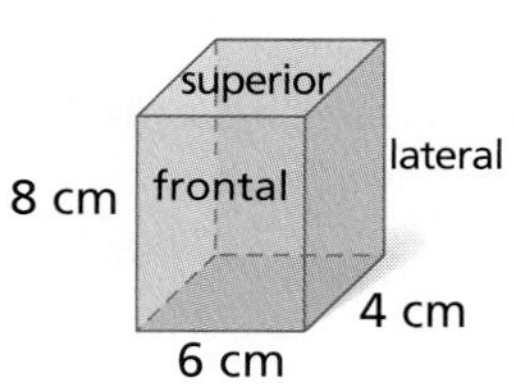

Halla el área de las caras frontal, superior y lateral, y multiplica cada una por 2 para incluir las caras opuestas.

Frontal: $6 \times 8 = 48 \rightarrow 48 \times 2 = 96$
Superior: $6 \times 4 = 24 \rightarrow 24 \times 2 = 48$
Lateral: $4 \times 8 = 32 \rightarrow 32 \times 2 = 64$

A (área total) $= 96 + 48 + 64 = 208$ *Suma las áreas de las caras.*

El área total mide 208 cm^2.

El área total de una pirámide es igual a la suma del área de la base y las áreas de las caras triangulares. Para hallar el área total de una pirámide, piensa en su plantilla.

EJEMPLO 2 Hallar el área total de una pirámide

Halla el área total *A* de la pirámide.

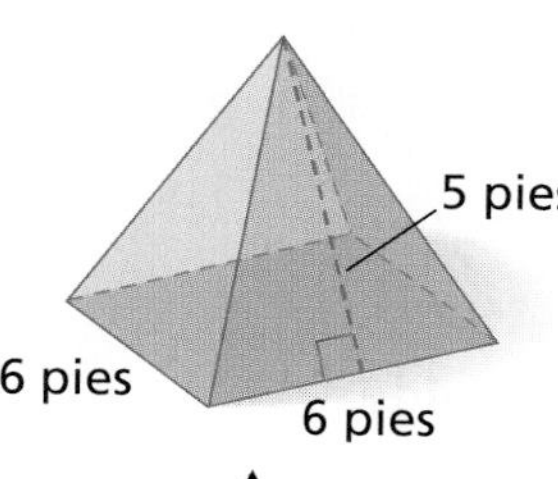

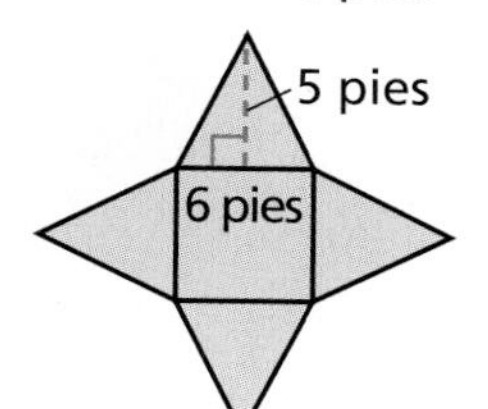

A (área total) = área del cuadrado + 4 × (área de una cara triangular)

$A \text{ (área total)} = s^2 + 4 \times \left(\frac{1}{2}bh\right)$

$A \text{ (área total)} = 6^2 + 4 \times \left(\frac{1}{2} \times 6 \times 5\right)$ *Sustituye.*

$A \text{ (área total)} = 36 + 4 \times 15$

$A \text{ (área total)} = 36 + 60$

$A \text{ (área total)} = 96$

El área total mide 96 pies^2.

El área total de un cilindro es igual a la suma de sus bases y el área de su superficie curva.

EJEMPLO 3 Hallar el área total de un cilindro

Halla el área total *A* del cilindro. Usa 3.14 para π y redondea a la centésima más cercana.

Pista útil

Para hallar el área de la superficie curva de un cilindro, multiplica su altura por la circunferencia de la base.

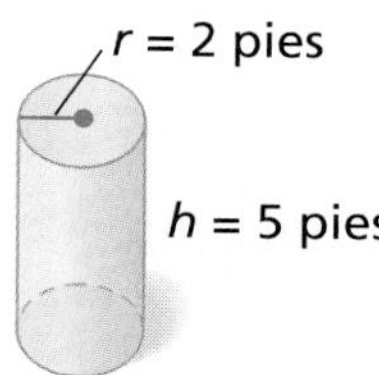

base 2 pies

circunferencia de la base

5 pies

base

A (área total) = área de la superficie lateral + 2 × (área de cada base)

$A \text{ (área total)} = h \times (2\pi r) + 2 \times (\pi r^2)$

$A \text{ (área total)} = 5 \times (2 \times \pi \times 2) + 2 \times (\pi \times 2^2)$ *Sustituye.*

$A \text{ (área total)} = 5 \times 4\pi + 2 \times 4\pi$

$A \text{ (área total)} \approx 5 \times 4(3.14) + 2 \times 4(3.14)$ *Usa 3.14 para π.*

$A \text{ (área total)} \approx 5 \times 12.56 + 2 \times 12.56$

$A \approx 62.8 + 25.12$

$A \approx 87.92$

El área total mide aproximadamente 87.92 pies^2.

Razonar y comentar

1. **Describe** cómo hallar el área total de un prisma pentagonal.
2. **Indica** cómo hallar el área total de un cubo si conoces el área de una cara.

10-9 Ejercicios

go.hrw.com
Ayuda en línea para tareas*
CLAVE: MR7 10-9
Recursos en línea para padres
CLAVE: MR7 Parent
*(Disponible sólo en inglés)

PRÁCTICA GUIADA

Ver Ejemplo  Halla el área total *A* de cada prisma.

1. 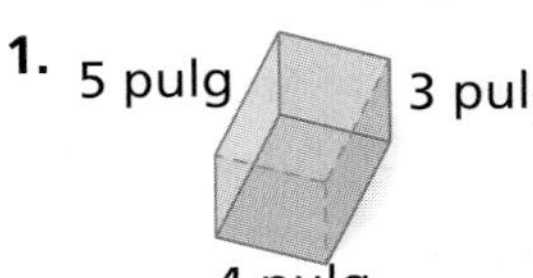

2. 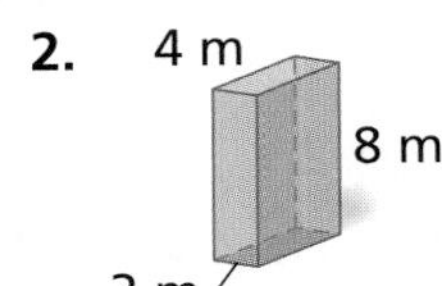

3. 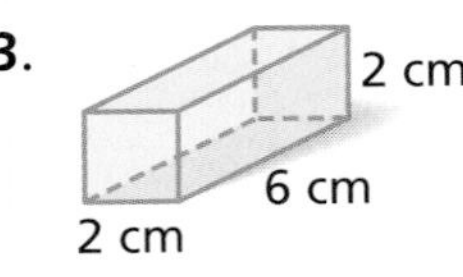

Ver Ejemplo  Halla el área total *A* de cada pirámide.

4. 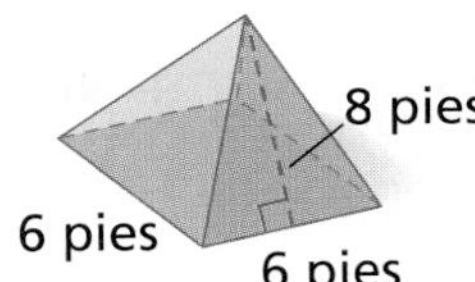

5. 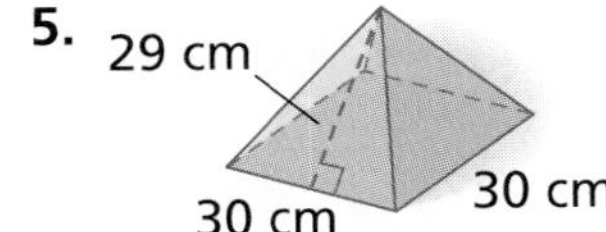

6. 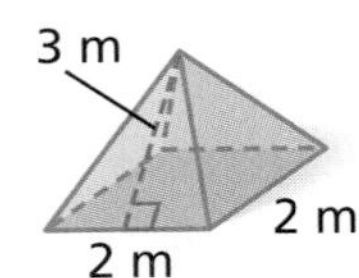

Ver Ejemplo 3 Halla el área total *A* de cada cilindro. Usa 3.14 para π y redondea a la centésima más cercana.

7. 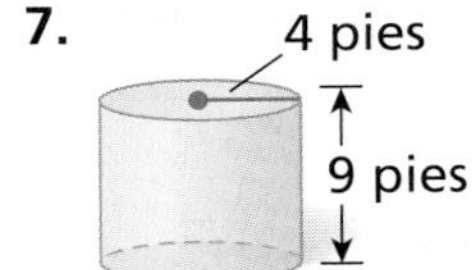

8. 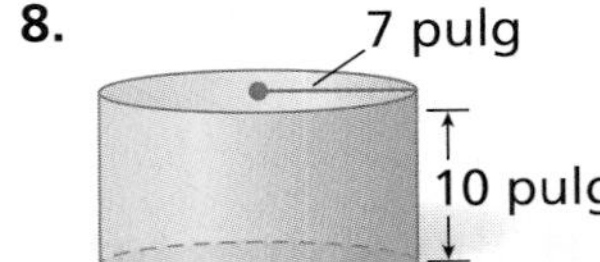

9. 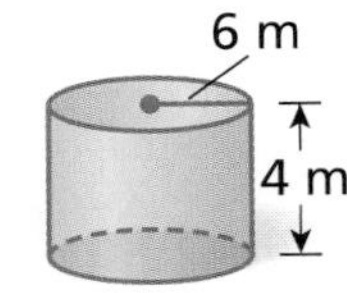

PRÁCTICA INDEPENDIENTE

Ver Ejemplo  Halla el área total *A* de cada prisma.

10. 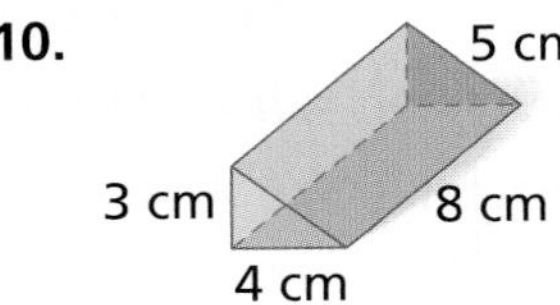

11. 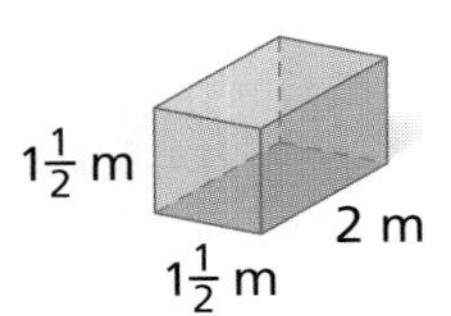

12. 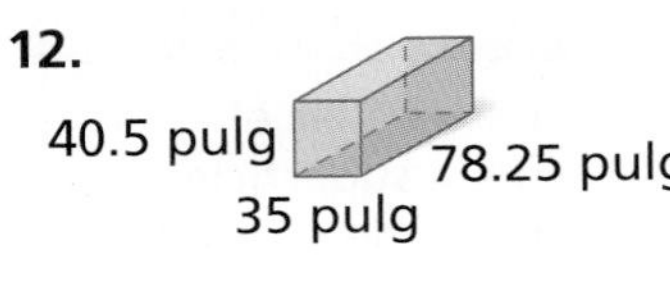

Ver Ejemplo 2 Halla el área total *A* de cada pirámide.

13. 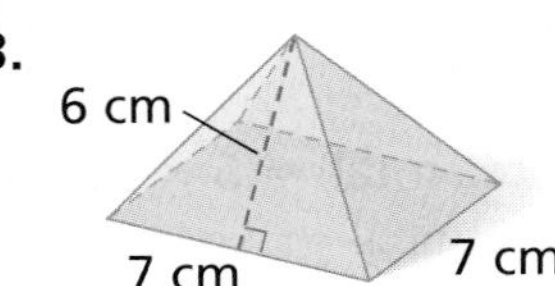

14. 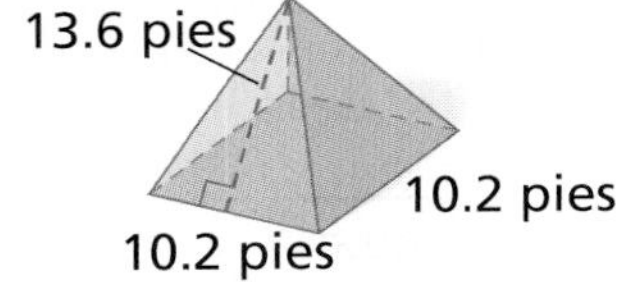

15. 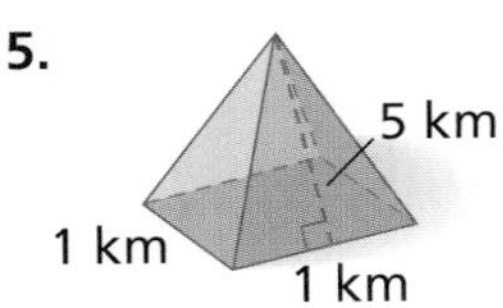

Ver Ejemplo 3 Halla el área total *A* de cada cilindro. Usa 3.14 para π y redondea a la centésima más cercana.

16. 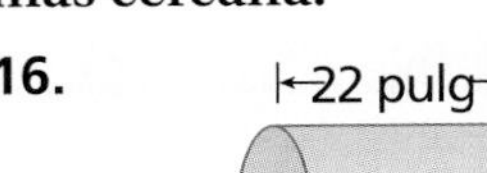 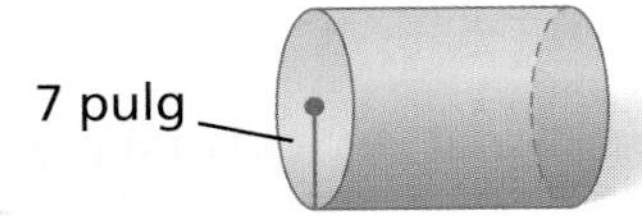

17. 7.8 m, 6.75 m

18. 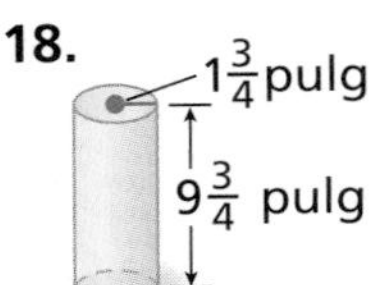

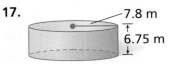

PRÁCTICA Y RESOLUCIÓN DE PROBLEMAS

Práctica adicional
Ver página 734

CONEXIÓN Arquitectura

I. M. Pei es el arquitecto que diseñó la sección adicional con forma de pirámide para el Louvre, en París, Francia.

go.hrw.com
¡Web Extra!
CLAVE: MR7 Pei

19. Estás diseñando un envase para avena. Tu primer diseño es un prisma rectangular que mide 12 pulg de altura, 8 pulg de ancho y 3 pulg de profundidad.

a. ¿Cuál es el área total del envase?

b. Vuelves a diseñar el envase como un cilindro, con la misma área total que el prisma de la parte **a.** Si el radio del cilindro mide 2 pulg, ¿cuál es la altura del cilindro? Redondea a la décima de pulgada más cercana.

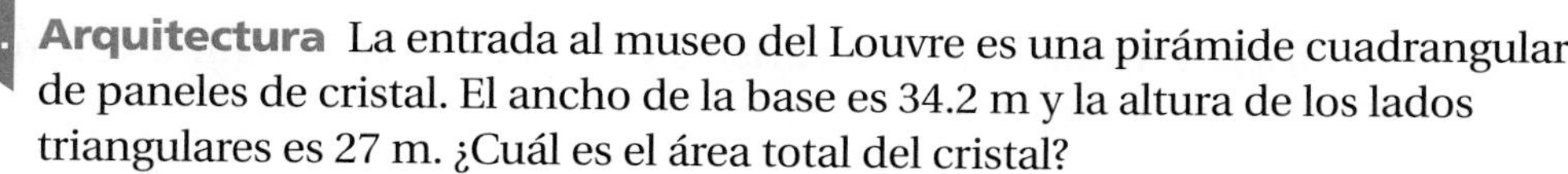

20. Arquitectura La entrada al museo del Louvre es una pirámide cuadrangular de paneles de cristal. El ancho de la base es 34.2 m y la altura de los lados triangulares es 27 m. ¿Cuál es el área total del cristal?

Estimación Estima el área total de cada figura.

21. **22.**

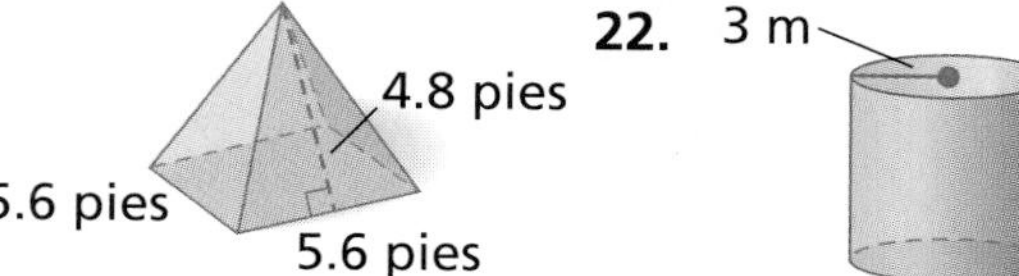

23.

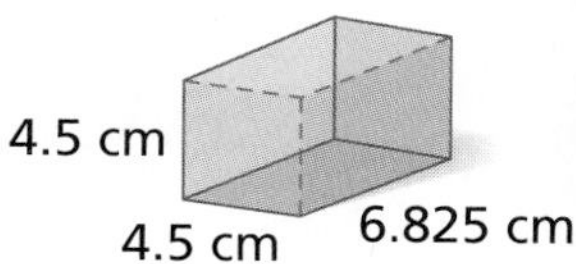

24. Razonamiento crítico Si se reduce a la mitad cada una de las dimensiones de un prisma rectangular, ¿cómo cambia su área total?

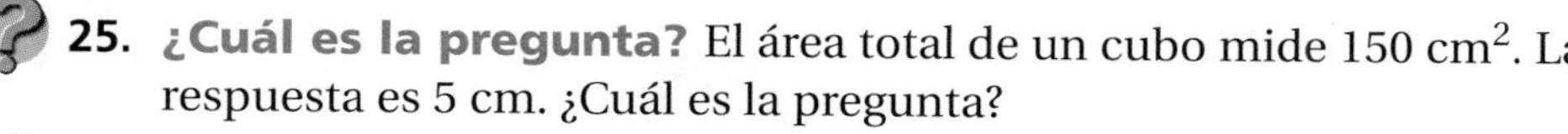

25. ¿Cuál es la pregunta? El área total de un cubo mide 150 cm^2. La respuesta es 5 cm. ¿Cuál es la pregunta?

26. Escríbelo ¿En qué se diferencia hallar el área total de una pirámide rectangular y hallar el área total de un prisma triangular?

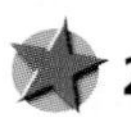

27. Desafío Este cubo se hizo con 27 cubos más pequeños que miden 1 pulg de lado.

a. ¿Cuál es el área total del cubo grande?

b. Retira un cubo pequeño de cada una de las ocho esquinas del cubo grande. ¿Cuál es el área total del cuerpo geométrico que se formó?

PREPARACIÓN PARA EL EXAMEN y repaso en espiral

28. Opción múltiple Halla el área total de un cubo que tiene 9.4 yd de lado.

Ⓐ 56.4 yd^2 Ⓑ 88.36 yd^2 Ⓒ 338.4 yd^2 Ⓓ 530.16 yd^2

29. Respuesta gráfica Halla el área total, en metros cuadrados, de un cilindro de 7 m de radio y 6 m de altura. Usa 3.14 para π y redondea a la centésima más cercana.

Resuelve cada ecuación. (Lección 2-5)

30. $12 + y = 23$ **31.** $38 + y = 80$ **32.** $y + 76 = 230$

Halla cada suma o diferencia. Escribe la respuesta en su mínima expresión. (Lección 5-3)

33. $5\frac{2}{3} - 1\frac{1}{9}$ **34.** $1\frac{1}{4} + 2\frac{3}{8}$ **35.** $2\frac{5}{6} - 2\frac{3}{4}$ **36.** $4\frac{2}{5} + 3\frac{3}{10}$

SECCIÓN 10B

Prueba de las Lecciones 10-6 a 10-9

10-6 Las figuras tridimensionales

Identifica la cantidad de caras, aristas y vértices de cada figura. Luego identifica la figura e indica si es un poliedro.

1. 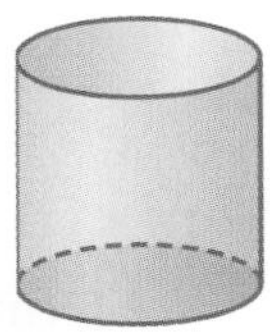

2. 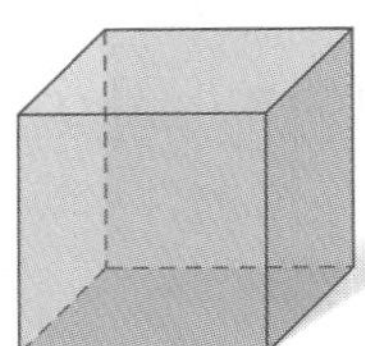

3. 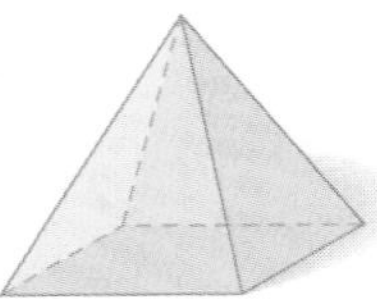

10-7 El volumen de los prismas

Halla el volumen de cada prisma.

4. 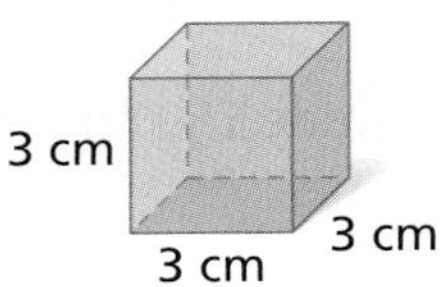

5. 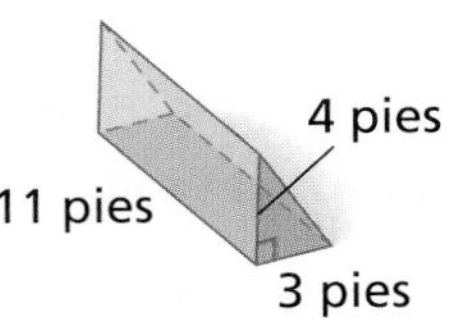

6. 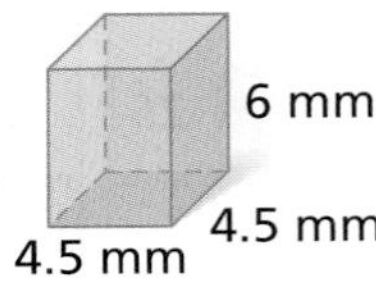

7. En un cajón hay 16 cajas cúbicas de gomas de borrar. ¿Cuáles son todas las dimensiones posibles del cajón de gomas de borrar?

10-8 El volumen de los cilindros

Halla el volumen *V* de cada cilindro a la unidad cúbica más cercana. Usa 3.14 para *pi*.

8. 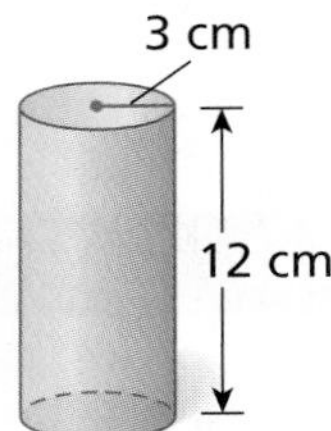

9. 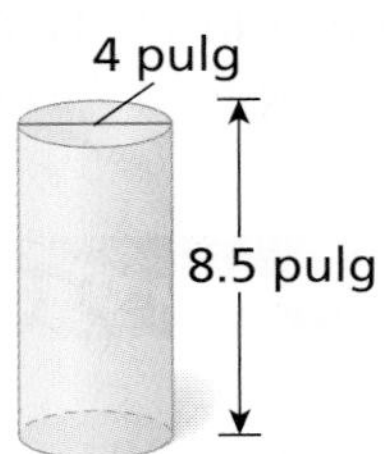

10. 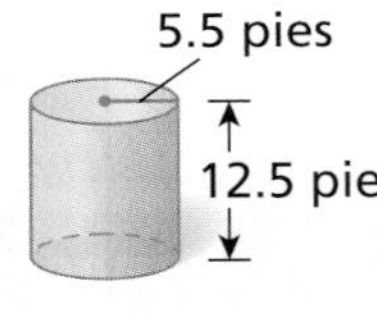

11. ¿Cuál de estos cilindros tiene mayor volumen?

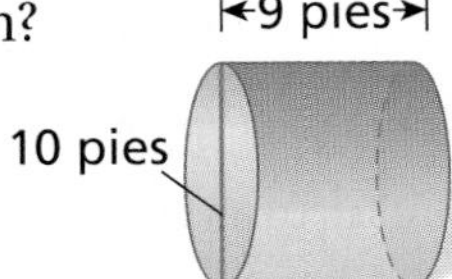

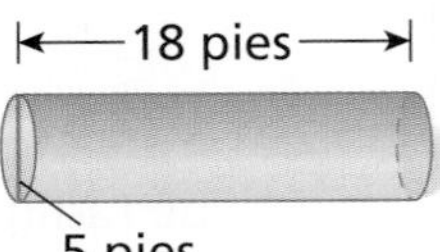

10-9 El área total

Halla el área total *A* de cada figura. Usa 3.14 para *pi* y redondea a la centésima más cercana.

12. 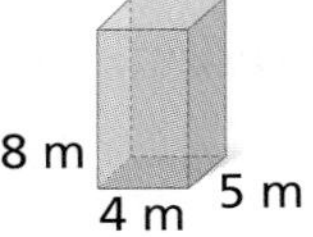

13. 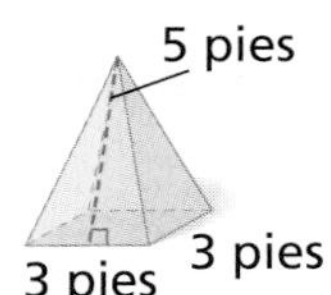

14. 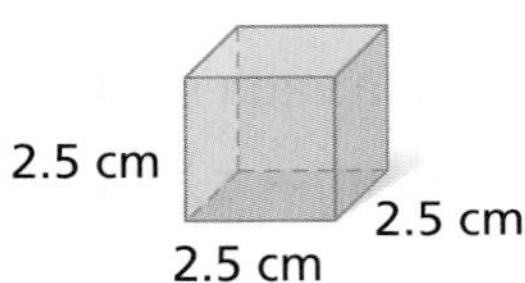

¿Listo para seguir?

PREPARACIÓN DE VARIOS PASOS PARA EL EXAMEN

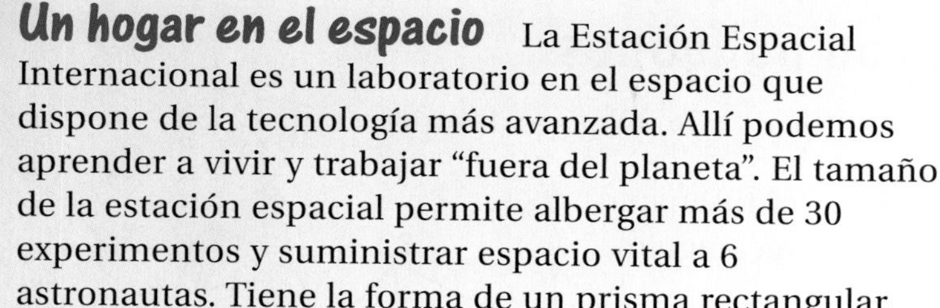

Un hogar en el espacio La Estación Espacial Internacional es un laboratorio en el espacio que dispone de la tecnología más avanzada. Allí podemos aprender a vivir y trabajar "fuera del planeta". El tamaño de la estación espacial permite albergar más de 30 experimentos y suministrar espacio vital a 6 astronautas. Tiene la forma de un prisma rectangular.

1. En la siguiente tabla se muestra el volumen de varios prismas rectangulares que tienen un área de 18 pies cuadrados en la base cada uno, pero distintas alturas. Describe cualquier patrón o relación proporcional que observes en la tabla.
2. Escribe una regla que indique cómo se relacionan las alturas de la tabla con los volúmenes.
3. Según la NASA, el espacio promedio de las casas de EE.UU. es alrededor de 1,800 pies^2. Los techos tienen 8 pies de altura en promedio. ¿Cuántos pies cúbicos hay en una casa que tenga estas medidas promedio?
4. La estación espacial tiene 43,000 pies^3 de volumen presurizado. ¿Aproximadamente cuántas casas con las medidas del Problema 3 cabrían en la estación espacial? Explica.

Volumen de prismas rectangulares

Área (pies^2)	Altura (pies)	Volumen (pies^3)
18	1	18
18	2	36
18	3	54
18	4	72
18	5	90
18	6	108
18	7	126
18	8	144

¡Vamos a jugar!

Escondidas con polígonos

Usa la figura para identificar cada polígono descrito.

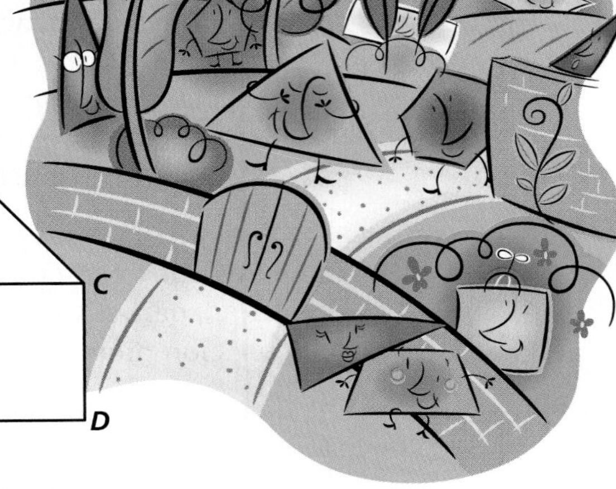

1. un triángulo escaleno obtusángulo
2. un triángulo isósceles rectángulo
3. un paralelogramo sin ángulos rectos
4. un trapecio con dos lados congruentes
5. un pentágono con tres lados congruentes

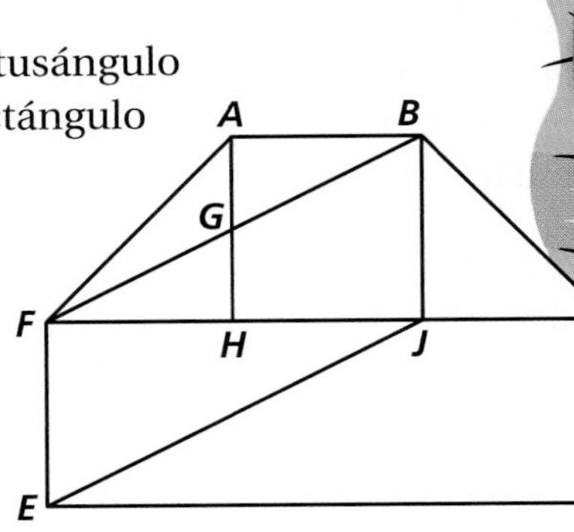

Poligrama

Usa los nombres de las figuras para hacer tu propio crucigrama.

La copia en blanco del crucigrama se encuentra disponible en línea.

go.hrw.com
¡Vamos a jugar! Extra
CLAVE: MR7 Games

HORIZONTALES

1. 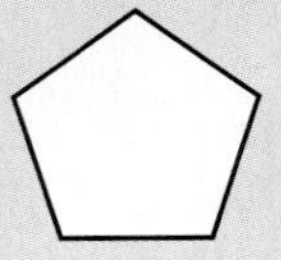

2. 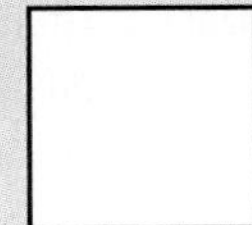

3. 

4. 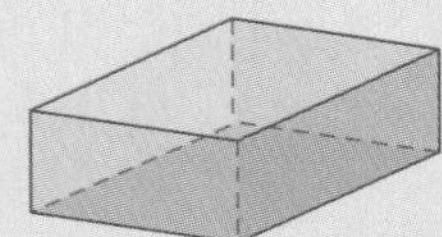

5. 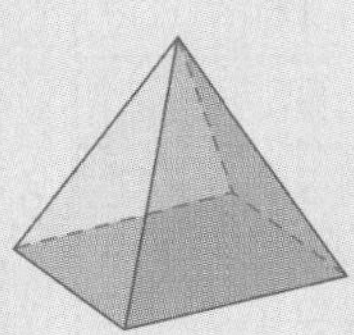

6. 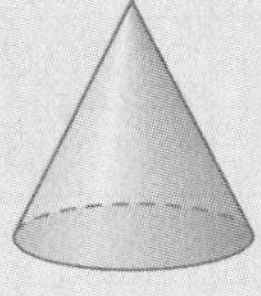

VERTICALES

1. 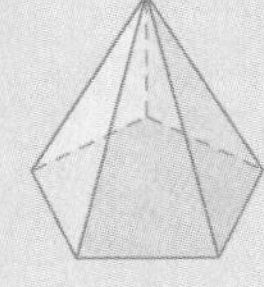

7. 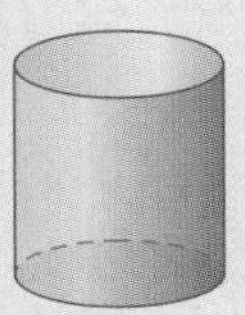

8. 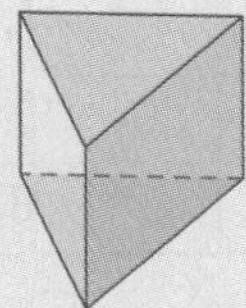

PROYECTO Maleta de área y volumen

Lleva contigo tus notas mientras recorres el Capítulo 10.

Instrucciones

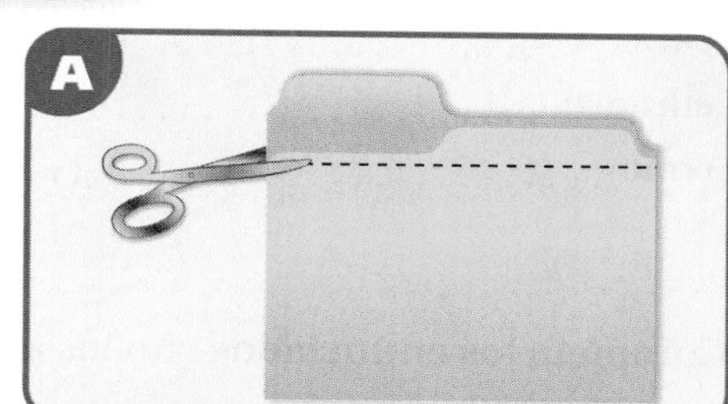

1. Recorta las pestañas de una carpeta de cartulina para formar una carpeta rectangular de lados rectos. **Figura A**

2. Abre la carpeta. Pega sobres en su interior de modo que haya cuatro de cada lado. Coloca una tarjeta en cada sobre. **Figura B**

3. Recorta "asas" de cartulina negra. Pégalas a la carpeta como se muestra. **Figura C**

4. Usa un trozo de cordel para atar un rótulo a una de las asas. Escribe en el rótulo tu nombre y el nombre de tu clase. En el frente de la carpeta, escribe el nombre y el número del capítulo.

Tomar notas de matemáticas

Escribe en los sobres los nombres de las lecciones del capítulo. Luego, toma notas sobre cada lección en la tarjeta correspondiente.

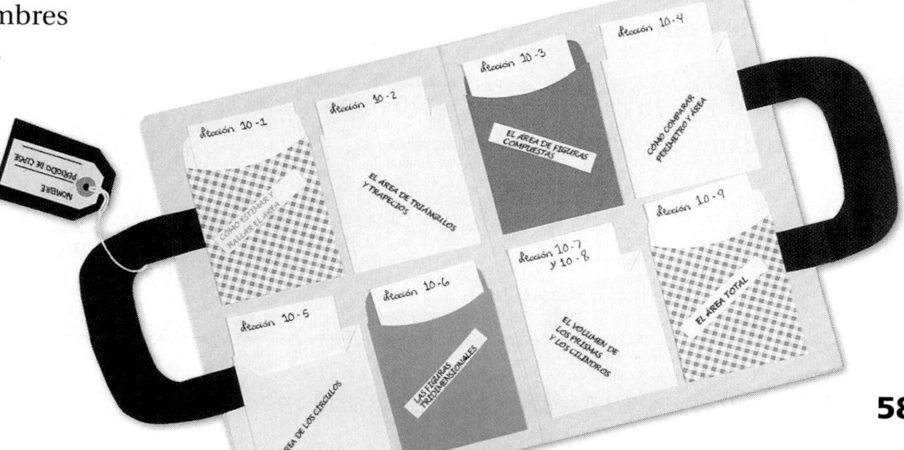

CAPÍTULO 10

Guía de estudio: Repaso

Vocabulario

área	542	pirámide	567
área total	582	plantilla	582
arista	566	poliedro	566
base	566	prisma	566
cara	566	vértice	566
cilindro	566	volumen	572
cono	567		

Completa los enunciados con las palabras del vocabulario.

1. Un(a) __?__ es un objeto tridimensional con caras planas que son polígonos.
2. El número de unidades cúbicas que se necesitan para llenar un espacio se llama __?__.
3. El punto de una figura tridimensional en el que se encuentran tres o más aristas se llama __?__.

10-1 Cómo estimar y hallar el área (págs. 542–545)

EJEMPLO

- **Halla el área del rectángulo.**

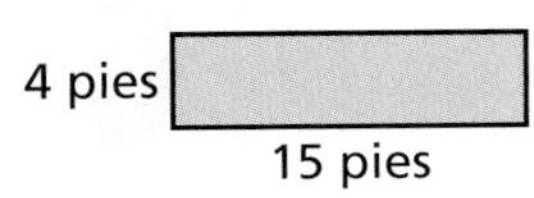

$A = \ell a$

$A = 15 \cdot 4 = 60$

El área mide 60 pies^2.

- **Halla el área del paralelogramo.**

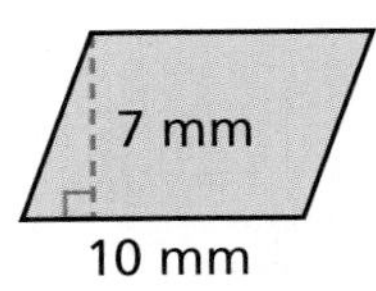

$A = bh$

$A = 10 \cdot 7 = 70$

El área mide 70 mm^2.

EJERCICIOS

Halla el área de cada rectángulo.

4.

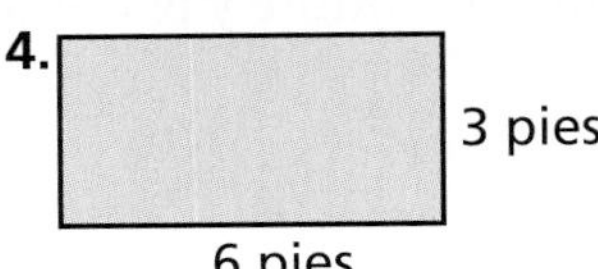

5.

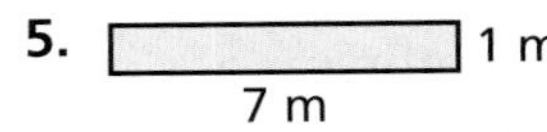

Halla el área de cada paralelogramo.

6.

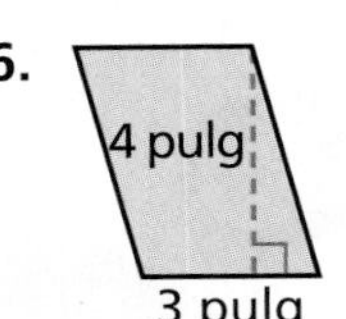

7.

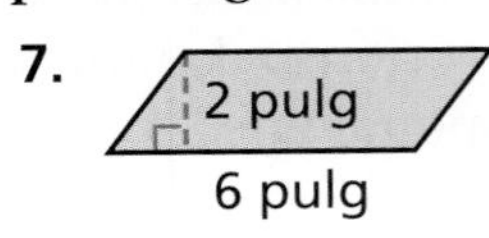

10-2 El área de triángulos y trapecios (págs. 546–549)

EJEMPLO

■ **Halla el área del trapecio.**

4 m
2 m
10 m

Usa $A = \frac{1}{2}h(b_1 + b_2)$.

Sustituye b_1 *por 10,* b_2 *por 4 y h por 2.*

$$A = \frac{1}{2}(2)(10 + 4)$$
$$= \frac{1}{2}(2)(14)$$
$$= \frac{1}{2}(28)$$
$$= 14 \text{ m}^2$$

EJERCICIOS

Halla el área del triángulo.

8.

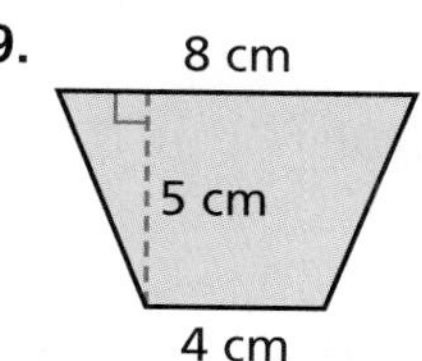

Halla el área del trapecio.

9.

8 cm
5 cm
4 cm

10-3 El área de figuras compuestas (págs. 551–553)

EJEMPLO

■ **Halla el área del polígono.**

$A = 8 \cdot 12 = 96$

$A = \frac{1}{2} \cdot 12 \cdot 7 = 42$

El área de la figura mide
42 pies^2 + 96 pies^2 = 138 pies^2.

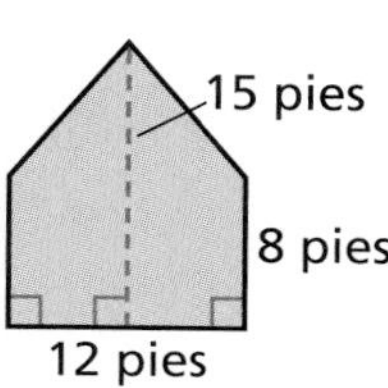

EJERCICIOS

Halla el área de cada polígono.

10.

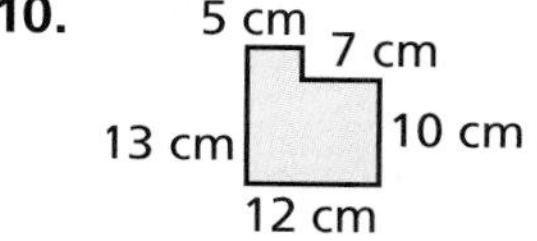

11.

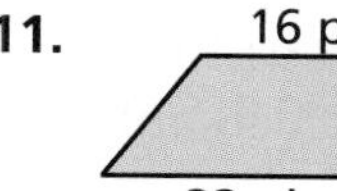

10-4 Cómo comparar perímetro y área (págs. 554–556)

EJEMPLO

■ **Halla cómo cambian el perímetro y el área de un rectángulo al cambiar sus dimensiones.**
Cuando las dimensiones del rectángulo se multiplican por x, el perímetro se multiplica por x y el área por x^2.

EJERCICIOS

Halla cómo cambian el perímetro y el área al cambiar las dimensiones.

12.

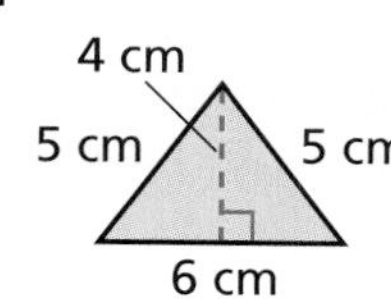

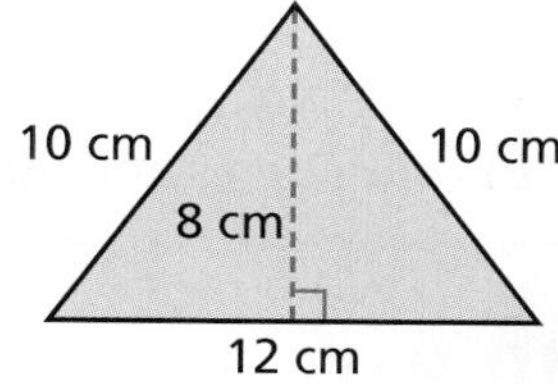

10-5 El área de los círculos (págs. 558–561)

EJEMPLO

■ **Halla el área del círculo. Usa 3.14 para *pi*.**

$A = \pi r^2$

$A \approx 3.14 \cdot 3^2$

$A \approx 3.14 \cdot 9 \approx 28.26 \text{ cm}^2$

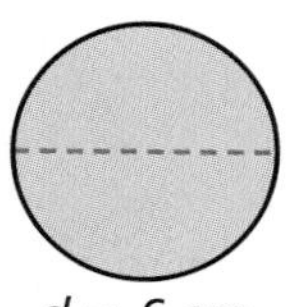

EJERCICIOS

Halla el área de cada círculo. Usa $\frac{22}{7}$ para *pi*.

13. $d = 10$ pies **14.** $r = 8$ cm **15.** $d = 4$ m

16. Una ventana circular tiene un diámetro de 14 pies. Halla el área del vidrio necesario para llenar la ventana. Usa 3.14 para *pi*.

10-6 Las figuras tridimensionales (págs. 566–569)

EJEMPLO

- **Identifica el número de caras, aristas y vértices en el cuerpo geométrico. Luego identifica la figura.**

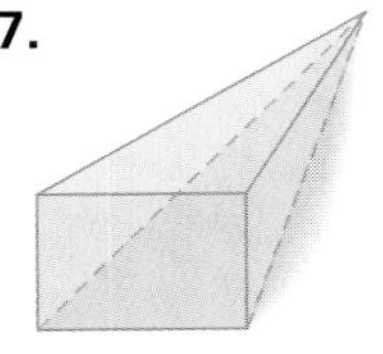

5 caras; 9 aristas; 6 vértices

Hay dos bases paralelas congruentes, por lo tanto, la figura es un prisma. Las bases son triángulos.

La figura es un prisma triangular.

EJERCICIOS

Identifica el número de caras, aristas y vértices en cada cuerpo geométrico Luego identifica la figura.

17.

18. 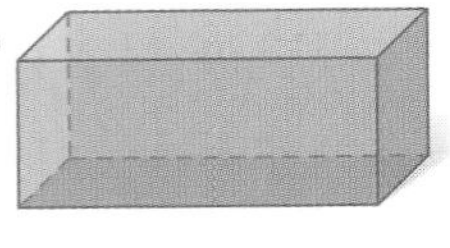

10-7 El volumen de los prismas (págs. 572–575)

EJEMPLO

- **Halla el volumen del prisma rectangular.**

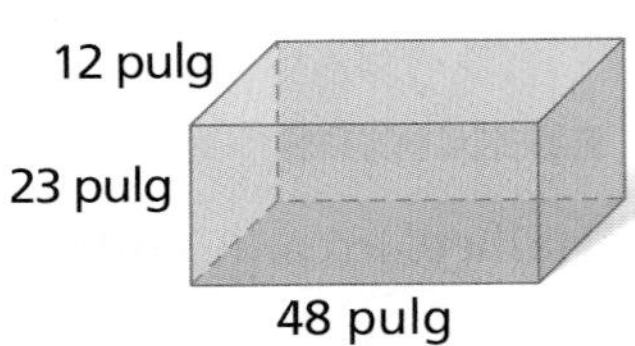

$V = \ell ah$

$V = 48 \cdot 12 \cdot 23$

$V = 13{,}248 \text{ pulg}^3$

EJERCICIOS

Halla el volumen de cada prisma.

19. 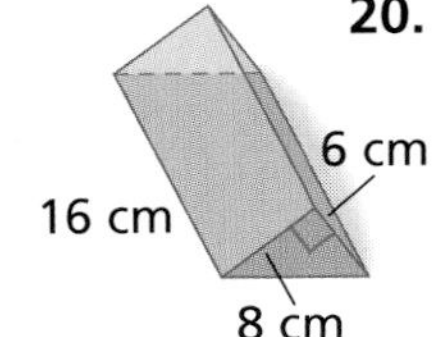

20. 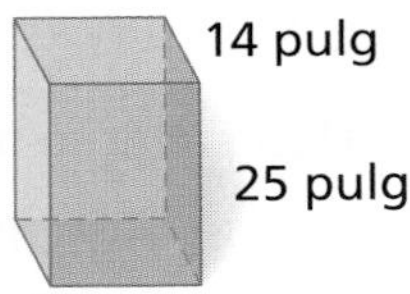

10-8 El volumen de los cilindros (págs. 576–579)

EJEMPLO

- **Halla el volumen V del cilindro a la unidad cúbica más cercana.**

$r = 4$ cm

$h = 16$ cm

$V \approx 3.14 \cdot 4^2 \cdot 16$

$V \approx 803.84 \text{ cm}^3$

El volumen es aproximadamente 804 cm^3.

EJERCICIOS

Halla el volumen V de cada cilindro a la unidad cúbica más cercana.

21. 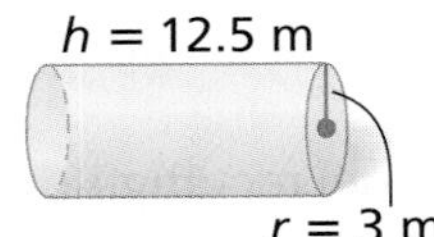

22. $r = 7$ pies 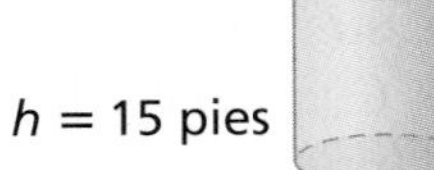

$h = 15$ pies

10-9 El área total (págs. 582–585)

EJEMPLO

- **Halla el área total A del cilindro.**

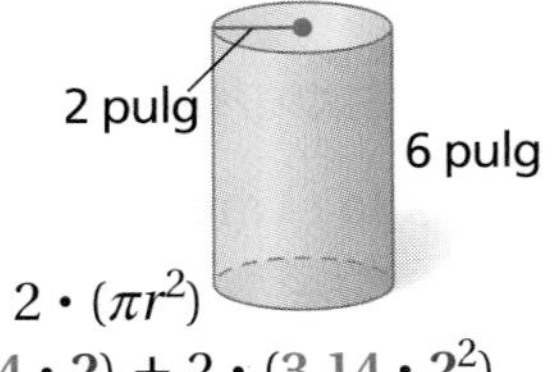

A *(área total)* $= h \cdot (2\pi r) + 2 \cdot (\pi r^2)$

A *(área total)* $\approx 6 \cdot (2 \cdot 3.14 \cdot 2) + 2 \cdot (3.14 \cdot 2^2)$

A *(área total)* $\approx 100.48 \text{ pulg}^2$

EJERCICIOS

Halla el área total A de cada cuerpo geométrico.

23. 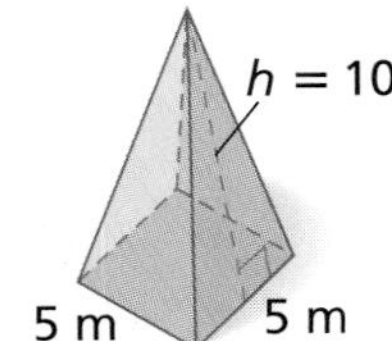

24. 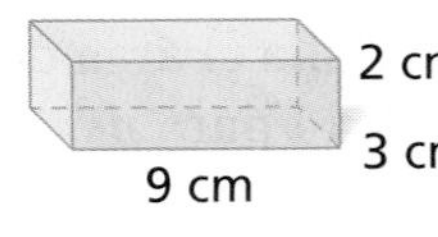

EXAMEN DEL CAPÍTULO

CAPÍTULO 10

Halla el área de cada figura.

1. 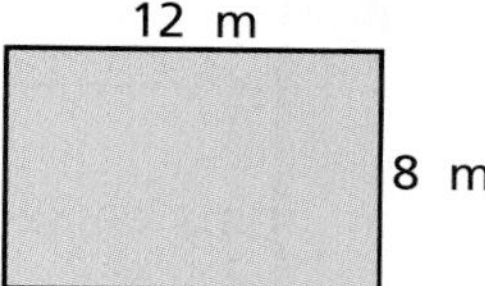

2. 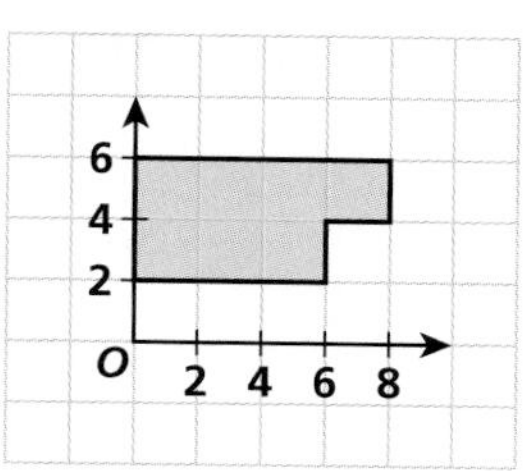

3. 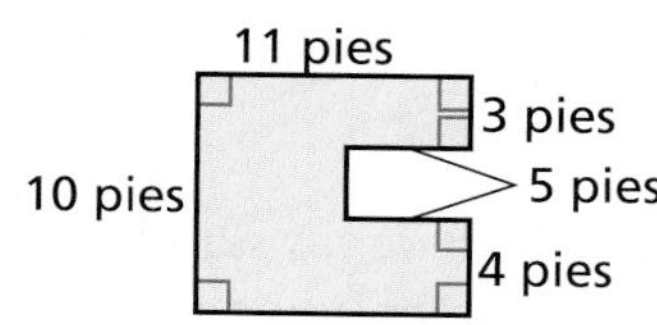

4. Halla cómo cambian el perímetro y el área de un rectángulo cuando se duplican la longitud y el ancho.

5. Un patio tiene forma de trapecio. ¿Cuál es el área del patio?

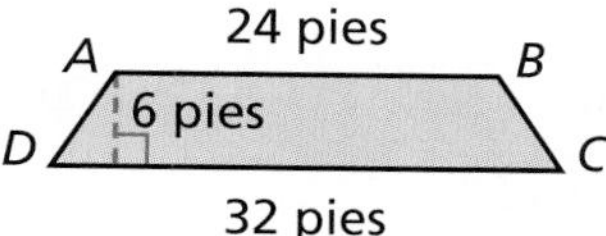

Halla el área de cada círculo. Usa 3.14 para *pi*. Redondea a la centésima más cercana.

6. 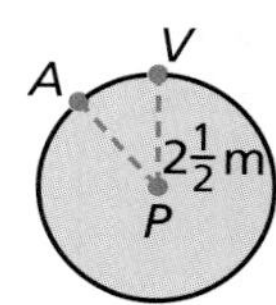

7. 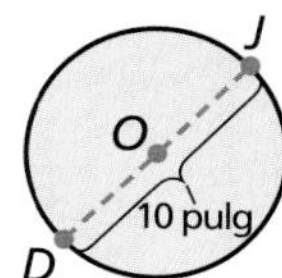

8. 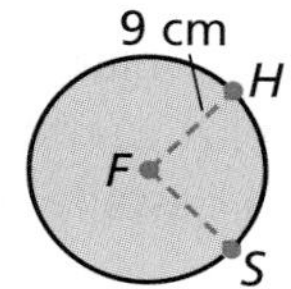

Identifica el número de caras, aristas y vértices de cada figura tridimensional. Luego identifica la figura e indica si es un poliedro.

9. 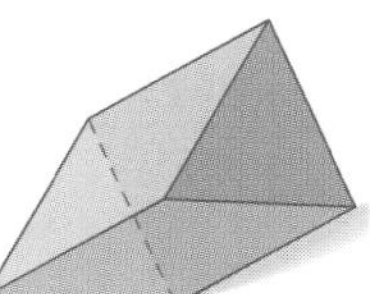

10. 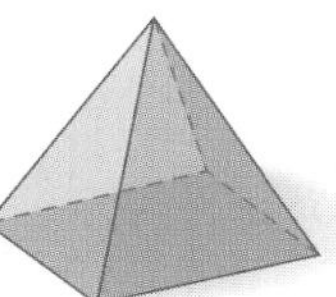

11. 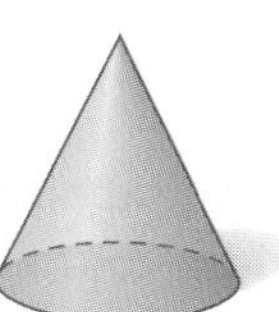

Halla el volumen de cada figura tridimensional.

12. 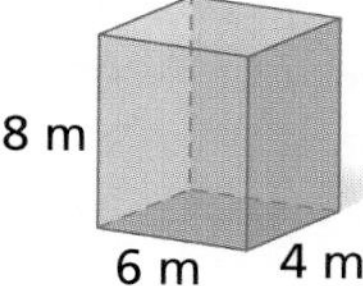

13. 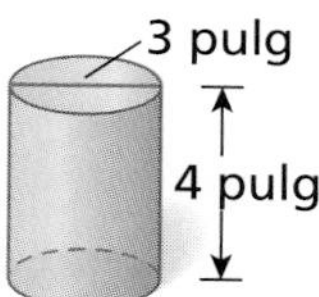

14. 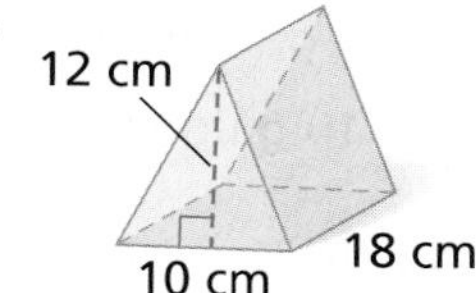

15. Patricia tiene dos frascos en forma de cilindro. El frasco A tiene un radio de 6 cm y una altura de 9 cm. El frasco B tiene un diámetro de 8 cm y una altura de 17 cm. ¿Qué frasco tiene mayor volumen? ¿Por cuánto?

Halla el área total *A* de cada figura tridimensional.

16. 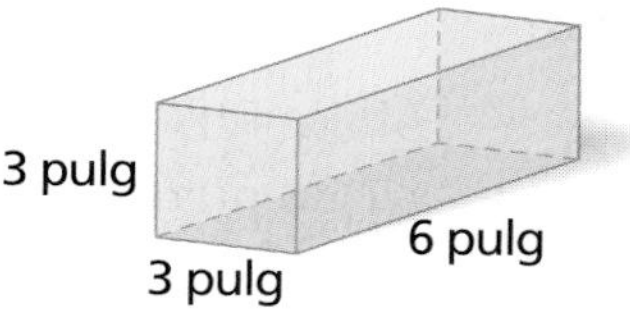

17. 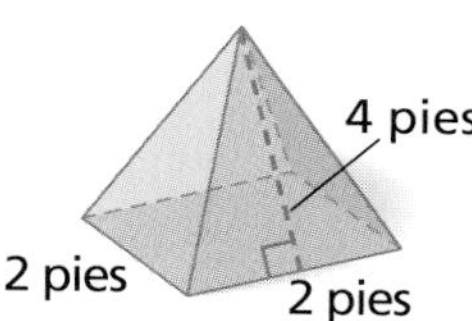

18. 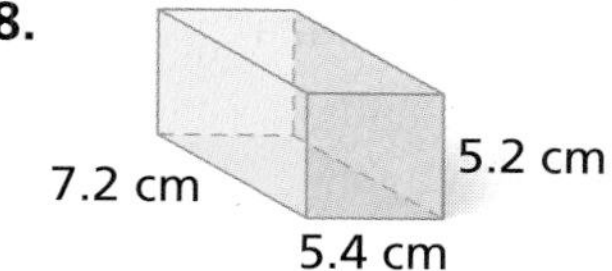

Examen del capítulo

CAPÍTULO 10

PREPARACIÓN PARA EL EXAMEN ESTANDARIZADO

go.hrw.com
Práctica en línea para el examen estatal
CLAVE: MR7 TestPrep

Evaluación acumulativa, Capítulos 1–10

Opción múltiple

1. ¿Cuál de las siguientes figuras tridimensionales NO es un poliedro?

Ⓐ 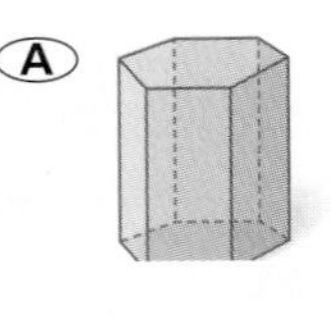

Ⓒ 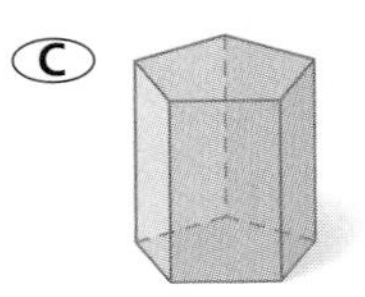

Ⓑ 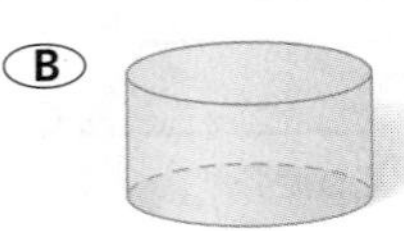

Ⓓ 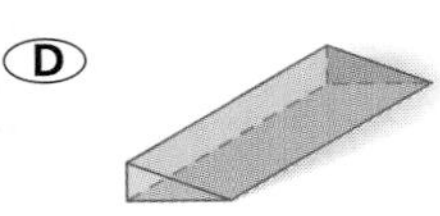

2. El 1 de mayo de 2005, en Galveston, Texas, el sol salió a las 6:37 am y se puso a las 7:56 pm. ¿Cuánto tiempo transcurrió desde la salida hasta la puesta del sol?

Ⓕ 1 hora y 39 minutos

Ⓖ 12 horas y 29 minutos

Ⓗ 13 horas y 9 minutos

Ⓙ 13 horas y 19 minutos

3. Un galón de pintura alcanza para cubrir 250 pies cuadrados. ¿Cuántos galones de pintura se necesitan, aproximadamente, para pintar un cartel rectangular que mide 120 pies de longitud y 85 pies de altura?

Ⓐ 2 galones　　Ⓒ 22 galones

Ⓑ 10 galones　　Ⓓ 41 galones

4. Justin tiene 3 tazas de azúcar en un recipiente. Usa $\frac{1}{3}$ de taza de azúcar en una receta de galletas. Usa $\frac{3}{4}$ de lo que le queda para preparar una jarra de limonada. ¿Cuánto azúcar le queda?

Ⓕ $\frac{2}{3}$ taza　　Ⓗ $1\frac{11}{12}$ taza

Ⓖ 1 taza　　Ⓙ 2 tazas

5. ¿Cuál es la factorización prima de 324?

Ⓐ $2^2 \times 3^4$　　Ⓒ $2^2 \times 3^2 \times 27$

Ⓑ $2^2 \times 9^2$　　Ⓓ $2^2 \times 81$

6. La Intermedia Maysville organiza una feria de artesanías. En la gráfica circular se muestran cuántos tipos distintos de puestos habrá en la feria. Al número cabal más cercano, ¿qué porcentaje de puestos venderá joyas?

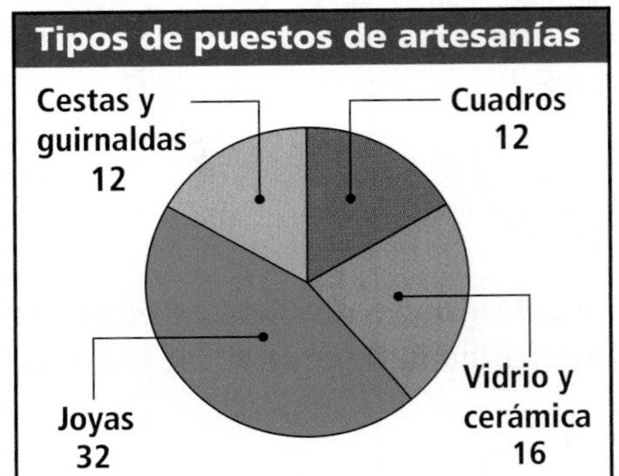

Ⓕ 80%　　Ⓗ 44%

Ⓖ 55%　　Ⓙ 33%

7. El tablero circular de una mesa antigua mide 3 pies de diámetro. ¿Cuál es el área del tablero? Usa 3.14 para *pi.* Redondea a la décima más cercana.

Ⓐ 7.1 pies^2　　Ⓒ 18.8 pies^2

Ⓑ 9.4 pies^2　　Ⓓ 28.3 pies^2

8. La escala de un mapa es 1 pulg:50 mi. Cincinnati, Ohio está a unas 300 millas de Chicago, Illinois. ¿Qué distancia aproximada separa en el mapa a las dos ciudades?

Ⓕ 5 pulg　　Ⓗ 7 pulg

Ⓖ 6 pulg　　Ⓙ 8 pulg

9. En marzo de 2005, Steve Fossett fue el primer hombre que completó un vuelo en solitario, sin escalas, alrededor del mundo. Ni siquiera se detuvo para recargar combustible. El viaje de 36,818 kilómetros le llevó 67 horas y 2 minutos. ¿Cuántos kilómetros viajó por minuto? Redondea al kilómetro más cercano.

Ⓐ 5 km/min
Ⓑ 9 km/min
Ⓒ 23 km/min
Ⓓ 26 km/min

Para hallar el área de una figura irregular, divide la figura en partes más pequeñas y suma las áreas pequeñas para hallar el área total de la figura.

Respuesta gráfica

En la tabla se muestra la cantidad de personas que asistieron al Super Bowl de 1967 a 1971. Usa la tabla para los Ejercicios 10 y 11.

10. ¿Cuál fue la asistencia promedio? Redondea al número cabal más cercano.

Asistencia al Super Bowl					
Año	1967	1968	1969	1970	1971
Cantidad de personas	61,946	75,546	75,389	80,562	79,204

11. ¿Cuántas más personas asistieron al Super Bowl en 1971 que en 1967? Redondea tu respuesta al millar más cercano.

12. El área de un triángulo mide 57.12 cm^2. Si la altura del triángulo es 8.4 cm, ¿cuántos centímetros de longitud mide la base?

13. Resuelve la ecuación $\frac{2}{7}k = \frac{1}{6}$ para k.

14. Marcia pesa los productos de su granja. Una sandía pesa 2.89 kg. ¿Cuántos gramos hay en 2.89 kg?

Respuesta breve

15. El triángulo *WXY* es isósceles. Los dos lados cortos tienen una longitud de 18 mm. El otro lado tiene una longitud de 30 mm.
    a. Dibuja un triángulo semejante al triángulo *WXY*.
    b. Escribe una proporción que demuestre que los dos triángulos son semejantes.

16. El estacionamiento rectangular de una compañía tiene 35 m de longitud y 60 m de ancho. La compañía piensa expandir esa zona. Si se duplican las dimensiones, ¿cuántas veces mayor será el área del nuevo estacionamiento comparada con el área del estacionamiento original? Explica cómo hallaste tu respuesta.

17. Carole tiene una pieza de tela de 2 yardas de longitud. Quiere cortarla en tiras de 2.4 pulgadas. Sea *s* una de las tiras de tela. Escribe y resuelve una ecuación para hallar cuántas tiras de 2.4 pulgadas puede cortar Carole de su pieza de tela.

Respuesta desarrollada

18. En el vecindario de Marcie hay tres piscinas a las que puede ir a nadar. Abajo se indican sus dimensiones. La piscina 2 es circular. El ancho es su radio.

Piscina	Longitud (pies)	Profundidad (pies)	Ancho (pies)
1	25	5	8
2	–	6	9
3	15	4	9

a. Halla el volumen de cada piscina. ¿Cuál de ellas tiene el volumen mayor? Muestra tu trabajo. Usa 3.14 para *pi*.

b. ¿Cuál es la circunferencia de la piscina 2?

c. La piscina de Samantha tiene el mismo volumen que la piscina 1. Sin embargo, su piscina tiene forma de cubo. ¿Cuáles son las dimensiones de la piscina de Samantha?

Resolución de problemas en lugares

CAROLINA DEL SUR

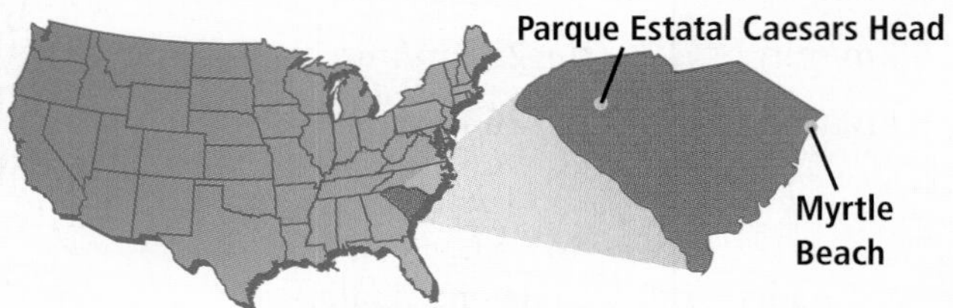

Las cataratas de Raven Cliff

En Carolina del Sur hay muchas cataratas, pero quizá las de Raven Cliff sean las más impresionantes. La cascada de 420 pies es una de las caídas de agua más altas del este de Estados Unidos. Los paseantes pueden ver las cataratas de Raven Cliff desde una terraza de observación o desde un puente colgante que atraviesa las cataratas por encima.

Elige una o más estrategias para resolver cada problema.

1. Un observador avista un ave que vuela a 80 yardas por encima de la base de las cataratas de Raven Cliff. ¿A qué distancia está el ave de la parte superior de las cataratas?

Usa el mapa para los Problemas 2 y 3.

2. Sonia camina desde el estacionamiento hasta la terraza de observación. Después de caminar 4,000 pies, se encuentra con un árbol caído. Hay otro árbol caído a 3,000 pies del final del sendero. ¿Cuál es la distancia entre ambos árboles?

3. Daryl quiere caminar desde el estacionamiento hasta el puente colgante y llegar al puente a mediodía. Piensa tomarse cinco descansos de 15 minutos cada uno a lo largo del camino. ¿A qué hora debe comenzar su caminata?

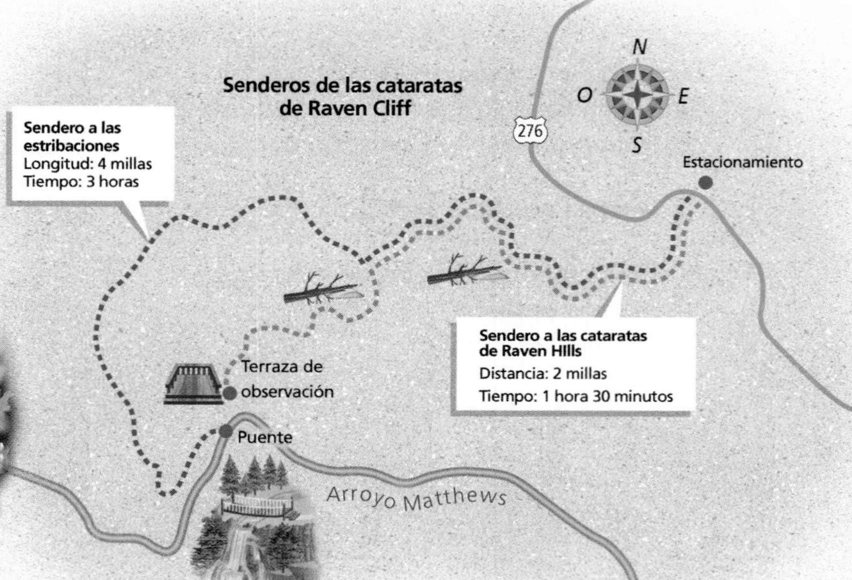

Estrategias de resolución de problemas

- Dibujar un diagrama
- Hacer un modelo
- Calcular y poner a prueba
- Trabajar en sentido inverso
- Hallar un patrón
- Hacer una tabla
- Resolver un problema más sencillo
- Usar el razonamiento lógico
- Representar
- Hacer una lista organizada

Torneos de minigolf

Muchos piensan que Myrtle Beach, en Carolina del Sur, es la capital del minigolf de Estados Unidos. El balneario tiene más de 40 campos de minigolf con una gran variedad de temas. En Myrtle Beach también se realizan dos torneos de minigolf cada año: el Abierto de Estados Unidos y el Campeonato Nacional de Maestros.

Elige una o más estrategias para resolver cada problema.

1. Hawaiian Rumble es uno de los campos de minigolf más conocidos de Myrtle Beach. Tiene un volcán artificial que entra en erupción cada 20 minutos. Si la primera erupción tiene lugar a las 9:15 am, ¿cuántas erupciones ocurren entre las 9 am y las 9 pm?

2. Un campo de minigolf incluye un putting green rectangular. El área del green mide 240 pies cuadrados. La longitud del green es 22 pies mayor que el ancho. ¿Cuál es la longitud del green?

3. Un putting green circular tiene un diámetro de 7 metros. Alrededor de la circunferencia del green hay luces. Las luces están colocadas a espacios iguales, y hay aproximadamente 2 metros entre una y otra. ¿Cuántas luces hay?

Para el Problema 4, usa el diagrama.

4. Hay que remplazar la superficie del putting green del diagrama. El césped artificial se consigue en cuadrados de 1 pie de largo por lado. Cada cuadrado cuesta $1.80. ¿Cuánto cuesta remplazar la superficie del green?

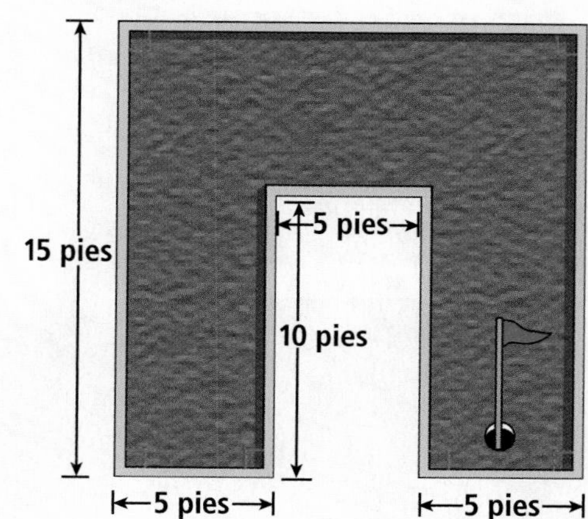

CAPÍTULO 11

Enteros, gráficas y funciones

PREPARACIÓN DE VARIOS PASOS PARA EL EXAMEN

go.hrw.com
Presentación del capítulo en línea
CLAVE: MR7 Ch11

Continente	Punto más alto (m)	Punto más bajo (m)
África	Mte. Kilimanjaro: 5,895	Lago Assal: −156
Antártida	Macizo Vinson: 4,897	Fosa subglaciar Bentley: −2,538
Asia	Mte. Everest: 8,850	Mar Muerto: −411
Oceanía	Mte. Kosciusko: 2,228	Lago Eyre: −12
Europa	Mte. Elbrus: 5,642	Mar Caspio: −28
América del Norte	Mte. McKinley: 6,194	Valle de la Muerte: −86
América del Sur	Mte. Aconcagua: 6,960	Península de Valdés: −40

Profesión *Geógrafo*

Los geógrafos se interesan en características de nuestro planeta como los accidentes geográficos, los recursos naturales y el clima. Algunos pasan tiempo en el campo recopilando información. Otros hacen mapas, tablas y gráficas. Los geógrafos usan enteros para expresar información como temperaturas máximas y mínimas y alturas sobre o bajo el nivel del mar. En la tabla se muestran los puntos más altos y más bajos de cada continente.

Vocabulario

Elige de la lista el término que mejor complete cada enunciado.

1. __?__ una expresión numérica significa hallar su valor.
2. Los/Las __?__ son el conjunto de los números 0, 1, 2, 3, 4, . . .
3. Un(a) __?__ es una posición exacta en el espacio.
4. Un(a) __?__ es un enunciado matemático en el que dos cantidades son iguales.

ecuación
evaluar
exponentes
menor que
números cabales
punto

Resuelve los ejercicios para practicar las destrezas que usarás en este capítulo.

Comparar números cabales

Escribe $<$, $>$ ó $=$ para comparar los números.

5. 9 ■ 2	**6.** 4 ■ 5	**7.** 8 ■ 1	**8.** 3 ■ 3
9. 412 ■ 214	**10.** 1,076 ■ 1,074	**11.** 502 ■ 520	**12.** 9,123 ■ 9,001

Operaciones con números cabales

Suma, resta, multiplica o divide.

13. $7 + 6$	**14.** $15 - 8$	**15.** $6 \cdot 7$	**16.** $25 \div 5$
17. $129 + 30$	**18.** $32 - 25$	**19.** $119 \cdot 5$	**20.** $156 \div 6$

Resolver ecuaciones de un paso

Resuelve cada ecuación.

21. $4t = 32$	**22.** $b - 4 = 12$	**23.** $24 = 6r$
24. $3x = 72$	**25.** $8 = 4a$	**26.** $m + 3 = 63$

Representar gráficamente pares ordenados

Representa gráficamente cada par ordenado.

27. (1, 3)	**28.** (0, 5)	**29.** (3, 2)	**30.** (4, 0)
31. (6, 4)	**32.** (2, 5)	**33.** (0, 1)	**34.** (1, 0)

CAPÍTULO 11

Guía de estudio: Avance

De dónde vienes

Antes,

- representaste gráficamente y ubicaste pares ordenados de números cabales en una cuadrícula de coordenadas.
- representaste gráficamente un conjunto de datos dado.
- usaste ecuaciones para representar situaciones del mundo real.

En este capítulo

Estudiarás

- cómo usar enteros para representar situaciones del mundo real.
- cómo usar tablas y símbolos para representar sucesiones.
- cómo usar tablas de datos para generar fórmulas que representen relaciones como el perímetro.
- cómo representar gráficamente y ubicar pares ordenados en cuatro cuadrantes de un plano cartesiano.

Adónde vas

Puedes usar las destrezas aprendidas en este capítulo

- para interpretar gráficas de funciones que representen situaciones del mundo real.
- para resolver ecuaciones de varios pasos con enteros, además de fracciones y decimales positivos y negativos.

Vocabulario/Key Vocabulary

cuadrante	quadrant
coordenadas	coordinates
ecuación lineal	linear equation
entero	integer
función	function
opuestos	opposites
origen	origin
valor de entrada	input
valor de salida	output

Conexiones de vocabulario

Considera lo siguiente para familiarizarte con algunos de los términos de vocabulario del capítulo. Puedes consultar el capítulo, el glosario o un diccionario si lo deseas.

1. El término *valor de entrada* puede significar “una cantidad que entra o ingresa”. ¿Qué clase de **valor de entrada** piensas que usarás para hallar el valor de salida de una función?
2. La palabra *lineal* significa “relativo a una línea recta”. ¿Cómo crees que será la representación gráfica de una **ecuación lineal?**
3. La palabra *opuesto* puede significar “del otro lado”. ¿Dónde crees que estarán ubicados los **opuestos** en una recta numérica?
4. La palabra *origen* puede significar “el punto de comienzo de algo”. ¿En qué coordenadas crees que está el **origen?**
5. La palabra *cuadrante* viene del latín *quattuor,* que significa “cuatro”. ¿Cuántos **cuadrantes** crees que tiene un plano cartesiano?

Estrategia de redacción: Escribe una justificación convincente

Escribir una justificación convincente acerca de un concepto matemático demuestra que comprendes el tema en profundidad.

Una buena justificación debe incluir:

- una respuesta.
- fundamentos que prueben el enunciado (incluyendo ejemplos, si son necesarios).
- un enunciado de resumen.

De la Lección 10-4

6. Razonamiento crítico Si George agranda una foto de 3 pulg x 4 pulg para que mida 12 pulg x 16 pulg, ¿cómo cambiará su área?

Paso 1 **Enunciado de respuesta:**
El área de la foto aumentada será 16 veces más grande que el de la foto original.

Paso 2 **Fundamento:**
Las dimensiones de la foto de 3 pulg × 4 pulg se multiplican por 4 para aumentarlas a 12 pulg × 16 pulg.

El área de la nueva foto es 16 veces más grande que el de la foto original.

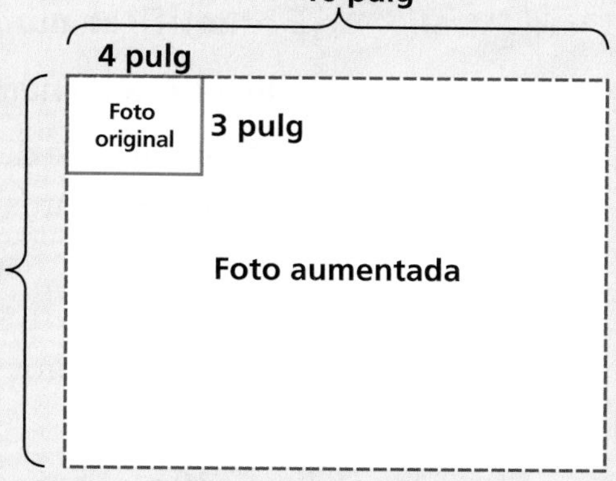

área original = 3 × 4 = 12 pulg^2

área aumentada = 12 × 16 = 192 pulg^2

área original: área aumentada

12:192

1:16

Paso 3 **Enunciado de resumen:**
Por lo tanto, para hallar el área de la foto aumentada, multiplica el área original por 4^2 ó 16.

Inténtalo

Escribe una justificación convincente para mostrar si un rectángulo con dimensiones cabales puede tener un área de 15 m^2 y un perímetro de 15 m.

Leer y escribir matemáticas

11-1 Enteros en situaciones del mundo real

Aprender a identificar y representar enteros y a hallar opuestos

Vocabulario

número positivo

número negativo

opuestos

entero

La temperatura máxima registrada en Estados Unidos es 134° F, en el Valle de la Muerte, California. La temperatura mínima registrada es 80° F bajo 0, en Prospect Creek, Alaska.

Los **números positivos** son mayores que 0. Se pueden escribir con un signo positivo (+), pero por lo general se escriben sin él. Por lo tanto, la temperatura máxima se puede escribir como +134° F ó 134° F.

Los **números negativos** son menores que 0. Se escriben siempre con un signo negativo (–). Por lo tanto, la temperatura mínima se escribe como –80° F.

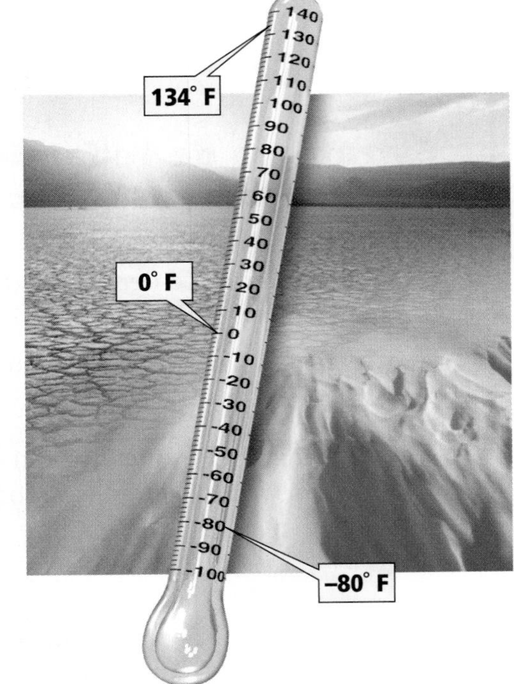

EJEMPLO 1 Identificar números positivos y negativos en el mundo real

Identifica un número positivo o negativo que represente cada situación.

A **un avance de 20 yardas en fútbol americano**

Los números positivos pueden representar *avances* o *incrementos.*

+20

B **un gasto de $75**

Los números negativos pueden representar *pérdidas* o *disminuciones.*

−75

C **10 pies bajo el nivel del mar**

Los números negativos pueden representar valores *inferiores* a o *menores* que cierto valor.

−10

Puedes representar números positivos y negativos en una recta numérica.

¡Recuerda!

El conjunto de los números cabales incluye el cero y los números de conteo. {0, 1, 2, 3, 4, ...}

En una recta numérica, los **opuestos** están a la misma distancia de 0, pero en lados diferentes. El cero es su propio opuesto.

Los **enteros** son el conjunto de todos los números cabales y sus opuestos.

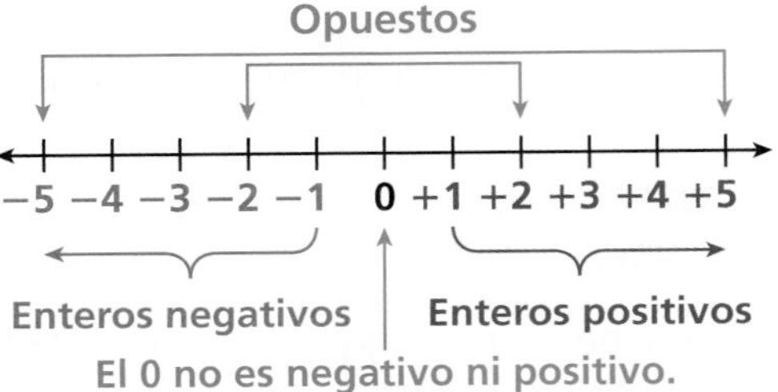

EJEMPLO 2 Representar gráficamente números enteros

Representa cada entero y su opuesto en una recta numérica.

A −4

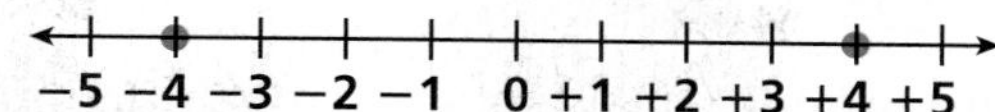

+4 está a la misma distancia de 0 que −4.

B 3

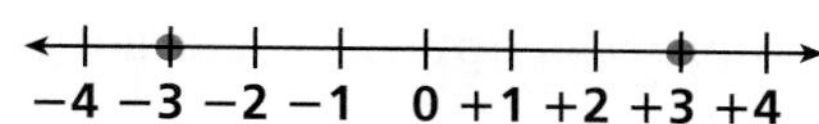

−3 está a la misma distancia de 0 que 3.

C 0

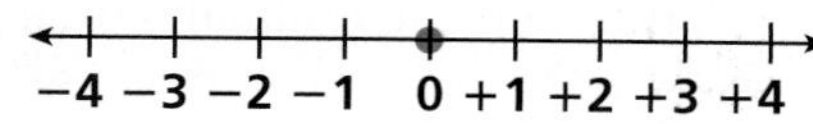

El cero es su propio opuesto.

EJEMPLO 3 Escribir expresiones con enteros para representar situaciones

Steffe trabaja en la planta baja de un museo restaurando jarrones antiguos. Baja 2 pisos en el elevador para buscar un jarrón roto, después sube 6 pisos para hablar con un experto en civilizaciones antiguas y luego baja 3 pisos para encontrarse con un guía del museo. Usa enteros para representar esta situación.

Puedes usar una recta numérica para representar los traslados de Steffe en el elevador.

0	*Steffe comienza en la planta baja, 0.*
−2	*Steffe baja dos pisos.*
+6	*Steffe sube seis pisos.*
−3	*Steffe baja tres pisos.*

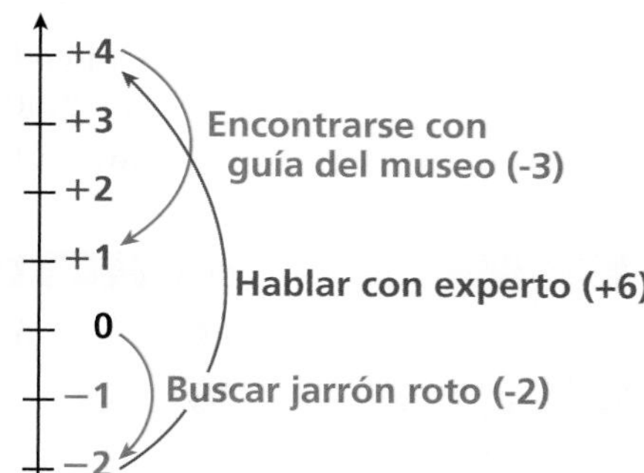

Razonar y comentar

1. **Indica** si −3.2 es un entero. ¿Por qué sí o por qué no?
2. **Da** el opuesto de 14. ¿Cuál es el opuesto de −11?
3. **Explica** cómo puedes usar los enteros del Ejemplo 3 para escribir una expresión que represente la situación. Escribe la expresión.

11-1 Ejercicios

go.hrw.com
Ayuda en línea para tareas*
CLAVE: MR7 11-1
Recursos en línea para padres
CLAVE: MR7 Parent
*(Disponible sólo en inglés)

PRÁCTICA GUIADA

Ver Ejemplo 1

Identifica un número positivo o negativo que represente cada situación.

1. un incremento de 5 puntos
2. una pérdida de 15 yardas

Ver Ejemplo 2

Representa cada entero y su opuesto en una recta numérica.

3. −2
4. 1
5. −6
6. 9

Ver Ejemplo 3

7. Arnold tiene $8 en su alcancía. Toma $4 para comprar una revista. Más tarde su madre le da $5, que él pone en la alcancía. Usa enteros para representar esta situación.

PRÁCTICA INDEPENDIENTE

Ver Ejemplo 1

Identifica un número positivo o negativo que represente cada situación.

8. una ganancia de $50
9. 20° bajo cero
10. 7 pies sobre el nivel del mar
11. una disminución de 39 puntos

Ver Ejemplo 2

Representa cada entero y su opuesto en una recta numérica.

12. −5
13. 6
14. 2
15. −3
16. 9

Ver Ejemplo 3

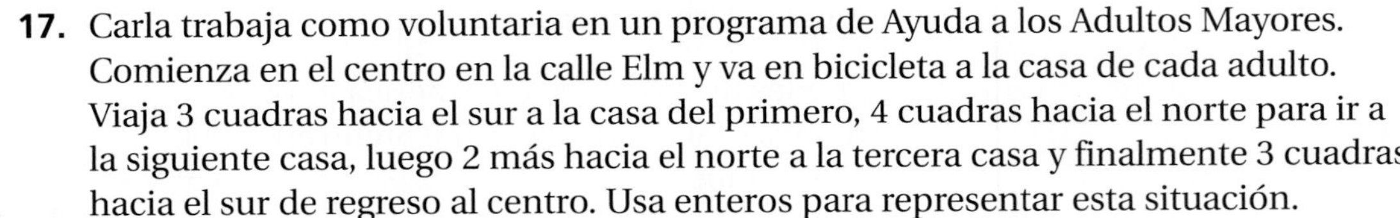

17. Carla trabaja como voluntaria en un programa de Ayuda a los Adultos Mayores. Comienza en el centro en la calle Elm y va en bicicleta a la casa de cada adulto. Viaja 3 cuadras hacia el sur a la casa del primero, 4 cuadras hacia el norte para ir a la siguiente casa, luego 2 más hacia el norte a la tercera casa y finalmente 3 cuadras hacia el sur de regreso al centro. Usa enteros para representar esta situación.

PRÁCTICA Y RESOLUCIÓN DE PROBLEMAS

Práctica adicional
Ver página 735

Escribe una situación que podría representar cada entero.

18. +49
19. −83
20. −7
21. +15
22. −2

Escribe el opuesto de cada entero.

23. −92
24. +75
25. −25
26. +1,001
27. 0

28. **Astronomía** Usa la tabla para representar en una recta numérica las temperaturas promedio en la superficie de los planetas dados.

Planeta	Tierra	Marte	Júpiter
Temperatura promedio en la superficie (° C)	15	−65	−110

29. Las acciones de una empresa cayeron 3 puntos en el mercado de valores. Las de otra empresa ganaron 5 puntos. Escribe un entero que represente la pérdida o ganancia de cada acción.

Los decimales y las fracciones también pueden ser positivos o negativos. Escribe el opuesto de cada decimal o fracción.

30. $+\frac{1}{2}$
31. −2.7
32. $-\frac{3}{8}$
33. +6.2
34. +0.1

Los vehículos submarinos llamados sumergibles se usan para explorar las partes más profundas del océano. El *Alvin,* que se muestra arriba, se usó para fotografiar y explorar el *Titanic* en 1987.

35. Deportes Cuando el equipo de fútbol americano Mountain Lions devolvió el saque inicial, avanzó 45 yardas. Escribe un entero que represente esta situación.

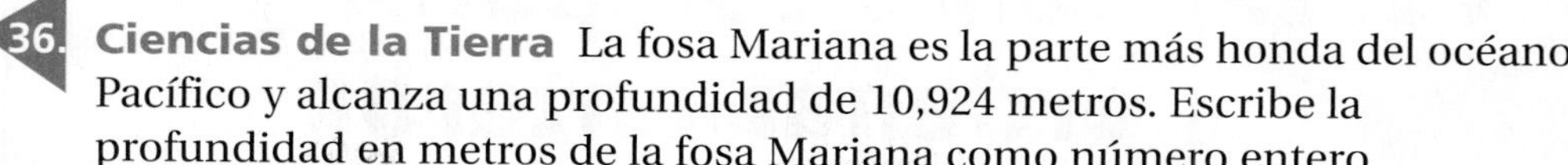

36. Ciencias de la Tierra La fosa Mariana es la parte más honda del océano Pacífico y alcanza una profundidad de 10,924 metros. Escribe la profundidad en metros de la fosa Mariana como número entero.

37. Ciencias de la Tierra Del 21 de junio al 21 de diciembre, en la mayor parte de Estados Unidos, se pierden de 1 a 2 minutos de luz solar por día. Pero a partir del 21 de diciembre, la mayor parte del país empieza a ganar de 1 a 2 minutos de luz solar por día. ¿Con qué entero escribirías un aumento de 2 minutos? ¿Y una pérdida de 2 minutos?

38. Relaciona cada temperatura con la marca correcta del termómetro.

a. −10° F **b.** 5° F **c.** 10° F
d. −2° F **e.** −9° F **f.** 7° F

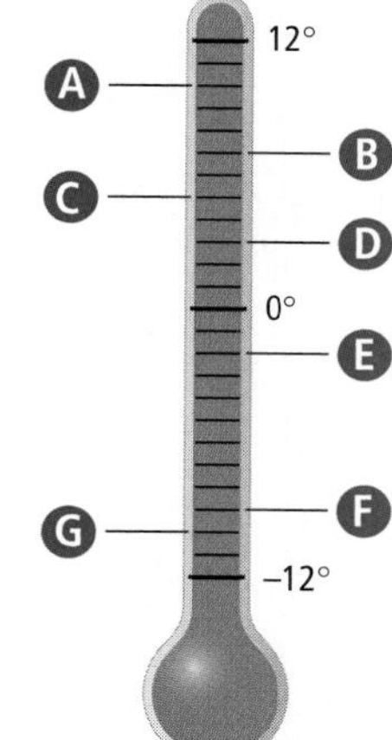

39. ¿Cuál de estas situaciones es menos probable que se represente con −8?

(A) una caída de la temperatura de 8° F
(B) una profundidad de 8 metros
(C) un crecimiento de 8 centímetros
(D) un momento hace 8 años

40. Escribe un problema Escribe un problema sobre temperaturas que suben y bajan. Empieza con la temperatura rotulada G en el termómetro. Luego escribe una expresión que represente la situación.

41. Escríbelo ¿Es −0.5 un entero? Explica.

42. Desafío ¿Cuáles son los opuestos de los enteros que están a 3 unidades de −8? Explica.

Preparación para el examen y repaso en espiral

43. Opción múltiple ¿Qué situación podría representar el entero −50?

(A) un aumento de $50 en una cuenta bancaria
(B) la temperatura de un día templado de primavera
(C) la distancia recorrida camino a la playa
(D) una disminución de 50 empleados

44. Opción múltiple ¿Qué entero puede representar la expresión *hace 200 años*?

(F) −200 (G) $200x$ (H) 200 (J) $x - 200$

Estima por redondeo al valor posicional indicado. (Lección 3-2)

45. 1.892 − 0.243; a décimas **46.** 13.4132 + 0.513; a décimas **47.** 11.4307 − 5.2164; a milésimas

48. Hugo llena una tina con agua. La altura del agua crece $\frac{1}{5}$ de pie por minuto. Usa dibujos para representar cuánto cambiará la altura del agua en 4 minutos y luego escribe la respuesta en su mínima expresión. (Lección 4-8)

11-2 Cómo comparar y ordenar enteros

Aprender a comparar y ordenar enteros

En la tabla se muestran las puntuaciones de tres participantes en un torneo de golf.

Jugador	Puntaje
David Berganio	+6
Sergio García	−16
Tiger Woods	−4

En golf, gana el jugador que logre el puntaje más bajo. Puedes comparar enteros para hallar al ganador del torneo.

Sergio García

EJEMPLO 1 Comparar enteros

Usa la recta numérica para comparar cada par de enteros. Escribe $<$ ó $>$.

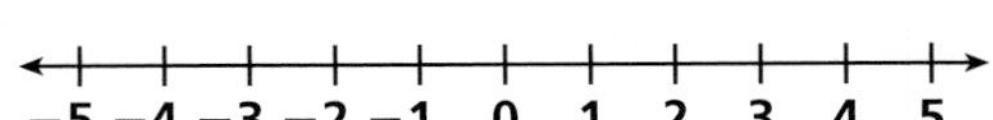

¡Recuerda!

El valor de los números en una recta numérica aumenta de izquierda a derecha.

A -4 ▢ 2

$-4 < 2$ *−4 está a la izquierda de 2 en la recta numérica.*

B -3 ▢ -5

$-3 > -5$ *−3 está a la derecha de −5 en la recta numérica.*

C 0 ▢ -4

$0 > -4$ *0 está a la derecha de −4 en la recta numérica.*

EJEMPLO 2 Ordenar enteros

Ordena los enteros de cada conjunto de menor a mayor.

A 4, −2, 1

Representa los enteros en la misma recta numérica.

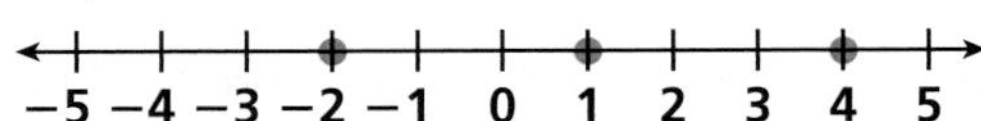

Luego lee los números de izquierda a derecha: −2, 1, 4.

Ordena los enteros de cada conjunto de menor a mayor.

B $-2, 0, 2, -5$

Representa los enteros en la misma recta numérica.

$-5\ -4\ -3\ -2\ -1\ 0\ 1\ 2\ 3\ 4\ 5$

Luego lee los números de izquierda a derecha: -5, -2, 0, 2.

EJEMPLO 3 *Aplicación a la resolución de problemas*

En un torneo de golf, David Berganio terminó con +6, Sergio García terminó con −16 y Tiger Woods terminó con −4. Uno de estos tres jugadores fue el ganador del torneo. ¿Quién ganó el torneo?

1 Comprende el problema

La **respuesta** será el jugador con el puntaje *más bajo.*
Haz una lista con la **información importante:**

- David Berganio tuvo un puntaje de +6.
- Sergio García tuvo un puntaje de −16.
- Tiger Woods tuvo un puntaje de −4.

2 Haz un plan

Dibuja un diagrama para ordenar los puntajes de menor a mayor.

3 Resuelve

Traza una recta numérica para representar el puntaje de cada jugador.

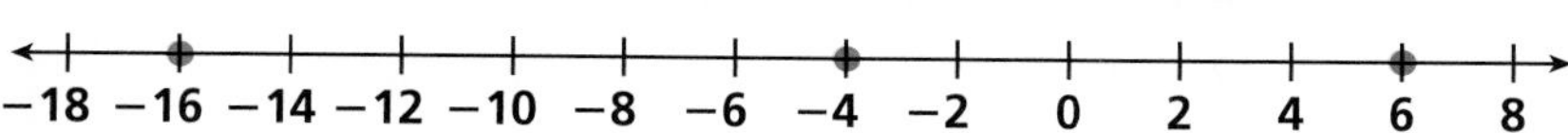

El puntaje de Sergio García, –16, es el más alejado a la izquierda; por lo tanto, el más bajo. Sergio García ganó el torneo.

4 Repasa

Los enteros negativos siempre son menores que los enteros positivos, por lo tanto, David Berganio no puede ser el ganador. Como el puntaje de Sergio García, −16, es menor que el puntaje de Tiger Woods, −4, Sergio García es el ganador.

CONEXIÓN

Deportes

En golf, *par* es el número estándar de golpes necesarios para meter la pelota en el hoyo. Un puntaje de −12 significa "12 golpes bajo par". Un puntaje de +2 significa "2 golpes sobre par".

go.hrw.com
¡Web Extra!
CLAVE: MR7 Golf

Razonar y comentar

1. **Indica** cuál es mayor: un entero negativo o uno positivo. Explica.
2. **Indica** cuál es mayor: 0 ó un entero negativo. Explica.
3. **Explica** cómo indicar cuál de dos enteros negativos es mayor.

11-2 Ejercicios

go.hrw.com
Ayuda en línea para tareas*
CLAVE: MR7 11-2
Recursos en línea para padres
CLAVE: MR7 Parent
*(Disponible sólo en inglés)

PRÁCTICA GUIADA

Ver Ejemplo 1 **Usa la recta numérica para comparar cada par de enteros. Escribe $<$ ó $>$.**

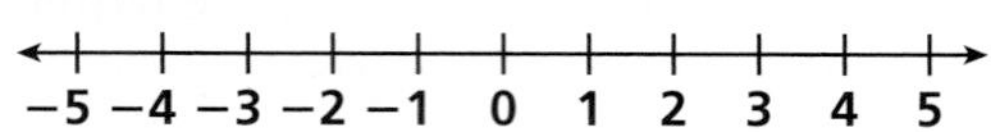

1. −4 ■ −5 **2.** −2 ■ 0 **3.** −1 ■ 3

Ver Ejemplo 2 **Ordena los enteros de cada conjunto de menor a mayor.**

4. 9, 0, −2 **5.** 7, −4, 3, −5 **6.** 8, −6, −1, 10

Ver Ejemplo 3 **7. Usa la tabla.**

a. ¿A qué hora fue la temperatura mínima?

b. ¿Cuál fue la temperatura máxima?

Hora	Temperatura (° F)
10:00 pm	1
Medianoche	−4
3:30 am	−6
6:00 am	1

PRÁCTICA INDEPENDIENTE

Ver Ejemplo 1 **Usa la recta numérica para comparar cada par de enteros. Escribe $<$ ó $>$.**

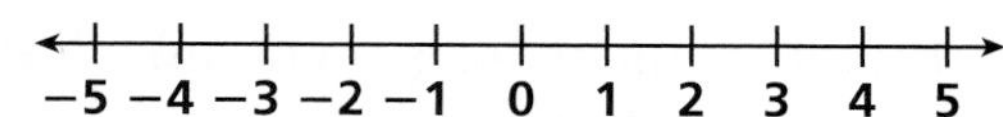

8. 0 ■ 2 **9.** 4 ■ −4 **10.** −3 ■ −1 **11.** −5 ■ 2

Ver Ejemplo 2 **Ordena los enteros de cada conjunto de menor a mayor.**

12. 11, −6, −3 **13.** 15, −8, 7 **14.** 5, −12, 0, 1

15. −9, 13, −1, −16 **16.** 24, −6, 7, −10, 4 **17.** 22, 0, −19, 8, −3

Ver Ejemplo 3 **18. Ciencias de la Tierra Usa la tabla, en la que se muestran las profundidades de los tres océanos más grandes del mundo.**

a. ¿Qué océano es el más profundo?

b. ¿Qué océanos tienen menos de 35,000 pies de profundidad?

Océano	Profundidad (pies)
Pacífico	−36,200
Atlántico	−30,246
Índico	−24,442

PRÁCTICA Y RESOLUCIÓN DE PROBLEMAS

Práctica adicional
Ver página 735

Compara. Escribe $<$ ó $>$.

19. −30 ■ 25 **20.** 0 ■ −49 **21.** −16 ■ −51 **22.** −17 ■ 17

23. −64 ■ −15 **24.** 77 ■ 300 **25.** −28 ■ 1 **26.** 25 ■ −30

Ordena los enteros de cada conjunto de menor a mayor.

27. −39, 14, 21 **28.** −18, −9, −31 **29.** 0, −26, 43, −12

30. 15, −25, −4, 31 **31.** −67, 82, −73, −10, 20 **32.** 42, −27, 69, −50, 38

33. ¿Qué conjunto de enteros está ordenado de mayor a menor?

Ⓐ 0, −4, −3, −1 Ⓒ 9, −9, −10, −15

Ⓑ 2, −4, 8, −16 Ⓓ −8, −7, −6, −5

34. **Ciencias de la Tierra** La temperatura máxima normal en enero en Barrow, Alaska, es −7° F . La temperatura máxima normal en enero en Los Ángeles es 68° F . Compara las dos temperaturas usando < ó >.

35. **Geografía** En la tabla se muestra la altura de varios accidentes geográficos. Escríbelos en orden de menor a mayor altura.

Alturas de accidentes geográficos	
Monte Everest	29,022 pies
Monte Rainier	14,410 pies
Kilimanjaro	19,000 pies
Cueva de San Agustín	−2,189 pies
Mar Muerto	−1,296 pies

36. **¿Dónde está el error?** Una compañera de clase dice que $0 < -91$. Explica por qué eso es incorrecto.

37. **Escríbelo** Explica cómo ordenarías de menor a mayor un número positivo, un número negativo y cero.

38. **Desafío** En la siguiente lista falta un entero que es, a la vez, la mediana y la moda. ¿Cuál es el entero? *(Pista:* Puede haber más de una respuesta correcta). 2, −10, 7, −7, 5, −5

PREPARACIÓN PARA EL EXAMEN y repaso en espiral

39. **Opción múltiple** ¿Qué conjunto de enteros está ordenado de mayor a menor?

Ⓐ −3, −9, −6 Ⓑ −3, 2, 5 Ⓒ 2, −1, −3 Ⓓ 4, 10, 12

40. **Respuesta breve** En la tabla se muestra la altura sobre el nivel del mar de varias ciudades. Ordena las ciudades de la que tiene la menor altura a la que tiene la mayor altura.

Ciudad	Boston	Cincinnati	Valle de la Muerte	Salt Lake City	San Antonio
Altura (pies)	16	483	−282	4,226	807

Si los ángulos pueden formar un triángulo, clasifícalo como acutángulo, obtusángulo o rectángulo. (Lección 8-5)

41. 45°, 76°, 59° 42. 12°, 90°, 78° 43. 88°, 22°, 90° 44. 10°, 15°, 165°

Representa cada entero y su opuesto en una recta numérica. (Lección 11-1)

45. −9 46. 7 47. −2 48. 8 49. −5

11-3 El plano cartesiano

Aprender a ubicar y representar puntos en el plano cartesiano

Vocabulario

plano cartesiano
ejes
eje x
eje y
cuadrantes
origen
coordenadas
coordenada x
coordenada y

Un **plano cartesiano** está formado por dos rectas numéricas que se intersecan en ángulos rectos en un plano. El punto de intersección es el cero de cada recta numérica.

- Las dos rectas numéricas se llaman **ejes.**
- El eje horizontal se llama **eje x.**
- El eje vertical se llama **eje y.**
- Los dos ejes dividen el plano cartesiano en cuatro **cuadrantes.**
- El punto donde los ejes se intersecan se llama **origen.**

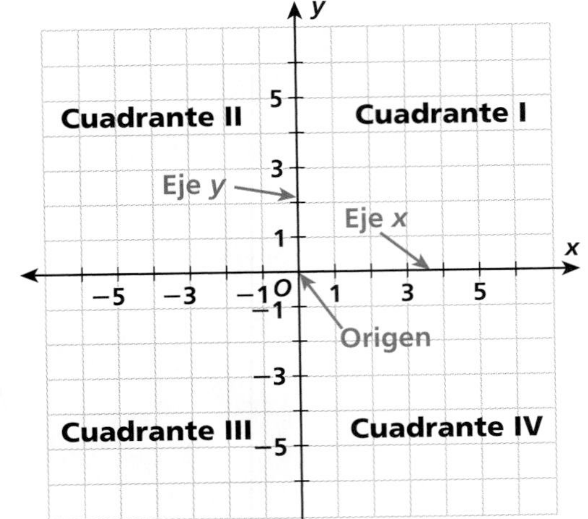

EJEMPLO 1 Identificar cuadrantes

Identifica el cuadrante donde se ubica cada punto.

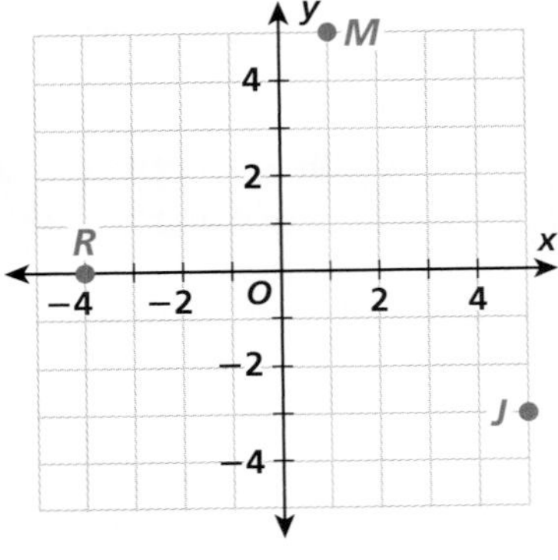

A M
Cuadrante I

B J
Cuadrante IV

C R
sobre el eje x
ningún cuadrante

Pista útil

Los puntos sobre los ejes no están en ningún cuadrante.

Un par ordenado da la ubicación de un punto en un plano cartesiano. El primer número indica cuánto hay que moverse hacia la derecha (positivo) o hacia la izquierda (negativo) desde el origen. El segundo número indica cuánto hay que moverse hacia arriba (positivo) o hacia abajo (negativo).

Los números de un par ordenado se llaman **coordenadas.** El primer número se llama **coordenada x.** El segundo número se llama **coordenada y.**

El par ordenado del origen es (0, 0).

EJEMPLO 2 Ubicar puntos en un plano cartesiano

Da las coordenadas de cada punto.

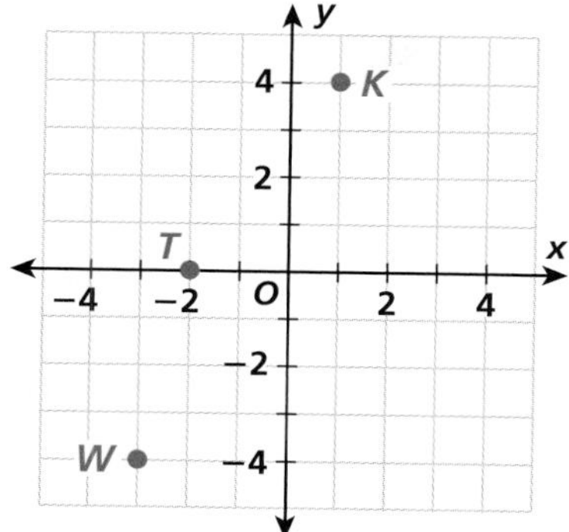

A K

Desde el origen, K está 1 unidad a la derecha y 4 unidades arriba.

$(1, 4)$

B T

Desde el origen, T está 2 unidades a la izquierda sobre el eje x.

$(-2, 0)$

 W

Desde el origen, W está 3 unidades a la izquierda y 4 unidades abajo.

$(-3, -4)$

EJEMPLO 3 Representar gráficamente puntos en un plano cartesiano

Representa gráficamente cada punto en un plano cartesiano.

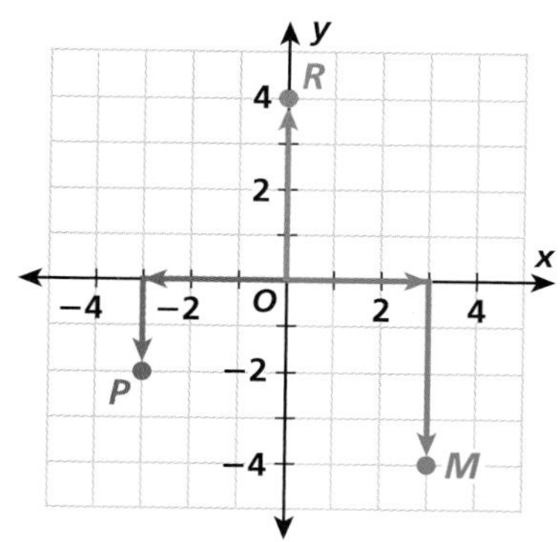

A $P(-3, -2)$

Desde el origen, muévete 3 unidades hacia la izquierda y 2 hacia abajo.

B $R(0, 4)$

Desde el origen, muévete 4 unidades hacia arriba.

C $M(3, -4)$

Desde el origen, muévete 3 unidades hacia la derecha y 4 hacia abajo.

Razonar y comentar

1. **Indica** qué número de un par ordenado muestra cuánto se debe avanzar a la izquierda o derecha del origen y qué número muestra cuánto se debe avanzar hacia arriba o hacia abajo.
2. **Describe** en qué se parece representar gráficamente el punto (5, 4) a representar gráficamente el punto (5, −4). ¿En qué se diferencia?
3. **Indica** por qué es importante empezar en el origen al representar puntos gráficamente.

11-3 Ejercicios

go.hrw.com
Ayuda en línea para tareas*
CLAVE: MR7 11-3
Recursos en línea para padres
CLAVE: MR7 Parent
*(Disponible sólo en inglés)

PRÁCTICA GUIADA

Usa el plano cartesiano para los Ejercicios del 1 al 6.

Ver Ejemplo 1 **Identifica el cuadrante donde se ubica cada punto.**

1. T
2. U
3. B

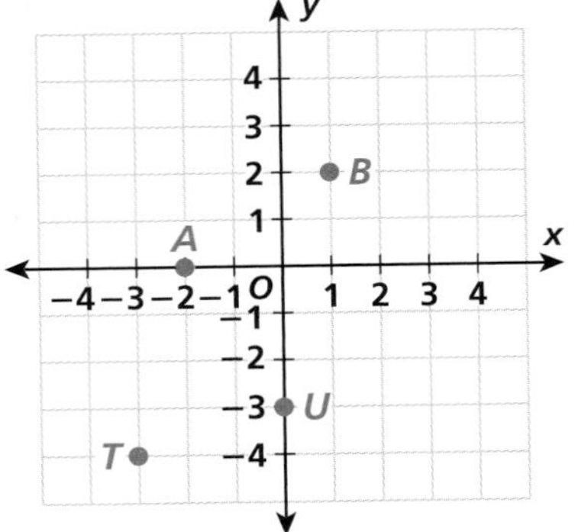

Ver Ejemplo 2 **Da las coordenadas de cada punto.**

4. A
5. B
6. U

Ver Ejemplo 3 **Representa gráficamente cada punto en un plano cartesiano.**

7. $E(4, 2)$
8. $F(-1, -4)$
9. $G(0, 2)$

PRÁCTICA INDEPENDIENTE

Usa el plano cartesiano para los Ejercicios del 10 al 21.

Ver Ejemplo 1 **Identifica el cuadrante donde se ubica cada punto.**

10. Q
11. X
12. H
13. Y
14. Z
15. P

Ver Ejemplo 2 **Da las coordenadas de cada punto.**

16. P
17. R
18. Y
19. T
20. H
21. Q

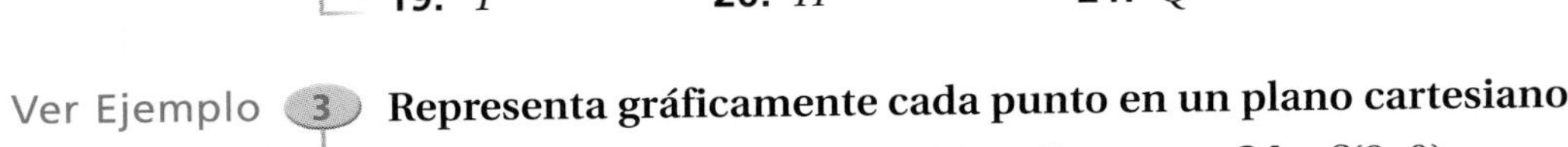

Ver Ejemplo 3 **Representa gráficamente cada punto en un plano cartesiano.**

22. $L(0, 3)$
23. $M(3, -3)$
24. $S(2, 0)$
25. $V(-4, 3)$
26. $N(-2, -1)$
27. $B(4, 3)$

PRÁCTICA Y RESOLUCIÓN DE PROBLEMAS

Práctica adicional
Ver página 735

Identifica el cuadrante donde se ubica cada par ordenado.

28. $(3, -1)$
29. $(2, 1)$
30. $(-2, 3)$
31. $(-4, -3)$
32. $\left(4\frac{1}{2}, -3\right)$
33. $\left(10, -7\frac{1}{2}\right)$
34. $\left(-6, 2\frac{1}{3}\right)$
35. $\left(-8\frac{1}{3}, -\frac{1}{2}\right)$

Representa gráficamente cada par ordenado.

36. $(0, -5)$
37. $(-4, -4)$
38. $(5, 0)$
39. $(3, 2)$
40. $(-2, 2)$
41. $(0, -3)$
42. $(1, -4)$
43. $(0, 0)$
44. $\left(-2\frac{1}{2}, 3\right)$
45. $\left(5, 3\frac{1}{2}\right)$
46. $\left(-4\frac{1}{3}, 0\right)$
47. $\left(0, -\frac{1}{2}\right)$
48. Representa gráficamente los puntos $A(-1, -1)$, $B(2, 1)$, $C(2, -2)$ y $D(-1, -2)$. Conecta los puntos. ¿Qué tipo de cuadrilátero se forma?

con los estudios sociales

Para hallar ubicaciones exactas sobre la Tierra, se usa un sistema de coordenadas. El *Ecuador* es como el eje *x* y el *primer meridiano* es como el eje *y*.

Las líneas que van de este a oeste se conocen como *líneas de latitud*. Se miden en grados al norte o al sur del Ecuador.

Las líneas que van de norte a sur se conocen como *líneas de longitud*. Se miden en grados al este o al oeste del primer meridiano.

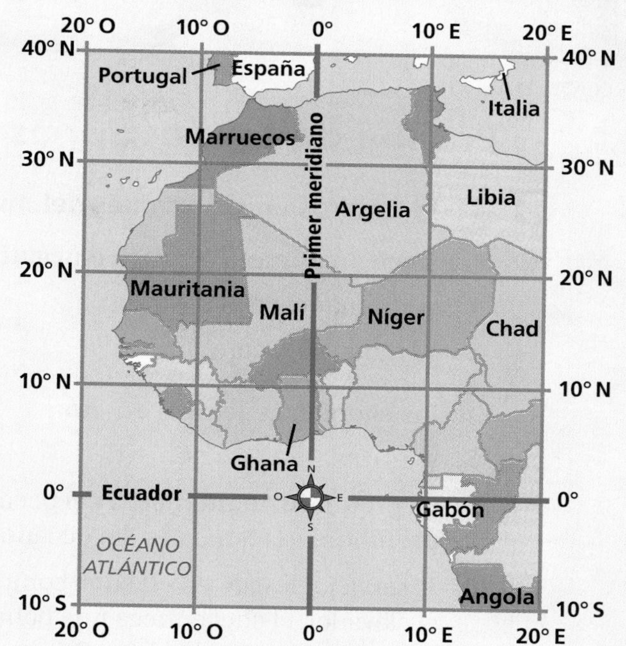

49. ¿En qué país está el punto 0° de latitud y 10° de longitud E?

50. Da las coordenadas de un punto en Argelia.

51. Identifica dos países que están sobre la línea de 30° de latitud N.

52. ¿Dónde estarías si te encontraras a 10° de latitud S y 10° de latitud O?

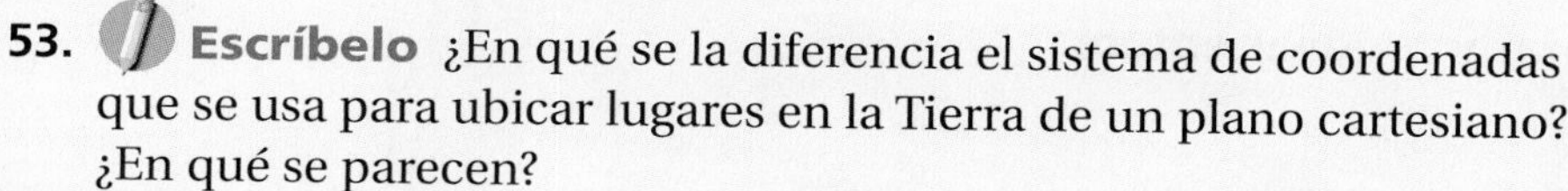

53. **Escríbelo** ¿En qué se la diferencia el sistema de coordenadas que se usa para ubicar lugares en la Tierra de un plano cartesiano? ¿En qué se parecen?

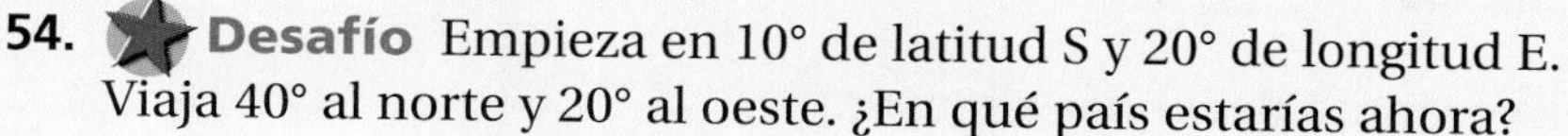

54. **Desafío** Empieza en 10° de latitud S y 20° de longitud E. Viaja 40° al norte y 20° al oeste. ¿En qué país estarías ahora?

Preparación para el examen y repaso en espiral

55. Opción múltiple ¿En qué cuadrante está el punto $(-1, 2)$?

Ⓐ Cuadrante I Ⓑ Cuadrante II Ⓒ Cuadrante III Ⓓ Cuadrante IV

56. Opción múltiple ¿Cuál de las siguientes coordenadas está más alejada del origen hacia la derecha en un plano cartesiano?

Ⓕ $(-19, 7)$ Ⓖ $(0, 12)$ Ⓗ $(4, 15)$ Ⓙ $(7, 0)$

Escribe cada fracción o número mixto como decimal. (Lección 4-4)

57. $4\frac{2}{5}$ **58.** $\frac{9}{10}$ **59.** $5\frac{3}{4}$ **60.** $\frac{9}{20}$ **61.** $\frac{1}{5}$

Compara. Escribe $<$ ó $>$. (Lección 11-2)

62. $0 \ \square \ -4$ **63.** $-345 \ \square \ 78$ **64.** $-12 \ \square \ -6$ **65.** $14 \ \square \ 18$

CAPÍTULO 11

SECCIÓN 11A

Prueba de las Lecciones 11-1 a 11-3

11-1 Enteros en situaciones del mundo real

Identifica un número positivo o negativo que represente cada situación.

1. una ganancia de 10 yardas

2. 45 pies por debajo del nivel del mar

3. 5 grados bajo cero

4. una ganancia de \$50

Escribe el opuesto de cada entero.

5. 9 **6.** -17 **7.** 1 **8.** -20

9. La profundidad promedio del océano Atlántico es 3,926 metros. Escribe la profundidad en metros del océano Atlántico como entero.

10. El servicio de cafetería de una compañía está en la planta baja del edificio. Usando el elevador, el chef entrega una bandeja de frutas en el 8vo piso. Después baja 3 pisos para entregar unas bebidas. Su última parada es 5 pisos más arriba para entregar unos sándwiches. Usa enteros para representar esta situación.

11-2 Cómo comparar y ordenar enteros

Compara. Escribe $<$ ó $>$.

11. 9 ▢ -22 **12.** -7 ▢ 4 **13.** -10 ▢ -19

Ordena los enteros de cada conjunto de menor a mayor.

14. 2, -7, 14 **15.** 25, -9, 4, -21 **16.** 10, 0, -23, -17, 8

17. En una excavación arqueológica, cuanto más profundo se encuentra un objeto, más antiguo es. Si se encuentran piezas de joyería a -7 pies, -17 pies, -4 pies y -9 pies, ¿qué pieza es la más antigua?

11-3 El plano cartesiano

Usa el plano cartesiano para los Problemas del 18 al 25.

Identifica el cuadrante donde se ubica cada punto.

18. A **19.** Y **20.** J **21.** C

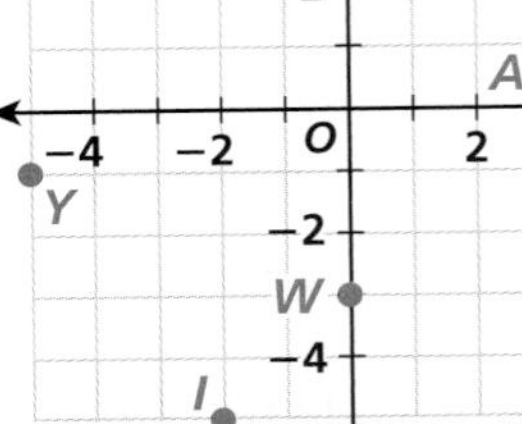

Da las coordenadas de cada punto.

22. H **23.** I **24.** W **25.** B

Representa gráficamente cada punto en un plano cartesiano.

26. $N(-5, -2)$ **27.** $S(0, 4)$ **28.** $R(-2, 6)$ **32.** $M(2, 2)$

30. $Q(4, -1)$ **31.** $P(-3, 0)$ **29.** $T\left(1\frac{1}{2}, 5\right)$ **33.** $H\left(-3, 1\frac{1}{2}\right)$

¿Listo para seguir?

Enfoque en resolución de problemas

Comprende el problema

• Vuelve a escribir la pregunta

Después de leer un problema del mundo real (quizás varias veces), observa la pregunta del problema. Vuelve a escribir la pregunta como un enunciado con tus propias palabras. Por ejemplo, si la pregunta es "¿Cuánto dinero ganó el museo?", podrías escribir: "Halla la cantidad de dinero que ganó el museo".

Ahora tienes un enunciado simple que te indica qué debes hacer. Esto te puede ayudar a comprender y recordar de qué trata el problema. Esto también te puede ayudar a hallar la información necesaria en el problema.

Lee los siguientes problemas. Vuelve a escribir cada pregunta como un enunciado con tus propias palabras.

1. Israel es uno de los países más cálidos de Asia. En una ocasión se registró en el lugar una temperatura de 129° F. Este número es el opuesto de la temperatura más fría registrada en la Antártida. ¿Cuál fue la temperatura en la Antártida?

2. La temperatura promedio que se registra en enero en Fairbanks, Alaska, es alrededor de −10° F. En febrero, la temperatura promedio es alrededor de −4° F. ¿La temperatura promedio es más baja en enero o en febrero?

3. El polo sur de Marte se compone de dióxido de carbono congelado, que tiene una temperatura de −193° F. El día más frío registrado en la Tierrahizo −129° F, en la Antártida. ¿Qué temperatura es más baja?

4. El barco del pirata Barbanegra, el *Queen Anne's Revenge,* se hundió en Beauford Inlet, Carolina del Norte, en 1718. En 1996, unos buzos descubrieron restos de un naufragio que atribuyeron al *Queen Anne's Revenge.* Los cañones del barco se hallaron a 21 pies bajo la superficie del agua y la campana, a 20 pies. ¿Qué estaba más cerca de la superficie: los cañones o la campana?

En esta foto de Marte, los colores representan distintos rangos de temperatura. Cuando se tomó la foto, era verano en el hemisferio norte e invierno en el hemisferio sur.

Modelo de suma de enteros

Para usar con la Lección 11-4

go.hrw.com
Recursos en línea para el laboratorio
CLAVE: MR7 Lab11

CLAVE

(amarilla) = 1   (roja) = −1

RECUERDA

Restar cero de un número no cambia el valor del número.

Puedes usar fichas de dos colores para representar enteros. Las fichas amarillas representan números positivos y las rojas representan números negativos.

Actividad

Haz un modelo con fichas de dos colores.

1 $3 + 4$

$3 + 4 = 7$

2 $-5 + (-3)$

$-5 + (-3) = -8$

Una ficha roja y una ficha amarilla juntas equivalen a cero y se llaman par nulo. Cuando tienes un par nulo, puedes eliminarlo sin que cambie el valor del modelo.

3 $3 + (-4)$

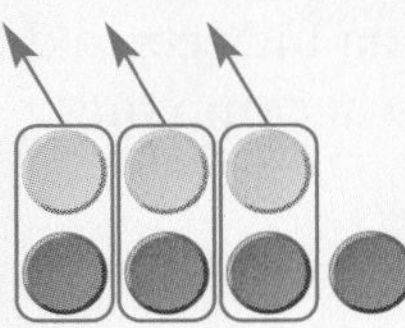

$3 + (-4) = -1$

Razonar y comentar

1. Al sumar enteros, ¿cambiar el orden en que sumas cambia el resultado? Explica.

2. ¿Cuándo puedes eliminar fichas en un modelo de suma?

Inténtalo

Haz un modelo con fichas de dos colores.

1. $-8 + (-4)$ **2.** $-8 + 4$ **3.** $8 + (-4)$ **4.** $8 + 4$

11-4 Cómo sumar enteros

Aprender a sumar enteros

Uno de los volcanes más activos del mundo es el Kilauea, en Hawai. La base del Kilauea está a 9 km bajo el nivel del mar. La cima está a 10 km sobre la base de la montaña.

Puedes sumar los enteros −9 y 10 para hallar la altura del Kilauea sobre el nivel del mar.

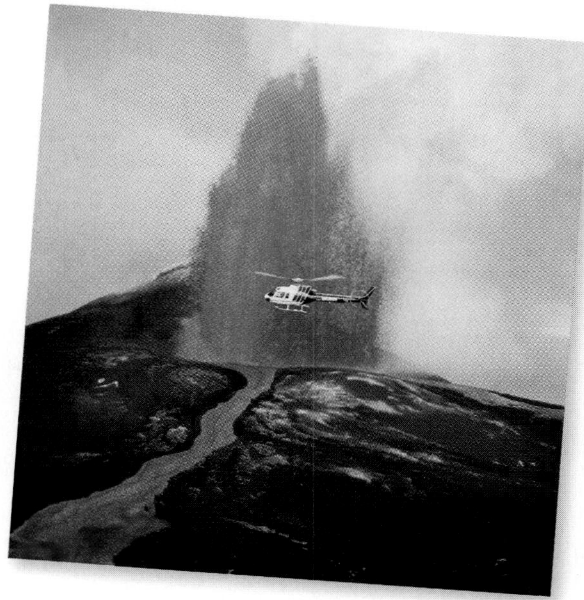

Sumar enteros en una recta numérica
Muévete hacia a la **derecha** en la recta numérica para sumar un entero **positivo**.
Muévete hacia la **izquierda** en la recta numérica para sumar un entero **negativo.**

EJEMPLO 1 **Escribir sumas de enteros**

Escribe la suma que se representa en cada recta numérica.

A

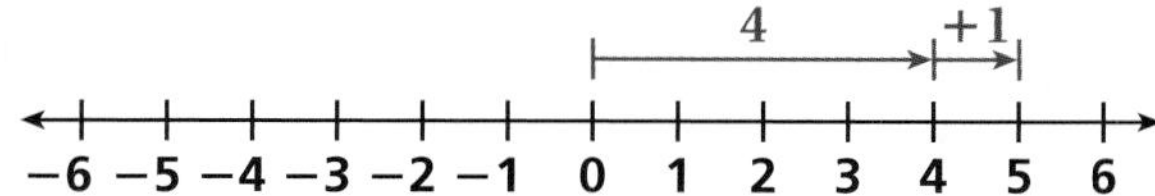

La suma que se representa es $4 + 1 = 5$.

B

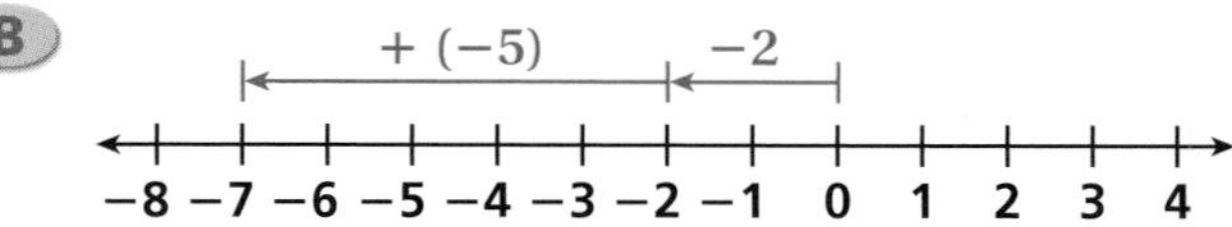

La suma que se representa es $-2 + (-5) = -7$.

C

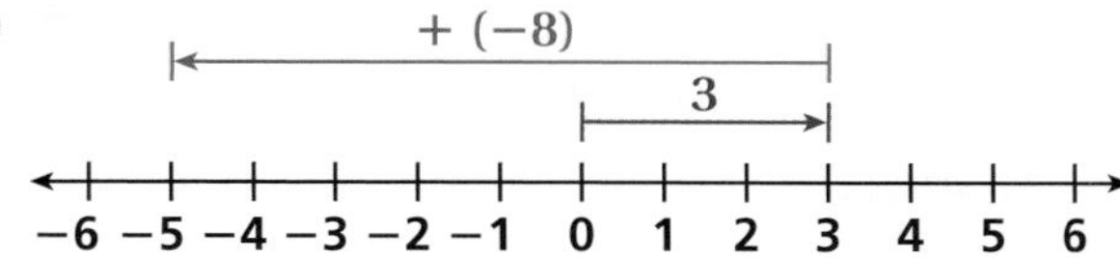

La suma que se representa es $3 + (-8) = -5$.

Escribir matemáticas

Los paréntesis se usan para separar los signos de suma, resta, multiplicación y división de los enteros negativos.

$-2 + (-5) = -7$

EJEMPLO 2 Sumar enteros

Halla cada suma.

A $6 + (-5)$

Razona:

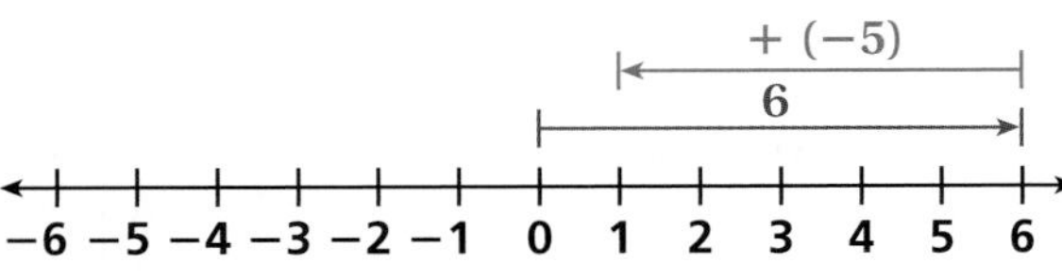

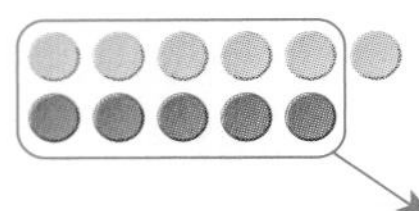

$6 + (-5) = 1$

B $-7 + 4$

Razona:

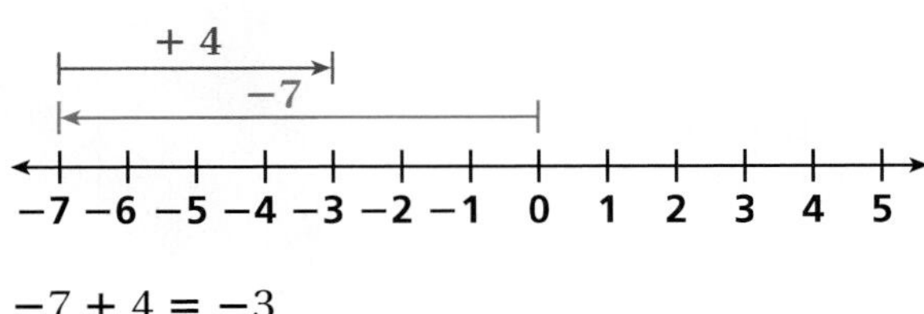

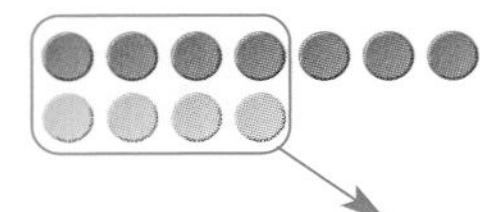

$-7 + 4 = -3$

EJEMPLO 3 Evaluar expresiones con enteros

Evalúa $x + 3$ para $x = -9$.

Razona:

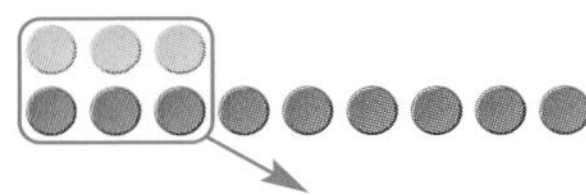

$x + 3$	*Escribe la expresión.*
$-9 + 3$	*Sustituye x por −9.*
-6	*Suma.*

EJEMPLO 4 *Aplicación a las ciencias de la Tierra*

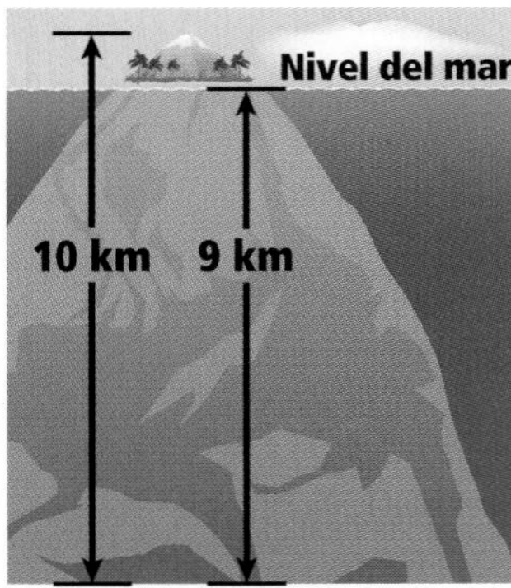

La base del Kilauea está a 9 km bajo el nivel del mar. La cima está a 10 km sobre la base. ¿Cuál es la altura del Kilauea sobre el nivel del mar?

La base del Kilauea está a **9 km bajo del nivel el mar** y la cima está a **10 km sobre la base.**

$-9 + 10$

1

El Kilauea está a 1 km sobre el nivel del mar.

Razonar y comentar

1. **Indica** si la suma de un entero positivo y −8 es mayor o menor que −8. Explica.
2. **Da** la suma de un número y su opuesto.

11-4 Ejercicios

go.hrw.com
Ayuda en línea para tareas*
CLAVE: MR7 11-4
Recursos en línea para padres
CLAVE: MR7 Parent
*(Disponible sólo en inglés)

PRÁCTICA GUIADA

Ver Ejemplo 1

Escribe la suma que se representa en la recta numérica.

1.

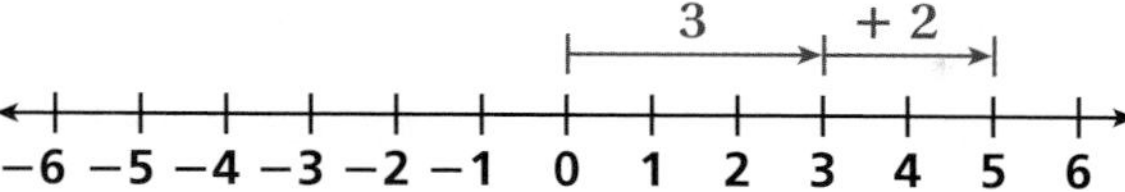

Ver Ejemplo 2

Halla cada suma.

2. $-5 + 9$
3. $-3 + (-2)$
4. $8 + (-7)$
5. $10 + (-3)$
6. $-4 + (-8)$
7. $-1 + 5$

Ver Ejemplo 3

Evalúa $n + (-2)$ para cada valor de n.

8. $n = -10$
9. $n = 2$
10. $n = -2$
11. $n = -15$
12. $n = 12$
13. $n = -20$

Ver Ejemplo 4

14. Un submarino que estaba en la superficie del agua descendió 100 pies. Después de estar treinta minutos a esa profundidad, realizó una segunda inmersión de 500 pies. ¿Cuál era la profundidad después de la segunda inmersión?

PRÁCTICA INDEPENDIENTE

Ver Ejemplo 1

Escribe la suma que se representa en cada recta numérica.

15.

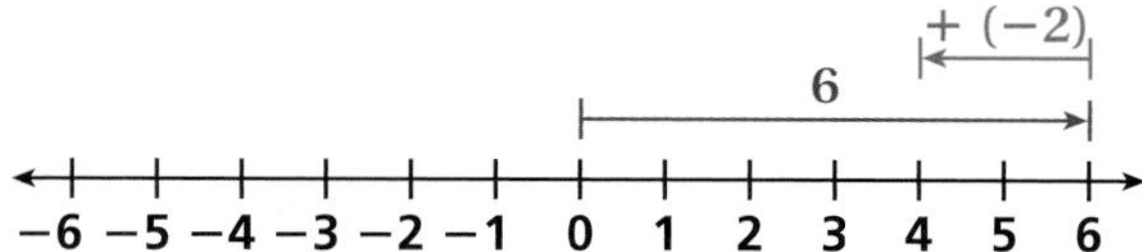

16.

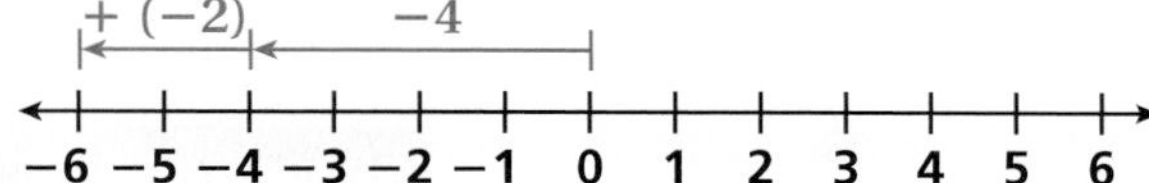

Ver Ejemplo 2

Halla cada suma.

17. $4 + 7$
18. $2 + (-12)$
19. $9 + (-9)$
20. $10 + (-21)$
21. $-8 + 2$
22. $-2 + 8$
23. $-1 + (-6)$
24. $-25 + (14)$

Ver Ejemplo 3

Evalúa $-6 + a$ para cada valor de a.

25. $a = -10$
26. $a = 7$
27. $a = -2$
28. $a = -6$
29. $a = 4$
30. $a = -9$
31. $a = 8$
32. $a = -20$

Ver Ejemplo 4

33. Jon trabaja en un crucero y duerme en un camarote que está a 6 pies bajo el nivel del mar. La cubierta principal está a 35 pies sobre el camarote de Jon. ¿A qué altura sobre el nivel del mar está la cubierta principal?
34. **Tiempo libre** Preston se zambulle a una profundidad de 15 pies. Se detiene por un instante y se sumerge otros 17 pies. ¿A qué profundidad está Preston después de la segunda inmersión?

PRÁCTICA Y RESOLUCIÓN DE PROBLEMAS

Práctica adicional
Ver página 735

Haz un modelo de cada suma en una recta numérica.

35. $3 + (-1)$ **36.** $-2 + (-4)$ **37.** $-6 + 5$ **38.** $1 + (-2)$

39. $-1 + 6$ **40.** $5 + (-3)$ **41.** $-3 + (-1)$ **42.** $0 + (-5)$

Halla cada suma.

43. $-18 + 25$ **44** $8 + (-2)$ **45.** $-5 + (-6)$ **46.** $-12 + (-7)$

47. $-6 + (-3)$ **48.** $4 + (-1)$ **49.** $20 + (-3)$ **50.** $30 + (-25)$

CONEXIÓN Historia

Augusto, que en realidad se llamaba Octavio, gobernó el Imperio romano durante más de 40 años.

Evalúa cada expresión para el valor dado de la variable.

51. $x + (-3); x = 7$ **52.** $-9 + n; n = 7$ **53.** $a + 5; a = -6$

54. $m + (-2); m = -4$ **55.** $-10 + x; x = -7$ **56.** $n + 19; n = -5$

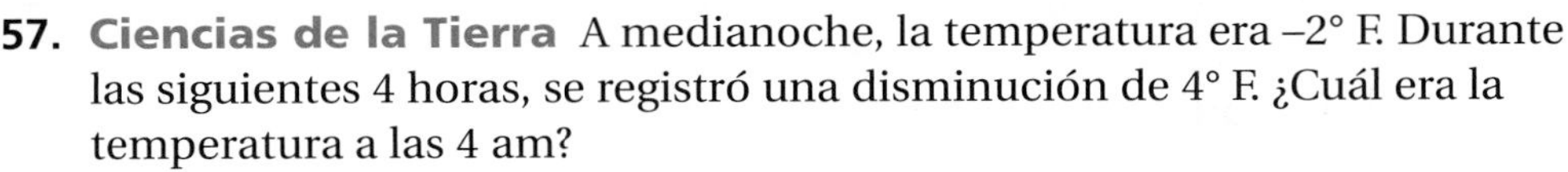
57. Ciencias de la Tierra A medianoche, la temperatura era –2° F. Durante las siguientes 4 horas, se registró una disminución de 4° F. ¿Cuál era la temperatura a las 4 am?

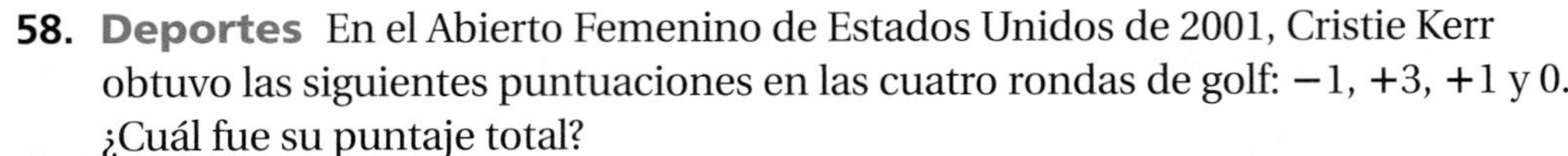
58. Deportes En el Abierto Femenino de Estados Unidos de 2001, Cristie Kerr obtuvo las siguientes puntuaciones en las cuatro rondas de golf: -1, $+3$, $+1$ y 0. ¿Cuál fue su puntaje total?

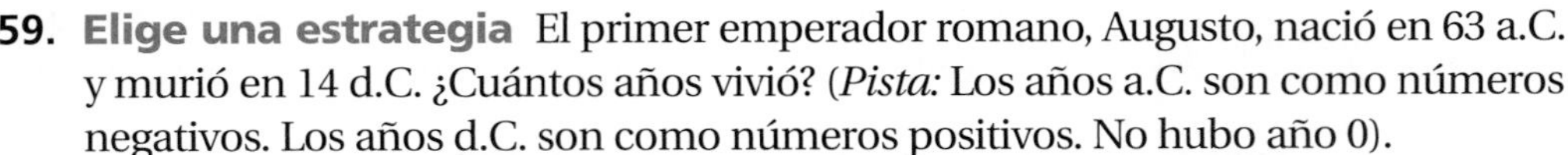
59. Elige una estrategia El primer emperador romano, Augusto, nació en 63 a.C. y murió en 14 d.C. ¿Cuántos años vivió? (*Pista:* Los años a.C. son como números negativos. Los años d.C. son como números positivos. No hubo año 0).

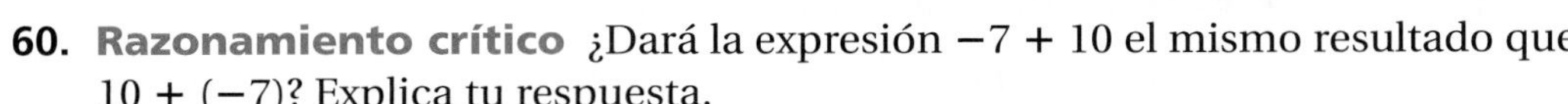
60. Razonamiento crítico ¿Dará la expresión $-7 + 10$ el mismo resultado que $10 + (-7)$? Explica tu respuesta.

61. Escríbelo Al sumar dos enteros, ¿cuál será el signo del resultado si un entero es positivo y el otro negativo? Explica.

62. Desafío Evalúa $-3 + (-2) + (-1) + 0 + 1 + 2 + 3 + 4$. Luego usa este patrón para hallar la suma de los enteros de -10 a 11 y de -100 a 101.

PREPARACIÓN PARA EL EXAMEN y repaso en espiral

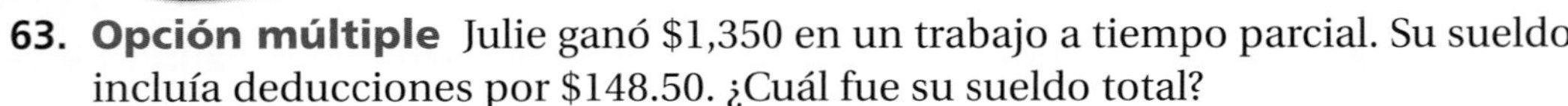
63. Opción múltiple Julie ganó $1,350 en un trabajo a tiempo parcial. Su sueldo incluía deducciones por $148.50. ¿Cuál fue su sueldo total?

Ⓐ $1,165.50 Ⓑ $1,201.50 Ⓒ $1,498.50 Ⓓ $1,534.50

64. Opción múltiple ¿Qué suma NO es negativa?

Ⓕ $-38 + (-24)$ Ⓖ $-61 + 43$ Ⓗ $-54 + 68$ Ⓙ $-29 + 11$

65. Respuesta breve Evalúa $b + 7$ para $b = -2, -4$ y -8.

Halla cada valor. (Lección 1-3)

66. 5^3 **67.** 4^1 **68.** 9^2 **69.** 12^3 **70.** 7^4

Representa gráficamente cada punto en un plano cartesiano. (Lección 11-3)

71. $J(5, 7)$ **72.** $M(-2, 4)$ **73.** $L(4, -3)$ **74.** $A(-1, -6)$ **75.** $W(0, 5)$

Modelo de resta de enteros

Para usar con la Lección 11-5

go.hrw.com
Recursos en línea para el laboratorio
CLAVE: MR7 Lab11

CLAVE

= 1 = −1

RECUERDA

Sumar cero a un número no cambia el valor del número.

+ = 0

Actividad

Haz un modelo con fichas de dos colores.

1 $3 - 2$

3 − 2 = 1

2 $-3 - (-2)$

−3 − (−2) = −1

3 $3 - (-2)$

No tienes fichas rojas, por lo tanto, no puedes restar −2. Suma pares nulos hasta que tengas suficientes fichas rojas para restar.

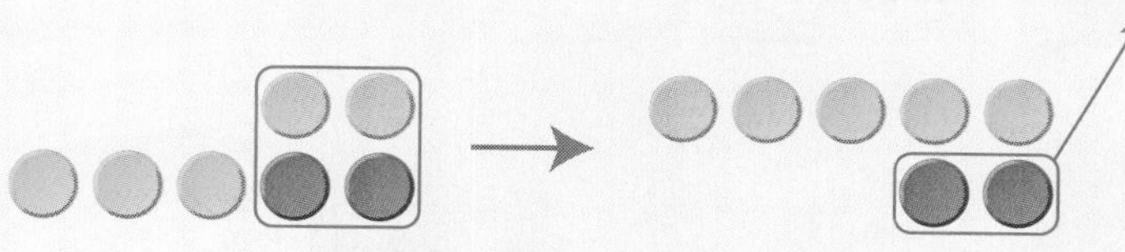

$3 - (-2) = 5$

Suma 2 pares nulos. *Ahora puedes restar −2.*

Razonar y comentar

1. ¿Cómo muestras la resta con fichas?

2. ¿Por qué puedes sumar pares nulos a un modelo de resta?

Inténtalo

Haz un modelo con fichas de dos colores.

1. $5 - 4$	**2.** $4 - (-5)$	**3.** $-4 - 5$	**4.** $-4 - (-5)$
5. $8 - 5$	**6.** $5 - (-8)$	**7.** $-5 - 8$	**8.** $-8 - (-8)$

11-5 Cómo restar enteros

Aprender a **restar enteros**

En una recta numérica, restar enteros es lo opuesto de sumar enteros. La resta de enteros "cancela" la suma de enteros.

Restar enteros en una recta numérica
Muévete hacia la **izquierda** en una recta numérica para restar un entero **positivo.**
Muévete hacia la **derecha** en una recta numérica para restar un entero **negativo.**

EJEMPLO 1 Escribir restas de enteros

Escribe la resta que se representa en cada recta numérica.

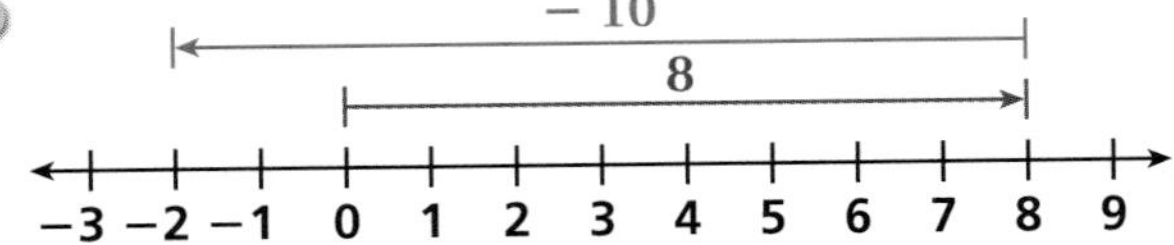

La resta que se representa es $8 - 10 = -2$.

B

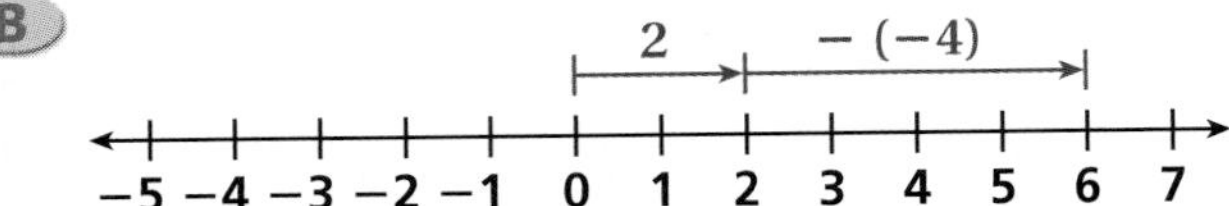

La resta que se representa es $2 - (-4) = 6$.

EJEMPLO 2 Restar enteros

Halla cada diferencia.

A $7 - 4$

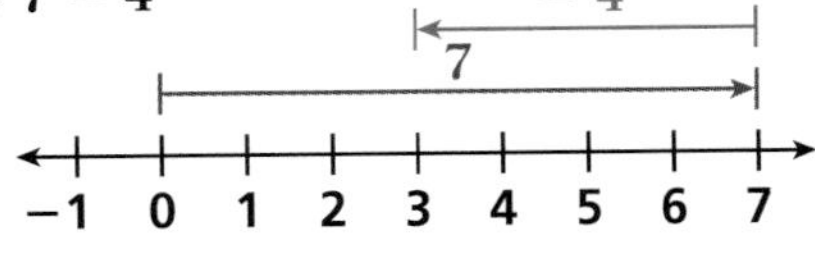

Razona:

$7 - 4 = 3$

B $-8 - (-2)$

Razona:

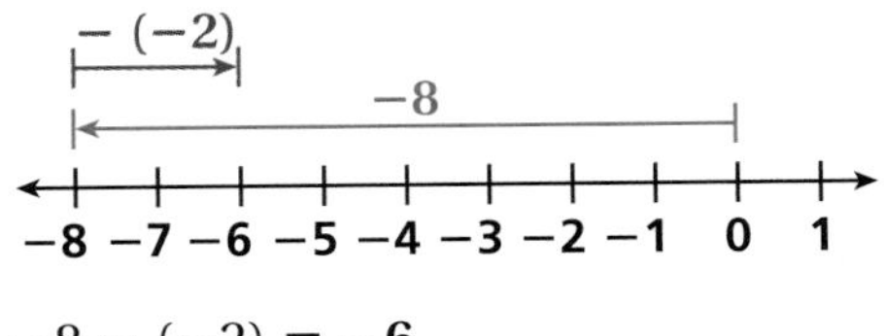

$-8 - (-2) = -6$

EJEMPLO 3 Evaluar expresiones con enteros

Evalúa $x - (-4)$ para $x = -5$.

$x - (-4)$	*Escribe la expresión.*
$-5 - (-4)$	*Sustituye x por −5.*
-1	*Resta.*

Razona:  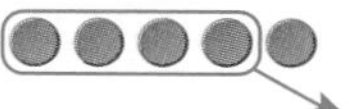

Razonar y comentar

1. **Describe** en qué dirección te moverías para sumar un entero positivo y para restar un entero positivo.
2. **Explica** cómo ayudan tus respuestas del Ejemplo 1 a mostrar que la suma y la resta son operaciones inversas.

11-5 Ejercicios

go.hrw.com
Ayuda en línea para tareas*
CLAVE: MR7 11-5
Recursos en línea para padres
CLAVE: MR7 Parent
*(Disponible sólo en inglés)

PRÁCTICA GUIADA

Ver Ejemplo 1

1. Escribe la resta que se representa en la recta numérica.

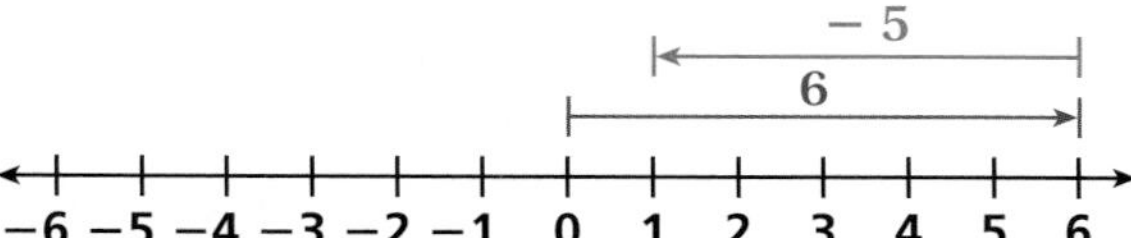

Ver Ejemplo 2 

Halla cada diferencia.

2. $6 - 3$ **3.** $3 - 6$ **4.** $10 - (-4)$ **5.** $-12 - (-4)$

Ver Ejemplo 3 

Evalúa $n - (-6)$ para cada valor de n.

6. $n = -4$ **7.** $n = 2$ **8.** $n = -15$ **9.** $n = 7$

PRÁCTICA INDEPENDIENTE

Ver Ejemplo 1

10. Escribe la resta que se representa en la recta numérica.

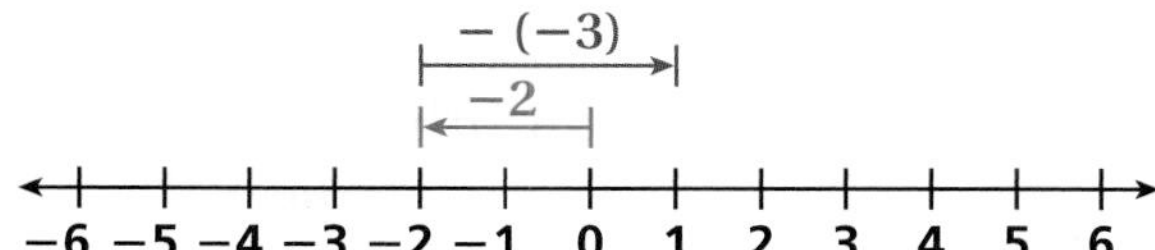

Ver Ejemplo 2

Halla cada diferencia.

11. $3 - 7$ **12.** $-4 - 9$ **13.** $2 - (-9)$ **14.** $-22 - (-2)$

Ver Ejemplo 3

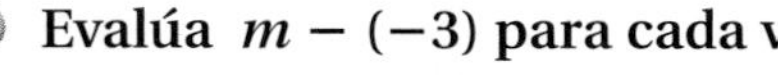

Evalúa $m - (-3)$ para cada valor de m.

15. $m = -1$ **16.** $m = 7$ **17.** $m = -8$ **18.** $m = -5$

19. $m = 4$ **20.** $m = -9$ **21.** $m = -15$ **22.** $m = 13$

PRÁCTICA Y RESOLUCIÓN DE PROBLEMAS

Práctica adicional
Ver página 735

Halla cada diferencia.

23. $-12 - (-6)$ **24.** $7 - (-3)$ **25.** $-4 - (-3)$ **26.** $8 - (-2)$

27. $19 - (-2)$ **28.** $-5 - 10$ **29.** $50 - 20$ **30.** $-2 - 7$

Evalúa cada expresión para el valor dado de la variable.

31. $n - (-10), n = 2$ **32.** $-6 - m, m = -9$ **33.** $x - 2, x = 6$

34. $4 - y, y = 9$ **35.** $j - 21, j = -17$ **36.** $101 - h, h = -75$

37. **Ciencias de la Tierra** La superficie de un depósito subterráneo de agua estaba a 10 m bajo el nivel del mar. Después de un año, la profundidad del depósito se había reducido 9 m. ¿A qué profundidad bajo el nivel el mar está ahora la superficie del agua?

38. **Construcción** Una columna de 200 pies sostiene una plataforma petrolera sobre la superficie del mar. La columna se apoya en el suelo oceánico a 175 pies bajo del nivel el mar. ¿A qué altura está la plataforma sobre el nivel del mar?

39. **Ciencias de la Tierra** En el verano de 1997, la NASA colocó en Marte el *Pathfinder*. El 9 de julio, el *Pathfinder* registró una temperatura de −1° F en la superficie del planeta. El 10 de julio, registró una temperatura de 8° F. Halla la diferencia entre la temperatura del 10 de julio y la del 9 de julio.

40. **¿Dónde está el error?** Ty dice que $0 - (-4) = -4$. Explica por qué es incorrecto.

41. **Escríbelo** ¿Es posible que la diferencia entre dos números negativos sea positiva? Usa ejemplos para apoyar tu respuesta.

42. **Desafío** Esta pirámide se construyó restando enteros. Dos enteros se restan de izquierda a derecha y la diferencia se centra sobre ellos. Halla los números que faltan.

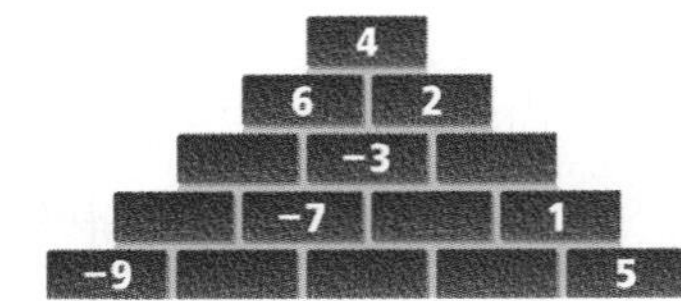

PREPARACIÓN PARA EL EXAMEN y repaso en espiral

43. **Opción múltiple** Evalúa $h - (-8)$ para $h = 3$.

Ⓐ −11 Ⓑ −5 Ⓒ 5 Ⓓ 11

44. **Opción múltiple** El puntaje de Trina en un concurso de televisión fue −250. El puntaje de Gwen fue −320. ¿Por cuántos puntos le ganó Trina a Gwen?

Ⓕ 570 puntos Ⓖ 70 puntos Ⓗ −70 puntos Ⓙ −570 puntos

Escribe cada decimal como porcentaje. (Lección 7-8)

45. 0.02 **46.** 0.53 **47.** 0.26 **48.** 0.44 **49.** 3.1

Identifica el cuadrante donde se ubica cada par ordenado. (Lección 11-3)

50. $(4, -6)$ **51.** $(-1, 5)$ **52.** $(2, 3)$ **53.** $(-2, -4)$ **54.** $(-10, 5)$

11-6 Cómo multiplicar enteros

Aprender a multiplicar enteros

Ya aprendiste que puedes multiplicar números cabales para contar elementos en grupos del mismo tamaño.

En sexto grado hay tres conjuntos de gemelos. ¿Cuántos estudiantes de sexto grado son gemelos?

Un conjunto de gemelos está formado por 2 personas.

$3 \cdot 2 = 6$ *3 conjuntos de 2 es igual a 6.*

Por lo tanto, 6 estudiantes de sexto grado son gemelos.

Multiplicar con enteros es algo semejante..

Con números	$3 \cdot 2$	$-3 \cdot 2$	$3 \cdot (-2)$	$-3 \cdot (-2)$
Con palabras	3 grupos de 2	**el opuesto de** 3 grupos de 2	3 grupos de –2	**el opuesto de** 3 grupos de −2
Suma	$2 + 2 + 2$	$-(2 + 2 + 2)$	$(-2) + (-2) + (-2)$	$-[(-2) + (-2) + (-2)]$
Producto	6	−6	−6	6

EJEMPLO 1 Multiplicar enteros

Halla cada producto.

A $\mathbf{4 \cdot 3}$

$4 \cdot 3 = 12$ *Razona: 4 grupos de 3*

B $\mathbf{2 \cdot (-4)}$

$2 \cdot (-4) = -8$ *Razona: 2 grupos de –4*

C $\mathbf{-5 \cdot 2}$

$-5 \cdot 2 = -10$ *Razona:* ***el opuesto de*** *5 grupos de 2*

D $\mathbf{-3 \cdot (-4)}$

$-3 \cdot (-4) = 12$ *Razona:* ***el opuesto de*** *3 grupos de −4*

¡Recuerda!

Para hallar el opuesto de un número, cambia el signo. El opuesto de 6 es −6. El opuesto de −4 es 4.

MULTIPLICAR ENTEROS

Si los signos son iguales, el producto es positivo.

$4 \cdot 3 = 12$ $\qquad -6 \cdot (-3) = 18$

Si los signos son diferentes, el producto es negativo.

$-2 \cdot 5 = -10$ $\qquad 7 \cdot (-8) = -56$

El producto de cualquier número y 0 es 0.

$0 \cdot 9 = 0$ $\qquad (-12) \cdot 0 = 0$

EJEMPLO 2 Evaluar expresiones con enteros

¡Recuerda!

$5x$ significa $5 \cdot x$.

Evalúa 5*x* para cada valor de *x*.

A $x = -4$

$5x$	*Escribe la expresión.*
$5 \cdot (-4)$	*Sustituye x por −4.*
-20	*Los signos son diferentes; por lo tanto, el resultado es negativo.*

B $x = 0$

$5x$	*Escribe la expresión.*
$5 \cdot 0$	*Sustituye x por 0.*
0	*Todo número multiplicado por 0 es igual a 0.*

Razonar y comentar

1. Explica en qué se parece multiplicar números enteros a multiplicar números cabales. ¿En qué se diferencia?

11-6 Ejercicios

PRÁCTICA GUIADA

Ver Ejemplo 1 **Halla cada producto.**

1. $6 \cdot 4$ **2.** $5 \cdot (-2)$ **3.** $-3 \cdot 7$ **4.** $-2 \cdot 3$

5. $-9 \cdot (-1)$ **6.** $13 \cdot 0$ **7.** $-8 \cdot (-2)$ **8.** $-6 \cdot (-6)$

Ver Ejemplo 2 **Evalúa 3*n* para cada valor de *n*.**

9. $n = 3$ **10.** $n = -2$ **11.** $n = 11$ **12.** $n = -5$

13. $n = -8$ **14.** $n = -12$ **15.** $n = 6$ **16.** $n = 10$

PRÁCTICA INDEPENDIENTE

Ver Ejemplo 1 **Halla cada producto.**

17. $5 \cdot 9$ **18.** $-7 \cdot 6$ **19.** $8 \cdot (-4)$ **20.** $-6 \cdot (-9)$

21. $-13 \cdot (-3)$ **22.** $4 \cdot 12$ **23.** $6 \cdot (-12)$ **24.** $-7 \cdot (-11)$

Ver Ejemplo 2 **Evalúa $-4a$ para cada valor de a.**

25. $a = 6$ **26.** $a = 12$ **27.** $a = 3$ **28.** $a = -7$

29. $a = -10$ **30.** $a = 7$ **31.** $a = -15$ **32.** $a = -22$

PRÁCTICA Y RESOLUCIÓN DE PROBLEMAS

Práctica adicional
Ver página 736

Evalúa cada expresión para el valor dado de la variable.

33. $n \cdot (-7); n = -2$ **34.** $-6 \cdot m; m = 4$ **35.** $9x; x = 6$

36. $-5m; m = 5$ **37.** $x \cdot 10; x = -9$ **38.** $-8 \cdot n; n = -1$

39. Ciencias de la Tierra Cuando la Luna, el Sol y la Tierra están en línea recta, en la Tierra se producen mareas vivas. Las mareas vivas pueden hacer que las mareas altas y bajas sean dos veces más grandes de lo normal. Si las mareas altas de cierto lugar son por lo general de 2 pies y las bajas de -2 pies, ¿cómo serán las mareas vivas?

40. Razonamiento crítico ¿Qué propiedad de los números se aplica a la multiplicación de enteros?

41. ¿Dónde está el error? Ava dice que el valor de $-6b$ cuando $b = -6$ es -36. ¿Cuál es su error? ¿Cuál es la respuesta correcta?

42. Escríbelo ¿Cuál es el signo del producto si multiplicas tres enteros negativos? ¿Cuatro enteros negativos? Explica con ejemplos.

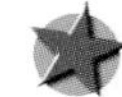

43. Desafío Identifica 2 enteros cuyo producto sea -36 y cuya suma sea 0.

PREPARACIÓN PARA EL EXAMEN y repaso en espiral

44. Opción múltiple En un juego, Frieda anotó -10 puntos por cada respuesta incorrecta. Contestó mal 5 preguntas. ¿Cuántos puntos anotó en total por las respuestas incorrectas?

Ⓐ -50 Ⓑ -2 Ⓒ 2 Ⓓ 50

45. Respuesta desarrollada ¿Cuál es el signo del producto cuando se multiplican 4 enteros negativos? ¿Y cuando se multiplican 5 enteros negativos? Describe una regla que pueda usarse para determinar el signo del producto cuando la cantidad de enteros negativos es par y cuando es impar.

46. Kim cortó $6\frac{1}{3}$ yardas de cinta en trozos de $\frac{1}{3}$ de yarda. ¿Cuántos trozos de cinta cortó Kim? (Lección 5-9)

Halla cada suma. (Lección 11-4)

47. $3 + 6$ **48.** $-5 + 1$ **49.** $-4 + (-9)$ **50.** $7 + (-7)$ **51.** $2 + (-5)$

11-7 Cómo dividir enteros

Aprender a dividir enteros

Mona es una bióloga que estudia una especie de uombat en peligro de extinción. Cada año registra los cambios en la población de esa especie.

Año	Cambio en la población
1	−2
2	−5
3	−1
4	−4

Cría de uombat australiano

Una forma de describir el cambio a través del tiempo en la población de uombats es hallar la media de los datos de la tabla.

$$\frac{-2 + (-5) + (-1) + (-4)}{4} = \frac{-12}{4} = -12 \div 4 = \square$$

¡Recuerda!

Para hallar la media de una lista de números:
1. Suma todos los números.
2. Divide entre la cantidad de números que hay en la lista.

La multiplicación y la división son operaciones inversas. Para resolver un problema de división, piensa en la multiplicación correspondiente.

Para resolver $-12 \div 4$, razona: ¿Qué número multiplicado por 4 es igual a −12?

$$-3 \cdot 4 = -12, \text{ por lo tanto, } -12 \div 4 = -3$$

La media del cambio en la población de uombats es −3. Por lo tanto, la población **disminuye en 3 uombats** por año en promedio.

EJEMPLO 1 Dividir enteros

Halla cada cociente.

A $12 \div (-3)$

Razona: ¿Qué número multiplicado por −3 es igual a 12?

$-4 \cdot (-3) = 12$, por lo tanto, $12 \div (-3) = -4$.

B $-15 \div (-3)$

Razona: ¿Qué número multiplicado por −3 es igual a −15?

$5 \cdot (-3) = -15$, por lo tanto, $-15 \div (-3) = 5$.

Como la división es la operación inversa de la multiplicación, las reglas para dividir enteros son las mismas que las reglas para multiplicar enteros.

DIVIDIR ENTEROS

Si los signos son iguales, el cociente es positivo.

$24 \div 3 = 8$ $\quad$ $-6 \div (-3) = 2$

Si los signos son distintos, el cociente es negativo.

$-20 \div 5 = -4$ $\quad$ $72 \div (-8) = -9$

Cero dividido entre cualquier entero es igual a 0.

$\frac{0}{14} = 0$ $\quad$ $\frac{0}{-11} = 0$

No se puede dividir un entero entre 0.

EJEMPLO 2 **Evaluar expresiones con enteros**

¡Recuerda!

$\frac{x}{3}$ significa $x \div 3$.

Evalúa $\frac{x}{3}$ para cada valor de x.

A $x = 6$

$\frac{x}{3}$ — *Escribe la expresión.*

$\frac{6}{3} = 6 \div 3$ — *Sustituye x por 6.*

$= 2$ — *Los signos son iguales, por lo tanto, el resultado es positivo.*

B $x = -18$

$\frac{x}{3}$ — *Escribe la expresión.*

$\frac{-18}{3} = -18 \div 3$ — *Sustituye x por −18.*

$= -6$ — *Los signos son diferentes, por lo tanto, el resultado es negativo.*

C $x = -12$

$\frac{x}{3}$ — *Escribe la expresión.*

$\frac{-12}{3} = -12 \div 3$ — *Sustituye x por −12.*

$= -4$ — *Los signos son diferentes, por lo tanto, el resultado es negativo.*

Razonar y comentar

1. **Describe** el signo del cociente de dos enteros con signos iguales.
2. **Describe** el signo del cociente de dos enteros con signos distintos.

11-7 Ejercicios

go.hrw.com
Ayuda en línea para tareas*
CLAVE: MR7 11-7
Recursos en línea para padres
CLAVE: MR7 Parent
*(Disponible sólo en inglés)

PRÁCTICA GUIADA

Ver Ejemplo 1

Halla cada cociente.

1. $64 \div 8$
2. $10 \div (-2)$
3. $-21 \div (-7)$
4. $-64 \div 2$

Ver Ejemplo 2

Evalúa $\frac{m}{2}$ para cada valor de m.

5. $m = -4$
6. $m = 20$
7. $m = -30$
8. $m = 50$

PRÁCTICA INDEPENDIENTE

Ver Ejemplo 1

Halla cada cociente.

9. $45 \div 9$
10. $-42 \div 6$
11. $32 \div (-4)$
12. $54 \div (-6)$
13. $-60 \div (-10)$
14. $-75 \div 15$
15. $22 \div 11$
16. $-48 \div (-4)$

Ver Ejemplo 2

Evalúa $\frac{n}{4}$ para cada valor de n.

17. $n = 4$
18. $n = -32$
19. $n = 12$
20. $n = -24$
21. $n = 64$
22. $n = -92$
23. $n = 56$
24. $n = -28$

PRÁCTICA Y RESOLUCIÓN DE PROBLEMAS

Práctica adicional
Ver página 736

Divide.

25. $-12 \div 2$
26. $\frac{16}{-4}$
27. $-6 \div (-6)$
28. $-56 \div (-7)$
29. $\frac{-30}{-3}$
30. $-45 \div 9$
31. $\frac{-35}{5}$
32. $\frac{-63}{9}$

Evalúa cada expresión para el valor dado de la variable.

33. $n \div (-7)$; $n = -21$
34. $\frac{m}{3}$; $m = -15$
35. $\frac{x}{4}$; $x = 32$
36. $y \div (-3)$; $y = -6$
37. $\frac{a}{3}$; $a = -9$
38. $w \div (-2)$; $w = -18$
39. $-48 \div n$; $n = -8$
40. $\frac{p}{-2}$; $p = -20$
41. $j \div 9$; $j = -99$

42. En la gráfica se muestran las temperaturas mínimas de 5 días en Fairbanks, Alaska.
    a. Halla la media de la temperatura mínima del lunes, martes y miércoles.
    b. Halla la media de la temperatura mínima de los 5 días.
    c. **Razonamiento crítico** ¿Cuál media de las temperaturas mínimas fue más alta? Explica.
    d. Halla el rango de los datos.

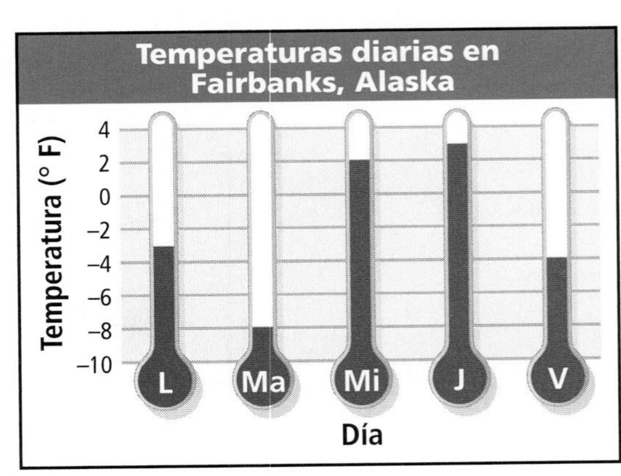

con las ciencias biológicas

La foca monje del Mediterráneo es uno de los mamíferos más singulares del mundo. Es una especie en peligro de extinción porque los buzos la cazan por su piel y perturban su hábitat.

Annette encontró esta tabla en un artículo científico sobre la foca monje.

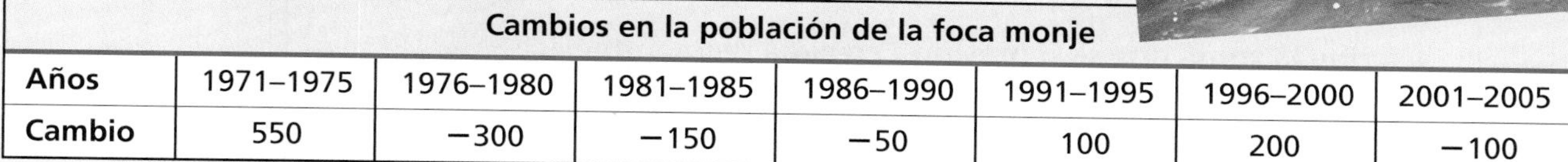

Cambios en la población de la foca monje							
Años	1971–1975	1976–1980	1981–1985	1986–1990	1991–1995	1996–2000	2001–2005
Cambio	550	−300	−150	−50	100	200	−100

43. a. Según la tabla, ¿cuál fue el cambio en la población de la foca monje de 1976 a 1980?

b. ¿Qué significa este número?

44. Halla la media del cambio por año de 1971 a 1975. (*Pista:* Se trata de un rango de 5 años, por lo tanto, divide entre 5). ¿Qué significa tu respuesta?

45. Halla la media del cambio por año de 1981 a 1990. ¿Qué significa tu respuesta?

46. **Escríbelo** ¿Por qué es importante usar números positivos y negativos al estudiar los cambios en una población?

47. **Desafío** Supongamos que había 250 focas monje en 1971. ¿Cuántas había en 2005?

Preparación Para El Examen y repaso en espiral

48. Opción múltiple ¿Qué cociente es mayor?

Ⓐ $-8 \div (-2)$ Ⓑ $-10 \div 5$ Ⓒ $-10 \div (-5)$ Ⓓ $15 \div (-5)$

49. Opción múltiple En la tabla se registra el cambio en la población de una especie. ¿Cuál es la media de los datos?

Año	1	2	3	4
Cambio en la población	−2	+5	−7	−4

Ⓕ −4 Ⓗ 1

Ⓖ −2 Ⓙ 3

Halla la medida que falta en cada prisma. (Lección 10-7)

50. $\ell = 9$ cm; $a = 24$ cm; $h = \underline{?}$; $V = 1{,}296$ cm^3 **51.** $\ell = 8$ m; $a = \underline{?}$; $h = 13$ m ; $V = 728$ cm^3

Evalúa $k - (-4)$ para cada valor de k. (Lección 11-5)

52. $k = -5$ **53.** $k = 7$ **54.** $k = -13$ **55.** $k = -4$ **56.** $k = 16$

CAPÍTULO 11

¿Listo para seguir?

SECCIÓN 11B

Prueba de las Lecciones 11-4 a 11-7

11-4 Cómo sumar enteros

Escribe la suma que se representa en cada recta numérica.

1.

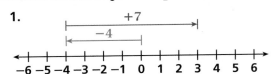

2. 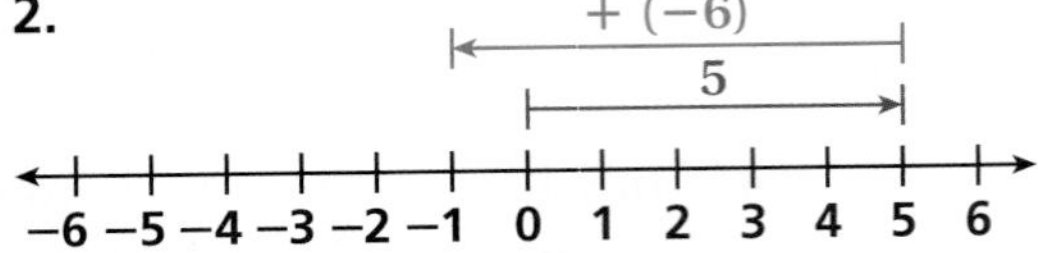

Halla cada suma.

3. $7 + (-3)$ 4. $-10 + 6$ 5. $-7 + (-3)$

Evalúa $-5 + x$ para cada valor de x.

6. $x = 7$ 7. $x = -4$ 8. $x = 2$

9. Un equipo de arqueólogos cava 6 pies bajo la superficie el primer día. El segundo día, el equipo cava otros 3 pies. ¿A qué profundidad llegó el equipo al final del segundo día?

11-5 Cómo restar enteros

Escribe la resta que se representa en cada recta numérica.

10. 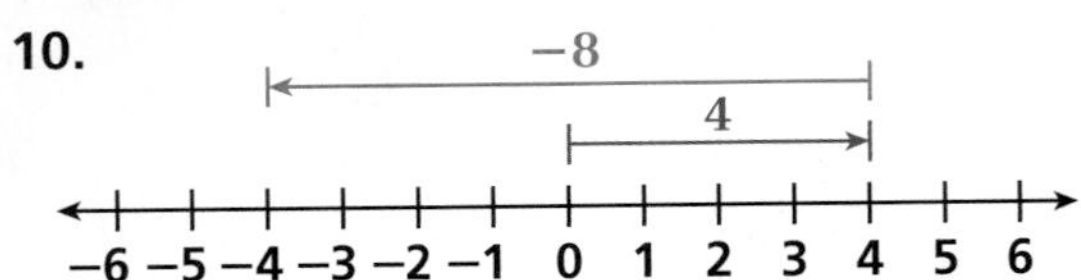

11. 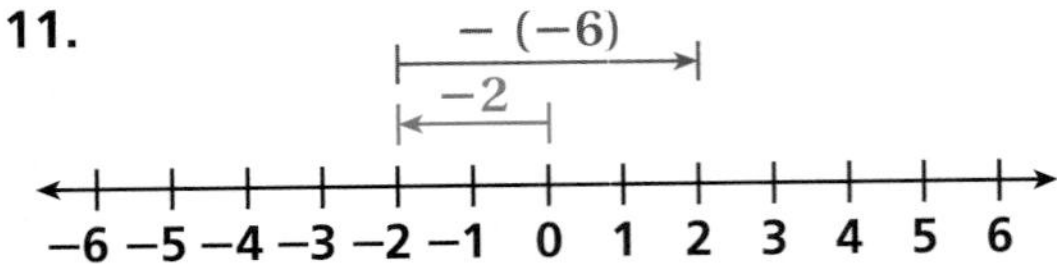

12. Evalúa $x - (-7)$ para $x = -2$.

13. El 5 de enero la temperatura era −7° F. El 6 de enero, era 2° F. Halla la diferencia entre las temperaturas del 5 y el 6 de enero.

11-6 Cómo multiplicar enteros

Evalúa $6x$ para cada valor de x.

14. $x = -2$ 15. $x = 1$ 16. $x = -7$

Halla cada producto.

17. $3 \cdot (-7)$ 18. $-10 \cdot 8$ 19. $-12 \cdot (-5)$

11-7 Cómo dividir enteros

Evalúa $\frac{x}{4}$ para cada valor de x.

20. $x = -24$ 21. $x = 44$ 22. $x = -124$

Halla cada cociente.

23. $72 \div (-9)$ 24. $-15 \div (-3)$ 25. $-40 \div 10$

¿Listo para seguir?

Enfoque en resolución de problemas

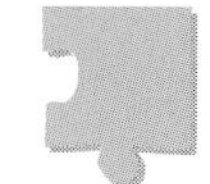

Haz un plan

- **Elige una estrategia de resolución de problemas.**

Las siguientes estrategias te pueden ayudar a resolver problemas.

- Representar
- Dibujar un diagrama
- Hacer un modelo
- Calcular y poner a prueba
- Trabajar en sentido inverso
- Hallar un patrón
- Hacer una tabla
- Resolver un problema más sencillo
- Usar el razonamiento lógico
- Hacer una lista organizada

Indica qué estrategia de la lista de arriba usarías para resolver cada problema. Explica tu elección. Luego resuelve el problema.

1. En un día de invierno, la temperatura es $-6°$ F a las 8:00 am, $-4°$ F a las 9:00 am y $-2°$ F a las 10:00 am. La temperatura sigue cambiando la misma cantidad cada hora. ¿Cuál es la temperatura a las 2:00 pm?

2. Caleb vive en uno de los estados que se mencionan en la tabla. Su casa está a una altura de 600 pies. En su estado hay un parque que está a 150 pies de altura. ¿En qué estado vive Caleb?

Estado	Menor altura (pies)	Mayor altura (pies)
California	−282	14,494
Luisiana	−8	535
West Virginia	240	4,861

3. En un mapa de la ciudad donde vive Nadia, la biblioteca está ubicada en (2, 3), el museo está en (1, −2), el ayuntamiento está en (−2, −3) y el acuario está en (−4, 2). Nadia quiere organizar una visita a los dos edificios que están más cercanos entre sí. ¿Qué edificios debe elegir?

4. El mes pasado, Ethan hizo retiros y depósitos en su cuenta de ahorros por las siguientes cantidades: −$25, +$45, +$15, −$40 y +$60. Ethan quiere revisar los comprobantes de un retiro y un depósito. ¿Cuántas combinaciones diferentes pueden formarse de un retiro y un depósito?

Modelo de ecuaciones con enteros

Para usar con la Lección 11-8

go.hrw.com
Recursos en línea para el laboratorio
CLAVE: MR7 Lab11

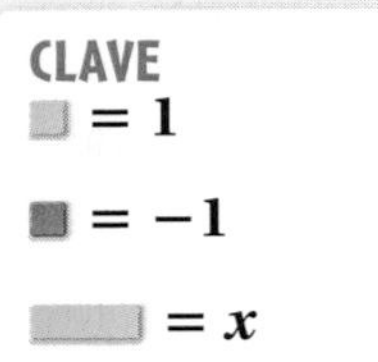

RECUERDA
Puedes sumar o restar el mismo número a ambos lados de una ecuación. Sumar o restar cero no cambia el valor de un número.

Puedes usar fichas de álgebra para representar ecuaciones. Un tablero de ecuaciones representa los dos lados de una ecuación. Para hallar el valor de la variable, deja la ficha x sola en un lado del tablero. Puedes quitar la misma cantidad de fichas amarillas o de fichas rojas de ambos lados.

Actividad

Usa fichas de álgebra para representar y resolver cada ecuación.

1. $x + 2 = 6$

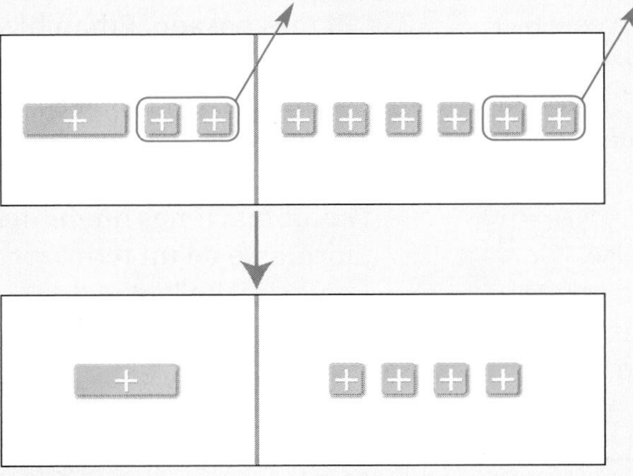

Quita 2 fichas amarillas de ambos lados del tablero.

$x = 4$

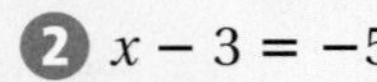

2. $x - 3 = -5$

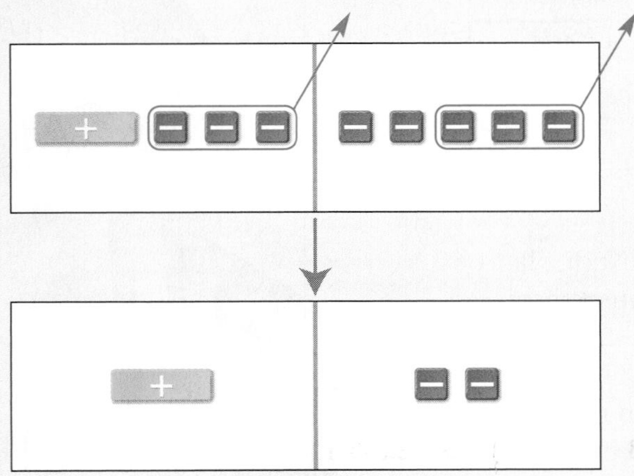

Usa fichas rojas para representar la resta. Quita 3 fichas rojas de ambos lados del tablero.

$x = -2$

3 $x + 6 = 2$

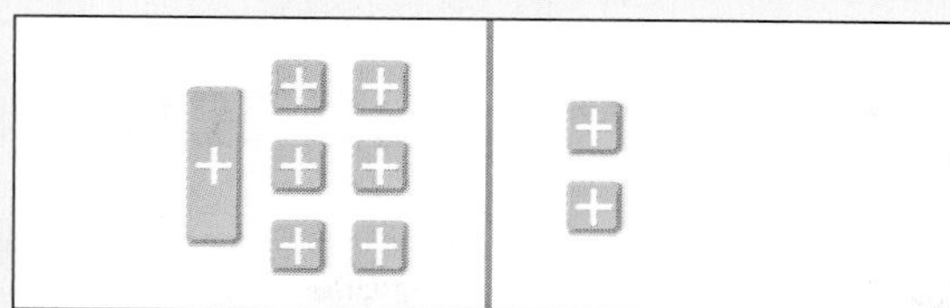

Agregar fichas rojas a ambos lados te permitirá eliminar pares nulos. Si agregas 6 fichas rojas del lado izquierdo, debes agregar 6 fichas rojas del lado derecho para mantener equilibrada la ecuación.

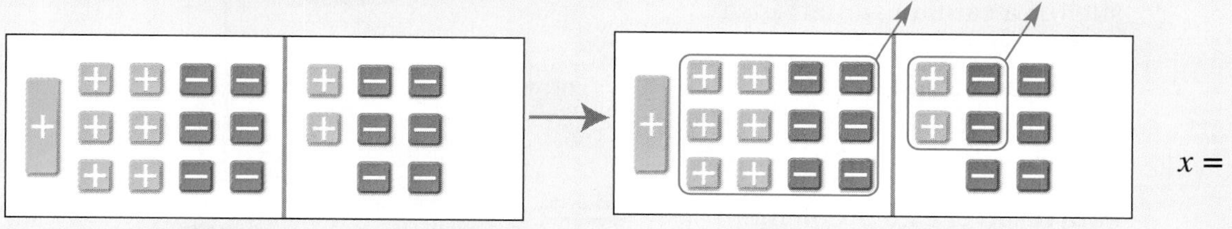

$x = -4$

Agrega 6 fichas rojas a ambos lados.

Ahora puedes quitar pares nulos de ambos lados del rectángulo.

4 $3x = -9$

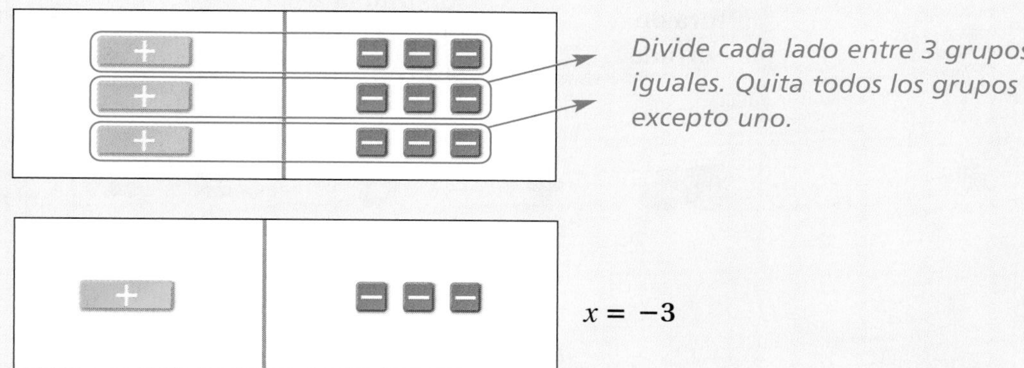

Divide cada lado entre 3 grupos iguales. Quita todos los grupos excepto uno.

$x = -3$

Razonar y comentar

1. En **4**, ¿por qué dividiste ambos lados en 3 grupos?
2. ¿Por qué puedes agregar pares nulos a un tablero de ecuaciones? ¿Por qué no es necesario sumarlos a ambos lados?
3. Cuando sumas cero a una ecuación, ¿cómo sabes cuántas fichas rojas y amarillas debes agregar?
4. ¿Cómo puedes usar fichas de álgebra para comprobar tus respuestas?

Inténtalo

Usa fichas de álgebra para representar y resolver cada ecuación.

1. $x + 6 = 3$
2. $x - 1 = -8$
3. $2x = 14$
4. $4x = -8$

11-8 Cómo resolver ecuaciones con enteros

Aprender a resolver ecuaciones con enteros

La entrada de la gran pirámide de Keops está a 55 pies sobre el suelo. La cámara subterránea está a 102 pies bajo el suelo. Desde la entrada, ¿cuál es la distancia a la cámara subterránea?

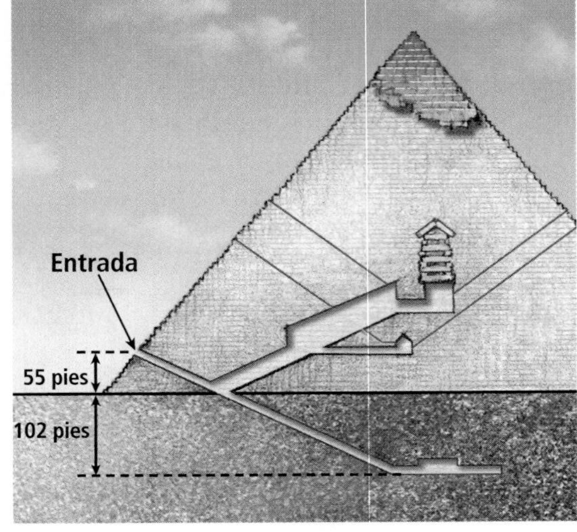

Para resolver este problema, puedes usar una ecuación con enteros.

altura de la entrada	+	distancia a la cámara subterránea	=	altura de la cámara subterránea

55  ***d*** **= -102**

$$\begin{aligned} 55 + d &= -102 \\ \underline{-55} \quad & \quad \underline{-\ 55} \\ d &= -157 \end{aligned}$$

Escribe la ecuación.
Resta 55 de ambos lados.

De la entrada a la cámara subterránea la distancia es **−157 pies.** El signo es negativo, lo que significa que **se desciende 157 pies.**

EJEMPLO 1 Sumar y restar para resolver ecuaciones

A **Resuelve $4 + x = -2$. Comprueba tu respuesta.**

$$\begin{aligned} 4 + x &= -2 \\ \underline{-4} \quad & \quad \underline{-4} \\ x &= -6 \end{aligned}$$

Se suma 4 a x.
Resta 4 de ambos lados para cancelar la suma.

Comprueba

$4 + x = -2$ *Escribe la ecuación.*

$4 + (-6) \stackrel{?}{=} -2$ *Sustituye x por −6 .*

$-2 \stackrel{?}{=} -2$ ✔ *−6 es una solución.*

Pista útil

Restar un número equivale a sumar su opuesto. Para resolver esta ecuación con fichas de álgebra, puedes sumar cuatro fichas rojas a ambos lados y luego eliminar pares nulos.

B Resuelve $y - 6 = -5$. Comprueba tu respuesta.

$y - 6 = -5$	*Se resta 6 de y.*
$\underline{+6 \quad +6}$	*Suma 6 a ambos lados*
$y \quad = \quad 1$	*para cancelar la resta.*

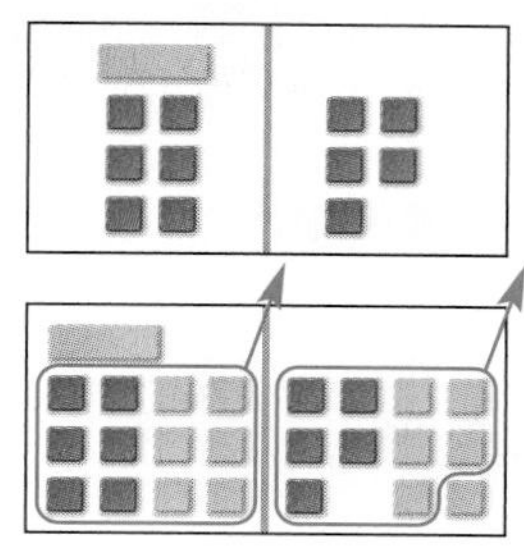

Comprueba

$y - 6 = -5$	*Escribe la ecuación.*
$1 - 6 \stackrel{?}{=} -5$	*Sustituye y por 1.*
$-5 \stackrel{?}{=} -5$ ✔	*1 es una solución.*

EJEMPLO 2 Multiplicar y dividir para resolver ecuaciones

Resuelve cada ecuación. Comprueba tus respuestas.

A $-3a = 15$

$$\frac{-3a}{-3} = \frac{15}{-3}$$

Se multiplica a por −3. Divide ambos lados entre −3 para cancelar la multiplicación.

$$a = -5$$

Comprueba

$-3a = 15$	*Escribe la ecuación.*
$-3(-5) \stackrel{?}{=} 15$	*Sustituye a por −5.*
$15 \stackrel{?}{=} 15$ ✔	*−5 es una solución.*

B $\frac{b}{-4} = -2$

$$-4 \cdot \frac{b}{-4} = -4 \cdot (-2)$$

Se divide b entre –4. Multiplica ambos lados por –4 para cancelar la división.

$$b = 8$$

Comprueba

$\frac{b}{-4} = -2$	*Escribe la ecuación.*
$8 \div (-4) \stackrel{?}{=} -2$	*Sustituye b por 8.*
$-2 \stackrel{?}{=} -2$ ✔	*8 es una solución.*

Razonar y comentar

1. **Indica** qué operación usarías para resolver $x + 12 = -32$.
2. **Indica** si la solución de $-9t = -27$ será positiva o negativa sin resolver la ecuación.
3. **Explica** cómo comprobar el resultado de una ecuación con enteros.

11-8 Ejercicios

go.hrw.com
Ayuda en línea para tareas*
CLAVE: MR7 11-8
Recursos en línea para padres
CLAVE: MR7 Parent
*(Disponible sólo en inglés)

PRÁCTICA GUIADA

Ver Ejemplo 1
Resuelve cada ecuación. Comprueba tus respuestas.

1. $m - 3 = 9$ **2.** $a - 8 = -13$ **3.** $z - 12 = -3$ **4.** $j - 2 = 7$

5. $p + 2 = -7$ **6.** $k - 9 = 21$ **7.** $g - 10 = -2$ **8.** $h + 15 = 25$

Ver Ejemplo 2
9. $-4b = 32$ **10.** $\frac{w}{3} = 18$ **11.** $5c = -35$ **12.** $\frac{p}{-5} = 10$

13. $6f = -36$ **14.** $-2c = 72$ **15.** $\frac{r}{10} = -90$ **16.** $\frac{d}{-12} = 144$

PRÁCTICA INDEPENDIENTE

Ver Ejemplo 1
Resuelve cada ecuación. Comprueba tus respuestas.

17. $g - 9 = -5$ **18.** $v - 7 = 19$ **19.** $t - 13 = -27$ **20.** $s - 4 = -21$

21. $x + 2 = -12$ **22.** $y + 9 = -10$ **23.** $20 + w = 10$ **24.** $z + 15 = 50$

Ver Ejemplo 2
25. $6j = 48$ **26.** $7s = -49$ **27.** $\frac{a}{-2} = 26$ **28.** $-2r = 10$

29. $\frac{m}{-12} = 4$ **30.** $\frac{k}{5} = -4$ **31.** $u \div 6 = -10$ **32.** $6t = -36$

PRÁCTICA Y RESOLUCIÓN DE PROBLEMAS

Práctica adicional
Ver página 736

Resuelve cada ecuación. Comprueba tus respuestas.

33. $x - 12 = 5$ **34.** $w - 3 = -2$ **35.** $-7k = 28$ **36.** $g \div 7 = -2$

37. $\frac{m}{-3} = 5$ **38.** $a - 10 = 9$ **39.** $n - 19 = -22$ **40.** $2h = 42$

41. $13g = -39$ **42.** $s \div 6 = -3$ **43.** $24 + f = 16$ **44.** $q - 15 = -4$

45. $d - 26 = 7$ **46.** $-6c = 54$ **47.** $h \div (-4) = 21$ **48.** $7k = 70$

49. $b - 17 = 15$ **50.** $u - 82 = -7$ **51.** $-8a = -64$ **52.** $v + 1 = -9$

53. $\frac{t}{11} = -5$ **54.** $31 + j = -14$ **55.** $c + 23 = 10$ **56.** $\frac{r}{-2} = -8$

57. $15n = -60$ **58.** $z \div (-5) = -9$ **59.** $j - 20 = -23$ **60.** $f + 20 = -60$

61. El capitán de un submarino determina el siguiente curso de inmersión: inmersión de 200 pies, detención e inmersión de otros 200 pies. Si continúa este patrón, ¿con cuántas inmersiones se alcanzaría una profundidad de 14,000 pies bajo el nivel del mar?

62. Mientras Lin exploraba una cueva, notó que la temperatura bajaba 4° F cada 30 pies de descenso. ¿A qué profundidad está Lin si la temperatura es 8° más baja que la temperatura en la superficie?

63. **Deportes** Después de dos rondas en el Torneo Clásico de Campeones de la LPGA en 2001, Wendy Doolan tenía un puntaje de –12. Su puntaje en la segunda ronda fue –8. ¿Cuál fue su puntaje en la primera ronda?

64. **Razonamiento crítico** Si el producto de una variable por un número es positivo y el número es negativo, ¿qué signo tiene el valor de la variable?

Bolivia tiene dos capitales. La Paz es la principal ciudad industrial y sede del Congreso. En cambio, la Corte Suprema se reúne en Sucre.

Usa la gráfica para los Ejercicios 65 y 66.

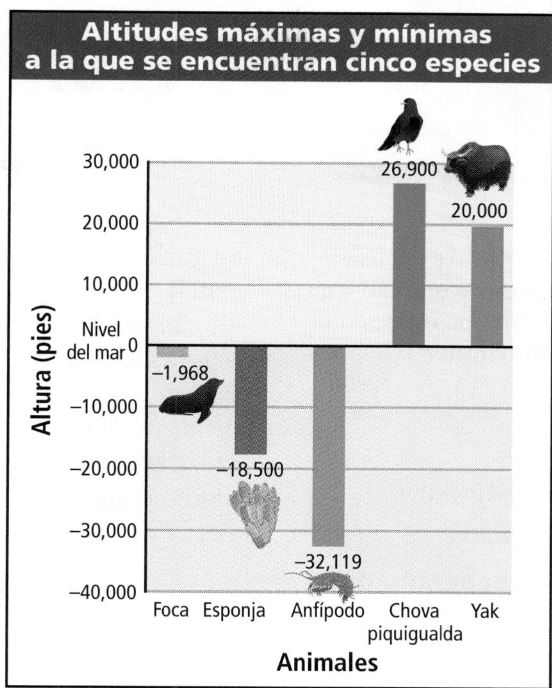

65. **Ciencias biológicas** Los científicos han descubierto bacterias vivas a alturas de 135,000 pies. Esto es 153,500 pies por encima de la altitud a la que se puede encontrar uno de los animales de la gráfica. ¿Qué animal es? (*Pista:* Resuelve $x + 153{,}500 = 135{,}000$).

66. **Estudios sociales** La ciudad capital más alta del mundo es La Paz, Bolivia, con una altura de 11,808 pies. La mayor altitud a la que se ha encontrado un yak es superior a la de La Paz. ¿Cuánto más? (*Pista:* Resuelve $11{,}808 + x = 20{,}000$).

67. Carla es buzo. El viernes, buceó a una profundidad 5 veces mayor que el lunes. Si buceó a −120 pies el viernes, ¿a qué profundidad buceó el lunes?

68. **Escribe un problema** Escribe un problema con palabras que se pueda resolver mediante la ecuación $x - 3 = -15$.

69. **Escríbelo** ¿La solución de $3n = -12$ es positiva o negativa? ¿Cómo puedes saberlo sin resolver la ecuación?

70. **Desafío** Halla cada respuesta.

a. $12 \div (-3 \cdot 2) \div 2$ **b.** $12 \div (-3 \cdot 2 \div 2)$

¿Por qué las respuestas son diferentes aunque los números son los mismos?

Preparación para el examen y repaso en espiral

71. **Opción múltiple** Kathie y sus tres amigas deben \$24 por la comida. Resuelve la ecuación $\frac{t}{4} = 24$ para determinar el importe total t de la comida.

Ⓐ \$96 Ⓑ \$28 Ⓒ \$20 Ⓓ \$6

72. **Respuesta breve** David es 12 años menor que su hermana Candace. David tiene 9 años. Escribe una ecuación para esta situación. Sea c la edad de Candace. Luego, resuelve la ecuación para hallar su edad.

Determina si los siguientes enunciados son verdaderos *algunas veces, siempre* o *nunca*. (Lección 8-6)

73. Un cuadrado es un rombo. **74.** Un paralelogramo es un cuadrado.

Halla cada producto. (Lección 11-6)

75. $5 \cdot (-7)$ **76.** $-9 \cdot 9$ **77.** $2 \cdot 6$ **78.** $10 \cdot 0$ **79.** $-8 \cdot (-4)$

11-9 Tablas y funciones

Aprender a usar los datos de una tabla para escribir la ecuación de una función y a usar la ecuación para hallar un valor que falta

Vocabulario

función

valor de entrada

valor de salida

Se considera que un lanzamiento de béisbol está fuera de la zona de *strike* si es demasiado alto, bajo o abierto. Un lanzador envió la pelota 4 pulgadas demasiado abajo. ¿A qué distancia en centímetros quedó la pelota fuera de la zona de *strike?* Haz una tabla para mostrar cómo aumentan los centímetros a medida que aumentan las pulgadas.

"¡Vamos, árbitro, ese lanzamiento pasó fuera al menos por cuatro centímetros!".

Pulgadas	Centímetros
1	2.54
2	5.08
3	7.62
4	10.16

(Pulgadas: +1, +1, +1; Centímetros: +2.54, +2.54, +2.54)

La cantidad de centímetros es 2.54 veces la cantidad de pulgadas. Sea x la cantidad de pulgadas e y la cantidad de centímetros. Por lo tanto, se usa la ecuación $y = 2.54x$ para relacionar centímetros con pulgadas.

Una **función** es una regla que relaciona dos cantidades de modo que a cada **valor de entrada** corresponda exactamente un **valor de salida**.

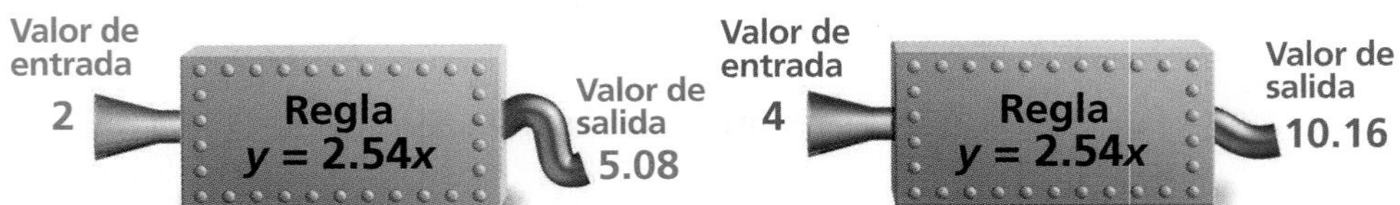

Si el valor de entrada es 4 pulg, el valor de salida es 10.16 cm. Por lo tanto, la pelota quedó 10.16 fuera de la zona de *strike*.

Puedes usar una tabla de función para mostrar algunos valores de una función.

EJEMPLO 1 Escribir ecuaciones a partir de tablas de función

Escribe una ecuación para una función que dé los valores de la tabla. Usa la ecuación para hallar el valor de y para el valor de x indicado.

x	3	4	5	6	7	10
y	7	9	11	13	15	

y es 2 por $x + 1$. *Compara x e y para hallar un patrón.*

$y = 2x + 1$ *Usa el patrón para escribir una ecuación.*

$y = 2(10) + 1$ *Sustituye x por 10.*

$y = 20 + 1 = 21$ *Usa la regla de función para hallar y cuando x = 10.*

Pista útil

Cuando todos los valores de y son mayores que los valores correspondientes de x, suma y/o multiplica en tu ecuación.

Puedes escribir ecuaciones para funciones descritas con palabras.

EJEMPLO 2 Convertir palabras en expresiones matemáticas

Escribe una ecuación para la función. Indica qué representa cada variable que uses.

La longitud de un rectángulo es 5 veces su ancho.

ℓ = longitud del rectángulo *Elige las variables de la ecuación.*

a = ancho del rectángulo

$\ell = 5a$ *Escribe una ecuación.*

EJEMPLO 3 APLICACIÓN A LA RESOLUCIÓN DE PROBLEMAS

Unos lavadores de automóviles anotaron cuántos automóviles lavaron y cuánto dinero ganaron. Cobraron lo mismo por cada automóvil que lavaron. Ganaron \$60 por 20 automóviles, \$66 por 22 automóviles y \$81 por 27 automóviles. Escribe una ecuación para la función.

1 Comprende el problema

La **respuesta** será una ecuación que describa la relación entre la cantidad de automóviles lavados y el dinero ganado.

2 Haz un plan

Puedes hacer una tabla para presentar los datos.

3 Resuelve

Sea a la cantidad de automóviles. Sea d el dinero ganado.

a	20	22	27
d	60	66	81

d es igual a 3 por a. *Compara a y d.*

$d = 3a$ *Escribe una ecuación.*

4 Repasa

Sustituye los valores de a y d en la tabla para comprobar que son soluciones de la ecuación $d = 3a$.

$d = 3a$ (20, 60)
$60 \stackrel{?}{=} 3 \cdot 20$
$60 \stackrel{?}{=} 60$ ✔

$d = 3a$ (22, 66)
$66 \stackrel{?}{=} 3 \cdot 22$
$66 \stackrel{?}{=} 66$ ✔

$d = 3a$ (27, 81)
$81 \stackrel{?}{=} 3 \cdot 27$
$81 \stackrel{?}{=} 81$ ✔

Razonar y comentar

1. Explica cómo hallas el valor de y si el valor de x es 20 en la función $y = 5x$.

11-9 Ejercicios

go.hrw.com
Ayuda en línea para tareas*
CLAVE: MR7 11-9
Recursos en línea para padres
CLAVE: MR7 Parent
*(Disponible sólo en inglés)

PRÁCTICA GUIADA

Ver Ejemplo 1 **Escribe una ecuación para una función que dé los valores de cada tabla. Usa la ecuación para hallar el valor de *y* para el valor de *x* indicado.**

1.

x	1	2	3	6	9
y	7	8	9	12	

2.

x	3	4	5	6	10
y	16	21	26	31	

Ver Ejemplo 2 **Escribe una ecuación para la función. Indica qué representa cada variable que uses.**

3. Jen tiene 6 años menos que su hermano.

Ver Ejemplo 3

4. Brenda vende arreglos de globos. Cobra el mismo precio por cada globo de un arreglo. El precio de un arreglo con 6 globos es \$3, con 9 globos, \$4.50 y con 12 globos, \$6. Escribe una ecuación para la función.

PRÁCTICA INDEPENDIENTE

Ver Ejemplo 1 **Escribe una ecuación para una función que dé los valores de cada tabla. Usa la ecuación para hallar el valor de *y* para el valor de *x* indicado.**

5.

x	0	1	2	5	7
y	0	4	8	20	

6.

x	4	5	6	7	12
y	0	2	4	6	

Ver Ejemplo 2 **Escribe una ecuación para la función. Indica qué representa cada variable que uses.**

7. El precio de una caja de botellas de jugo es \$2 menos que el precio de doce botellas sueltas.

8. La población de Nueva York es dos veces más grande que la población de Michigan.

Ver Ejemplo 

9. Oliver se entretiene con un videojuego y obtiene los mismos puntos por cada premio que gana. Ha ganado 1,050 puntos por 7 premios, 1,500 puntos por 10 premios y 2,850 puntos por 19 premios. Escribe una ecuación para la función.

PRÁCTICA Y RESOLUCIÓN DE PROBLEMAS

Práctica adicional
Ver página 736

Escribe una ecuación para una función que dé los valores de cada tabla y luego halla los términos que faltan.

10.

x	−1	0	1	2	5	7
y		3.4	4.4	5.4		10.4

11.

x	2	3	5	9	11	14
y	−6	−10	−18	−34	−42	

12.

x	20	24	28	32	36	40
y	−5	−6	−7		−9	−10

13.

x	−5	−3	−1	0	1	3
y	−11	−7		−1	1	

14. **Varios pasos** La altura de un triángulo es 5 centímetros mayor que el doble de la longitud de su base. Escribe una ecuación que relacione la altura del triángulo con la longitud de su base. Halla la altura si la base mide 20 centímetros de largo.

Escribe una ecuación para cada función. Define las variables que uses.

15.

Los Denominadores
$125.00
más $55 la hora

16.

17. Varios pasos Georgia gana \$6.50 la hora en un trabajo a tiempo parcial. Quiere comprar un suéter que cuesta \$58.50. Escribe una ecuación para relacionar las horas que trabaja con el dinero que gana. Halla cuántas horas tiene que trabajar para comprar el suéter.

Usa la tabla para los Ejercicios del 18 al 20.

Ancho (píxeles)	Longitud (píxeles)
30	95
40	125
50	155
60	185

18. Diseño gráfico Margo diseña una página Web en la que aparecen rectángulos semejantes. Usa la tabla para escribir una ecuación que relacione el ancho de un rectángulo con su longitud. Halla la longitud de un rectángulo que tiene un ancho de 250 píxeles.

19. ¿Dónde está el error? Margo predijo que la longitud de un rectángulo de 100 píxeles de ancho sería 310 píxeles. Explica el error que cometió y halla la longitud correcta.

20. Escríbelo Explica cómo escribir una ecuación para los datos de la tabla.

21. Desafío Escribe una ecuación que dé los mismos valores de y que $y = 2x + 1$ para $x = 0, 1, 2, 3$.

Preparación para el examen y repaso en espiral

22. Opción múltiple La jardinería "Soleada" cobra \$25 la visita más \$2 el pie cúbico. ¿Qué ecuación representa esta situación?

Ⓐ $y = x + 2$ Ⓑ $y = x + 25$ Ⓒ $y = 25x + 2$ Ⓓ $y = 2x + 25$

23. Opción múltiple ¿Cuál es la ecuación de una función que da los valores de la tabla?

x	3	4	5	6	7
y	8	11	14	17	20

Ⓕ $y = 2x + 2$ Ⓗ $y = 2x + 6$

Ⓖ $y = 3x - 1$ Ⓙ $y = 3x + 1$

Resuelve cada ecuación. Comprueba tus respuestas. (Lección 3-9)

24. $4.2 + n = 6.7$ **25.** $x - 2.3 = 1.6$ **26.** $1.5w = 3.6$ **27.** $\frac{p}{4} = 1.3$

Halla el volumen de cada cilindro usando la información dada. (Lección 10-8)

28. $r = 6$ cm; $h = 6.4$ cm **29.** $r = 5$ pies; $h = 9$ pies **30.** $d = 7$ m; $h = 11$ m

Explorar relaciones lineales y no lineales

Para usar con la Lección 11-10

go.hrw.com
Recursos en línea para el laboratorio
CLAVE: MR7 Lab11

Puedes estudiar las relaciones lineales y no lineales con ayuda de los patrones.

Actividad

1. En este modelo se muestran las etapas 1 a 3 de un patrón.

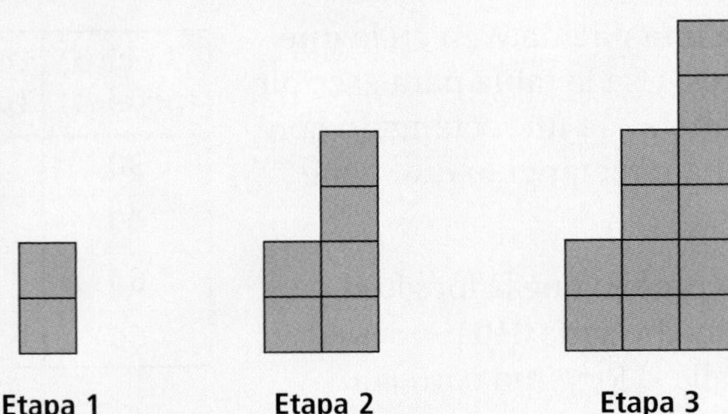

a. Usa fichas cuadradas o papel cuadriculado para hacer un modelo de las etapas 4, 5 y 6.

b. Anota en una tabla cada etapa y el perímetro de cada figura.

c. Representa los pares ordenados (x, y) de la tabla en un plano cartesiano.

Etapa (x)	Perímetro (y)
1	6
2	12
3	18
4	24
5	30
6	36

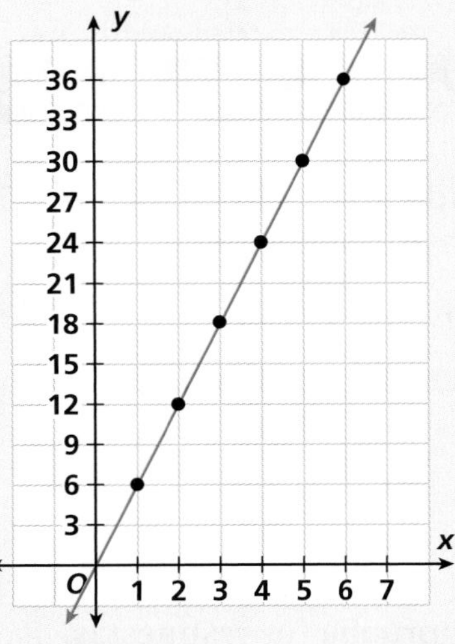

Si conectas los puntos que representaste gráficamente trazarás una línea recta. Esto demuestra que la relación entre la etapa y el perímetro de una figura es lineal. La ecuación de esta línea es $y = 6x$.

2 En esta tabla se muestran los pares ordenados de las etapas 1, 4 y 9 de un patrón.

Etapa (x)	Raíz cuadrada (y)
1	1
4	2
9	3
16	4
25	5
36	6

$1 = 1 \cdot 1$ ó $1 = 1^2$

$4 = 2 \cdot 2$ ó $4 = 2^2$

$9 = 3 \cdot 3$ ó $9 = 3^2$

La raíz cuadrada de 4 es 2, que se escribe así: $\sqrt{4} = 2$.

a. Puedes hacer un modelo si ordenas los cuadrados en bloques de 1 por 1, 2 por 2 y 3 por 3.

b. Anota en una tabla el número de cada etapa y la raíz cuadrada de ese número. Representa gráficamente en un plano cartesiano los pares ordenados (x, y) de la tabla.

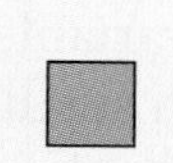

Etapa 1

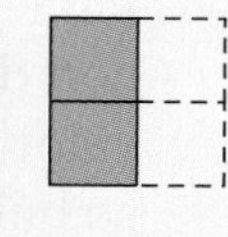

Etapa 4

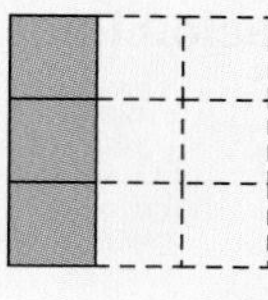

Etapa 9

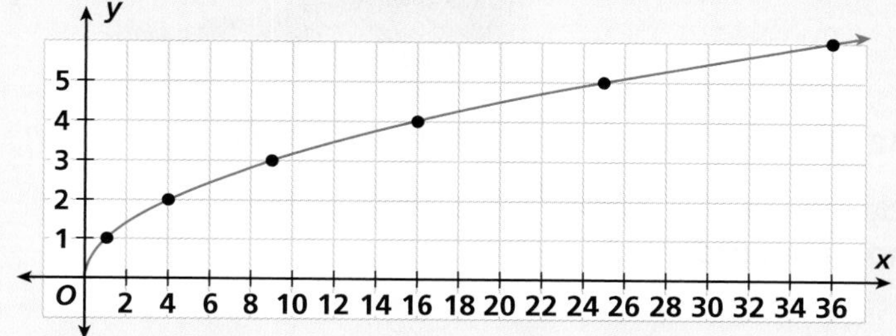

Si conectas los puntos que representaste gráficamente, trazarás una línea curva. Esto demuestra que la relación entre el número de la etapa y la raíz cuadrada de ese número no es lineal. La ecuación de la curva es $y = \sqrt{x}$.

Razonar y comentar

1. Explica qué patrón ves en los valores de y de los pares ordenados en la gráfica anterior.

Inténtalo

Usa los valores de x 1, 2, 3 y 4 para hallar pares ordenados para cada ecuación. Luego, representa gráficamente la ecuación. Indica si la relación entre x e y es lineal o no lineal.

1. $y = 2 + x$

2. $y = 4x$

3. $y = x^3$

4. $y = x + 4$

5. $y = x(2 + x)$

6. $y = x + x$

7. $y = 2x$

8. $y = x^2$

9. $y = 3 + 2x$

11-10 Cómo representar las funciones

Aprender a representar funciones lineales mediante pares ordenados y gráficas

Vocabulario

ecuación lineal

Christa compra CD por Internet. Cada CD cuesta $16 y los gastos de envío y tramitación son de $6 por pedido.

El precio total, y, depende de la cantidad de CD, x. Esta función se describe mediante la ecuación $y = 16x + 6$.

Para hallar la solución de una ecuación con dos variables, primero se elige un valor para sustituir una variable y luego se halla el valor de la otra variable.

EJEMPLO 1 Hallar soluciones de ecuaciones con dos variables

Usa los valores de x para escribir las soluciones de la ecuación $y = 16x + 6$ como pares ordenados.

Haz una tabla de función usando los valores dados de x para hallar los valores de y.

x	$16x + 6$	y
1	16(1) + 6	22
2	16(2) + 6	38
3	16(3) + 6	54
4	16(4) + 6	70

Escribe estas soluciones como pares ordenados.

(x, y)

(1, 22)

(2, 38)

(3, 54)

(4, 70)

Para comprobar si un par ordenado es una solución de una ecuación, se sustituyen los valores de x e y en la ecuación para ver si la convierten en un enunciado verdadero.

EJEMPLO  Comprobar soluciones de ecuaciones con dos variables

Determina si el par ordenado es una solución de la ecuación dada.

(8, 16); $y = 2x$

$y = 2x$ *Escribe la ecuación.*

$16 \stackrel{?}{=} 2(8)$ *Sustituye x por 8 e y por 16.*

$16 \stackrel{?}{=} 16$ ✔

Por lo tanto, (8, 16) es una solución de $y = 2x$.

También se pueden representar gráficamente las soluciones de una ecuación en un plano cartesiano. Cuando se representan gráficamente los pares ordenados de algunas funciones, se forma una línea recta. Las ecuaciones que expresan estas funciones se llaman **ecuaciones lineales.**

EJEMPLO 3 Leer soluciones en gráficas

Usa la gráfica de la función lineal para hallar el valor de *y* para el valor dado de *x*.

$x = 1$

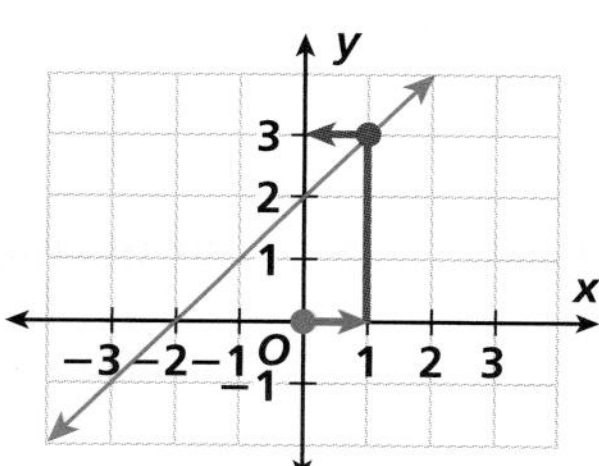

Comienza en el origen y muévete 1 unidad hacia la derecha.

Muévete hacia arriba hasta tocar la gráfica. Muévete hacia la izquierda para hallar el valor de y sobre el eje y.

Cuando $x = 1$, $y = 3$. El par ordenado es $(1, 3)$.

EJEMPLO 4 Representar gráficamente funciones lineales

Representa gráficamente la función descrita por la ecuación.

$y = 2x + 1$

Haz una tabla de función. Sustituye x por diferentes valores.

Escribe las soluciones como pares ordenados.

x	2x + 1	y
−1	2(−1) + 1	−1
0	2(0) + 1	1
1	2(1) + 1	3

(x, y)

$(-1, -1)$

$(0, 1)$

$(1, 3)$

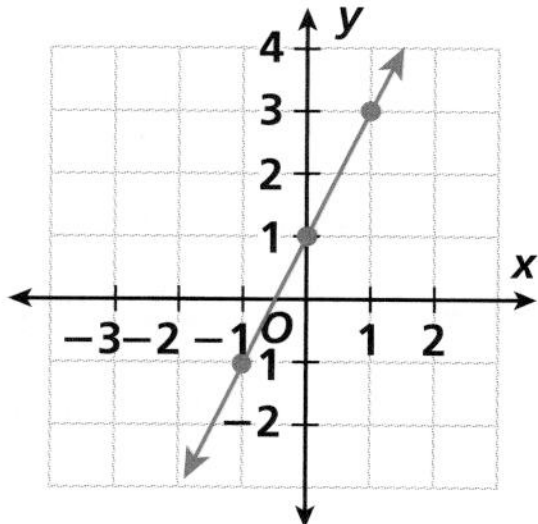

Representa los pares ordenados en un plano cartesiano.
Traza una línea por los puntos para representar todos los valores de x que habrías podido elegir y los valores de y correspondientes.

Razonar y comentar

1. **Explica** por qué los puntos del Ejemplo 4 no son los únicos puntos de la gráfica. Identifica dos puntos que no hayas marcado.
2. **Indica** si la ecuación $y = 10x - 5$ describe una función lineal.

11-10 Ejercicios

go.hrw.com
Ayuda en línea para tareas*
CLAVE: MR7 11-10
Recursos en línea para padres
CLAVE: MR7 Parent
*(Disponible sólo en inglés)

PRÁCTICA GUIADA

Ver Ejemplo 1 **Usa los valores de *x* dados para escribir las soluciones de cada ecuación como pares ordenados.**

1. $y = 6x + 2$ para $x = 1, 2, 3, 4$

2. $y = -2x$ para $x = 1, 2, 3, 4$

Ver Ejemplo 2 **Determina si cada par ordenado es una solución de la ecuación dada.**

3. $(2, 12); y = 4x$

4. $(5, 9); y = 2x - 1$

Ver Ejemplo 3 **Usa la gráfica de la función lineal para hallar el valor de *y* para cada valor dado de *x*.**

5. $x = 1$

6. $x = 0$

7. $x = -1$

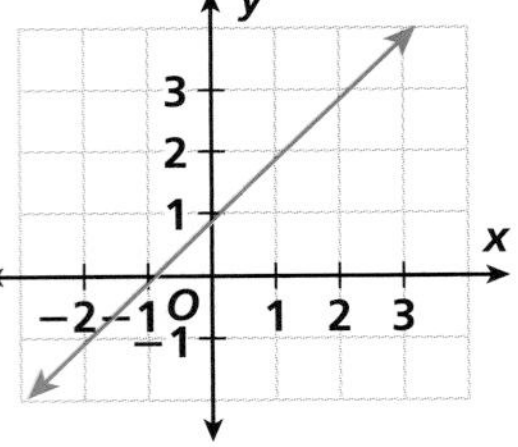

Ver Ejemplo 4 **Representa gráficamente la función descrita por cada ecuación.**

8. $y = x + 3$

9. $y = 3x - 1$

10. $y = -2x + 3$

PRÁCTICA INDEPENDIENTE

Ver Ejemplo 1 **Usa los valores de *x* dados para escribir las soluciones de cada ecuación como pares ordenados.**

11. $y = -4x + 1$ para $x = 1, 2, 3, 4$

12. $y = 5x - 5$ para $x = 1, 2, 3, 4$

Ver Ejemplo 2 **Determina si cada par ordenado es una solución de la ecuación dada.**

13. $(3, -10); y = -6x + 8$

14. $(-8, 1); y = 7x - 15$

Ver Ejemplo 3 **Usa la gráfica de la función lineal para hallar el valor de *y* para cada valor dado de *x*.**

15. $x = -2$

16. $x = 1$

17. $x = -3$

18. $x = 0$

19. $x = -1$

20. $x = 2$

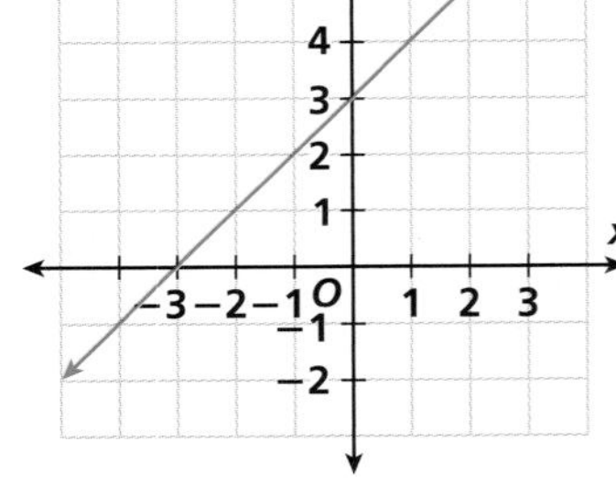

Ver Ejemplo 4 **Representa la función descrita por cada ecuación.**

21. $y = 4x + 1$

22. $y = -x - 2$

23. $y = x - 2$

24. $y = -2x - 4$

25. $y = 3x - 2$

26. $y = -x$

PRÁCTICA Y RESOLUCIÓN DE PROBLEMAS

Práctica adicional
Ver página 736

Completa cada tabla y luego usa la tabla para representar gráficamente la función.

27. $y = x - 2$

x	−1	0	1	2
y	■	■	■	■

28. $y = 2x - 4$

x	−1	0	1	2
y	■	■	■	■

29. ¿Cuál de los siguientes pares ordenados no es una solución de $y = 4x + 9$? $(1, 14), (0, 9), (-1, 5), (-2, 1), (2, 17)$

con las ciencias físicas

La temperatura se puede medir con diferentes escalas. La escala Kelvin se divide en unidades llamadas grados Kelvin y la escala Celsius se divide en grados Celsius.

En la tabla se muestran varias temperaturas anotadas en grados Celsius y su medida equivalente en grados Kelvin.

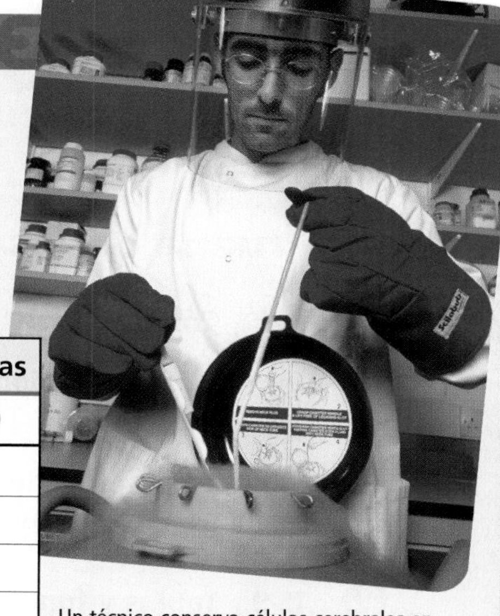

Un técnico conserva células cerebrales en este tanque de nitrógeno líquido que está a −196° C para investigaciones posteriores.

Equivalencia de temperaturas	
Celsius (° C)	**Kelvin (K)**
−100	173
−50	223
0	273
50	323
100	373

30. Escribe una ecuación para una función que dé los valores de la tabla. Define las variables que uses.

31. Representa gráficamente la función descrita por tu ecuación.

32. Usa tu gráfica para hallar el valor de y cuando x es 0.

33. Usa tu ecuación para hallar el equivalente de –54° C en temperatura Kelvin.

34. Usa tu ecuación para hallar el equivalente de 77 grados Kelvin en temperatura Celsius.

35. **¿Cuál es la pregunta?** La respuesta es −273° C. ¿Cuál es la pregunta?

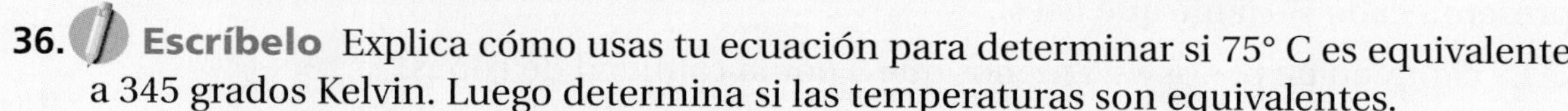

36. **Escríbelo** Explica cómo usas tu ecuación para determinar si 75° C es equivalente a 345 grados Kelvin. Luego determina si las temperaturas son equivalentes.

37. **Desafío** ¿Cuántas soluciones de pares ordenados hay para la ecuación que escribiste en el Ejercicio 30?

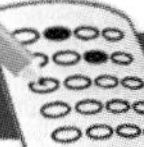

Preparación para el examen y repaso en espiral

38. **Opción múltiple** ¿Cuál de los pares ordenados NO es una solución de $y = -5x + 10$?

Ⓐ (−20, 6)　Ⓑ (5, −15)　Ⓒ (4, −10)　Ⓓ (2, 0)

39. **Opción múltiple** En la ecuación $y = 12x$ se muestra la cantidad y de pulgadas en x pies. ¿Cuál de los pares ordenados está en la gráfica de esta ecuación?

Ⓕ (−2, 24)　Ⓖ (1, 13)　Ⓗ (4, 48)　Ⓙ (12, 1)

Halla la media de cada conjunto de datos. (Lección 6-2)

40. 0, 5, 2, 3, 7, 1　**41.** 6, 6, 6, 6, 6, 6, 6, 6, 6　**42.** 2, 3, 4, 5, 6, 7, 8, 1, 9

Resuelve cada ecuación. Comprueba tus respuestas. (Lección 11-8)

43. $\left(\frac{y}{-10}\right) = -12$　**44.** $p + 25 = -4$　**45.** $j - 3 = -15$　**46.** $5m = -20$

SECCIÓN 11C

Prueba de las Lecciones 11-8 a 11-10

11-8 Cómo resolver ecuaciones con enteros

Resuelve cada ecuación. Comprueba tus respuestas.

1. $5 + x = -20$ **2.** $3a = -27$ **3.** $p \div 2 = -16$ **4.** $c - 2 = -7$

5. La temperatura del lunes fue dos veces más fría que la del domingo. Si la del lunes fue $-4°$ F, ¿cuál fue la del domingo?

11-9 Tablas y funciones

Escribe la ecuación de una función que dé los valores de cada tabla. Usa la ecuación para hallar el valor de *y* para cada valor de *x* indicado.

6.

x	2	3	4	5	8
y	7	9	11	13	■

7.

x	1	4	5	6	8
y	■	18	23	28	38

Para los Problemas del 8 al 10, escribe una ecuación para la función. Indica qué representa cada variable que uses.

8. La cantidad de platos es 5 menos que 3 por la cantidad de copas.

9. El tiempo que Rodney dedica a correr es 10 minutos más que el doble del tiempo que dedica al estiramiento.

10. La altura de un triángulo es el doble de la longitud de su base.

11. El gerente de una tienda controla la venta de camisetas. La tienda cobra el mismo precio por cada camiseta. El lunes, se vendieron 5 camisetas por un total de $60. El martes se vendieron 8 camisetas por un total de $96. El miércoles, se vendieron 11 camisetas por un total de $132. Escribe una ecuación para la función.

11-10 Cómo representar las funciones

Usa los valores dados de *x* para escribir las soluciones de cada ecuación como pares ordenados .

12. $y = 4x + 6$ para $x = 1, 2, 3, 4$ **13.** $y = 10x - 7$ para $x = 2, 3, 4, 5$

Usa la gráfica de la función lineal de la derecha para hallar el valor de *y* para cada valor dado de *x*.

14. $x = 3$ **15.** $x = 0$

16. $x = -1$ **17.** $x = -2$

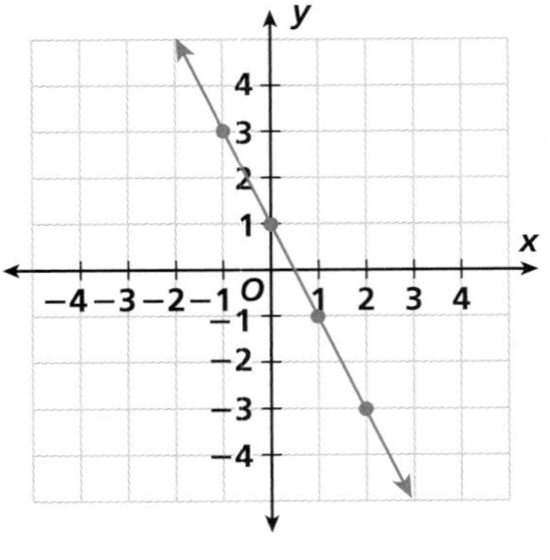

Representa gráficamente la función descrita por cada ecuación.

18. $y = x + 5$ **19.** $y = 3x + 2$ **20.** $y = -2x$

¿Listo para seguir?

PREPARACIÓN DE VARIOS PASOS PARA EL EXAMEN

CAPÍTULO 11

Preguntas bajo tierra Las minas subterráneas permiten alcanzar depósitos de carbón que están a gran profundidad. El castillete es la única parte de la mina que se ve desde el exterior. Contiene la maquinaria que baja a los mineros por el pozo y sube el carbón a la superficie. En el diagrama se muestra una instalación minera característica.

1. ¿Qué distancia total recorre el carbón desde el nivel C hasta la punta del castillete?
2. ¿Qué distancia recorren los mineros en el elevador al bajar del nivel A al nivel B? ¿Y del nivel B al nivel C?
3. ¿Cuál es la profundidad media de los tres niveles?
4. Se agrega un nuevo nivel a la mina. Es tres veces más profundo que el nivel A. ¿Cuál es la profundidad del nivel nuevo? ¿Dónde está ubicado en relación con los otros niveles?
5. En 3 horas, cada minero produce 18 toneladas de carbón. En 5 horas, cada minero produce 30 toneladas de carbón. En 8 horas, cada minero produce 48 toneladas de carbón. Haz una tabla y escribe una ecuación para la función.
6. Usa la ecuación para hallar la cantidad de toneladas de carbón que produce un minero en una semana de trabajo de 40 horas.

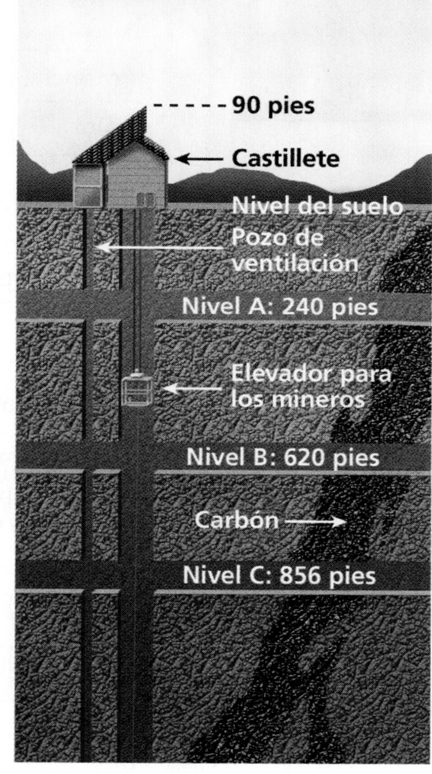

Preparación de varios pasos para el examen

EXTENSIÓN

Exponentes enteros

Aprender a reconocer exponentes negativos examinando patrones

Ya has estudiado los exponentes positivos. Los exponentes también pueden ser negativos. Para determinar el valor de las potencias negativas, escribe algunas potencias positivas y busca un patrón.

EJEMPLO 1 Hallar patrones en exponentes

Halla un patrón en la tabla.

Potencia	10^3	10^2	10^1	10^0	10^{-1}	10^{-2}
Valor	1,000	100	10	1	$\frac{1}{10}$	$\frac{1}{100}$

÷ 10 ÷ 10 ÷ 10 ÷ 10 ÷ 10

Un patrón posible es "dividir entre 10".

¡Recuerda!

Exponente

$10^3 = 10 \cdot 10 \cdot 10$

Base

EJEMPLO 2 Usar patrones en los exponentes

Halla cada valor: 2^0, 2^{-1}, 2^{-2}, 2^{-3}.

Haz una tabla como la del Ejemplo 1. Escribe algunas potencias de 2 que conozcas y busca un patrón.

Potencia	2^3	2^2	2^1	2^0	2^{-1}	2^{-2}	2^{-3}
Valor	8	4	2	■	■	■	■

÷ 2 ÷ 2 ÷ 2 ÷ 2 ÷ 2 ÷ 2

Un patrón posible es "dividir entre 2".

$2^0 = 2 \div 2 = 1 \quad 2^{-1} = 1 \div 2 = \frac{1}{2} \quad 2^{-2} = \frac{1}{2} \div 2 = \frac{1}{4} \quad 2^{-3} = \frac{1}{4} \div 2 = \frac{1}{8}$

Observa la tabla del Ejemplo 2. Hay otro patrón.

$$2^{-1} = \frac{1}{2^1} = \frac{1}{2} \qquad 2^{-2} = \frac{1}{2^2} = \frac{1}{4} \qquad 2^{-3} = \frac{1}{2^3} = \frac{1}{8}$$

Este patrón funciona con todos los exponentes negativos. Un número elevado a un exponente negativo es igual a 1 dividido entre ese mismo número elevado al exponente opuesto (o positivo).

EXTENSIÓN

Ejercicios

Continúa el patrón para completar cada tabla.

1.

Potencia	3^3	3^2	3^1	3^0	3^{-1}	3^{-2}
Valor	27	9	3	■	■	■

2.

Potencia	5^{-2}	5^{-1}	5^0	5^1	5^2	5^3
Valor	■	■	■	5	25	125

3.

Potencia	6^3	6^2	6^1	6^0	6^{-1}	6^{-2}
Valor	216	36	6	■	■	■

Halla el exponente que falta.

4. $81 = 9^{■}$ **5.** $\frac{1}{7} = 7^{■}$ **6.** $64 = 4^{■}$ **7.** $\frac{1}{64} = 8^{■}$

8. $49 = 7^{■}$ **9.** $\frac{1}{3} = 3^{■}$ **10.** $25 = 5^{■}$ **11.** $\frac{1}{49} = 7^{■}$

12. $64 = 2^{■}$ **13.** $\frac{1}{16} = 4^{■}$ **14.** $\frac{1}{64} = 4^{■}$ **15.** $\frac{1}{81} = 3^{■}$

Halla cada valor.

16. 8^3 **17.** 3^{-3} **18.** 6^3 **19.** 9^{-3}

20. 7^{-3} **21.** 4^4 **22.** 1^{-8} **23.** 8^{-2}

24. 1^2 **25.** 5^{-3} **26.** 4^2 **27.** 1^{-3}

28. En cada fila de la tabla, halla el número que no es igual a los otros tres.

a.	10	10^{-1}	$\frac{1}{10}$	0.1
b.	27	3^3	$\frac{1}{3}$	$3 \cdot 3 \cdot 3$
c.	$\frac{1}{25}$	5^{-2}	0.04	-25

29. **Razonamiento crítico** ¿Cuál crees que sea el valor de cualquier número elevado a la potencia 0?

30. **Razonamiento crítico** Un millón puede escribirse como 10^6. ¿Cómo crees que se puede escribir una millonésima usando un exponente negativo? Explica tu respuesta.

31. **Escríbelo** ¿Cuál es el valor de 1 elevado a un exponente negativo? Da ejemplos para apoyar tu respuesta.

32. **Escríbelo** No puedes elevar el 0 a un exponente negativo. ¿Por qué?

¡Vamos a jugar!

Acertijo matemático

¿Qué moneda duplica su valor cuando le quitas un medio?

Para hallar la respuesta, representa gráficamente cada conjunto de puntos. Une cada par de puntos con una línea recta.

1. $(-8, 3)\ (-6, 3)$
2. $(-9, 1)\ (-7, 5)$
3. $(-7, 5)\ (-5, 1)$
4. $(-3, 1)\ (-3, 5)$
5. $(-1, 1)\ (-1, 5)$
6. $(-3, 3)\ (-1, 3)$
7. $(1, 1)\ (3, 5)$
8. $(3, 5)\ (5, 1)$
9. $(2, 3)\ (4, 3)$
10. $(6, 1)\ (6, 5)$
11. $(6, 1)\ (8, 1)$
12. $(9, 1)\ (9, 5)$
13. $(9, 5)\ (11, 5)$
14. $(9, 3)\ (11, 3)$
15. $(-9, -5)\ (-9, -1)$
16. $(-9, -1)\ (-7, -3)$
17. $(-7, -3)\ (-9, -5)$
18. $(-6, -1)\ (-6, -5)$
19. $(-6, -5)\ (-4, -5)$
20. $(-4, -5)\ (-4, -1)$
21. $(-4, -1)\ (-6, -1)$
22. $(-3, -1)\ (-3, -5)$
23. $(-3, -5)\ (-1, -5)$
24. $(1, -1)\ (1, -5)$
25. $(1, -5)\ (3, -5)$
26. $(4, -5)\ (6, -1)$
27. $(6, -1)\ (8, -5)$
28. $(5, -3)\ (7, -3)$
29. $(9, -5)\ (9, -1)$
30. $(9, -1)\ (11, -3)$
31. $(11, -3)\ (9, -3)$
32. $(9, -3)\ (11, -5)$

Suma de cero

Cada carta tiene un número positivo, un número negativo ó 0. El que reparte da tres cartas a cada jugador. En tu turno puedes intercambiar una o dos de tus cartas por otras nuevas o puedes quedarte con las tuyas. Después de que todos tuvieron su turno, el jugador cuya suma se acerca más a 0 gana la ronda y recibe las cartas de todos. El que reparte lo hace para una nueva mano y el juego continúa hasta que el que reparte se queda sin cartas. El ganador es el jugador que termine con más cartas.

go.hrw.com
¡Vamos a jugar! Extra
CLAVE: MR7 Games

La copia completa de las reglas y las piezas del juego se encuentran disponibles en línea.

PROYECTO Sacar positivos y negativos

Saca de la bolsa preguntas y respuestas para comprobar tu conocimiento de enteros y funciones.

Instrucciones

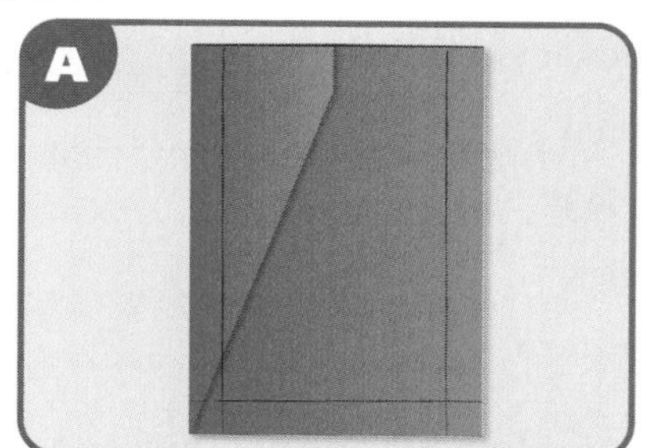

1. Cierra el sobre. Luego córtalo por la mitad.

2. Coloca el sobre con la abertura hacia arriba. Dibuja unas líneas suavemente a $\frac{3}{4}$ de pulgada de la base y de cada lado. Pliega hacia atrás y adelante por estas líneas hasta que el sobre quede flexible y sea fácil trabajar con él. **Figura A**

3. Coloca la mano dentro del sobre y empuja hacia afuera los costados y el fondo para formar una bolsa. Te quedarán dos puntas triangulares en el fondo de la bolsa. Pega con cinta esas puntas al fondo para que la bolsa quede en pie. **Figura B**

4. Abre una ranura de 2 pulgadas en el frente de la bolsa, a una pulgada del fondo, aproximadamente. Perfora dos agujeros en la parte superior de cada lado de la bolsa e inserta la mitad de las tiras de felpilla para formar asas. **Figura C**

Tomar notas de matemáticas

Empezando por el final de la cinta de máquina de sumar, escribe una pregunta sobre enteros y funciones y a continuación escribe la respuesta. Una vez que hayas escrito varias preguntas y respuestas, enrolla la cinta, colócala en la bolsa y saca la punta por la ranura.

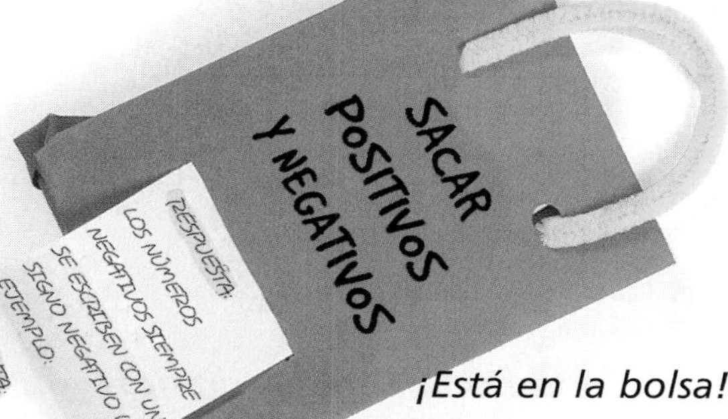

CAPÍTULO 11

Guía de estudio: Repaso

Vocabulario

Completa los enunciados con las palabras del vocabulario.

1. En la ecuación $y = 3x$, el/la __?__ es 12 cuando el/la __?__ es 4.
2. Los ejes separan el/la __?__ en cuatro __?__.

11-1 Enteros en situaciones del mundo real (págs. 602–605)

EJEMPLO

■ **Identifica un número positivo o negativo que represente cada situación.**

15 pies bajo el nivel del mar −15
un depósito de banco de $10 +10

■ **Represente +4 en una recta numérica.**

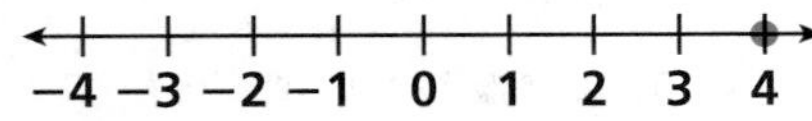

EJERCICIOS

Identifica un número positivo o negativo que represente cada situación.

3. un aumento de $10
4. una pérdida de $50

Representa cada entero y su opuesto en una recta numérica.

5. 3
6. 1
7. −9
8. 0

11-2 Cómo comparar y ordenar enteros (págs. 606–609)

EJEMPLO

■ **Compara −2 y 3. Escribe < ó >.**

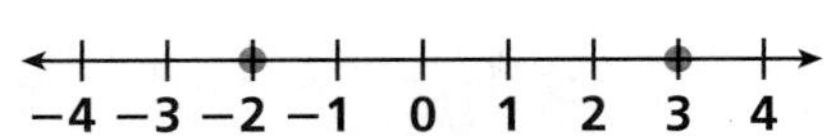

−2 < 3 *−2 está a la izquierda de 3 en la recta numérica.*

EJERCICIOS

Compara. Escribe < ó >.

9. 3 ■ 4
10. −2 ■ 5
11. 0 ■ 6

Ordena los enteros de cada conjunto de menor a mayor.

12. 2, −1, 4
13. −3, 0, 4
14. −6, −8, 0

11-3 El plano cartesiano (págs. 610–613)

EJEMPLO

- **Da las coordenadas de *A* e identifica el cuadrante donde se ubica.**

  A está en el cuarto cuadrante. Sus coordenadas son (2, –3).

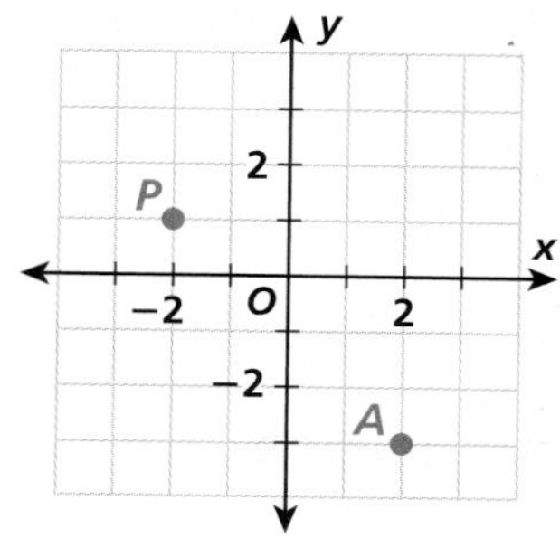

EJERCICIOS

Da las coordenadas de cada punto.

15. *A* **16.** *C*

Identifica el cuadrante donde se ubica cada punto.

17. *A* **18.** *B*

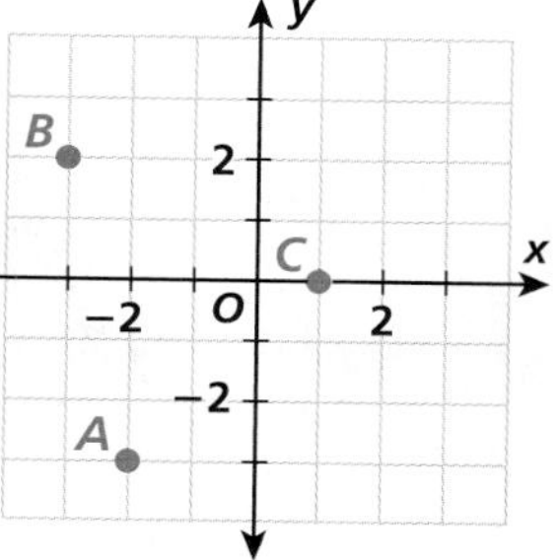

11-4 Cómo sumar enteros (págs. 617–620)

EJEMPLO

- **Halla la suma: 3 + (−2).**

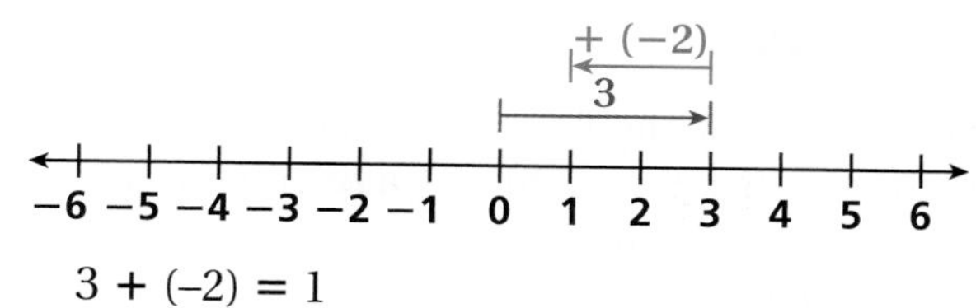

3 + (–2) = 1

EJERCICIOS

Halla cada suma.

19. −4 + 2 **20.** 4 + (−4)

21. 3 + (−2) **22.** −3 + (−2)

Evalúa $x + 3$ para cada valor de x.

23. $x = -20$ **24.** $x = 5$

11-5 Cómo restar enteros (págs. 622–624)

EJEMPLO

- **Evalúa $n - 4$ para $n = -1$.**

  (−1) − 4 = −5

EJERCICIOS

Halla cada diferencia.

25. −6 − 2 **26.** 5 − (−4)

Evalúa $x - (-1)$ para cada valor de x.

27. $x = 12$ **28.** $x = -7$

11-6 Cómo multiplicar enteros (págs. 625–627)

EJEMPLO

- **Halla el producto: 3 · (−2).**

  Razona: 3 grupos de −2

  3 · (−2) = −6

- **Evalúa $-2x$ para $x = -4$.**

  −2(−4) = 8

EJERCICIOS

Halla cada producto.

29. 5 · (−2) **30.** 3 · 2

31. −3 · (−2) **32.** −4 · 2

Evalúa $-9y$ para cada valor de y.

33. $y = 2$ **34.** $y = -5$

11-7 Cómo dividir enteros (págs. 628–631)

EJEMPLO

- **$-24 \div 4$**

Razona: $-6 \cdot 4 = -24$

$-24 \div 4 = -6$

EJERCICIOS

Halla cada cociente.

35. $6 \div (-2)$ **36.** $9 \div 3$

37. $-14 \div (-7)$ **38.** $-4 \div 2$

11-8 Cómo resolver ecuaciones con enteros (págs. 636–639)

EJEMPLO

- **Resuelve $x + 4 = 18$.**

$$\begin{aligned} x + 4 &= 18 \\ \underline{-4} \quad & \underline{-4} \\ x \quad &= 14 \end{aligned}$$

Resta 4 de ambos lados.

EJERCICIOS

Resuelve cada ecuación. Comprueba tus respuestas.

39. $w - 5 = -1$ **40.** $\frac{a}{-4} = 3$

41. $2q = -14$ **42.** $x + 3 = -2$

11-9 Tablas y funciones (págs. 640–643)

EJEMPLO

- **Escribe una ecuación para una función que dé los valores de la tabla. Usa la ecuación para hallar el valor de y para el valor de x indicado.**

x	2	3	4	5	6	12
y	5	8	11	14	17	▒

y es 3 por x menos 1. *Halla un patrón.*

$y = 3x - 1$ *Escribe una ecuación.*

$y = 3(12) - 1$ *Sustituye x por 12.*

$y = 36 - 1 = 35$

EJERCICIOS

Escribe una ecuación para una función que dé los valores de la tabla. Usa la ecuación para hallar el valor de y para cada valor de x indicado.

43.

x	2	3	4	5	6	8
y	6	8	10	12	14	▒

Escribe una ecuación para describir la función. Indica lo que representa cada variable que uses.

44. La longitud de un rectángulo es 4 veces su ancho.

11-10 Cómo representar las funciones (págs. 646–649)

EJEMPLO

- **Representa la función descrita por la ecuación $y = 3x + 4$.**

Haz una tabla. *Escribe como pares ordenados.*

x	$3x + 4$	y	(x, y)
−2	3(−2) + 4	−2	(−2, −2)
−1	3(−1) + 4	1	(−1, 1)
0	3(0) + 4	4	(0, 4)

Representa los pares ordenados en un plano cartesiano.

EJERCICIOS

Usa los valores dados de x para escribir las soluciones de cada ecuación como pares ordenados.

45. $y = 2x - 5$ para $x = 1, 2, 3, 4$

46. $y = x + 7$ para $x = 1, 2, 3, 4$

Determina si cada par ordenado es una solución de la ecuación dada.

47. $(3, 12)$; $y = 5x - 3$ **48.** $(6, 14)$; $y = x + 7$

Guía de estudio: Repaso

EXAMEN DEL CAPÍTULO

CAPÍTULO 11

Identifica un número positivo o negativo que represente cada situación.

1. 30° bajo cero
2. un depósito de banco de $75
3. una pérdida de 5 yardas
4. En el primer *down* de un partido de fútbol americano, el mariscal de campo lanzó la pelota y logró un avance de 6 yardas. En el segundo *down,* fue tacleado y perdió 4 yardas. En el tercer *down,* corrió y avanzó 2 yardas. Usa enteros para representar esta situación.

Compara. Escribe $<$ ó $>$.

5. -4 ▒ 4
6. 2 ▒ -9
7. -10 ▒ 8
8. -2 ▒ -12

Ordena cada conjunto de enteros de menor a mayor.

9. 21, −19, 34
10. −16, −2, 13, 46
11. −10, 0, 25, −7, 18

Representa gráficamente cada punto en un plano cartesiano.

12. $A(2, 3)$
13. $B(3, -2)$
14. $C(-1, 3)$
15. $D\left(-1, 2\frac{1}{2}\right)$
16. $E(0, 1)$

Suma, resta, multiplica o divide.

17. $-4 + 4$
18. $-2 - 9$
19. $-3 \cdot 8$
20. $12 \div (-3)$
21. $-48 \div (-4)$
22. $13 + (-9)$
23. $8 - (-11)$
24. $-7 \cdot (-6)$

Evalúa cada expresión para el valor dado de la variable.

25. $n + 3, n = -10$
26. $9 - x, x = -9$
27. $4m, m = -6$
28. $\frac{15}{a}, a = -3$
29. $(-11) + z, z = 28$
30 $w - (-8), w = 13$

Resuelve cada ecuación.

31. $\frac{b}{7} = -3$
32. $-9 \cdot f = -81$
33. $r - 14 = -32$
34. $y + 17 = 22$

Escribe una ecuación para una función que dé los valores de cada tabla. Usa la ecuación para hallar el valor de *y* para cada valor de *x* indicado.

35.

x	2	3	4	5	6	7
y	▒	8	11	14	17	20

36.

x	1	2	3	4	5	9
y	8	10	12	14	16	▒

Escribe una ecuación para la función. Indica qué representa cada variable que uses.

37. La cantidad de botones de la chaqueta es 4 más que la de cierres.
38. La longitud del paralelogramo es 2 pulg más que el doble de la altura.

Usa los valores dados de *x* para escribir las soluciones de cada ecuación como pares ordenados . Luego representa la función descrita por cada ecuación.

39. $y = 5x - 3$ para $x = 1, 2, 3, 4$
40. $y = 2x - 3$ para $x = 0, 1, 2, 3$

CAPÍTULO 11

AYUDA PARA EXAMEN

Estrategias para el examen estandarizado

Opción múltiple: Identifica palabras clave y claves de contexto

Al leer un punto de un examen, presta atención a las palabras clave y a las claves de contexto que se dan en el enunciado del problema. Estas claves te ayudarán a encontrar la respuesta correcta.

EJEMPLO 1

¿Qué ángulo es obtuso?

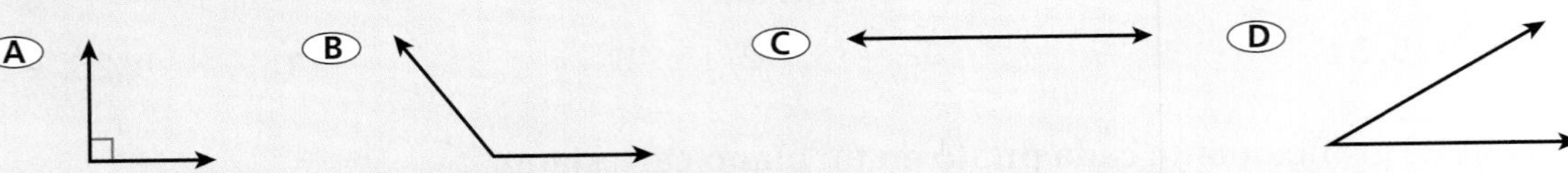

- Busca claves de contexto. Identifica su significado.
- En este punto del examen, la clave de contexto es **obtuso.** Significa un ángulo que mide **más de** 90°.

Halla la opción en la que se muestra un ángulo **obtuso.**
A: La medida de este ángulo es 90° porque tiene el símbolo de ángulo recto.
B: La medida de este ángulo es mayor que 90°. Es un ángulo obtuso.
C: La medida de este ángulo es 180° porque es un ángulo llano.
D: La medida de este ángulo es menor que 90°. Es un ángulo agudo.

La respuesta correcta es B.

EJEMPLO 2

Kenneth entrega flores a lo largo de la calle Oak. Empieza en la florería. La primera entrega es a 8 cuadras al oeste de la florería. La segunda entrega lo lleva 4 cuadras al este del lugar de la primera entrega. La tercera entrega es 5 cuadras al este de la segunda entrega. Escribe una expresión con enteros que represente esta situación.

(F) $-4 - 5 + 8$　(G) $8 + 4 - 5$　(H) $-8 - 4 - 5$　(J) $-8 + 4 + 5$

- Busca palabras clave.
- En este punto del examen, las palabras clave son **expresión** y **enteros.**

Halla la opción que muestre la **expresión con enteros** correcta para representar la situación.
F: La primera entrega es 8 cuadras al oeste. Esta expresión no empieza con –8.
G: La primera entrega es 8 cuadras al oeste. Esta expresión no empieza con –8.
H: La expresión empieza con –8, pero 4 cuadras al este sería + 4.
J: Los enteros de esta expresión corresponden correctamente a las entregas.

La respuesta correcta es J.

Ayuda para examen

Si no entiendes el significado de una palabra, vuelve a leer las oraciones que la rodean y haz una suposición lógica.

Lee cada punto del examen y contesta las preguntas que le siguen.

A

Opción múltiple **Jenny adorna con cinta los bordes de una tarjeta. La tarjeta rectangular mide 8 pulgadas por 12 pulgadas. ¿Cuánta cinta necesita Jenny para adornar la tarjeta?**

Ⓐ **36 pulgadas** Ⓒ **64 pulgadas**

Ⓑ **40 pulgadas** Ⓓ **72 pulgadas**

1. ¿Cuáles son las dimensiones de la tarjeta?
2. ¿Qué palabras del enunciado del problema son claves que necesitas para hallar el perímetro de la tarjeta?
3. Cuando calculas un perímetro, ¿por qué las unidades no se dan en unidades cuadradas?

B

Opción múltiple **Sam tiene dos cilindros. Un cilindro mide 25 cm de altura y 8 cm de diámetro. El otro mide 15 cm de altura y 20 cm de diámetro. ¿Cuál es la diferencia entre los volúmenes de ambos cilindros?**

Ⓕ $400\pi \text{ cm}^3$ Ⓗ $1{,}500\pi \text{ cm}^3$

Ⓖ $1{,}100\pi \text{ cm}^3$ Ⓙ $4{,}400\pi \text{ cm}^3$

4. Haz una lista de las palabras clave que aparecen en el enunciado del problema y relaciona cada palabra con su significado matemático.
5. ¿Qué opción puede eliminarse, si es que hay alguna? ¿Por qué?

C

Opción múltiple **Madeline tiene 28 margaritas y 42 violetas. Halla el MCD para hallar la mayor cantidad de brazaletes que pueden hacerse si cada brazalete tiene la misma cantidad de margaritas y la misma cantidad de violetas.**

Ⓐ 4 Ⓒ 14

Ⓑ 7 Ⓓ 21

6. ¿Cuál es el término matemático que describe lo que se está examinando?
7. Identifica las palabras clave de este problema.

D

Opción múltiple **Una tienda de artículos de oficina afirma que 4 de cada 5 clientes la recomendarían a otra persona. Dada esta información, ¿qué porcentaje de clientes NO recomendaría esta tienda a otra persona?**

Ⓕ 10% Ⓗ 40%

Ⓖ 20% Ⓙ 80%

8. ¿Qué información se necesita para resolver este problema?
9. ¿Qué opción puede eliminarse de inmediato? ¿Por qué?
10. Escribe una proporción para hallar el porcentaje de clientes que recomendarían la tienda a otra persona.
11. Describe dos maneras de resolver este problema.

CAPÍTULO 11

PREPARACIÓN PARA EL EXAMEN ESTANDARIZADO

go.hrw.com
Práctica en línea para el examen estatal
CLAVE: MR7 TestPrep

Evaluación acumulativa, Capítulos 1–11

Opción múltiple

1. Marla compró una camisa que estaba en oferta a $22, una rebaja de $\frac{1}{8}$ respecto de su precio original. ¿Qué decimal representa el descuento que ella obtuvo?

Ⓐ 0.125 Ⓒ 0.725
Ⓑ 0.225 Ⓓ 0.825

2. William lleva botellas pequeñas de jugo de fruta para el picnic de la compañía. Los asistentes al picnic son 154. Si las bebidas vienen en paquetes de 6, ¿cuántos paquetes tendrá que comprar William para que cada asistente pueda tomar 3 botellas?

Ⓕ 20 paquetes Ⓗ 75 paquetes
Ⓖ 26 paquetes Ⓙ 77 paquetes

3. Ashlee tiene 36 pelotas de básquetbol, 48 pelotas blandas y 60 discos voladores. Quiere formar conjuntos para los maestros que tengan la misma cantidad de pelotas de básquetbol, pelotas blandas y discos voladores. ¿Cuál es la mayor cantidad de conjuntos que puede formar si usa todos los objetos?

Ⓐ 3 Ⓒ 12
Ⓑ 6 Ⓓ 18

4. A las 5:30 pm, el 75% del personal de la compañía A ya se había retirado. ¿Qué fracción del personal todavía NO se había ido a casa?

Ⓕ $\frac{3}{4}$ Ⓗ $\frac{1}{4}$
Ⓖ $\frac{1}{2}$ Ⓙ $\frac{1}{25}$

5. ¿Cuál es la razón de la cantidad de estudiantes que tocan instrumentos de percusión a la cantidad de estudiantes que tocan trompeta? Da la razón en su mínima expresión.

Banda de la escuela	
Instrumento	**Cantidad de estudiantes**
Percusión	10
Trombón	14
Trompeta	8
Tuba	3

Ⓐ 10 a 3 Ⓒ 5 a 7
Ⓑ 5 a 4 Ⓓ 10 a 27

6. Si $\angle KHG$ y $\angle JHM$ son congruentes, ¿cuánto mide $\angle GHJ$?

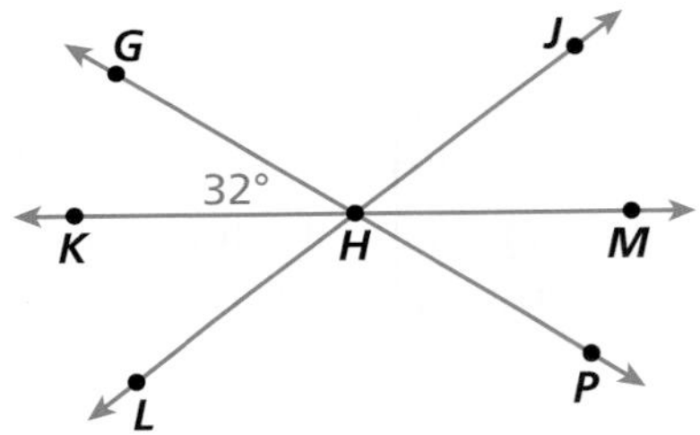

Ⓕ 148° Ⓗ 108°
Ⓖ 116° Ⓙ 96°

7. ¿Cuál es el recíproco de $1\frac{3}{5}$?

Ⓐ $-1\frac{3}{5}$ Ⓒ $\frac{8}{5}$
Ⓑ $\frac{5}{8}$ Ⓓ 8

8. Halla la factorización prima de 80.

Ⓕ $2 \cdot 5^2$ Ⓗ $2^3 \cdot 10$
Ⓖ $2^2 \cdot 5$ Ⓙ $2^4 \cdot 5$

9. Louie compra un bate de béisbol a $125, un guante de catcher a $55 y una pelota de béisbol a $3. La tasa del impuesto es del 5%. Si Louie entrega al cajero $200, ¿cuánto vuelto recibe?

Ⓐ $6.15 Ⓒ $9.25

Ⓑ $7.85 Ⓓ $10.75

10. Hay 4 funciones diarias en el teatro local. La primera función comienza a las 10:15 am. Cada función dura 30 minutos y hay un intervalo de 1 hora y 30 minutos entre funciones. ¿A qué hora termina la tercera función?

Ⓕ 12:15 pm Ⓗ 2:45 pm

Ⓖ 12:45 pm Ⓙ 3:15 pm

Al sumar enteros, muévete hacia la derecha en la recta numérica para sumar un número positivo y muévete hacia la izquierda para sumar un número negativo.

Respuesta gráfica

11. ¿Cuántos pies hay en 8 yardas?

12. Wyatt recibió los siguientes puntajes en las pruebas de ortografía del capítulo: 92, 98, 90, 97 y 92. ¿Cuál es el puntaje medio de las pruebas de Wyatt?

13. La Sra. Thomas cubre con papel de aluminio la parte superior de unos rectángulos de cartón para usarlos en una exhibición de pasteles. Cada rectángulo mide 12 pulg de largo y 10 pulg de ancho. ¿Cuántos pies cuadrados de papel de aluminio necesita para cubrir 5 rectángulos?

14. Joshua corre el 35% del camino de su casa al gimnasio. Si el gimnasio está a 5 millas de su casa, ¿cuántas millas corre Joshua camino al gimnasio?

15. ¿Cuánto es 65 cm expresado en metros?

Respuesta breve

16. El lunes, el saldo de la cuenta corriente de Graham era $32. El martes, Graham hizo tres cheques de $18. Después del depósito que hizo el miércoles, su saldo llegó a $15.

 a. Halla el saldo de Graham el martes.

 b. Escribe y resuelve una ecuación que pueda usarse para hallar cuánto depositó Graham. Sea d = la cantidad que Graham depositó. Muestra tu trabajo.

17. Halla las coordenadas de los vértices del cuadrado amarillo. Luego explica cómo hallar las nuevas coordenadas del cuadrado si se traslada 5 unidades hacia abajo y 3 unidades hacia la izquierda.

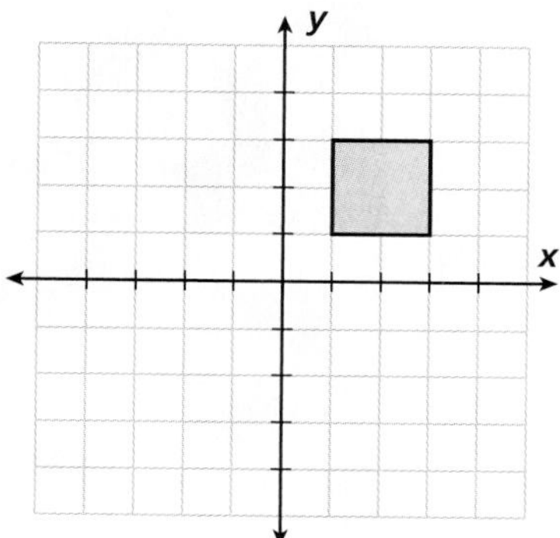

Respuesta desarrollada

18. Una tienda vendió 44 máscaras artísticas en septiembre a $528. En octubre vendió 41 máscaras artísticas a $492. En noviembre, vendió 38 máscaras a $456. Todas las máscaras costaban lo mismo.

 a. Haz una tabla para mostrar los datos y luego represéntalos gráficamente. ¿La función es lineal? Explica tu respuesta.

 b. Escribe una ecuación que represente la función. Indica qué representa cada variable.

 c. En diciembre, la tienda vendió 67 máscaras. ¿Cuál fue la venta total de máscaras en diciembre?

CAPÍTULO 12

Probabilidad

PREPARACIÓN DE VARIOS PASOS PARA EL EXAMEN

go.hrw.com
Presentación del capítulo en línea
CLAVE: MR7 Ch12

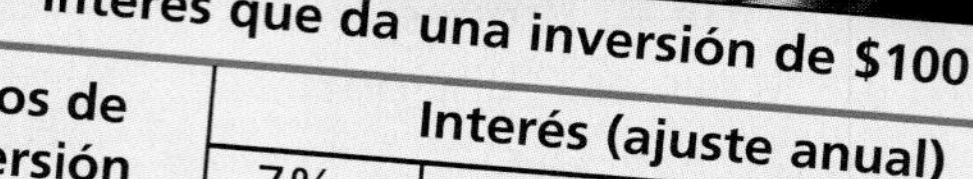

Interés que da una inversión de $100

Años de inversión	Interés (ajuste anual)			
	7%	8%	9%	10%
1	$7	$8	$9	$10
2	$14	$17	$19	$10
5	$40	$47	$54	$21
10	$97	$116	$137	$159

Profesión *Consultora de finanzas*

Todos debemos decidir cuánto dinero gastamos, invertimos y ahorramos. Los consultores ayudan a tomar esas decisiones.

Los consultores de finanzas deben comprender la relación entre riesgo y ganancias. Una inversión con alta probabilidad de dar ganancias es menos riesgosa que una inversión con baja probabilidad de dar ganancias. Sin embargo, las inversiones riesgosas pueden dar mayores ganancias. En la tabla se muestran las ganancias de diferentes inversiones a diferentes tasas de interés. ¿Qué inversión es la más arriesgada? ¿Cuál crees que es la más segura?

Vocabulario

Elige de la lista el término que mejor complete cada enunciado.

equivalentes
frecuencia
mínima expresión
parte
porcentaje
razón
tabla
total

1. El denominador de una fracción representa el/la __?__ y el numerador representa el/la __?__.
2. Las fracciones que representan el mismo valor son fracciones __?__.
3. Un(a) __?__ es una comparación de dos cantidades mediante una división.
4. Las marcas de una tabla de conteo muestran el/la __?__ o el total de cada resultado.
5. Una razón de un número a 100 se llama __?__.

Resuelve los ejercicios para practicar las destrezas que usarás en este capítulo.

Modelos de fracciones

Escribe la fracción que representa la parte sombreada en su mínima expresión.

6. 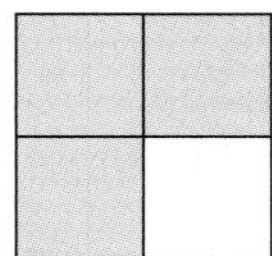

7. 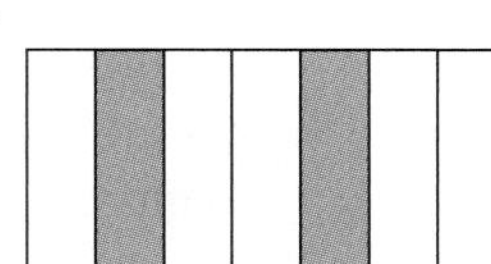

8. 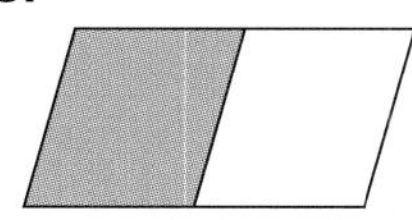

Escribir fracciones como decimales

Escribe cada fracción como decimal.

9. $\frac{9}{10}$ **10.** $\frac{1}{2}$ **11.** $\frac{12}{25}$ **12.** $\frac{11}{20}$

Comparar fracciones, decimales y porcentajes

Compara. Escribe $<$, $>$ ó $=$.

13. 0.35 ▪ 0.4 **14.** 0.25 ▪ 25% **15.** $\frac{3}{5}$ ▪ 0.7 **16.** 0.5 ▪ $\frac{23}{50}$

Escribir razones

Escribe cada razón.

17. círculos azules a total de círculos

18. cuadrados a triángulos

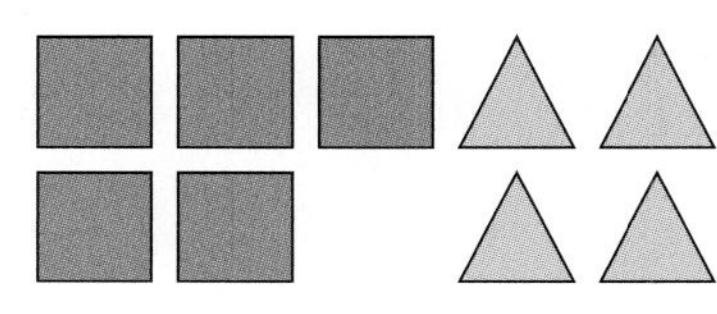

CAPÍTULO 12

Guía de estudio: Avance

De dónde vienes

Antes,

- anotaste todos los resultados posibles de un experimento de probabilidad.
- usaste fracciones para describir los resultados de un experimento.
- generaste formas equivalentes de números racionales.

En este capítulo

Estudiarás

- cómo hallar espacios muestrales usando listas y diagramas de árbol.
- cómo hallar las probabilidades de sucesos simples y sus complementos.
- cómo expresar probabilidades como fracciones, decimales y porcentajes.
- cómo hallar las probabilidades de sucesos compuestos.

Adónde vas

Puedes usar las destrezas aprendidas en este capítulo

- para hallar probabilidades relacionadas con permutaciones y combinaciones.
- para hallar las probabilidades a favor y en contra de resultados especificados.

Vocabulario/Key Vocabulary

complemento	complement
experimento (probabilidad)	experiment
igualmente probables	equally likely
predicción	prediction
probabilidad	probability
probabilidad experimental	experimental probability
probabilidad teórica	theoretical probability
resultado posible	outcome
suceso compuesto	compound event

Conexiones de vocabulario

Considera lo siguiente para familiarizarte con algunos de los términos de vocabulario del capítulo. Puedes consultar el capítulo, el glosario o un diccionario si lo deseas.

1. La palabra *experimento* puede significar "el proceso de poner a prueba". ¿En qué crees que se basa la **probabilidad experimental?**
2. La palabra *compuesto* puede significar "integrado por distintos elementos". ¿Crees que un **suceso compuesto** está integrado por un solo suceso? ¿Por qué sí o por qué no?
3. *Predecir* algo significa "pronosticar sobre la base de la observación, la experimentación o el razonamiento científico". ¿Qué crees que es una **predicción?**
4. Cuando dos cosas son *iguales,* tienen la misma medida o cantidad. ¿Cómo crees que se relacionan dos sucesos **igualmente probables?**

Estrategia de estudio: Prepárate para el examen final

En tu clase de matemáticas, usas destrezas que aprendiste a lo largo de todo el año; por lo tanto, la mayoría de los exámenes finales incluyen temas a partir de los comienzos del curso.

Un cronograma y una lista de control como los que se muestran abajo pueden ayudarte a estudiar para el examen final de una manera organizada.

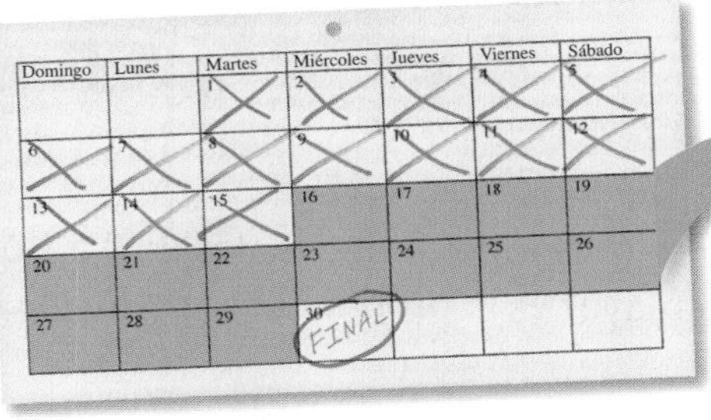

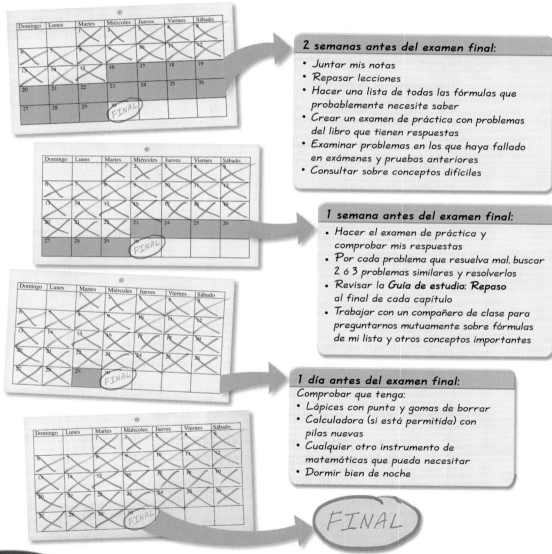

2 semanas antes del examen final:

- Juntar mis notas
- Repasar lecciones
- Hacer una lista de todas las fórmulas que probablemente necesite saber
- Crear un examen de práctica con problemas del libro que tienen respuestas
- Examinar problemas en los que haya fallado en exámenes y pruebas anteriores
- Consultar sobre conceptos difíciles

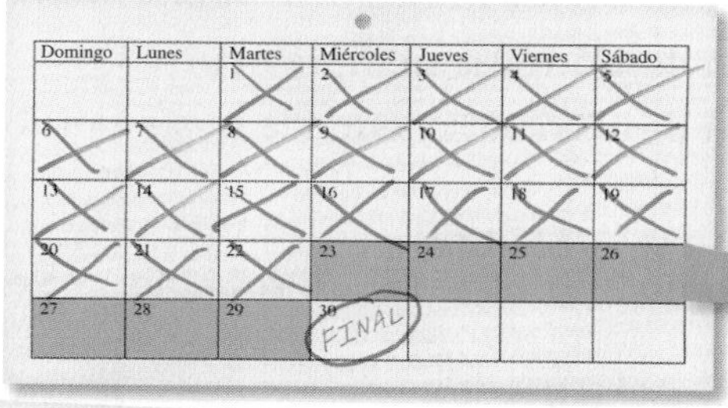

1 semana antes del examen final:

- Hacer el examen de práctica y comprobar mis respuestas
- Por cada problema que resuelva mal, buscar 2 ó 3 problemas similares y resolverlos
- Revisar la **Guía de estudio: Repaso** al final de cada capítulo
- Trabajar con un compañero de clase para preguntarnos mutuamente sobre fórmulas de mi lista y otros conceptos importantes

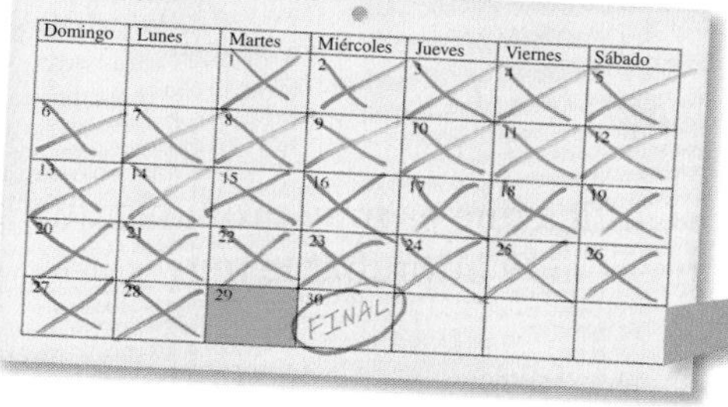

1 día antes del examen final:

Comprobar que tenga:

- Lápices con punta y gomas de borrar
- Calculadora (si está permitida) con pilas nuevas
- Cualquier otro instrumento de matemáticas que pueda necesitar
- Dormir bien de noche

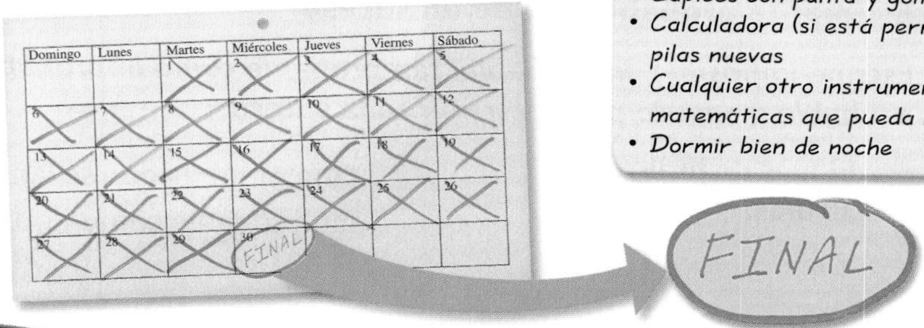

FINAL

Inténtalo

1. Crea un cronograma y una lista de control propios para prepararte para tu examen final.

12-1 Introducción a la probabilidad

Aprender a estimar la probabilidad de un suceso y a escribir y comparar probabilidades

Vocabulario

probabilidad

El pronóstico del tiempo da un 5% de probabilidad de lluvia para hoy. ¿Vas a llevar tu impermeable? ¿Y si el pronóstico diera un 95% de probabilidad de lluvia?

En esta situación, usas la probabilidad para tomar una decisión. La **probabilidad** es la medida de qué tan probable es que ocurra un suceso. En este caso, 5% y 95% son probabilidades de lluvia.

Las probabilidades se escriben como fracciones o decimales de 0 a 1 ó como porcentajes de 0% a 100%. Cuanto mayor es la probabilidad de un suceso, más probable es que ocurra.

- Los sucesos con probabilidad de 0 ó 0% nunca ocurren.
- Los sucesos con probabilidad de 1 ó 100% siempre ocurren.
- Los sucesos con probabilidad de 0.5 ó 50% tienen la misma probabilidad de ocurrir que de no ocurrir.

Imposible **Improbable** **Tan probable como improbable** **Probable** **Seguro**

0, 0% — 0.5, $\frac{1}{2}$, 50% — 1, 100%

Una probabilidad de 95% de lluvia significa que es muy probable que llueva. Una probabilidad de 5% significa que es muy improbable que llueva.

EJEMPLO 1 **Estimar la probabilidad de un suceso**

Escribe *imposible, improbable, tan probable como improbable, probable* o *seguro* para describir cada suceso.

Pista útil

Un dado común está numerado del 1 al 6.

A **El mes de junio tiene 30 días.**
seguro

B **Una moneda que se lanza cae cara.**
tan probable como improbable

C **Lanzas un dado común y sale un 9.**
imposible

D **La rueda cae en rojo.**
probable

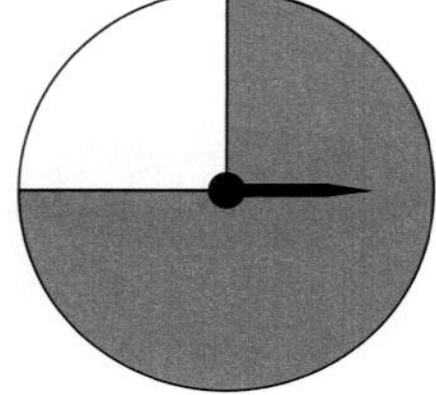

EJEMPLO 2 Escribir probabilidades

A **El pronóstico del tiempo da una probabilidad de 35% de lluvia para mañana. Escribe esta probabilidad como decimal y como fracción.**

$35\% = 0.35$ *Escribe como decimal.*

$35\% = \frac{35}{100} = \frac{7}{20}$ *Escribe como fracción en su mínima expresión.*

B **La probabilidad de que elijan a Ethan para representar a su clase en el consejo estudiantil es de 0.6. Escribe esta probabilidad como fracción y como porcentaje.**

$0.6 = \frac{6}{10} = \frac{3}{5}$ *Escribe como fracción en su mínima expresión.*

$0.6 = 60\%$ *Escribe como porcentaje.*

Pista útil

En el Ejemplo 2C, después de hallar la forma decimal de $\frac{9}{25}$, puedes usarla para hallar el porcentaje.

0.36 = 36%

C **Hay una probabilidad de $\frac{9}{25}$ de sacar una goma de mascar verde de una máquina. Escribe esta probabilidad como decimal y como porcentaje.**

$\frac{9}{25} = 9 \div 25 = 0.36$ *Escribe como decimal.*

$\frac{9}{25} = \frac{9 \cdot 4}{25 \cdot 4} = \frac{36}{100} = 36\%$ *Escribe como porcentaje.*

EJEMPLO 3 Comparar probabilidades

A **En una planta con flores llamada "maravilla", hay una probabilidad del 50% de que las flores sean rosadas, del 25% de que sean blancas y del 25% de que sean rojas. ¿Es más probable que las flores sean rosadas o blancas?**

Compara: $50\% > 25\%$

Es más probable que las flores sean rosadas que blancas.

B **Al girar esta rueda, hay una probabilidad del 25% de que caiga en rojo, del 50% de que caiga en amarillo y del 25% de que caiga en azul. ¿Es más probable que caiga en rojo o en azul?**

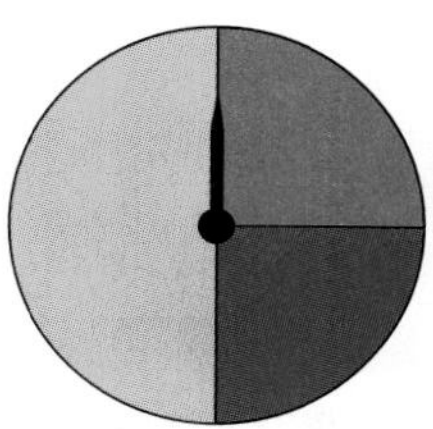

Compara: $25\% = 25\%$

Es igualmente probable que caiga en rojo que en azul.

Razonar y comentar

1. **Da un ejemplo** de una situación relacionada con la probabilidad.
2. **Menciona** sucesos que puedan describirse con los siguientes términos: *imposible, probable, tan probable como improbable, improbable* y *seguro.*

12-1 Ejercicios

go.hrw.com
Ayuda en línea para tareas*
CLAVE: MR7 12-1
Recursos en línea para padres
CLAVE: MR7 Parent
*(Disponible sólo en inglés)

PRÁCTICA GUIADA

Ver Ejemplo 1

Escribe *imposible, improbable, tan probable como improbable, probable* o *seguro* para describir cada suceso.

1. Este año tiene 12 meses.
2. Ganas la lotería.

Ver Ejemplo 

3. Supongamos que la probabilidad de meter la mano en una bolsa de monedas y sacar una de 25 centavos es del 40%. Escribe esta probabilidad como decimal y como fracción.

Ver Ejemplo 

4. Si una familia tiene dos hijos, hay una probabilidad del 25% de que los dos sean varones, del 25% de que sean mujeres y del 50% de que uno sea varón y el otro mujer. ¿Qué es más probable: que los dos hijos sean varones o que uno sea varón y el otro sea mujer?

PRÁCTICA INDEPENDIENTE

Ver Ejemplo 

Escribe *imposible, improbable, tan probable como improbable, probable* o *seguro* para describir cada suceso.

5. La rueda de la derecha cae en verde.
6. La rueda de la derecha cae en azul.
7. Adivinas un número ganador entre 1 y 500.
8. Adivinas uno de ocho números ganadores entre 1 y 10.

Ver Ejemplo 

9. **Deportes** La probabilidad de que Jill falle un tiro libre es de $\frac{3}{10}$. Escribe esta probabilidad como decimal y como porcentaje.

Ver Ejemplo 

10. La probabilidad de que Daniel elija al azar una camisa de mangas largas de su clóset es de 0.20. Escribe esta probabilidad como fracción y como porcentaje.
11. Si tomas frutas secas de una bolsa, hay una probabilidad del 45% de que tomes un cacahuate, del 20% de que tomes una pacana, del 15% de que tomes una castaña de cajú y del 20% de que tomes una nuez. ¿Es menos probable que tomes de la bolsa una pacana o una castaña de cajú?

PRÁCTICA Y RESOLUCIÓN DE PROBLEMAS

Práctica adicional
Ver página 737

Describe los sucesos como *imposible, improbable, tan probable como improbable, probable* o *seguro*.

12. La probabilidad de ganar un juego es de $\frac{2}{3}$.
13. La probabilidad de ser elegido para un equipo es de 0.09.
14. Hay una probabilidad de 50% de que hoy nieve.
15. La probabilidad de que te alcance un rayo es de $\frac{1}{2{,}000{,}000}$.
16. **Razonamiento crítico** ¿Por qué es seguro el suceso *Uno de los próximos 7 días será sábado?*

con las ciencias biológicas

Cada año, millones de personas donan sangre.

Hay ocho tipos diferentes de sangre humana, que se muestran en la tabla junto con el porcentaje de personas que tienen cada tipo. Es muy importante que las personas reciban el tipo correcto de sangre. Si no, su cuerpo no reconocerá los glóbulos extraños y los atacará.

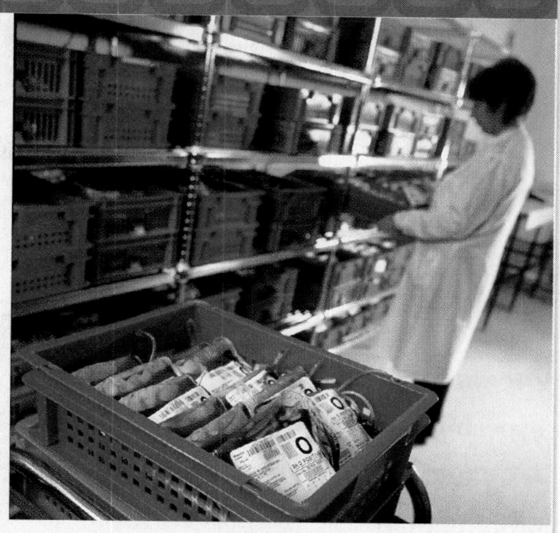

La sangre donada de estas bolsas es de tipo O.

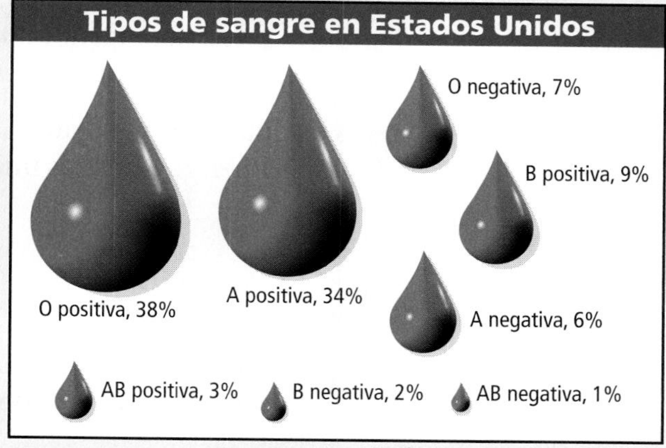

17. ¿Cómo describirías la probabilidad de que una persona tenga sangre AB positiva: imposible, improbable, tan probable como improbable, probable o seguro? Explica.

18. Si se elige al azar a una persona, ¿qué tipo de sangre es más probable que tenga?

19. Si se elige al azar a una persona, ¿qué tipo de sangre es menos probable que tenga?

20. Escribe la probabilidad de que una persona elegida al azar tenga sangre A negativa como decimal y como fracción en su mínima expresión.

21. **Escríbelo** Los bancos de sangre alientan en especial a personas con ciertos tipos de sangre a donar. ¿De qué tipos crees que se trate? Explica.

22. **Desafío** Una persona con sangre AB positiva puede recibir sin problemas sangre O, A, B o AB. ¿Cuál es la probabilidad de que una persona elegida al azar pueda donar sangre a una persona con sangre AB positiva?

go.hrw.com
¡Web Extra!
CLAVE: MR7 Blood

Preparación para el examen y repaso en espiral

23. **Opción múltiple** Eddie tiene una probabilidad de $\frac{9}{20}$ de ganar la elección. ¿Cuál es la probabilidad de que Eddie gane la elección, escrita como porcentaje?

Ⓐ 0.45 Ⓑ 0.55 Ⓒ 45% Ⓓ 55%

24. **Respuesta gráfica** Hay una probabilidad de $\frac{7}{10}$ de que hoy llueva. ¿Cuál es esta probabilidad escrita como decimal?

Escribe la factorización prima de cada número. (Lección 4-2)

25. 76 **26.** 12 **27.** 16 **28.** 18 **29.** 128

Halla cada valor que falta a la centésima más cercana. Usa 3.14 para π. (Lección 9-8)

30. $d = 2$ pulg; $C = ?$ **31.** $r = 5$ cm; $C = ?$ **32.** $C = 28.26\ m$; $d = ?$

12-2 Probabilidad experimental

Aprender a hallar la probabilidad experimental de un suceso.

Vocabulario

experimento

resultado posible

probabilidad experimental

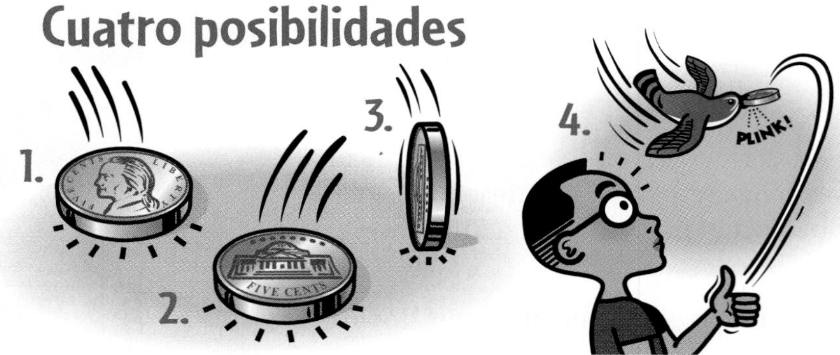

Un **experimento** es una actividad en la que existe la probabilidad de que haya diferentes resultados. Lanzar una moneda o hacer girar una rueda son ejemplos de experimentos.

Los diferentes resultados que puede haber se llaman **resultados posibles** del experimento. Si lanzas una moneda, un resultado posible es que caiga cara.

EJEMPLO 1 Identificar resultados posibles

En cada experimento, identifica el resultado posible que se muestra.

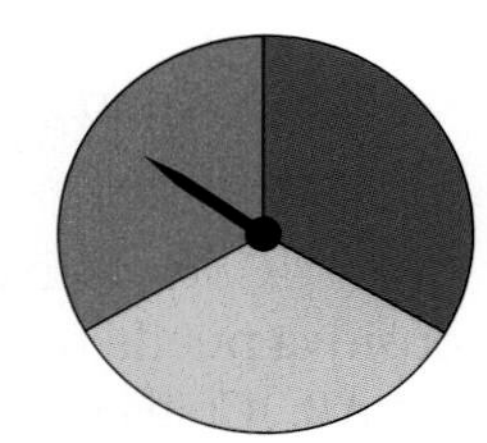

A hacer girar una rueda

resultado posible que se muestra: rojo

B lanzar dos monedas

resultado posible que se muestra:
cara, cruz (Ca, Cr)

C lanzar dos dados

resultado posible que se muestra: (3, 5)

Realizar un experimento es una manera de estimar la probabilidad de un suceso. Si un experimento se repite muchas veces, la **probabilidad experimental** de un suceso es la razón de la cantidad de veces que ocurre el suceso a la cantidad total de veces que se realiza el experimento.

PROBABILIDAD EXPERIMENTAL

$$\text{probabilidad} \approx \frac{\text{cantidad de veces que ocurre el suceso}}{\text{cantidad total de pruebas}}$$

EJEMPLO 2 Hallar la probabilidad experimental

Durante un mes, Tosha anotó la hora de llegada de su autobús escolar. Organizó sus resultados en una tabla de frecuencia.

Hora	7:00–7:04	7:05–7:09	7:10–7:14
Frecuencia	8	9	3

> **Escribir matemáticas**
>
> La probabilidad de un suceso se puede escribir como *P*(suceso). *P*(azul) significa "la probabilidad de que azul sea el resultado".

A **Halla la probabilidad experimental de que el autobús llegue entre las 7:00 y las 7:04.**

$$P(\text{entre 7:00 y 7:04}) \approx \frac{\text{cantidad de veces que ocurre el suceso}}{\text{cantidad total de pruebas}}$$

$$= \frac{8}{20} = \frac{2}{5}$$

B **Halla la probabilidad experimental de que el autobús llegue antes de las 7:10.**

$$P(\text{antes de 7:10}) \approx \frac{\text{cantidad de veces que ocurre el suceso}}{\text{cantidad total de pruebas}}$$

$$= \frac{8 + 9}{20}$$ *Antes de las 7:10 incluye de 7:00 a 7:04 y de 7:05 a 7:09.*

$$= \frac{17}{20}$$

EJEMPLO  Comparar probabilidades experimentales

Ian lanzó un cono 30 veces y anotó si caía sobre su base o sobre su lado. De acuerdo con el experimento de Ian, ¿de qué manera es más probable que caiga el cono?

Sobre su lado

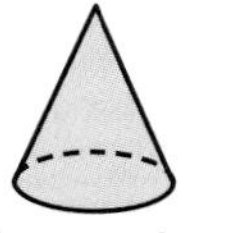
Sobre su base

Resultado posible	Sobre su base	Sobre su lado
Frecuencia	𝍸 II	𝍸 𝍸 𝍸 𝍸 III

$$P(\text{base}) \approx \frac{\text{cantidad de veces que ocurre el suceso}}{\text{cantidad total de pruebas}} = \frac{7}{30}$$

$$P(\text{lado}) \approx \frac{\text{cantidad de veces que ocurre el suceso}}{\text{cantidad total de pruebas}} = \frac{23}{30}$$

Halla la probabilidad experimental de cada resultado.

$$\frac{7}{30} < \frac{23}{30}$$ *Compara las probabilidades.*

Es más probable que el cono caiga sobre su lado.

Razonar y comentar

1. **Explica** si tú y un amigo obtendrán la misma probabilidad experimental para un suceso si realizan el mismo experimento.
2. **Indica** por qué es importante repetir muchas veces un experimento.

12-2 Ejercicios

go.hrw.com
Ayuda en línea para tareas*
CLAVE: MR7 12-2
Recursos en línea para padres
CLAVE: MR7 Parent
*(Disponible sólo en inglés)

PRÁCTICA GUIADA

Ver Ejemplo 1
1. Identifica el resultado posible que se muestra en la rueda.

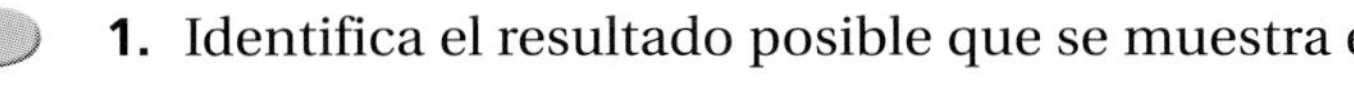

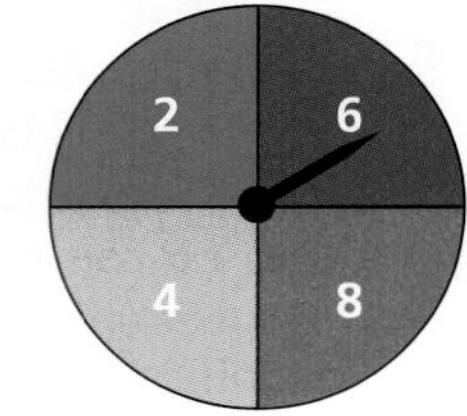

Deportes **Josh anotó la cantidad de hits de su jugador de béisbol favorito en cada uno de 15 partidos. Organizó sus resultados en una tabla de frecuencia.**

Cantidad de hits	0	1	2	3
Frecuencia	4	8	2	1

Ver Ejemplo 2
2. Halla la probabilidad experimental de que este jugador logre un hit en un partido.

Ver Ejemplo 3

3. De acuerdo con los resultados de Josh, ¿es más probable que este jugador logre dos hits en un partido o que no logre ninguno? ¿Cuántos hits es más probable que logre en un partido?

PRÁCTICA INDEPENDIENTE

Ver Ejemplo 1

En cada experimento, identifica el resultado posible que se muestra.

4.

5.

Jennifer tiene una bolsa con canicas. Sacó una canica, anotó el color y la devolvió a la bolsa. Repitió el proceso varias veces y anotó sus resultados en la tabla.

Ver Ejemplo 2

6. Halla la probabilidad experimental de sacar de la bolsa una canica roja.

7. Halla la probabilidad experimental de sacar de la bolsa una canica que no sea negra.

Ver Ejemplo 3

8. De acuerdo con el experimento de Jennifer, ¿qué color de canica es más probable que ella saque de la bolsa?

Color	Frecuencia
Blanca	𝍸
Roja	///
Amarilla	𝍸
Negra	𝍸 𝍸 //

PRÁCTICA Y RESOLUCIÓN DE PROBLEMAS

Práctica adicional
Ver página 737

Identifica el resultado posible de cada situación.

9.

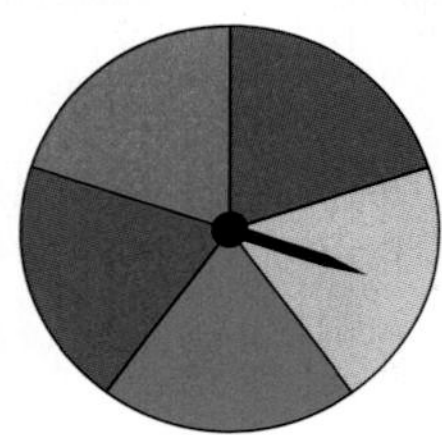

10.

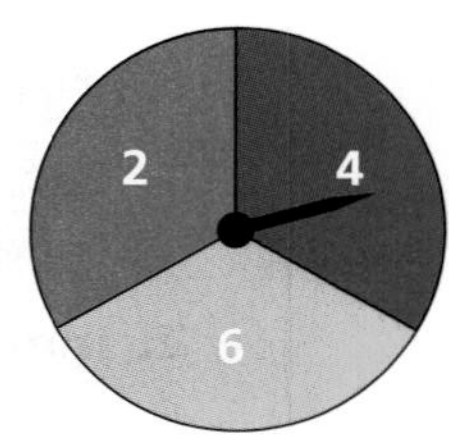

11. Meteorología Janet anotó la temperatura máxima de cada día de enero. Anotó sus resultados en una tabla de frecuencia.

Temperatura (° F)	26–35	36–45	46–55	56–65
Cantidad de días	10	9	11	1

De acuerdo con los resultados, ¿cuál es la probabilidad de que un día de enero tenga una temperatura mayor que 55° F? Describe esta probabilidad como segura, probable, tan probable como improbable, improbable o imposible.

12. Mariana anotó los resultados de hacer girar una rueda con 3 secciones.

Resultado posible	Rojo	Azul	Verde
Vueltas	25	19	56

a. Usa los resultados de la tabla para hallar la probabilidad experimental de que la rueda caiga en cada color.

b. ¿Qué sección de la rueda crees que será más grande? Explica.

13. Escríbelo Realiza un experimento en el que lances una moneda 100 veces. Anota la cantidad de veces que la moneda cae cara. De acuerdo con tus resultados, ¿cuál es la probabilidad experimental de que caiga cara? Compara tus resultados con los de un compañero de clase. ¿Obtuvieron la misma probabilidad experimental? ¿Por qué?

14. Desafío Supongamos que lanzas dos dados y sumas los números que salen. ¿Cuál crees que sea la suma más probable? (*Pista:* Realiza un experimento).

Preparación Para El Examen y repaso en espiral

15. Opción múltiple Identifica el resultado posible que se muestra en la rueda.

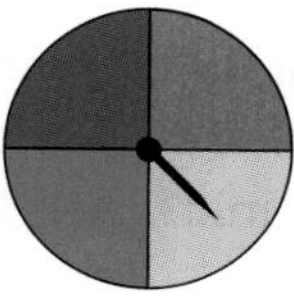

Ⓐ azul　　Ⓒ rojo

Ⓑ verde　　Ⓓ amarillo

16. Opción múltiple Sam juega al béisbol. Cinco de sus partidos empezaron a las 5:00 pm. Cuatro empezaron a las 5:15 pm. Uno empezó a las 5:45 pm. ¿Cuál es la probabilidad experimental de que su próximo partido empiece a las 5:00 pm?

Ⓕ $\frac{1}{10}$　　Ⓖ $\frac{2}{5}$　　Ⓗ $\frac{1}{2}$　　Ⓙ $\frac{9}{10}$

Evalúa cada expresión para $x = 5$. (Lección 2-1)

17. $x + 7$　**18.** $4x$　**19.** $3x + 6$　**20.** $x + 5$　**21.** $2x - 7$

22. Arthur tiene una probabilidad del 91% de encestar un tiro libre. Su hermano Lance tiene una probabilidad del 93% de encestar un tiro libre. ¿Quién tiene más probabilidades de encestar el tiro libre: Arthur o Lance? (Lección 12-1)

Simulaciones

Para usar con la Lección 12-2

go.hrw.com
Recursos en línea para el laboratorio
CLAVE: MR7 Lab12

Una **simulación** es un modelo de un experimento que sería difícil o inconveniente realizar. En este laboratorio realizarás simulaciones.

Actividad 1

Una compañía de cereales realiza un concurso. Para ganar un premio, hay que reunir seis tarjetas que juntas dicen *PREMIO.* En cada caja de cereal se pone una de las seis letras. Las letras se distribuyen de manera equitativa entre las cajas. ¿Cuántas cajas crees que deberás comprar para reunir las seis tarjetas?

1. Como hay seis tarjetas diferentes distribuidas de manera equitativa, puedes usar un dado para simular cómo se reúnen las letras. Los números del 1 al 6 representarán una letra. Cada lanzamiento del dado simulará la compra de una caja de cereal y el número que salga representará la letra dentro de la caja.

1	2	3	4	5	6
P	R	E	M	I	O
/	~~////~~ /	////	//	//	/

2. Lanza el dado y anota los números que salgan. Sigue lanzando el dado hasta que todos los números hayan salido por lo menos una vez.

Razonar y comentar

1. Observa los resultados de la tabla. ¿Qué número fue el último en salir? ¿Cómo lo sabes?
2. ¿En cuántos lanzamientos salieron los seis números en tu simulación?
3. ¿Cuántas cajas de cereal crees que deberías comprar para reunir las seis letras? Si compras esta cantidad de cajas, ¿tienes la seguridad de ganar? Explica.

Inténtalo

1. Repite la simulación tres veces. Anota tus resultados.
2. Combina tus datos con los datos de 5 de tus compañeros. Halla la media de los lanzamientos en los 6 conjuntos de datos.
3. ¿Cuántas cajas de cereal crees que deberías comprar para reunir las seis letras? ¿Es diferente esta cantidad de la que pensaste que saldría después de tu primera simulación? Explica.

Actividad 2

Amy juega básquetbol y por lo general encesta $\frac{1}{2}$ de los tiros que lanza. Supongamos que lanza 20 tiros en cada partido. Si juega diez partidos, ¿en cuántos tiros crees que hará por lo menos cuatro encestes seguidos?

1. Hay dos resultados posibles cada vez que Amy lanza la pelota: encesta o falla. Como Amy encesta $\frac{1}{2}$ de sus tiros, puedes lanzar una moneda para simular un tiro. Sea cara un enceste y cruz un tiro fallado.
2. Lanza la moneda 20 veces para simular un partido. Anota tus resultados.
3. Repite 2 nueve veces más para simular diez partidos.

Prueba	Resultados
1	CrCCrCCCrCrCCrCrCCrCCrCrCCCCrCr
2	CCCrCrCrCCrCCrCCCCCCrCrCCrCCr
3	CCrCrCrCCrCrCrCCrCCrCrCrCCrCrCCrCr
4	CCrCCrCCrCCrCCrCrCCrCCrCrCrCrCr
5	CrCCrCrCrCrCCCrCCrCCCrCCrCrCCrCr
6	CCrCrCCrCCCCCCrCCCCCCCCC
7	CrCrCCCrCrCCCCrCCrCCCrCrCCrCrCr
8	CCrCrCCrCrCCrCrCrCCCrCrCCrCrCCrCr
9	CCCCrCrCrCrCrCCCCCCrCCCrCCCr
10	CCrCrCCCrCrCCCCrCCCrCCrCCCC

Razonar y comentar

1. ¿Por qué lanzar la moneda 20 veces representa sólo una prueba?
2. ¿Alguna de tus sucesiones contiene cuatro o más caras seguidas? ¿Cuántas?
3. ¿En cuántos partidos crees que Amy hará por lo menos cuatro encestes seguidos? De *cada* 10 partidos, ¿hará Amy siempre por lo menos cuatro encestes seguidos esta cantidad de veces?
4. Puedes usar tu simulación para hallar la probabilidad experimental de que Amy haga por lo menos cuatro o más encestes seguidos. Divide la cantidad de pruebas en que la moneda cayó cara por lo menos cuatro veces seguidas entre la cantidad total de pruebas. ¿Cuál es la probabilidad experimental de que Amy haga por lo menos cuatro encestes seguidos?
5. Supongamos que Amy encesta sólo $\frac{1}{3}$ de sus tiros. ¿Todavía podrías usar una moneda para hacer una simulación? ¿Por qué sí o por qué no?

Inténtalo

1. En un grupo de diez familias que tienen cuatro hijos cada una, ¿cuántas familias crees que tienen dos niñas y dos niños? Haz una predicción y luego diseña y realiza una simulación para responder a la pregunta. (Supongamos que tener un niño y una niña son sucesos igualmente probables). ¿Fue aproximada tu predicción?
2. Usa los resultados del problema previo para dar la probabilidad experimental de que una familia con cuatro hijos tenga dos niñas y dos niños.
3. Piensa en un experimento y diseña tu propia simulación para representarlo.

12-3 Métodos de conteo y espacios muestrales

Aprender a usar métodos de conteo para hallar todos los resultados posibles

Vocabulario

espacio muestral

Los *espacios muestrales* se usan para hallar la probabilidad. El **espacio muestral** de un experimento es el conjunto de todos los resultados posibles. Puedes usar { } para mostrar espacios muestrales.

Cuando necesitas hallar muchos resultados posibles, puedes hacer un diagrama de árbol. Un diagrama de árbol es una forma de organizar la información.

EJEMPLO 1 APLICACIÓN A LA RESOLUCIÓN DE PROBLEMAS

En un circo, los payasos tienen dos opciones de trajes: con lunares o con rayas. Tienen tres opciones de pelucas: coletas, pelo multicolor o pelo azul. ¿Cuántos disfraces diferentes pueden usar?

1 Comprende el problema

Haz una lista con la **información importante:**

- Hay dos tipos de trajes de payaso.
- Hay tres tipos de pelucas.

2 Haz un plan

Puedes dibujar un diagrama de árbol para hallar todos los disfraces posibles.

3 Resuelve

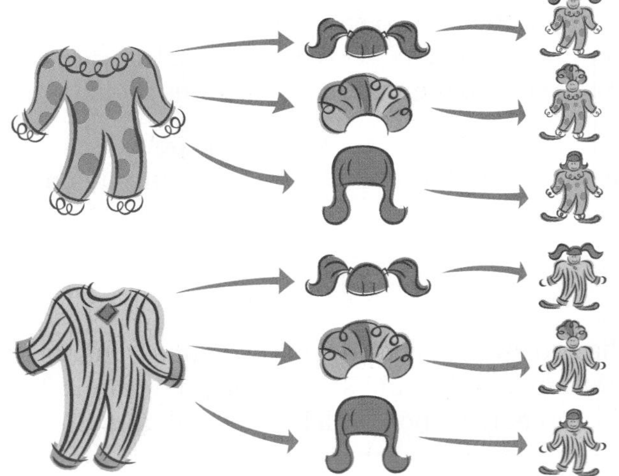

Combina el primer traje de payaso con cada peluca.

Combina el segundo traje de payaso con cada peluca.

Sigue cada rama del diagrama de árbol para hallar todos los resultados posibles: {lunares y coleta, lunares y pelo de multicolor, lunares y pelo azul, rayas y coleta, rayas y pelo de multicolor, rayas y pelo azul}.

4 Repasa

Hay 6 ramas al final del diagrama de árbol. Hay 6 posibles combinaciones de disfraces.

Otra manera de llevar la cuenta de los resultados posibles es hacer una lista organizada.

EJEMPLO 2 Hacer una lista organizada

Marissa quiere comprar un reproductor portátil de MP3. El reproductor viene en color negro, plateado y rojo. Marissa puede elegir entre un modelo que almacena 120 canciones y otro que almacena 240 canciones. ¿Cuáles son todos los reproductores de entre los que Marissa puede elegir?

negro, 120 canciones negro, 240 canciones	*Haz una lista de todos los reproductores que son negros.*
plateado, 120 canciones plateado, 240 canciones	*Haz una lista de todos los reproductores que son plateados.*
rojo, 120 canciones rojo, 240 canciones	*Haz una lista de todos los reproductores que son rojos.*

El principio fundamental de conteo es una manera de hallar la cantidad de resultados de un espacio muestral sin tener que hacer una lista. Para usar el principio fundamental de conteo, multiplica la cantidad de opciones de cada categoría.

En el ejemplo anterior, hay 3 colores y 2 modelos de reproductores de MP3. La cantidad total de reproductores de MP3 de entre los que se puede elegir es $3 \cdot 2 = 6$.

EJEMPLO 3 Usar el principio fundamental de conteo

Los estudiantes de la Intermedia Jefferson deben tomar una clase de arte y una clase de deportes. Las opciones de clases de arte son banda, orquesta, coro y dibujo. Las opciones de clases de deportes son: educación física, fútbol, básquetbol, voleibol, fútbol americano y tenis. ¿Cuántas combinaciones posibles hay?

Hay 4 opciones de clases de arte y 6 opciones de clases de deportes.

$4 \cdot 6 = 24$ *Multiplica la cantidad de opciones en cada categoría.*

Hay 24 combinaciones posibles.

Razonar y comentar

1. **Explica** las ventajas de una lista organizada frente a una lista hecha al azar.
2. **Describe** cómo puedes comprobar si tu lista es precisa.

12-3 Ejercicios

go.hrw.com
Ayuda en línea para tareas*
CLAVE: MR7 12-3
Recursos en línea para padres
CLAVE: MR7 Parent
*(Disponible sólo en inglés)

PRÁCTICA GUIADA

Ver Ejemplo 

1. Usa el menú de *Comidas ZCool.* Si Carl elige un plato principal y una guarnición, ¿cuáles son todos los resultados posibles?

Ver Ejemplo 

2. **Escuela** Patrice, Jason, Kenya, León y Brice se presentan a una prueba para la obra de teatro de la escuela. El director tiene dos papeles vacantes, un doctor o doctora y un maestro o maestra. ¿Cuáles son todas las maneras posibles de asignar los papeles?

Ver Ejemplo 

3. **Escuela** El maestro Li va a tomar un examen de recuperación de ciencias. Puede tomar el examen el lunes, el martes o el jueves antes de clase, en el almuerzo o después de clase. ¿En cuántos horarios diferentes puede tomar el examen el maestro Li?

PRÁCTICA INDEPENDIENTE

Ver Ejemplo 

4. **Tiempo libre** Usa el folleto del Club de Actividades al Aire Libre. El Club planea su festival anual de primavera. Los integrantes deben votar para elegir el día de la celebración y la actividad principal. ¿Cuáles son todos los resultados posibles?

Ver Ejemplo 

5. El edificio del apartamento de Greta está protegido por un sistema de seguridad que pide a los vecinos un código para dejarlos entrar. El código se forma con números del 1 al 3. Tiene tres dígitos y uno de ellos no se puede repetir. ¿Cuáles son todos los códigos posibles?

Ver Ejemplo 

6. **Deportes** En una escuela intermedia compran nuevas camisetas de básquetbol. Cada una tendrá una letra y un número. Las letras posibles son de la A a la Z y los números posibles son del 0 al 9. ¿Cuántas combinaciones posibles hay?

PRÁCTICA Y RESOLUCIÓN DE PROBLEMAS

Práctica adicional
Ver página 737

7. Keisha elegirá una blusa y una falda o unos pantalones de su clóset para vestirse e ir a la escuela. Halla la cantidad de combinaciones diferentes que puede hacer si tiene
   a. 3 blusas, 3 pantalones y 3 faldas.
   b. 7 blusas, 5 pantalones y 3 faldas.

8. Omar redecora su habitación. Puede elegir un color de pintura, una greca y una clase de brocha.

   a. ¿Cuántas combinaciones diferentes de pintura, greca y brocha son posibles?

   b. Si Omar encuentra otra brocha que pueda usar, ¿cuántas combinaciones diferentes serían posibles?

9. **Estudios sociales** Los chicos japoneses practican un juego llamado *Jan-Ken-Pon*, que quizá conozcas como piedra, papel o tijeras. Dos jugadores exclaman al mismo tiempo "*¡jan-ken-pon!*" y al decir "*pon*" ambos muestran una de las tres posiciones de la mano: puño (*gu*), palma abierta hacia abajo (*pa*) o dedos índice y mayor extendidos para formar una V *(choki)*. ¿Cuántos resultados diferentes son posibles en este juego?

10. **Elige una estrategia** En una reunión, cada persona saluda con un apretón de manos a las demás exactamente una vez. Hubo un total de 28 apretones de manos. ¿Cuántas personas había en la reunión?

11. **Escríbelo** Supongamos que vas a elegir a un chico y a una chica de tu clase para un proyecto en grupo. ¿Cómo hallarías la cantidad de combinaciones posibles? Explica.

12. **Desafío** Una marinera tiene cinco banderas: azul, verde, roja, anaranjada y amarilla. Supongamos que quiere ondear tres banderas sin importar el orden: roja, anaranjada y amarilla es igual a amarilla, anaranjada y roja. Haz una lista de todas las combinaciones de banderas posibles. ¿Cuántas combinaciones hay?

Preparación para el examen y repaso en espiral

13. **Opción múltiple** Una cafetería vende 3 tipos de cereal y 2 tipos de jugo para el desayuno. Bo puede elegir 1 tipo de cereal y 1 jugo. ¿Qué tan grande es el espacio muestral?

   (A) 2 (B) 3 (C) 6 (D) 18

14. **Respuesta gráfica** Bikes R Us vende bicicletas a pedido. Hay 5 colores distintos de armazones, 2 tipos de neumáticos y 4 tipos de asientos. ¿Cuántas combinaciones diferentes hay para 1 armazón, 1 tipo de neumático y 1 tipo de asiento?

Suma o resta. Escribe cada respuesta en su mínima expresión. (Lección 5-2)

15. $\frac{1}{3} + \frac{3}{4}$ 16. $\frac{3}{8} + \frac{2}{5}$ 17. $\frac{7}{8} - \frac{1}{4}$ 18. $\frac{5}{6} - \frac{1}{2}$

19. Usa los datos de la tabla para hacer un diagrama de tallo y hojas. (Lección 6-9)

Altura de girasoles (pulg)	18	22	15	17	18	21	16	20

12-4 Probabilidad teórica

Aprender a hallar la probabilidad teórica y el complemento de un suceso

Vocabulario

probabilidad teórica

igualmente probables

justo

complemento

Otra manera de describir la probabilidad de un suceso es por medio de la **probabilidad teórica.** Puedes usar la probabilidad teórica en una situación en la que todos los resultados tienen la misma probabilidad de ocurrir. En otras palabras, los resultados son **igualmente probables.**

Resultados igualmente probables

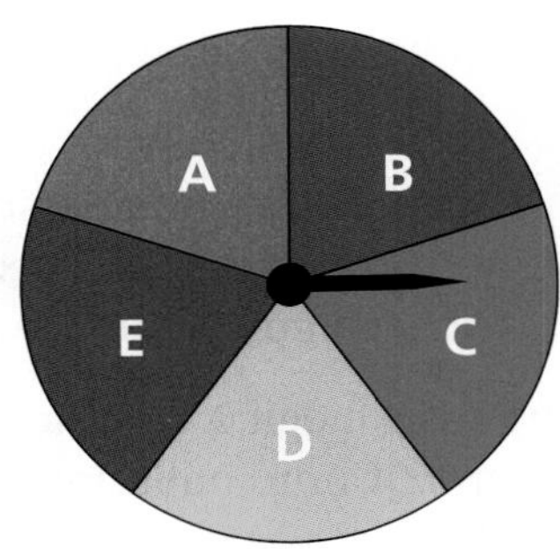

Hay igual probabilidad de que la rueda caiga en cualquiera de las letras.

Resultados que no son igualmente probables

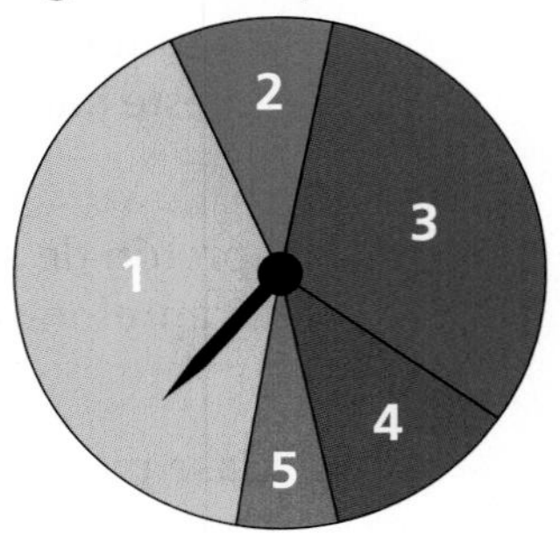

Hay mayor probabilidad de que la rueda caiga en el 1 que en cualquier otro número.

Un experimento con resultados igualmente probables es un experimento **justo.** En general, puedes suponer que los experimentos con objetos como monedas y dados son justos.

PROBABILIDAD TEÓRICA

$$\text{probabilidad} = \frac{\text{cantidad de maneras en que puede ocurrir un suceso}}{\text{cantidad total de resultados igualmente probables}}$$

EJEMPLO 1 **Hallar la probabilidad teórica**

¡Recuerda!

El espacio muestral es cara, cruz (C, Cr).

A ¿Cuál es la probabilidad de que una moneda caiga cara?

Hay dos resultados posibles al lanzar una moneda: cara o cruz. Los dos son igualmente probables porque la moneda es justa.

$$P(\text{cara}) = \frac{\blacksquare}{\text{2 resultados posibles}}$$

Sólo hay una manera de que la moneda caiga cara.

$$P(\text{cara}) = \frac{\text{1 manera en que puede ocurrir el suceso}}{\text{2 resultados posibles}}$$

$$P(\text{cara}) = \frac{\text{1 manera en que puede ocurrir el suceso}}{\text{2 resultados posibles}} = \frac{1}{2}$$

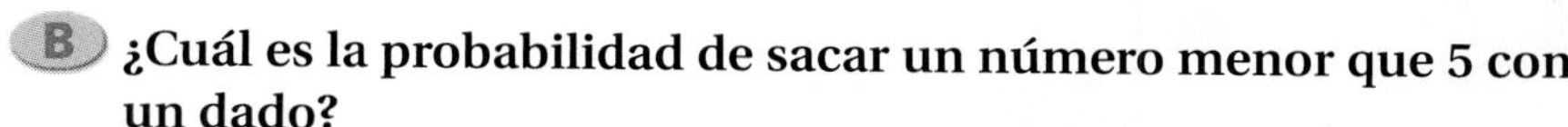

B **¿Cuál es la probabilidad de sacar un número menor que 5 con un dado?**

Hay seis resultados posibles al lanzar un dado: 1, 2, 3, 4, 5 ó 6.

$$P(\text{menor que 5}) = \frac{\blacksquare}{\text{6 resultados posibles}}$$

Hay cuatro maneras de sacar un número menor que 5: 1, 2, 3 ó 4.

$$P(\text{menor que 5}) = \frac{\text{4 maneras en que puede ocurrir el suceso}}{\text{6 resultados posibles}}$$

$$P(\text{menor que 5}) = \frac{\text{4 maneras en que puede ocurrir el suceso}}{\text{6 resultados posibles}} = \frac{4}{6} = \frac{2}{3}$$

Cuando lanzas una moneda, hay dos resultados posibles: cara o cruz. ¿Cuánto es $P(\text{cara}) + P(\text{cruz})$?

$$P(\text{cara}) + P(\text{cruz}) = \frac{1}{2} + \frac{1}{2} = \frac{2}{2} = 1$$

Las probabilidades de todos los resultados del espacio muestral suman 1 (ó 100% si las probabilidades se dan como porcentajes).

Cuando combinas todas las maneras en que un suceso puede NO ocurrir, tienes el **complemento** del suceso.

Suceso	Complemento del suceso
Se lanza una moneda que cae cara.	Se lanza una moneda que cae cruz.
Se lanza un dado y sale 5.	Se lanza un dado y sale 1, 2, 3, 4 ó 6.

EJEMPLO 2 Hallar el complemento de un suceso

Supongamos que hay una probabilidad del 10% de que hoy llueva. ¿Cuál es la probabilidad de que NO llueva?

Hay dos resultados posibles: que llueva o que no llueva.

$P(\text{lluvia}) + P(\text{no lluvia}) = 100\%$

$P(\text{no lluvia}) = 100\% - 10\%$ *Resta.*

$P(\text{no lluvia}) = 90\%$

Razonar y comentar

1. **Da un ejemplo** de un experimento justo. Da un ejemplo de un experimento no justo.
2. **Describe** el complemento de la siguiente situación. Hay una probabilidad del 60% de que nieve.

12-4 Ejercicios

go.hrw.com
Ayuda en línea para tareas*
CLAVE: MR7 12-4
Recursos en línea para padres
CLAVE: MR7 Parent
*(Disponible sólo en inglés)

PRÁCTICA GUIADA

Ver Ejemplo 

1. ¿Cuál es la probabilidad de que una moneda caiga cruz?
2. ¿Cuál es la probabilidad de elegir al azar una vocal entre las letras *A, B, C, D* y *E*?

Ver Ejemplo 

3. La probabilidad de que una rueda giratoria caiga en azul es del 26%. ¿Cuál es la probabilidad de que NO caiga en azul?
4. Supongamos que tienes un dado no justo y que la probabilidad de sacar un 2 es de 0.7. ¿Cuál es la probabilidad de que NO saques un 2?

PRÁCTICA INDEPENDIENTE

Ver Ejemplo 1

5. ¿Cuál es la probabilidad de sacar el 3 con un dado?
6. ¿Cuál es la probabilidad de sacar un número que sea múltiplo de 3 con un dado?
7. Halla la probabilidad de sacar una canica amarilla de una bolsa que contiene 3 canicas verdes, 2 rojas y 4 amarillas.

Ver Ejemplo 

8. **Meteorología** Supongamos que hay una probabilidad del 81% de que hoy nieve. ¿Cuál es la probabilidad de que NO nieve?
9. En un programa de concursos, la probabilidad de que la rueda giratoria caiga en el color ganador es de 0.04. Halla la probabilidad de que NO caiga en el color ganador.

PRÁCTICA Y RESOLUCIÓN DE PROBLEMAS

Práctica adicional
Ver página 738

Se lanza un dado. Halla cada probabilidad.

10. *P*(4)
11. *P*(no 3)
12. *P*(1, 2 ó 3)
13. *P*(número mayor que 0)
14. *P*(número impar)
15. *P*(número divisible entre 5)
16. *P*(número primo)
17. *P*(número negativo)
18. **Razonamiento crítico** Esta plantilla puede plegarse para hacer un cuerpo geométrico. Luego, este puede lanzarse como un dado. Da la probabilidad de sacar cada número con el cuerpo geométrico.

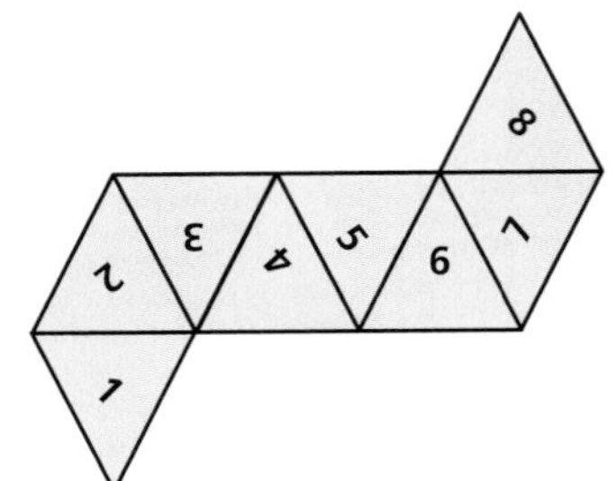

19. Un juego de mesa tiene un dado de 12 caras. Da la probabilidad de sacar un número que sea factor de 12.
20. **Estudios sociales** En una elección presidencial reciente, la probabilidad de que una persona en condiciones de votar lo hiciera era del 45%. ¿Era más probable que votara o que no votara?

CONEXIÓN
Juegos

El mah jong se inventó en China. No se conoce la historia exacta del juego, pero éste debe tener más de 2,000 años.

go.hrw.com
¡Web Extra!
CLAVE: MR7 Game

Para los Ejercicios del 21 al 26, *A* representa un suceso. Se da la probabilidad de que *A* ocurra. Halla la probabilidad de que *A* NO ocurra.

21. $P(A) = 47\%$ **22.** $P(A) = 0.9$ **23.** $P(A) = \frac{7}{12}$

24. $P(A) = \frac{5}{8}$ **25.** $P(A) = 0.23$ **26.** $P(A) = 100\%$

27. **Juegos** El mah jong es un juego tradicional chino que se practica con 144 fichas decoradas: 36 de bambú, 36 de círculo, 36 de caracteres, 16 de viento, 12 de dragón y 8 de premio. Las fichas tienen la misma forma y tamaño y no tienen nada impreso en el reverso. Supongamos que las fichas están boca abajo y eliges una. ¿Cuál es la probabilidad de que elijas una de viento? Escribe tu respuesta como fracción en su mínima expresión.

Se meten en una bolsa nueve trozos de papel que llevan impresos los números 1, 2, 2, 3, 4, 4, 5, 6 y 6. Un estudiante saca uno sin ver. Compara las probabilidades. Escribe $<$, $>$ ó $=$.

28. $P(1)$ ■ $P(5)$ **29.** $P(3)$ ■ $P(2)$ **30.** $P(4)$ ■ $P(6)$

31. $P(4)$ ■ $P(5) + P(6)$ **32.** $P(3) + P(5)$ ■ $P(6)$ **33.** $P(\text{menor que } 3)$ ■ $P(6)$

34. **¿Dónde está el error?** Si arrojas un cilindro, puede caer sobre su parte superior, sobre su base o sobre su costado. Un amigo tuyo dice que $P(\text{parte superior}) = \frac{1}{3}$. ¿Qué error cometió?

35. **Escríbelo** Lanza una moneda 20 veces y anota los resultados. De acuerdo con tu experimento, ¿cuál es la probabilidad de que la moneda caiga cruz? ¿Cuál es la probabilidad teórica de que caiga cruz? ¿En qué se diferencian las dos probabilidades? Repite el experimento, pero ahora lanza la moneda 50 veces. ¿En qué se diferencian las probabilidades?

36. **Desafío** Supongamos que realizas un experimento en el que lanzas una moneda y un dado. Halla la probabilidad teórica de que los resultados sean cara *y* 3.

PREPARACIÓN PARA EL EXAMEN y repaso en espiral

37. **Opción múltiple** Hay una probabilidad del 25% de que nieve el viernes. ¿Cuál es la probabilidad de que NO nieve el viernes?

Ⓐ 0% Ⓑ 25% Ⓒ 75% Ⓓ 100%

38. **Respuesta desarrollada** En un cajón hay 6 medias azules, 4 medias marrones y 10 medias blancas. Arnold elige una media sin mirar. ¿Cuál es la probabilidad de que elija cada color de media? Compara las probabilidades. Escribe $<$, $>$ ó $=$.

Halla cada cociente. (Lección 11-7)

39. $84 \div 4$ **40.** $-25 \div 5$ **41.** $-60 \div (-20)$ **42.** $-55 \div 5$

43. Paulina usará 15 pies de cinta para decorar canastos para sus amigas. Si cada canasto necesita 1.2 pies de cinta, ¿cuántos canastos puede decorar? (Lección 3-8)

SECCIÓN 12A

Prueba de las Lecciones 12-1 a 12-4

12-1 Introducción a la probabilidad

En los Problemas 1 y 2, escribe *imposible, improbable, tan probable como improbable, probable* o *seguro* para describir el suceso.

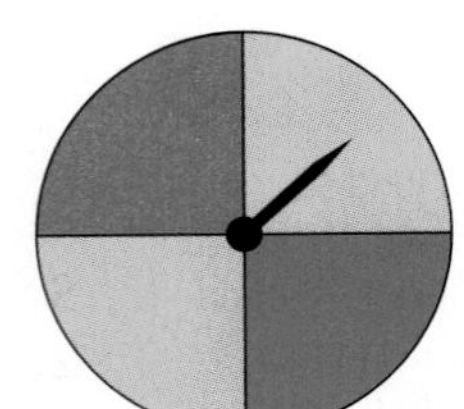

1. Esta rueda cae en azul.
2. Sacas un número par con un dado común.
3. La probabilidad de que Mitch gane entradas para un concierto es de 0.15. Escribe esta probabilidad como fracción y como porcentaje.
4. La probabilidad de lluvia es de 33% el martes, 45% el miércoles y 35% el jueves. ¿Qué día es más probable que llueva?

12-2 Probabilidad experimental

En cada experimento, identifica el resultado que se muestra.

5. 

6. 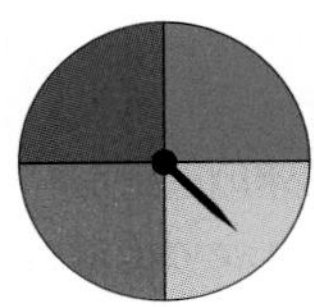

7. Jeremy anotó la cantidad de veces que una rueda giratoria cayó en cada número. De acuerdo con el experimento de Jeremy, ¿en qué número es más probable que caiga la rueda?

Resultado	1	2	3
Frecuencia	𝍸 II	𝍸 𝍸 II	𝍸 I

12-3 Métodos de conteo y espacios muestrales

8. En la casa de comidas de Mindy se sirven 3 clases de pasta con 2 clases de salsa. Las pastas son espaguetis, fetuccini y moñitos. Las salsas son de tomate y pesto. ¿Cuáles son los resultados posibles que incluyen 1 pasta y 1 clase de salsa?
9. Cynthia quiere elegir un conjunto de ropa para su primer día de clase. Las opciones son pantalones negros o azules y una camisa blanca, amarilla o rosada. ¿Entre cuántas combinaciones posibles puede elegir?

12-4 Probabilidad teórica

10. ¿Cuál es la probabilidad de que la rueda caiga en 2?
11. ¿Cuál es la probabilidad de sacar un número menor que 3 con un dado?
12. Kirk tiene una probabilidad del 33% de encestar en un juego de básquetbol. ¿Cuál es la probabilidad de que Kirk NO enceste?

Enfoque en resolución de problemas

Repasa

- **Estima para comprobar que tu respuesta sea razonable.**

Después de resolver un problema, tómate un minuto para a volver a leerlo y ver si tu respuesta tiene sentido. Asegúrate de que tu respuesta sea razonable, dada la situación que se plantea en el problema.

Una forma de hacerlo es estimar la respuesta antes de comenzar a resolver el problema. Luego, cuando tengas la respuesta final, compárala con tu estimación original. Si tu respuesta no se aproxima a tu estimación, comprueba tu trabajo otra vez.

Se da una respuesta a cada uno de los siguientes problemas, pero no es correcta. ¿Cómo sabes que la respuesta no es razonable? Haz tu propia estimación de la respuesta correcta.

1. Una agencia de alquiler de automóviles tiene 55 automóviles azules, 32 rojos y 70 blancos. Un cliente recibe un automóvil al azar. ¿Cuántos resultados de colores posibles hay?

   Respuesta: 2,100

2. En una caja de 120 canicas, la probabilidad de sacar una canica azul es de $\frac{3}{8}$ y la probabilidad de sacar una canica roja es de $\frac{5}{8}$. ¿Cuántas canicas de cada color hay en la caja?

   Respuesta: 100 canicas azules y 20 rojas

3. El gerente de una tienda decide encuestar a uno de cada diez compradores. ¿A cuántos encuestará entre 350 compradores?

   Respuesta: a 3 compradores

4. Sue empezó a coleccionar monedas antiguas de 10 centavos. Tiene 6 monedas de 1941, cinco de 1932 y una de 1930. Si elige una moneda de 10 centavos al azar, ¿cuál es la probabilidad de que sea anterior a 1932?

   Respuesta: 50%

12-5 Sucesos compuestos

Aprender a hacer una lista de todos los resultados posibles y a hallar la probabilidad teórica de un suceso compuesto

Vocabulario

suceso compuesto

Si una familia va a tener cuatro hijos, hay 16 posibilidades en el orden de su nacimiento según su sexo (varón, V, o mujer, M).

VVVV, VVVM, VVMV, VVMM, VMVV, VMVM, VMMV, VMMM, MVVV, MVVM, MVMV, MVMM, MMVV, MMVM, MMMV, MMMM

Un **suceso compuesto** consta de dos o más sucesos únicos. Por ejemplo, el nacimiento de un hijo es un suceso único. Los nacimientos de cuatro hijos forman un suceso compuesto.

EJEMPLO 1 Hallar la probabilidad de sucesos compuestos

Theresa lanza un dado y luego lanza una moneda.

A **Halla la probabilidad de que el dado caiga en número impar y de que la moneda caiga cruz.**

Primero se anotan todos los resultados posibles.

		Dado					
		1	2	3	4	5	6
Moneda	C	1, C	2, C	3, C	4, C	5, C	6, C
	Cr	1, Cr	2, Cr	3, Cr	4, Cr	5, Cr	6, Cr

Hay 12 resultados posibles y todos son igualmente probables.

Tres de los resultados tienen número impar y cruz:

1, Cr; 3, Cr y 5, Cr.

$$P(\text{impar, cruz}) = \frac{\text{3 maneras en que puede ocurrir el suceso}}{\text{12 resultados posibles}}$$

$$= \frac{3}{12}$$

$$= \frac{1}{4}$$ *Escribe tu respuesta en su mínima expresión.*

B **Halla la probabilidad de que el dado caiga en 2 y de que la moneda caiga cara.**

Sólo un resultado es 2: C.

$$P(2, \text{C}) = \frac{\text{1 manera en que puede ocurrir el suceso}}{\text{12 resultados posibles}}$$

$$= \frac{1}{12}$$

C Se realiza el siguiente experimento.

Paso 1: Lanzar una moneda. **Paso 2:** Hacer girar la rueda. **Paso 3:** Sacar una canica.

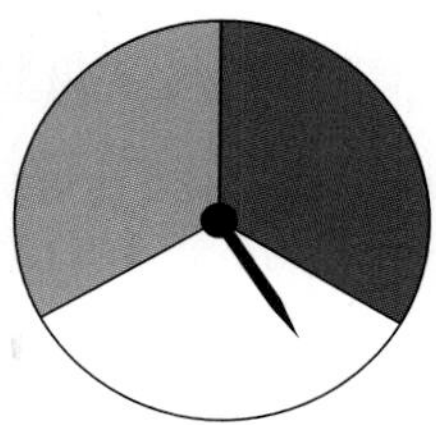

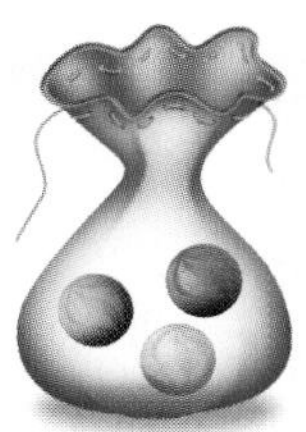

¿Cuál es la probabilidad de que la moneda caiga cara, la rueda caiga en anaranjado y se saque una canica roja?

Moneda **Rueda** **Canica** **Resultado**

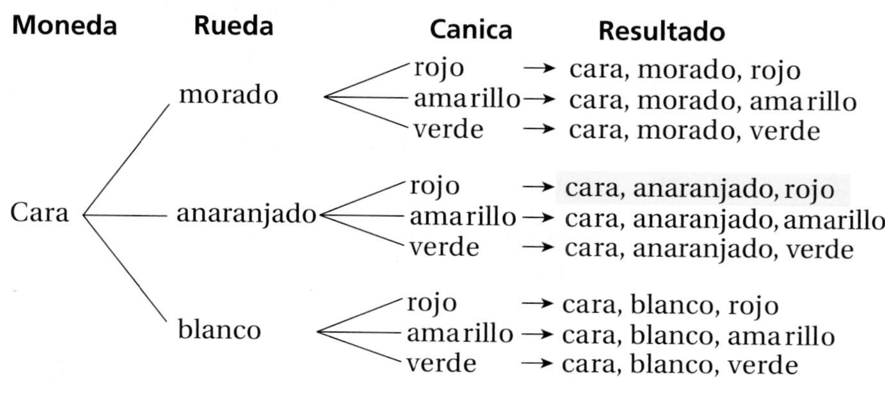

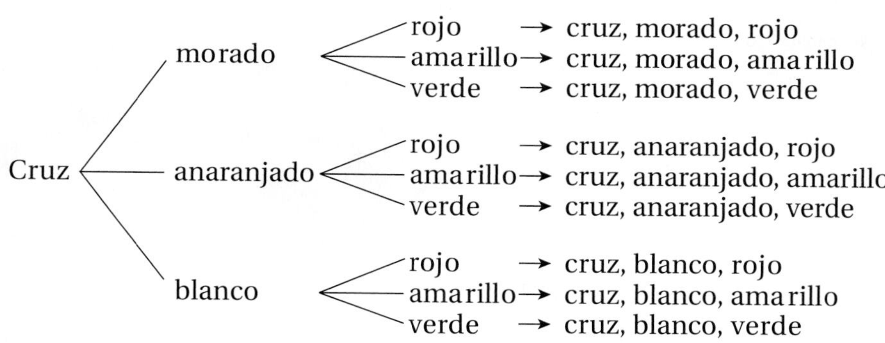

Hay 18 resultados igualmente probables.

$$P(\text{cara, anaranjado, rojo}) = \frac{\text{1 manera en que puede ocurrir el suceso}}{\text{18 resultados posibles}}$$

$$= \frac{1}{18}$$

¡Recuerda!

También podrías usar el principio fundamental de conteo para hallar el total de resultados posibles.

moneda • rueda • canica

2 • 3 • 3

= 18 resultados en total

Razonar y comentar

1. **Da un ejemplo** de un suceso compuesto.
2. **Explica** cualquier patrón que hayas observado mientras hallabas la cantidad de resultados posibles de un suceso compuesto.

12-5 Ejercicios

go.hrw.com
Ayuda en línea para tareas*
CLAVE: MR7 12-5
Recursos en línea para padres
CLAVE: MR7 Parent
*(Disponible sólo en inglés)

PRÁCTICA GUIADA

Ver Ejemplo 

1. Patrick lanzó dos veces un dado. Halla la probabilidad de que el dado caiga ambas veces en número par.
2. Un chico y una chica lanzan cada uno una moneda. ¿Cuál es la probabilidad de que la moneda del chico caiga cara y la moneda de la chica caiga cruz?

PRÁCTICA INDEPENDIENTE

Ver Ejemplo 

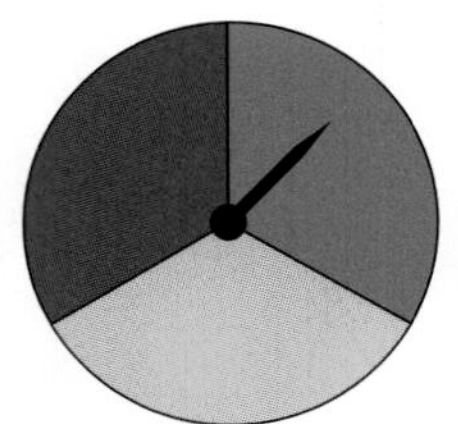

3. Si haces girar dos veces la rueda, ¿cuál es la probabilidad de que caiga en verde la primera vez y en morado la segunda vez?
4. ¿Cuál es la probabilidad de que la rueda caiga en verde o morado la primera vez y en amarillo la segunda vez?
5. ¿Cuál es la probabilidad de que la rueda caiga en el mismo color dos veces seguidas?

PRÁCTICA Y RESOLUCIÓN DE PROBLEMAS

Práctica adicional
Ver página 738

En un experimento se hace girar cada rueda una vez. Halla cada probabilidad.

6. *P*(2 en la rueda 1 y 5 en la rueda 2)
7. *P*(no cae 1 en la rueda 1 y no cae 7 en la rueda 2)
8. *P*(número par en ambas ruedas)
9. *P*(número impar en la rueda 1 y número par en la rueda 2)
10. *P*(número en la rueda 2 mayor que el número en la rueda 1)
11. *P*(mismo número en ambas ruedas)
12. *P*(múltiplo de 3 en ambas ruedas)
13. *P*(número diferente en cada rueda)
14. En un tarro hay fichas con los números 1, 2, 3, 4 y 5. Danny saca una ficha, la devuelve y saca una segunda ficha. ¿Cuál es la probabilidad de que Danny saque el mismo número ambas veces?

Se lanzan un dado y una moneda. Compara las probabilidades. Escribe <, > ó =.

15. P(3 y cruz) ▒ P(5 y cara)

16. P(número par y cruz) ▒ P(número impar y cara)

17. P(número menor que 3 y cruz) ▒ P(número impar y cruz)

18. P(número mayor que 5 y cara) ▒ P(número primo y cruz)

19. Ciencias biológicas Si una gata tiene 5 gatitos, ¿cuál es la probabilidad de que todos sean hembras? ¿Cuál es la probabilidad de que todos sean machos? (Supongamos que tener un macho y tener una hembra son sucesos igualmente probables).

20. Varios pasos Los estudiantes de la clase de Jared tienen números de identificación compuestos por dos dígitos del 1 al 6. El mismo dígito puede usarse dos veces. De hecho, el mismo dígito se usa dos veces en el número de identificación de Jared. Si Jared lanza dos dados, ¿cuál es la probabilidad de que NO saque su número de identificación?

21. ¿Dónde está el error? Uno de tus compañeros de clase dijo: "Si lanzas una moneda y un dado, la probabilidad de que caiga cara y 3 es de $\frac{1}{2} + \frac{1}{6} = \frac{2}{3}$". ¿Qué error cometió tu compañero? Explica cómo hallar la respuesta correcta.

22. Escríbelo Describe una situación en la que haya un suceso compuesto.

23. Desafío Lanzas un dado seis veces. ¿Cuál es la probabilidad de sacar los números del 1 al 6 en orden?

PREPARACIÓN PARA EL EXAMEN y repaso en espiral

24. Opción múltiple Se lanza un dado dos veces. ¿Cuál es la probabilidad de que el primer resultado sea par y el segundo sea impar?

Ⓐ $\frac{1}{6}$ Ⓑ $\frac{1}{4}$ Ⓒ $\frac{1}{2}$ Ⓓ $\frac{5}{6}$

25. Opción múltiple Se lanzan una vez un dado y una moneda. ¿Cuál es la probabilidad de que salga un 5 en el lanzamiento del dado y de que la moneda caiga cara?

Ⓕ $\frac{1}{2}$ Ⓖ $\frac{1}{4}$ Ⓗ $\frac{1}{6}$ Ⓙ $\frac{1}{12}$

Ordena cada conjunto de números de menor a mayor. (Lección 3-1)

26. 1.2, 0.445, 1.06, 0.9 **27.** 2.45, 2.678, 2.007, 2.02 **28.** 7.99, 7.999, 7.9, 7.09

29. Supongamos que la probabilidad de que Cy termine su tarea antes de salir de clase es del 15%. ¿Cuál es la probabilidad de que NO la termine? (Lección 12-3)

Explorar permutaciones y combinaciones

Para usar con la Lección 12-5

go.hrw.com
Recursos en línea para el laboratorio
CLAVE: MR7 Lab12

En un suceso compuesto, con frecuencia debes contar las maneras de disponer los resultados individuales. Para esto, debes saber si el orden de los resultados en esas disposiciones es importante. Con tres resultados *A*, *B* y *C*, ¿cuándo es *A*-*B*-*C* diferente de *C*-*B*-*A* y cuándo se consideran iguales?

Actividad 1

¿De cuántas maneras diferentes pueden sentarse en fila Ellen, Susan y Jeffrey?

1. Escribe cada nombre en 6 tarjetas. Tendrás en total 18 tarjetas. Muestra todas las maneras diferentes en que pueden disponerse en fila las tarjetas.

Disposición	1	2	3	4	5	6
Primer asiento	Ellen	Ellen	Susan	Susan	Jeffrey	Jeffrey
Segundo asiento	Susan	Jeffrey	Jeffrey	Ellen	Susan	Ellen
Tercer asiento	Jeffrey	Susan	Ellen	Jeffrey	Ellen	Susan

Hay 6 maneras diferentes en que estas tres personas pueden sentarse en fila.

Observa que el orden en las diferentes disposiciones es importante. "Ellen, Susan, Jeffrey" es diferente de "Ellen, Jeffrey, Susan". Una disposición en la que el orden es importante se llama **permutación.**

Razonar y comentar

1. Piensa en otra situación en la que el orden de una disposición es importante. ¿Se te ocurre una situación en la que el orden NO es importante? Explica.

Inténtalo

1. Cindy, Laurie, Marty y Joel son candidatos para presidente de su clase. El estudiante que obtenga el segundo lugar en la votación será vicepresidente. ¿Cuántos resultados diferentes puede tener la elección?

Actividad 2

1 Abe, Babe, Cora y Dora trabajan en un proyecto en grupos de 2. ¿De cuántas maneras diferentes pueden formar parejas?

Escribe cada nombre en 3 tarjetas. Tendrás en total 12 tarjetas. Muestra todas las parejas posibles.

Abe	Babe
Abe	Cora
Abe	Dora
Babe	Cora
Babe	Dora
Cora	Dora

Hay 6 parejas diferentes posibles.

Observa que en esta situación el orden de las parejas no es importante. "Abe, Cora" es igual que "Cora, Abe". Cuando el orden no es importante, los arreglos se llaman **combinaciones.**

Razonar y comentar

Indica si cada uno de los siguientes ejemplos es una permutación o una combinación. Explica.

1. Hay 20 caballos en una carrera. Se dan condecoraciones al primer, segundo y tercer puestos. ¿De cuántas maneras posibles pueden darse las condecoraciones?
2. 20 violinistas ensayan para la banda de la escuela; se elegirán 6. ¿De cuántas maneras pueden elegirse los estudiantes para la banda?
3. Connie tiene 10 broches diferentes. Usa 2 cada día. ¿De cuántas maneras puede elegir 2 broches cada mañana?
4. Yoko pertenece a un club de libros y acaba de recibir 25 libros nuevos. ¿De cuántas maneras posibles puede colocarlos en el estante?

Inténtalo

1. El club de videos auspicia una función doble. ¿De cuántas maneras pueden los integrantes del club elegir 2 películas de una lista de 6 posibilidades?
2. La maestra Baker debe escoger un equipo de 3 estudiantes para enviarlos a la competencia estatal de matemáticas. Ha decidido elegir a 3 estudiantes de los 5 que tienen las mejores calificaciones de su clase. La maestra puede enviar a 3 representantes iguales o enviar a un capitán, un asistente del capitán y un secretario. ¿Qué opción da como resultado la mayor cantidad de equipos? Explica. Halla la cantidad de equipos posibles en cada opción.

12-6 Cómo hacer predicciones

Aprender a usar probabilidades para predecir sucesos

Vocabulario

predicción

población

muestra

Una **predicción** es una conjetura sobre algo futuro. Una manera de hacer una predicción es reunir información realizando una encuesta. La **población** es todo el grupo al que se encuesta. Para ahorrar tiempo y dinero, a menudo los investigadores hacen predicciones basándose en una **muestra,** que es una parte del grupo encuestado. Otra manera de hacer predicciones es usar probabilidades.

The Old Farmer's Almanac predice el estado del tiempo, los horarios de salida y puesta del Sol y las mareas.

EJEMPLO 1 Usar encuestas muestrales para hacer predicciones

Sobre la base de una encuesta muestral, una línea aérea afirma que sus vuelos tienen el 92% de probabilidad de llegar a tiempo. De 1,000 vuelos, ¿cuántos predecirías que llegarán a tiempo?

Puedes escribir una proporción. Recuerda que *porcentaje* significa "por cada 100".

$\frac{92}{100} = \frac{x}{1,000}$ *Razona: ¿92 de 100 equivale a cuánto de 1,000?*

$100 \cdot x = 92 \cdot 1,000$ *Los productos cruzados son iguales.*

$100x = 92,000$ *Se multiplica x por 100.*

$\frac{100x}{100} = \frac{92,000}{100}$ *Divide ambos lados entre 100 para cancelar la multiplicación.*

$x = 920$

Puedes predecir que aproximadamente 920 vuelos de cada 1,000 llegarán a tiempo.

EJEMPLO 2 Usar la probabilidad teórica para hacer predicciones

Si lanzas un dado 24 veces, ¿cuántas veces esperas que salga un 5?

$P(\text{sacar un 5}) = \frac{1}{6}$

$\frac{1}{6} = \frac{x}{24}$ *Razona: ¿1 de 6 equivale a cuánto de 24?*

$6 \cdot x = 1 \cdot 24$ *Los productos cruzados son iguales.*

$6x = 24$ *Se multiplica x por 6.*

$\frac{6x}{6} = \frac{24}{6}$ *Divide ambos lados entre 6 para cancelar la multiplicación.*

$x = 4$

Puedes esperar que salga un 5 aproximadamente 4 veces.

EJEMPLO  **APLICACIÓN A LA RESOLUCIÓN DE PROBLEMAS**

Un estadio vende pases anuales para el estacionamiento. Si tienes un pase, puedes estacionar en el estadio al asistir a cualquier espectáculo de ese año.

Basándose en una encuesta muestral realizada a un grupo de aficionados, los gerentes del estadio estiman que la probabilidad de que una persona con pase asista a un espectáculo es del 80%. El estacionamiento tiene 300 espacios. Si los gerentes quieren que el lugar se llene en cada espectáculo, ¿cuántos pases deben vender?

1 Comprende el problema

La **respuesta** será la cantidad de pases de estacionamiento que deben vender. Haz una lista con la **información importante:**

- P(persona con pase que asiste a un espectáculo) = 80%
- Hay 300 espacios de estacionamiento.

2 Haz un plan

Los gerentes quieren llenar los 300 espacios pero, en promedio, sólo el 80% de quienes tienen pases asistirán. Por lo tanto, el 80% de los que tienen pases debe ser igual a 300. Puedes escribir una ecuación para hallar este número.

3 Resuelve

$\frac{80}{100} = \frac{300}{x}$ *Razona: ¿80 de 100 es igual a 300 de cuánto?*

$100 \cdot 300 = 80 \cdot x$ *Los productos cruzados son iguales.*

$30{,}000 = 80x$ *Se multiplica x por 80.*

$\frac{30{,}000}{80} = \frac{80x}{80}$ *Divide ambos lados entre 80 para cancelar la multiplicación.*

$375 = x$

Los gerentes deben vender 375 pases de estacionamiento.

4 Repasa

Si los gerentes venden sólo 300 pases, el estacionamiento no estará lleno porque aproximadamente sólo el 80% de las personas que tienen pases asistirán a un espectáculo. Los gerentes deben vender más de 300 pases; por lo tanto, 375 es una respuesta razonable.

Razonar y comentar

1. Indica si esperas obtener un resultado exacto si haces una predicción basada en una muestra. Explica tu respuesta.

12-6 Ejercicios

go.hrw.com
Ayuda en línea para tareas*
CLAVE: MR7 12-6
Recursos en línea para padres
CLAVE: MR7 Parent
*(Disponible sólo en inglés)

PRÁCTICA GUIADA

Ver Ejemplo 

1. Basándose en una encuesta muestral, un periódico local afirma que el 12% de los habitantes de la ciudad han trabajado como voluntarios en un refugio para animales. De 5,000 habitantes, ¿cuántos predecirías que se han ofrecido como voluntarios?

Ver Ejemplo 

2. Si lanzas un dado 30 veces, ¿cuántas veces esperarías que saliera un número que sea múltiplo de 3?

Ver Ejemplo 

3. **Tiempo libre** Las líneas aéreas venden regularmente una cantidad de boletos mayor que la cantidad de asientos que hay en los aviones. Supongamos que una línea aérea estima que el 93% de los clientes se presentarán para un vuelo determinado. Si el avión tiene 186 lugares, ¿cuántos boletos debe vender la línea aérea?

PRÁCTICA INDEPENDIENTE

Ver Ejemplo 

4. De acuerdo con una encuesta muestral, un periódico local afirma que el 64% de los hogares del pueblo recibe su publicación. De 15,000 hogares, ¿cuántos predecirías que reciben el periódico?

Ver Ejemplo 

5. Si lanzas una moneda 64 veces, ¿cuántas veces esperas que caiga cruz?
6. Una bolsa contiene 2 fichas negras, 5 rojas y 4 blancas. Sacas una ficha de la bolsa, anotas su color y la devuelves a la bolsa. Si repites este proceso 99 veces, ¿cuántas veces esperas sacar una ficha roja de la bolsa?

Ver Ejemplo 

7. **Ciencias biológicas** El director de un banco de sangre quiere aumentar su suministro del tipo O negativo porque éste se puede donar a personas de cualquier tipo de sangre. La probabilidad de que una persona tenga sangre O negativo es del 7%. El director quisiera tener 9 donantes de esa sangre por día. ¿Cuántos donantes necesita encontrar en total cada día para alcanzar su meta de donantes de sangre O negativo?

PRÁCTICA Y RESOLUCIÓN DE PROBLEMAS

Práctica adicional
Ver página 738

8. En una encuesta muestral de 50 personas en Harrisburg se indica que 10 de ellas conocen el nombre del alcalde de la ciudad vecina.
   a. De 5,500 habitantes de Harrisburg, ¿cuántos esperarías que conozcan el nombre del alcalde de la ciudad vecina?
   b. **Varios pasos** De 600 habitantes de Harrisburg, ¿cuántos predecirías que no conocen el nombre del alcalde de la ciudad vecina?
9. **Razonamiento crítico** A la salida de una tienda de helado de yogur, se encuesta a los clientes. Se les pregunta si prefieren helado de yogur o helado común. ¿Se puede hacer una predicción sobre la población de la ciudad basándose en esta encuesta? Explica.

con los estudios sociales

Los nativos canadienses vivían en Canadá antes de que llegaran los europeos. Los franceses fueron los primeros europeos que se establecieron en Canadá.

En la gráfica se muestran los resultados de una encuesta a 400 ciudadanos canadienses.

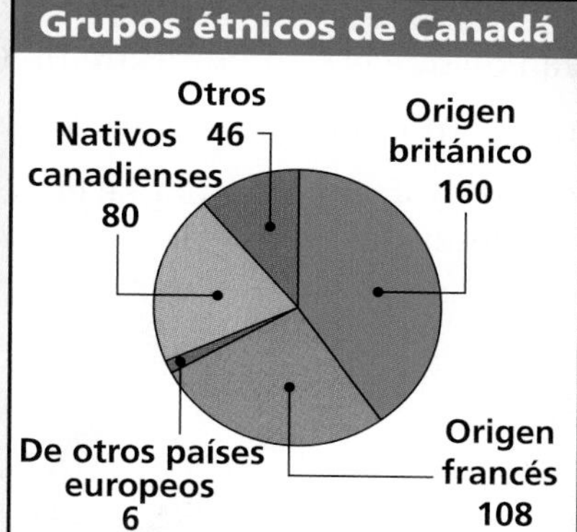

10. De 75 canadienses, ¿cuántos predecirías que son de origen francés?

11. Un grupo aleatorio de canadienses incluye 18 nativos canadienses. ¿Cuántos canadienses en total predecirías que hay en el grupo?

12. **¿Dónde está el error?** Un estudiante dijo que en cualquier grupo de canadienses, 20 serán nativos. ¿Qué error cometió?

13. **Escríbelo** ¿Cómo predecirías la cantidad de personas de origen francés *o* descendientes de nativos en un grupo de 150 canadienses?

14. **Desafío** En un grupo de canadienses, 15 están en la categoría de los que provienen de otros países europeos. Predice cuántos canadienses del mismo grupo NO están en esa categoría.

Preparación para el examen y repaso en espiral

15. **Opción múltiple** Jay participó de un juego y ganó 24 de 100 veces. ¿Cuál es la mejor estimación de la probabilidad experimental de que Jay gane la próxima vez?

Ⓐ 5% Ⓑ 25% Ⓒ 50% Ⓓ 75%

16. **Opción múltiple** Lanzas un dado 36 veces. ¿Cuántas veces esperas sacar un 4?

Ⓕ 36 Ⓖ 9 Ⓗ 6 Ⓘ $\frac{1}{6}$

Resuelve cada ecuación. Comprueba tus respuestas. (Lección 11-8)

17. $x + 10 = -2$ **18.** $x - 20 = -5$ **19.** $-9x = 45$ **20.** $x \div (-2) = -5$

Se lanza un dado. Halla cada probabilidad. (Lección 12-4)

21. $P(5)$ **22.** $P(\text{no } 2)$ **23.** $P(3) + P(4)$ **24.** $P(\text{número divisible entre } 3)$

SECCIÓN 12B

Prueba de las Lecciones 12-5 y 12-6

12-5 Sucesos compuestos

Billie lanza un dado y después una moneda.

1. Halla la probabilidad de que el dado muestre un número par y la moneda caiga cruz.
2. Halla la probabilidad de que el dado muestre un 6 y la moneda caiga cruz.
3. Compara P(4 y cara) y P(número impar y cara). Escribe $<$, $>$ ó $=$.

En un experimento se hace girar una rueda y se elige una canica de una bolsa. Usa los diagramas para los Problemas del 4 al 6.

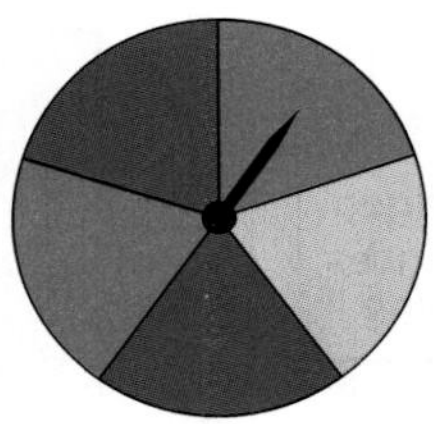

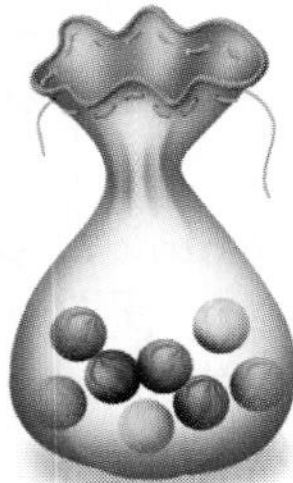

4. ¿Cuál es la probabilidad de que caiga rojo en la rueda y se elija de la bolsa una canica roja?
5. ¿Cuál es la probabilidad de que caiga amarillo en la rueda y se elija de la bolsa una canica que NO sea amarilla?
6. ¿Cuál es la probabilidad de que caiga un color que NO sea azul en la rueda y se elija de la bolsa una canica que NO sea azul ?

12-6 Cómo hacer predicciones

7. Sobre la base de una encuesta muestral, se afirma que el 26% de los habitantes tienen un perro como mascota. De 600 personas, ¿cuántas predecirías que tienen un perro?
8. Si lanzas un dado 54 veces, ¿cuántas veces esperarías sacar un número menor que 3?
9. Basándose en la asistencia anterior, los gerentes de una serie de conciertos de verano estiman que la probabilidad de que una persona asista a cualquiera de los conciertos es del 90%. Los asientos que rodean el escenario son 450. Si los gerentes quieren lograr un lleno completo en cada concierto, ¿cuántas entradas deben vender?
10. Basándose en una encuesta muestral, un periódico afirma que sólo el 45% de los habitantes duerme la cantidad de horas recomendada cada noche. Si en la ciudad hay 45,000 habitantes, ¿cuántas personas no duermen lo suficiente?

Preparación de varios pasos para el examen

CAPÍTULO 12

Girar para ganar La Intermedia Jasper organiza una feria de primavera para los estudiantes y sus familias. Cada invitado puede hacer girar la Rueda Gigante o el Círculo de la Suerte. Se obtiene un premio si en la Rueda Gigante sale una *A* o si en el Círculo de la Suerte sale un número par.

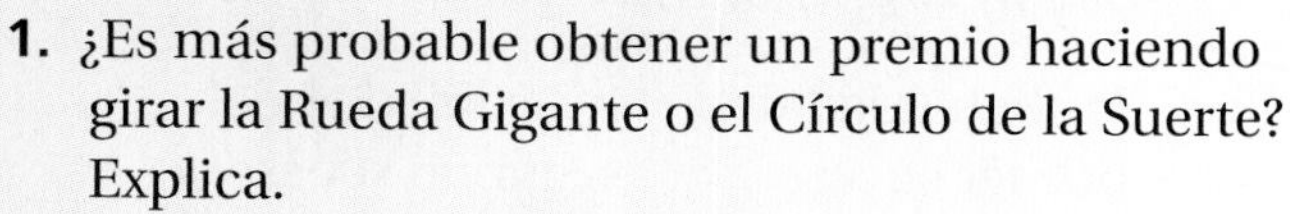

1. ¿Es más probable obtener un premio haciendo girar la Rueda Gigante o el Círculo de la Suerte? Explica.

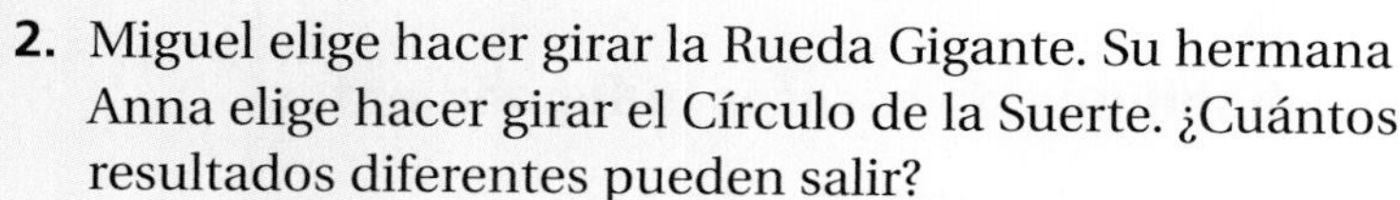

2. Miguel elige hacer girar la Rueda Gigante. Su hermana Anna elige hacer girar el Círculo de la Suerte. ¿Cuántos resultados diferentes pueden salir?
3. ¿Cuál es la probabilidad de que tanto Miguel como Anna obtengan un premio?
4. Halla la probabilidad de que dos invitados seguidos saquen un premio en la Rueda Gigante.
5. Durante la feria, 160 asistentes hicieron girar la Rueda Gigante y 125 hicieron girar el Círculo de la Suerte. ¿Cuál de las ruedas predices que tuvo más ganadores? Explica.

EXTENSIÓN

Sucesos dependientes e independientes

Aprender a hallar las probabilidades de sucesos dependientes e independientes

Vocabulario

sucesos independientes

sucesos dependientes

En los **sucesos independientes,** el hecho de que ocurra un suceso no tiene efecto alguno en la probabilidad de que ocurra el segundo suceso.

Para hallar la probabilidad de que ocurran dos sucesos independientes, multiplica las probabilidades de los dos sucesos, como se muestra a continuación:

Probabilidad de dos sucesos independientes

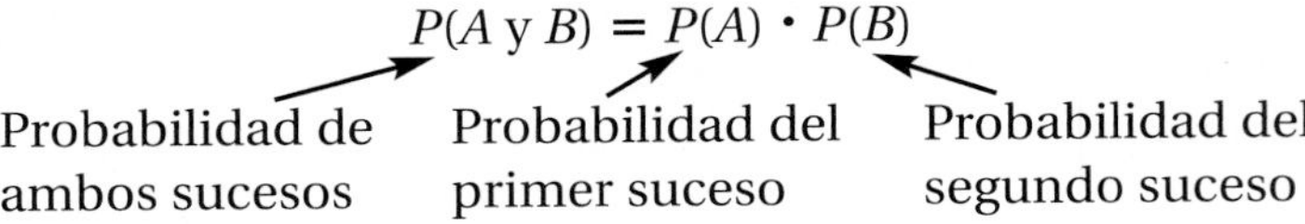

EJEMPLO 1 Hallar la probabilidad de sucesos independientes

Halla la probabilidad de sacar un 3 con un dado y de que la rueda giratoria que se muestra caiga en A.

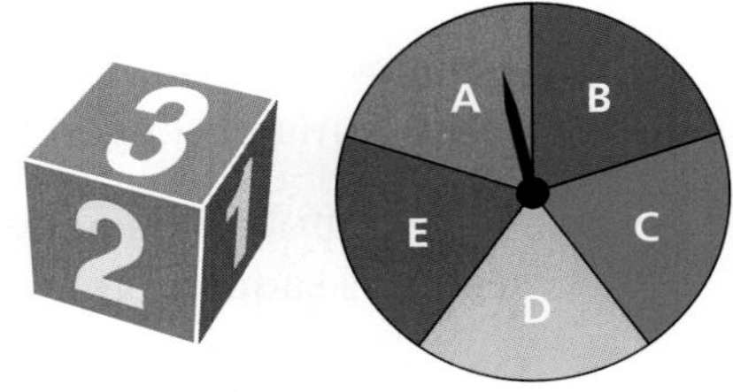

El resultado de lanzar el dado no afecta al resultado de hacer girar la rueda, de modo que los sucesos son independientes.

$P(3 \text{ y } A) = P(3) \cdot P(A)$ *Usa la fórmula.*

$= \frac{1}{6} \cdot \frac{1}{5}$ *La probabilidad de sacar un 3 es de $\frac{1}{6}$. La probabilidad de que la rueda caiga en A es de $\frac{1}{5}$.*

$= \frac{1}{30}$ *Multiplica.*

La probabilidad de sacar un 3 y de que la rueda caiga en A es de $\frac{1}{30}$.

Supongamos que tienes una bolsa con 3 canicas rojas y 2 azules. Sacas dos canicas, una después de la otra. La primera que sacas afecta a las canicas que quedan en la bolsa, de modo que las dos extracciones son *sucesos dependientes.* En los **sucesos dependientes,** el hecho de que ocurra un suceso tiene un efecto en la probabilidad de que ocurra el segundo suceso.

Para hallar la probabilidad de que ocurran dos sucesos dependientes, multiplica las probabilidades de los dos sucesos, como se muestra a continuación:

Probabilidad de dos sucesos dependientes

$$P(A \text{ y } B) = P(A) \cdot P(B \text{ después de } A)$$

Probabilidad de ambos sucesos — Probabilidad del primer suceso — Probabilidad del segundo suceso *después* de ocurrir el primer suceso

EJEMPLO 2 **Hallar la probabilidad de sucesos dependientes**

Una bolsa contiene 3 canicas rojas y 2 azules. Halla la probabilidad de sacar una canica roja y después una canica azul.

$$P(\text{roja y azul}) = P(\text{roja}) \cdot P(\text{azul después de roja})$$

$$P(\text{roja}) = \frac{3}{5}$$ *Hay 3 canicas rojas de 5 canicas.*

$$P(\text{azul después de roja}) = \frac{2}{4} = \frac{1}{2}$$ *Quedan 4 canicas y 2 de ellas son azules.*

$$P(\text{roja después de azul}) = P(\text{roja}) \cdot P(\text{azul después de roja})$$

$$= \frac{3}{5} \cdot \frac{1}{2} = \frac{3}{10}$$ *Multiplica.*

La probabilidad de sacar una canica roja y después una azul es de $\frac{3}{10}$.

EXTENSIÓN Ejercicios

Determina si los sucesos son independientes o dependientes.

1. Adrián elige una figurita de béisbol de una pila. Luego Jemma elige otra figurita entre las que quedan la pila.
2. Mike saca un 7 entre 10 tarjetas numeradas del 1 al 10. Vuelve a poner la tarjeta en su lugar. Luego Alison saca un 5.

Halla la probabilidad de cada suceso para las ruedas que se muestran.

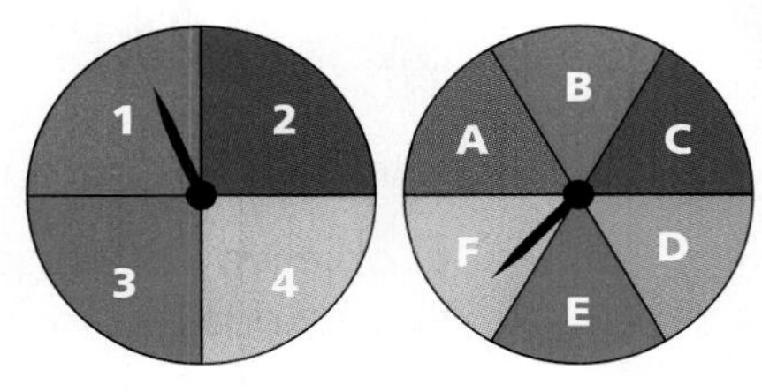

3. Las ruedas caen en 1 y en *F.*
4. Las ruedas caen en un número par y en *A*.
5. Las ruedas caen en un número impar y en *A*, *B*, *C* ó *D*.

Una bolsa contiene 4 canicas verdes y 6 amarillas. Sacas una canica y la dejas a un lado. Luego sacas una segunda canica. Halla la probabilidad de cada suceso.

6. Sacas una canica amarilla y después una verde.
7. Sacas dos canicas verdes.

8. **Escríbelo** Explica la diferencia entre sucesos dependientes y sucesos independientes.

9. **Desafío** Nicole tiene 10 monedas en su monedero: 3 de un centavo, 3 de cinco centavos, 2 de diez centavos y 2 de 25 centavos. Saca una moneda del monedero y después saca una segunda sin volver a poner la primera en el monedero. ¿Cuál es la probabilidad de que las dos monedas sumen exactamente 50 centavos?

¡Vamos a jugar!

Acertijos de probabilidad

¿Puedes resolver estos acertijos de probabilidad? Ten cuidado: ¡algunos son engañosos!

1. En Wade City, el número telefónico del 5% de los habitantes es privado. Si eliges al azar a 100 personas del directorio telefónico local, ¿cuántos predecirías que tienen números privados?
2. Amanda tiene en un cajón 24 calcetines negros y 18 calcetines blancos. Si mete la mano en el cajón sin mirar, ¿cuántos calcetines debe sacar para estar *segura* de que tiene dos del mismo color?
3. Dale, Melvin, Carter y Ken salieron a comer juntos. Cada uno pidió algo distinto. Cuando llegaron los platos, el mesero ya no recordaba quién había pedido cada cosa, así que puso los platos al azar frente a los cuatro amigos. ¿Cuál es la probabilidad de que el mesero haya servido a exactamente tres de los chicos lo que pidieron?

Vueltas y más vueltas

Este juego es para dos jugadores.

El objetivo del juego es determinar cuál de las tres ruedas giratorias es la ganadora (la que cae más veces en el número mayor).

Los jugadores eligen una rueda y la hacen girar al mismo tiempo. Anota qué rueda cae en el número mayor. Repite esto 19 veces y anota qué rueda gana cada vez. Repite el proceso hasta que hayas hecho jugar la rueda A contra la B, la rueda B contra la C y la rueda A contra la C. Haz girar 20 veces cada par de ruedas y anota los resultados.

¿Qué rueda gana más veces: A o B?
¿Qué rueda gana más veces: B o C?
¿Qué rueda gana más veces: A o C?
¿Hay algo sorprendente en tus resultados?

go.hrw.com
¡Vamos a jugar! Extra
CLAVE: MR7 Games

La copia completa de las reglas y las piezas del juego se encuentran disponibles en línea.

PROYECTO CD giratorio

Usa un CD para hacer una rueda giratoria. Luego, toma notas sobre probabilidades en una libreta que guardarás en la caja del CD.

Instrucciones

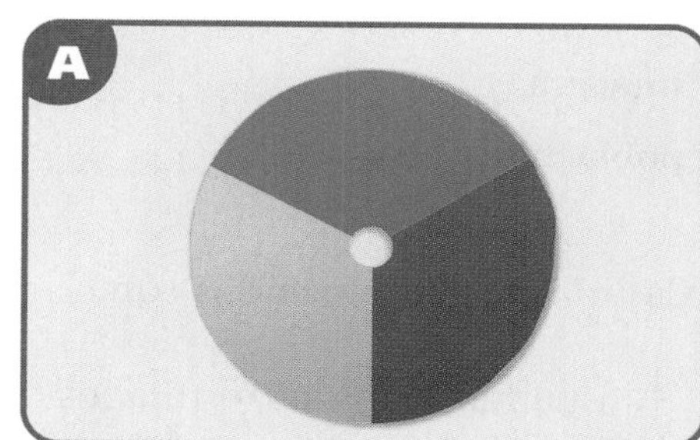

1. Traza un círculo alrededor del CD en el papel blanco. Divide el círculo en tercios, pinta cada tercio de un color diferente y recorta el círculo. Pégalo sobre el CD. **Figura A**

2. Quita con cuidado el soporte plástico del CD de la caja. Coloca el CD en el soporte e inserta por su centro un broche latonado. Dobla los extremos del broche para que quede en su lugar y vuelve a colocar el soporte en la caja del CD. **Figura B**

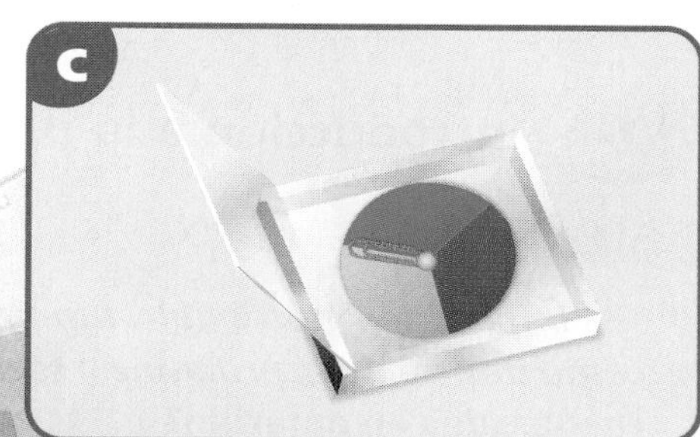

3. Coloca el extremo de un clip grande en el broche para hacer una rueda giratoria. **Figura C**

4. Corta varias hojas de papel blanco en trozos de $4\frac{3}{4}$ pulgadas por $4\frac{3}{4}$ pulgadas. Engrápalas para hacer una libreta que quepa en la cubierta de la caja del CD.

Tomar notas de matemáticas

Usa la libreta para escribir tus notas sobre probabilidad. No olvides incluir probabilidades relacionadas con la rueda giratoria que armaste.

CAPÍTULO 12

Guía de estudio: Repaso

Vocabulario

Completa los enunciados con las palabras del vocabulario.

1. Cuando todos los resultados tienen la misma probabilidad de ocurrir, los resultados son __?__.
2. Un(a) __?__ es una actividad en la que existe la probabilidad de tener diferentes resultados. Cada resultado es un(a) __?__.
3. La medida de qué tan probable es que ocurra un suceso es su __?__.
4. __?__ es la razón de la cantidad de maneras en que puede ocurrir un suceso a la cantidad total de resultados posibles.
5. El conjunto de todos los resultados posibles de un experimento es el/la __?__.

12-1 Introducción a la probabilidad (págs. 668-671)

EJEMPLO

- **¿Es *imposible, improbable, tan probable como improbable, probable* o *seguro* que la rueda caiga en amarillo?**

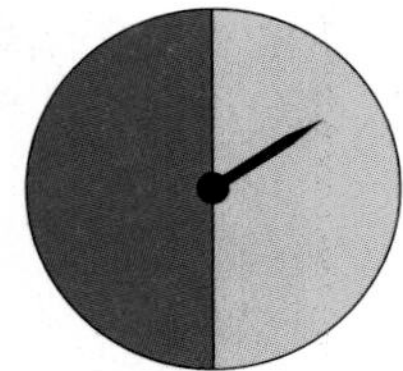

La mitad de la rueda es amarilla, por lo tanto, es tan probable como improbable que caiga en amarillo.

EJERCICIOS

6. ¿Es *imposible, improbable, tan probable como improbable, probable* o *seguro* que la próxima semana tenga 7 días?
7. Hay una probabilidad del 75% de que George gane una carrera. Escribe la probabilidad como decimal y como fracción.
8. Barry tiene una probabilidad del 30% de sacar un calcetín negro y del 50% de sacar un calcetín blanco de su cajón. ¿Qué color de calcetín es más probable que saque?

12-2 Probabilidad experimental (págs. 672-675)

EJEMPLO

- Margie anotó la cantidad de veces que una rueda cayó en cada color. De acuerdo con el experimento de Margie, ¿en qué color es más probable que caiga la rueda?

Resultados	Rojo	Azul	Verde
Frecuencia	~~||||~~ ~~||||~~ ||||	||||	~~||||~~ ||

$P(\text{rojo}) \approx \frac{14}{25}$ $P(\text{azul}) \approx \frac{4}{25}$ $P(\text{verde}) \approx \frac{7}{25}$

Es más probable que la rueda caiga en rojo.

EJERCICIOS

9. Un día, la supervisora de la cafetería anotó la cantidad de estudiantes que eligieron cada clase de bebida. Organizó sus resultados en una tabla. Halla la probabilidad experimental de que un estudiante elija jugo.

Bebida	Jugo	Leche	Agua
Frecuencia	20	37	18

12-3 Métodos de conteo y espacios muestrales (págs. 678-681)

EJEMPLO

- **Liz envuelve un regalo. Puede usar papel dorado o plateado y moño rojo o blanco. ¿Entre cuantas combinaciones distintas puede elegir?**

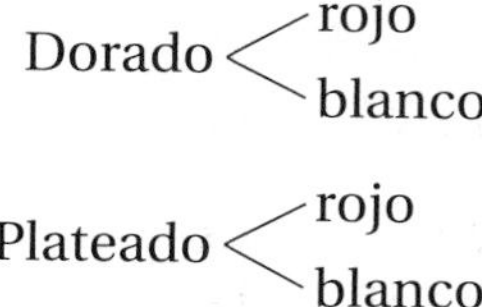

Sigue cada rama para hallar todos los resultados posibles.

Hay 4 combinaciones diferentes.

EJERCICIOS

10. En el restaurante local ofrecen un menú especial para el almuerzo, en el que puedes elegir un aperitivo, un sándwich y una bebida. ¿Cuántas combinaciones diferentes hay del menú especial si tienes las siguientes opciones?

aperitivos: sopa o ensalada

sándwiches: pavo, rosbif o jamón

bebidas: jugo, leche o té helado

12-4 Probabilidad teórica (págs. 682-685)

EJEMPLO

- **¿Cuál es la probabilidad de sacar un 4 con un dado?**

Hay seis resultados posibles cuando se lanza un dado: 1, 2, 3, 4, 5 ó 6. Todos son igualmente probables porque el dado es justo.

$$P = \frac{\text{maneras en que puede ocurrir un suceso}}{\text{total de resultados posibles}}$$

$$P(4) = \frac{\text{1 manera en que puede ocurrir el suceso}}{\text{6 resultados posibles}} = \frac{1}{6}$$

EJERCICIOS

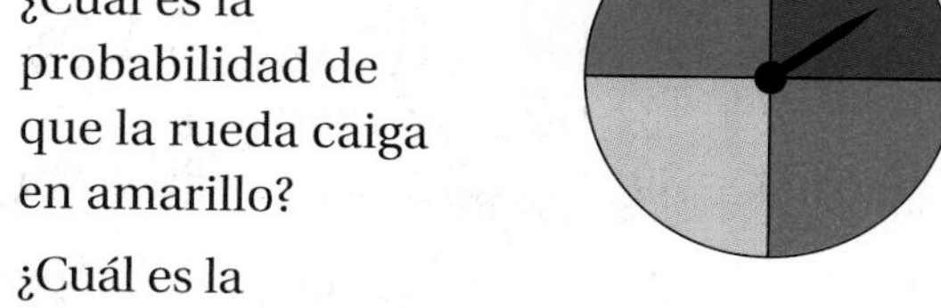

11. ¿Cuál es la probabilidad de que la rueda caiga en amarillo?

12. ¿Cuál es la probabilidad de sacar un número mayor que 3 con un dado?

13. Hay una probabilidad del 25% de sacar una canica morada de una bolsa. Halla la probabilidad de elegir una canica que NO sea morada.

12-5 Sucesos compuestos (págs. 688-691)

EJEMPLO

- **¿Cuál es la probabilidad de que la rueda caiga en rojo o azul y que la moneda caiga cara?**

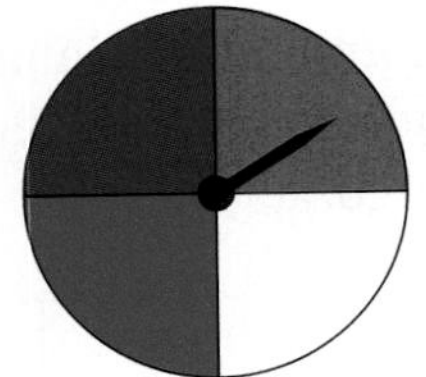

	Rojo	Azul	Verde	Blanco
Cara	rojo, C	azul, C	verde, C	blanco, C
Cruz	rojo, Cr	azul, Cr	verde, Cr	blanco, Cr

Hay 8 resultados posibles y todos son igualmente probables.

$$P(\text{rojo o azul, C}) = \frac{\text{2 maneras en que puede ocurrir el suceso}}{\text{8 resultados posibles}}$$

$$= \frac{2}{8} = \frac{1}{4}$$

EJERCICIOS

14. Halla la probabilidad de sacar una canica azul, de que la primera moneda caiga cara y de que la segunda caiga cruz.

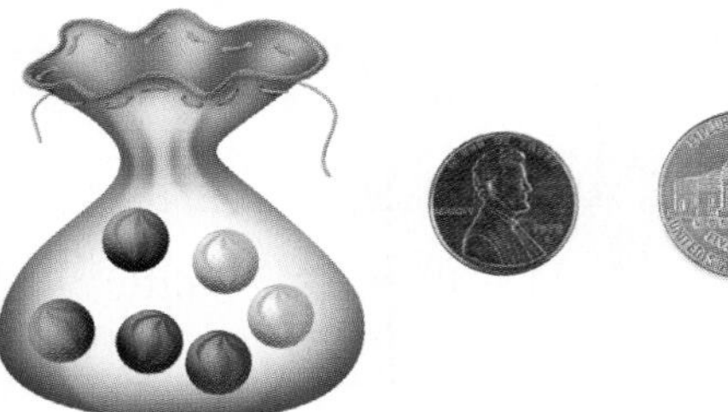

15. Jacob lanzó un dado, una moneda de un centavo y luego otra de 25 centavos. Halla la probabilidad de que el dado caiga en un número par y de que las dos monedas caigan cara.

12-6 Cómo hacer predicciones (págs. 694-697)

EJEMPLO

- **Si giras la rueda 30 veces, ¿cuántas veces esperas que caiga en rojo?**

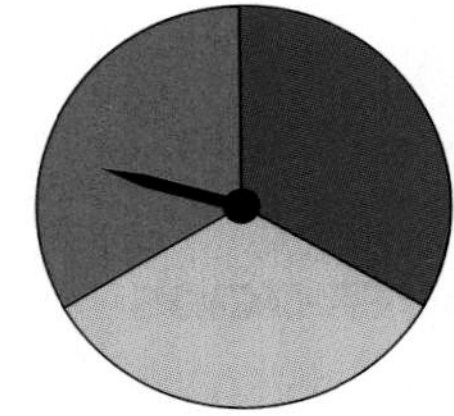

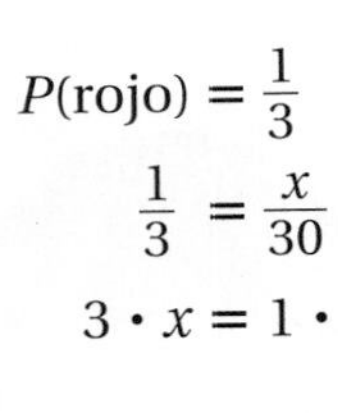

$P(\text{rojo}) = \frac{1}{3}$

$\frac{1}{3} = \frac{x}{30}$

$3 \cdot x = 1 \cdot 30$ *Los productos cruzados son iguales.*

$3x = 30$ *Se multiplica x por 3.*

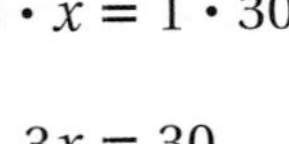

$\frac{3x}{3} = \frac{30}{3}$ *Divide ambos lados entre 3 para cancelar la multiplicación.*

$x = 10$

Puedes esperar que caiga en rojo aproximadamente 10 veces.

EJERCICIOS

16. Según una encuesta muestral, aproximadamente el 2% de los artículos que produce una compañía son defectuosos. De 5,000 artículos, ¿cuántos predices que serán defectuosos?
17. Si lanzas un dado 50 veces, ¿cuántas veces esperas que salga un número par?
18. En una encuesta muestral a 500 adolescentes se indicó que 175 usan su computadora habitualmente. De 4,500 adolescentes, predice cuántos usan su computadora habitualmente.
19. En una encuesta muestral a 100 estudiantes de sexto grado se indicó que 20 toman clases de música. De 500 estudiantes de sexto grado, predice cuántos toman clases de música.

EXAMEN DEL CAPÍTULO

CAPÍTULO 12

Para los Ejercicios 1 y 2, escribe *imposible, improbable, tan probable como improbable, probable* o *seguro* para describir cada suceso.

1. Lanzas un 3 con un dado común.
2. Sacas una canica azul de una bolsa que tiene 5 canicas blancas y 20 azules.
3. Hay una probabilidad del 12% de que llueva mañana. Escribe esta probabilidad como decimal y como fracción.
4. La probabilidad de que elijan a Mark para una beca es de 0.8. Escribe esta probabilidad como porcentaje y como fracción.
5. Iris preguntó a 60 estudiantes a qué hora se van a dormir. En la tabla se muestran los resultados. Halla la probabilidad experimental de que un estudiante elegido al azar se vaya a dormir a las 8:30 pm.

Hora (pm)	8:00	8:30	9:00	9:30
Frecuencia	12	24	18	6

6. Halla la probabilidad experimental de que un estudiante elegido al azar se vaya a dormir antes de las 8:30 pm.
7. Josh tiró dardos al blanco 10 veces. Supongamos que lanzó los dardos al azar y sin apuntar. De acuerdo con sus resultados, ¿cuál es la probabilidad de que un dardo dé en el círculo del centro?

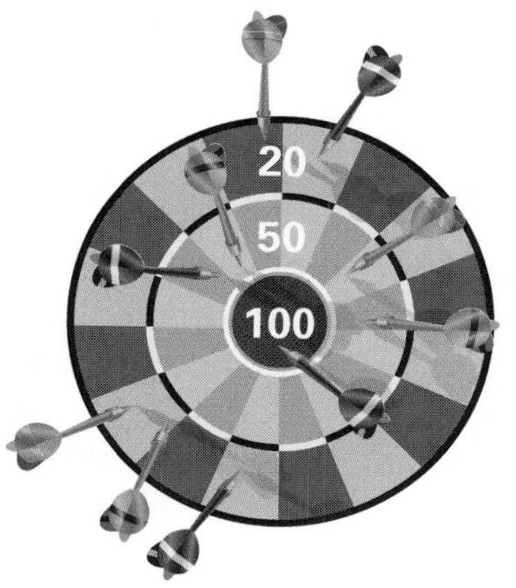

8. ¿Cuál es la probabilidad de sacar un número par mayor que 2 con un dado?
9. El partido de béisbol tiene una probabilidad del 64% de suspenderse por lluvia. ¿Cuál es la probabilidad de que NO se suspenda por lluvia?
10. Peter tiene cuatro fotos para enmarcar. ¿De cuántas maneras diferentes puede ordenarlas?

11. Marsha puede usar jeans o pantalones negros con una blusa roja, azul o blanca. ¿Entre cuántos conjuntos puede elegir?
12. Si lanzas un dado 36 veces, ¿cuántas veces esperas que salga un número par?
13. Halla la probabilidad de sacar una canica azul de las dos bolsas y de que la rueda caiga en azul.

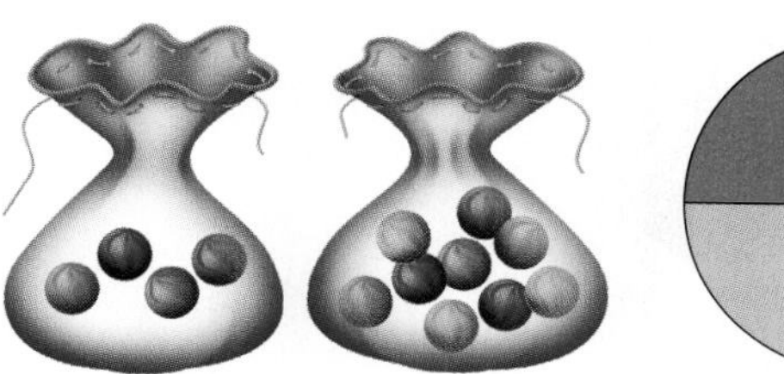

Examen del capítulo

CAPÍTULO 12

PREPARACIÓN PARA EL EXAMEN ESTANDARIZADO

go.hrw.com
Práctica en línea para el examen estatal
CLAVE: MR7 TestPrep

Evaluación acumulativa, Capítulos 1–12

Opción múltiple

1. Una ballena jorobada que nada en la superficie se sumerge 500 pies. Luego se sumerge otros 175 pies. ¿Qué expresión representa esta situación?

(A) $-175 + 500$
(B) $675 - 175$
(C) $-500 - 175$
(D) $500 + 175$

2. El informe meteorológico indica que hay un 60% de probabilidad de tormenta. ¿Cuál es esta probabilidad escrita como fracción en su mínima expresión?

(F) $\frac{3}{5}$
(G) $\frac{6}{10}$
(H) $\frac{30}{60}$
(J) $\frac{60}{100}$

3. Hay 18 maestros y 45 estudiantes inscritos para participar en una caminata de 5 km. ¿Qué razón compara exactamente la cantidad de estudiantes con la cantidad de maestros?

(A) 1:5
(B) 5:2
(C) 3:15
(D) 18:45

4. ¿Qué figura tridimensional es una pirámide cuadrangular?

(F) 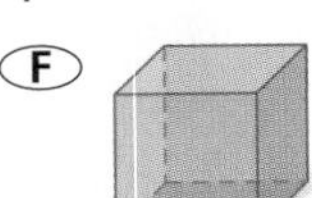

(G) 

(H) 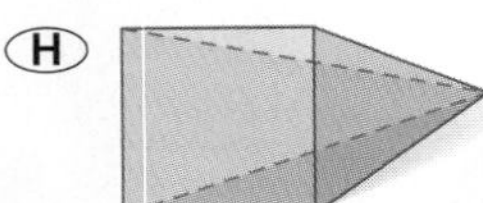

(J) 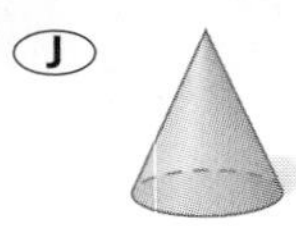

5. Jason reparte periódicos. Gana \$0.22 por cada uno que entrega. Quiere comprar una nueva impresora para su computadora que cuesta \$264. Si *p* es la cantidad de periódicos que entrega, ¿qué ecuación puede usarse para hallar la cantidad de periódicos que Jason debe entregar a fin de tener suficiente dinero para comprar la impresora?

(A) $p - 0.22 = 264$
(B) $0.22 + p = 264$
(C) $\frac{p}{0.22} = 264$
(D) $0.22p = 264$

6. Las dos figuras son semejantes. ¿Qué proporción puede usarse para hallar la longitud del lado que falta?

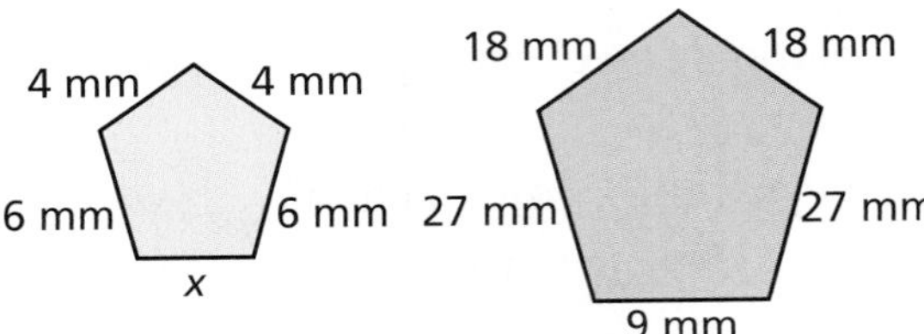

(F) $\frac{4}{x} = \frac{18}{27}$
(G) $\frac{6}{x} = \frac{27}{4}$
(H) $\frac{6}{x} = \frac{6}{18}$
(J) $\frac{4}{x} = \frac{18}{6}$

7. Víctor tiene 638 trenes a escala. Puede guardar 24 trenes en una caja. Si cada caja cuesta \$5.65, ¿cuánto dinero tiene que gastar Víctor para guardar todos sus trenes en cajas?

(A) \$135.60
(B) \$146.90
(C) \$152.55
(D) \$158.25

8. ¿Cuánto es el 70% de 30?

(F) 0.21
(G) 2.1
(H) 21
(J) 210

9. A continuación se muestran los pesos de cuatro cachorros. ¿Cuál es el más pesado?

Cachorro	Peso (lb)
Toby	$5\frac{1}{4}$
Rusty	$5\frac{2}{5}$
Alex	$5\frac{5}{8}$
Jax	$5\frac{2}{3}$

Ⓐ Toby
Ⓑ Rusty
Ⓒ Alex
Ⓓ Jax

10. Se lanza un dado. ¿Cuál es la probabilidad de que NO salga un 4?

Ⓕ $\frac{1}{6}$
Ⓖ $\frac{1}{3}$
Ⓗ $\frac{2}{3}$
Ⓙ $\frac{5}{6}$

Una probabilidad puede escribirse como decimal, fracción o porcentaje. Las probabilidades siempre están entre 0 y 1 (ó entre 0% y 100%). Cuanto mayor es la probabilidad, más probable es que ocurra el suceso.

Respuesta gráfica

11. La película *Lo que el viento se llevó* dura 3 horas y 42 minutos. ¿Cuántos minutos dura la película?

12. Con una plantilla, Nancy pinta estrellas de 5 pulgadas de ancho alrededor de su habitación rectangular. Su habitación mide $12\frac{3}{4}$ pies de ancho y $15\frac{1}{4}$ de largo. ¿Cuántas estrellas enteras podrá pintar Nancy?

13. La factorización prima de un número es $3^3 \times 5^2 \times 7$. ¿Cuál es el número?

14. Carl conduce a una velocidad promedio de 60 millas por hora. ¿Cuántas horas le llevará recorrer 240 millas?

Respuesta breve

15. John preguntó a un grupo de adolescentes cuántas horas de televisión veían por día durante el verano. Anotó sus resultados en una tabla.

Horas	2	3	4	5
Adolescentes	//	~~////~~ //	~~////~~ /	~~////~~

a. Basándote en esta encuesta, ¿cuál es la probabilidad de que un adolescente pase 4 horas al día viendo televisión este verano?

b. John piensa hacer la misma pregunta a 500 adolescentes. ¿Cuántos adolescentes puede predecir John que verán 2 horas diarias de televisión durante el verano? Explica.

16. Un restaurante ofrece una opción de rosbi, pollo o pescado; brócoli, zanahorias o maíz; y sopa o ensalada. Si puedes elegir un plato principal, un tipo de verdura y un platillo complementario, ¿cuáles son todos los resultados posibles?

Respuesta desarrollada

17. Hay 5 fichas azules, 7 fichas rojas y 8 fichas amarillas en un tarro.

a. Si sacas una ficha sin mirar, ¿cuál es la probabilidad de que saques una azul? Expresa esta probabilidad como porcentaje, como fracción y como decimal.

b. Si sacas una ficha sin mirar, ¿cuál es la probabilidad de que NO saques una ficha amarilla? Escribe tu respuesta en su mínima expresión.

c. Haces un experimento: sacas una ficha del tarro 50 veces. Anotas el color de la ficha por cada vez y la vuelves a poner en el tarro antes de sacar otra. ¿Cuántas veces piensas que sacarás una ficha azul? Explica.

Resolución de problemas en lugares

NUEVA JERSEY

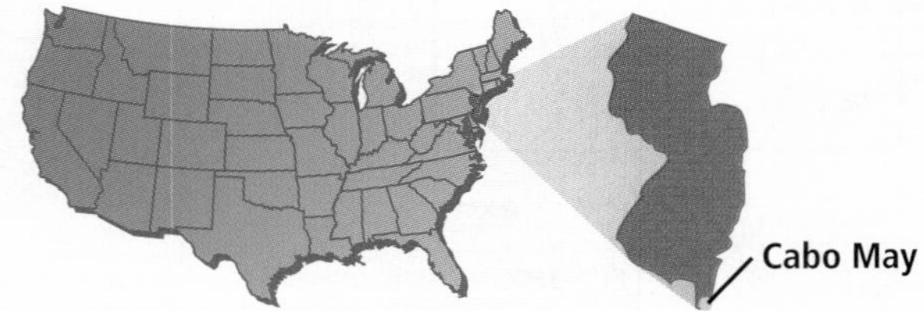

Buceo entre restos de naufragios

En el fondo del océano, a lo largo de la costa de Nueva Jersey, hay una gran cantidad de barcos hundidos. Según algunas estimaciones, podría haber hasta 7,000 barcos hundidos frente a la costa. Por esta razón, la zona es uno de los lugares favoritos de los submarinistas, que disfrutan explorando los misteriosos restos de barcos que han naufragado.

Elige una o más estrategias para resolver cada problema.

Usa la gráfica para los Problemas del 1 al 3.

1. Los restos del U-869 están a una profundidad 3 veces mayor que la del *Mohawk.* Cuando desciende hacia el U-869, una submarinista se detiene cada 20 pies para comprobar cómo está su equipo. ¿Cuántas veces comprobará cómo está su equipo antes de llegar al U-869?

2. Carlos se sumerge hacia el *Tolten.* Se sumerge $\frac{1}{5}$ de la distancia y se detiene para observar un banco de peces. Baja otros 30 pies y se detiene a descansar. ¿Cuántos pies más debe sumergirse hasta llegar al *Tolten?*

3. La profundidad del *Eagle* es $\frac{1}{2}$ de la del *Eureka.* El *Eureka* está 15 pies más cerca de la superficie que el *Resor.* ¿A qué profundidad está el *Eagle?*

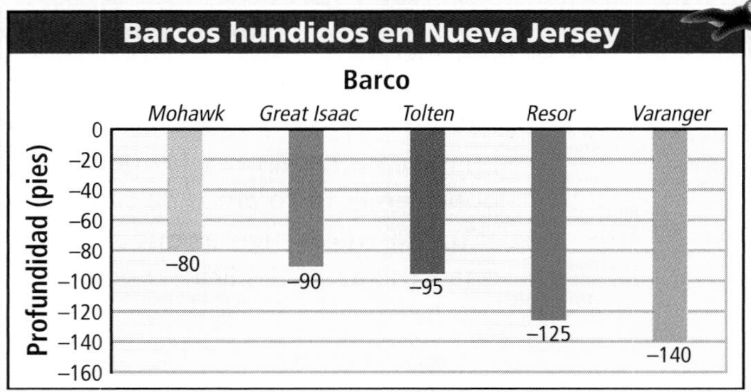

Estrategias de resolución de problemas

Dibujar un diagrama
Hacer un modelo
Calcular y poner a prueba
Trabajar en sentido inverso
Hallar un patrón
Hacer una tabla
Resolver un problema más sencillo
Usar el razonamiento lógico
Representar
Hacer una lista organizada

La aldea histórica Cold Spring

Visitar la aldea histórica Cold Spring, en Cabo May, Nueva Jersey, es como viajar en el tiempo. La aldea ofrece una detallada recreación de la vida en el siglo XIX. Además de sus 25 edificios históricos, la aldea presenta "habitantes" disfrazados, que hacen el papel de herreros, tejedores y otros aldeanos.

Elige una o más estrategias para resolver cada problema.

1. El centro de recepción de la aldea tiene un video de orientación que dura 7 minutos. El video se exhibe en forma continua, con intervalos de 30 segundos entre cada exhibición. ¿Cuántas veces se exhibe el video en un periodo de 8 horas?

2. Un fotógrafo va a tomar una fotografía para un folleto sobre la aldea. En la foto aparecerán un maestro, un granjero, un alfarero y un posadero. ¿De cuántas maneras diferentes pueden alinearse estos habitantes para la fotografía?

Usa la tabla para los Ejercicios 3 y 4.

3. Un grupo escolar organiza una visita a la aldea. Planean empezar en una de las casas particulares, luego visitar uno de los graneros y, por último, ver uno de los salones de reunión. ¿Cuántos recorridos posibles hay?

4. Una historiadora prepara una charla sobre cinco de las tiendas de la aldea. ¿De cuántas maneras diferentes puede ordenar un grupo de cinco tiendas para su charla?

Edificios de la aldea histórica Cold Spring

Tipo de edificio	Cantidad de edificios
Estación de tren	2
Granero	2
Tienda	6
Casa particular	5
Salón de reunión	2

Manual del estudiante

Práctica adicional Capítulo 1

LECCIÓN 1-1

1. El área de Canadá es 3,851,788 millas cuadradas. El área de Estados Unidos es 3,717,792 millas cuadradas. ¿Qué país tiene la mayor área?

2. En 2001 se estimó que 14,902,000 estudiantes asistieron a la secundaria y 14,889,000 asistieron a la universidad. ¿Hubo más estudiantes en la secundaria o en la universidad?

Escribe los números en orden de menor a mayor.

3. 783; 772; 1,702
4. 10,318; 1,308; 10,301
5. 34,903; 32,788; 32,679
6. 24,615; 24,829; 24,560
7. 1,345; 1,780; 1,356
8. 29,992; 22,929; 22,922

LECCIÓN 1-2

Estima cada suma o diferencia por redondeo al valor posicional indicado.

9. 7,685 + 8,230; millares
10. 23,218 + 37,518; decenas de millares
11. 52,087 − 35,210; decenas de millares
12. 292,801 − 156,127; centenas de millares
13. 14,325 + 25,629; centenas
14. 9,210 − 396; centenas

15. El señor Peterson necesita abono orgánico para su jardín. Su jardín rectangular mide 78 pulg de largo por 48 pulg de ancho. Una bolsa de abono cubre un área de 500 pulgadas cuadradas. ¿Cuántas bolsas debe comprar el señor Peterson?

16. La familia de Natalia visita un parque de diversiones. El parque está a 153 millas de su casa. Si la familia viaja a 55 mi/h, ¿aproximadamente en cuánto tiempo llegarán al parque?

LECCIÓN 1-3

Escribe cada expresión en forma exponencial.

17. $5 \times 5 \times 5 \times 5 \times 5 \times 5$
18. $3 \times 3 \times 3 \times 3$
19. $10 \times 10 \times 10 \times 10 \times 10$
20. $2 \times 2 \times 2 \times 2$
21. $7 \times 7 \times 7$
22. 9×9

Halla cada valor.

23. 5^2
24. 5^5
25. 6^3
26. 10^5
27. 9^1
28. 3^6
29. 4^3
30. 2^5

31. Patricia envió a 4 amigos un chiste por correo electrónico. Cada uno de sus amigos envió el chiste a otros 4 amigos. Si este patrón continúa, ¿cuántas personas recibirán el chiste en la quinta ronda de correos electrónicos?

Práctica adicional ■ Capítulo 1

LECCIÓN 1-4

Evalúa cada expresión.

32. $15 + 7 \times 3$ **33.** $3 \times 3^2 + 13 - 5$ **34.** $10 \div (3 + 2) \times 2^3 - 8$

35. $4^2 - 12 \div 3 + (7 - 5)$ **36.** $10 \times (25 - 11) \div 7 + 6$ **37.** $(3 + 6) \times 18 \div 2 + 7$

38. Los estudiantes de la banda de sexto grado venden cajones de frutas para reunir fondos. Emily vendió 18 cajones de naranjas a $12 cada uno, 11 cajones de manzanas a $10 cada uno, y 5 cajones de toronjas a $14 cada uno. Evalúa $18 \times 12 + 11 \times 10 + 5 \times 14$ para hallar cuánto dinero reunió en total.

LECCIÓN 1-5

Evalúa.

39. $15 + 7 + 23 + 5$ **40.** $4 \times 13 \times 5$ **41.** $34 + 16 + 22 + 18$

Usa la propiedad distributiva para hallar cada producto.

42. 5×54 **43.** 3×32 **44.** 7×26 **45.** 9×73

LECCIÓN 1-6

Para los Ejercicios del 46 al 48 elige un método de resolución y resuelve. Explica tu elección.

46. En la tabla se muestra el número de días que llovió cada mes. ¿En total cuántos días llovió en el año?

47. La temperatura más baja en una ciudad fue de 11° F. El mismo año, la temperatura máxima fue de 89° F. ¿Cuál es la diferencia entre las temperaturas máxima y mínima?

48. Heather es integrante de una compañía de danza. Practica 14 horas por semana. ¿Cuántas horas practica al año? (*Pista:* Hay 52 semanas en un año.)

Mes	Días de lluvia	Mes	Días de lluvia
Enero	6	Julio	15
Febrero	5	Agosto	9
Marzo	7	Septiembre	17
Abril	14	Octubre	14
Mayo	12	Noviembre	8
Junio	10	Diciembre	5

LECCIÓN 1-7

Identifica un patrón en cada sucesión aritmética. Indica los términos que faltan.

49. 8, 16, 24, ▒, ▒, ▒ **50.** 6, 11, 16, ▒, ▒, ▒ **51.** 100, 85, 70, ▒, ▒, ▒

52.

Posición	1	2	3	4	5	6	7	8
Valor del término	1	12	23	34	45	▒	▒	▒

Identifica un patrón en cada sucesión. Escribe los términos que faltan.

53. 496, 248, 260, ▒, 142, 71, ▒ **54.** 1, 8, 4, 32, 16, ▒, 64, 512, ▒

Práctica adicional ■ Capítulo 2

LECCIÓN 2-1

Evalúa la expresión para hallar los valores que faltan en cada tabla.

1.

y	$23 + y$
17	40
27	■
37	■

2.

w	$w \times 3 + 10$
4	22
5	■
6	■

3.

x	$x \div 8$
40	5
48	■
56	■

LECCIÓN 2-2

4. La Tierra tiene un diámetro de 7,926 millas. Sea d el diámetro de la Luna, que es menor que el diámetro de la Tierra. Escribe una expresión para mostrar por cuánto sobrepasa el diámetro de la Tierra al de la Luna.

Escribe cada frase como expresión numérica o algebraica.

5. la suma de 322 y 18

6. el producto de 7 y 12

7. el cociente de n y 8

8. 14 más que x

Escribe dos frases con palabras para cada expresión.

9. (23)(6)

10. $52 - p$

11. $y \div 4$

12. $8 + 4$

13. $13 \cdot m$

LECCIÓN 2-3

Escribe una expresión para el valor que falta en cada tabla.

14.

Edad de Albert	Edad de Ashley
10	1
14	5
18	9
n	■

15.

Cantidad de cascos	Cantidad de caballos
16	4
12	3
8	2
n	■

16. La base de un paralelogramo mide 4 pulgadas. En el cuadro se muestra el área del paralelogramo para distintas alturas. Escribe una expresión que pueda usarse para hallar el área del paralelogramo cuando su altura mide h pulgadas.

Base (pulg)	Altura (pulg)	Área (pulg^2)
4	4	16
4	5	20
4	6	24
4	h	■

Práctica adicional ■ Capítulo 2

LECCIÓN 2-4

Determina si el valor que se da para cada variable es una solución.

17. $a + 15 = 34$, cuando $a = 17$

18. $t - 9 = 14$, cuando $t = 23$

19. Rachel dice que mide 5 pies de estatura. Una amiga suya la midió en 60 pulgadas. Determina si las dos medidas son equivalentes.

LECCIÓN 2-5

Resuelve cada ecuación. Comprueba tus respuestas.

20. $r + 13 = 36$

21. $52 = 24 + n$

22. $6 + s = 10$

23. Los pueblos A, B y C están en el Camino Principal, como se muestra en el mapa. El pueblo A está a 34 millas del pueblo C. El pueblo B está a 12 millas del pueblo C. Halla la distancia d entre el pueblo A y el pueblo B.

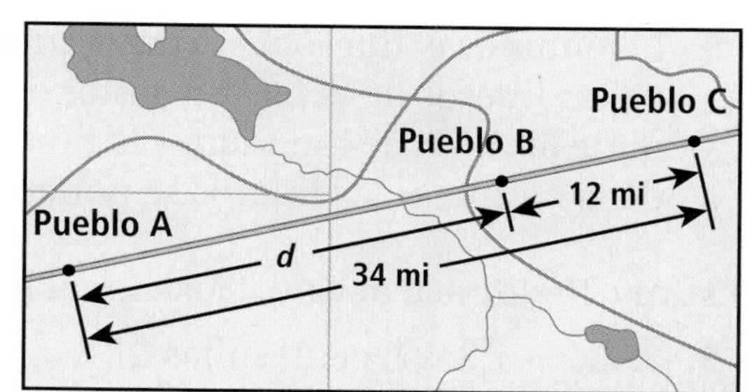

LECCIÓN 2-6

Resuelve cada ecuación. Comprueba tus respuestas.

24. $z - 9 = 5$

25. $v - 17 = 14$

26. $24 = w - 6$

27. Reggie retiró $175 de su cuenta del banco para ir de compras. Después del retiro, quedaron $234 en la cuenta. ¿Cuánto dinero tenía Reggie en su cuenta antes del retiro?

LECCIÓN 2-7

Resuelve cada ecuación. Comprueba tus respuestas.

28. $4y = 20$

29. $21 = 3t$

30. $72 = 9g$

31. El área de un rectángulo mide 54 pulg^2. Su ancho mide 6 pulg. ¿Cuánto mide su longitud?

32. Una ardilla puede correr 36 millas en 3 horas. Resuelve la ecuación $3m = 36$ para hallar la cantidad de millas que recorre una ardilla en 1 hora.

LECCIÓN 2-8

Resuelve cada ecuación. Comprueba tus respuestas.

33. $\frac{n}{4} = 6$

34. $7 = \frac{t}{5}$

35. $\frac{a}{8} = 12$

36. Para hacer ejercicio, Sydney corre y anda en bicicleta. Todos los días corre un tercio del tiempo que anda en bicicleta. Ayer corrió 15 minutos. ¿Cuántos minutos anduvo en bicicleta?

Práctica adicional ■ Capítulo 3

LECCIÓN 3-1

Escribe cada decimal en forma estándar, desarrollada y con palabras.

1. 1.32
2. 0.6 + 0.003 + 0.0008
3. cinco y tres milésimas
4. Joshua corrió 1.45 millas y Jasmine corrió 1.5 millas. ¿Quién corrió más?

Ordena los decimales de menor a mayor.

5. 3.89, 3.08, 3.8
6. 20.65, 20.09, 20.7
7. 0.053, 0.43, 0.340

LECCIÓN 3-2

8. El fémur es el hueso de la parte superior de la pierna, y la tibia es uno de los huesos de la parte inferior de la pierna. En promedio, el fémur mide 50.5 cm de longitud, y la tibia 43.03 cm. Estima la longitud total de la pierna, si los huesos se ponen extremo con extremo.

Estima. Redondea al valor posicional indicado.

9. 5.856 − 1.3497; centésimas
10. 4.7609 + 7.2471; décimas

Estima cada producto o cociente.

11. 20.84 ÷ 3.201
12. 31.02 × 4.91
13. 39.76 ÷ 7.94

Estima un rango para la suma.

14. 8.38 + 24.92 + 4.8
15. 38.27 + 2.99 + 15.32

LECCIÓN 3-3

Halla cada suma o diferencia.

16. 1.65 + 4.53 + 3.2
17. 2.2 + 6.8
18. 7 − 0.6

Evalúa 6.35 − s para cada valor de s.

19. $s = 3.2$
20. $s = 2.108$
21. $s = 5.0421$
22. Brianna salió a comprar ropa para ir a la escuela. Quiere comprar lo siguiente: una camisa de $19.50, zapatos de $35, una falda de $12.39, medias de $6.99 y un par de jeans de $19.95. Sin contar impuestos, ¿cuánto dinero necesita Brianna para sus compras?

LECCIÓN 3-4

Escribe cada número en notación científica.

23. 60,000
24. 423,800
25. 8,500,000

Escribe cada número en forma estándar.

26. 5.632×10^5
27. 2.1×10^8
28. 1.425×10^4

LECCIÓN 3-5

Halla cada producto.

29. 0.5×0.7 **30.** 0.3×0.06 **31.** 6.12×5.9

Evalúa $4x$ para cada valor de x.

32. $x = 2.071$ **33.** $x = 5.42$ **34.** $x = 7.85$

35. Cada llanta para automóvil cuesta $69.99. ¿Cuánto cuestan 4 llantas?

LECCIÓN 3-6

Halla cada cociente.

36. $0.84 \div 6$ **37.** $11.07 \div 9$ **38.** $27.6 \div 12$

Evalúa la expresión $0.564 \div x$ con cada valor que se da para x.

39. $x = 4$ **40.** $x = 12$ **41.** $x = 2$

42. Marci pagó $8.97 por 3 libras de cerezas. ¿Cuánto costó cada libra?

LECCIÓN 3-7

Halla cada cociente.

43. $4.5 \div 0.9$ **44.** $59.7 \div 0.4$ **45.** $8.32 \div 8$

46. Lisa pagó $13.41 por 4.5 libras de pollo molido. ¿Cuánto costó cada libra?

LECCIÓN 3-8

47. Jocelyn tiene 3.5 yardas de cinta. Necesita 0.6 yardas para hacer un lazo. ¿Cuántos lazos puede hacer?

48. Louie tiene una tabla que mide 46.8 cm de longitud. Si corta la tabla en 4 secciones iguales, ¿qué longitud tendrá cada una?

LECCIÓN 3-9

Resuelve cada ecuación. Comprueba tu respuesta.

49. $b - 5.2 = 2.6$ **50.** $5t = 24.5$ **51.** $\frac{p}{3} = 1.8$

52. El área de un rectángulo mide 41 cm^2. La longitud mide 8.2 cm. ¿Cuánto mide el ancho?

53. El área de la cocina de Henry mide 168 $pies^2$. El costo de los azulejos es de $4.62 por pie cuadrado. ¿Cuánto costaría poner azulejos en la cocina?

Práctica adicional ■ Capítulo 4

LECCIÓN 4-1

Indica si cada número es divisible entre 2, 3, 4, 5, 6, 9 y 10.

1. 12,680 **2.** 174 **3.** 1,638 **4.** 735

Indica si cada número es primo o compuesto.

5. 97 **6.** 9 **7.** 111 **8.** 256

LECCIÓN 4-2

Haz una lista de todos los factores de cada número.

9. 28 **10.** 51 **11.** 70 **12.** 24

Escribe la factorización prima de cada número.

13. 48 **14.** 72 **15.** 81 **16.** 150

LECCIÓN 4-3

Halla el MCD de cada conjunto de números.

17. 15 y 35 **18.** 16 y 40 **19.** 22 y 68

20. 6, 36 y 60 **21.** 27, 36 y 54 **22.** 14, 28 y 63

23. Alice tiene 42 cuentas rojas y 24 cuentas blancas. ¿Cuál es la mayor cantidad de pulseras que puede hacer si todas tienen la misma cantidad de cuentas rojas y de cuentas blancas y se usan todas las cuentas?

LECCIÓN 4-4

Escribe cada decimal como fracción o número mixto.

24. 0.31 **25.** 1.9 **26.** 2.53 **27.** 0.07

Escribe cada fracción o número mixto como decimal.

28. $1\frac{7}{8}$ **29.** $\frac{5}{9}$ **30.** $6\frac{3}{5}$ **31.** $\frac{5}{6}$

Ordena las fracciones y decimales de menor a mayor.

32. $0.3, \frac{3}{5}, 0.53$ **33.** $0.8, 0.67, \frac{7}{8}$ **34.** $0.68, \frac{2}{3}, \frac{3}{4}$

LECCIÓN 4-5

Halla el número que falta y que hace que las fracciones sean equivalentes.

35. $\frac{4}{5} = \frac{■}{20}$ **36.** $\frac{8}{12} = \frac{2}{■}$ **37.** $\frac{6}{7} = \frac{■}{28}$ **38.** $\frac{24}{3} = \frac{■}{1}$

Escribe cada fracción en su mínima expresión.

39. $\frac{6}{10}$ **40.** $\frac{7}{9}$ **41.** $\frac{4}{16}$ **42.** $\frac{2}{6}$

Práctica adicional ■ Capítulo 4

LECCIÓN 4-6

Escribe cada número mixto como una fracción impropia.

43. $3\frac{1}{4}$ **44.** $6\frac{5}{7}$ **45.** $1\frac{2}{9}$ **46.** $2\frac{7}{10}$

47. La receta de la sopa favorita de Brett requiere $\frac{14}{4}$ tazas de caldo de pollo. Escribe $\frac{14}{4}$ como un número mixto.

LECCIÓN 4-7

Compara. Escribe $<$, $>$ ó $=$.

48. $\frac{2}{5}$ ■ $\frac{4}{5}$ **49.** $\frac{5}{6}$ ■ $\frac{7}{8}$ **50.** $\frac{1}{3}$ ■ $\frac{9}{27}$ **51.** $\frac{9}{15}$ ■ $\frac{2}{5}$

52. Natalie vive a $\frac{1}{6}$ de milla de la escuela. Peter vive a $\frac{3}{10}$ de milla de la escuela. ¿Quién vive más cerca de la escuela?

Ordena las fracciones de menor a mayor.

53. $\frac{3}{5}, \frac{5}{9}, \frac{4}{5}$ **54.** $\frac{1}{6}, \frac{3}{7}, \frac{1}{3}$ **55.** $\frac{1}{2}, \frac{5}{8}, \frac{7}{12}$

LECCIÓN 4-8

56. Rose llena de agua una bañera. La altura del agua en la bañera aumenta $\frac{1}{8}$ de pie cada minuto. Haz dibujos para hacer un modelo de cómo cambia la altura del agua en 5 minutos, y escribe tu respuesta en su mínima expresión.

Resta. Escribe cada respuesta en su mínima expresión.

57. $1 - \frac{7}{9}$ **58.** $2\frac{5}{6} - 1\frac{1}{6}$ **59.** $5\frac{7}{10} - 3\frac{3}{10}$ **60.** $2 - \frac{3}{4}$

Evalúa cada expresión para $x = \frac{7}{12}$. Escribe cada respuesta en su mínima expresión.

61. $\frac{11}{12} - x$ **62.** $x + 1\frac{1}{12}$ **63.** $x - \frac{5}{12}$

LECCIÓN 4-9

Estima cada suma o diferencia por redondeo a 0, $\frac{1}{2}$ ó 1.

64. $\frac{7}{8} + \frac{7}{15}$ **65.** $\frac{5}{6} + \frac{1}{11}$ **66.** $\frac{7}{12} - \frac{4}{9}$

Usa la tabla para los Ejercicios 67 y 68.

67. La tabla muestra las horas que trabajó Michael cada día. ¿Aproximadamente cuántas horas trabajó el lunes y el martes?

68. ¿Aproximadamente por cuántas horas sobrepasa lo que trabajó el jueves a lo que trabajó el viernes?

Horario de trabajo de Michael	
Día	**Horas trabajadas**
Lunes	$4\frac{5}{6}$
Martes	$5\frac{1}{4}$
Jueves	$6\frac{1}{10}$
Viernes	$4\frac{5}{12}$

Práctica adicional

Práctica adicional ■ Capítulo 5

LECCIÓN 5-1

1. En el equipo de danza hay 18 chicas. Los broches para el pelo se venden en paquetes de 6. Las ligas para el pelo se venden en paquetes de 2. ¿Cuál es la menor cantidad de paquetes que hay que comprar para que todas las niñas tengan un broche y una liga sin que sobre nada?

Halla el mínimo común múltiplo (mcm).

2. 9 y 15
3. 12 y 16
4. 10 y 12
5. 3, 4 y 5

LECCIÓN 5-2

Suma o resta. Escribe cada respuesta en su mínima expresión.

6. $\frac{3}{5} + \frac{2}{3}$
7. $\frac{7}{8} - \frac{1}{6}$
8. $\frac{1}{3} + \frac{1}{2}$
9. Aproximadamente $\frac{1}{3}$ de los animales del zoológico son aves. Los mamíferos son $\frac{2}{5}$ de la población del zoológico. ¿Qué fracción de los animales son aves o mamíferos?

LECCIÓN 5-3

Halla cada suma o diferencia. Escribe la respuesta en su mínima expresión.

10. $18\frac{1}{3} + 16\frac{1}{6}$
11. $5\frac{3}{4} + 3\frac{5}{12}$
12. $12\frac{1}{2} - 8\frac{2}{5}$
13. Joan tiene un rottweiler y un chihuahua. El rottweiler pesa $99\frac{1}{2}$ lb y el chihuahua pesa $3\frac{1}{4}$ lb. ¿Cuánto más pesa el rottweiler que el chihuahua?

LECCIÓN 5-4

Resta. Escribe cada respuesta en su mínima expresión.

14. $4\frac{2}{5} - 2\frac{9}{10}$
15. $9\frac{1}{6} - 5\frac{5}{6}$
16. $6 - 1\frac{7}{12}$
17. Adam compró una bolsa de 10 lb de alimento para perros. Su perra Bucky comió $7\frac{1}{3}$ lb del alimento en una semana. ¿Cuántas libras quedan en la bolsa después de la semana?

LECCIÓN 5-5

Resuelve cada ecuación. Escribe la solución en su mínima expresión.

18. $a + 5\frac{3}{10} = 9$
19. $1\frac{3}{8} = x - 2\frac{1}{4}$
20. $6\frac{5}{6} = t + 1\frac{2}{3}$
21. Taylor debe cambiar un foco que está a $12\frac{1}{3}$ pies del suelo. Sin escalera, Taylor alcanza a $6\frac{1}{2}$ pies. ¿Qué altura debe tener su escalera para que ella alcance al foco?

LECCIÓN 5-6

Multiplica. Escribe cada respuesta en su mínima expresión.

22. $2 \cdot \frac{1}{5}$
23. $3 \cdot \frac{1}{6}$
24. $2 \cdot \frac{2}{11}$

25. Hay 16 jugadores en el equipo de béisbol. De ellos, $\frac{1}{4}$ son chicas. ¿Cuántas chicas juegan en el equipo?

LECCIÓN 5-7

Multiplica. Escribe cada respuesta en su mínima expresión.

26. $\frac{1}{10} \cdot \frac{5}{6}$ 27. $\frac{8}{9} \cdot \frac{3}{4}$ 28. $\frac{5}{7} \cdot \frac{3}{10}$

Evalúa la expresión $a \cdot \frac{1}{10}$ para cada valor de a. Escribe la respuesta en su mínima expresión.

29. $a = \frac{4}{5}$ 30. $a = \frac{2}{3}$ 31. $a = \frac{5}{9}$

32. Camille gastó $\frac{2}{5}$ de su mensualidad en restaurantes. De ese dinero, gastó $\frac{1}{2}$ en pizza. ¿Qué fracción de su mensualidad gastó en pizza?

LECCIÓN 5-8

Multiplica. Escribe cada respuesta en su mínima expresión.

33. $\frac{1}{4} \cdot 1\frac{2}{3}$ 34. $2\frac{3}{5} \cdot \frac{1}{3}$ 35. $\frac{7}{8} \cdot 1\frac{1}{3}$

Halla cada producto. Escribe la respuesta en su mínima expresión.

36. $1\frac{1}{3} \cdot 1\frac{3}{5}$ 37. $4 \cdot 2\frac{6}{7}$ 38. $\frac{2}{5}$ de $4\frac{1}{2}$

39. En una clase de arte hay 18 estudiantes, y $\frac{1}{3}$ de ellos están pintando. ¿Cuántos son los estudiantes que están pintando?

LECCIÓN 5-9

Halla el recíproco.

40. $\frac{7}{9}$ 41. $\frac{2}{13}$ 42. $\frac{1}{12}$ 43. $\frac{8}{5}$

Divide. Escribe cada respuesta en su mínima expresión.

44. $\frac{1}{6} \div 3$ 45. $\frac{4}{7} \div 2$ 46. $2\frac{1}{2} \div 1\frac{3}{4}$

47. Debbie compró $8\frac{1}{2}$ lb de pavo molido. Colocó el pavo en recipientes de $\frac{1}{2}$ lb y los puso en el congelador. ¿Cuántos recipientes de pavo molido preparó?

LECCIÓN 5-10

Resuelve cada ecuación. Escribe la respuesta en su mínima expresión.

48. $\frac{3}{5}a = 12$ 49. $6b = \frac{3}{7}$ 50. $\frac{3}{8}x = 5$

51. $3s = \frac{7}{9}$ 52. $\frac{5}{12}m = 3$ 53. $\frac{9}{10}t = 6$

54. Joanie usó $\frac{2}{3}$ de una caja de tarjetas para invitar a sus amigos a su fiesta de cumpleaños. Si envió 12 invitaciones, ¿cuántas tarjetas había en la caja?

Práctica adicional ■ Capítulo 6

LECCIÓN 6-1

1. Cada año una comunidad organiza una carrera de 5 km. En 1998 participaron 1,345 personas. En 1999 participaron 1,415. En 2000 participaron 1,532. En 2001 participaron 1,607 y en 2002 participaron 1,781. Usa los datos para hacer una tabla. Luego, describe cómo cambió la participación con el paso del tiempo.

2. Haz una tabla con los siguientes datos de básquetbol. Luego, indica qué jugador tuvo más puntos, rebotes y asistencias.

   En 1,560 juegos, Kareem Abdul-Jabbar anotó 38,387 puntos, tuvo 17,440 rebotes y 5,660 asistencias. En 897 juegos, Larry Bird anotó 21,791 puntos, tuvo 8,974 rebotes y 5,695 asistencias. En 963 juegos, Bill Russell anotó 14,522 puntos, tuvo 21,620 rebotes y 4,100 asistencias.

LECCIÓN 6-2

Halla la media, la mediana, la moda y el rango de cada conjunto de datos.

3.

Puntos anotados				
16	18	23	13	15

4.

Horas de trabajo							
37	42	43	38	39	40	45	40

LECCIÓN 6-3

5. **a.** En la tabla se muestran las calificaciones de los exámenes de un estudiante. Halla la media, la mediana y la moda de las calificaciones.

Calificaciones de los exámenes			
78	82	87	95

   b. En el siguiente examen, el estudiante obtuvo 92. Halla la media, la mediana y la moda con la nueva calificación.

6. Las temperaturas diarias los primeros ocho días de abril fueron 52° F, 63° F, 61° F, 54° F, 52° F, 55° F, 68° F y 75° F. ¿Cuál es la media, la mediana y la moda de este conjunto de datos? ¿Cuál describe mejor el conjunto de datos?

LECCIÓN 6-4

Usa la gráfica de barras para responder a cada pregunta.

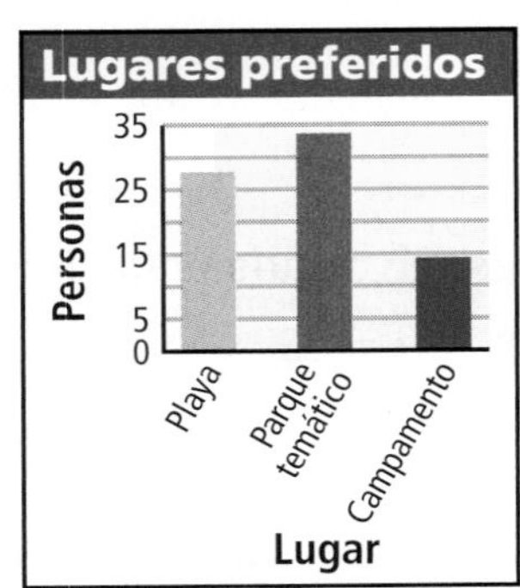

7. ¿Qué lugar de vacaciones recibió más votos?

8. ¿Qué lugares de vacaciones recibieron más de 20 votos?

9. Usa los datos de abajo para hacer una gráfica de barras.

Cantidad de días con temperaturas superiores a 100° F			
Junio	3	Agosto	14
Julio	5	Septiembre	7

Práctica adicional ▪ Capítulo 6

LECCIÓN 6-5

10. Usa los datos de las estaturas de los estudiantes para hacer una tabla de frecuencia con intervalos. Luego usa la tabla para hacer un histograma.

Estaturas de los estudiantes (pulg)							
63	58	48	60	60	65	56	57
56	62	61	58	59	55	64	50

11. **Haz un diagrama de acumulación de los datos.**

Cantidad de millas recorridas en bicicleta																								
14	45	33	34	32	37	44	19	35	36	17	33	35	40	41	38	47	31	44	23	27	20	33	45	27

LECCIÓN 6-6

Identifica el par ordenado de cada ubicación en la cuadrícula.

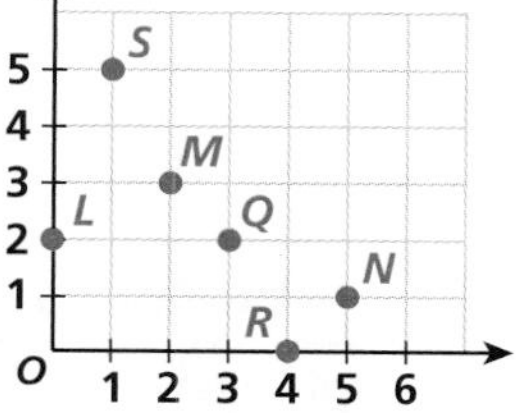

12. *L* **13.** *M* **14.** *R*

Representa y rotula cada punto en una cuadrícula de coordenadas.

15. $A(0, 3)$ **16.** $B(5\frac{1}{2}, 3)$ **17.** $C(2, 1\frac{1}{2})$

LECCIÓN 6-7

18. Usa los datos de la tabla para hacer una gráfica de doble línea. Las ventas totales de juguetes de la tienda A, ¿se incrementaron o disminuyeron?

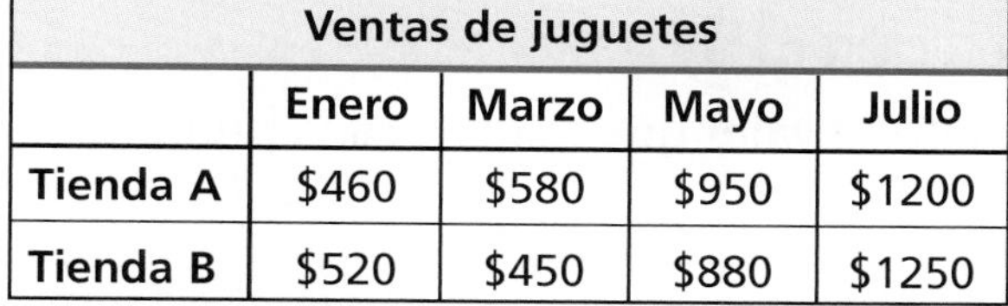

Ventas de juguetes				
	Enero	Marzo	Mayo	Julio
Tienda A	$460	$580	$950	$1200
Tienda B	$520	$450	$880	$1250

LECCIÓN 6-8

19. Explica por qué está gráfica de barras es engañosa.

20. ¿Que se podría pensar al ver esta gráfica engañosa?

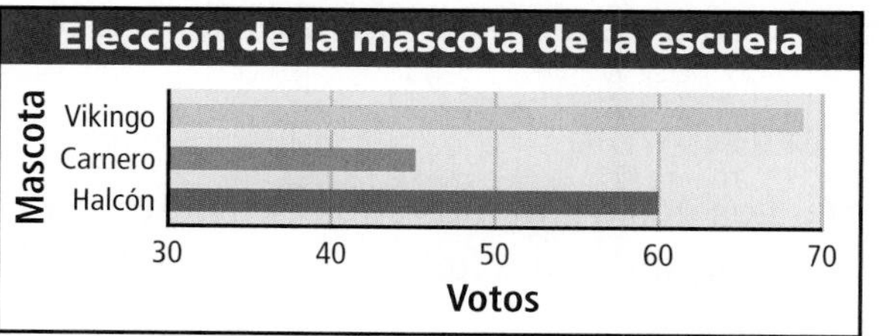

LECCIÓN 6-9

21. Haz un diagrama de tallo y hojas con los datos de la tabla. Luego, usa tu diagrama para hallar la media, la mediana y la moda de los datos.

Tiempo dedicado a la tarea (min)				
15	35	60	65	15
10	35	60	20	35

LECCIÓN 6-10

22. En la tabla se indican las tallas de zapatos de las estudiantes de la clase de gimnasia de la maestra Woodward. ¿Qué gráfica sería más adecuada para mostrar los datos, una gráfica de tallo y hojas o una lineal? Dibuja la gráfica más apropiada.

Talla de zapatos de las estudiantes																	
7	8	$7\frac{1}{2}$	8	9	5	$9\frac{1}{2}$	7	$7\frac{1}{2}$	$7\frac{1}{2}$	$8\frac{1}{2}$	8	7	$6\frac{1}{2}$	7	8	10	9

Práctica adicional ■ Capítulo 7

LECCIÓN 7-1

Usa la tabla para escribir cada razón.

Género de libros de la colección de Doug			
De consulta	10	Historietas	7
Misterio	8	Poesía	5
Biografías	3	Cocina	4

1. libros de cocina a libros de poesía
2. biografías al total de libros
3. Un paquete de 12 *plumas* cuesta $5.52. Un paquete de 8 cuesta $3.92. ¿Cuál es la mejor compra?

LECCIÓN 7-2

Usa una tabla para hallar tres razones equivalentes.

4. $\frac{2}{5}$ 5. 5 a 12 6. 1:2 7. $\frac{6}{7}$

8. En la tabla se muestra cuántas pizzas encarga la Intermedia Travis para cierta cantidad de estudiantes. Predice cuántas pizzas encargará para 175 estudiantes.

Estudiantes	50	100	150	200	250
Pizzas	10	20	30	40	50

LECCIÓN 7-3

Halla el valor que falta en cada proporción.

9. $\frac{5}{4} = \frac{n}{12}$ 10. $\frac{2}{9} = \frac{4}{n}$ 11. $\frac{6}{10} = \frac{n}{5}$ 12. $\frac{7}{8} = \frac{21}{n}$

13. Para hacer 2 cuartos de ponche, Jenny agrega 16 gramos de jugo de frutas a 2 cuartos de agua. ¿Cuánto jugo necesita Jenny para hacer 3 cuartos de ponche?

LECCIÓN 7-4

14. Los dos triángulos son semejantes. Halla la longitud y que falta y la medida del $\angle B$.

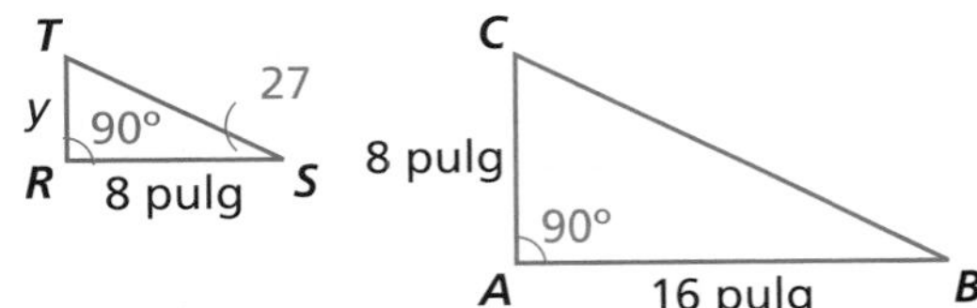

LECCIÓN 7-5

15. Un poste telefónico arroja una sombra de 32 yd de longitud. Al mismo tiempo, una vara de 1 yd arroja una sombra de 4 yd. ¿Qué altura tiene el poste?

LECCIÓN 7-6

Usa el mapa para responder cada pregunta.

16. En el mapa, la distancia de la Universidad Estatal a Belmont es 2 cm. ¿Cuál es la distancia real entre ambos lugares?
17. Henderson City está a 83 millas de la Universidad Estatal. ¿A cuántos centímetros de distancia de la universidad debe aparecer en el mapa?

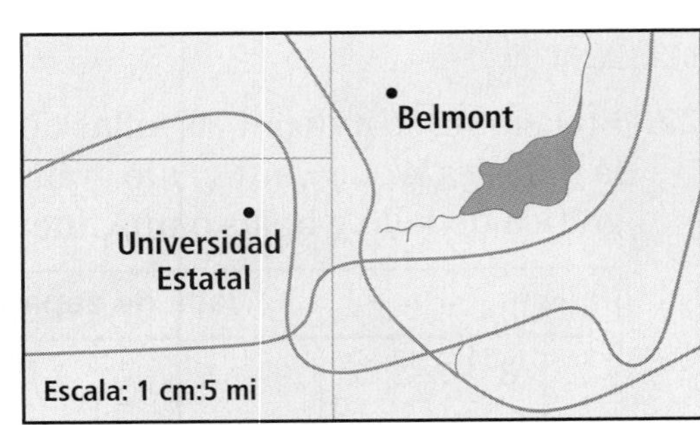

Práctica adicional ■ Capítulo 7

LECCIÓN 7-7

Escribe cada porcentaje como fracción en su mínima expresión.

18. 50% **19.** 34% **20.** 8% **21.** 12%

22. El equipo de básquetbol de Michael ganó el 85% de sus juegos. Escribe 85% como fracción en su mínima expresión.

Escribe cada porcentaje como decimal.

23. 13% **24.** 76% **25.** 5% **26.** 70%

27. Las ventas de una juguetería aumentaron un 26%. Escribe 26% como decimal.

LECCIÓN 7-8

Escribe cada decimal como porcentaje.

28. 0.56 **29.** 0.092 **30.** 0.4 **31.** 0.735

Escribe cada fracción como porcentaje.

32. $\frac{4}{5}$ **33.** $\frac{4}{25}$ **34.** $\frac{7}{16}$ **35.** $\frac{5}{8}$

36. En la clase de la maestra Piper, $\frac{17}{20}$ de los estudiantes tienen una mascota. ¿Qué porcentaje de estudiantes tienen una mascota?

LECCIÓN 7-9

37. En un cine se vendieron 570 boletos para una nueva película. De esos boletos, el 30% fueron boletos para niños. ¿Cuántos boletos para niños se vendieron?

38. Kathy ha oído el 80% de la música de un CD. Si han pasado 26 minutos, ¿cuántos minutos quedan en el CD?

39. Halla el 30% de 98. **40.** Halla el 15% de 220. **41.** Halla el 5% de 72.

LECCIÓN 7-10

42. Ashley quiere comprar un suéter que tiene un precio regular de $19.95 y que se vende con un 25% de descuento. ¿Aproximadamente cuánto pagará por el suéter después del descuento?

43. Margo y tres amigas fueron a cenar. La cuenta fue de $34.62. Dejaron una propina de 15% de la cuenta. ¿Aproximadamente de cuánto fue la propina?

44. Patricia compra unos patines nuevos que cuestan $59.99. La tasa del impuesto sobre la venta es de 7%. ¿Aproximadamente cuál será el costo total de los patines?

Práctica adicional ▪ Capítulo 8

LECCIÓN 8-1

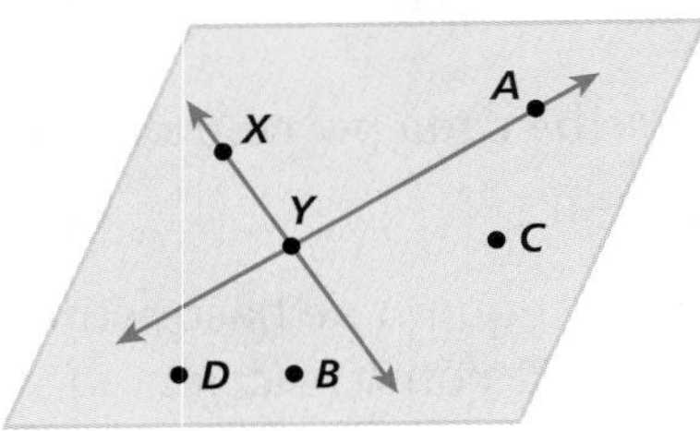

Usa el diagrama para identificar cada figura geométrica.

1. tres puntos
2. dos líneas
3. un punto compartido por dos líneas
4. un plano

Usa el diagrama para dar un posible nombre a cada figura.

X Y Z

5. tres diferentes segmentos de recta
6. tres formas de identificar la línea
7. seis rayos diferentes
8. otra forma de identificar el rayo *XY*

LECCIÓN 8-2

Usa un transportador para medir cada ángulo. Indica cada ángulo como agudo, recto, obtuso o llano.

9. 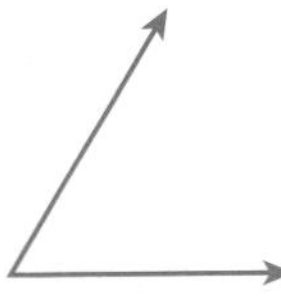

10. 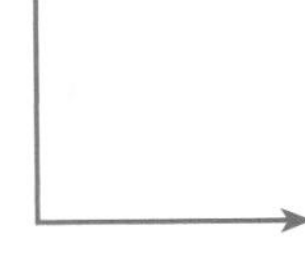

11. 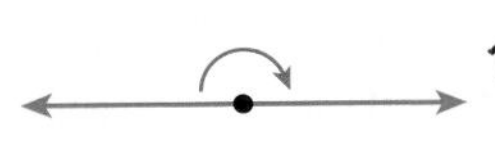

12. 

LECCIÓN 8-3

Halla la medida desconocida de cada ángulo.

13. 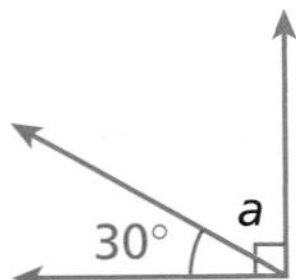

14. 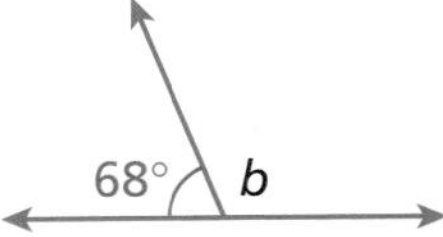

15. 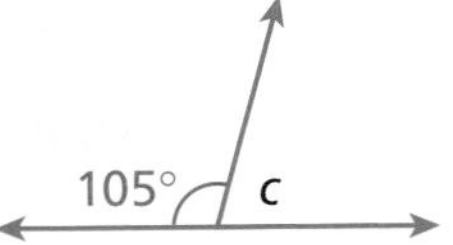

16. 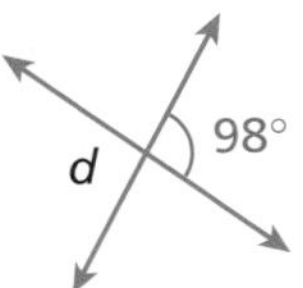

LECCIÓN 8-4

Clasifica cada par de líneas.

17. 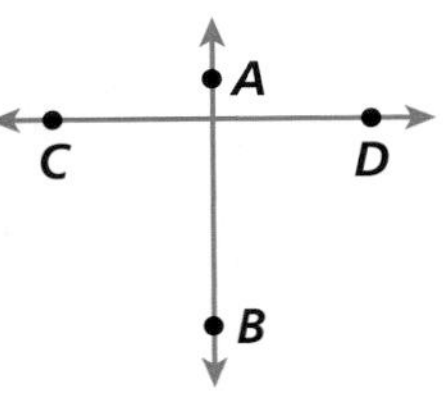

18. 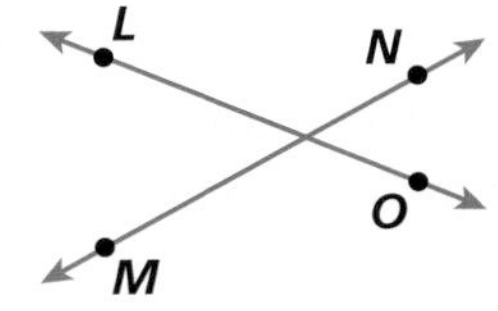

19. 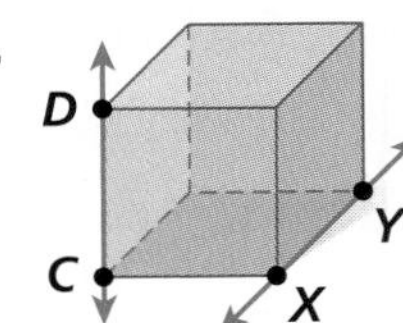

20. 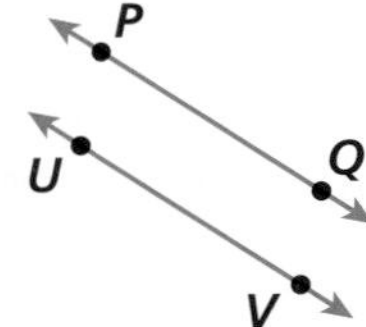

Práctica adicional ■ Capítulo 8

LECCIÓN 8-5

Usa el diagrama para hallar la medida de cada ángulo indicado.

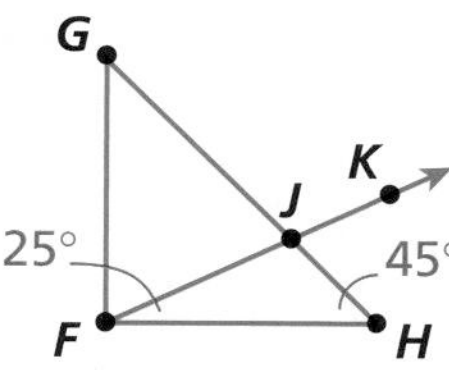

21. $\angle FJH$

22. $\angle FJG$

Clasifica cada triángulo con la información dada.

23. El perímetro del triángulo es 14 pulgadas.

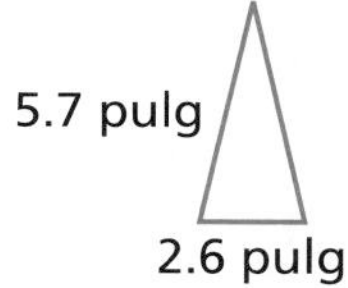

24. El perímetro del triángulo es 45 pies.

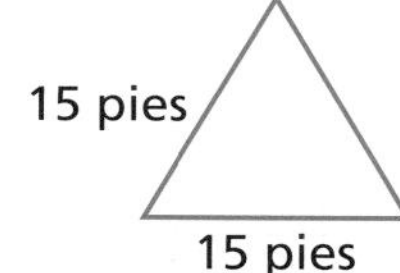

25. El perímetro del triángulo es 20 pies.

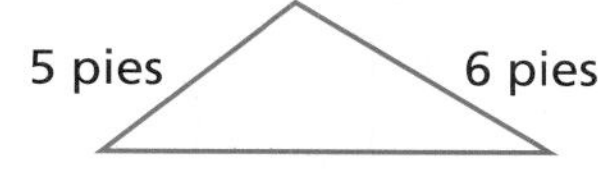

LECCIÓN 8-6

Da el nombre más descriptivo de cada figura.

26.

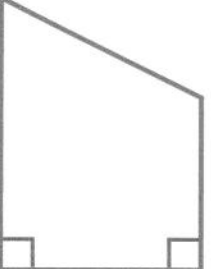

27.

28.

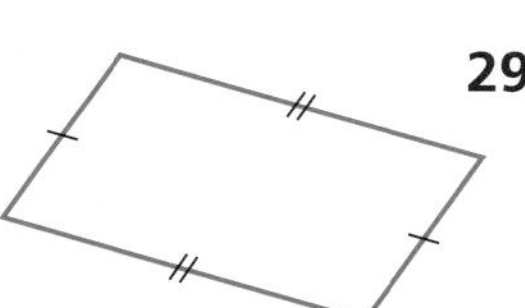

29.

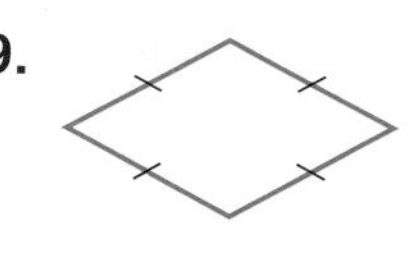

Completa cada enunciado.

30. Un paralelogramo con cuatro ángulos rectos puede ser un ____?____ o un ____?____.

31. Un cuadrilátero con dos lados paralelos es un ____?____.

LECCIÓN 8-7

Indica si cada figura es un polígono. Si lo es, indica si parece regular o irregular.

32.

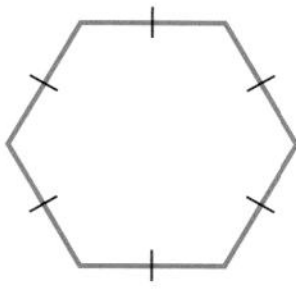

33.

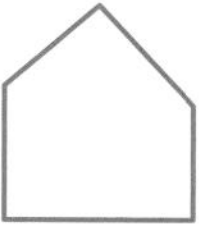

34.

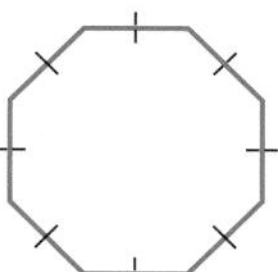

35.

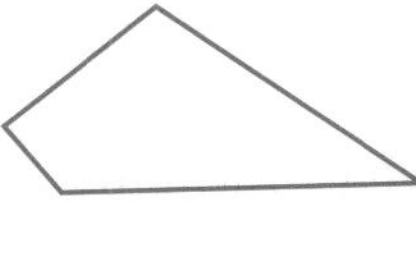

LECCIÓN 8-8

Identifica un patrón posible. Usa el patrón para dibujar la figura que falta.

36.

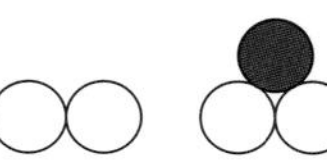

?

37.

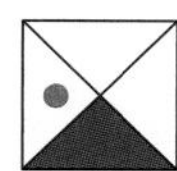

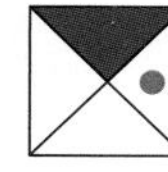

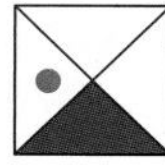

?

Práctica adicional ■ Capítulo 8

LECCIÓN 8-9

Decide si las figuras de cada par son congruentes. Si no lo son, explica por qué.

38.

39.

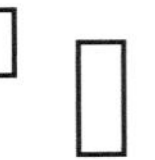

LECCIÓN 8-10

Indica si hay traslación, rotación o reflexión.

40.

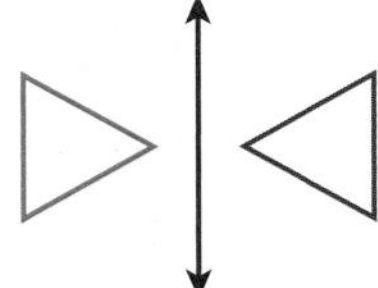

41.

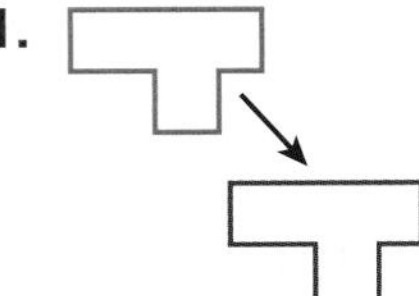

42.

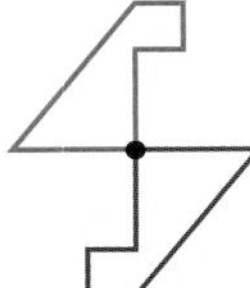

Dibuja cada transformación.

43. Dibuja una traslación de 2 cm a la derecha.

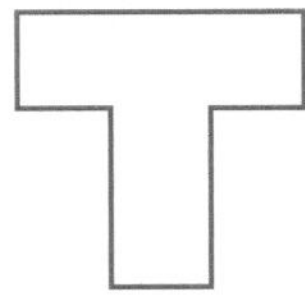

44. Dibuja una rotación de 90° en el sentido de las manecillas del reloj alrededor del punto.

45. Dibuja una reflexión vertical sobre la línea.

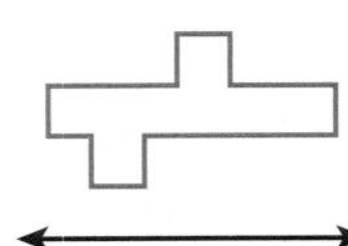

LECCIÓN 8-11

Determina si cada línea punteada parece un eje de simetría.

46.

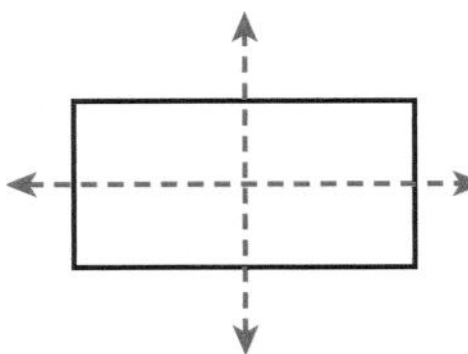

47.

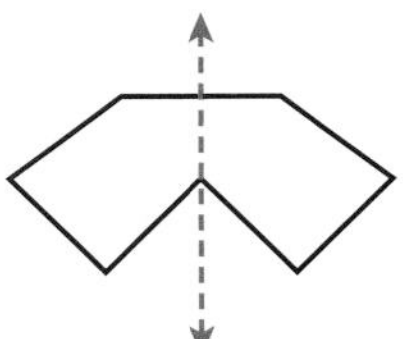

48.

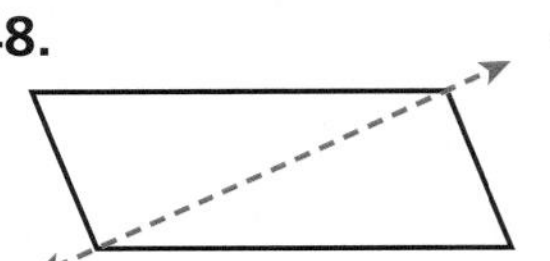

49.

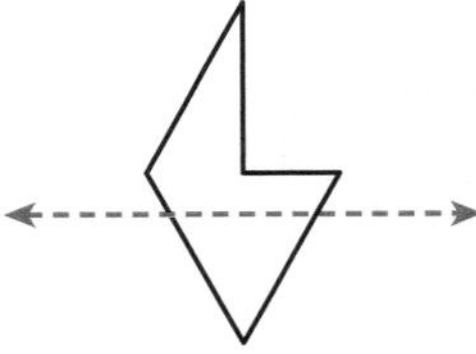

Halla todos los ejes de simetría de cada dibujo.

50.

51.

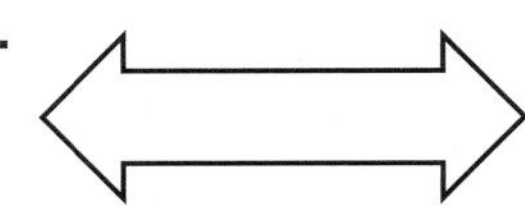

52.

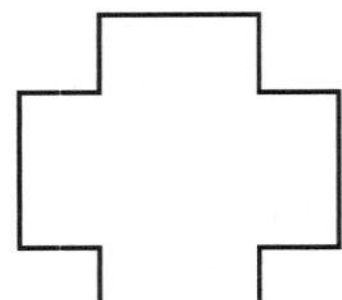

Práctica adicional ▪ Capítulo 9

LECCIÓN 9-1

¿Qué unidad de medida da la mejor estimación? Explica.

1. Un libro mide aproximadamente 12 ___?___ de longitud.
2. Un recién nacido pesa aproximadamente 8 ___?___.
3. Una pecera pequeñacontiene aproximadamente 10 ___?___ de agua.

LECCIÓN 9-2

¿Qué unidad de medida da la mejor estimación? Explica.

4. Una lombriz mide aproximadamente 10 ___?___ de longitud.
5. Una hoja tiene una masa de aproximadamente 250 ___?___.
6. La masa de un tenedor es aproximadamente 40 ___?___.

LECCIÓN 9-3

Convierte.

7. 156 pulg = ▒ pies
8. 6 T = ▒ lb
9. 24 ct = ▒ gal
10. 13,200 pies = ▒ mi
11. 8 pt = ▒ ct
12. 33 yd = ▒ pies

LECCIÓN 9-4

13. La altura de un poste telefónico es 15 metros. ¿Cuántos centímetros mide?

Convierte.

14. La masa de un sombrero es aproximadamente 86 g. 86 g = ▒ kg
15. En un pluviómetro cabe aproximadamente 0.5 L de agua. 0.5 L = ▒ mL
16. 550 g = ▒ kg
17. 88 cm = ▒ mm
18. 1,585 m = ▒ km
19. 5,500 mg = ▒ g
20. 200 mL = ▒ L
21. 2.2 mL = ▒ L

LECCIÓN 9-5

Convierte.

22. 1,095 días = ▒ años
23. 4 min 23 s = ▒ s
24. 3 semanas = ▒ h
25. 96 h = ▒ días
26. 78 semanas = ▒ años
27. 1 h 35 min = ▒ min
28. La fiesta de cumpleaños de Rochelle empieza a las 7:30 pm y dura 3 horas 45 minutos. ¿A qué hora termina?

Estima la temperatura.

29. 18° C es aprox. = ▒ ° F
30. 35° F es aprox. = ▒ ° C
31. 44° C es aprox. = ▒ ° F

Práctica adicional ■ Capítulo 9

LECCIÓN 9-6

Estima la medida de ∠A en cada figura. Después usa un transportador para comprobar si tu respuesta fue razonable.

32.

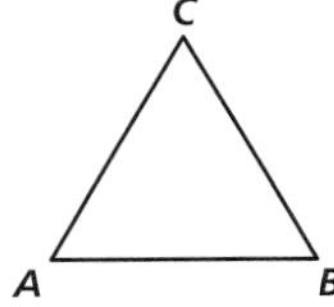

33.

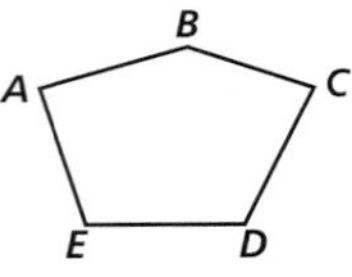

34.

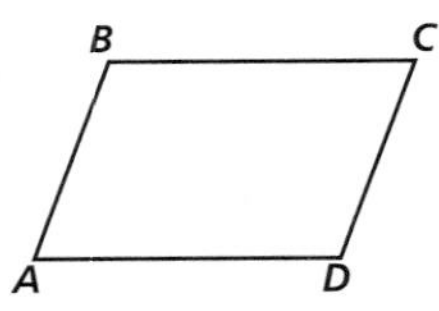

35. Se muestra la forma de una piscina de natación. Halla la medida de ∠ A y ∠ C.

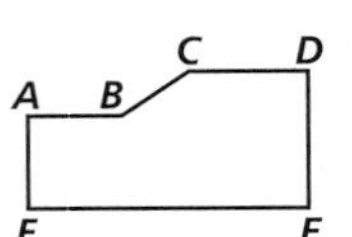

LECCIÓN 9-7

Halla el perímetro de cada figura.

36.

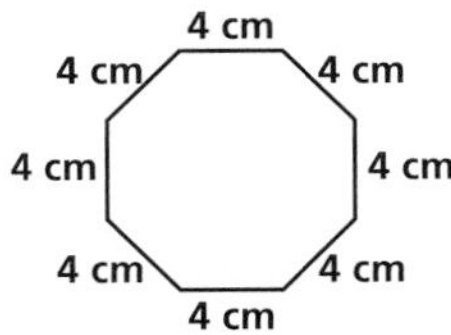

37.

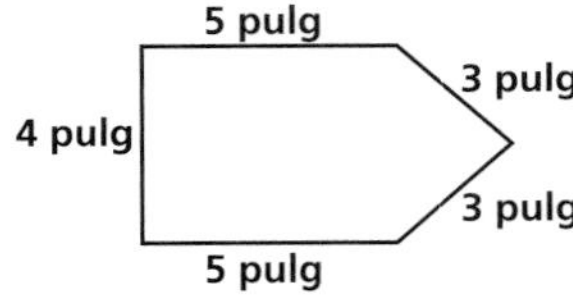

Halla el perímetro *P* de cada rectángulo.

50.

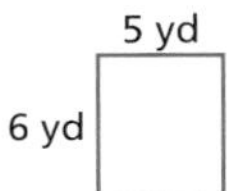

51.

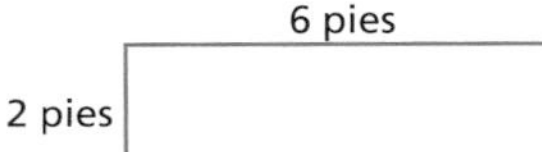

52.

Halla cada medida desconocida.

53. ¿Cuál es el valor de b si el perímetro es igual a 82 cm?

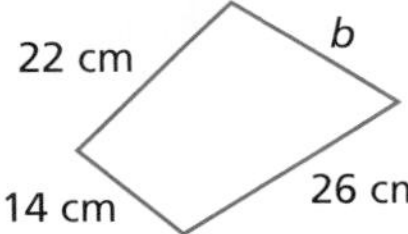

54. ¿Cuál es el valor de x si el perímetro es igual a 36 cm?

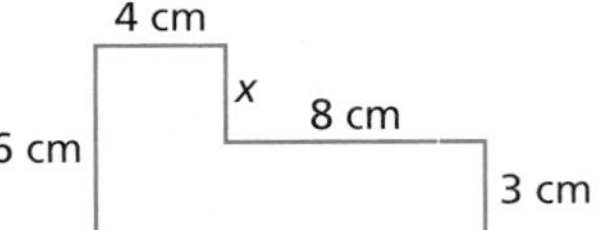

LECCIÓN 9-8

Un carpintero construye una mesa circular.
Halla la circunferencia; redondea π a 3.

44. ¿Cuánto mide la circunferencia si el diámetro mide 4 pies?

45. Si el radio de la mesa mide 3 pies, ¿cuánto mide la circunferencia?

Halla cada valor que falta a la centésima más cercana. Usa 3.14 para π.

46. $C = ?$

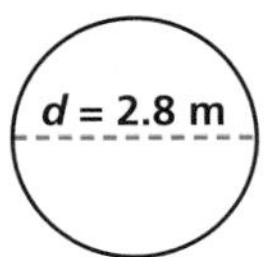

47. $r = ?$

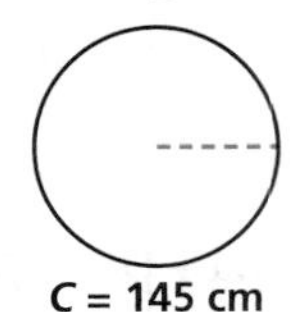

Práctica adicional ■ Capítulo 10

LECCIÓN 10-1

Halla el área de cada figura.

1. 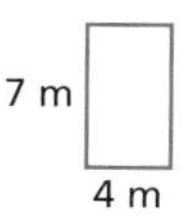

2. 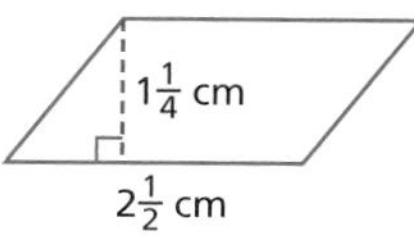

3. 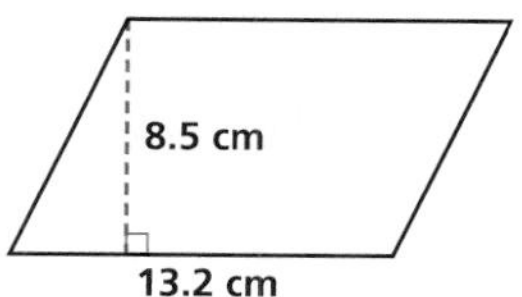

LECCIÓN 10-2

Halla el área de cada triángulo o trapecio.

4. 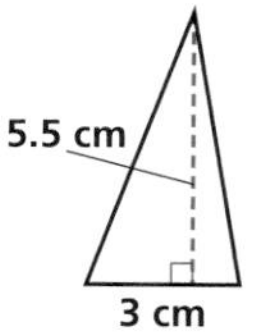

5. 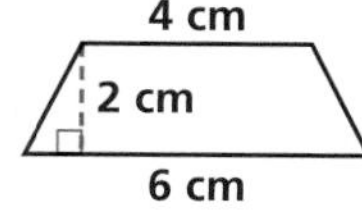

6. 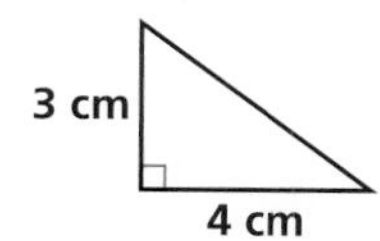

7. La vela de un barco tiene forma de triángulo, con una base de 6 pies y una altura de 17 pies. ¿Cuál es el área de la vela?

LECCIÓN 10-3

Halla el área de cada polígono.

8. 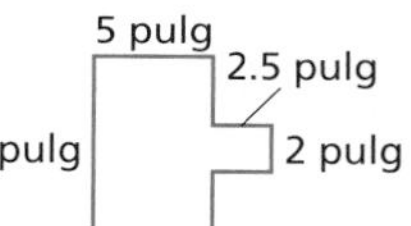

9. 

LECCIÓN 10-4

Halla el cambio del perímetro y del área de cada figura cuando cambian las dimensiones.

10. 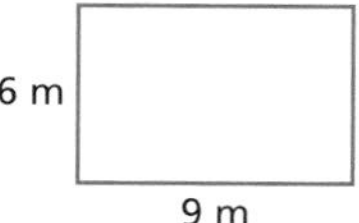

LECCIÓN 10-5

Estima el área de cada círculo. Usa 3 para aproximar *pi*.

11. 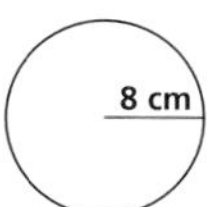

12. 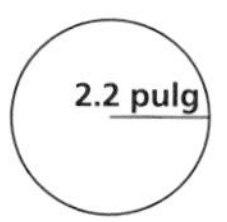

13. 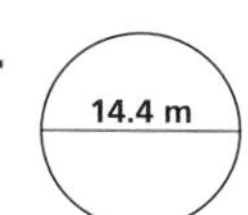

Halla el área de cada círculo. Usa $\frac{22}{7}$ para *pi*.

14. 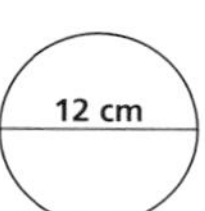

15. 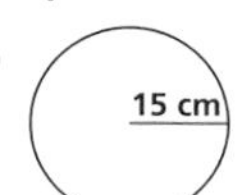

16. 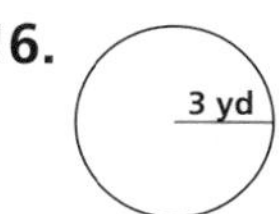

17. La receta de un pastel requiere que se dé a la masa la forma de un círculo con un diámetro de 9 pulg. Halla el área de la masa cuando está amasada. Usa 3.14 para *pi*.

Práctica adicional ■ Capítulo 10

LECCIÓN 10-6

Identifica la cantidad de caras, aristas y vértices de cada figura tridimensional.

18. 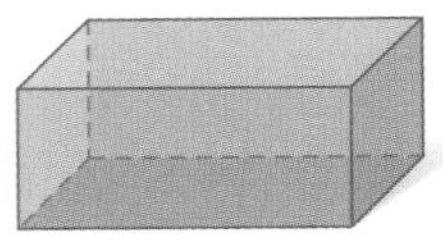

19. 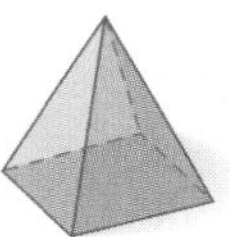

20. 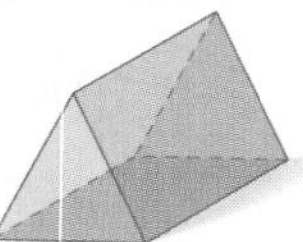

LECCIÓN 10-7

Halla el volumen de cada prisma.

21. 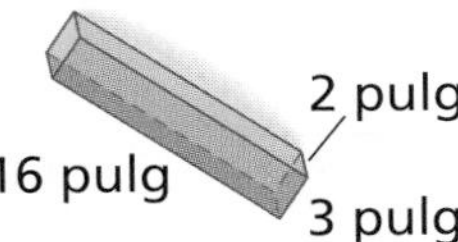

22. 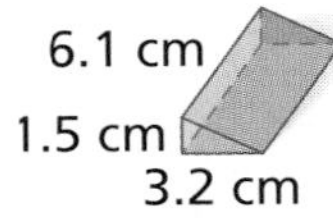

23. 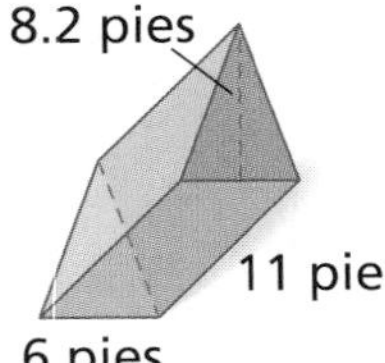

LECCIÓN 10-8

Halla el volumen V de cada cilindro a la unidad cúbica más cercana. Usa 3.14 para π.

24. 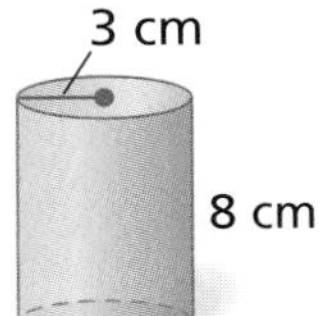

25. 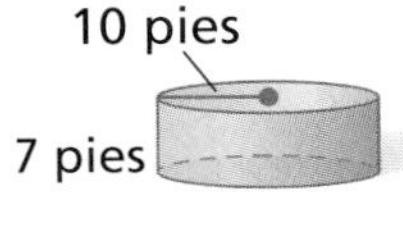

26. 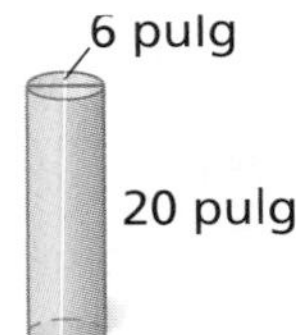

27. Un pluviómetro cilíndrico con un diámetro de 2 pulgadas se llena de agua de lluvia hasta una altura de 8.4 pulgadas. Estima el volumen del agua de lluvia a la pulgada cúbica más cercana.

28. Halla qué cilindro tiene el volumen mayor.

Cilindro A 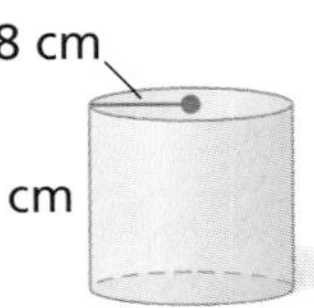

Cilindro B 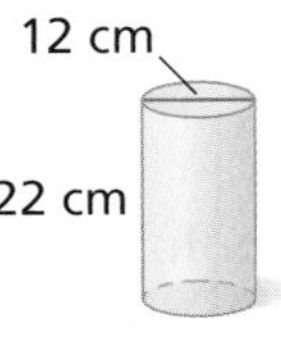

LECCIÓN 10-9

Halla el área total S de cada figura tridimensional. Usa 3.14 para π.

29. 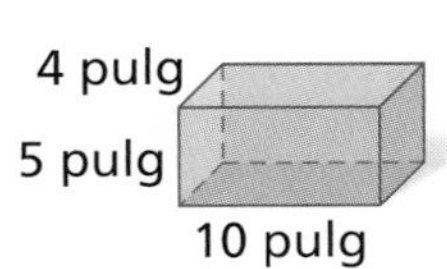

30. 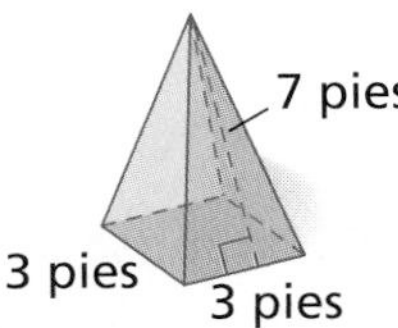

31. 

Práctica adicional ■ Capítulo 11

LECCIÓN 11-1

Escribe un número positivo o negativo que represente cada situación.

1. 120 pies por debajo del nivel del mar

2. ahorrar \$22

3. una disminución de 5°

Representa cada entero y su opuesto en una recta numérica.

4. +1 **5.** −5 **6.** −3 **7.** +2

8. El Valle de la Muerte, en California, tiene una elevación de −282 pies. La ciudad de Long Beach, también en California, tiene una elevación de 170 pies. ¿Qué lugar está a más distancia del nivel del mar?

LECCIÓN 11-2

Compara cada par de enteros. Escribe < ó >.

9. 15 ▒ −19 **10.** −7 ▒ −10 **11.** −3 ▒ 7 **12.** −8 ▒ 2

Ordena los enteros de cada conjunto de menor a mayor.

13. −6, 5, −2 **14.** 12, −25, 10 **15.** −1, −3, 4, 0

16. El lunes, la temperatura fue de 3° C. El martes, de −4° C. El miércoles fue de −1° C. ¿En qué día la temperatura fue más baja?

LECCIÓN 11-3

Identifica el cuadrante donde se ubica cada punto.

17. *A* **18.** *R* **19.** *C* **20.** *T*

Da las coordenadas de cada punto.

21. *B* **22.** *S* **23.** *D* **24.** *U*

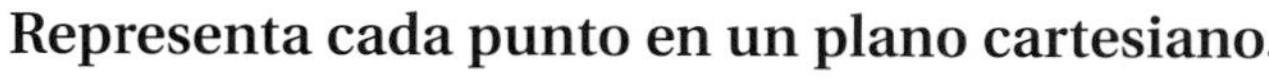

Representa cada punto en un plano cartesiano.

25. M(2, −1) **26.** W(24, 22) **27.** A(2, 3)

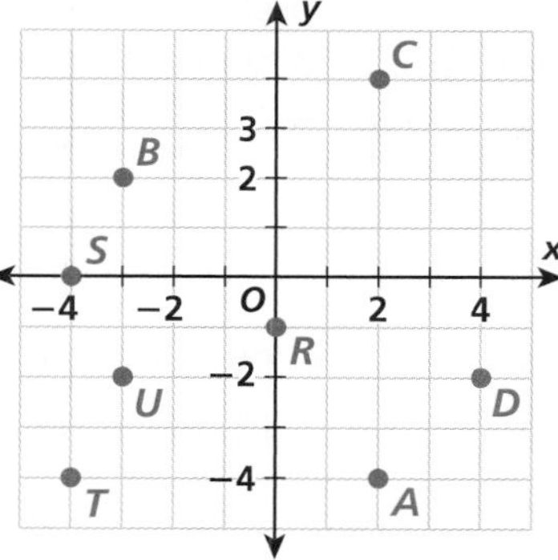

LECCIÓN 11-4

Evalúa $y + 2$ para cada valor de y.

28. $y = -5$ **29.** $y = -1$ **30.** $y = 3$ **31.** $y = -8$

32. En la mañana la temperatura fue de −3° C. Para la tarde había subido 7° C. ¿Cuál fue la temperatura en la tarde?

LECCIÓN 11-5

Evalúa $a - (-5)$ para cada valor de a.

33. $a = -6$ **34.** $a = 2$ **35.** $a = 1$ **36.** $a = -5$

Práctica adicional ■ Capítulo 11

LECCIÓN **11-6**

Halla cada producto.

37. $5 \cdot (-2)$ **38.** $-3 \cdot (-7)$ **39.** $-4 \cdot 4$ **40.** $8 \cdot (-9)$

Evalúa $3x$ para cada valor de x.

41. $x = -5$ **42.** $x = 8$ **43.** $x = -9$ **44.** $x = 0$

LECCIÓN **11-7**

Halla cada cociente.

45. $20 \div (-4)$ **46.** $-48 \div (-6)$ **47.** $-24 \div 8$ **48.** $-18 \div (-2)$

Evalúa $\frac{n}{4}$ para cada valor de n.

49. $n = -36$ **50.** $n = 44$ **51.** $n = -12$ **52.** $n = -60$

LECCIÓN **11-8**

Resuelve cada ecuación. Comprueba tus respuestas.

53. $5 + y = 1$ **54.** $b - 8 = -6$ **55.** $-6 + m = -2$

56. $-6g = 30$ **57.** $-3c = -9$ **58.** $7r = -42$

LECCIÓN **11-9**

Escribe una ecuación para una función que dé los valores de cada tabla. Usa la ecuación para hallar el valor de y con el valor indicado de x.

59.

x	1	2	3	4	5	10
y	7	9	11	13	15	■

60.

x	3	5	7	9	11	13
y	5	11	17	23	29	■

Escribe una ecuación para la función. Indica qué representa cada variable que uses.

61. La longitud de un rectángulo es 4 cm menos que 3 veces su ancho.

62. La edad de Darren es 5 más que 2 veces la edad de Nicole.

LECCIÓN **11-10**

Usa los valores que se dan de x para escribir las soluciones de cada ecuación como pares ordenados.

63. $y = 6x + 2$ para $x = 1, 2, 3, 4$ **64.** $y = 5x - 9$ para $x = 2, 3, 4, 5$

Determina si el par ordenado es una solución para la ecuación que se da.

65. $(2, 3)$; $y = x + 1$ **66.** $(9, 7)$; $y = 3x - 12$

Representa gráficamente la función descrita por la ecuación.

67. $y = 4x - 3$ **68.** $y = x + 1$

Práctica adicional ▪ Capítulo 12

LECCIÓN 12-1

Escribe *imposible, improbable, tan probable como no, probable* o *seguro* para describir cada suceso.

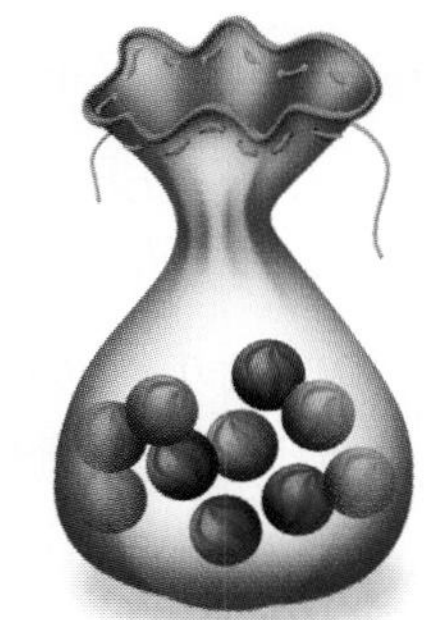

1. sacar una canica verde de esta bolsa de canicas
2. sacar una canica roja de esta bolsa de canicas
3. La posibilidad de ganar un sorteo es del 3%. Escribe esta probabilidad como decimal y como fracción.
4. Una marca de cereal ofrece un regalo en cada caja. Hay una posibilidad del 34% de que el juguete sea una pelota de goma, del 50% de que sea una figurita y del 16% de que sea un juego. ¿Es más probable que el regalo sea una pelota o un juego?

LECCIÓN 12-2

En cada experimento, identifica el resultado que se muestra.

5.

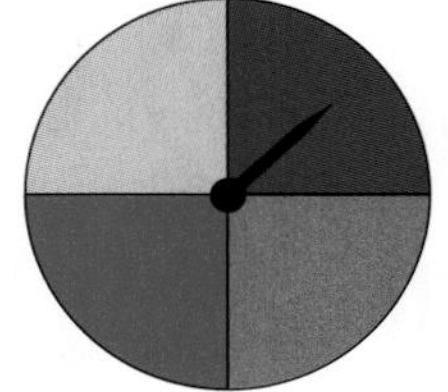

6.

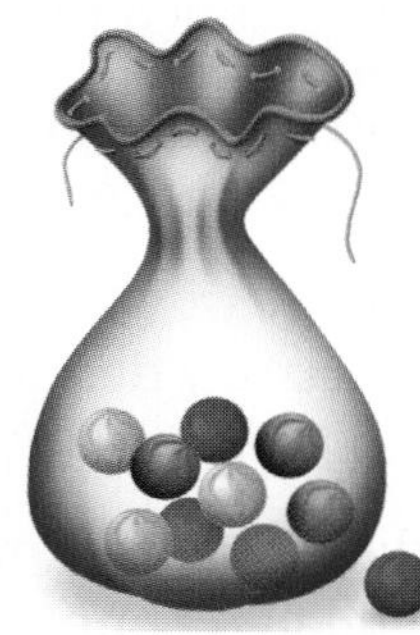

Durante un mes, Maggie anotó el clima. Organizó sus resultados en una tabla de frecuencia.

Clima	Soleado	Nublado	Lluvioso
Frecuencia	17	6	7

7. Halla la probabilidad experimental de clima nublado.
8. De acuerdo con los resultados de Maggie, ¿es más probable que el clima sea nublado o lluvioso?

LECCIÓN 12-3

9. Miguel va a comprar un auto nuevo. Tiene tres opciones de color exterior: negro, plateado o azul, y dos opciones de color interior: negro o marrón. ¿Cuántas combinaciones diferentes de colores puede elegir Miguel?
10. Brianna puede desayunar avena, cereal frío o huevos más un plátano, una manzana o una naranja. ¿Cuántas combinaciones diferentes de desayuno puede elegir?
11. En un campamento, los participantes realizan 3 actividades diferentes cada mañana: excursiones, natación o manualidades, y 2 actividades diferentes cada tarde: tenis o ciclismo. ¿Cuántas combinaciones posibles de actividades hay?

Práctica adicional ■ Capítulo 12

LECCIÓN 12-4

12. ¿Cuál es la probabilidad de obtener un número par con un dado numérico?

13. ¿Cuál es la probabilidad de elegir al azar la letra *T* de las letras *M, A, T, H, E, M, A, T, I, C, S*?

14. El informe meteorológico dice que hay una posibilidad del 42% de que nieve hoy. ¿Cuál es la probabilidad de que NO nieve?

15. En su gran inauguración, una tienda regala premios. La probabilidad de ganar un premio es de 0.16. Halla la probabilidad de NO ganar un premio.

LECCIÓN 12-5

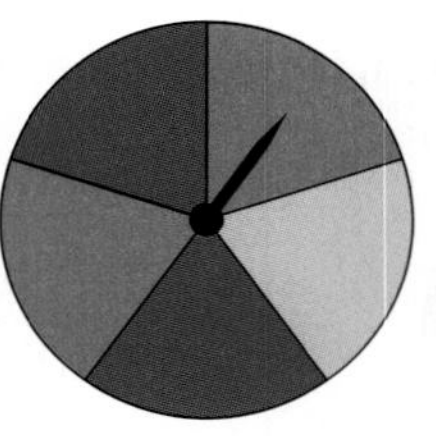

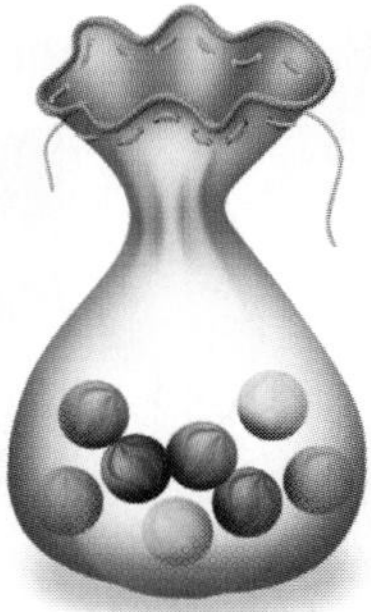

16. Halla la probabilidad de que la rueda caiga en rojo y de sacar una canica roja de la bolsa.

17. Halla la probabilidad de que la rueda caiga en amarillo y de sacar una canica que no sea amarilla.

18. Halla la probabilidad de que la rueda caiga en un color que NO sea azul y de sacar una canica que NO sea azul.

19. Lanzas dos monedas y un dado numérico. ¿Cuál es la probabilidad de que las dos monedas caigan cara y que el dado caiga en un número mayor que 4?

LECCIÓN 12-6

20. En una encuesta local se afirma que el 26% de la población tiene un perro como mascota. De 600 personas, ¿cuántas predices que tendrán un perro como mascota?

21. Lanzas un dado numérico 54 veces. ¿Cuántas veces predices que sacarás un número menor que 3?

22. Un equipo de promoción vende boletos para asientos no reservados en un concierto. El equipo estima que el 75% de las personas que compran un boleto asistirán al concierto. Si el estadio tiene 15,000 asientos y el equipo quiere que se ocupen todos los asientos en el concierto, ¿cuántos boletos debe vender?

Dibujar un diagrama

Cuando los problemas tratan sobre objetos, distancias o lugares, puedes **dibujar un diagrama** para que el problema sea más fácil de comprender. Muchas veces podrás usar el diagrama para resolver el problema.

Estrategias de resolución de problemas

Dibujar un diagrama	Hacer una tabla
Hacer un modelo	Resolver un problema más sencillo
Calcular y poner a prueba	Usar el razonamiento lógico
Trabajar en sentido inverso	Representar
Hallar un patrón	Hacer una lista organizada

Todas las cuadras de Sunnydale son del mismo tamaño. Tina comienza a repartir periódicos en el cruce de dos calles. Recorre 8 cuadras hacia el sur, 13 hacia el oeste, 8 hacia el norte y 6 hacia el este. ¿A qué distancia está del punto de partida cuando termina su recorrido?

Comprende el problema

Identifica la información importante.

- Todas las cuadras son del mismo tamaño.
- Tienes el recorrido de Tina.

La respuesta será la distancia desde el punto de partida.

Haz un plan

Usa la información del problema para **dibujar un diagrama** en el que se muestre el recorrido de Tina. Rotula los puntos de partida y fin.

Fin Partida
6 cuadras hacia el este
8 cuadras hacia el norte
8 cuadras hacia el sur
13 cuadras hacia el oeste

Resuelve

En el diagrama se muestra que cuando Tina termina su recorrido, está a 13 − 6 cuadras del punto de partida.

$13 - 6 = 7$

Cuando Tina termina, está a 7 cuadras de su punto de partida.

Repasa

Asegúrate de haber dibujado tu diagrama correctamente. ¿Corresponde a la información que se da en el problema?

PRÁCTICA

1. Laurence lleva a los niños a la escuela todos los lunes. Sale de su casa y recorre 4 millas hacia el sur para pasar a buscar a dos niños. Luego, recorre 9 millas hacia el oeste para pasar a buscar a otros dos niños y luego recorre 4 millas hacia el norte para recoger a uno más. Por último, recorre 5 millas hacia el este para llegar a la escuela. ¿Qué distancia debe recorrer para volver a su casa?

2. Las raíces de un árbol alcanzan 12 pies bajo el suelo. Un gatito está atrapado a 5 pies de la copa del árbol. Desde la copa hasta el extremo inferior de las raíces el árbol mide 32 pies. ¿A qué distancia del suelo está el gatito?

Hacer un modelo

Si un problema trata sobre objetos, a veces puedes **hacer un modelo** con esos objetos o con otros similares para representar el problema. Esto puede ayudarte a comprender el problema y hallar la solución.

Estrategias de resolución de problemas

Dibujar un diagrama
Hacer un modelo
Calcular y poner a prueba
Trabajar en sentido inverso
Hallar un patrón
Hacer una tabla
Resolver un problema más sencillo
Usar el razonamiento lógico
Representar
Hacer una lista organizada

Alice tiene tres cintas. Sus longitudes son 7 pulgadas, 10 pulgadas y 12 pulgadas. Alice no tiene regla ni tijeras. ¿Cómo puede usar las cintas para medir una longitud de 15 pulgadas?

Comprende el problema Identifica la información importante.

- Las cintas miden 7 pulgadas, 10 pulgadas y 12 pulgadas.

En la respuesta se mostrará cómo usar las cintas para medir 15 pulgadas.

Haz un plan Mide y corta tres cintas o tiras de papel para **hacer un modelo.** Una cinta debe medir 7 pulgadas, otra 10 pulgadas y otra 12. Intenta con diferentes combinaciones de cintas para formar otras longitudes.

Resuelve Al unir dos cintas por los extremos, formas longitudes de 17, 19 y 22 pulgadas, que son demasiado largas.

Une las cintas de 10 pulgadas y 12 pulgadas para llegar a 22 pulgadas. Ahora coloca encima la cinta de 7 pulgadas. El resto de la cinta, la que **no** está debajo de la cinta de 7 pulgadas, medirá 15 pulgadas.

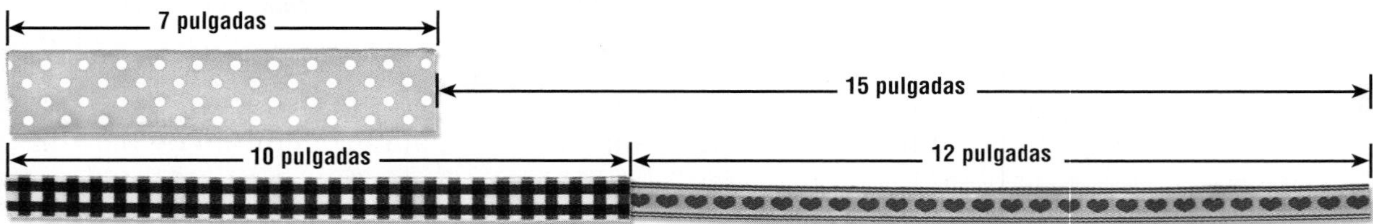

Repasa Usa otra estrategia. Sin cintas, podrías haber **calculado** varias formas de sumar y restar 7, 10 y 12. Luego, podrías haber **puesto a prueba** esas formas para ver si alguna daba 15:

$10 + 12 - 7 = 15$

PRÁCTICA

1. Halla otras longitudes que puedas medir con las tres cintas.

2. Andy apila cuatro cubos, uno sobre otro, y pinta la parte exterior (no la parte de abajo) de la pila. ¿Cuántas caras de los cubos pintó?

Calcular y poner a prueba

Si no sabes cómo resolver un problema, puedes **calcular.** Luego, puedes **poner a prueba** el cálculo con la información del problema. Usa el resultado para hacer un mejor cálculo. Repite el procedimiento hasta hallar la respuesta correcta.

Estrategias de resolución de problemas

- Dibujar un diagrama
- Hacer un modelo
- **Calcular y poner a prueba**
- Trabajar en sentido inverso
- Hallar un patrón
- Hacer una tabla
- Resolver un problema más sencillo
- Usar el razonamiento lógico
- Representar
- Hacer una lista organizada

Un examen tenía 25 problemas. Se daban 4 puntos por cada respuesta correcta. Se restaba 1 punto por cada respuesta incorrecta. Tania respondió a los 25 problemas y obtuvo un puntaje de 85. ¿Cuántas respuestas correctas e incorrectas tuvo?

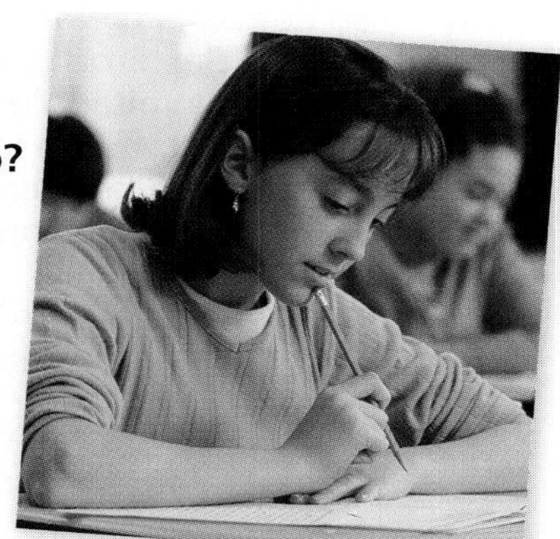

Comprende el problema

Identifica la información importante.

- El examen tenía 25 problemas.
- Se daban 4 puntos por respuesta correcta y se perdía 1 punto por respuesta incorrecta.
- Tania respondió a todos los problemas y su puntaje fue 85.

La respuesta será la cantidad de problemas que Tania resolvió correcta e incorrectamente.

Haz un plan

Empieza por **calcular** el número de respuestas correctas. Luego, puedes **poner a prueba** tu cálculo para ver si el puntaje total es 85.

Resuelve

Haz un primer cálculo de 20 respuestas correctas.

Correctas	Incorrectas	Puntaje	Resultado
20	5	$(20 \times 4) - (5 \times 1) = 80 - 5 = 75$	Muy bajo; haz un cálculo más alto
23	2	$(23 \times 4) - (2 \times 1) = 92 - 2 = 90$	Muy alto; haz un cálculo más bajo
22	3	$(22 \times 4) - (3 \times 1) = 88 - 3 = 85$	Correcto ✓

Tania tuvo 22 respuestas correctas y 3 respuestas incorrectas.

Repasa

Observa que los cálculos que hiciste para resolver este problema no fueron desorganizados. Calcular y poner a prueba en forma organizada casi siempre te permitirá llegar a la respuesta correcta.

PRÁCTICA

1. La suma de las edades de Joe y su hermano menor es 38. La diferencia entre sus edades es 8. ¿Cuántos años tienen Joe y su hermano?

2. Amy compró libros usados a $4.95. Algunos le costaron $0.50 cada uno y otros $0.35 cada uno. Compró menos de 8 libros a cada precio. ¿Cuántos libros compró? ¿Cuántos costaron $0.50?

Trabajar en sentido inverso

En algunos problemas se te da una sucesión de información y se te pide que halles algo que ocurrió al principio. Para resolver un problema como éste, puedes empezar por el final y **trabajar en sentido inverso.**

Estrategias de resolución de problemas

Dibujar un diagrama	Hacer una tabla
Hacer un modelo	Resolver un problema más sencillo
Calcular y poner a prueba	Usar el razonamiento lógico
Trabajar en sentido inverso	Representar
Hallar un patrón	Hacer una lista organizada

Jaclyn y su hermana melliza Bailey recibieron dinero para su cumpleaños. Gastaron la mitad en un videojuego. Luego, gastaron la mitad de lo que les quedaba en una pizza. Por último, gastaron la mitad del resto del dinero en el alquiler de una película. Al final del día, tenían $4.50. ¿Cuánto dinero tenían al principio?

Comprende el problema Identifica la información importante.

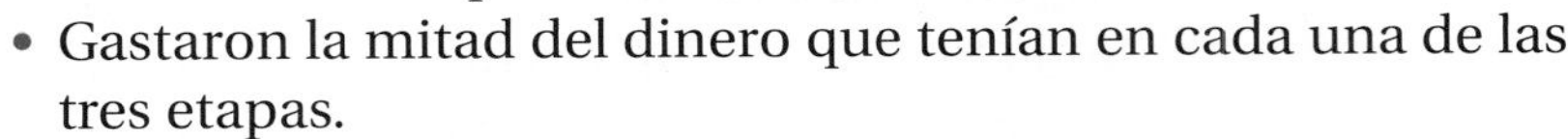

- A las chicas les quedaron $4.50.
- Gastaron la mitad del dinero que tenían en cada una de las tres etapas.

La respuesta será la cantidad de dinero que tenían al principio.

Haz un plan Comienza con el dinero que sabes que les quedó a las chicas, $4.50, y **trabaja en sentido inverso** con la información que se da en el problema.

Resuelve Jaclyn y Bailey tenían $4.50 al final del día.

Tenían el doble antes de alquilar una película. $2 \times \$4.50 = \$9$

Tenían el doble antes de comprar una pizza. $2 \times \$9 = \$18$

Tenían el doble antes de comprar un videojuego. $2 \times \$18 = \$36$

Las chicas empezaron con $36.

Repasa Con la cantidad inicial, $36, trabaja desde el comienzo del problema. Halla la cantidad que gastaron en cada lugar para ver si les quedaron $4.50.

Comienzo:	$36
Videojuego:	$\$36 \div 2 = \$18$
Pizza:	$\$18 \div 2 = \$9$
Alquiler de película:	$\$9 \div 2 = \$4.50$ ✓

PRÁCTICA

1. La familia Lauber tiene 4 hijos. Chris tiene 5 años menos que su hermano Mark. Justin tiene la mitad de la edad de su hermano Chris. Mary, que tiene 10, es 3 años menor que Justin. ¿Cuántos años tiene Mark?

2. Si divides un número entre 4, le sumas 8 y lo multiplicas por 3, obtienes 42. ¿Cuál es ese número misterioso?

Hallar un patrón

En algunos problemas hay una relación entre los datos. Examina esta relación y trata de **hallar un patrón.** Luego, puedes usar este patrón para hallar más información y la solución del problema.

Estrategias de resolución de problemas

Dibujar un diagrama	Hacer una tabla
Hacer un modelo	Resolver un problema más sencillo
Calcular y poner a prueba	Usar el razonamiento lógico
Trabajar en sentido inverso	Representar
Hallar un patrón	Hacer una lista organizada

Los estudiantes usan el patrón de la derecha para construir las escaleras del modelo de una casa. ¿Cuántos bloques se necesitan para construir una escalera de siete escalones?

Comprende el problema

La respuesta será la cantidad total de bloques de una escalera de siete escalones.

Haz un plan

Trata de **hallar un patrón** entre la cantidad de escalones y la cantidad de bloques que se necesitan.

Observa que el primer escalón se hace con un bloque. El segundo se hace con dos bloques, el tercero con tres bloques y el cuarto con cuatro bloques.

Escalón	Bloques del escalón	Cantidad total de bloques de la escalera
2	2	1 + 2 = 3
3	3	1 + 2 + 3 = 6
4	4	1 + 2 + 3 + 4 = 10

Para hallar la cantidad total de bloques, suma la cantidad de bloques del primer escalón, el segundo escalón, el tercer escalón, y así sucesivamente.

Resuelve

El séptimo escalón se hará con siete bloques. La cantidad total de bloques será: 1 + 2 + 3 + 4 + 5 + 6 + 7 = 28.

Repasa

Usa otra estrategia. Puedes **dibujar un diagrama** de una escalera de 7 escalones. Cuenta los bloques de tu diagrama. Hay 28 bloques.

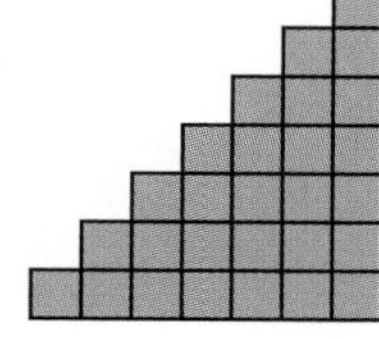

PRÁCTICA

1. Una compañía de cereal agrega figuritas de béisbol a la 3ra, 6ta, 11ra, 18va caja, y así sucesivamente, de cada paquete de cajas de cereal. En un paquete de 40 cajas, ¿cuántas tendrán figuritas de béisbol?
2. Describe el patrón y halla los números que faltan.

   1; 4; 16; 64; 256; ▒; ▒; 16,384

Hacer una tabla

Cuando en un problema hay mucha información, puede ser útil organizarla. Una forma de organizar la información es **hacer una tabla.**

Estrategias de resolución de problemas

Dibujar un diagrama	**Hacer una tabla**
Hacer un modelo	Resolver un problema más sencillo
Calcular y poner a prueba	Usar el razonamiento lógico
Trabajar en sentido inverso	Representar
Hallar un patrón	Hacer una lista organizada

Los estudiantes de la maestra Melo obtuvieron los siguientes puntajes en su examen de matemáticas: 90, 80, 77, 78, 91, 92, 73, 62, 83, 79, 72, 85, 93, 84, 75, 68, 82, 94, 98 y 82. Se da una A por 90 a 100 puntos, una B por 80 a 89 puntos, una C por 70 a 79 puntos, una D por 60 a 69 puntos y una F por menos de 60 puntos. Halla la cantidad de estudiantes que obtuvieron cada calificación.

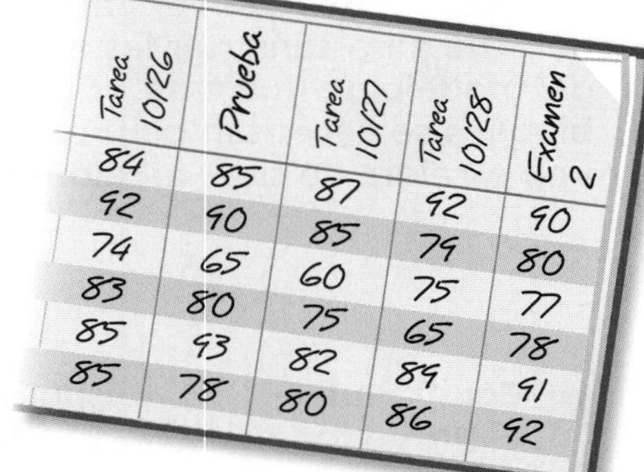

Comprende el problema

Identifica la información importante.

- Tienes la lista de puntajes y la calificación con letras que corresponde a cada puntaje.

La respuesta será la cantidad que haya de cada calificación con letras.

Haz un plan

Haz una tabla para organizar los puntajes. Usa la información del problema para preparar tu tabla. Haz una fila para cada calificación con letras.

Calificación con letras	Cantidad
A (90–100)	𝍸 I
B (80–89)	𝍸 I
C (70–79)	𝍸 I
D (60–69)	II
F (menos de 60)	

Resuelve

Lee la lista de puntajes. Al leer cada puntaje haz una marca en el lugar apropiado de tu tabla. Hay 20 puntajes, así que debes asegurarte de tener 20 marcas en total.

La maestra Melo puso seis A, seis B, seis C, dos D y ninguna F.

Repasa

Usa otra estrategia. Otra forma de resolver este problema es **hacer una lista organizada.** Ordena los puntajes de menor a mayor y cuenta cuántos puntajes hay en cada rango.

62, 68, **72, 73, 75, 77, 78, 79, 80, 82, 82, 83, 84, 85,** 90, 91, 92, 93, 94, 98

D C B A

PRÁCTICA

1. El club de debate tiene 6 integrantes. Cada uno debatirá con cada uno de los demás exactamente una vez. ¿Cuántos debates habrá en total?

2. En la biblioteca se celebran tres sesiones de cuentos. Cada sesión dura 45 minutos y hay 30 minutos entre cada sesión y la siguiente. Si la primera empieza a las 10:00 am, ¿a qué hora termina la última sesión?

Resolver un problema más sencillo

A veces un problema contiene números grandes o requiere muchos pasos. Trata de **resolver un problema más sencillo** que sea semejante. Resuelve primero el problema más sencillo y luego usa los mismos pasos para resolver el problema original.

Estrategias de resolución de problemas

- Dibujar un diagrama
- Hacer un modelo
- Calcular y poner a prueba
- Trabajar en sentido inverso
- Hallar un patrón
- Hacer una tabla
- **Resolver un problema más sencillo**
- Usar el razonamiento lógico
- Representar
- Hacer una lista organizada

Al final de un partido de fútbol, cada jugadora saluda a todas las jugadoras del equipo contrario. ¿Cuántos saludos hay al final de un partido entre dos equipos de 20 jugadoras?

Comprende el problema

Identifica la información importante.

- Hay 20 jugadoras en cada equipo.
- Cada jugadora saluda a todas las jugadoras del equipo contrario.

La respuesta será la cantidad total de saludos.

Haz un plan

Resuelve un problema más sencillo. Por ejemplo, supongamos que cada equipo sólo tiene una jugadora. Entonces, habría sólo un saludo entre las dos. Aumenta la cantidad de jugadoras a dos y tres.

Resuelve

Cuando hay una jugadora, hay $1 \times 1 = 1$ saludo. Con 2 jugadoras, hay $2 \times 2 = 4$ saludos. Y con 3 jugadoras hay $3 \times 3 = 9$ saludos.

Jugadoras por equipo	Diagrama	Saludos
1		1
2		4
3		9

Si cada equipo tiene 20 jugadoras, habrá $20 \times 20 = 400$ saludos.

Repasa

Si el patrón es correcto, para 4 jugadoras habrá 16 saludos y para 5 jugadoras habrá 25 saludos. Completa las siguientes dos filas de la tabla para comprobar estas respuestas.

PRÁCTICA

1. Martha tiene 5 pantalones y 4 blusas que puede usar en la escuela. ¿Cuántas combinaciones de pantalón y blusa puede hacer?
2. ¿Cuál es el menor número de 5 dígitos que puede dividirse entre 50 con un residuo de 17?

Usar el razonamiento lógico

A veces un problema da claves y datos que puedes usar para responder a una pregunta. Puedes **usar el razonamiento lógico** para resolver este tipo de problemas.

Estrategias de resolución de problemas

- Dibujar un diagrama
- Hacer un modelo
- Calcular y poner a prueba
- Trabajar en sentido inverso
- Hallar un patrón
- Hacer una tabla
- Resolver un problema más sencillo
- **Usar un razonamiento lógico**
- Representar
- Hacer una lista organizada

Kevin, Ellie y Jillian practican tres deportes diferentes. Una persona practica fútbol, otra corre en pista y la otra nada. Ellie es la hermana de la persona que nada. Kevin fue una vez de compras con la persona que nada y la que corre en pista. Relaciona a cada estudiante con el deporte que practica.

Comprende el problema

Identifica la información importante.

- Hay tres personas y cada una practica un deporte diferente.
- Ellie es hermana de la persona que nada.
- Kevin fue una vez de compras con la persona que nada y con la que corre.

La respuesta indicará qué deporte practica cada estudiante.

Haz un plan

Comienza con las pistas que se dan en el problema y **usa el razonamiento lógico** para hallar la respuesta.

Resuelve

Haz una tabla con una columna para cada deporte y una fila para cada persona. Trabaja con una pista por vez. Escribe "sí" en un recuadro si la pista se aplica a esa persona. Si no se aplica, escribe "no".

	Fútbol	Pista	Natación
Kevin		no	no
Ellie			no
Jillian			

- Ellie es hermana de la persona que nada, así que ella no nada.
- Kevin fue de compras con la persona que nada y con la que corre, así que, no nada ni corre.

Entonces Kevin tiene que ser el que practica fútbol y Jillian debe ser la que nada. Queda Ellie como la que corre en pista.

Repasa

Compara tu respuesta con las pistas del problema. Asegúrate de que ninguna de tus conclusiones contradiga las claves.

PRÁCTICA

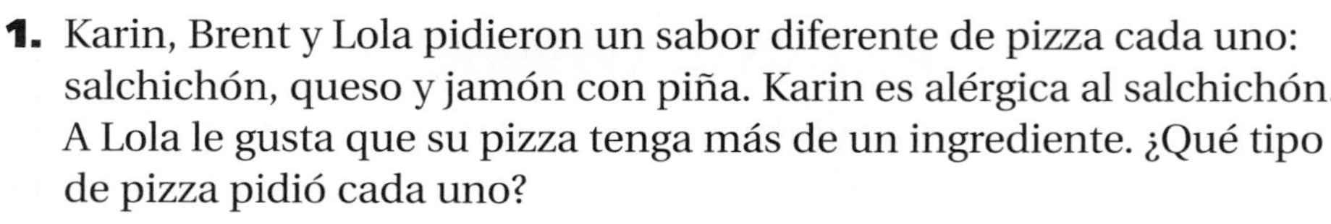

1. Karin, Brent y Lola pidieron un sabor diferente de pizza cada uno: salchichón, queso y jamón con piña. Karin es alérgica al salchichón. A Lola le gusta que su pizza tenga más de un ingrediente. ¿Qué tipo de pizza pidió cada uno?

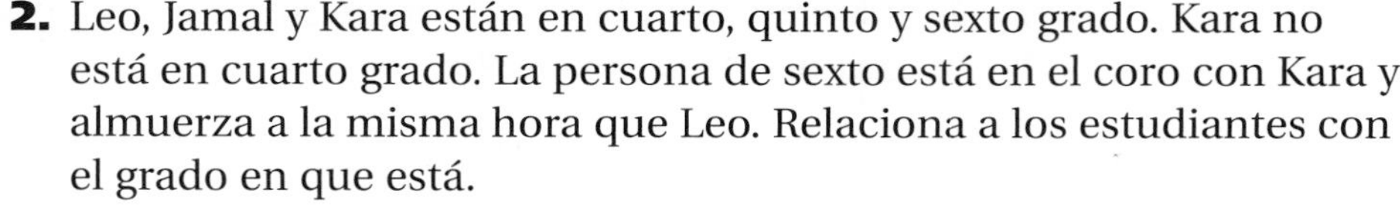

2. Leo, Jamal y Kara están en cuarto, quinto y sexto grado. Kara no está en cuarto grado. La persona de sexto está en el coro con Kara y almuerza a la misma hora que Leo. Relaciona a los estudiantes con el grado en que está.

Representar

Algunos problemas tratan con acciones o procesos. Para resolver estos problemas, puedes **representarlos.** Hacer un modelo del problema de manera activa te ayudará a hallar la solución.

Estrategias de resolución de problemas

Dibujar un diagrama
Hacer un modelo
Calcular y poner a prueba
Trabajar en sentido inverso
Hallar el patrón
Hacer una tabla
Resolver un problema más sencillo
Usar el razonamiento lógico
Representar
Hacer una lista organizada

Wei lanza un dado y una moneda al mismo tiempo. ¿En qué fracción de los resultados posibles sale un número par en el dado y cara en la moneda?

Comprende el problema

Haz una lista con la información importante.

- Wei lanza un dado y una moneda al mismo tiempo.

La respuesta será la fracción de todos los resultados posibles en que sale un número par en el dado y cara en la moneda.

Representa el problema para hallar cuántos resultados posibles hay. Luego, halla la fracción de los resultados donde sale un número par en el dado y cara en la moneda.

Resuelve

Usa un dado y una moneda. Gira el dado mientras dejas la moneda mostrando la cara, y luego gira el dado mientras dejas la moneda mostrando la cruz para hacer una lista de todos los resultados posibles. Luego, encierra en un círculo los resultados donde hay un número par en el dado y la moneda muestra el lado de la cara.

Cuenta la cantidad total de resultados posibles. Hay 12 resultados posibles. Cuenta la cantidad de resultados encerrados en un círculo. Hay 3 resultados encerrados en un círculo. La fracción de resultados que muestran un número par y la moneda del lado de la cara es $\frac{3}{12}$ ó $\frac{1}{4}$.

Repasa

Comprueba la lista de los resultados posibles para asegurarte de que no falta ninguno. Comprueba también que hayas encerrado en un círculo todos los resultados donde hay un número par y la moneda muestra el lado de la cara.

PRÁCTICA

1. Jeremy lanza una moneda de veinticinco centavos y otra de cinco al mismo tiempo. ¿En qué fracción de los resultados posibles ambas monedas caen con el lado de la cara hacia arriba?
2. Alyson lanza un dado rojo y otro azul al mismo tiempo. ¿En qué fracción de los resultados posibles sale 6 en los dos dados?

Hacer una lista organizada

En algunos problemas necesitarás hallar de cuántas maneras diferentes puede ocurrir algo. Muchas veces es útil **hacer una lista organizada.** Esto te ayudará a contar los resultados posibles y asegurarte de que los incluiste todos.

Estrategias de resolución de problemas

Dibujar un diagrama	Hacer una tabla
Hacer un modelo	Resolver un problema más sencillo
Calcular y poner a prueba	Usar el razonamiento lógico
Trabajar en sentido inverso	Representar
Hallar un patrón	**Hacer una lista organizada**

En un juego de un parque de diversiones, los jugadores lanzan 3 dardos a un blanco para obtener puntos y ganar premios. Si todos los dardos dan en el blanco, ¿cuántos puntajes totales posibles hay?

Comprende el problema

Identifica la información importante.

- Un jugador lanza tres dardos al blanco.

La respuesta será la cantidad de puntuaciones diferentes que puede obtener.

Haz un plan

Haz una lista organizada para determinar todos los resultados posibles y los puntajes totales. Anota el valor de cada dardo y los totales de los tres dardos.

Resuelve

Puedes organizar tu lista por la cantidad de dardos que dan en el centro. Los tres dardos podrían dar en el círculo del centro. O dos dardos podrían dar en el círculo del centro y el tercero en otro círculo. Un dardo podría dar en el círculo del centro o ningún dardo podría dar en el círculo del centro.

3 dardos en el centro	2 dardos en el centro	1 dardo en el centro	0 dardos en el centro
$10 + 10 + 10 = 30$	$10 + 10 + 5 = 25$	$10 + 5 + 5 = 20$	$5 + 5 + 5 = 15$
	$10 + 10 + 2 = 22$	$10 + 5 + 2 = 17$	$5 + 5 + 2 = 12$
		$10 + 2 + 2 = 14$	$5 + 2 + 2 = 9$
			$2 + 2 + 2 = 6$

Cuenta los diferentes resultados. Hay 10 puntajes posibles.

Repasa

Podrías haber anotado los resultados al azar, pero como tu lista está organizada, puedes estar seguro de que no olvidaste ninguna posibilidad. Comprueba que todas las puntuaciones sean diferentes.

PRÁCTICA

1. En un restaurante hay tres clases de panqueques: de canela, de arándano y de manzana. Si pides uno de cada clase, ¿de cuántas maneras pueden estar apilados?

2. ¿De cuántas maneras puedes cambiar una moneda de 25 centavos con monedas de 10 centavos, de 5 centavos y de 1 centavo?

Banco de destrezas Repaso de las destrezas

Valor posicional: de billones a milésimas

Puedes usar una tabla de valores posicionales para leer y escribir números.

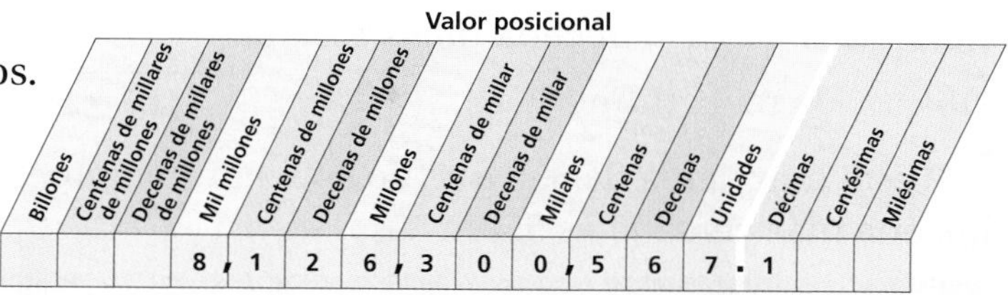

EJEMPLO

¿Cuál es el valor posicional del dígito 3 en 8,126,300,567.1?

El dígito 3 está en la posición de las centenas de millar.

PRÁCTICA

Escribe el valor posicional del dígito subrayado.

1. 14,536,992.1 **2.** 34.071 **3.** 6,190.05 **4.** 5,027,549,757,20.2

5. 103.526 **6.** 3.721 **7.** 65,331,040,421 **8.** 75,983.009

Comparar y ordenar números cabales

Al leer la recta numérica de izquierda a derecha, los números están ordenados de menor a mayor.

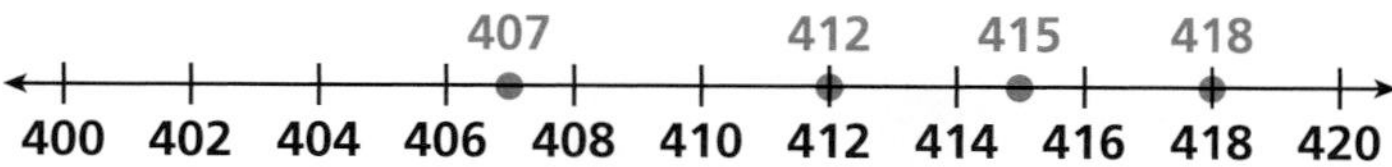

Puedes usar una recta numérica y el valor posicional para comparar números cabales. Usa los símbolos $>$ (es mayor que) y $<$ (es menor que).

EJEMPLO

Compara. Escribe $<$, $>$ ó $=$.

A **412 ■ 418**

418 está a la derecha de 412 en una recta numérica.

$412 < 418$

B **415 ■ 407**

1 decena es mayor que 0 decenas.

$415 > 407$

PRÁCTICA

Compara. Escribe $<$, $>$ ó $=$.

1. 419 ■ 410 **2.** 9,161 ■ 8,957 **3.** 5,036 ■ 5,402

4. 617 ■ 681 **5.** 700 ■ 698 **6.** 1,611 ■ 1,489

Redondear números cabales

Puedes usar una recta numérica o las reglas de redondeo para redondear números cabales a la decena, centena, millar o decena de millar más cercana.

EJEMPLO 1

Redondea 547 a la decena más cercana.

Observa la recta numérica.

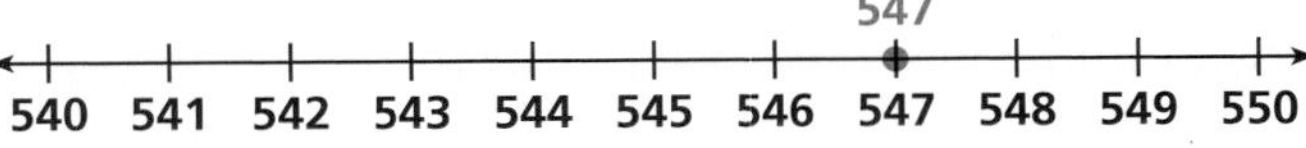

547 está más cerca de 550 que de 540. Por lo tanto, 547 redondeado a la decena más cercana es 550.

REGLAS DE REDONDEO

Si el dígito de la derecha es 5 ó mayor, aumenta el dígito en la posición de redondeo en 1.

Si el dígito de la derecha es menor que 5, conserva igual el dígito en la posición de redondeo.

EJEMPLO 2

Redondea 12,573 al millar más cercano.

12,573 — *Halla el dígito en la posición de los millares.*

↑ *El dígito es 5 ó mayor. Suma 1.* — *Observa el dígito de la derecha.*

12,573 redondeado al millar más cercano es 13,000.

PRÁCTICA

Redondea cada número al valor posicional dado.

1. 15,638; centena
2. 37,519; millar
3. 9,298; decena
4. 69,504; decena de millar
5. 852; millar
6. 33,449; centena

Redondear decimales

Puedes usar las reglas de redondeo para redondear decimales al número cabal, décima, centésima, milésima o diezmilésima más cercana.

EJEMPLO

Redondea cada decimal al valor posicional dado.

A 5.16; número cabal

$1 < 5$ Por lo tanto, 5.16 se redondea a 5.

B 13.45605; diezmilésima

$5 \geq 5$ Por lo tanto, 13.45605 se redondea a 13.4561.

PRÁCTICA

Redondea cada decimal al valor posicional dado.

1. 3.982; décima
2. 6.3174; centésima
3. 1.471; número cabal
4. 48.1526; centésima
5. 5.03654; diezmilésima
6. 0.083; décima

Patrones de valor posicional

Puedes usar operaciones básicas y el valor posicional para resolver mentalmente problemas de matemáticas.

EJEMPLO

Resuelve mentalmente.

A **300 + 200**

Operación básica: 3 + 2 = 5 — *Razona: 3 centenas + 2 centenas*

300 + 200 = 500

B **200 × 600**

Operación básica: 2 × 6 = 12 — *Razona: Hay cuatro ceros en los factores, por lo tanto, coloca cuatro ceros en el producto.*

200 × 600 = 120,000

PRÁCTICA

Resuelve mentalmente.

1. 500 + 400 **2.** 80 − 50 **3.** 700 × 30 **4.** 2,500 ÷ 50

5. 1,200 + 600 **6.** 20 × 9,000 **7.** 650 − 300 **8.** 320 ÷ 8

Números romanos

En lugar de usar el valor posicional como en el sistema decimal, en el sistema de números romanos se usan combinaciones de letras para representar números.

I = 1	V = 5	X = 10
L = 50	C = 100	D = 500
M = 1,000		

Ninguna letra puede escribirse más de tres veces seguidas. Si una letra se escribe antes de otra que representa un valor mayor, resta el valor de la primera al valor de la segunda.

EJEMPLO

Escribe cada número decimal como número romano y cada número romano como decimal.

A **3**

3 = I + I + I = III

B **9**

9 = X − I = IX

C **CLV**

CLV = 100 + 50 + 5 = 155

D **XC**

XC = 100 − 10 = 90

PRÁCTICA

Escribe cada número decimal como número romano y cada número romano como decimal.

1. 12 **2.** 25 **3.** 209 **4.** 54

5. VIII **6.** LXXII **7.** XIX **8.** MMIV

Banco de destrezas

Suma

La suma se usa para hallar el total de dos o más cantidades. La respuesta a un problema de suma se llama *suma*.

EJEMPLO

4,617 + 5,682

Paso 1: Suma las unidades.	**Paso 2:** Suma las decenas.	**Paso 3:** Suma las centenas. Reagrupa.	**Paso 4:** Suma los millares.
$\begin{array}{r} 4{,}617 \\ +\ 5{,}682 \\ \hline 9 \end{array}$	$\begin{array}{r} 4{,}617 \\ +\ 5{,}682 \\ \hline 99 \end{array}$	$\begin{array}{r} {\scriptstyle 1}\phantom{{,}617} \\ 4{,}617 \\ +\ 5{,}682 \\ \hline 299 \end{array}$	$\begin{array}{r} {\scriptstyle 1}\phantom{{,}617} \\ 4{,}617 \\ +\ 5{,}682 \\ \hline 10{,}299 \end{array}$

La suma es 10,299.

PRÁCTICA

Halla la suma.

1. 711 + 591
2. 2,580 + 2,345
3. 21,470 + 13,329
4. $165 + $304
5. 6,905 + 872
6. 47,231 + 3,254

Resta

La resta se usa para quitar una cantidad de otra o para comparar dos cantidades. La respuesta a un problema de resta se llama *diferencia.* La diferencia indica por cuánto es más grande o más pequeño un número que otro.

EJEMPLO

780 − 468

Paso 1: Reagrupa. Resta las unidades.	**Paso 2:** Resta las decenas.	**Paso 3:** Resta las centenas.
$\begin{array}{r} {\scriptstyle 7\,10} \\ 7\,\not{8}\,\not{0} \\ -\ 4\,6\,8 \\ \hline 2 \end{array}$	$\begin{array}{r} {\scriptstyle 7\,10} \\ 7\,\not{8}\,\not{0} \\ -\ 4\,6\,8 \\ \hline 1\,2 \end{array}$	$\begin{array}{r} {\scriptstyle 7\,10} \\ 7\,\not{8}\,\not{0} \\ -\ 4\,6\,8 \\ \hline 3\,1\,2 \end{array}$

La diferencia es 312.

PRÁCTICA

Halla la diferencia.

1. 6,785 − 2,426
2. 3,000 − 1,930
3. 932 − 868
4. 41,003 − 22,500
5. $1,075 − $918
6. 12,035 − 640

Multiplicar números cabales

La multiplicación se usa para combinar grupos de cantidades iguales. La respuesta de un problema de multiplicación se llama *producto.*

EJEMPLO

105 × 214

Paso 1: Piensa en 214 como 2 centenas, 1 decena y 4 unidades. Multiplica por 4 unidades.	**Paso 2:** Multiplica por 1 decena, ó 10.	**Paso 3:** Multiplica por 2 centenas, ó 200.	**Paso 4:** Suma los productos parciales.
$\begin{array}{r} {}^{2} \\ 105 \\ \times\ 214 \\ \hline 420 \end{array}$ ← 4 × 105	$\begin{array}{r} 105 \\ \times\ 214 \\ \hline 420 \\ 1050 \end{array}$ ← 10 × 105	$\begin{array}{r} {}^{1} \\ 105 \\ \times\ 214 \\ \hline 420 \\ 1050 \\ 21000 \end{array}$ ← 200 × 105	$\begin{array}{r} 105 \\ \times\ 214 \\ \hline 420 \\ 1050 \\ +21000 \\ \hline 22,470 \end{array}$

El producto es 22,470.

PRÁCTICA

Halla el producto.

1. 350 × 112 **2.** 3,218 × 231 **3.** 187 × 136

4. 5,028 × 225 **5.** 642 × 428 **6.** 2,039 × 570

Multiplicar por potencias de 10

Puedes usar el cálculo mental para multiplicar por potencias de 10.

EJEMPLO

4,000 × 100

Paso 1: Busca una operación básica con la parte de los factores distinta de cero.	**Paso 2:** Suma la cantidad de ceros de los factores. Coloca esa cantidad de ceros en el producto.
4 × 1 = 4	4,000 × 100 = 400,000

El producto es 400,000.

PRÁCTICA

Multiplica.

1. 600 × 100 **2.** 90 × 1,000 **3.** 2,000 × 10

4. 400 × 10 **5.** 10,000 × 1,000 **6.** 7,100 × 1,000

Dividir números cabales

La división se usa para separar una cantidad en grupos iguales. La respuesta de un problema de división se llama *cociente.*

EJEMPLO

672 ÷ 16

Paso 1: Escribe el primer número dentro del símbolo de división larga y el segundo número a la izquierda. Coloca el primer dígito del cociente.	**Paso 2:** Multiplica 4 por 16 y coloca el producto debajo de 67.	**Paso 3:** Baja el siguiente dígito del dividendo.
$16\overline{)672}$ *16 no cabe en 6, por lo tanto, prueba 67.*	$\begin{array}{r} 4 \\ 16\overline{)672} \\ -64 \\ \hline 3 \end{array}$ *Resta 64 de 67.*	$\begin{array}{r} 42 \\ 16\overline{)672} \\ -64\downarrow \\ \hline 32 \\ -32 \\ \hline 0 \end{array}$ *Divide 32 entre 16.*

El cociente es 42.

PRÁCTICA

Halla el cociente.

1. 578 ÷ 34 **2.** 736 ÷ 8 **3.** 826 ÷ 118

4. 945 ÷ 45 **5.** 6,312 ÷ 263 **6.** 5,989 ÷ 53

Dividir con ceros en el cociente

A veces, cuando divides necesitas agregar ceros en el cociente como marcadores de posición.

EJEMPLO

3,648 ÷ 12

Paso 1: Divide 36 entre 12 porque 12 > 3.	**Paso 2:** Coloca un cero en el cociente porque 12 > 4.	**Paso 3:** Baja el 8.
$\begin{array}{r} 3 \\ 12\overline{)3,648} \end{array}$	$\begin{array}{r} 30 \\ 12\overline{)3,648} \\ -36\downarrow \\ \hline 04 \end{array}$	$\begin{array}{r} 304 \\ 12\overline{)3,648} \\ -36\downarrow \\ \hline 048 \\ -48 \\ \hline 0 \end{array}$

El cociente es 304.

PRÁCTICA

Halla el cociente.

1. 424 ÷ 4 **2.** 5,796 ÷ 28 **3.** 540 ÷ 18

4. 7,380 ÷ 123 **5.** 12,045 ÷ 3 **6.** 10,626 ÷ 21

Números compatibles

Los números compatibles se pueden calcular mentalmente con facilidad. Por lo regular se basan en grupos de 10 ó en operaciones básicas.

EJEMPLO 1

A $7 + 6 + 3 + 4$

$(7 + 3) + (6 + 4)$ *Haz grupos de 10.*

$10 + 10$

20

B $2 \times 32 \times 5$

$(2 \times 5) \times 32$ *Haz un grupo de 10.*

10×32

320

EJEMPLO 2

Estima 358 ÷ 9.

Operación básica: $36 \div 9 = 4$ *360 es compatible con 9. $360 \div 9 = 40$*

$358 \div 9 \approx 40$

PRÁCTICA

Usa números compatibles para resolver.

1. $15 + 42 + 38 + 25$ **2.** $4 \times 3 \times 25$ **3.** $17 + 51 + 23 + 19$

4. $6 \times 15 \times 4$ **5.** $11 + 123 + 57 + 9$ **6.** $2 \times 7 \times 20 \times 5$

Estima por redondeo para hallar números compatibles.

7. $473 \div 80$ **8.** $118 \div 4$ **9.** $57 \div 11$

Cálculo mental

Puedes usar la propiedad distributiva para hallar productos mentalmente.

EJEMPLO

6 × 32

Paso 1: Escribe 32 como la suma de un múltiplo de 10 y un número de un dígito. 6×32 $6 \times (30 + 2)$	**Paso 2:** Usa la propiedad distributiva. $6 \times (30 + 2)$ $(6 \times 30) + (6 \times 2)$	**Paso 3:** Usa el cálculo mental para multiplicar y luego para sumar. $(6 \times 30) + (6 \times 2)$ $180 + 12 = 192$

PRÁCTICA

Usa la propiedad distributiva para hallar cada producto.

1. 5×66 **2.** 3×42 **3.** 8×21

4. 7×84 **5.** 5×93 **6.** 4×75

Múltiplos

Los **múltiplos** de un número se pueden hallar multiplicando el número por 1, 2, 3 y así sucesivamente.

EJEMPLO

Halla los cinco primeros múltiplos de 3.

$3 \cdot 1 = 3$ *Multiplica 3 por 1.*
$3 \cdot 2 = 6$ *Multiplica 3 por 2.*
$3 \cdot 3 = 9$ *Multiplica 3 por 3.*
$3 \cdot 4 = 12$ *Multiplica 3 por 4.*
$3 \cdot 5 = 15$ *Multiplica 3 por 5.*

Los cinco primeros múltiplos de 3 son 3, 6, 9, 12 y 15.

PRÁCTICA

Halla los primeros cinco múltiplos de cada número.

1. 9 **2.** 10 **3.** 20 **4.** 15 **5.** 7 **6.** 18

Evaluar fórmulas

Cuando **evalúas una fórmula,** sustituyes las variables de la fórmula por valores numéricos y luego simplificas.

EJEMPLO

La fórmula $d = vt$ se usa para hallar la distancia. Evalúa la fórmula para $v = 50$ mi/h y $t = 6$ h.

$d = vt$
$d = 50 \cdot 6$ *Sustituye v por 50 y t por 6.*
$d = 300$ *Multiplica.*

La distancia d es 300 millas.

PRÁCTICA

1. Evalúa la fórmula $d = vt$ para $v = 25$ pies/s y $t = 10$ s.
2. La fórmula $C = 2\pi r$ se usa para hallar la circunferencia de un círculo. Evalúa la fórmula para $r = 14$ pulg. Usa $\frac{22}{7}$ para π.
3. La fórmula $A = \frac{1}{2}bh$ se usa para hallar el área de un triángulo. Evalúa la fórmula para $b = 10$ cm y $h = 8$ cm.
4. La fórmula $V = \ell ah$ se usa para hallar el volumen de un prisma rectangular. Evalúa la fórmula para $\ell = 4$ pies, $a = 6$ pies, y $h = 2$ pies.
5. La fórmula $C = \frac{5}{9}(F - 32)$ se usa para convertir temperaturas en Fahrenheit a temperaturas en Celsius. Evalúa la fórmula para $F = 41°$.
6. La fórmula $I = Cit$ se usa para hallar el interés simple. Evalúa la fórmula para $C = \$100$, $i = 0.05$, y $t = 2$.

Propiedades

La suma y la multiplicación siguen algunas propiedades o leyes. Conocer las propiedades de la suma y la multiplicación puede ayudarte a evaluar expresiones.

Propiedades de la suma		
conmutativa	Puedes sumar números en cualquier orden.	$5 + 1 = 1 + 5$
asociativa	Cuando sólo sumas, puedes agrupar cualesquiera de los números.	$(9 + 3) + 2 = 9 + (3 + 2)$
propiedad de identidad del cero	La suma de cualquier número y cero es igual al número.	$9 + 0 = 9$
propiedad inversa	La suma de cualquier número y su opuesto es 0.	$4 + (-4) = 0$

Propiedades de la multiplicación		
conmutativa	Puedes multiplicar números en cualquier orden.	$5 \times 8 = 8 \times 5$
asociativa	Cuando sólo multiplicas, puedes agrupar cualesquiera de los números.	$(4 \times 9) \times 7 = 4 \times (9 \times 7)$
propiedad de identidad del uno	El producto de cualquier número y uno es igual al número.	$6 \times 1 = 6$
propiedad inversa	Para cualquier número excepto el 0, el producto del número y su recíproco es 1.	$3 \times \frac{1}{3} = 1$
propiedad del cero	El producto de cualquier número y cero es cero.	$5 \times 0 = 0$
distributiva	Cuando multiplicas un número por una suma, puedes hallar la suma primero y luego multiplicar, o multiplicar cada número de la suma y luego sumar los productos.	$6 \times (4 + 5) =$ $6 \times 4 + 6 \times 5$

EJEMPLO

Indica qué propiedad se muestra en la ecuación $(3 + 4) + 7 = 3 + (4 + 7)$.

Se muestra la propiedad asociativa de la suma.

PRÁCTICA

Indica qué propiedad se muestra.

1. $6 \times (3 \times 2) = (6 \times 3) \times 2$

2. $12 \times 9 = 9 \times 12$

3. $0 + d = d$

4. $k \times 1 = k$

5. $8 + 5 = 5 + 8$

6. $2 \times (3 + 10) = (2 \times 3) + (2 \times 10)$

7. $9 + (-9) = 0$

8. $99 \times 0 = 0$

9. $y(3 + 10) = 3y + 10y$

Parte fraccionaria de una región

Puedes usar fracciones para identificar partes de un todo. El denominador indica cuántas partes iguales hay en el todo. El numerador indica cuántas de esas partes se consideran.

EJEMPLO

Indica qué fracción de cada región está sombreada.

 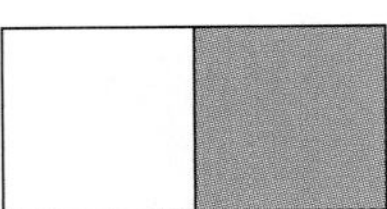

$\frac{1}{2}$

 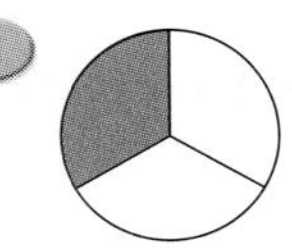

$\frac{1}{3}$

 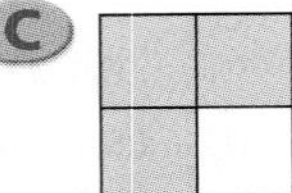

$\frac{3}{4}$

PRÁCTICA

Indica qué fracción de cada región está sombreada.

1. 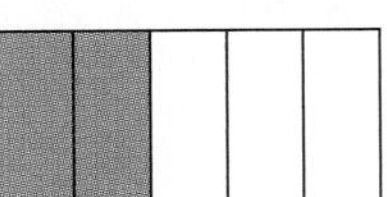

2. 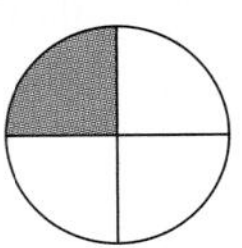

3. 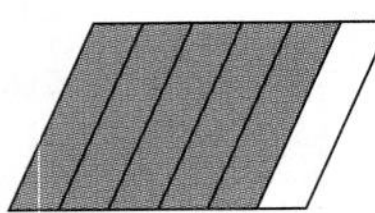

4. 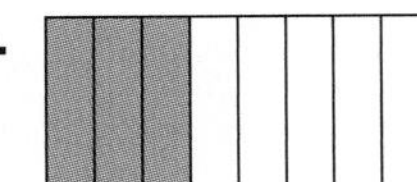

5. 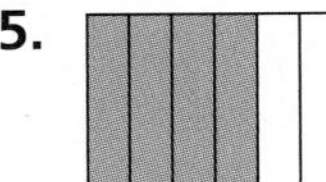

6. 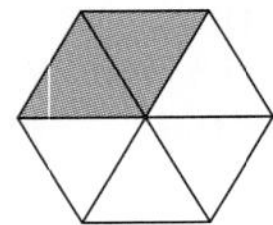

Parte fraccionaria de un conjunto

Puedes usar fracciones para identificar parte de un conjunto. El denominador indica cuántos elementos hay en el conjunto. El numerador indica cuántos de esos elementos se toman.

EJEMPLO

Indica qué fracción de cada conjunto son estrellas.

3 de 10 figuras son estrellas.

$\frac{3}{10}$ de las figuras son estrellas.

5 de 7 figuras son estrellas.

$\frac{5}{7}$ de las figuras son estrellas.

PRÁCTICA

Indica qué fracción de cada conjunto está sombreada.

1. ☆☆☆☆☆☆

2. ■■■■□

3. ●☆○○☆○

4. ■■■□□

5. ●○□□

6. ☆⬢■○▯△♡

Pictogramas

Los pictogramas son gráficas que usan dibujos para presentar los datos. Los pictogramas tienen una clave para indicar qué representa cada dibujo.

EJEMPLO

¿Cuántos estudiantes eligieron el rojo como su color favorito?

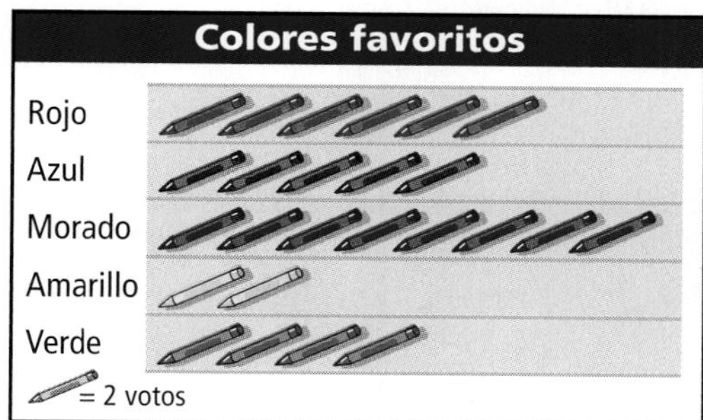

Cada (lápiz) representa 2 estudiantes.

Hay 6 (lápices) en la fila del rojo.

$6 \times 2 = 12$

Por lo tanto, 12 estudiantes eligieron el rojo como su color favorito.

PRÁCTICA

Usa el pictograma para los Ejercicios del 1 al 4.

1. ¿Cuántos boletos vendió el teatro A?

2. ¿Qué teatro vendió la mayor cantidad de boletos?

3. ¿Cuántos boletos más vendió el teatro C que el teatro D?

4. El teatro E vendió 180 boletos. ¿Cómo se mostraría esto en el pictograma?

Boletos vendidos

Teatro A
Teatro B
Teatro C
Teatro D
= 20 boletos

Usa el pictograma para los Ejercicios del 5 al 7.

El maestro Carr encuestó a estudiantes de sexto grado de su escuela. Les preguntó qué tipo de mascota tienen. Anotó los datos en una tabla.

5. ¿Cuántos estudiantes tienen pájaros?

6. ¿Cuántos más son los estudiantes que tienen gatos que los que tienen peces?

7. ¿A cuántos estudiantes encuestó?

Tipo de mascota

Perro
Gato
Pájaro
Pez
Otro
= 2 estudiantes

8. Elizabeth encuestó a sus vecinos. Anotó en una tabla la cantidad de hijos de cada familia. Usa los datos para hacer un pictograma.

Hijos	Familias
0	1
1	6
2	4
3 ó más	2

Medir la longitud al $\frac{1}{16}$ de pulgada más cercano

Cada pulgada de esta regla está dividida en 16 partes iguales. Cada marca mide $\frac{1}{16}$ pulgada.

EJEMPLO

¿Cuál es la longitud del lápiz?

Cuenta la cantidad de marcas de $\frac{1}{16}$ después de la marca de 5 pulgadas. Hay tres marcas. El lápiz mide $5\frac{3}{16}$ pulg.

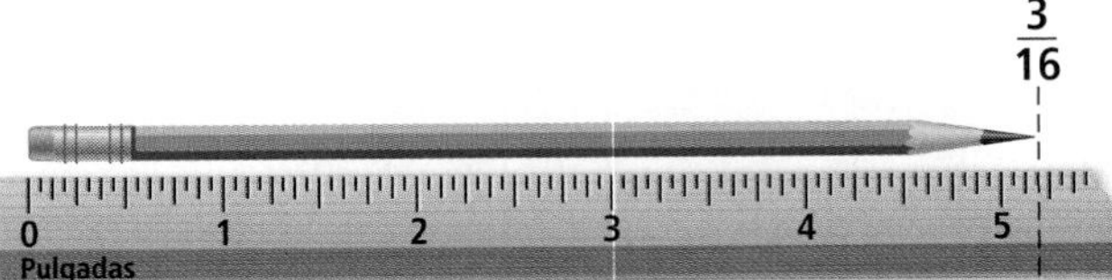

PRÁCTICA

Usa una regla para hallar la longitud de cada objeto al $\frac{1}{16}$ de pulgada más cercano.

1. 

2.

3.

Lectura de escalas

Una *escala* es parecida a una recta numérica con números o marcas colocadas a intervalos fijos. Puedes hallar escalas en gráficas y en instrumentos de medición como reglas y termómetros.

EJEMPLO

¿Qué temperatura se muestra en el termómetro?

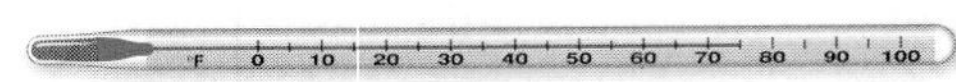

La escala va de 0° F a 100° F en intervalos de 5° F. La temperatura que se muestra es 75° F.

PRÁCTICA

Usa la escala dada para hallar cada medición.

1.

2. 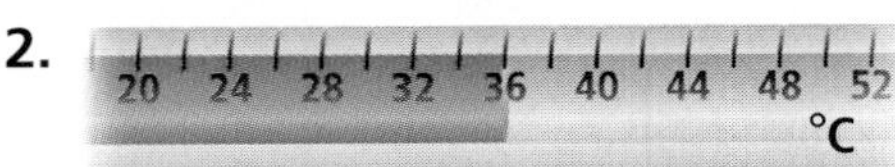

3. 

El tiempo

Los segundos, los minutos, las horas, los días, las semanas, los meses y los años son unidades que puedes usar para medir el tiempo.

EJEMPLO

¿Qué instrumento usarías para medir el tiempo que se tarda en leer una página de un libro?

En un reloj digital se muestran las horas y los minutos.

En un reloj analógico se muestran las horas, los minutos y los segundos.

ENERO						
D	L	M	M	J	V	S
	1	2	3	4	5	6
7	8	9	10	11	12	13
14	15	16	17	18	19	20
21	22	23	24	25	26	27
28	29	30	31			

En un calendario se muestran los días, las semanas, los meses y los años.

Cómo tardarías menos de un día en leer una página de un libro, podrías usar un reloj digital o un reloj analógico.

PRÁCTICA

Identifica el instrumento y la unidad apropiados para medir el tiempo de cada suceso.

1. terminar 6to grado

2. correr una milla

3. almorzar

4. el giro de la Tierra alrededor del Sol

Trigonometría del triángulo rectángulo

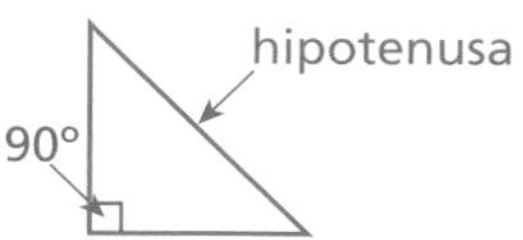

Un triángulo rectángulo tiene un ángulo recto. El lado opuesto al ángulo recto se llama *hipotenusa.* La hipotenusa es el lado más largo de un triángulo rectángulo. Los otros lados de un triángulo rectángulo se llaman *catetos.*

EJEMPLO

Determina si el triángulo es rectángulo. Si lo es, identifica la hipotenusa.

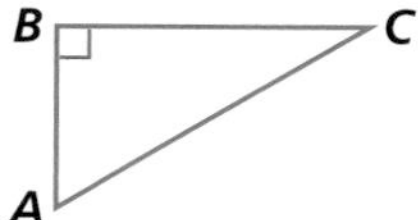

$\triangle ABC$ tiene un ángulo de 90°.
$\triangle ABC$ es un triángulo rectángulo.
El segmento de recta CA es la hipotenusa.

PRÁCTICA

Determina si cada triángulo es rectángulo. Si lo es, identifica la hipotenusa.

1. 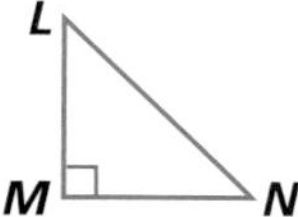

2. 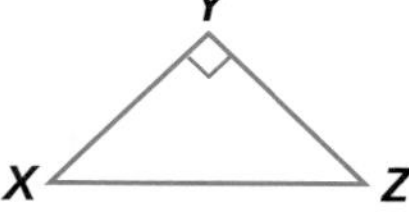

3. 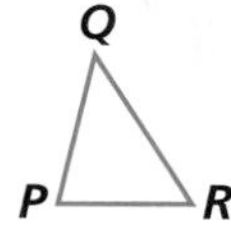

Banco de destrezas Avance de las destrezas

Valor absoluto

El **valor absoluto** de un número es la distancia desde el cero en la recta numérica. El símbolo del valor absoluto es | |. El valor absoluto nunca puede ser negativo.

EJEMPLO

Halla el valor absoluto de cada número.

A 2

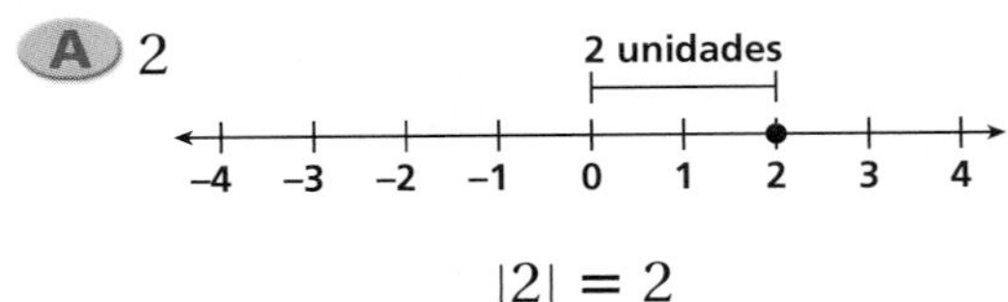

$|2| = 2$

B -3.5

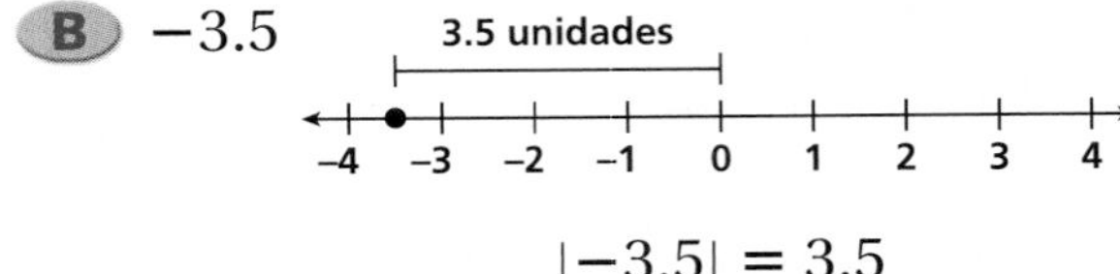

$|-3.5| = 3.5$

PRÁCTICA

Halla el valor absoluto de cada número.

1. -7 **2.** 12 **3.** $\frac{1}{2}$ **4.** $-2\frac{1}{2}$ **5.** -4.8 **6.** 0

Resolver ecuaciones de dos pasos

Puedes usar operaciones inversas para resolver operaciones de dos pasos.

EJEMPLO

5 por un número menos 7 es 8. Escribe y resuelve una ecuación para hallar el número.

Paso 1: Sea x la variable que representa al número.

Paso 2: Convierte la ecuación verbal en una ecuación algebraica.

5 por un número	menos	7	es	8
$5x$	$-$	7	$=$	8

Paso 3: Resuelve $5x - 7 = 8$ usando operaciones inversas.

$5x - 7 = 8$

$\underline{+7} \quad \underline{+7}$ *Suma 7 a ambos lados para cancelar la resta.*

$5x = 15$

$\frac{5x}{5} = \frac{15}{5}$ *Divide ambos lados entre 5 para cancelar la multiplicación.*

$x = 3$

PRÁCTICA

Escribe y resuelve una ecuación para hallar cada número.

1. La suma de 4 y 3 por un número es 28.

2. 7 más el doble de un número es 17.

3. 4 por un número menos 5 es 11.

Números racionales

Un **número racional** es cualquier número que se puede escribir como una fracción $\frac{a}{b}$, donde a y b son enteros y $b \neq 0$. Los enteros, como 5 y -7, son números racionales porque se pueden escribir como $\frac{5}{1}$ y $\frac{-7}{1}$. Los decimales finitos también son números racionales. Por ejemplo, 0.57 se puede escribir como $\frac{57}{100}$.

Cuando un número racional se escribe con la forma $\frac{a}{b}$, puede significar:

- a partes, cada una del tamaño $\frac{1}{b}$.
- a dividido entre b.
- la razón de a a b.

Usa una recta numérica como ayuda para ordenar y comparar números racionales.

EJEMPLO 1

Ubica cada par de números racionales en una recta numérica. Luego, compara los números usando $<$ ó $>$.

A $-\frac{3}{4}$ y $-\frac{1}{2}$

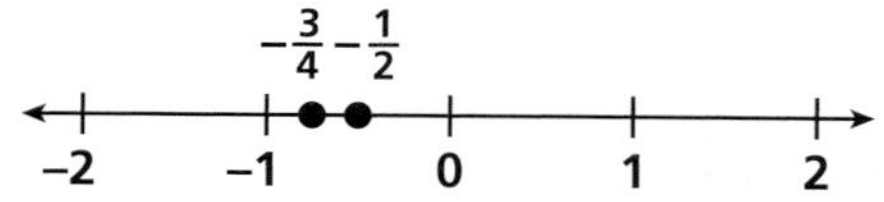

Representa gráficamente ambos números en una recta numérica. $-\frac{3}{4}$ está a la izquierda de $-\frac{1}{2}$, de modo que $-\frac{3}{4} < -\frac{1}{2}$.

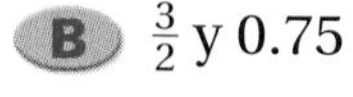 $\frac{3}{2}$ y 0.75

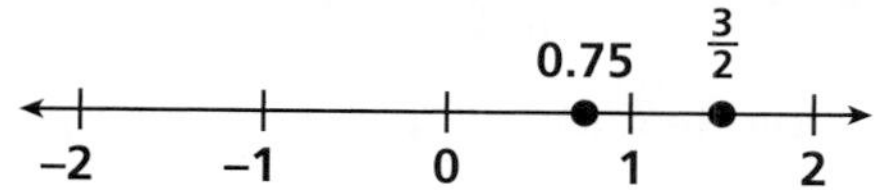

Representa gráficamente ambos números en una recta numérica. $\frac{3}{2}$ está a la derecha de 0.75, de modo que $\frac{3}{2} > 0.75$.

Usa el orden de las operaciones como ayuda para simplificar expresiones con números racionales.

EJEMPLO 2

Simplifica $1 + (2 \div \frac{1}{3})$.

$1 + (2 \div \frac{1}{3})$	*Simplifica usando el orden de las operaciones.*
$1 + (2 \times \frac{3}{1})$	*Vuelve a escribir como multiplicación usando el recíproco de $\frac{1}{3}$, $\frac{3}{1}$.*
$1 + (2 \times 3)$	*Recuerda: $\frac{3}{1} = 3$*
$1 + 6$	*Multiplica.*
1	*Suma.*

Observa en el Ejemplo 2 que $2 \div \frac{1}{3} = 6$. En este caso, el cociente es mayor que el dividendo porque el divisor es menor que 1.

PRÁCTICA

Ubica cada par de números racionales en una recta numérica. Luego, compáralos usando $<$ ó $>$.

1. $\frac{1}{3}$ y $-\frac{1}{3}$　**2.** $-\frac{1}{2}$ y $-\frac{3}{2}$　**3.** 0.5 y $\frac{3}{4}$　**4.** $-1\frac{1}{2}$ y -2

Simplifica cada expresión.

5. $(4 \div \frac{1}{4}) + 2$　**6.** $12 - (2 \div \frac{1}{4})$　**7.** $(1 \div \frac{1}{2}) - 0.5$　**8.** $(\frac{2}{3} \times 6) + 3.5$

Sectores de círculos

Dos radios forman un ángulo central de un círculo. Un **sector** de un círculo es la parte del círculo encerrada por dos radios y un arco que los conecta. Dado un círculo de radio r y un ángulo central que mide m^o, el área del sector es $\frac{m}{360}\pi r^2$.

EJEMPLO

Halla el área del sector. Usa 3.14 para *pi*.

90°
6 pulg

$A = \frac{m}{360}\pi r^2$

$= \frac{90}{360} \cdot 3.14 \cdot 62$ *Sustituye m por 90 y r por 6.*

$= \frac{1}{4} \cdot 3.14 \cdot 36 = 28.26$ *Simplifica.*

El área del sector mide 28.26 $\text{pulg}^{2.}$

PRÁCTICA

Halla el área de cada sector. Usa 3.14 para *pi*.

1. 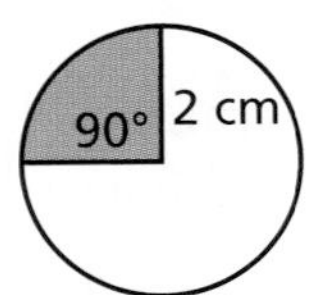

2. 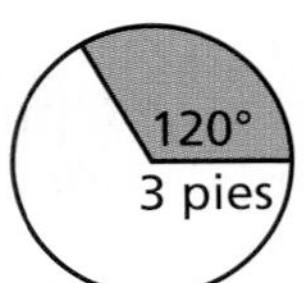

3. 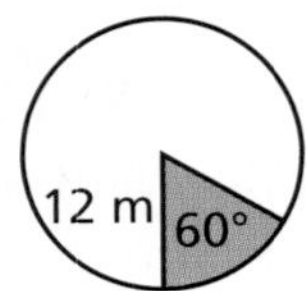

Propiedades de las elipses y las esferas

Una **elipse** se parece a un círculo estirado. La suma de las distancias desde cualquier punto de la elipse hasta sus *focos* es constante.

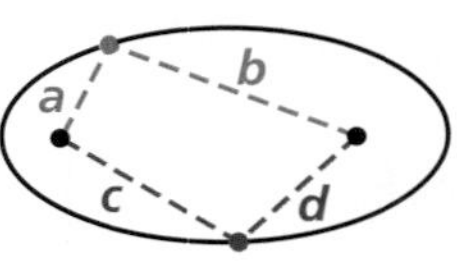

$a + b = c + d$

Una **esfera** es una figura tridimensional cuya superficie está formada por todos los puntos que están a la misma distancia de un punto dado, llamado centro.

$e = f$

EJEMPLO

Halla el valor de x.

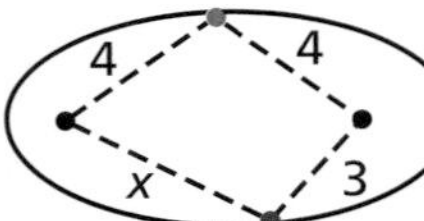

$x + 3 = 4 + 4$

$x + 3 = 8$ *Suma.*

$x = 5$ *Resta 3.*

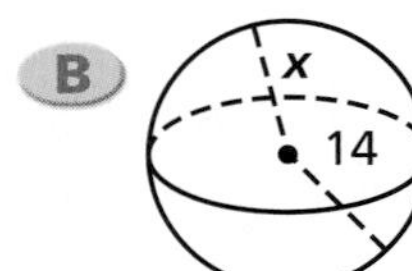

$x = 14$

Todos los puntos de la superficie de la esfera están a la misma distancia del centro.

PRÁCTICA

Halla el valor de x.

1. 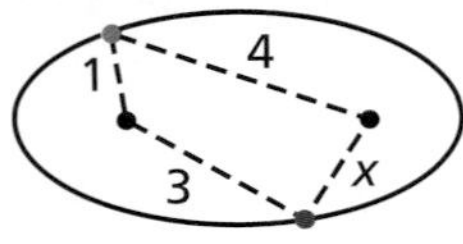

2. 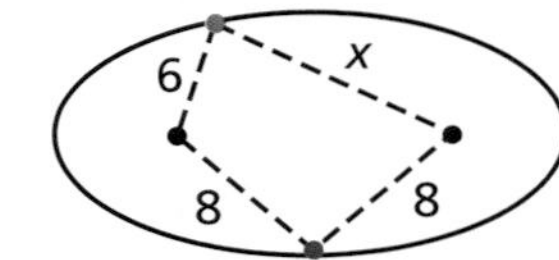

3. 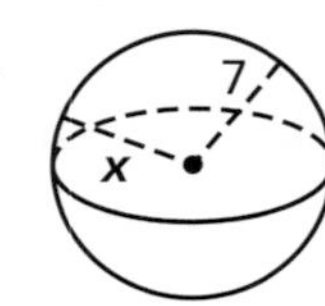

Representar gráficamente la frecuencia acumulativa

Ya has visto cómo se hace una tabla de frecuencia acumulativa para un conjunto de datos. También puedes representar gráficamente las frecuencias acumulativas de un conjunto de datos.

EJEMPLO

En la tabla de la derecha se muestran los puntajes de la clase del maestro Andrews en un examen parcial. Haz una tabla de frecuencia acumulativa. Luego, haz un histograma de las frecuencias acumulativas.

Puntajes del examen parcial					
70	86	70	74	77	95
82	62	69	79	7	80
87	68	72	72	91	87
98	73	64	81	77	73
99	76	68	95	85	80

Divide los datos en intervalos iguales.

Puntajes del examen parcial	Frecuencia	Frecuencia acumulativa
60–64	2	2
65–69	3	5
70–74	8	13
75–79	4	17
80–84	4	21
85–89	4	25
90–94	1	26
95–99	4	30

En la columna de frecuencia acumulativa se muestra la suma total de todas las frecuencias.

La frecuencia indica la cantidad de veces que ocurre un suceso, categoría o grupo.

Para hacer un histograma de las frecuencias acumulativas, dibuja una barra para la frecuencia acumulativa de cada intervalo.

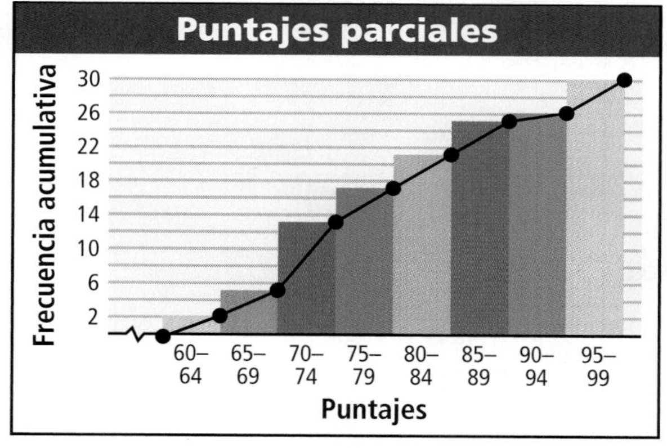

Para hacer una gráfica lineal de las frecuencias acumulativas, coloca un punto en la esquina inferior izquierda de la primera barra y otro en la esquina superior derecha de cada barra. Luego, une los puntos mediante segmentos de recta, como se muestra.

PRÁCTICA

1. Haz un histograma y una gráfica lineal para el conjunto de datos.

Estaturas de los estudiantes (cm)					
160	130	142	153	164	160
161	162	132	155	140	130
150	145	140	138	166	155
154	155	160	160	155	158

Frecuencia relativa y distribuciones de frecuencia relativa

En un conjunto de datos, la frecuencia relativa de un valor es la frecuencia de ese valor dividida entre la cantidad total de valores.

$$\text{frecuencia relativa} = \frac{\text{frecuencia}}{\text{cantidad total de valores}}$$

Las frecuencias relativas pueden mostrarse en tablas o en histogramas.

EJEMPLO

En la tabla se muestra el tamaño promedio de las clases en 20 escuelas. Haz una tabla de frecuencia relativa y un histograma de frecuencia relativa de los datos.

Tamaño promedio de la clase				
22	25	20	28	31
37	24	19	29	32
38	35	19	32	34
38	25	38	26	33

Divide los datos en intervalos del mismo tamaño.

Tamaño de la clase	Frecuencia	Frecuencia relativa
19–23	4	$\frac{4}{20} = \frac{1}{5}$
24–28	5	$\frac{5}{20} = \frac{1}{4}$
29–33	5	$\frac{5}{20} = \frac{1}{4}$
34–38	6	$\frac{6}{20} = \frac{3}{10}$

Hay 20 valores. Divide cada frecuencia entre 20 para hallar la frecuencia relativa.

Para hacer un histograma, dibuja una barra para cada frecuencia relativa.

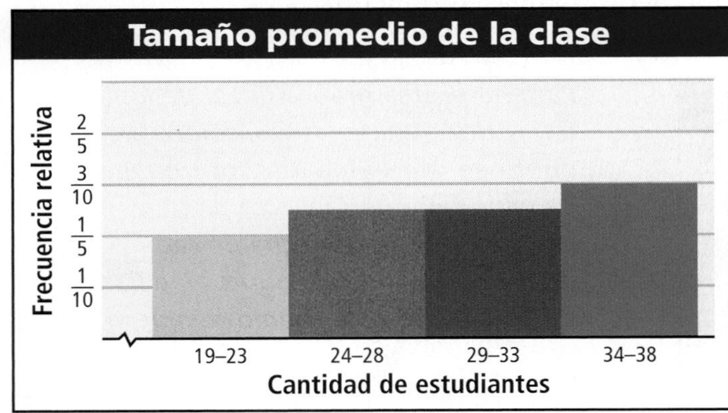

PRÁCTICA

1. Encuesta a los estudiantes de tu clase y anota la cantidad de libros que leyó cada estudiante el año pasado. Haz un histograma de frecuencia relativa para mostrar los datos.

Banco de destrezas Ciencias

Ángulos

Los ángulos se suelen medir en grados. También se pueden medir en radianes. Un círculo de radio 1 tiene una circunferencia de 2π. Por lo tanto, un círculo completo mide 2π radianes. Para hallar la medida R de un ángulo en radianes, usa la fórmula $R = \frac{m\pi}{180}$, donde m es la medida del ángulo en grados.

EJEMPLO

Halla la medida del ángulo en radianes.

$R = \frac{m\pi}{180}$

$R = \frac{90\pi}{180}$ *Sustituye m por 90.*

$R = \frac{\pi}{2}$ *Simplifica.*

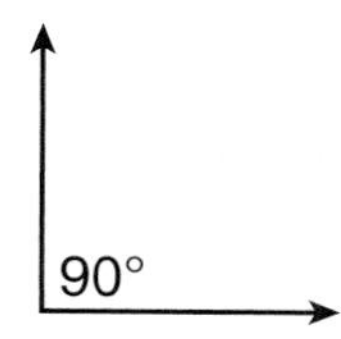

El ángulo mide $\frac{\pi}{2}$ radianes.

PRÁCTICA

Halla la medida de cada ángulo en radianes.

1. 45°

2. 180°

3. 120°

Exactitud

La **exactitud** es la cercanía entre una medición o valor y la medición o valor real. En general es imposible medir un objeto con una exactitud total. El **grado de exactitud** te indica cuánto se acerca una medición a la medición real.

EJEMPLO

Mide la línea al $\frac{1}{2}$ de pulgada más cercano.

Pon una regla junto a la línea. Lee la marca más cercana al $\frac{1}{2}$-de pulgada.

La línea mide $1\frac{1}{2}$ pulgadas, $\frac{1}{2}$ pulgada más o menos.

PRÁCTICA

Mide cada línea al nivel de exactitud dado.

1. dentro de $\frac{1}{4}$ pulgada

2. dentro de $\frac{1}{8}$ pulgada

3. dentro de 1 pulgada

Calcular mediciones de unidades combinadas

A veces se dan mediciones en una combinación de unidades. Por ejemplo, una madera podría medir 3 pies y 4 pulgadas. Puedes sumar o restar mediciones que son una combinación de unidades.

EJEMPLO 1

4 pies y 8 pulg + 5 pies y 6 pulg

Paso 1: Alinea las unidades.	**Paso 2:** Suma las pulgadas.	**Paso 3:** Suma los pies.	**Paso 4:** Escribe la respuesta en su mínima expresión.
4 pies 8 pulg + 5 pies 6 pulg	4 pies 8 pulg + 5 pies 6 pulg 14 pulg	4 pies 8 pulg + 5 pies 6 pulg 9 pies 14 pulg	*Razona: 12 pulg = 1 pie* 9 pies 14 pulg = 10 pies 2 pulg

La suma es 10 pies y 2 pulg.

EJEMPLO 2

3 h 20 min − 1 h 50 min

Paso 1: Alinea las unidades.	**Paso 2:** Reagrupa si es necesario.	**Paso 3:** Resta los minutos.	**Paso 4:** Resta las horas.
3 h 20 min − 1 h 50 min	2 h 80 min − 1 h 50 min	2 h 80 min − 1 h 50 min 30 min	2 h 80 min − 1 h 50 min 1 h 30 min

La diferencia es 1 h 30 min.

PRÁCTICA

Suma.

1. 7 pies 2 pulg + 6 pies 8 pulg
2. 8 lb 6 oz + 4 lb 12 oz
3. 2 gal 1 ct + 4 gal 1 ct
4. 12 pies 11 pulg + 3 pies 4 pulg
5. 4 hr 12 min + 3 hr 42 min
6. 152 yd 2 pies + 75 yd 6 pulg
7. 5 yd 2 pies 3 pulg + 8 yd 1 pie 8 pulg
8. 2 h 36 min 45 s + 5 h 42 min 20 s

Resta.

9. 20 ft 8 pulg − 7 ft 6 pulg
10. 10 yd 1 pie − 5 yd 2 pies
11. 6 lb 5 oz − 2 lb 8 oz
12. 12 h 13 min − 6 h 25 min
13. 5 min 15 s − 4 min 55 s
14. 3 mi 550 yd − 1 mi 760 yd
15. 4 gal 1 c − 3 ct 1 pt
16. 1 día − 8 h 36 min

Comparar unidades

Cuando conviertes el área de una unidad a otra, debes recordar que el área se mide en unidades cuadradas.

1 pie
1 pie

1 pie cuadrado = 1 pie × 1 pie
= 12 pulgadas × 12 pulgadas
= 144 pulgadas cuadradas

Unidades usuales de área	
1 pie cuadrado (pie^2) = 144 pulgadas cuadradas (pulg^2)	1 acre (a) = 4,840 yardas cuadradas (yd^2)
1 yarda cuadrada (yd^2) = 9 pies cuadrados (pies^2)	1 acre (a) = 43,560 pies cuadrados (pies^2)
1 yarda cuadrada (yd^2) = 1,296 pulgadas cuadradas (pulg^2)	1 milla cuadrada (mi^2) = 640 acres (a)

Multiplica para convertir de unidades grandes a más pequeñas.

Divide para convertir de unidades pequeñas a más grandes.

EJEMPLO 1

Halla el área del rectángulo en pies cuadrados y pulgadas cuadradas.

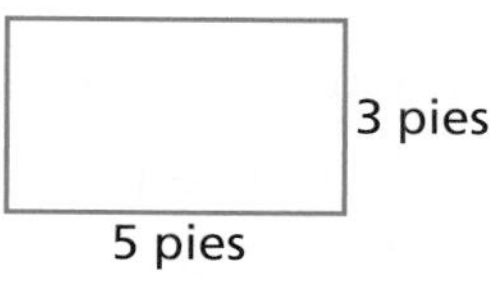

3 pies × 5 pies = 15 pies^2 *Razona: 1 pie^2 = 144 pulg^2*

15 pies^2 = 15 × 144 pulg^2 = 2,160 pulg^2

EJEMPLO 2

¿Qué área es mayor, 3 yd^2 ó 25 pies^2?

3 yd^2 = 3 × 9 pies^2 = 27 pies^2 *Razona: 1 yd^2 = 9 pies^2*

27 pies^2 $>$ 25 pies^2

3 yd^2 $>$ 25 pies^2

PRÁCTICA

1. Halla el área del rectángulo en yardas cuadradas y en pies cuadrados.

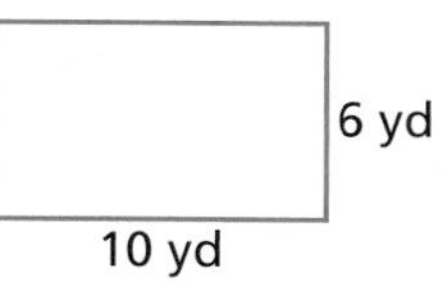

2. Una parcela tiene 1.5 millas de largo y 1 milla de ancho. ¿Cuál es el área del terreno en millas cuadradas y en acres?

Compara. Escribe $<$, $>$ ó $=$.

3. 12,500 yd^2 ■ 3 acres
4. 6 yd^2 ■ 42 pies^2
5. 4 pies^2 ■ 576 pulg^2
6. 5 yd^2 ■ 6,500 pulg^2
7. 2.3 mi^2 ■ 1,430 acres
8. 0.5 acre ■ 21,700 pies^2

Relación área total-volumen

El *área total* es la suma de las áreas de todas las caras o superficies de un cuerpo geométrico. El *volumen* es la cantidad de espacio dentro del cuerpo geométrico. El área es una medida de dos dimensiones, el largo y el ancho. El volumen es una medida de tres dimensiones, largo, ancho y altura. La relación área total-volumen compara el área total y el volumen de un cuerpo geométrico.

EJEMPLO 1

Halla el área total y el volumen de un prisma rectangular.

$A = 2ah + 2\ell a + 2\ell h$
$= (2 \times 4 \times 3) + (2 \times 6 \times 4) + (2 \times 6 \times 3)$
$= 24 + 48 + 36$
$= 108 \text{ pies}^2$

$V = \ell \times a \times h$
$= 6 \times 4 \times 3$
$= 72 \text{ pies}^3$

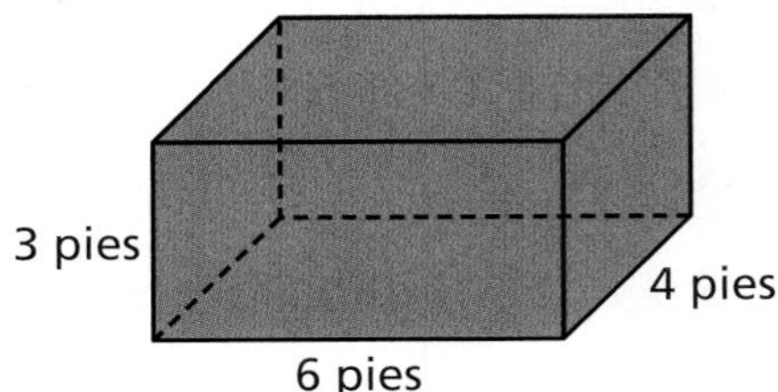

EJEMPLO 2

¿Cuál es la relación área total-volumen del cubo?

$A = 6s^2$
$= 6 \times 5 \times 5$
$= 150 \text{ m}^2$

$V = \ell \times a \times h$
$= 5 \times 5 \times 5$
$= 125 \text{ m}^3$

La relación área total-volumen del cubo es $150 \text{ m}^2{:}125 \text{ m}^3$ ó $6 \text{ m}^2{:}5 \text{ m}^3$.

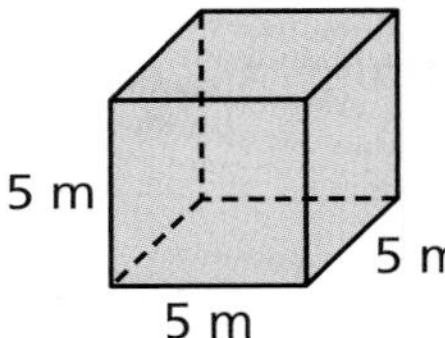

PRÁCTICA

Halla el área total y el volumen de cada prisma rectangular.

1.
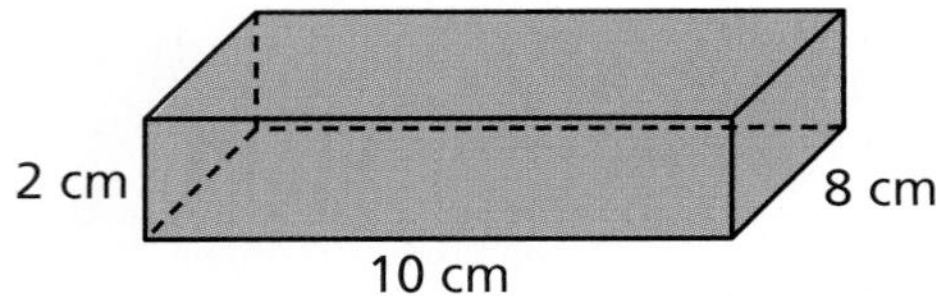

2.
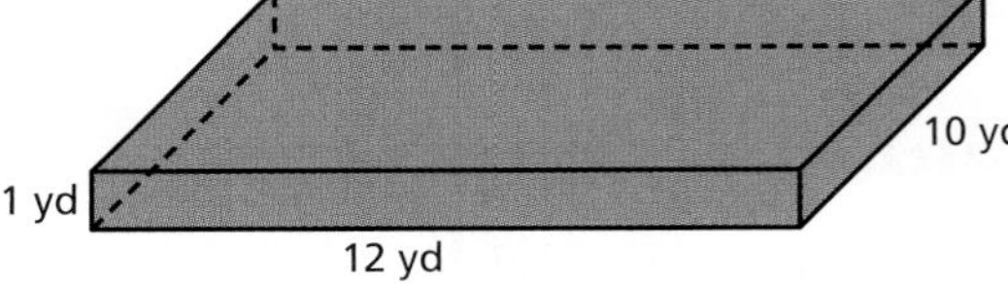

3. un prisma rectangular de

$\ell = 13$ km, $a = 10$ km y $h = 3$ km

4. un cubo con lados de 2.5 pies de longitud.

Escribe la relación área total-volumen de cada cuerpo geométrico.

5.
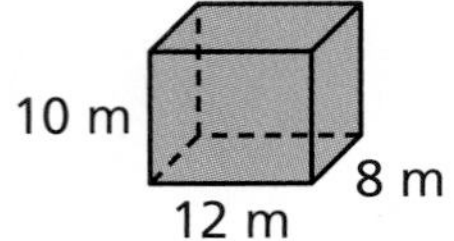

6.
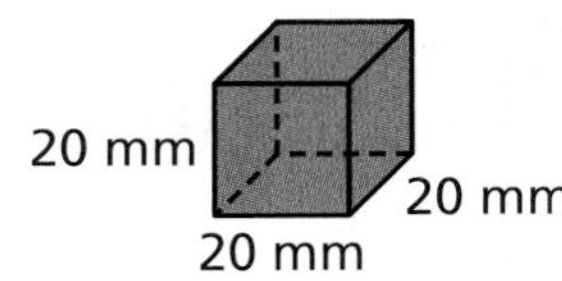

7. un prisma rectangular de $\ell = 5$ pies, $a = 4$ pies y $h = 11$ pies

8. un prisma rectangular de $\ell = 8$ dm, $a = 8$ dm y $h = 4$ dm

Resolver fórmulas literales

Las fórmulas son ecuaciones que muestran una relación entre dos o más cantidades. Las fórmulas pueden usarse para hallar información que falta o para calcular una cantidad. Por ejemplo, la fórmula $A = \ell a$ se usa para hallar el área de un rectángulo. Podemos resolver la fórmula $A = \ell a$ para hallar a usando las mismas reglas que se usan para resolver ecuaciones.

EJEMPLO

A **Resuelve $A = \ell a$ para hallar a.**

$A = \ell a$

$\frac{A}{\ell} = \frac{\ell a}{\ell}$ *Divide ambos lados entre ℓ.*

$\frac{A}{\ell} = a$

B **La fórmula $V = \ell ah$ se usa para hallar el volumen de un prisma rectangular. Resuelve $V = \ell ah$ para hallar h.**

$V = \ell ah$

$\frac{V}{\ell} = \frac{\ell ah}{\ell}$ *Divide ambos lados entre l.*

$\frac{V}{\ell} = ah$

$\frac{V}{\ell a} = \frac{ah}{a}$ *Divide ambos lados entre a.*

$\frac{V}{\ell a} = h$

PRÁCTICA

Resuelve.

1. La fórmula $d = vt$ se usa para hallar la distancia.
   Resuelve $d = vt$ para hallar r.
2. La fórmula $P = 2\ell + 2a$ se usa para hallar el perímetro de un rectángulo.
   Resuelve $P = 2\ell + 2a$ para hallar ℓ.
3. La fórmula $V = \pi r^2 h$ se usa para hallar el volumen de un cilindro.
   Resuelve $V = \pi r^2 h$ para hallar h.
4. La fórmula $C = \frac{5}{9}(F - 32)$ se usa para convertir grados Fahrenheit a grados Celsius.
   Resuelve $C = \frac{5}{9}(F - 32)$ para hallar F.
5. La fórmula $A = \frac{1}{2}bh$ se usa para hallar el área de un triángulo.
   Resuelve $A = \frac{1}{2}bh$ para hallar b.
6. La fórmula $I = Cit$ se usa para hallar el interés simple.
   Resuelve $I = Cit$ para hallar P.

Comportamiento de funciones exponenciales

Los datos que cambian exponencialmente aumentan o disminuyen por un factor común.

La escala Richter mide la magnitud de los terremotos. Cada número de conteo representa una magnitud que es 10 veces más intensa que la anterior.

Magnitud	Intensidad relativa
0	1
1	10^1
2	10^2
3	10^3
4	10^4
5	10^5
6	10^6
7	10^7
8	10^8

EJEMPLO

¿Cuánto mayor es la intensidad de un terremoto de magnitud 4 que la de uno de magnitud 2?

Un terremoto de magnitud 4 tiene una intensidad relativa de 10^4. Un terremoto de magnitud 2 tiene una intensidad relativa de 10^2.

Un terremoto de magnitud 4 es 10^2, ó 100, veces más intenso que un terremoto de magnitud 2.

PRÁCTICA

1. En 1976, un terremoto en China registró una magnitud de 8 en la escala Richter. En 1999, un terremoto en Colombia registró una magnitud de 6 en la escala Richter. ¿Qué terremoto fue más débil y por cuánto?
2. El terremoto A registró una magnitud de 3 en la escala Richter. El terremoto B fue 10,000 veces más intenso que el terremoto A. ¿Cuál fue la magnitud del terremoto B?

Se puede apreciar el crecimiento exponencial de una población observando bacterias en un ambiente con recursos ilimitados. Usa la gráfica del crecimiento de la cantidad de bacterias para los Ejercicios del 3 al 5.

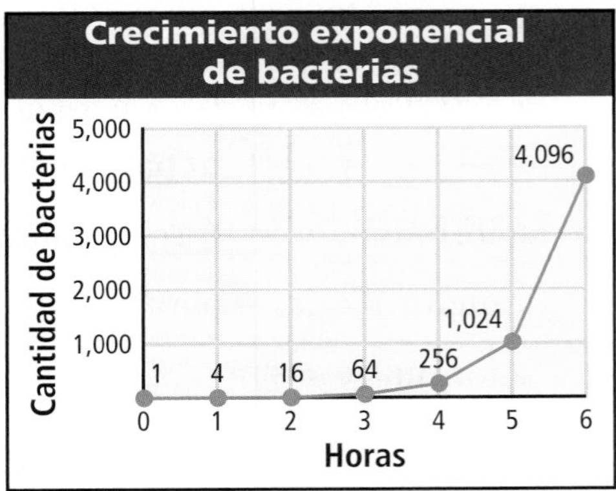

3. ¿Por qué factor se incrementa la población de bacterias cada hora según la gráfica?
4. Si las bacterias siguen creciendo a esta tasa, ¿cuántas habrá en 8 horas? Escribe la respuesta en forma exponencial y estándar.
5. ¿Cuántas bacterias más habrá después de 10 horas que luego de 8 horas?

Vida media

La *vida media* es el tiempo que tarda en desintegrarse la mitad de cierta cantidad de material radiactivo. Puedes usar la información sobre la vida media de un elemento para determinar cuánto quedará de una muestra después de un tiempo dado o para hallar la antigüedad de una muestra.

EJEMPLO 1

La vida media del sodio 24 es 15 horas. Si tienes una muestra de 6g de sodio 24, ¿cuánto te quedará después de 45 horas?

Cada 15 horas, la mitad de la muestra se desintegra.

Tiempo	0 horas	15 horas	30 horas	45 horas
Cantidad de la muestra	6 g	3 g	1.5 g	0.75 g

Después de 45 horas, quedarán 0.75 g de sodio 24.

EJEMPLO 2

La vida media del bismuto 212 es 60.5 minutos. Si tienes una muestra de 4 g de bismuto 212 que proviene de una muestra que era originalmente de 16 g, ¿qué antigüedad tiene la muestra?

Cada 60.5 minutos, se desintegra la mitad de la muestra.

Tiempo	0 min	60.5 min	121 min
Cantidad de la muestra	16 g	8 g	4 g

La muestra tiene 121 minutos de antigüedad.

PRÁCTICA

Resuelve.

1. El radio 226 tiene una vida media de 1,600 años. ¿Cuántos años tardará en desintegrarse una muestra de 8 g hasta que queden 0.5 g?
2. El cobalto 60 tiene una vida media de 5.26 años. De una muestra de 10 g de cobalto 60 quedan 1.25 g. ¿Qué antigüedad tiene la muestra?
3. El yodo 131 tiene una vida media de 8.07 días. ¿Cuánto quedará de una muestra de 4.4 g después de 40.35 días?
4. Una muestra de fósforo 24 de 12 g se desintegró durante 42.9 días y quedaron 1.5 g. ¿Cuál es la vida media del fósforo 24?
5. Tienes una muestra de 0.6 g de sodio 24. La vida media del sodio 24 es 15 horas. Originalmente la muestra era de 9.6 g. ¿Qué antigüedad tiene la muestra?

Respuestas seleccionadas

Capítulo 1

1-1 Ejercicios

1. El Aconcagua es más alto. **3.** 349; 642; 726 **5.** 497; 809; 1,264 **7.** 982; 3,255; 5,001 **9.** El parque temático, con 17,459,000 visitantes. **11.** en el de la ciudad de Nueva York **13.** 126; 480; 619 **15.** 423; 805; 1,046 **17.** 666; 1,359; 1,764 **19.** 978; 1,502; 4,228 **21.** $<$ **23.** $=$ **25.** $<$ **27.** $>$ **29.** $<$ **31.** 823; 601; 533; 149 **33.** 3,461; 2,649; 1,947 **35.** 7,498; 7,467; 7,239 **37.** Montana, California, Texas **43.** J **45.** veinticuatro mil cuatrocientos noventa y ocho **47.** cuatro millones seiscientos cinco mil novecientos veintiséis **49.** 300,000 **51.** 6,000

1-2 Ejercicios

1. 7,000 **3.** 1,500 botellas de agua **5.** aproximadamente 2 galones **7.** 40,000 **9.** 20,000 **11.** 40 pelotas de golf **13.** 500 **15.** 0 **17.** 11,000 **19.** 40,000 **21.** 70,000 **23.** 400,000 **25.** 10 millas cuadradas **27.** 40,000 millas cuadradas **33.** 400; 36 se redondea a 40 y 8 se redondea a 10 **35.** 2,615 **37.** 2,496 **39.** 1,000 + 300 + 50 + 4 **41.** 400,000 + 10,000 + 6,000 + 700 + 3

1-3 Ejercicios

1. 8^3 **3.** 6^5 **5.** 5^5 **7.** 16 **9.** 625 **11.** 343 **13.** 2^6 **15.** 8^2 **17.** 6^5 **19.** 7^7 **21.** 4^2 **23.** 243 **25.** 81 **27.** 512 **29.** 256 **31.** 144 **33.** $16 \times 16 \times 16$ **35.** $31 \times 31 \times 31 \times 31 \times 31 \times 31$ **37.** $50 \times 50 \times 50$ **39.** $1 \times 1 \times 1 \times 1 \times 1 \times 1 \times 1 \times 1 \times 1$ **41.** $8 \times 8 \times 8 \times 8 \times 8$ **43.** 1,000,000 **45.** 6,651 **47.** 100,000 **49.** 512 **51.** 125 **53.** $>$ **55.** $<$ **57.** $>$ **59.** 1,024 células **61.** 8; 2^8, ó 256 **65.** D **67.** 8,245; 8,452; 8,732 **69.** 11,901; 12,681; 12,751 **71.** 50,000

1-4 Ejercicios

1. 33 **3.** 50 **5.** 4 **7.** $138 **9.** 10 **11.** 32 **13.** 14 **15.** 25 **17.** 40 **19.** 24 **21.** 1,250 páginas **23.** 18 **25.** 57 **27.** 1 **29.** 22 **31.** 64 **33.** 22 **35.** $(7 + 2) \times 6 - (4 - 3) = 53$ **37.** $5^2 - 10 + (5 + 4^2) = 36$ **39.** $9^2 - 2 \times (15 + 16) - 8 = 11$ **41.** $4^2 \times (3 - 2) \div 4 = 4$ **43.** 30 m^2 **45.** 300 m^3 **49.** J **51.** 3,273 **53.** 70,007 **55.** 125 **57.** 256

1-5 Ejercicios

1. 40 **3.** 50 **5.** 320 **7.** 120 **9.** 156 **11.** 99 **13.** 108 **15.** 40 **17.** 50 **19.** 640 **21.** 108 **23.** 426 **25.** 138 **27.** 372 **29.** 328 **31.** 40 **33.** 60 **35.** 198 **37.** 111 **39.** 70 **41.** 70° F **43.** 153 **45.** 198 **47.** 56 **49.** 275 **51.** 340 **53.** 192 **55.** 108 huevos **57.** $208 **63.** 2,718 mi **65.** 1,367,000 **67.** 62 **69.** 56

1-6 Ejercicios

1. lápiz y papel; 364 **3.** calculadora; 64,890 **5.** cálculo mental; fila del medio **7.** 111 **9.** 515,844 **11.** 210 **13.** 350 **19.** 936; $13 \cdot 3 = 39$; $39 \cdot 24 = 936$ **21.** 30 **23.** 12 **25.** propiedad distributiva **26.** propiedad conmutativa

1-7 Ejercicios

1. sumar 12; 60; 72; 84 **3.** sumar 11; 51; 62 **5.** sumar 7 y restar 2; 12; 19 **7.** multiplicar por 6 dividir entre 2; 9; 162 **9.** restar 14; 28; 14; 0 **11.** sumar 3; 20; 23 **13.** sumar 21 y restar 4; 41; 62; 58 **15.** dividir entre 4 y multiplicar por 2; 100; 25 **17.** 5, 14, 23, 32, 41 **19a.** 2018 **b.** 1994 **c.** sí; 2006 + 2(12) = 2030 **21.** restar 4 y sumar 5 **27.** A **29.** 60 **31.** 120

Guía de estudio del Capítulo 1: Repaso

1. sucesión, término **2.** base, exponente **3.** orden de las operaciones **4.** evaluar **5.** 8,731; 8,735; 8,737; 8,740 **6.** 53,337; 53,341; 53,452; 53,456 **7.** 8,791; 81,790; 87,091; 87,901 **8.** 2,651; 22,561; 25,615; 26,551 **9.** 91,363; 93,613; 96,361; 96,631 **10.** 10,101; 10,110; 11,010; 11,110 **11.** 1,000 **12.** 6,000 **13.** 20,000 **14.** 800 **15.** 5^3 **16.** 3^4 **17.** 7^5 **18.** 8^2 **19.** 4^4 **20.** 1^3 **21.** 256 **22.** 16 **23.** 216 **24.** 27 **25.** 1 **26.** 2,401 **27.** 125 **28.** 100 **29.** 81 **30.** 59 **31.** 11 **32.** 26 **33.** 17 **34.** 5 **35.** 45 **36.** 9 **37.** 3 **38.** 30 **39.** 520 **40.** 80 **41.** 1,080 **42.** 40 **43.** 320 **44.** 100 **45.** 130 **46.** 168 **47.** 135 **48.** 204 **49.** 152 **50.** 216 **51.** 165 **52.** 62° **53.** Sumar 5; 24, 29. **54.** Restar 2; 13, 11. **55.** Sumar 4 y restar 2; 20, 22. **56.** Multiplicar por 3; 81, 243. **57.** Sumar 5 y restar 2; 71, 74.

Capítulo 2

2-1 Ejercicios

1. 56; 65 **3.** 24; 38; 32; 36 **5.** 23; 25 **7a.** 2 horas: 100 − 120 millas; 3 horas: 150 − 180 millas; 4 horas: 200 − 240 millas; 5 horas: 250 − 300 millas **b.** entre 350 y 420 millas **9.** 32° F; 50° F; 77° F **11.** 32 **13.** 13 **15.** 8 **17.** 56 **19.** 10 **21.** 110 **23.** 24 zlotys **29.** 38 **31.** 5^6 **33.** $919

2-2 Ejercicios

1. 4,028 − m **3.** 15x **5.** $\frac{p}{5}$
7. (149)(2) **9.** el producto de 345 y 196; 345 por 196 **11.** la diferencia entre d y 5; 5menos que d **13.** 5x
15. 325 ÷ 25 **17.** 137 + 675
19. j − 14 **21.** restarle 19 a 243; 243 menos 19 **23.** 342 multiplicado por 75; el producto de 342 y 75
25. el producto de 45 y 23; 45 por 23
27. la diferencia entre 228 y b; b menos que 228 **29.** 15 ÷ d
31. 67m **33.** 678 − 319 **37.** d ÷ 4
41. C **43.** 360 **45.** 360 **47.** 8
49. 16

2-3 Ejercicios

1. 4n **3.** 5w **5.** 7n **7.** s^2 **9.** n + 5
11. 88n **13.** n + 7; 3n + 1 **17.** G
19. 29 **21.** 21 **23.** 245 **25.** 126

2-4 Ejercicios

1. no **3.** sí **5.** sí **7.** 53 pies equivalen a 636 pulgadas **9.** no
11. sí **13.** no **15.** sí **17.** no **19.** sí
21. 300 m equivalen a 30,000 cm.
23. sí **25.** no **27.** no **29.** sí **31.** no
33. sí **35.** 17 ≠ 350 ÷ 20; no, no tienen la misma cantidad de dinero. **37.** 6 **39.** 2 **41.** 3 **47.** H
49. 9^4 **51.** 8^2

2-5 Ejercicios

1. $x = 36$ **3.** $n = 19$ **5.** $p = 18$
7. 6 cuadras **9.** $r = 7$ **11.** $b = 25$
13. $z = 9$ **15.** $g = 16$ **17.** 6 metros
19. $n = 7$ **21.** $y = 19$ **23.** $h = 78$
25. $b = 69$ **27.** $t = 26$ **29.** $m = 22$
31. $p + 20 = 36$ **33.** 880 m **37.** B
39. 648; 798; 923 **41.** 1,036; 1,498; 2,163 **43.** 9, 7, 5

2-6 Ejercicios

1. $p = 17$ **3.** $a = 31$ **5.** $n = 33$
7. $y = 25$ **9.** $a = 38$ **11.** $a = 97$
13. $p = 33$ **15.** $s = 31$ **17.** $x = 36$
19. $a = 21$ **21.** $f = 14$ **23.** $r = 154$
25. $g = 143$ **27.** $m = 18$
29. 13 millones **33.** D **35.** 71
37. 22 **39.** $y = 38$ **41.** $b = 56$

2-7 Ejercicios

1. $x = 3$ **3.** $a = 9$ **5.** $c = 11$
7. 45 pies **9.** $a = 4$ **11.** $x = 4$
13. $t = 7$ **15.** $m = 11$ **17.** 6 pies
19. $y = 9$ **21.** $y = 8$ **23.** $y = 20$
25. $z = 40$ **27.** $y = 23$ **29.** $y = 18$
31. $y = 8$ **33.** $a = 14$ **35.** $x = 3$
37. $t = 6$ **39.** 15 a 177 segmentos
41. 4,000 células sensibles a la luz
45. C **47.** 7,000 **49.** $b = 42$
51. $n = 212$

2-8 Ejercicios

1. $y = 12$ **3.** $r = 63$ **5.** $j = 36$
7. $f = 60$ **9.** 90 min **11.** $c = 26$
13. $g = 98$ **15.** $x = 144$ **17.** $r = 81$
19. $c = 96$ **21.** $c = 165$ **23.** $c = 70$
25. $c = 60$ **27.** $\frac{a}{381} = 76$; $a =$ 28,956 m **33.** J **35.** sumar 5; 25, 30, 35 **37.** $r = 13$ **39.** $p = 9$

Capítulo 2 Extensión

1. −2 0 2 4 6 8 10
3. −2 0 2 4 6 8 10
5. −2 0 2 4 6 8 10
7. −2 0 2 4 6 8 10
9. −2 0 2 4 6 8 10
11. −2 0 2 4 6 8 10 12

13. $t \leq 9$ **15.** $x < 4$ **17.** $c > 1$
19. $d \geq 6$ **21.** $p > 6$ **23.** $r \leq 3$
25. $f > 27$ **27.** $q \geq 3$ **29.** $p > 11$
31. $s + 2 \geq 5$ **33.** $a <$ 20,320

Guía de estudio del Capítulo 2: Repaso

1. expresión algebraica
2. ecuación **3.** variable
4. constante **5.** 7, 6 **6.** 6, 10
7. 9, 18, 27, 36 **8.** 30, 33, 36, 39
9. 75, 80, 85, 90 **10.** 15 + b
11. 6 × 5 **12.** 9t **13.** g ÷ 9
14. el producto de 4 y z; 4 por z
15. 15 más x; la suma de 15 y x
16. dividido entre 6; el cociente de 54 y 6 **17.** m dividido entre 20; el cociente de m y 20 **18.** 3 menos y; la diferencia entre y y 3 **19.** la suma de 5,100 y 64; 64 sumado a 5,100 **20.** y menos 3; la diferencia entre y y 3 **21.** g menos 20; la diferencia entre g y 20
22. 3n + 1 **23.** n − 1 **24.** sí
25. no **26.** sí **27.** sí **28.** $x = 6$
29. $n = 14$ **30.** $c = 29$ **31.** $y = 6$
32. $p = 27$ **33.** $w = 9$ **34.** $b = 11$
35. $n = 44$ **36.** $p = 16$ **37.** $d = 57$
38. $k = 45$ **39.** $d = 9$ **40.** $p = 63$
41. $n = 67$ **42.** $r = 14$ **43.** $w = 144$
44. $h = 60$ **45.** $p = 167$ **46.** $v = 8$
47. $y = 9$ **48.** $c = 7$ **49.** $n = 2$
50. $s = 8$ **51.** $t = 10$ **52.** $a = 8$
53. $y = 8$ **54.** $r = 42$ **55.** $t = 15$
56. $y = 18$ **57.** $n = 72$ **58.** $z = 52$
59. $b = 100$ **60.** $n = 77$ **61.** $p = 90$

Capítulo 3

3-1 Ejercicios

1. 1 + 0.9 + 0.08; uno y noventa y ocho centésimas **3.** 0.0765; setecientas sesenta y cinco diezmilésimas **5.** Osmio **7.** 4.09, 4.1, 4.18 **9.** 7 + 0.08 + 0.009 + 0.0003; siete y ochocientas noventa y tres diezmilésimas
11. 7.15; 7 + 0.1 + 0.05
13. el meteorito de Chupaderos
15. 1.5, 1.56, 1.62 **17.** nueve y siete milésimas **19.** diez y veintidós milésimas **21.** ciento cuarenta y dos y seis mil quinientas cuarenta y una diezmilésimas. **23.** noventa y dos mil setecientas cincuenta y cinco cienmilésimas **25.** < **27.** <
29. < **31.** tres centésimas
33. una décima **35.** 4.034, 1.43, 1.424, 1.043, 0.34 **37.** 652.12, 65.213, 65.135, 61.53 **39.** Ross 154 **41.** Alfa Centauri, Próxima Centauri **45.** C
47. 9,000 **49.** $n = 123$ **51.** $c = 52$

3-2 Ejercicios

1. aproximadamente 12 millas **3.** 12 **5.** 5.4988 **7.** 120 **9.** de 44 a 46.5 **11.** aproximadamente 450 millas **13.** 3.4 **15.** 5.157 **17.** 20 **19.** 6 **21.** de 14 a 17 **23.** 48 **25.** 17 **27.** \$0.22, \$0.10, \$0.08, \$0.04 **29.** $(12 \times 8) - (18 \times 4) = 24$, ó aproximadamente 24 centavos **37.** 6 pulgadas en abril, 10 pulgadas en mayo, 2 pulgadas en junio **39.** $x = 69$ **41.** 8.009, 8.05, 8.304 **43.** 30.211, 30.709, 30.75

3-3 Ejercicios

1. 20.2 millas **3.** 12.65 millas **5.** 5.6 **7.** 4.9 **9.** 3.55 **11.** 4.948 **13.** \$567.38 **15.** 1.5 **17.** 18 **19.** 4.3 **21.** 2.3 **23.** 5.87 **25.** 9.035 **27.** 8.669 **29.** 0.143 **31.** 3.778 **33.** 3.8179 **35.** 1 **37.** 52.836 **39.** 29.376 **41.** 84.966 **43.** \$72.42 **45.** 0.196 **49.** C **51.** $s = 70$ **53.** $t = 1{,}464$ **55.** 60

3-4 Ejercicios

1. 593,700 **3.** 609,120 **5.** 5.0×10^5 **7.** 6,793,000 **9.** 382,000 **11.** 278,000 **13.** 3,818,000 **15.** 412,900 **17.** 9.0×10^4 **19.** 1.607×10^6 **21.** 6.0×10^6 **23.** 321,100 **25.** 7,700 **27.** 4,030,000 **29.** $\$6.2 \times 10^6$ **31.** 123,400 **33.** 208,000 **35.** 54.3 **37.** 1.5×10^5 **39.** 6.52×10^2 **41.** 6.5342×10^4 **43.** 2.8001×10^4 **45.** rango: entre 38,000 y 120,000; respuesta posible: 100,000 **47.** $150{,}000 = 1.5 \times 10^5$ **49.** 24,600,000; 2.46×10^7 **53.** D **55.** propiedad conmutativa **57.** propiedad asociativa **59.** 1.9 **61.** 1.2

3-5 Ejercicios

1. \$1.68 **3.** 0.24 **5.** 0.21 **7.** 16.52 **9.** 35.63 **11.** 2.59 km **13.** 0.027 **15.** 0.217 **17.** 0.00042 **19.** 0.012 **21.** 13.321 **23.** 26.04 **25.** 1.148 **27.** 2.5914 **29.** 0.009 **31.** 0.0612 **33.** 26.46 **35.** 1.6632 **37.** 0.2444 **39.** 4.1184 **41.** 14.06 **43.** 37.38 **45.** 62.1 **47.** 5.8 **49.** 4.65 libras **51.** 7.38 lb **55.** B **57.** $x = 32$ **59.** $t = 51$ **61.** $1 + 0.2 + 0.03$ **63.** $20 + 6 + 0.07$ **65.** $80 + 0.002$

3-6 Ejercicios

1. 0.23 **3.** 0.35 **5.** 0.078 **7.** 0.104 **9.** \$8.82 **11.** 0.22 **13.** 0.27 **15.** 0.171 **17.** 0.076 **19.** 0.107 **21.** 1.345 **23.** 0.236 **29.** Cuando el divisor es mayor que la parte del dividendo que se divide **31.** C **33.** restar 5; 60. **35.** sumar 7 y restar 4 alternadamente; 21. **37.** 20.8 **39.** 710,000

3-7 Ejercicios

1. 5 **3.** 17 **5.** 6 **7.** 54.6 mi/h **9.** 6 **11.** 8 **13.** 217.5 **15.** 11 **17.** 5 **19.** 11.6 galones de gasolina **21.** 6.3 **23.** 191.1 **25.** 184.74 **27.** 12.2 **29.** 12.2 **31.** 1,270 **33.** 1,125 **35.** 920 **37.** 25.1×10^7 **39.** aproximadamente 232 billetes; aproximadamente \$4,640 **45.** C **47.** > **49.** > **51.** 16.06 **53.** 3.12

3-8 Ejercicios

1. 10 belts **3.** 2.25 metros **5.** 8 ramos **7.** 3 paquetes **13.** C **15.** $y = 63$ **17.** $y = 17$ **19.** 9.1 **21.** 14

3-9 Ejercicios

1. $a = 7.1$ **3.** $c = 12.8$ **5.** $d = 3.488$ **7.** 60.375 m^2 **9.** $b = 9.3$ **11.** $r = 20.8$ **13.** $a = 10.7$ **15.** $f = 6.56$ **17.** $z = 4$ **19a.** 1.6 metros **b.** \$14.40 **21.** $q = 24.7$ **23.** $b = 4.2$ **25.** $a = 13.9$ **27.** $z = 13$ **29a.** 19.5 unidades, 21 unidades **b.** 50.5 unidades **31.** 1.9×10^6 **33.** 9 cápsulas **39.** H **41.** $7z$ **43.** 5.1 **45.** 16.08

Guía de estudio del Capítulo 3: Repaso

1. estimación por partes **2.** notación científica **3.** aproximación **4.** $5 + 0.6 + 0.08$; cinco y sesenta y ocho centésimas **5.** $1 + 0.007 + 0.0006$; uno y setenta y seis diezmilésimas **6.** $1 + 0.2 + 0.003$; uno y doscientas tres milésimas **7.** $20 + 3 + 0.005$; veintitrés y cinco milésimas **8.** $70 + 1 + 0.03 + 0.008$; setenta y uno y treinta y ocho milésimas **9.** $90 + 9 + 0.9 + 0.09 + 0.009 + 0.0009$; noventa y nueve y nueve mil novecientas noventa y nueve diezmilésimas **10.** 1.12, 1.2, 1.3 **11.** 11.07, 11.17, 11.7 **12.** 0.033, 0.3, 0.303 **13.** 5.009, 5.5, 5.950 **14.** 101.025, 101.25, 101.52 **15.** 11.32 **16.** 2.3 **17.** 14 **18.** 80 **19.** 9 **20.** 5 **21.** 24.85 **22.** 5.3 **23.** 33.02 **24.** 4.9225 **25.** 32.33 **26.** 14.624 **27.** 2.58 **28.** 2.8718 **29.** 1.47 **30.** 6.423 **31.** 2 **32.** 4.83 **33.** 126,000 **34.** 54,600 **35.** 6,700,000 **36.** 180,600 **37.** 4,200 **38.** 7,890 **39.** 5.5×10^5 **40.** 7.23×10^3 **41.** 1.3×10^6 **42.** 1.48×10^1 **43.** 9.042×10^2 **44.** 8.91402×10^8 **45.** 30,200 **46.** 429,300 **47.** 1,700,000 **48.** 5,390 **49.** 685 **50.** 14,500,000 **51.** 9.44 **52.** 0.865 **53.** 0.0072 **54.** 24.416 **55.** 0.54 **56.** 10.5148 **57.** 9.72 **58.** 39.528 **59.** 1.03 **60.** 0.72 **61.** 3.85 **62.** 2.59 **63.** \$3.64 **64.** 8.1 **65.** $6.1\overline{6}$ **66.** $3.87\overline{6}$ **67.** 52.275 **68.** 0.75 metros **69.** 14 recipientes **70.** 9 automóviles **71.** $a = 13.38$ **72.** $y = 2.62$ **73.** $n = 2.29$ **74.** $p = 6.02$ **75.** \$5.00

Capítulo 4

4-1 Ejercicios

1. 2, 4 **3.** ninguno **5.** compuesto **7.** compuesto **9.** compuesto **11.** compuesto **13.** 3 **15.** 3, 5, 9 **17.** 2, 4 **19.** 2 **21.** compuesto **23.** primo **25.** compuesto **27.** primo **29.** compuesto **31.** primo **33.** no, no, no, no **35.** sí, no, sí, no, no, no, no **37.** verdadero **39.** verdadero **41.** 1, 4 ó 7 **43.** 1, 4 ó 7 **45.** 0, 3, 6 ó 9 **47.** Los números primos del 50 al 100 son 53, 59, 61, 71, 73, 79, 83, 89 y 97. **49.** Mackinac Straits **55.** D **57.** 7, 11, 15, 19, 23 **59.** 6, 30, 150, 750, 3,750 **61.** 30

4-2 Ejercicios

1. 1, 2, 3, 4, 6, 12 **3.** 1, 2, 4, 13, 26, 52 **5.** $2^4 \cdot 3$ **7.** $2 \cdot 3 \cdot 11$ **9.** 1, 2, 3, 4, 6, 8, 12, 24 **11.** 1, 2, 3, 6, 7, 14, 21, 42 **13.** 1, 67 **15.** 1, 5, 17, 85 **17.** 7^2 **19.** $2^2 \cdot 19$ **21.** 3^4 **23.** $2^2 \cdot 5 \cdot 7$ **33a.** 15 chicos por equipo **b.** 5 equipos de 9 jugadores **35.** $3^2 \cdot 11$ **37.** $2^2 \cdot 71$ **39.** $2^3 \cdot 3 \cdot 5 \cdot 7$ **41.** $2^2 \cdot 5 \cdot 37$ **43.** $2^2 \cdot 5^2$ **45.** 7^3 **47.** insectos; almejas **53.** 60 **55.** 3, 5 **57.** 2, 3, 4, 5, 6, 9, 10 **59.** 2, 4, 5, 10 **61.** 2, 3, 4, 5, 6, 9, 10

4-3 Ejercicios

1. 9 **3.** 7 **5.** 6 **7.** 4 arreglos **9.** 14 **11.** 2 **13.** 4 **15.** 12 **17.** 3 equipos **19.** 12 **21.** 5 **23.** 2 **25.** 75 **27.** 4 **29.** 6 canastas **31.** 2 **33.** 9 **35.** 6 **37.** 6 surcos **39.** 4 grupos **43.** A **45.** $y = 27$ **47.** $z = 8$ **49.** $2 \times 3 \times 7$ **51.** 3×17 **53.** $5^2 \times 2^3$

4-4 Ejercicios

1. $\frac{3}{20}$ **3.** $\frac{43}{10}$ **5.** 0.4 **7.** 0.125 **9.** 0.21, $\frac{2}{3}$, 0.78 **11.** $\frac{1}{9}$, 0.3, 0.52 **13.** $5\frac{71}{100}$ **15.** $3\frac{23}{100}$ **17.** $2\frac{7}{10}$ **19.** $6\frac{3}{10}$ **21.** 1.6 **23.** 3.275 **25.** 0.375 **27.** 0.625 **29.** $\frac{1}{9}$, 0.29, $\frac{3}{8}$ **31.** $\frac{1}{10}$, 0.11, 0.13 **33.** 0.31, $\frac{3}{7}$, 0.76 **35.** $90 + 2 + \frac{3}{10}$ **37.** $100 + 7 + \frac{1}{10} + \frac{7}{100}$ **39.** $0.1\overline{6}$; periódico **41.** $0.41\overline{6}$; periódico **43.** 0.8; finito **45.** $0.8\overline{3}$; periódico **47.** $0.91\overline{6}$; periódico **49.** > **51.** < **53.** < **55.** < **57.** $4\frac{1}{2}$, 4.48, 3.92 **59.** 125.25, 125.205, $125\frac{1}{5}$ **61.** Jill **63.** $\frac{1}{20}$ **67.** D **69.** 21.47 **71.** 23.45 **73.** 14 **75.** 16

4-5 Ejercicios

1. $\frac{2}{3}$, $\frac{8}{12}$ **3.** $\frac{1}{2}$, $\frac{5}{10}$ **5.** 25 **7.** 21 **9.** $\frac{1}{5}$ **11.** $\frac{1}{4}$ **21.** 15 **23.** 70 **25.** 6 **27.** 140 **29.** $\frac{1}{4}$ **31.** $\frac{1}{5}$ **33.** $\frac{3}{4}$ **35.** $\frac{1}{2}$ **37.** $\frac{3}{6} = \frac{1}{2}$ **39.** $\frac{2}{3} = \frac{8}{12}$ **41.** $\frac{1}{4}$ **43.** $\frac{2}{5}$ **47.** Los puestos de canastas y guirnaldas representan $\frac{12}{72} = \frac{1}{6}$; los de joyerías representan $\frac{32}{72} = \frac{4}{9}$; los de vidrio y cerámica representan $\frac{16}{72} = \frac{2}{9}$; los de pinturas representan $\frac{12}{72} = \frac{1}{6}$. **51.** B **53.** $x = 45$ **55.** $w = 18$ **57.** $0.\overline{6}$ **59.** 3.2

4-6 Ejercicios

1. $2\frac{2}{5}$ **3.** $\frac{8}{3}$ **5.** $\frac{12}{5}$ **7.** $8\frac{3}{5}$ **9.** $\frac{20}{9}$ **11.** $\frac{13}{3}$ **13.** $\frac{25}{6}$ **15.** $\frac{19}{5}$ **17.** 4; número cabal **19.** $8\frac{3}{5}$; número mixto **21.** $8\frac{7}{10}$; número mixto **23.** 15; número cabal **25.** $\frac{53}{11}$ **27.** $\frac{93}{5}$ **29.** 3; 5 **31.** 13; 9 **33.** 2; 10 **35.** $28\frac{4}{9}$ yardas **37.** = **39.** < **41.** $40\frac{1}{2}$; $50\frac{1}{2}$ **43.** $\frac{9}{5}$ **47.** A **49.** 1,038; 1,497; 2,560 **51.** 1,765; 4,706; 11,765 **53.** 21 a 22 **55.** 1, 3, 19, 57 **57.** 1, 2, 3, 6, 9, 18, 27, 54

4-7 Ejercicios

1. > **3.** = **5.** sí **7.** $\frac{1}{4}$, $\frac{1}{3}$, $\frac{2}{5}$ **9.** $\frac{1}{6}$, $\frac{1}{2}$, $\frac{2}{3}$ **11.** < **13.** > **15.** = **17.** > **19.** $\frac{3}{7}$, $\frac{1}{2}$, $\frac{3}{5}$ **21.** $\frac{1}{3}$, $\frac{3}{8}$, $\frac{4}{9}$ **23.** $\frac{2}{3}$, $\frac{7}{10}$, $\frac{3}{4}$ **25.** $\frac{1}{4}$, $\frac{3}{8}$, $\frac{2}{3}$ **27.** < **29.** > **31.** > **33.** > **35.** $\frac{3}{10}$, $\frac{2}{5}$, $\frac{1}{2}$ **37.** $\frac{1}{5}$, $\frac{7}{15}$, $\frac{2}{3}$ **39.** $\frac{2}{5}$, $\frac{4}{9}$, $\frac{11}{15}$ **41.** $\frac{5}{12}$, $\frac{5}{8}$, $\frac{3}{4}$ **43.** Laura; $\frac{3}{5} > \frac{4}{7}$ **45.** $1\frac{1}{8}$, $1\frac{2}{5}$, 3, $3\frac{2}{5}$, $3\frac{4}{5}$ **47.** $\frac{1}{2}$, $\frac{3}{4}$, $3\frac{1}{15}$, $3\frac{1}{10}$, $3\frac{1}{5}$ **49.** sí **53.** C **55.** 4.5×10^1 **57.** 1.6×10^6 **59.** $\frac{1}{12}$ **61.** $\frac{3}{10}$ **63.** $\frac{1}{11}$

4-8 Ejercicios

1. $\frac{1}{2}$ pie **3.** $7\frac{1}{7}$ **5.** $5\frac{1}{6}$ **7.** $\frac{2}{5}$ **9.** $\frac{1}{5}$ **11.** $\frac{2}{7}$ **13.** $1\frac{3}{5}$ **15.** $\frac{6}{5}$ ó $1\frac{1}{5}$ **17.** $\frac{1}{10}$ **19.** $\frac{5}{8}$ **21.** $\frac{14}{33}$ **23.** $\frac{2}{3}$ **25.** $13\frac{1}{3}$ **27.** $\frac{17}{24}$ **29.** $\frac{4}{9}$ **31.** $\frac{5}{7}$ **33.** $8\frac{2}{3}$ **35.** $\frac{3}{4}$ hora **37.** $1\frac{3}{4}$ hora **39.** 1 pie **51.** $\frac{2}{6}$, $\frac{3}{7}$, $\frac{5}{4}$ **53.** $\frac{3}{10}$, $\frac{1}{3}$, $\frac{3}{8}$

4-9 Ejercicios

1. aproximadamente 1 **3.** aproximadamente $\frac{1}{2}$ **5.** 16 millas **7.** aproximadamente $\frac{1}{2}$ **9.** aproximadamente 0 **11.** aproximadamente $1\frac{1}{2}$ **13.** aproximadamente 2 **15.** 4 toneladas **17.** $3\frac{1}{2}$ toneladas **19.** > **21.** < **23.** > **25.** aproximadamente 2 **27.** aproximadamente 3 **29.** aproximadamente $13\frac{1}{2}$ **31.** $\frac{1}{2}$ pulg **33.** aproximadamente $9\frac{1}{2}$ pulg **37.** B **39.** 3 **41.** 10 **43.** $n + 5$

Capítulo 4 Extensión

1. intersección: vacío; unión: todos los números cabales **3.** intersección: 1, 2, 3, 4, 6, 9, 12, 18, 36; unión: 1, 2, 3, 4, 6, 8, 9, 12, 18, 24, 36, 72 **5.** sí **7.** no

Guía de estudio del Capítulo 4: Repaso

1. fracción impropia; número mixto **2.** decimal periódico; decimal finito **3.** número primo; número compuesto **4.** 2 **5.** 2, 3, 5, 6, 9, 10 **6.** 2, 3, 6, 9 **7.** 2, 4 **8.** 2, 5, 10 **9.** 3 **10.** compuesto **11.** compuesto **12.** primo **13.** compuesto **14.** primo

15. compuesto **16.** compuesto **17.** primo **18.** compuesto **19.** primo **20.** 1, 2, 3, 4, 5, 6, 10, 12, 15, 20, 30, 60 **21.** 1, 2, 3, 4, 6, 8, 9, 12, 18, 24, 36, 72 **22.** 1, 29 **23.** 1, 2, 4, 7, 8, 14, 28, 56 **24.** 1, 5, 17, 85 **25.** 1, 71 **26.** $5 \cdot 13$ **27.** $2 \cdot 47$ **28.** $2 \cdot 5 \cdot 11$ **29.** 3^4 **30.** $3^2 \cdot 11$ **31.** $2^2 \cdot 19$ **32.** 97 **33.** $5 \cdot 11$ **34.** $2 \cdot 23$ **35.** 12 **36.** 25 **37.** 9 **38.** $\frac{37}{100}$ **39.** $1\frac{4}{5}$ **40.** $\frac{2}{5}$ **41.** 0.875 **42.** 0.4 **43.** $0.\overline{7}$ **44.** Respuesta posible: $\frac{2}{3}; \frac{8}{12}$ **45.** Respuesta posible: $\frac{8}{10}; \frac{16}{20}$ **46.** Respuesta posible: $\frac{1}{4}; \frac{2}{8}$ **47.** $\frac{7}{8}$ **48.** $\frac{3}{10}$ **49.** $\frac{7}{10}$ **50.** $\frac{34}{9}$ **51.** $\frac{29}{12}$ **52.** $\frac{37}{7}$ **53.** $3\frac{5}{6}$ **54.** $3\frac{2}{5}$ **55.** $5\frac{1}{8}$ **56.** $>$ **57.** $>$ **58.** $\frac{3}{8}, \frac{2}{3}, \frac{7}{8}$ **59.** $\frac{3}{12}, \frac{1}{3}, \frac{4}{6}$ **60.** 1 **61.** $\frac{3}{4}$ **62.** $\frac{3}{5}$ **63.** $6\frac{5}{7}$ **64.** 1 **65.** $\frac{1}{2}$ **66.** 11 **67.** $2\frac{1}{2}$

Capítulo 5

5-1 Ejercicios

1. 3 paquetes de lápices y 4 paquetes de gomas de borrar **3.** 36 **5.** 20 **7.** 48 **9.** 40 **11.** 63 **13.** 150 **15.** 8 **17.** 20 **19.** 18 **21.** 12 **23.** 24 **25.** 66 **27.** 60 **29.** 140 **31.** 12 **33c.** 12 **d.** Respuesta posible: 120, 144, 132 **35.** 12 y 16 **37a.** 120 **37b.** 120 **37c.** 4 **41.** B **43.** 0.03 **45.** 0.24 **47.** $>$ **49.** $>$ **51.** $4\frac{5}{7}$

5-2 Ejercicios

1. $\frac{5}{12}$ tonelada **3.** $\frac{3}{10}$ **5.** $\frac{13}{14}$ **7.** $\frac{1}{6}$ taza **9.** $\frac{7}{12}$ **11.** $\frac{9}{20}$ **13.** $1\frac{2}{15}$ **15.** $1\frac{1}{8}$ **17.** $\frac{7}{15}$ **19.** $\frac{7}{18}$ **21.** $\frac{1}{3}$ **23.** $\frac{28}{33}$ **25.** $\frac{7}{18}$ **27.** $\frac{1}{5}$ **29.** $\frac{2}{2}$ ó 1 **31.** $1\frac{1}{8}$ **33.** $\frac{1}{2}$ **35.** $\frac{4}{7}$ **37.** $\frac{3}{4}$ **39.** $\frac{7}{8}$ **41.** $\frac{1}{6}$ galón **43.** $\frac{9}{40}$ lb **49.** $\frac{11}{12}$ mi **51.** 1.1 **53.** 0.125 **55.** $>$ **57.** $>$

5-3 Ejercicios

1. $10\frac{5}{12}$ **3.** $6\frac{1}{12}$ **5.** $4\frac{1}{4}$ **7.** $6\frac{7}{12}$ **9.** $6\frac{1}{4}$ **11.** $8\frac{7}{12}$ **13.** $29\frac{3}{5}$ **15.** $34\frac{1}{2}$ **17.** $3\frac{51}{90}$ **19.** $20\frac{13}{36}$ **21.** $12\frac{5}{24}$ **23a.** $26\frac{3}{5}$ lb **b.** $2\frac{1}{10}$ lb **c.** $11\frac{1}{10}$ lb **25.** $1\frac{7}{10}$ **27.** $23\frac{3}{4}$ **29.** $13\frac{1}{4}$ **31.** $18\frac{1}{5}$ **33.** $\frac{1}{2}$ mi **35.** 5 **37.** $1\frac{1}{12}$ **39.** $8\frac{1}{9}$ **41.** 0 **43.** $9\frac{3}{8}$ km **45.** $16\frac{1}{2}$ yardas **51.** J **53.** $1\frac{1}{2}$ **55.** $1\frac{2}{5}$ **57.** $\frac{49}{60}$ **59.** $1\frac{1}{15}$

5-4 Ejercicios

1. $\frac{3}{4}$ **3.** $1\frac{2}{3}$ **5.** $2\frac{3}{5}$ **7.** $3\frac{4}{5}$ **9.** $7\frac{7}{8}$ **11.** $4\frac{13}{18}$ **13.** $1\frac{4}{5}$ **15.** $6\frac{2}{3}$ **17.** $1\frac{4}{9}$ **19.** $8\frac{9}{11}$ **21.** $11\frac{2}{9}$ **23.** $12\frac{13}{18}$ **25.** $7\frac{1}{4}$ pulg **27.** $7\frac{1}{3}$ **29.** $3\frac{8}{11}$ **31.** $11\frac{4}{7}$ **33.** $4\frac{11}{12}$ **35.** $1\frac{5}{6}$ **37.** $\frac{1}{12}$ **39.** $13\frac{5}{12}$ **41.** $1\frac{1}{12}$ yardas^2 **43.** $1\frac{11}{12}$ yardas^2 **47.** C **49.** $a = 16$ **51.** $z = 9$ **53.** 17 **55.** 22

5-5 Ejercicios

1. $4\frac{1}{2}$ **3.** $5\frac{5}{8}$ **5.** $4\frac{1}{10}$ **7.** $57\frac{3}{4}$ pulg **9.** $3\frac{5}{8}$ **11.** $4\frac{5}{6}$ **13.** $8\frac{7}{9}$ **15.** $6\frac{1}{4}$ pies **17.** $5\frac{1}{10}$ **19.** $7\frac{9}{10}$ **21.** $\frac{1}{3}$ **23.** 16 onzas **25.** $\frac{3}{8}$ pulg **27.** $7\frac{7}{18}$ **29.** $5\frac{5}{12}$ **31.** $4\frac{1}{4}$ **37.** B **39.** 12 **41.** 72 **43.** $\frac{7}{20}$ **45.** $7\frac{17}{30}$

5-6 Ejercicios

1. $\frac{8}{9}$ **3.** 3 **5.** $\frac{3}{7}$ **7.** 6 **9.** 8 **11.** 9 **13.** 27 chicos **15.** $\frac{3}{4}$ **17.** $\frac{4}{5}$ **19.** $\frac{6}{11}$ **21.** 10 **23.** 6 **25.** 2 **27.** $5\frac{5}{7}$ **29.** $3\frac{5}{9}$ **31.** 7 **33.** 15 **35.** 5 **37.** $\frac{48}{5}$ ó $9\frac{3}{5}$ **39.** 45 **41.** $>$ **43.** $=$ **45.** $<$ **47.** $>$ **49.** \$33 **51.** 165 pies de altura **55.** C **57.** $75 - w$ **59.** $p \div 7$ **61.** $8\frac{5}{7}$ **63.** $6\frac{3}{8}$

5-7 Ejercicios

1. $\frac{1}{6}$ **3.** $\frac{3}{7}$ **5.** $\frac{2}{15}$ **7.** $\frac{1}{20}$ **9.** $\frac{2}{21}$ **11.** $\frac{5}{9}$ **13.** $\frac{1}{4}$ **15.** $\frac{5}{11}$ **17.** $\frac{2}{15}$ **19.** $\frac{1}{8}$ **21.** $\frac{4}{27}$ **23.** $\frac{5}{48}$ **25.** $\frac{4}{15}$ **27.** $\frac{1}{14}$ **29.** $\frac{27}{35}$ **31.** $\frac{9}{55}$ **33.** $\frac{1}{4}$ taza **35.** $<$ **37.** $>$ **39.** $<$ **41a.** multiplicar por $\frac{1}{4}$. **b.** $\frac{1}{12}$ **43.** $\frac{3}{8}$ lb **45.** $\frac{3}{8}$ **49.** D **51.** $n = 3$ **53.** $a = 13$ **55.** $\frac{4}{9}$ **57.** $\frac{4}{7}$

5-8 Ejercicios

1. $\frac{5}{6}$ **3.** $\frac{11}{14}$ **5.** $\frac{13}{15}$ **7.** $2\frac{1}{16}$ **9.** $21\frac{5}{7}$ **11.** $12\frac{7}{20}$ **13.** $\frac{15}{16}$ **15.** $\frac{7}{15}$ **17.** $1\frac{1}{18}$ **19.** $\frac{13}{14}$ **21.** $2\frac{2}{7}$ **23.** $15\frac{1}{2}$ **25.** $23\frac{1}{2}$ **27.** $3\frac{3}{5}$ **29.** $\frac{10}{27}$ **31.** $1\frac{1}{4}$ **33.** $\frac{1}{6}$ **35.** $13\frac{3}{4}$ **37.** $2\frac{2}{3}$ **39.** $17\frac{1}{2}$ **41.** $1\frac{7}{25}$ de bolsa **43.** sí **45.** $1\frac{3}{7}$ **47.** 28 **49.** $1\frac{7}{8}$ **51.** $21\frac{3}{4}$ **53.** 240 **55a.** $1\frac{1}{2} \cdot 7 = 10\frac{1}{2}$ h **b.** menos de 12 h **59.** C **61.** 5.4×10^2 **63.** 5.4×10^4 **65.** $\frac{1}{2}$ **67.** 4

5-9 Ejercicios

1. $\frac{7}{2}$ **3.** 9 **5.** $\frac{5}{13}$ **7.** $1\frac{5}{7}$ **9.** $2\frac{1}{6}$ **11.** $\frac{9}{50}$ **13.** $4\frac{4}{7}$ **15.** 10 **17.** $\frac{12}{11}$ **19.** $\frac{11}{8}$ **21.** $\frac{7}{6}$ **23.** $\frac{4}{21}$ **25.** $1\frac{5}{14}$ **27.** 12 **29.** $\frac{3}{10}$ **31.** $2\frac{22}{45}$ **33.** $\frac{2}{3}$ **35.** $\frac{1}{40}$ **37.** $1\frac{17}{25}$ **39.** $4\frac{2}{3}$ **41.** $\frac{3}{28}$ **43.** 16 bolsas **45.** sí **47.** sí **49.** $\frac{5}{2}, \frac{25}{4}$ **51.** $\frac{1}{5}, \frac{1}{5}$ **53.** El recíproco de una fracción tiene el numerador de la fracción como denominador y el denominador de la fracción como numerador. El producto de una fracción y su recíproco es 1. **55.** $\frac{11}{12}$ **57.** $1\frac{1}{14}$ **59.** $41\frac{19}{75}$ **61.** $24\frac{2}{9}$ pulg **67.** H **68.** 2; 4.32 **69.** 1; 9.5 **70.** 3; 16.192 **71.** 2; 0.04 **73.** $\frac{7}{8}$ **75.** $5\frac{13}{15}$

5-10 Ejercicios

1. $z = 16$ **3.** $x = 7\frac{1}{2}$ **5.** 24 **7.** $x = 9$ **9.** $t = \frac{1}{10}$ **11.** $y = 20$ **13.** $j = 12\frac{6}{7}$ **15.** \$10 **17.** $y = 10$ **19.** $t = 16$ **21.** $b = 14$ **23.** $x = 9\frac{1}{3}$ **25.** $n = 12$ **27.** $y = \frac{2}{3}$ **29.** $\frac{3}{2}n = 9$ **31.** 4 minutos **33.** 11 vestidos **35.** 20 páginas más **41.** B **43.** 35 **45.** 2 **47.** 3 **49.** $1\frac{1}{5}$ **51.** $\frac{15}{28}$

Guía de estudio del Capítulo 5: Repaso

1. recíprocos **2.** mínimo común denominador **3.** 30 **4.** 48 **5.** 27 **6.** 60 **7.** 225 **8.** 660 **9.** $\frac{33}{40}$ **10.** $\frac{3}{4}$ **11.** $\frac{1}{15}$ **12.** $\frac{5}{24}$ **13.** $4\frac{7}{10}$ **14.** $3\frac{1}{18}$

15. $\frac{11}{30}$ **16.** $3\frac{2}{3}$ **17.** $1\frac{1}{2}$ **18.** $5\frac{2}{3}$
19. $2\frac{5}{8}$ **20.** $6\frac{13}{14}$ **21.** $1\frac{1}{8}$
22. $4\frac{3}{4}$ feet **23.** $30\frac{3}{20}$ **24.** $14\frac{11}{12}$
25. $5\frac{5}{12}$ **26.** $3\frac{4}{9}$ **27.** $5\frac{7}{15}$ **28.** $3\frac{3}{10}$
29. 7 oz **30.** $\frac{5}{7}$ **31.** $\frac{3}{4}$ **32.** $2\frac{4}{7}$
33. $2\frac{1}{2}$ **34.** 3 **35.** $1\frac{1}{5}$
36. 21 miembros **37.** $\frac{1}{3}$
38. $\frac{15}{28}$ **39.** $\frac{1}{10}$ **40.** $\frac{7}{25}$ **41.** $\frac{5}{81}$
42. $\frac{3}{14}$ **43.** $\frac{8}{15}$ **44.** $\frac{9}{10}$ **45.** $1\frac{1}{4}$
46. 2 **47.** $\frac{4}{21}$ **48.** $\frac{3}{20}$ **49.** $\frac{5}{9}$
50. 8 veces **51.** $a = \frac{1}{8}$ **52.** $b = 2$
53. $m = 17\frac{1}{2}$ **54.** $g = \frac{2}{15}$
55. $r = 10\frac{4}{5}$ **56.** $s = 50$ **57.** $p = \frac{1}{9}$
58. $j = 1\frac{53}{64}$

Capítulo 6

6-1 Ejercicios

1.

Día	Temperatura máxima (° F)
Lun	72
Mar	75
Mie	68
Jue	62
Vie	55

3.

Examen	Calificación
1ro	70
2do	75
3ro	80
4to	85
5to	90

5.

Fecha	Espesor (pulg)
3 de diciembre	1
18 de diciembre	2
3 de enero	5
18 de enero	11
3 de febrero	17

7. Jeffery está en sexto grado. Victoria está en séptimo y Arthur está en octavo. **11.** 81 **13.** 216
15. Respuesta posible: 2 por 12; 2 multiplicado por 12
17. Respuesta posible: m dividido entre 3, el cociente de m y 3

6-2 Ejercicios

1. media = 22 **3.** media = 6.5
5. media = 57, media = 54, no moda, rango = 23 **7.** rango = 19, media = 508.2, mediana = 508.5, moda = 500 **9.** 11 **11.** 4 **13.** 70
15. 6, 7, 12, 15, 15 **19.** C **21.** 25
23. 2 **25.** 5

6-3 Ejercicios

1a. media = 4.75, mediana = 5, no hay moda **b.** media = 10, mediana = 7, no hay moda **3.** media = 225, mediana = 187.5, hay moda = 240; mediana
5. con: media = 710.4, mediana = 788, no hay moda sin: media = 877.75, mediana = 868, no hay moda **7.** media ≈ 118.29, mediana = 128, no hay moda
13. 70 **15.** $n = \frac{9}{10}$ **17.** mediana: 35; no hay moda; rango = 45

6-4 Ejercicios

1. verde
3.

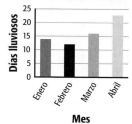

Cantidad de estudiantes en las clases del maestro Jones
Cantidad de estudiantes
30
25
20
15
10
5
0
1
2
6
7
Período de clases

5. naranja
7.

Cantidad de días
Días lluviosos
25
20
15
10
5
0
Enero
Febrero
Marzo
Abril
Mes

9. 14 millones de mi^2
11. ≈ 8.4 millones de mi^2
13a.

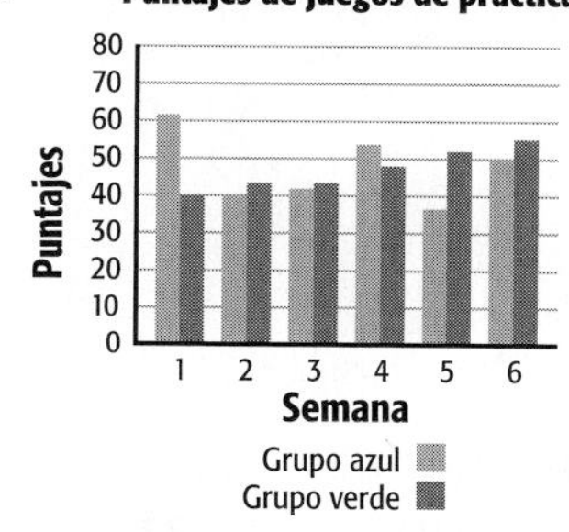

b. Azul: media ≈ 47.3, rango = 26; Verde: media = 47.3, rango = 16
c. Respuesta posible: el grupo verde; su rendimiento es más consistente y sus puntajes han aumentado sostenidamente con el tiempo.
17. J **19.** $\frac{1}{5}$ **21.** $2\frac{1}{3}$

6-5 Ejercicios

1.

Tipo de instrumento	
Trompeta	~~IIII~~
Tambores	II
Tuba	I
Trombón	III
Corno	IIII

3.

Cantidad de años de cada período presidencial			
Número (intervalos)	0–4	5–8	9–12
Frecuencia	26	15	1

5.

Mascotas	
Perro	~~IIII~~ I
Gato	~~IIII~~
Pájaro	IIII
Pez	III
Hámster	II

7.

Posiciones finales de los 25 países que ganaron más medallas en los Juegos Olímpicos					
Número (intervalos)	0–20	21–40	41–60	61–80	81–100
Frecuencia	14	8	3	0	2

9. histograma
11.

Poblaciones de los estados y territorios de Australia	
Censo	Frecuencia
0–999,999	3
1,000,000–1,999,999	2
2,000,000–2,999,999	0
3,000,000–3,999,999	1
4,000,000–4,999,999	1
5,000,000–5,999,999	0
6,000,000–6,999,999	1

13. no **17.** B **19.** 1 + 0.2 + 0.03; uno y veintitrés centésimas
21. 20 + 6 + 0.07; veintiséis y siete centésimas **23.** 19 **25.** 9

6-6 Ejercicios

1. (2, 3) **3.** (7, 6) **5.** (4, 5)

7–9.

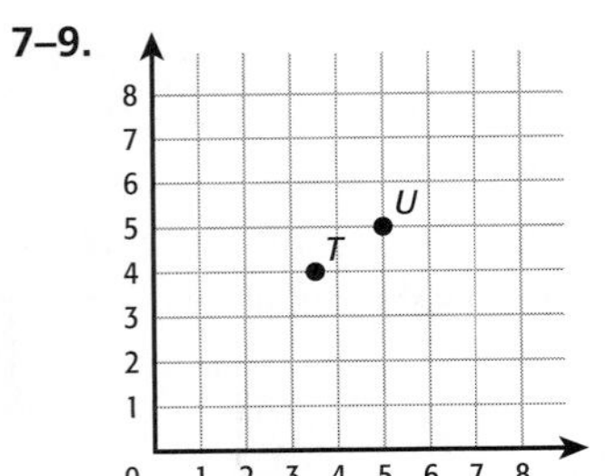

11. (3, 0) **13.** (1, 4) **15.** (11, 7)

17–21.

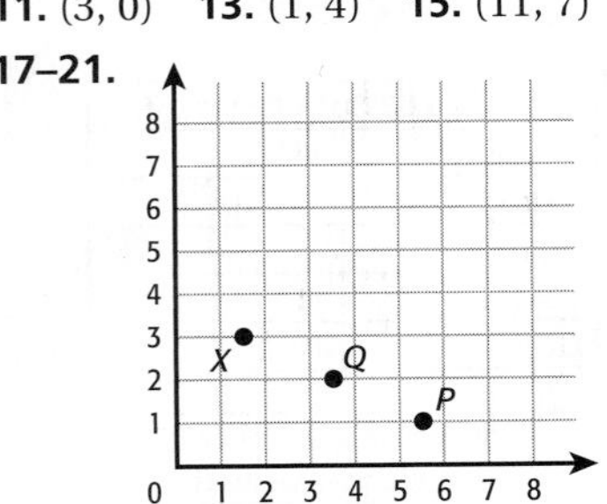

23. A **25.** C **27.** P **29.** (9, 8)

31. (1, 5) **33.** (9, 0) **35.** $\left(5\frac{1}{2}, 0\right)$

39. D **41.** $3^3 \times 5^2$ **43.** $2^2 \times 3^2 \times 5$

45. $\frac{3}{28}$ **47.** $\frac{3}{14}$

6-7 Ejercicios

1.

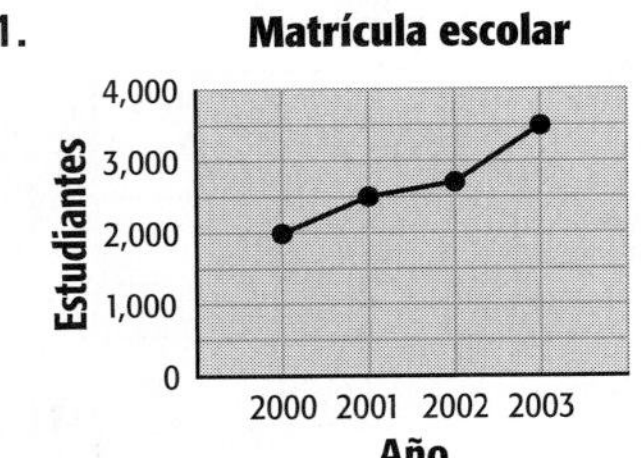

3. 125

5.

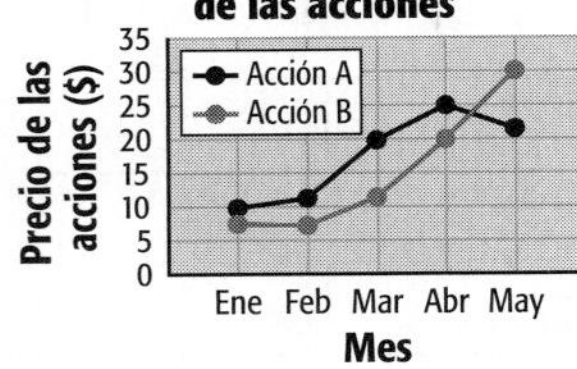

7. 70 millones

9.

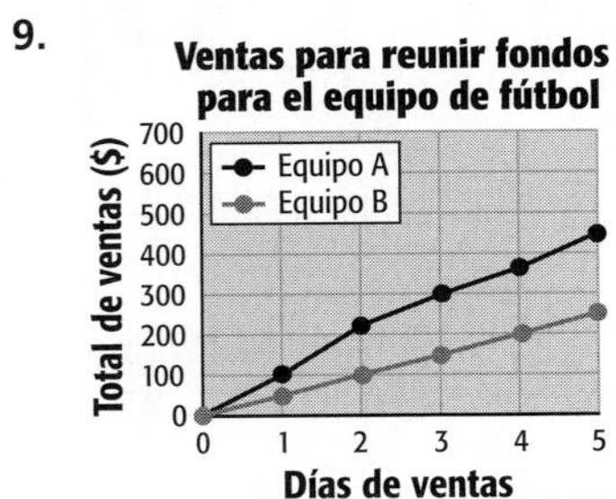

11. Max **15.** C **17.** $s = 18$

19. $m = 15$

6-8 Ejercicios

5. El eje vertical comienza en 430 y no en cero. **7.** Que los incrementos anuales cambiaron.

9.

Las cintas son considerablemente mejores

Cantidad de personas: 1,010; 1,005; 1,000; 995; 990

Cintas Pasta Pintura

17. Respuesta posible: La temperatura era dos veces más alta a las 11:00 am **19.** 124

21–23.

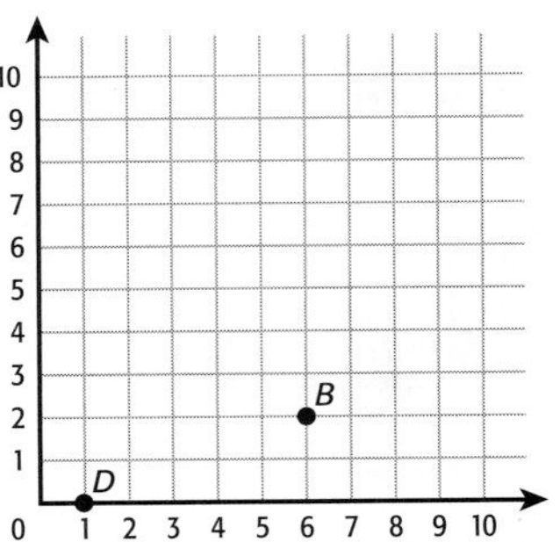

6-9 Ejercicios

1. Temperaturas máximas diarias (° F)

Tallos	Hojas
3	7 9
4	0 5 8
5	1 6

Clave: 3|7 significa 37

3. 44 **5.** 32 **7.** 34 **9.** 41 **11.** 52

13. 42 **15.** A

17. Cantidad de autos con un pasajero

Tallos	Hojas
8	0 1 2 3 7 8 9
9	2 4 4 5 9
10	0 1 3 9
11	
12	4 5

Clave: 8|0 significa 80

21. 2,000 **23.** 225,971; 2,004,801; 298,500,004 **25.** $\frac{7}{4}$ **27.** 5

6-10 Ejercicios

1. gráfica lineal **3a.** Respuesta posible: Gráfica lineal; muestra el cambio a lo largo del tiempo.

b.

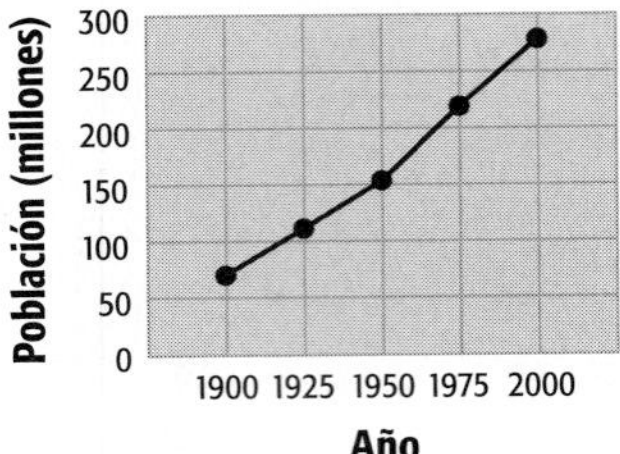

9. diagrama de acumulación

11. 5 **13.** 4

Guía de estudio del Capítulo 6: Repaso

1. histograma **2.** par ordenado

3. moda

4.

Longitudes de las serpientes	
Anaconda	35 pies
Pitón diamante	21 pies
Cobra real	19 pies
Boa constrictor	16 pies

5. media: 37; mediana: 38; moda: 39; rango: 7 **6.** sin valor extremo: media ≈ 14.29; mediana = 11; moda = 12; sin valor extremo: media ≈ 10.33; mediana = 10.5; mode = 12 **7.** con valor extremo: media = 31; mediana = 32; moda = 32; sin valor extremo: media = 35.75; mediana = 33; moda = 32 **8.** con valor extremo: media ≈ 19.67; mediana = 14; moda = ninguna; sin valor extremo: media = 13.2; mediana = 13; moda = ninguna **9.** 8vo grado

10.

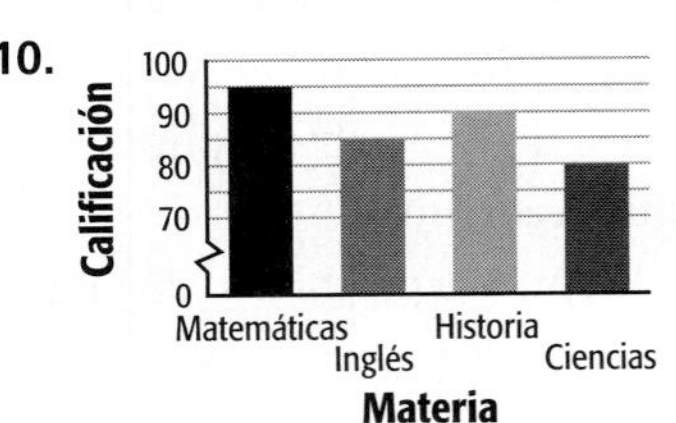

11.

Puntos			
Puntos (Intervalos)	1–4	5–8	9–12
Frecuencia	2	3	1

12.

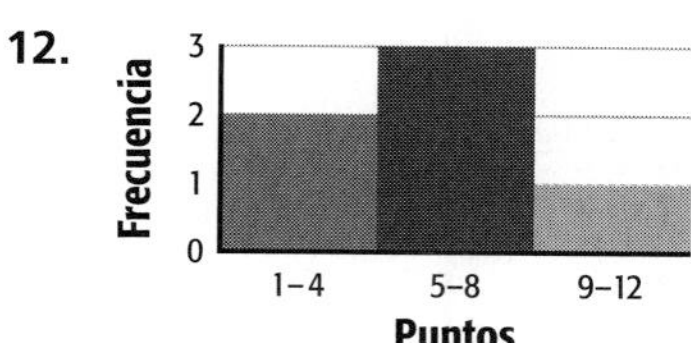

13. (4, 1) **14.** (3, 2)

15.

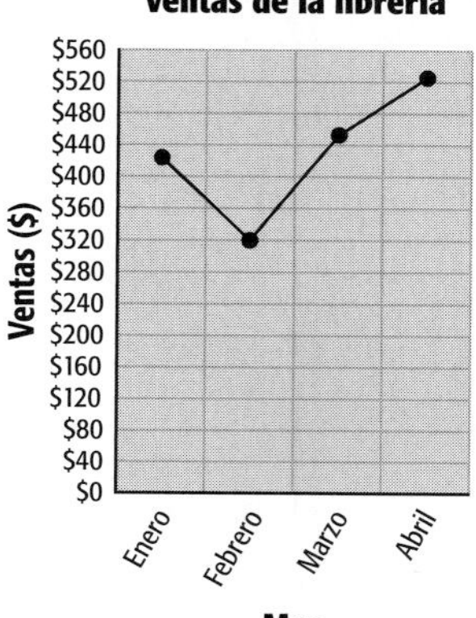

16. abril **17.** Las ventas bajaron de enero a febrero y luego aumentaron de febrero a abril.

18. La escala comienza con incrementos de 1 milla y luego pasa a 5 millas.

19. **Puntajes de basquétbol**

Tallos	Hojas
2	0 2 6 8
3	4
4	0 4 6

Clave: 2|0 significa 20

20. valor mínimo: 20, valor máximo: 46, media: 32.5, mediana: 31, no hay moda, rango: 26

21. gráfica lineal

Capítulo 7

7-1 Ejercicios

1. 3:10 **3.** 41:16 **5.** la bolsa de 8 onzas **7.** 19:3 **11.** la bolsa de 15 lb **13.** 24 a 11, 24:11, veinticuatro a once **15.** 7 a 10, 7:10, siete a diez **17.** 5 a 9, 5:9, cinco a nueve **19.** $\frac{100}{101}$, 100:101, 100 to 101 **21.** 8:5 **23.** 5:8 **25.** 8:16 **27.** miércoles **33.** La caja de 24 onzas es la mejor compra. **35.** 3 **37.** 1 **39.** $m = \frac{11}{18}$ **41.** $h = \frac{2}{3}$

7-2 Ejercicios

1.

2	7
4	14
6	21
16	56

3.

96	48
48	24
24	12
12	6

5.

5	10	15	20
8	16	24	32

7.

24	12	6	3
16	8	4	2

9. 35 min

11.

8	15
16	30
24	45
32	60

13.

6	12	18	48	96
7	14	21	56	112

15.

11	22	33	44
25	50	75	100

17.

51	102	153	204
75	150	225	300

19. $\frac{8}{3}$ **21.** 24; 15 **27.** aproximadamente 70,000,000 **31.** B **33.** 448.5; 447; 452; 94

7-3 Ejercicios

3. 7 **5.** 35 **9.** 15 **11.** 55 **13.** 2 **15.** 3 **17.** 7 **19.** 3 **21.** $\frac{21}{6}$ **23.** 124 euros, 121 dólares canadienses, 810 renminbi, 448 shekels, y 1,058 pesos mexicanos. **27.** C **29.** $<$ **31.** $=$ **33.** 4 a 9, $\frac{4}{9}$ **35.** 6:13, 6 a 13

7-4 Ejercicios

1. La longitud del lado que falta es 4 cm. $m\angle G = 37°$ **3.** La longitud del lado que falta, n, es 3 pulgadas $m\angle M = 110°$ **5.** lados; $\overline{AC}$ y $\overline{XY}$; $\overline{XW}$ y $\overline{AB}$; $\overline{BC}$ y $\overline{WY}$; ángulos: X y A; W y B; Y y C **9.** $m\angle H = 80°$, $m\angle J = 80°$, $m\angle Z = 100°$; la longitud de $\overline{WX}$ es 5.5 yd, la longitud de $\overline{ZY}$ es 5.5 yd y la longitud de $\overline{WZ}$ es 4 yd. **11.** No; los lados correspondientes no son proporcionales. **17.** G **19.** propiedad distributiva **21.** 5 **23.** 0.7

7-5 Ejercicios

1. 15 pies **3.** 18 pies **5.** 104 pulg **7.** 120 m **11.** 14.2 **13.** 4.9 **15.** $8\frac{1}{4}$ **17.** $8\frac{4}{5}$

7-6 Ejercicios

1. 300 pies **3.** no **5.** 2.5 pulgadas **7a.** pared norte: 2 pulg; pared oeste: 3 pulg; pared sur: 5 pulg; pared este: 4.25 pulg **9.** 357 km **17.** 64 pulg **19.** 38.4 **21.** 3.87 **23.** $x = 3$ **25.** $k = 42$ **27.** $p = 1$

7-7 Ejercicios

1.

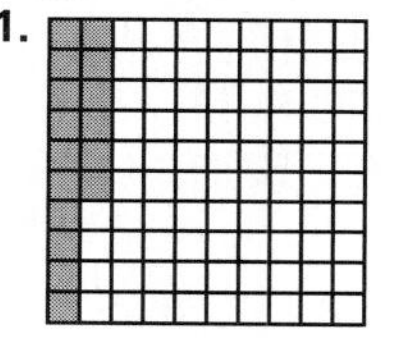

3.

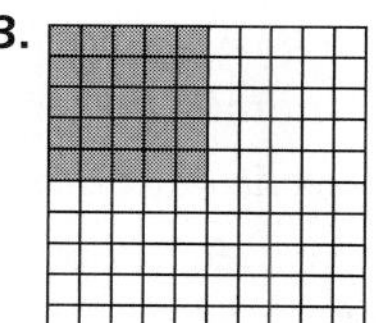

5. $\frac{4}{5}$ **7.** $\frac{23}{25}$ **9.** 0.04 **11.** 0.64

13.

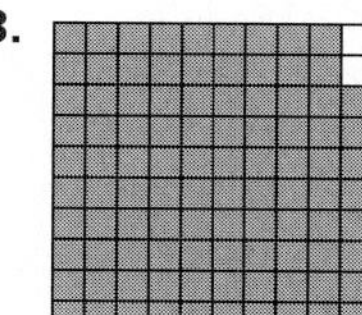

15.

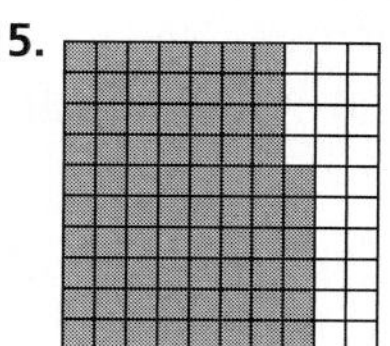

17. $\frac{3}{4}$ **19.** $\frac{18}{25}$ **21.** $\frac{16}{25}$ **23.** $\frac{17}{20}$

25. 0.44 **27.** 0.29 **29.** 0.6
31. 0.07 **33.** 0.02 **35.** 0.01
37. 0.7 **39.** 0.37 **41.** 0.08
43. 0.75 **45.** 1 **47.** 0.52 **49.** $\frac{3}{20}$, $\frac{13}{25}$, $\frac{71}{100}$, 1 **51.** 11% = 0.11
53. No **59.** H **61.** 17 **63.** 10

7-8 Ejercicios

1. 39% **3.** 80% **5.** 44% **7.** 70%
9. 60% **11.** 60% **13.** 34% **15.** 62%
17. 30% **19.** 45% **21.** 12.5%
23. 74% **25.** 40% **27.** 4%, $\frac{1}{25}$
29. 45%, $\frac{9}{20}$ **31.** 1%, $\frac{1}{100}$
33. 60%, $\frac{3}{5}$ **35.** 14%, $\frac{7}{50}$
37. 80%, 0.8 **39.** 83.33%, 0.83
41. 34%, 0.34 **43.** 4%, 0.04
45. 26.67%, 0.27 **47.** $<$
49. $=$ **51.** $>$ **53.** $<$
55. aproximadamente 48%; aproximadamente 52%
57. 0.098, $\frac{7}{8}$, 90%
59. 0.21, $\frac{7}{25}$, 38% **61.** 17%, $\frac{5}{9}$, 0.605 **63.** 97% **67.** D **69.** $1\frac{1}{4}$
71. $\frac{9}{10}$ **73.** 3 pies **75.** 2.25 pies

7-9 Ejercicios

1. 44 camisetas **3.** 6.72 **5.** 0.4
7. 37.8 **9.** 6 muñecas **11.** 30 minutos **13.** 28.6 **15.** 18.2
17. 94.5 **19.** 2.28 **21.** 5.2
23. 12.32 **25.** 40.56 **27.** 31
29. 12 **31a.** 9 pies **b.** 108 pies cuadrados **33.** 12 átomos de hidrógeno, 6 átomos de carbono y 6 átomos de oxígeno **39.** $57.60
41. $\frac{39}{50}$ **43.** $\frac{99}{100}$ **45.** 87.5%

7-10 Ejercicios

1. aproximadamente $7.65
3. aproximadamente $151.20
5. aproximadamente $18.75
7. aproximadamente $11.10
9. aproximadamente $55.65
11. Sí **13.** $339.20 **19.** En Music Place el CD cuesta $11.97, en Awesome Sound cuesta $11.69. Awesome Sound ofrece la mejor compra. **21.** Sí **23.** 3 **25.** 13
27. 600

Capítulo 7 Extensión

1. $148.75 **3.** $32 **5.** $250 **7.** 3%
9. $367.20 **11.** $37,500

Guía de estudio del Capítulo 7: Repaso

1. descuento **2.** porcentaje
3. ángulos correspondientes
4. Respuestas posibles: 2:4; 3:6; 6:12 **5.** 12 oz a $2.64
6. Respuestas posibles:

3	6	9	12
10	20	30	40

7. Respuestas posibles:

5	10	15	20
21	42	63	84

8. Respuestas posibles:

15	30	45	60
7	14	21	28

9. $47.25 **10.** $n = 9$ **11.** $n = 3$
12. $n = 14$ **13.** $n = 2$ **14.** $n =$ 11 pulgadas; $m\angle A = 90°$
15. 94 pies **16.** 43.75 millas
17. 3 pulgadas **18.** $\frac{3}{4}$ **19.** $\frac{3}{50}$
20. $\frac{3}{10}$ **21.** 0.08 **22.** 0.65 **23.** 0.2
24. 89.6% **25.** 70% **26.** 5.7%
27. 12% **28.** 70% **29.** 25%
30. 87.5% **31.** 80% **32.** 6.25%
33. 12 **34.** 5.94 **35.** 117 boletos
36. aproximadamente $19.20
37. aproximadamente $4.35
38. aproximadamente $1.08

Capítulo 8

8-1 Ejercicios

3. K **7.** $\overline{AB}$ **15.** C
21.
23.

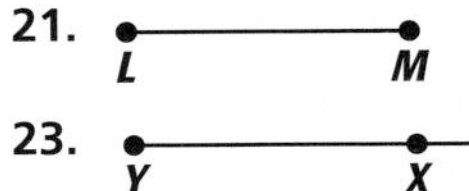

25a. puntos **b.** recta **c.** segmento de recta **d.** rayo **27.** $\overline{XY}$, $\overrightarrow{XY}$, $\overleftrightarrow{XY}$
31. A **33.** $k = 21$ **35.** $k = 100$
37. $3\frac{1}{4}$ **39.** $13\frac{2}{3}$ **41.** $11\frac{4}{7}$

8-2 Ejercicios

1. 90° **3.** 60°
5.
7.

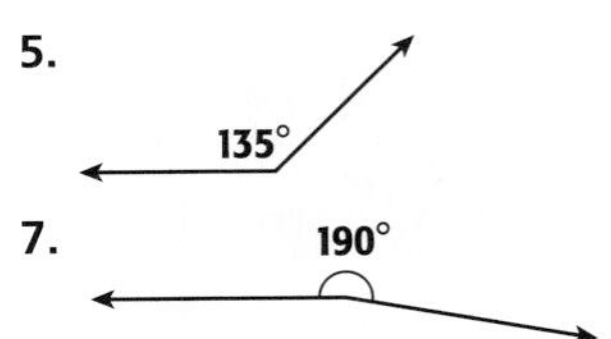

9. agudo **11.** $\angle G$ agudo; $\angle H$ obtuso; $\angle J$ recto; $\angle K$ obtuso; $\angle L$ obtuso **13.** 35°
15.
17.

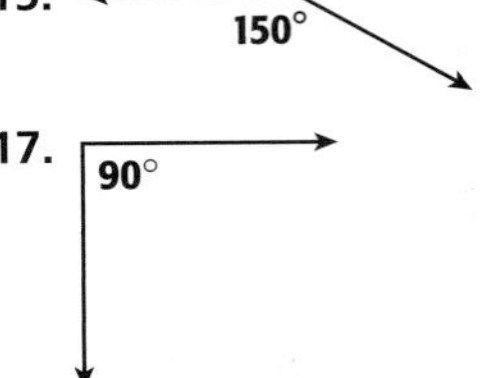

19.

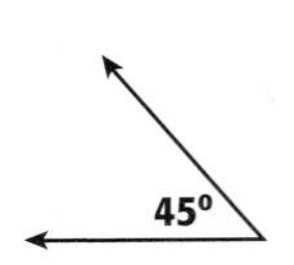

21. agudo **23.** $\angle A$ obtuso; $\angle B$ obtuso; $\angle C$ agudo; $\angle D$ obtuso; $\angle E$ obtuso; $\angle F$ agudo
25.

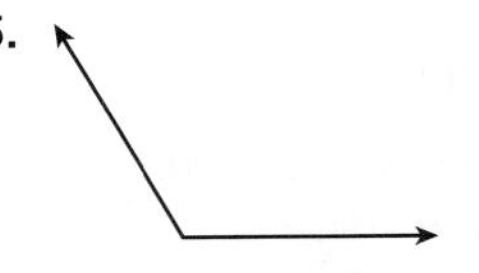

27. llano **29.** agudo **35.** G
37. 40%; $\frac{2}{5}$ **39.** 90%; $\frac{9}{10}$ **41.** 3.6
43. 71.5

8-3 Ejercicios

1. adyacente **3.** $m\angle a = 9°$
5. adyacente **7.** $m\angle c = 78°$
9. ángulos 1, 5, 6, 7 y 8 **11.** 108°, 108°, 72° **13.** 35° **15.** 75°
17. 28° **19.** 59° **21.** 78° **23.** 99°
25. ángulos C y D son ángulos congruentes **29.** D **31.** $n = 2$
33. $p = 0.25$ **35.** llano **37.** agudo

8-4 Ejercicios

1. secantes **3.** perpendiculares
5. oblicuas **7.** oblicuas
9. paralelas **13.** $\overleftrightarrow{BF}$, $\overleftrightarrow{GH}$, $\overleftrightarrow{EF}$, $\overleftrightarrow{CG}$
15. $\overleftrightarrow{AB}$, $\overleftrightarrow{EF}$, $\overleftrightarrow{FG}$, $\overleftrightarrow{BC}$ **17.** a veces
19. nunca **25.** H

27–31.

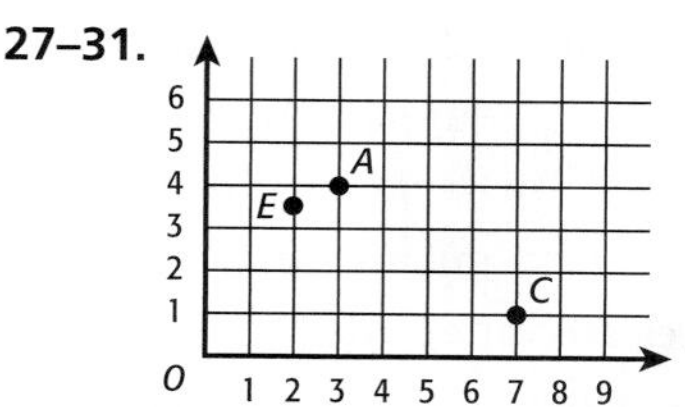

33. 33° **35.** 27°

8-5 Ejercicios

1. triángulo obtusángulo **3.** 82° **5.** isósceles **7.** 60° **9.** escaleno **11.** sí, rectángulo **13.** no **15.** sí, obtusángulo **19.** $1\frac{1}{6}$ pies, equilátero

21.

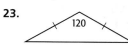

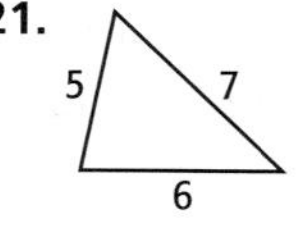

23. 120

29. A **31.** 0.12 **33.** 0.03 **35.** 0.76

37. M G

39. A

8-6 Ejercicios

1. rectángulo **3.** cuadrado **5.** cuadrados **7.** cuadrilátero **9.** paralelogramo **11.** trapecio **13.** cuadrilátero, paralelogramo, rectángulo, rombo, cuadrado **15.** cuadrilátero, paralelogramo, rombo **17.** nunca **19.** siempre **21.** a veces **23.** a veces **25.** no es posible **27.** no es posible **29a.** Si el marco mide 10 pulg por 13 pulg, la longitud total de los lados es 46 pulg, no 38 pulg. **c.** 8 pulg por 11 pulg **35.** cuadrilátero, paralelogramo, rombo; *rombo* es lo más descriptivo **37.** 2, 6, 18, 54, 162 **39.** nunca

8-7 Ejercicios

1. polígono, hexágono, regular **3.** polígono, triángulo, regular **5.** no es un polígono **7.** no es un polígono **9.** no está formado por segmentos de recta **11.** no está formado por segmentos de recta **13.** hexágono **15.** 1,440°, 144° **17.** nunca **19.** a veces **25.** 108 **27.** $d = 4.04$ **29.** $x = 8.4$

8-8 Ejercicios

1.

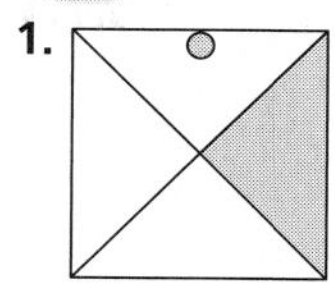

3. Respuesta posible: morado, morado, rojo, amarillo, verde, amarillo; rojo, amarillo, verde, amarillo, morado

5.

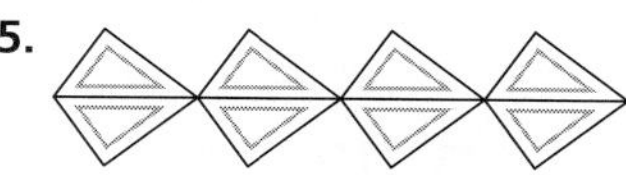

7.

9.

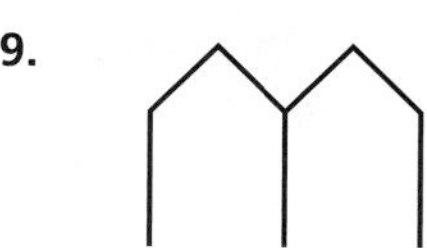

Las líneas deberían ser verdes.

13. C **15.** 81 **17.** 27 **19.** 1,024 **21.** $2 \cdot 5^2$ **23.** $2 \cdot 107$

8-9 Ejercicios

1. no congruentes; diferentes tamaños **3.** La figura A **5.** Las figuras son hexágonos irregulares que no son congruentes.

7.

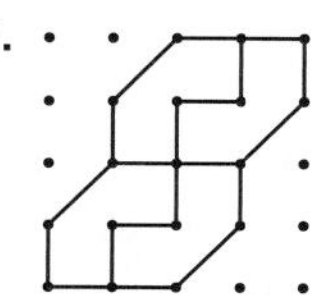

11. A **13.** $y = 9$ **15.** $n = 8$ **17.** $\frac{8}{21}$ **19.** $\frac{3}{8}$

8-10 Ejercicios

1. reflexión **3.** traslación

5.

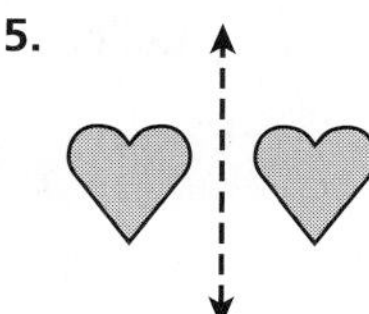

7. traslación

9.

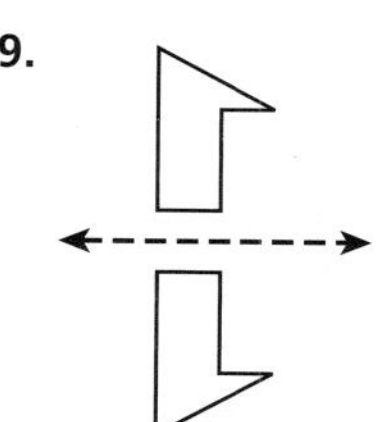

13.

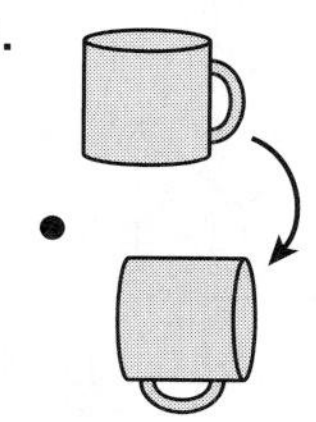

15. A **17.**

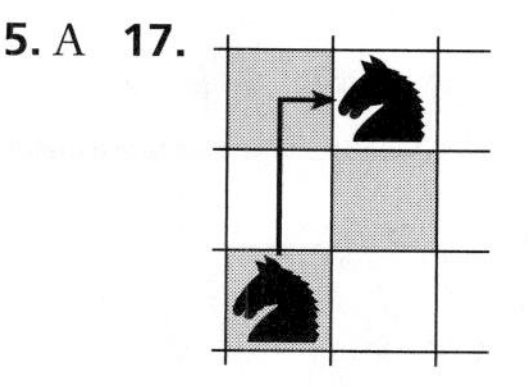

21. D **23.** 19 × 3 **25.** 5 + 9 **27.** $6\frac{71}{100}$ **29.** $2\frac{22}{55}$

8-11 Ejercicios

1. La línea es un eje de simetría. **3.** La línea es un eje de simetría. **5.** 3 ejes de simetría **7.** 4 líneas de simetría **9.** La línea no es un eje de simetría **11.** La línea no es un eje de simetría. **13.** 8 ejes de simetría **15.** 1 eje de simetría **17.** 3; 1; ninguno **21.** B **23.** > **25.** 24.68 **27.** 74.35

Guía de estudio del Capítulo 8: Repaso

1. trapecio **2.** polígono **3.** Respuesta posible: $\overleftrightarrow{ED}$, $\overleftrightarrow{AD}$ **4.** agudo **5.** obtuso **6.** agudo **7.** llano **8.** $b = 27°$ **9.** $d = 98°$ **10.** perpendiculares **11.** oblicuas **12.** obtusángulo escaleno **13.** paralelogramo **14.** triángulo; no regular **15.** rectángulo; no regular **16.** sumar 1 triángulo sombreado y 1 blanco cada vez **17.** no congruentes; diferentes tamaños **18.** congruentes **19.** traslación

20.

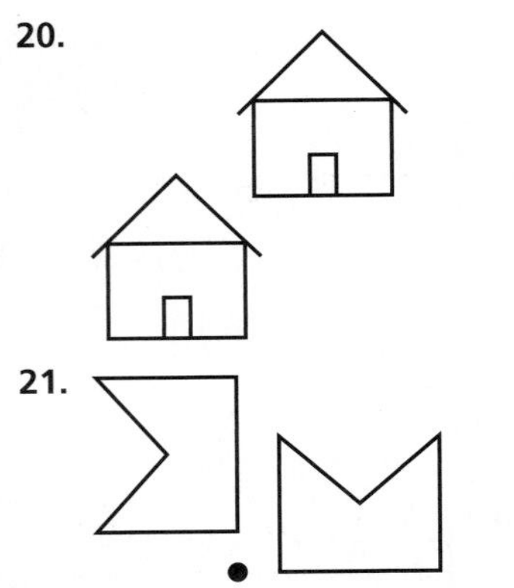

21.

22. La línea es un eje de simetría.

Capítulo 9

9-1 Ejercicios

1. pulg **3.** gal **5.** mi **7.** ct **9.** pies **11.** gal **13.** oz **17.** aproximadamente 1 ct **21.** $8\frac{1}{4}$ lb **27.** Respuestas posibles: *vara*: unidad de medida igual a $5\frac{1}{2}$ yardas; *picotín*: unidad de capacidad equivalente 8 cuartos; *dracma*: pequeña unidad de peso igual a 0.0625 onzas **29.** F **31.** 1, 3, 5, 9, 15, 45 **33.** 1, 2, 4, 5, 8, 10, 16, 20, 40, 80 **35.** acutángulo

9-2 Ejercicios

1. m **3.** L **5.** aproximadamente 7 cm **7.** g **9.** L **11.** El ancho de su puño **13.** km **15.** g **17.** mL **19.** Sí; respuesta posible: El globo pesa 0.8 g más con el aire. **23.** C **25.** 8 **27.** 16 **29.** 36 **31.** 60

9-3 Ejercicios

1. 108 **3.** 7 **5.** 3 **7.** 8 **9.** 3 **11.** 22 **13.** aproximadamente 24 tazas **15.** 48 **17.** 2 **19.** 2 **21.** 6,000 **23.** 3 **25.** 20 **27.** $<$ **29.** $=$ **31.** $<$ **33.** $=$ **35.** $>$ **37.** aproximadamente 434 yardas **39a.** 9 yd **b.** 324 pulg **41.** 3,520; 2 **43.** 8; 16 **47.** 4 pintas **49.** Respuesta posible: Primero, convertir de pulgadas a pies o de pies a pulgadas para que ambas longitudes estén en la misma unidad. Luego, comparar. **51.** A **53.** $x = 9$ **55.** $d = 17$

9-4 Ejercicios

1. 0.115 km **3.** 0.852 **5.** 3,500 **7.** 4,400 **9.** 0.05 **11.** 0,006 **13.** 0.110 **15.** 22,500 **17.** 2.460 **19.** 9.68 **21.** 0.782 **23.** 21.6 L; 21,600 mL **25.** $x = 0.23850$ **27.** 7,000 **29.** $=$ **31.** $<$ **33.** $=$ **35.** El Gateway Arch; 18 m **39.** 55 tazas; 125 mL **41.** 0.452 kg; 452,000 mg; 0.136 kg **43.** obtusángulo **45.** a veces **47.** nunca

9-5 Ejercicios

1. 1,200 **3.** $2\frac{1}{2}$ **5.** 480 **7.** 2:15 pm **9.** 54 **11.** 60 **13.** 4 **15.** 2 **17.** 26 **19.** 12:10 pm **21.** 198 **23.** $>$ **25.** $<$ **27.** 480; 470 **29.** aproximadamente 28° C **35.** C **37.** $>$ **39.** $<$ **41.** 5.55 **43.** 9.447

9-6 Ejercicios

1. 52°; agudo **3.** 90°; recto **5.** 45° **7.** $\angle A = 150°$; $\angle B = 90°$ **9.** 180°; llano **11.** 35° **13.** 108° **17.** 5.5° **23.** 65°; agudo; $65 < 90$ **25.** 2 **27.** 8

9-7 Ejercicios

1. 2 pulg **3.** 40 m **5.** 7 yd **7.** 96 pulg **9.** 7 cm **11.** 42 m **13.** 6 pulg **15.** 42 pulg **17.** 2 km **19a.** 44 pies × 20 pies **b.** 128 pies **25.** 24.68 **27.** 74.35 **29.** $x = 3$ **31.** $k = 42$

9-8 Ejercicios

1. círculo G, diámetro $\overline{EF}$, y radios $\overline{GF}$, $\overline{GE}$ y $\overline{GD}$ **3.** 12 pies **5.** 12.56 pulg **7.** 15 yd **9.** 4.71 m **11.** 0.5 pulg **13.** 5.75 pies, 36.11 pies **15.** 5 **17.** 9.42 pies **21.** 48.8 cm **23.** 880 vueltas **25.** $\frac{10}{12}, \frac{3}{4}, \frac{1}{12}$ **27.** $\frac{3}{4}, \frac{5}{8}, \frac{7}{16}$ **29.** 0.05 **31.** 1

Guía de estudio del Capítulo 9: Repaso

1. perímetro; circunferencia **2.** diámetro **3.** sistema usual **4.** pulg; aproximadamente cinco veces el ancho de tus pulgares **5.** mi; aproximadamente 800 veces 18 campos de fútbol americano **6.** lb; aproximadamente 2 hogazas de pan **7.** fl oz; aproximadamente una cucharada **8.** $\frac{1}{8}$ pulg **9.** mm;aproximadamente 32 veces el espesor de una moneda de 10 cen-tavos **10.** mg; aproximadamente 5 veces la masa de un insecto muy pequeño **11.** kg; aproximadamente dos libros de texto **12.** L; aproximadamente dos recipientes de licuadora **13.** 2 cm **14.** 15, 840 pies **15.** 6 yd **16.** 12 c **17.** 3 gal **18.** 8 lb **19.** 4 T **20.** 4 lb **21.** 144 pulg **22.** 4 ct **23.** 99 pies **24.** 250 yd **25.** 3,200 mL **26.** 0.007 L **27.** 0.342 km **28.** 0.042 kg **29.** 0.051 m **30.** 71,000 m **31.** 1 h **32.** 59,400 s **33.** 105 días **34.** 105° **35.** 33.9 pulg **36.** 6 pies **37.** 31.4 pies **38.** 9 m **39.** 50.24 cm **40.** 11 pies

Capítulo 10

10-1 Ejercicios

1. aproximadamente 8.5 unidades cuadradas **3.** aproximadamente 6 unidades cuadradas **5.** 100.1 pulg^2 **7.** 48 pies^2 **9.** 10 pulg^2 **11.** aproximadamente 6 unidades cuadradas **13.** aproximadamente 4 unidades cuadradas **15.** 12.75 m^2 **17.** 260 pies^2 **19.** 0.75 cm^2 **25.** B **27.** 1, 2, 4, 5, 10, 20 **29.** 1, 59 **31.** 7 pies

10-2 Ejercicios

1. 3 yd^2 **3.** 27 m^2 **5.** 26 pies^2 **7.** 88 cm^2 **9.** 3 pies^2 **11.** 72 pulg^2 **13.** 16 yd^2 **15.** 96 m^2 **17.** 5 unidades cuadradas **19.** 15 unidades cuadradas **21.** 346.5 m^2 **23.** 12 pies^2

29. 175 cm^2 **31.** $\frac{12}{5}$ **33.** $\frac{15}{2}$

10-3 Ejercicios

1. 2,800 m^2 **3.** 57 unidades cuadradas **5.** 640 yd^2 **11.** 40 unidades cuadradas **13.** $5\frac{1}{6}$ **15.** $6\frac{3}{10}$ **17.** 144 cm^2

10-4 Ejercicios

1. Cuando las dimensiones del cuadrado se dividen entre 3, el perímetro se divide entre 3 y el área se divide entre 9 ó 3^2.
3. Cuando las dimensiones del triángulo se multiplican por 4, el perímetro se multiplica por 4 y el área se multiplica por 16 ó 4^2. **5a.** 4,800 pies **5b.** 280 pies, 320 pies **9.** J **11.** $\frac{3}{4}$ **13.** $\frac{1}{2}$ **15.** $\frac{13}{20}$ **17.** 56 cm

10-5 Ejercicios

1. 48 $pies^2$ **3.** 243 $pulg^2$
5. 616 cm^2 **7.** 12.56 $pies^2$
9. 768 $pulg^2$ **11.** 38.5 yd^2
13. 2,464 $pies^2$
15. A = 102.02 cm^2, C = 35.8 cm
17. A = 174.28 $pulg^2$, C = 46.79 pulg **19.** 1.13 km^2 **25.** C
27. $\frac{1}{6}$ **29.** $\frac{5}{18}$ **31.** $\frac{3}{25}$ **33.** $1\frac{1}{4}$

10-6 Ejercicios

1. 5 caras, 8 aristas, 5 vértices
3. 5 caras, 8 aristas, 5 vértices
5. pirámide cuadrangular
7. 5 caras, 9 aristas, 6 vértices
9. 6 caras, 12 aristas, 8 vértices
11. prisma rectangular
13. pirámide cuadrangular, sí
15. cono, no **17.** B, C y D **19.** B
21. verdadero **23.** verdadero
25. 8; pirámide octagonal **29.** C
31. < **33.** > **35.** paralelas
37. secantes

10-7 Ejercicios

1. 162 cm^3 **3.** 10 $pies^3$ **5.** 320 $pies^3$ **7.** 1 × 1 × 10 y 2 × 5 × 1
9. 79.36 $pulg^3$ **11.** 54 m^3 **13.** 71.72 $pies^3$ **15.** 480 $pulg^3$ **17.** 474.375 km^3 **19.** 20 pies **21.** 10 cm^3, 1 cm^3, 3.5 cm^3, 300 cm^3, 20 cm^3
23. pino **25.** Alicia no tiene oro.
29. 77.4 **31.** 3 **33.** 9

10-8 Ejercicios

1. 754 m^3 **3.** 3,140 $pulg^3$
5. cilindro B **7.** 314 $pies^3$
9. 31 cm^3 y 283 cm^3 **11.** 138 $pulg^3$
13. 4 m^3 **15.** 100.48 $pulg^3$
17. 1,987.03 $pies^3$ **19.** 12,560 mm^3 **21.** 923 $pies^3$ **23.** No puede contener 200 cm^3 de jugo porque sólo tiene un volumen de 196.25 cm^3. **29.** En la lata de sopa de tomate cabe más sopa. **31.** 9, 12
33. 115°

10-9 Ejercicios

1. 94 $pulg^2$ **3.** 56 cm^2 **5.** 2,640 cm^2 **7.** 326.56 $pies^2$ **9.** 376.8 m^2
11. $16\frac{1}{2}$ m^2 **13.** 133 cm^2
15. 11 km^2 **17.** 712.72 m^2
21. aproximadamente 96 $pies^2$
23. aproximadamente 190 cm^2
27a. 54 $pulg^2$ **b.** 54 $pulg^2$ **29.** 571.48 **31.** $y = 42$ **33.** $4\frac{5}{9}$ **35.** $\frac{1}{12}$

Guía de estudio del Capítulo 10: Repaso

1. poliedro **2.** volumen
3. vértice **4.** 18 $pies^2$ **5.** 7 m^2
6. 12 $pulg^2$ **7.** 12 $pulg^2$ **8.** 154 $pulg^2$ **9.** 30 cm^2 **10.** 135 cm^2
11. 175.5 $pies^2$ **12.** El perímetro se multiplica por 2 y el área por 4 ó 2^2.
13. $78\frac{4}{7}$ $pies^2$ **14.** $200\frac{1}{7}$ cm^2
15. $12\frac{4}{7}$ m^2 **16.** 153.86 $pies^2$
17. 5 caras, 8 aristas, 5 vértices; pirámide rectangular
18. 6 caras, 12 aristas, 8 vértices; prisma rectangular **19.** 384 cm^3
20. 6,300 $pulg^3$ **21.** 353 m^3
22. 2,308 $pies^3$ **23.** 125 m^2
24. 102 cm^2

Capítulo 11

11-1 Ejercicios

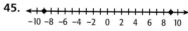

1. +5
3. −4 −2 0 2 4
5. −7 −5 −3 −1 1 3 5 7
9. −20 **11.** −39
13. −6 −4 −2 0 2 4 6
15. −4 −2 0 2 4
19. gastar \$83 **21.** ganar \$15
23. +92 **25.** +25 **27.** 0
29. −3; +5 **31.** +2.7 **33.** −6.2
35. +45 **37.** +2; −2 **39.** C
43. D **45.** 1.7 **47.** 6.215

11-2 Ejercicios

1. > **3.** < **5.** −5, −4, 3, 7
7a. 3:30 am **b.** 1° F **9.** > **11.** <
13. −8, 7, 15 **15.** −16, −9, −1, 13
17. −19, −3, 0, 8, 22 **19.** < **21.** >
23. < **25.** < **27.** −39, 14, 21
29. −26, −12, 0, 43
31. −73, −67, −10, 20, 82 **33.** C
35. Cueva de San Agustín, Mar Muerto, Monte Rainier, Kilimanjaro, Monte Everest **39.** C
41. acutángulo **43.** No pueden formar un triángulo.
45. −10 −8 −6 −4 −2 0 2 4 6 8 10
47. −10 −8 −6 −4 −2 0 2 4 6 8 10
49. −10 −8 −6 −4 −2 0 2 4 6 8 10

11-3 Ejercicios

1. III **3.** I **5.** (1, 2)
7–9.

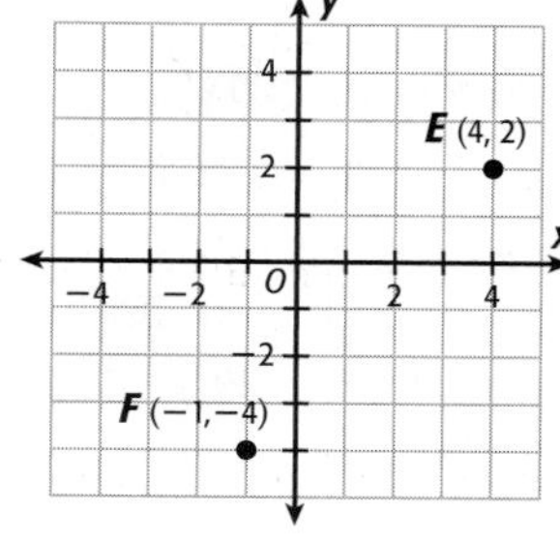

11. II **13.** I **15.** IV **17.** (−2, 4)
19. (4, 4) **21.** (−3, 0)

23.

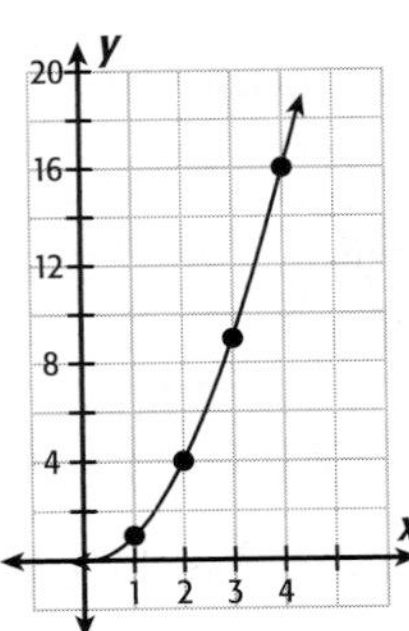

25.

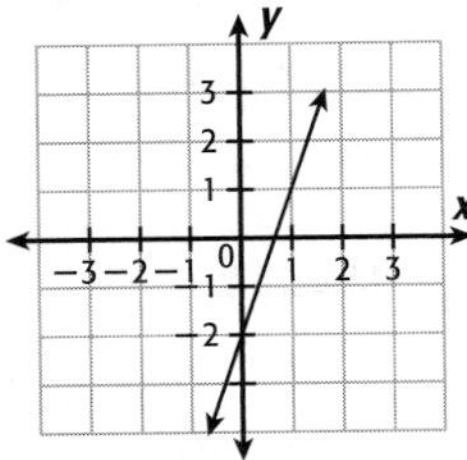

27.

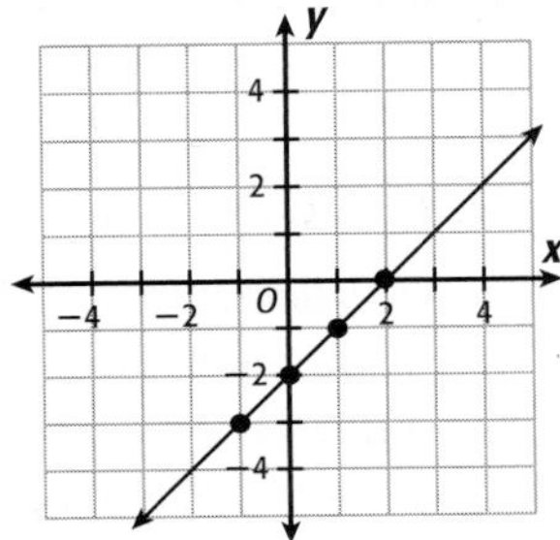

29. I **31.** III **33.** IV **35.** III
37–47.

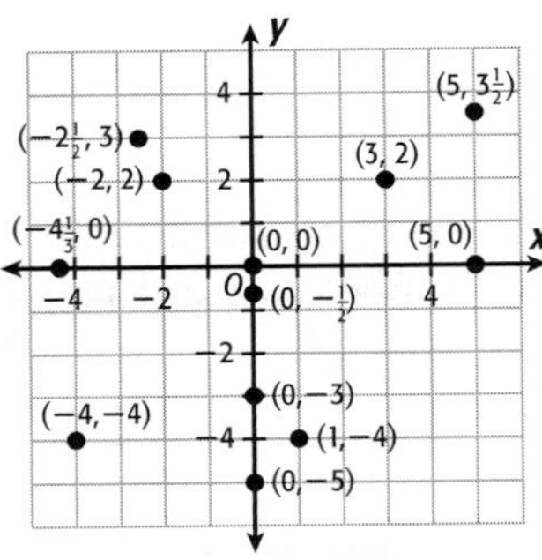

49. Gabón **55.** B **57.** 4.4 **59.** 5.75
61. 0.2 **63.** $<$ **65.** $<$

11-4 Ejercicios

1. 3 + 2 = 5 **3.** −5 **5.** 7 **7.** 4 **9.** 0
11. −17 **13.** −22 **15.** 6 + (−2) = 4
17. 11 **19.** 0 **21.** −6 **23.** −7
25. −16 **27.** −8 **29.** −2 **31.** 2
33. 29 pies

35.

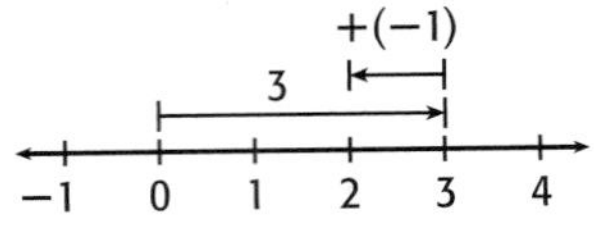

37.

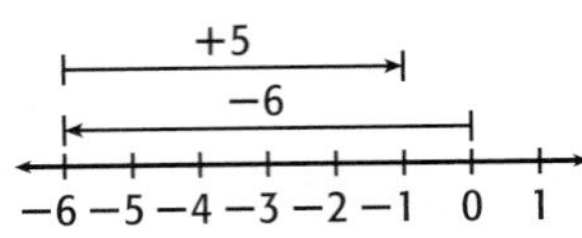

39.

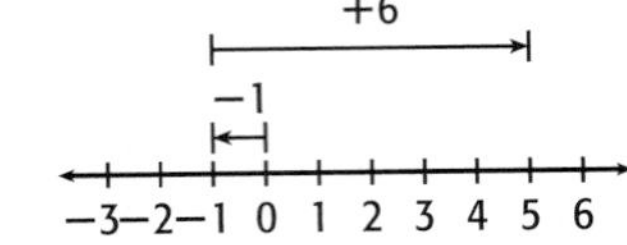

41.

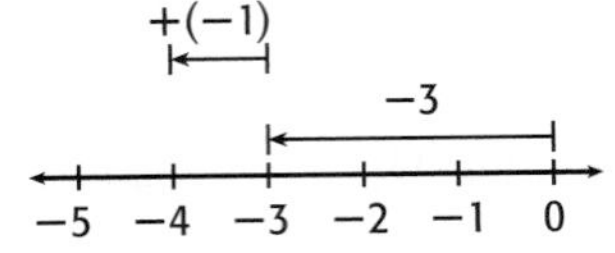

43. 7 **45.** −11 **47.** −9 **49.** 17 **51.** 4
53. −1 **55.** −17 **57.** −6°F **63.** B
65. 5, 3, −1 **67.** 4 **69.** 1,728
71–75.

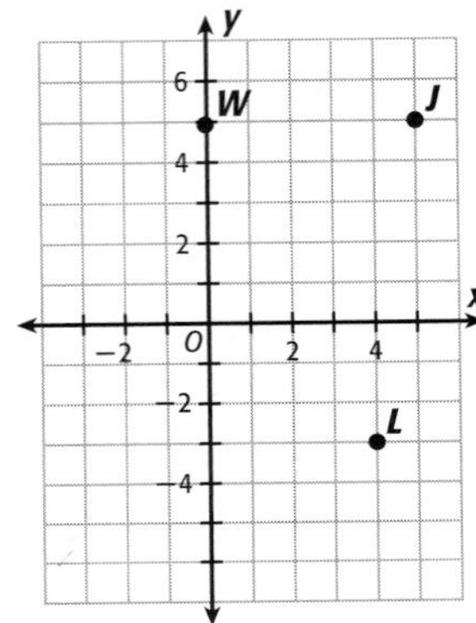

11-5 Ejercicios

1. 6 − 5 = 1 **3.** −3 **5.** −8 **7.** 8
9. 13 **11.** −4 **13.** 11 **15.** 2
17. −5 **19.** 7 **21.** −12 **23.** −6
25. −1 **27.** 21 **29.** 30 **31.** 12
33. 4 **35.** −38 **37.** −19 m
39. 9° F **43.** D **45.** 2% **47.** 26%
49. 310% **51.** II **53.** III

11-6 Ejercicios

1. 24 **3.** −21 **5.** 9 **7.** 16 **9.** 9
11. 33 **13.** −24 **15.** 18 **17.** 45
19. −32 **21.** 39 **23.** −72 **25.** −24
27. −12 **29.** 40 **31.** 60 **33.** 14
35. 54 **37.** −90 **39.** 4 pies a −4 pies **45.** positivo; negativo **47.** 9
49. −13 **51.** −3

11-7 Ejercicios

1. 8 **3.** 3 **5.** −2 **7.** −15 **9.** 5
11. −8 **13.** 6 **15.** 2 **17.** 1 **19.** 3
21. 16 **23.** 14 **25.** −6 **27.** 1
29. 10 **31.** −7 **33.** 3 **35.** 8
37. −3 **39.** 6 **41.** −11 **43a.** −300
43b. una disminución en la población de 300 focas de 1976 a 1980 **45.** −20 **47.** 500 **48.** A
49. G **50.** 6 cm **51.** 7 m **52.** −1
53. 11 **54.** −9 **55.** 0 **56.** 20

11-8 Ejercicios

1. $m = 12$ **3.** $z = 9$ **5.** $p = -9$
7. $g = 8$ **9.** $b = -8$ **11.** $c = -7$
13. $f = -6$ **15.** $r = -900$ **17.** $g = 4$ **19.** $t = -14$ **21.** $x = -14$
23. $w = -10$ **25.** $j = 8$
27. $a = -52$ **29.** $m = -48$
31. $u = -60$ **33.** $x = 17$
35. $k = -4$ **37.** $m = -15$
39. $n = -3$ **41.** $g = -3$
43. $f = -8$ **45.** $d = 33$
47. $h = -84$ **49.** $b = 32$ **51.** $a = 8$
53. $t = -55$ **55.** $c = -13$
57. $n = -4$ **59.** $j = -3$
61. 70 inmersiones **63.** −4
65. $x = -18{,}500$; esponja
67. −24 pies **71.** A **73.** siempre
75. −35 **77.** 12 **79.** 32

11-9 Ejercicios

1. 15 **3.** $j = b - 6$ **7.** $c = 12s - 2$
9. $p = 150m$ **11.** −54 **13.** −3; 1
15. Sea c el costo total y h la cantidad de horas $c = \$125 + \$55h$
17. 9 horas **23.** G **25.** $x = 3.9$
27. $p = 5.2$ **29.** 706.5 pies^3

11-10 Ejercicios

1. (1, 8); (2, 14); (3, 20); (4, 26)
3. no **5.** 2 **7.** 0
9.

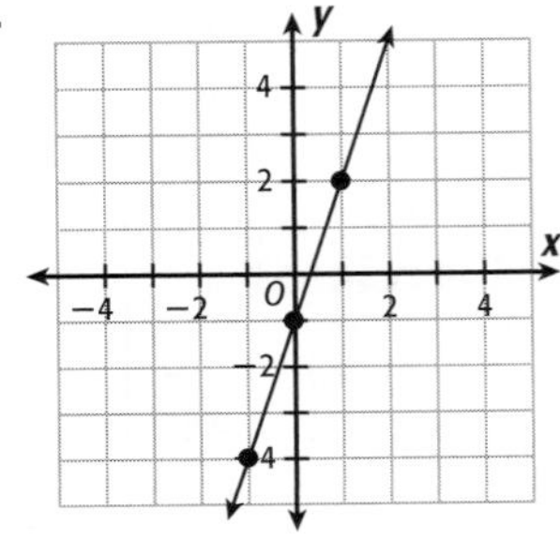

11. (1, −3); (2, −7); (3, −11);

(4, −15) **13.** sí **15.** 1 **17.** 0 **19.** 2

21.

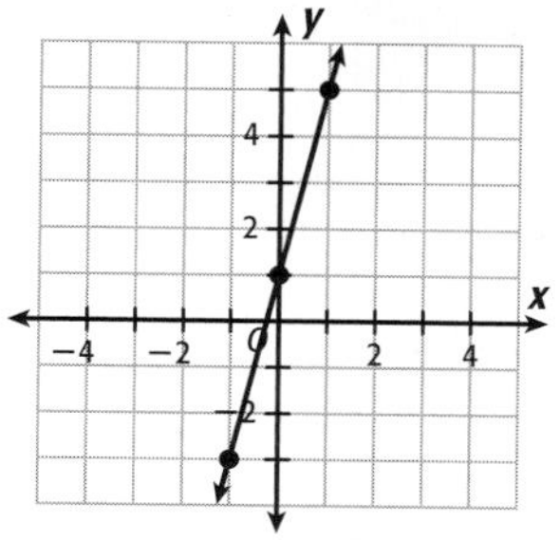

23.

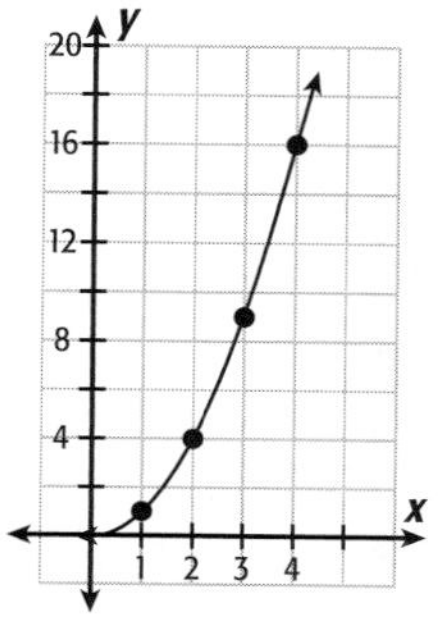

25.

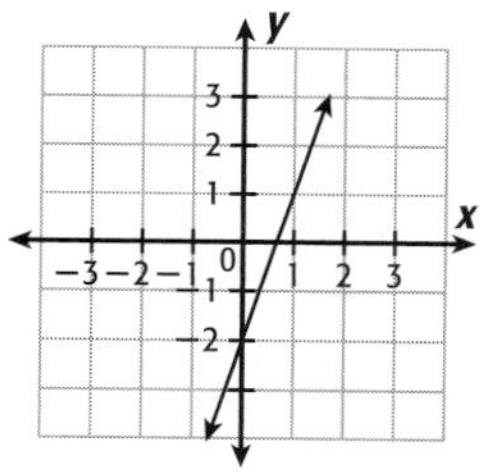

27. −3; −2; −1; 0 **29.** (1, 14)

31.

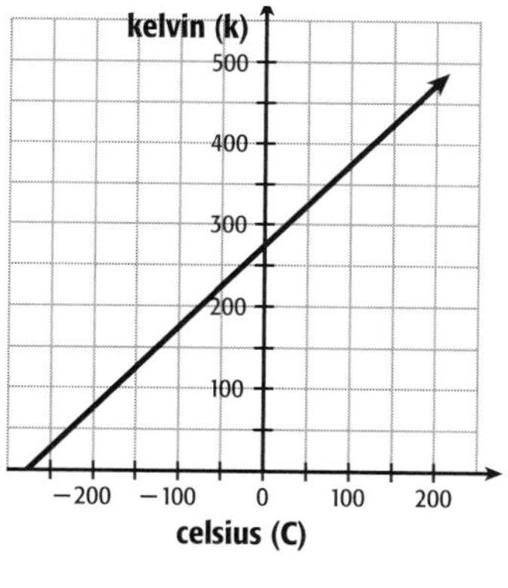

33. 219 kelvin **39.** H **41.** 6 **43.** $y = -120$ **45.** $j = -12$

Capítulo 11 Extensión

1. 1, $\frac{1}{3}$, $\frac{1}{9}$ **3.** 1, $\frac{1}{6}$, $\frac{1}{36}$ **5.** 7^{-1} **7.** 8^{-2} **9.** 3^{-1} **11.** 7^{-2} **13.** 4^{-2} **15.** 3^{-4} **17.** $\frac{1}{27}$ **19.** $\frac{1}{729}$ **21.** 256 **23.** $\frac{1}{64}$ **25.** $\frac{1}{125}$ **27.** 1 **29.** Cualquier número elevado a la potencia cero es 1.

Guía de estudio del Capítulo 11: Repaso

1. valor de salida, valor de entrada
2. plano cartesiano, cuadrantes
3. +10 **4.** −50 **5.**

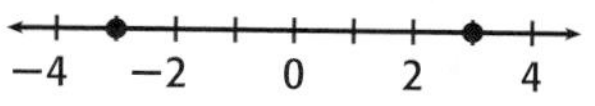

6.

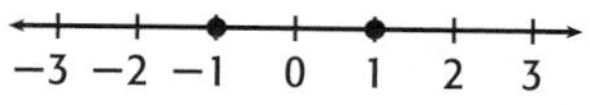

7.

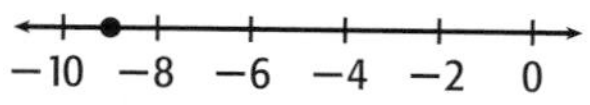

8.

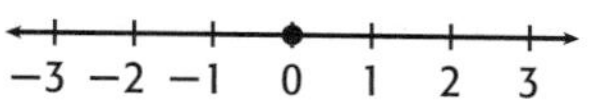

9. < **10.** < **11.** < **12.** −1, 2, 4 **13.** −3, 0, 4 **14.** −8, −6, 0 **15.** (−2, −3) **16.** (1, 0) **17.** III **18.** II **19.** −2 **20.** 0 **21.** 1 **22.** −5 **23.** −17 **24.** 8 **25.** −8 **26.** 9 **27.** 13 **28.** −6 **29.** −10 **30.** 6 **31.** 6 **32.** −8 **33.** −18 **34.** 45 **35.** −3 **36.** 3 **37.** 2 **38.** −2 **39.** $w = 4$ **40.** $a = -12$ **41.** $q = -7$ **42.** $x = -5$ **43.** $y = 2x + 2$; $y = 18$ **44.** $\ell = 4a$, ℓ = longitud, a = ancho **45.** (1, −3), (2, −1), (3, 1), (4, 3) **46.** (1, 8), (2, 9), (3, 10), (4, 11) **47.** sí **48.** no

Capítulo 12

12-1 Ejercicios

1. seguro **3.** 0.4, $\frac{2}{5}$ **5.** probable **7.** improbable **9.** 0.3, 30% **11.** castaña de cajú **13.** improbable **15.** improbable **17.** improbable **19.** AB negativo **23.** C **25.** $2^2 \cdot 19$ **27.** 2^4 **29.** 2^7 **31.** 31.4 cm

12-2 Ejercicios

1. 6 **3.** ningún hit; 1 hit **5.** cara-cruz-cara **7.** $\frac{13}{25}$ **9.** amarillo **11.** $\frac{1}{31}$; improbable **15.** D **17.** 12 **19.** 21 **21.** 3

12-3 Ejercicios

1. pavo y fruta; pavo y ensalada; tacos y fruta; tacos y ensalada; pasta y fruta; pasta y ensalada **3.** 9 **5.** 123, 132, 213, 231, 312, 321 **7a.** 18 **b.** 56 **9.** 9 **13.** C **15.** $1\frac{1}{12}$ **17.** $\frac{5}{8}$

12-4 Ejercicios

1. $\frac{1}{2}$ **3.** 74% **5.** $\frac{1}{6}$ **7.** $\frac{4}{9}$ **9.** 0.96 **11.** $\frac{5}{6}$ **13.** 1 **15.** $\frac{1}{6}$ **17.** 0 **19.** 50% **21.** 53% **23.** $\frac{5}{12}$ **25.** 0.77 **26.** 0% **27.** $\frac{1}{9}$ **29.** < **31.** < **33.** > **37.** C **39.** 21 **41.** 3 **43.** 12

12-5 Ejercicios

1. $\frac{1}{4}$ **3.** $\frac{1}{9}$ **5.** $\frac{1}{3}$ **7.** $\frac{1}{2}$ **9.** $\frac{1}{3}$ **11.** 0 **13.** 1 **15.** = **17.** < **19.** $\frac{1}{32}$; $\frac{1}{32}$ **25.** J **27.** 2.007, 2.02, 2.45, 2.678 **29.** 85%

12-6 Ejercicios

1. 600 **3.** 200 boletos **5.** 32 **7.** 129 donantes **11.** aproximadamente 90 **15.** B **17.** $x = -12$ **19.** $x = -5$ **21.** $\frac{1}{6}$ **23.** $\frac{1}{3}$

Capítulo 12 Extensión

1. dependiente **3.** $\frac{1}{24}$ **5.** $\frac{1}{3}$ **7.** $\frac{2}{15}$ **9.** $\frac{1}{45}$

Guía de estudio del Capítulo 12: Repaso

1. igualmente probables
2. experimento; resultado
3. probabilidad
4. probabilidad teórica
5. espacio muestral **6.** seguro
7. 0.75, $\frac{3}{4}$ **8.** blanco **9.** $\frac{20}{75} = \frac{4}{15}$
10. 18 combinaciones **11.** $\frac{1}{4}$
12. $\frac{1}{2}$ **13.** 75% **14.** $\frac{1}{6}$ **15.** $\frac{1}{8}$
16. 100 artículos **17.** 25 veces
18. 1,575 adolescentes
19. 100 estudiantes

Glosario/Glossary

ESPAÑOL	INGLÉS	EJEMPLOS
altura En un triángulo o cuadrilátero, la distancia perpendicular desde la base de la figura al vértice o lado opuesto. En un prisma o cilindro, la distancia perpendicular entre las bases.	**height** In a triangle or quadrilateral, the perpendicular distance from the base to the opposite vertex or side. (p. 543) In a prism or cylinder, the perpendicular distance between the bases. (pp. 572, 583)	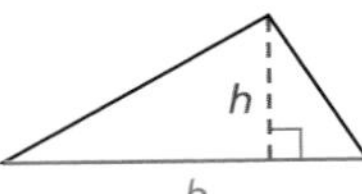
ángulo Figura formada por dos rayos con un extremo común llamado vértice.	**angle** A figure formed by two rays with a common endpoint called the vertex. (p. 420)	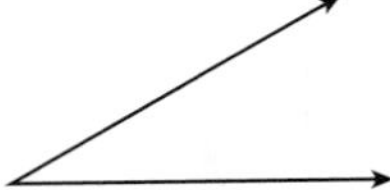
ángulo agudo Ángulo que mide menos de 90°.	**acute angle** An angle that measures less than 90°. (p. 421)	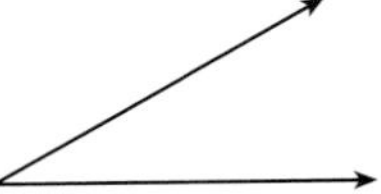
ángulo llano Ángulo que mide exactamente 180°.	**straight angle** An angle that measures 180°. (p. 421)	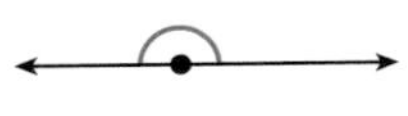
ángulo obtuso Ángulo que mide más de 90° y menos de 180°.	**obtuse angle** An angle whose measure is greater than 90° but less than 180°. (p. 421)	
ángulo recto Ángulo que mide exactamente 90°.	**right angle** An angle that measures 90°. (p. 421)	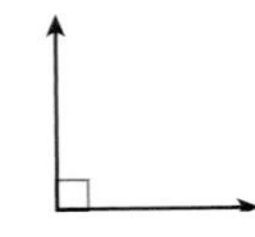
ángulos adyacentes Ángulos en el mismo plano que comparten un vértice y un lado.	**adjacent angles** Angles in the same plane that have a common vertex and a common side. (p. 424)	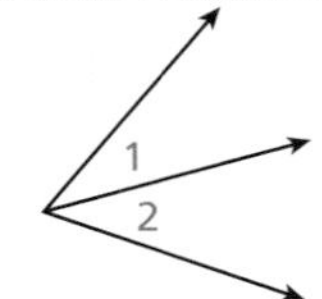 $\angle 1$ y $\angle 2$ son ángulos adyacentes.
ángulos alternos externos Par de ángulos formados por dos líneas intersecadas por una tercera.	**alternate exterior angles** A pair of angles formed by two lines intersected by a third line. (p. 433)	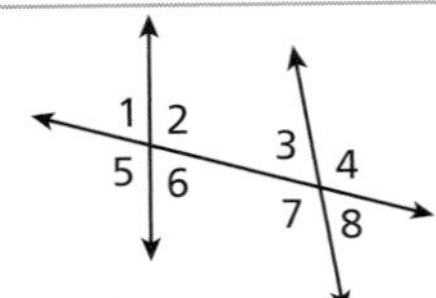 $\angle 4$ y $\angle 5$ son ángulos alternos externos.

ESPAÑOL	INGLÉS	EJEMPLOS

ángulos alternos internos Par de ángulos formados por dos líneas intersecadas por una tercera.

alternate interior angles A pair of angles formed by two lines intersected by a third line. (p. 433)

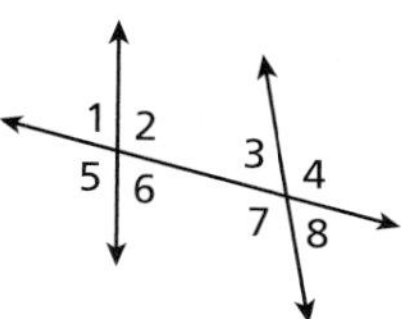

∠3 y ∠6 son ángulos alternos internos.

ángulos complementarios Dos ángulos cuyas medidas suman 90°.

complementary angles Two angles whose measures add to 90°. (p. 425)

37° B 53° A

El complemento de un ángulo de 53° es un ángulo de 37°.

ángulos congruentes Ángulos que tienen la misma medida.

congruent angles Angles that have the same measure. (p. 424)

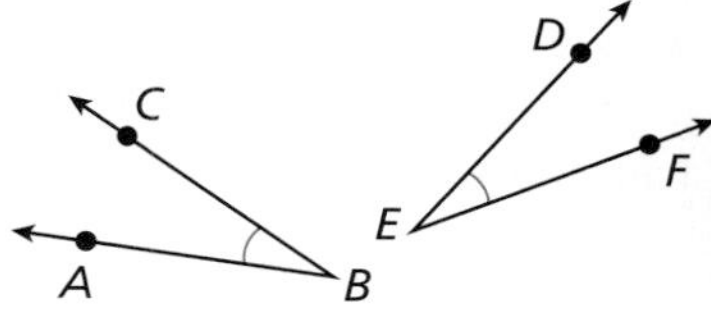

m∠*ABC* = m∠*DEF*

ángulos correspondientes (en líneas) Par de ángulos formados por dos líneas intersecadas por una tercera.

corresponding angles (for lines) A pair of angles formed by two lines intersected by a third line.

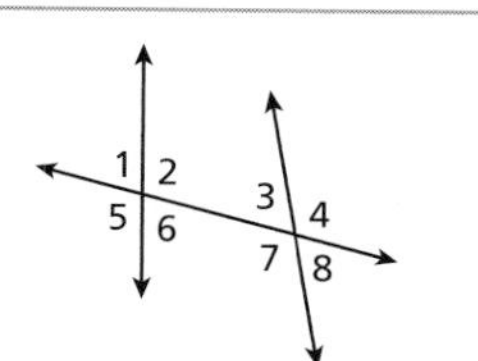

∠1 y ∠3 son ángulos correspondientes.

ángulos correspondientes (en polígonos) Ángulos que se ubican en la misma posición relativa en dos o más polígonos.

corresponding angles (in polygons) Matching angles of two or more polygons. (p. 366)

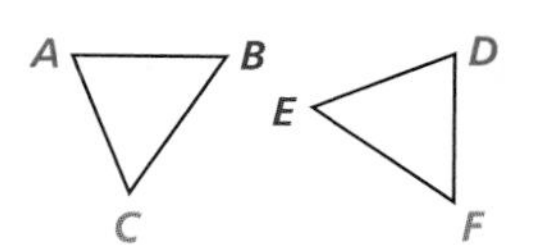

∠*A* y ∠*D* son ángulos correspondientes.

ángulos internos Ángulos en los lados internos de dos líneas intersecadas por una tercera. En el diagrama, ∠*c*, ∠*d*, ∠*e* y ∠*f* son ángulos internos.

interior angles Angles on the inner sides of two lines intersected by a third line. In the diagram, ∠*c*, ∠*d*, ∠*e*, and ∠*f* are interior angles. (p. 433)

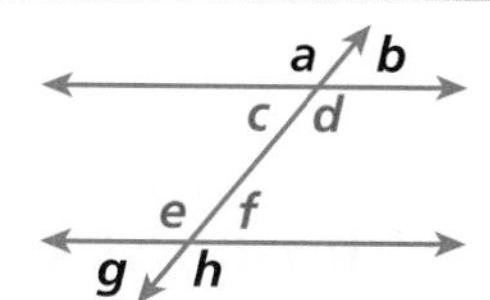

ángulos opuestos por el vértice Par de ángulos opuestos congruentes formados por líneas secantes.

vertical angles A pair of opposite congruent angles formed by intersecting lines. (p. 424)

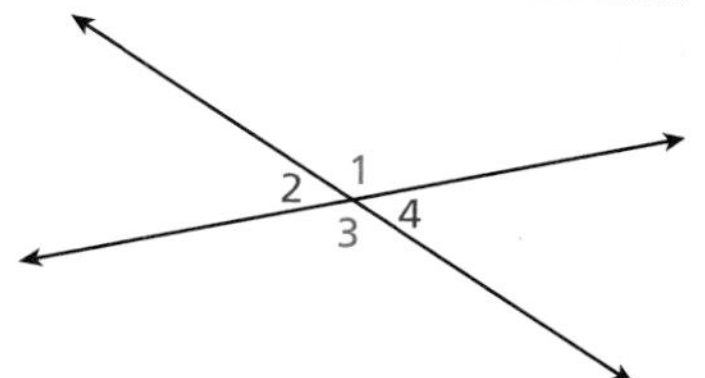

∠1 y ∠3 son opuestos por el vértice.
∠2 y ∠4 son opuestos por el vértice.

ángulos suplementarios Dos ángulos cuyas medidas suman 180°.

supplementary angles Two angles whose measures have a sum of 180°. (p. 425)

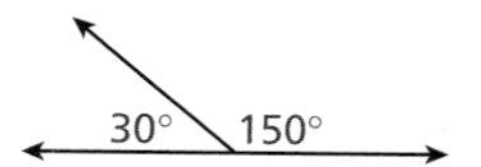

ESPAÑOL	INGLÉS	EJEMPLOS
aproximación Método que se usa para estimar una suma cuando todos los sumandos se aproximan al mismo valor.	**clustering** A method used to estimate a sum when all addends are close to the same value. (p. 112)	27, 29, 24 y 23 se aproximan a 25.
árbol de factores Diagrama que muestra cómo se descompone un número cabal en sus factores primos.	**factor tree** A diagram showing how a whole number breaks down into its prime factors. (p. 170)	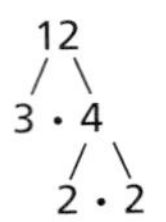 12 = 3 · 2 · 2
área El número de unidades cuadradas que se necesitan para cubrir una superficie dada.	**area** The number of square units needed to cover a given surface. (p. 542)	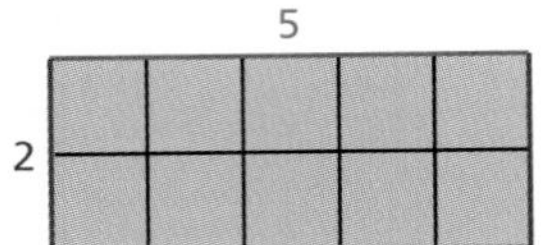 El área es 10 unidades cuadradas.
área total Suma de las áreas de las caras, o superficies, de una figura tridimensional.	**surface area** The sum of the areas of the faces, or surfaces, of a three-dimensional figure. (p. 582)	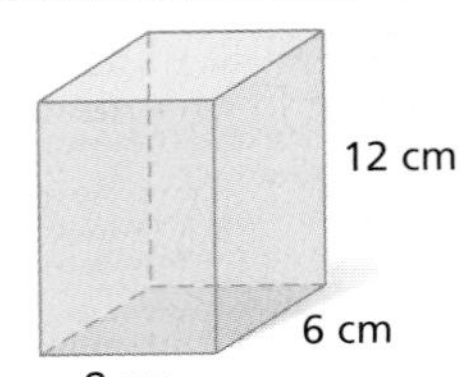 Área total = 2(8)(12) + 2(8)(6) + 2(12)(6) = 432 cm^2
arista Segmento de recta donde se intersecan dos caras de un poliedro.	**edge** The line segment along which two faces of a polyhedron intersect. (p. 566)	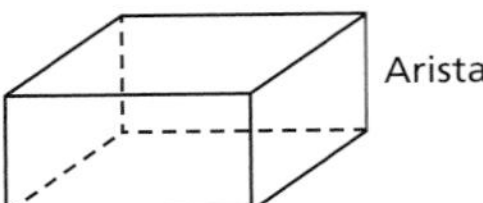
asimétrico Que no es idéntico a ambos lados de una línea central; no simétrico.	**asymmetrical** Not identical on either side of a central line; not symmetrical.	

B

ESPAÑOL	INGLÉS	EJEMPLOS
base (de un polígono o figura tridimensional) Lado de un polígono; la cara de una figura tridimensional, a partir de la cual se mide o se clasifica la figura.	**base (of a polygon or three-dimensional figure)** A side of a polygon; a face of a three-dimensional figure by which the figure is measured or classified. (p. 566)	 Bases de un cilindro 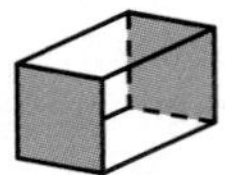 Bases de un prisma  Base de un cono 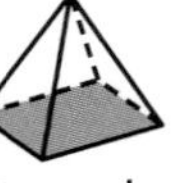 Base de un pirámide
base (en numeración) Cuando un número es elevado a una potencia, el número que se usa como factor es la base.	**base (in numeration)** When a number is raised to a power, the number that is used as a factor is the base. (p. 14)	$3^5 = 3 \cdot 3 \cdot 3 \cdot 3 \cdot 3$; 3 es la base.

C

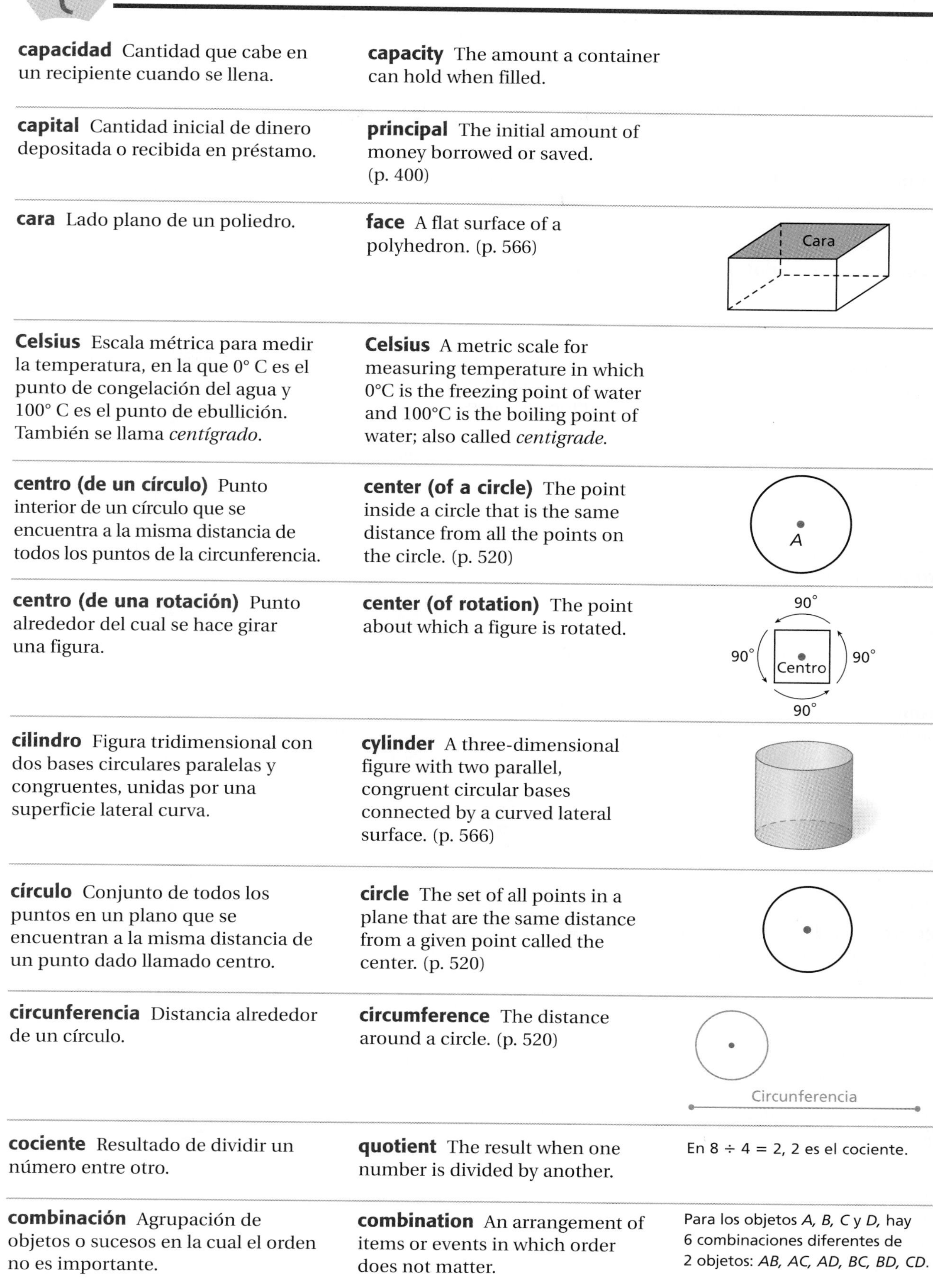

ESPAÑOL	INGLÉS	EJEMPLOS
capacidad Cantidad que cabe en un recipiente cuando se llena.	**capacity** The amount a container can hold when filled.	
capital Cantidad inicial de dinero depositada o recibida en préstamo.	**principal** The initial amount of money borrowed or saved. (p. 400)	
cara Lado plano de un poliedro.	**face** A flat surface of a polyhedron. (p. 566)	Cara
Celsius Escala métrica para medir la temperatura, en la que 0° C es el punto de congelación del agua y 100° C es el punto de ebullición. También se llama *centígrado*.	**Celsius** A metric scale for measuring temperature in which 0°C is the freezing point of water and 100°C is the boiling point of water; also called *centigrade*.	
centro (de un círculo) Punto interior de un círculo que se encuentra a la misma distancia de todos los puntos de la circunferencia.	**center (of a circle)** The point inside a circle that is the same distance from all the points on the circle. (p. 520)	*A*
centro (de una rotación) Punto alrededor del cual se hace girar una figura.	**center (of rotation)** The point about which a figure is rotated.	90° 90° 90° 90° Centro
cilindro Figura tridimensional con dos bases circulares paralelas y congruentes, unidas por una superficie lateral curva.	**cylinder** A three-dimensional figure with two parallel, congruent circular bases connected by a curved lateral surface. (p. 566)	
círculo Conjunto de todos los puntos en un plano que se encuentran a la misma distancia de un punto dado llamado centro.	**circle** The set of all points in a plane that are the same distance from a given point called the center. (p. 520)	
circunferencia Distancia alrededor de un círculo.	**circumference** The distance around a circle. (p. 520)	Circunferencia
cociente Resultado de dividir un número entre otro.	**quotient** The result when one number is divided by another.	En $8 \div 4 = 2$, 2 es el cociente.
combinación Agrupación de objetos o sucesos en la cual el orden no es importante.	**combination** An arrangement of items or events in which order does not matter.	Para los objetos *A, B, C* y *D,* hay 6 combinaciones diferentes de 2 objetos: *AB, AC, AD, BC, BD, CD.*

ESPAÑOL	INGLÉS	EJEMPLOS
compensación Cuando un número de un problema está cerca de otro con el que es más fácil hacer cálculos, se usa el número más fácil para hallar la respuesta. Luego, se ajusta la respuesta sumando o restando.	**compensation** When a number in a problem is close to another number that is easier to calculate with, the easier number is used to find the answer. Then the answer is adjusted by adding to it or subtracting from it. (p. 30)	
complemento Todas las maneras en que no puede ocurrir un suceso.	**complement** All the ways that an event can not happen. (p. 683)	Cuando se lanza un dado, el complemento de que caiga en 3 es que caiga en 1, 2, 4, 5 ó 6.
común denominador Denominador que es común a dos o más fracciones.	**common denominator** A denominator that is the same in two or more fractions. (p. 199)	El común denominador de $\frac{5}{8}$ y $\frac{2}{8}$ es 8.
común múltiplo Un número que es múltiplo de dos o más números.	**common multiple** A number that is a multiple of each of two or more numbers.	15 es un común múltiplo de 3 y 5.
congruentes Que tienen la misma forma y el mismo tamaño.	**congruent** Having the same size and shape. (p. 424)	P Q R S
conjunto Un grupo de elementos.	**set** A group of items. (p. 212)	
conjunto vacío Un conjunto que no tiene elementos.	**empty set** A set that has no elements. (p. 212)	
cono Figura tridimensional con un vértice y una base circular.	**cone** A three-dimensional figure with one vertex and one circular base. (p. 567)	
constante Valor que no cambia.	**constant** A value that does not change. (p. 54)	3, 0, π
conversión de unidades Proceso que consiste en cambiar una unidad de medida por otra.	**unit conversion** The process of changing one unit of measure to another.	
coordenada *x* El primer número en un par ordenado; indica la distancia que debes avanzar hacia la izquierda o hacia la derecha desde el origen, (0, 0).	***x*-coordinate** The first number in an ordered pair; it tells the distance to move right or left from the origin, (0, 0). (p. 610)	Coordenada *x*; *P* (−2, −3); *x*; *y*; O; −4, −2, 2, 4

ESPAÑOL	INGLÉS	EJEMPLOS
coordenada *y* El segundo número en un par ordenado; indica la distancia que debes avanzar hacia arriba o hacia abajo desde el origen, (0, 0).	***y*-coordinate** The second number in an ordered pair; it tells the distance to move up or down from the origin, (0, 0). (p. 610)	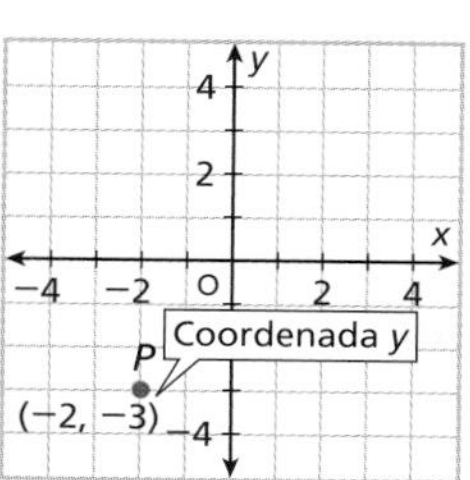
coordenadas Los números de un par ordenado que ubican un punto en una gráfica de coordenadas.	**coordinates** The numbers of an ordered pair that locate a point on a coordinate graph. (p. 610)	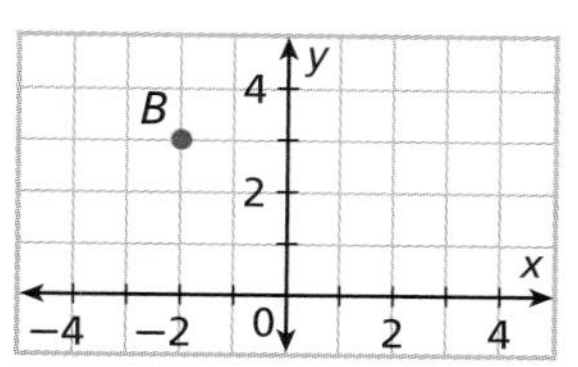 Las coordenadas de *B* son (−2, 3).
correspondencia La relación entre dos o más objetos que coinciden.	**correspondence** The relationship between two or more objects that are matched.	
cuadrado de un número El producto de un número cabal multiplicado por sí mismo.	**square number** A number that is the product of a whole number and itself.	25 es un cuadrado porque $5^2 = 25$.
cuadrado (en geometría) Rectángulo con cuatro lados congruentes.	**square (geometry)** A rectangle with four congruent sides. (p. 442)	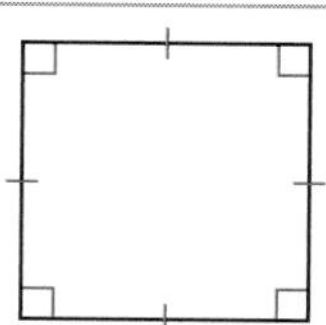
cuadrado (en numeración) Número elevado a la segunda potencia.	**square (numeration)** A number raised to the second power. (p. 14)	En 5^2, el número 5 está elevado al cuadrado.
cuadrado perfecto El cuadrado de un número cabal.	**perfect square** A square of a whole number.	$5^2 = 25$; por lo tanto, 25 es un cuadrado perfecto.
cuadrante El eje *x* y el eje *y* dividen el plano cartesiano en cuatro regiones. Cada región recibe el nombre de cuadrante.	**quadrant** The *x*- and *y*-axes divide the coordinate plane into four regions. Each region is called a quadrant. (p. 610)	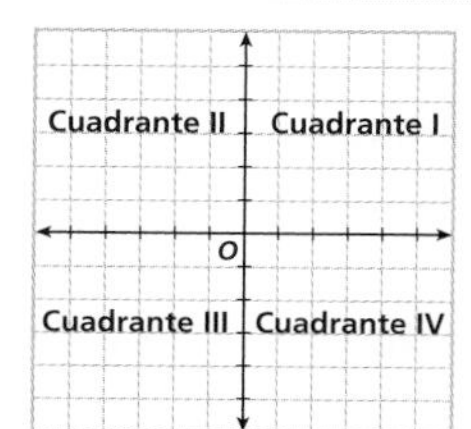
cuadrícula de coordenadas Ver *plano cartesiano.*	**coordinate grid** See *coordinate plane.*	
cuadrilátero Polígono de cuatro lados.	**quadrilateral** A four-sided polygon. (p. 442)	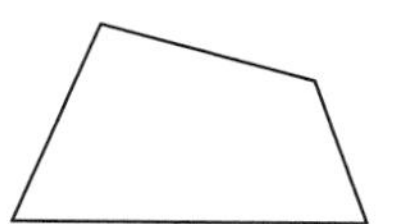
cubo (en numeración) Número elevado a la tercera potencia.	**cube (in numeration)** A number raised to the third power.	$5^3 = 5 \cdot 5 \cdot 5 = 125$

ESPAÑOL	INGLÉS	EJEMPLOS
cubo (figura geométrica) Prisma rectangular con seis caras cuadradas congruentes.	**cube (geometric figure)** A rectangular prism with six congruent square faces.	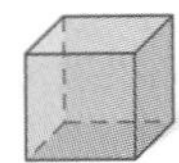
cuerpo geométrico Figura tridimensional.	**solid figure** A three-dimensional figure.	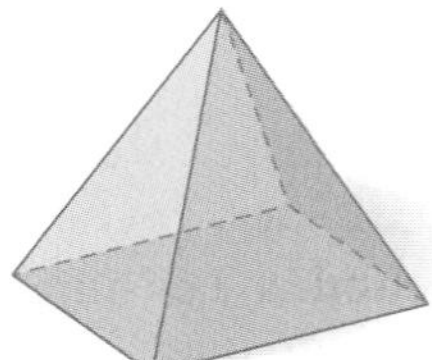

D

ESPAÑOL	INGLÉS	EJEMPLOS
decágono Polígono de diez lados.	**decagon** A polygon with ten sides.	
decimal finito Decimal con un número determinado de posiciones decimales.	**terminating decimal** A decimal number that ends or terminates. (p. 182)	6.75
decimal periódico Decimal en el que uno o más dígitos se repiten infinitamente.	**repeating decimal** A decimal in which one or more digits repeat infinitely. (p. 182)	$0.75757575... = 0.\overline{75}$
denominador Número de abajo en una fracción que indica en cuántas partes iguales se divide el entero.	**denominator** The bottom number of a fraction that tells how many equal parts are in the whole.	$\frac{3}{4}$ ← denominador
descuento Cantidad que se resta del precio original de un artículo.	**discount** The amount by which the original price is reduced. (p. 394)	
desigualdad Enunciado matemático que muestra una relación entre cantidades que no son iguales.	**inequality** A mathematical sentence that shows the relationship between quantities that are not equal. (p. 90)	$5 < 8$ $5x + 2 \geq 12$
desigualdad algebraica Desigualdad que contiene al menos una variable.	**algebraic inequality** An inequality that contains at least one variable.	$x + 3 > 10$ $5a > b + 3$
diagonal Segmento de recta que une dos vértices no adyacentes de un polígono.	**diagonal** A line segment that connects two non-adjacent vertices of a polygon.	
diagrama de acumulación Recta numérica con marcas o puntos que indican la frecuencia.	**line plot** A number line with marks or dots that show frequency. (p. 314)	X X / X X X / X X X X 0 1 2 3 4 Cantidad de mascotas

ESPAÑOL	INGLÉS	EJEMPLOS

diagrama de árbol Diagrama ramificado que muestra todas las posibles combinaciones o resultados de un suceso.

tree diagram A branching diagram that shows all possible combinations or outcomes of an event. (p. 678)

---

diagrama de tallo y hojas Gráfica que muestra y ordena los datos, y que sirve para comparar las frecuencias.

stem-and-leaf plot A graph used to organize and display data so that the frequencies can be compared. (p. 330)

Tallo	Hojas
3	2 3 4 4 7 9
4	0 1 5 7 7 7 8
5	1 2 2 3

Clave: 3|2 significa 3.2.

---

diagrama de Venn Diagrama que muestra las relaciones entre conjuntos.

Venn diagram A diagram that is used to show relationships between sets. (p. 212)

---

diámetro Segmento de recta que pasa por el centro de un círculo y tiene sus extremos en la circunferencia, o bien la longitud de ese segmento.

diameter A line segment that passes through the center of a circle and has endpoints on the circle, or the length of that segment. (p. 520)

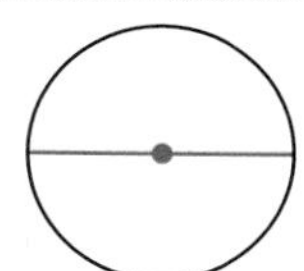

---

dibujo a escala Dibujo en el que se usa una escala para que un objeto se vea proporcionalmente mayor o menor que el objeto real al que representa.

scale drawing A drawing that uses a scale to make an object proportionally smaller than or larger than the real object. (p. 374)

Un plano es un ejemplo de dibujo a escala.

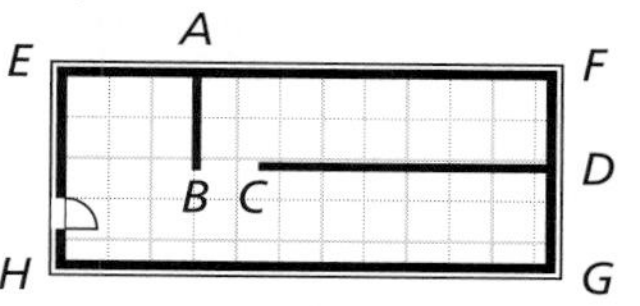

---

diferencia El resultado de restar un número de otro.

difference The result when one number is subtracted from another.

---

dígitos significativos Dígitos usados para expresar la precisión de una medida.

significant figures The figures used to express the precision of a measurement.

---

dimensión Longitud, ancho o altura de una figura.

dimension The length, width, or height of a figure.

---

discontinuidad (gráfica) Zig-zag en la escala horizontal o vertical de una gráfica que indica la omisión de algunos de los números de la escala.

break (graph) A zigzag on a horizontal or vertical scale of a graph that indicates that some of the numbers on the scale have been omitted. (p. 309)

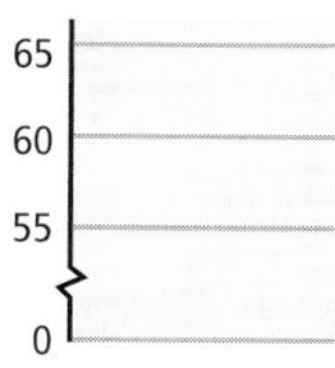

---

dividendo Número que se divide en un problema de división.

dividend The number to be divided in a division problem.

En $8 \div 4 = 2$, 8 es el dividendo.

ESPAÑOL	INGLÉS	EJEMPLOS
divisible Que se puede dividir entre un número sin dejar residuo.	**divisible** Can be divided by a number without leaving a remainder. (p. 164)	18 es divisible entre 3.
divisor El número entre el que se divide en un problema de división.	**divisor** The number you are dividing by in a division problem.	En $8 \div 4 = 2$, 4 es el divisor.
dodecágono Polígono de 12 lados.	**dodecagon** A polygon with 12 sides.	

E

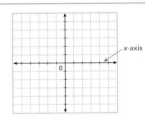

ESPAÑOL	INGLÉS	EJEMPLOS
ecuación Enunciado matemático que indica que dos expresiones son equivalentes.	**equation** A mathematical sentence that shows that two expressions are equivalent. (p. 70)	$x + 4 = 7$ $6 + 1 = 10 - 3$
ecuación lineal Ecuación en la que las soluciones forman una línea recta en un plano cartesiano.	**linear equation** An equation whose solutions form a straight line on a coordinate plane. (p. 647)	$y = 2x + 1$
eje de simetría El "espejo" imaginario en la simetría axial.	**line of symmetry** The imaginary "mirror" in line symmetry. (p. 464)	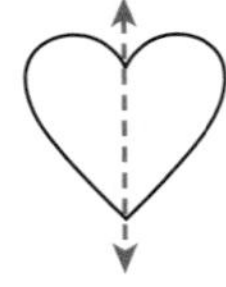
eje *x* El eje horizontal del plano cartesiano.	***x*-axis** The horizontal axis on a coordinate plane. (p. 610)	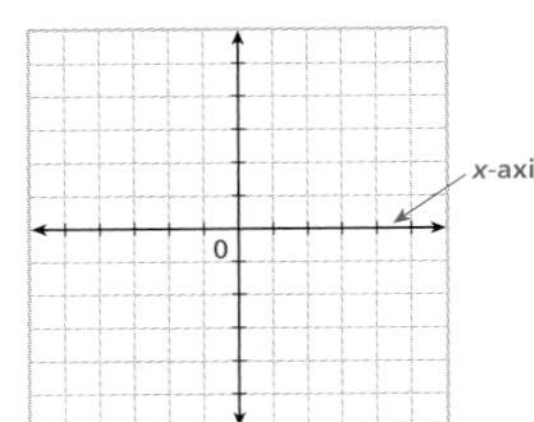
eje *y* El eje vertical del plano cartesiano.	***y*-axis** The vertical axis on a coordinate plane. (p. 610)	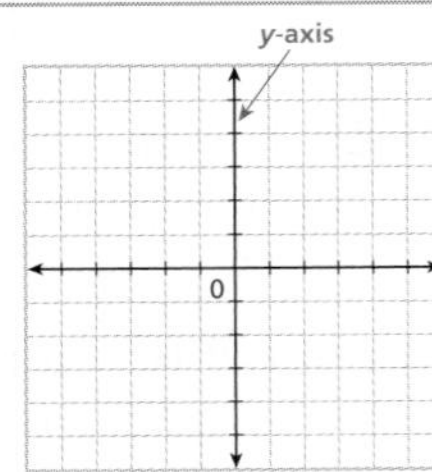
ejes Las dos rectas numéricas perpendiculares del plano cartesiano que se intersecan en el origen.	**axes** The two perpendicular lines of a coordinate plane that intersect at the origin. (p. 610)	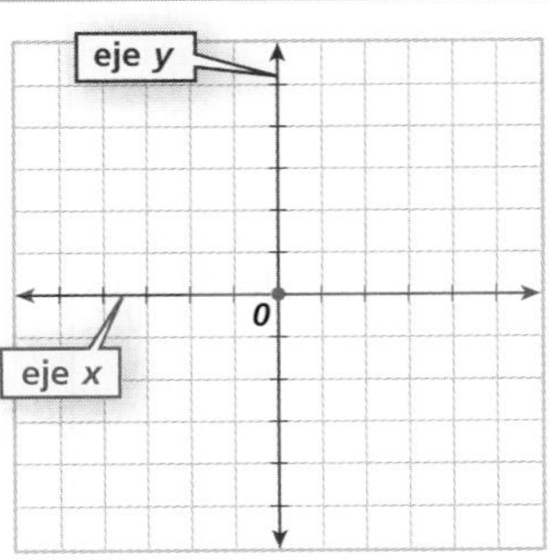

ESPAÑOL	INGLÉS	EJEMPLOS
elementos Palabras, números u objetos que forman un conjunto.	**elements** The words, numbers, or objects in a set. (p. 212)	Elementos de A: 1 ,2, 3, 4
en el sentido de las manecillas del reloj Movimiento circular en la dirección que se indica.	**clockwise** A circular movement in the direction shown. 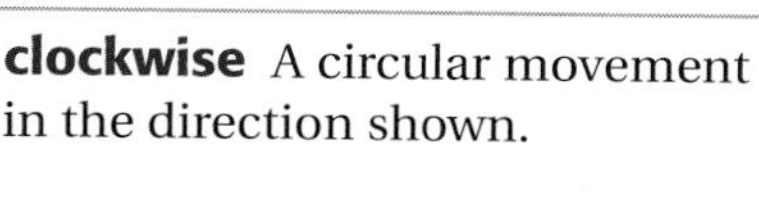	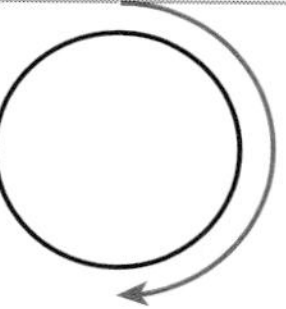
en sentido contrario a las manecillas del reloj Movimiento circular en la dirección que se indica.	**counterclockwise** A circular movement in the direction shown.	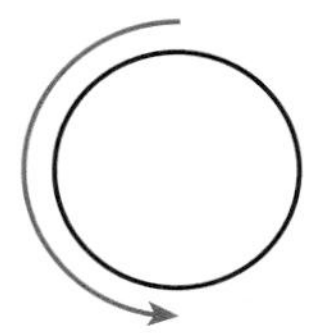
entero Un miembro del conjunto de los números cabales y sus opuestos.	**integer** A member of the set of whole numbers and their opposites. (p. 602)	. . . −3, −2, −1, 0, 1, 2, 3, . . .
equivalentes Que tienen el mismo valor.	**equivalent** Having the same value.	
escala La razón entre dos conjuntos de medidas.	**scale** The ratio between two sets of measurements. (p. 374)	1 cm: 5 mi
espacio muestral Conjunto de todos los resultados posibles de un experimento.	**sample space** All possible outcomes of an experiment. (p. 678)	Cuando se lanza un dado, el espacio muestral es 1, 2, 3, 4, 5, 6.
estimación (s) Una solución aproximada a la respuesta exacta que se halla mediante el redondeo u otros métodos.	**estimate (n)** An answer that is close to the exact answer and is found by rounding or other methods.	
estimación alta Estimación mayor que la respuesta exacta.	**overestimate** An estimate that is greater than the exact answer. (p. 10)	100 es una estimación alta de la suma 23 + 24 + 21 + 22.
estimación baja Estimación menor que la respuesta exacta.	**underestimate** An estimate that is less than the exact answer. (p. 10)	100 es una estimación baja de la suma 26 + 29 + 31 + 27.
estimación por partes Técnica en la que se suman sólo los números enteros de los sumandos.	**front-end estimation** An estimating technique in which the front digits of the addends are added. (p. 113)	Estima 25.05 + 14.671 con la suma 25 + 14 = 39. El valor real es 39 o más.
estimar (v) Hallar una solución aproximada a la respuesta exacta mediante el redondeo u otros métodos.	**estimate (v)** To find an answer close to the exact answer by rounding or other methods.	

ESPAÑOL	INGLÉS	EJEMPLOS
evaluar Hallar el valor de una expresión numérica o algebraica.	**evaluate** To find the value of a numerical or algebraic expression. (p. 22)	Evalúa $2x + 7$ para $x = 3$. $2x + 7$ $2(3) + 7$ $6 + 7$ 13
experimento En probabilidad, cualquier actividad basada en la posibilidad.	**experiment** In probability, any activity based on chance. (p. 672)	Lanzar una moneda 10 veces y anotar el número de caras
exponente Número que indica cuántas veces se usa la base como factor.	**exponent** The number that indicates how many times the base is used as a factor. (p. 14)	$2^3 = 2 \cdot 2 \cdot 2 = 8$; 3 es el exponente.
expresión Enunciado matemático que contiene operaciones, números y/o variables.	**expression** A mathematical phrase that contains operations, numbers, and/or variables.	$6x + 1$
expresión algebraica Expresión que contiene al menos una variable.	**algebraic expression** An expression that contains at least one variable. (p. 54)	$x + 8$ $4(m - b)$
expresión numérica Expresión que incluye sólo números y operaciones.	**numerical expression** An expression that contains only numbers and operations. (p. 22)	$(2 \cdot 3) + 1$
extremo Un punto ubicado al final de un segmento de recta o rayo.	**endpoint** A point at the end of a line segment or ray.	A B D
extremo inferior El número menor en un conjunto de datos.	**lower extreme** The least number in a set of data.	Conjunto de datos: 18, 23, 28, 29, 6, 42 Extremo inferior: 6

F

ESPAÑOL	INGLÉS	EJEMPLOS
factor Número que se multiplica por otro para hallar un producto.	**factor** A number that is multiplied by another number to get a product. (p. 169)	7 es un factor de 21 porque $7 \cdot 3 = 21$.
factor común Número que es factor de dos o más números.	**common factor** A number that is a factor of two or more numbers.	8 es un factor común de 16 y 40.
factorización prima Un número escrito como el producto de sus factores primos.	**prime factorization** A number written as the product of its prime factors. (p. 169)	$10 = 2 \cdot 5$ $24 = 2^3 \cdot 3$
Fahrenheit Escala de temperatura en la que 32° F es el punto de congelación del agua y 212° F es el punto de ebullición.	**Fahrenheit** A temperature scale in which 32°F is the freezing point of water and 212°F is the boiling point of water.	
forma desarrollada Número escrito como suma de los valores de sus dígitos.	**expanded form** A number written as the sum of the values of its digits.	236,536 escrito en forma desarrollada es 200,000 + 30,000 + 6,000 + 500 + 30 + 6.

ESPAÑOL	INGLÉS	EJEMPLOS
forma estándar Una forma de escribir números por medio de dígitos.	**standard form (in numeration)** A number written using digits.	Cinco mil doscientos diez en forma estándar es 5,210.
forma exponencial Cuando se escribe un número con una base y un exponente, está en forma exponencial.	**exponential form** A number is in exponential form when it is written with a base and an exponent. (p. 14)	4^2 es la forma exponencial de $4 \cdot 4$.
fórmula Regla que muestra relaciones entre cantidades.	**formula** A rule showing relationships among quantities.	$A = \ell a$ es la fórmula del área de un rectángulo.
fracción Número escrito en la forma $\frac{a}{b}$, donde $b \neq 0$.	**fraction** A number in the form $\frac{a}{b}$, where $b \neq 0$.	
fracción impropia Fracción cuyo numerador es mayor que o igual al denominador.	**improper fraction** A fraction in which the numerator is greater than or equal to the denominator. (p. 192)	$\frac{5}{5}$ $\frac{7}{3}$
fracción propia Fracción en la que el numerador es menor que el denominador.	**proper fraction** A fraction in which the numerator is less than the denominator. (p. 192)	$\frac{3}{4}, \frac{1}{13}, \frac{7}{8}$
fracciones distintas Fracciones con distinto denominador.	**unlike fractions** Fractions with different denominators. (p. 198)	$\frac{3}{4}$ y $\frac{1}{2}$ son fracciones distintas.
fracciones equivalentes Fracciones que representan la misma cantidad o parte.	**equivalent fractions** Fractions that name the same amount or part. (p. 186)	$\frac{1}{2}$ y $\frac{2}{4}$ son fracciones equivalentes.
fracciones semejantes Fracciones que tienen el mismo denominador.	**like fractions** Fractions that have the same denominator. (p. 198)	$\frac{5}{12}$ y $\frac{3}{12}$ son fracciones semejantes.
frecuencia acumulativa La suma de datos sucesivos.	**cumulative frequency** The sum of successive data items. (p. 765)	
función Relación de entrada-salida en la que a cada valor de entrada corresponde un valor de salida.	**function** An input-output relationship that has exactly one output for each input. (p. 640)	6, 5, 2, 1 → −4, −1, 0

G

grado Unidad de medida para ángulos y temperaturas.	**degree** The unit of measure for angles or temperature.	

ESPAÑOL	INGLÉS	EJEMPLOS

gráfica circular Gráfica que usa secciones de un círculo para comparar partes con el todo y con otras partes.

circle graph A graph that uses sections of a circle to compare parts to the whole and parts to other parts. (p. 524)

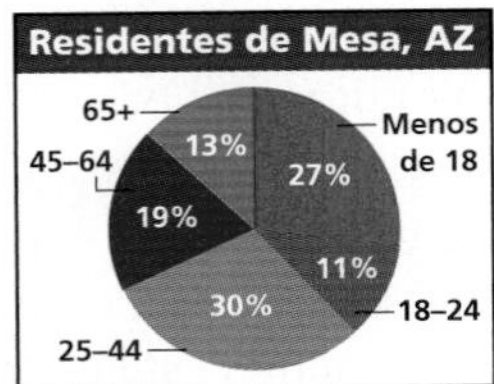

gráfica de barras Gráfica en la que se usan barras verticales u horizontales para presentar datos.

bar graph A graph that uses vertical or horizontal bars to display data. (p. 308)

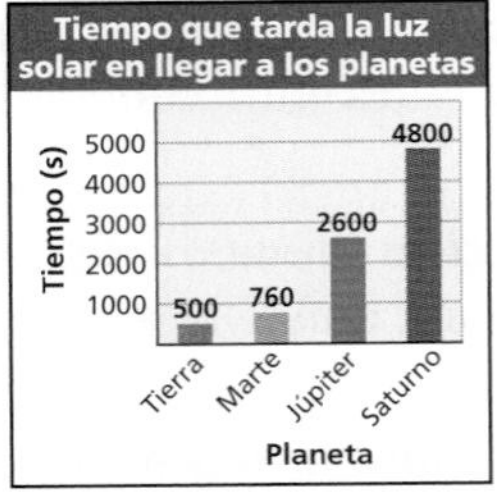

gráfica de doble barra Gráfica de barras que compara dos conjuntos de datos relacionados.

double-bar graph A bar graph that compares two related sets of data. (p. 309)

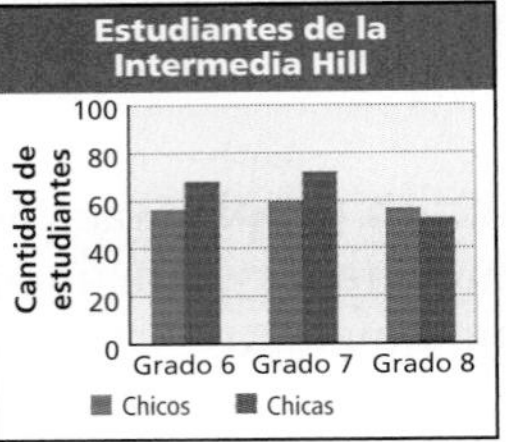

gráfica de doble línea Gráfica lineal que muestra cómo cambian con el tiempo dos conjuntos de datos relacionados.

double-line graph A graph that shows how two related sets of data change over time. (p. 323)

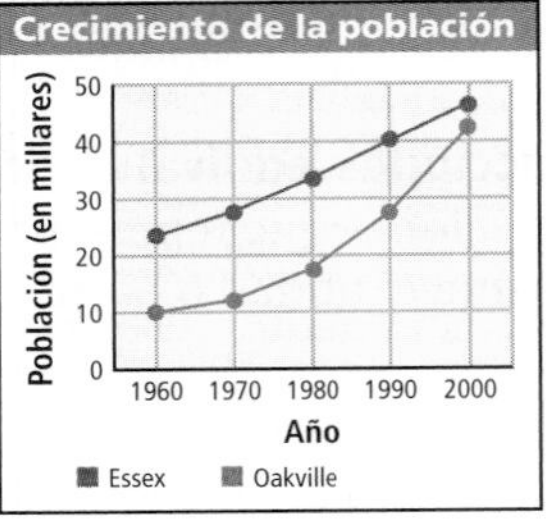

gráfica de mediana y rango Gráfica que muestra los valores máximo y mínimo, los cuartiles superior e inferior, así como la mediana de los datos.

box-and-whisker plot A graph that displays the highest and lowest quarters of data as whiskers, the middle two quarters of the data as a box, and the median.

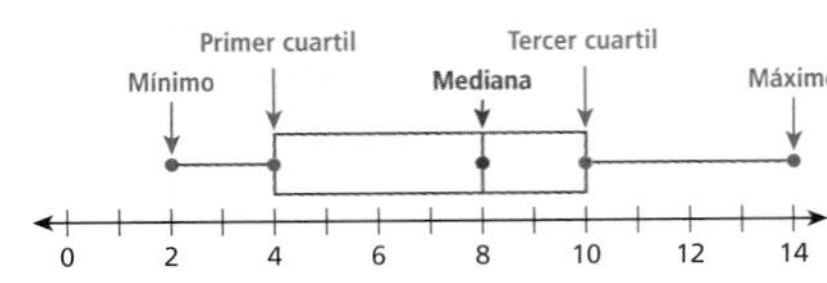

gráfica de una ecuación Gráfica del conjunto de pares ordenados que son soluciones de la ecuación.

graph of an equation A graph of the set of ordered pairs that are solutions of the equation.

gráfica lineal Gráfica que muestra cómo cambian los datos mediante segmentos de recta.

line graph A graph that uses line segments to show how data changes. (p. 322)

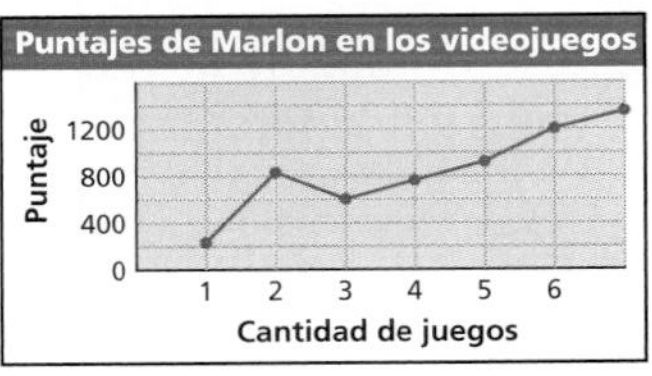

ESPAÑOL	INGLÉS	EJEMPLOS

H

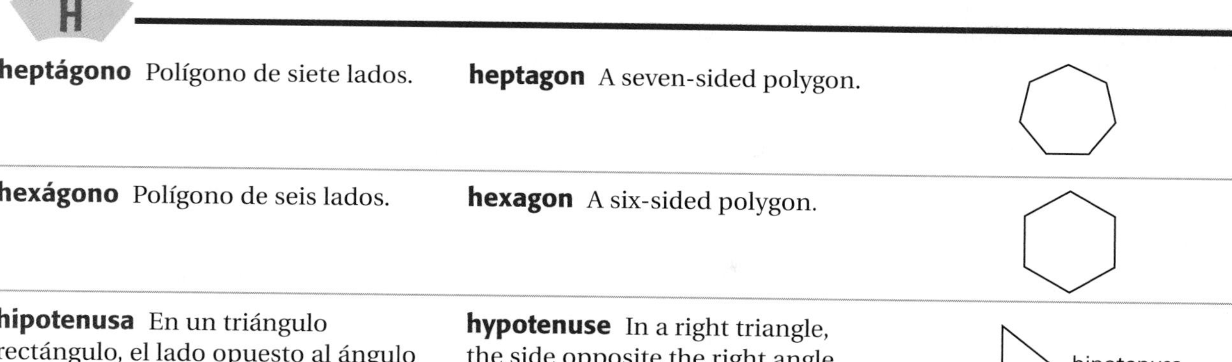

heptágono Polígono de siete lados.

heptagon A seven-sided polygon.

hexágono Polígono de seis lados.

hexagon A six-sided polygon.

hipotenusa En un triángulo rectángulo, el lado opuesto al ángulo recto.

hypotenuse In a right triangle, the side opposite the right angle. (p. 761)

hipotenusa

histograma Gráfica de barras que muestra la frecuencia de los datos en intervalos iguales.

histogram A bar graph that shows the frequency of data within equal intervals. (p. 315)

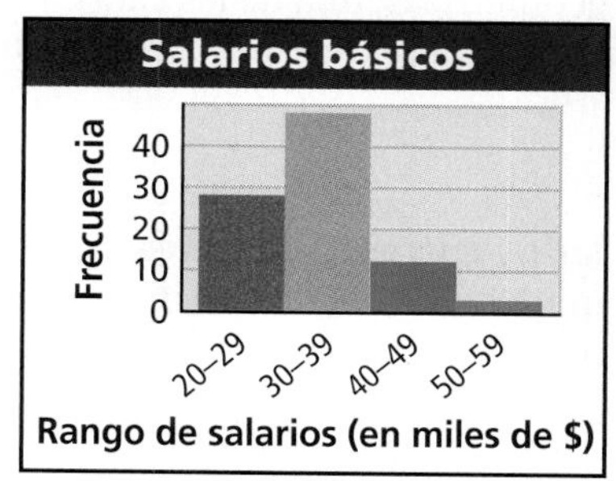

I

igualmente probables Resultados que tienen la misma probabilidad de ocurrir.

equally likely Outcomes that have the same probability. (p. 682)

Cuando se lanza una moneda, los resultados "cara" y "cruz" son igualmente probables.

imagen Figura que resulta de una transformación.

image A figure resulting from a transformation.

imposible (en probabilidad) Que no puede ocurrir. Suceso cuya probabilidad de ocurrir es 0.

impossible (probability) Can never happen; having a probability of 0. (p. 668)

impuesto sobre la venta Porcentaje del costo de un artículo que los gobiernos cobran para recaudar fondos.

sales tax A percent of the cost of an item, which is charged by governments to raise money. (p. 394)

interés Cantidad de dinero que se cobra por el préstamo o uso del dinero, o la cantidad que se gana al ahorrar dinero.

interest The amount of money charged for borrowing or using money, or the amount of money earned by saving money. (p. 400)

interés simple Un porcentaje fijo del capital. Se calcula con la fórmula $I = Cit$, donde C representa el capital, i, la tasa de interés y t, el tiempo.

simple interest A fixed percent of the principal. It is found using the formula $I = Prt$, where P represents the principal, r the rate of interest, and t the time. (p. 400)

intersección (de conjuntos) Conjunto de elementos comunes a dos o más conjuntos.

intersection (sets) The set of elements common to two or more sets. (p. 212)

ESPAÑOL	INGLÉS	EJEMPLOS
intervalo El espacio entre los valores marcados en una recta numérica o en la escala de una gráfica.	**interval** The space between marked values on a number line or the scale of a graph.	

ESPAÑOL	INGLÉS	EJEMPLOS
justo Se dice de un experimento donde todos los resultados posibles son igualmente probables.	**fair** When all outcomes of an experiment are equally likely, the experiment is said to be fair. (p. 682)	Al lanzar una moneda justa, las caras y las cruces son igualmente probables. Cada una tiene una probabilidad de $\frac{1}{2}$.

ESPAÑOL	INGLÉS	EJEMPLOS
lado Línea que delimita las figuras geométricas; una de las caras que forman la parte exterior de un objeto.	**side** A line bounding a geometric figure; one of the faces forming the outside of an object.	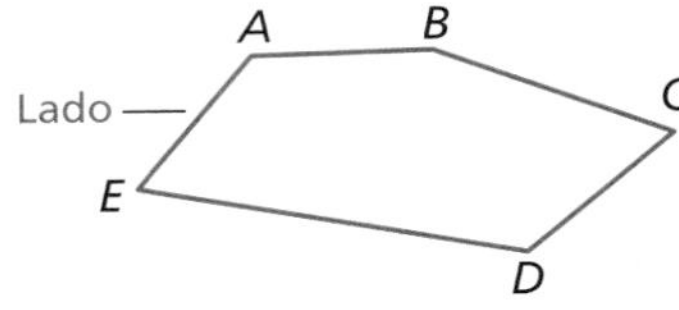
lados correspondientes Lados que se ubican en la misma posición relativa en dos o más polígonos.	**corresponding sides** Matching sides of two or more polygons. (p. 366)	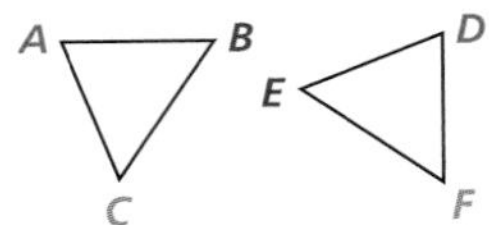 $\overline{AB}$ y $\overline{DE}$ son lados correspondientes.
línea Trayectoria recta que se extiende de manera indefinida en direcciones opuestas.	**line** A straight path that extends without end in opposite directions. (p. 416)	
línea de reflexión Línea sobre la cual se invierte una figura para crear una imagen reflejada de la figura original.	**line of reflection** A line that a figure is flipped across to create a mirror image of the original figure. (p. 459)	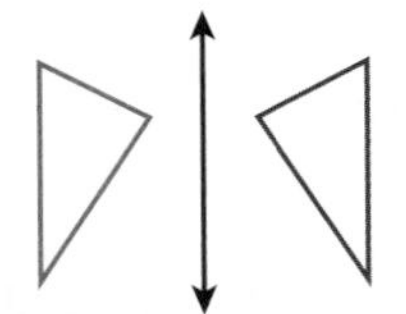 **Línea de reflexión**
líneas oblicuas Líneas que se encuentran en planos distintos, por eso no se intersecan ni son paralelas.	**skew lines** Lines that lie in different planes that are neither parallel nor intersecting. (p. 428)	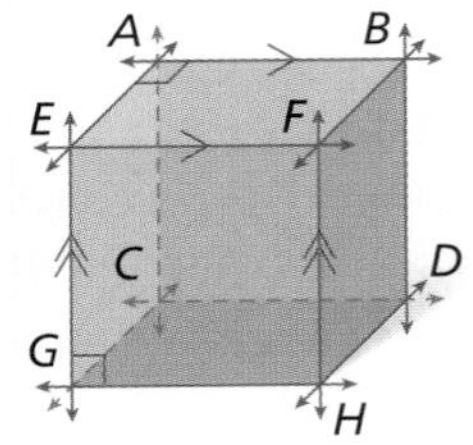 $\overleftrightarrow{AE}$ y $\overleftrightarrow{CD}$ son líneas oblicuas.
líneas paralelas Líneas que se encuentran en el mismo plano pero que nunca se intersecan.	**parallel lines** Lines in a plane that do not intersect. (p. 428)	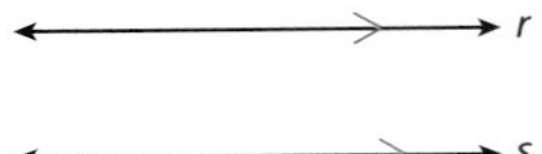
líneas perpendiculares Líneas que al intersecarse forman ángulos rectos.	**perpendicular lines** Lines that intersect to form right angles. (p. 428)	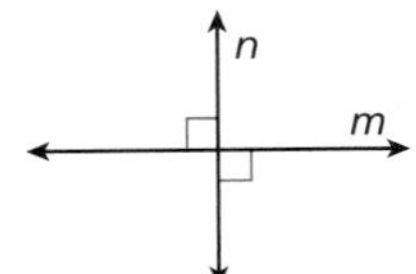

ESPAÑOL	INGLÉS	EJEMPLOS
líneas secantes Líneas que se cruzan en un solo punto.	**intersecting lines** Lines that cross at exactly one point. (p. 428)	

ESPAÑOL	INGLÉS	EJEMPLOS
máximo común divisor (MCD) El mayor de los factores comunes compartidos por dos o más números dados.	**greatest common factor (GCF)** The largest common factor of two or more given numbers. (p. 173)	El MCD de 27 y 45 es 9.
media La suma de todos los elementos de un conjunto de datos dividida entre el número de elementos del conjunto. También se llama *promedio*.	**mean** The sum of the items in a set of data divided by the number of items in the set; also called *average*. (p. 298)	Conjunto de datos: 4, 6, 7, 8, 10 Media: $\frac{4+6+7+8+10}{5} = \frac{35}{5} = 7$
mediana El número intermedio o la media (el promedio) de los dos números intermedios en un conjunto ordenado de datos.	**median** The middle number or the mean (average) of the two middle numbers in an ordered set of data. (p. 299)	Conjunto de datos: 4, 6, 7, 8, 10 Mediana: 7
mediatriz Línea que cruza un segmento en su punto medio y es perpendicular al segmento.	**perpendicular bisector** A line that intersects a segment at its midpoint and is perpendicular to the segment.	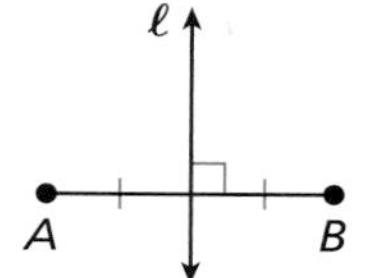 ℓ es la mediatriz de $\overline{AB}$.
medición indirecta La técnica de usar figuras semejantes y proporciones para hallar una medida.	**indirect measurement** The technique of using similar figures and proportions to find a measure. (p. 370)	Fracción: $\frac{8}{12}$ Mínima expresión: $\frac{2}{3}$
mínima expresión (de una fracción) Una fracción está en su mínima expresión cuando el numerador y el denominador no tienen más factor común que 1.	**simplest form (of a fraction)** A fraction is in simplest form when the numerator and denominator have no common factors other than 1. (p. 187)	El mcd de $\frac{3}{4}$ y $\frac{5}{6}$ es 12.
mínimo común denominador (mcd) El mínimo común múltiplo de dos o más denominadores.	**least common denominator (LCD)** The least common multiple of two or more denominators. (p. 234)	El mcm de 10 y 18 es 90.
mínimo común múltiplo (mcm) El menor de los múltiplos (distinto de cero) de dos o más números.	**least common multiple (LCM)** The smallest number, other than zero, that is a multiple of two or more given numbers. (p. 228)	
moda Número o números más frecuentes en un conjunto de datos; si todos los números aparecen con la misma frecuencia, no hay moda.	**mode** The number or numbers that occur most frequently in a set of data; when all numbers occur with the same frequency, we say there is no mode. (p. 299)	Conjunto de datos: 3, 5, 8, 8, 10 Moda: 8

ESPAÑOL	INGLÉS	EJEMPLOS
modelo a escala Modelo proporcional de un objeto tridimensional.	**scale model** A proportional model of a three-dimensional object.	
muestra Parte de un grupo que es objeto de estudio.	**sample** A part of a group being surveyed. (p. 694)	En una encuesta sobre los hábitos alimenticios de estudiantes de matemáticas de escuela intermedia, una muestra es una encuesta a 100 estudiantes elegidos al azar.
múltiplo El producto de un número y cualquier número cabal distinto de cero es un múltiplo de ese número.	**multiple** A multiple of a number is the product of the number and any nonzero whole number.	

N

ESPAÑOL	INGLÉS	EJEMPLOS
notación científica Método que se usa para escribir números muy grandes o muy pequeños mediante potencias de 10.	**scientific notation** A method of writing very large or very small numbers by using powers of 10. (p. 124)	$12{,}560{,}000{,}000{,}000 = 1.256 \times 10^{13}$
numerador El número de arriba de una fracción; indica cuántas partes de un entero se consideran.	**numerator** The top number of a fraction that tells how many parts of a whole are being considered.	$\frac{3}{4}$ ← numerador
número compuesto Número mayor que 1 que tiene más de dos factores que son números cabales.	**composite number** A number greater than 1 that has more than two whole-number factors. (p. 165)	
número impar Un número cabal que no es divisible entre dos.	**odd number** A whole number that is not divisible by two.	
número mixto Número compuesto por un número cabal distinto de cero y una fracción.	**mixed number** A number made up of a whole number that is not zero and a fraction. (p. 181)	$5\frac{1}{8}$ 4, 6, 8 y 9 son números compuestos.
número negativo Número menor que cero.	**negative number** A number less than zero. (p. 602)	−2 es un número negativo. −4 −3 −2 −1 0 1 2 3 4
número par Un número cabal que es divisible entre dos.	**even number** A whole number that is divisible by two.	
número positivo Número mayor que cero.	**positive number** A number greater than zero. (p. 602)	2 es un número positivo. −4 −3 −2 −1 0 1 2 3 4
número primo Número cabal mayor que 1 que sólo es divisible entre 1 y él mismo.	**prime number** A whole number greater than 1 that has exactly two factors, itself and 1. (p. 165)	5 es primo porque sus únicos factores son 5 y 1.
números compatibles Números que están cerca de los números dados y hacen más fácil la estimación o el cálculo mental.	**compatible numbers** Numbers that are close to the given numbers that make estimation or mental calculation easier. (p. 10)	Para estimar 7,957 + 5,009, usa los números compatibles 8,000 y 5,000: 8,000 + 5,000 = 13,000

ESPAÑOL	INGLÉS	EJEMPLOS

O

octágono Polígono de ocho lados.

octagon An eight-sided polygon.

operaciones inversas Operaciones que se cancelan mutuamente: suma y resta, o multiplicación y división.

inverse operations Operations that undo each other: addition and subtraction, or multiplication and division.

opuestos Dos números que están a la misma distancia de cero en una recta numérica.

opposites Two numbers that are an equal distance from zero on a number line. (p. 602)

5 y −5 son opuestos.

5 unidades 5 unidades

−6 −5 −4 −3 −2 −1 0 1 2 3 4 5 6

orden de las operaciones Regla para evaluar expresiones: primero se resuelven las operaciones entre paréntesis, luego se hallan las potencias y raíces, después todas las multiplicaciones y divisiones de izquierda a derecha y, por último, todas las sumas y restas de izquierda a derecha.

order of operations A rule for evaluating expressions: first perform the operations in parentheses, then compute powers and roots, then perform all multiplication and division from left to right, and then perform all addition and subtraction from left to right. (p. 22)

$3^2 - 12 \div 4$	
$9 - 12 \div 4$	Evalúa la potencia.
$9 - 3$	Divide.
6	Resta.

origen Punto de intersección entre el eje x y el eje y en un plano cartesiano: (0, 0).

origin The point where the x-axis and y-axis intersect on the coordinate plane; (0, 0). (p. 610)

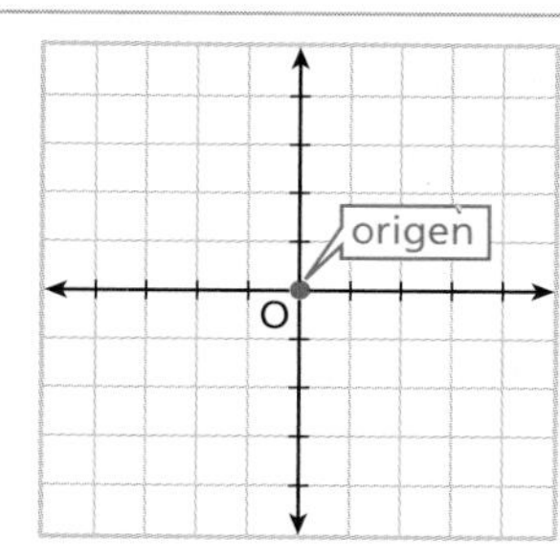

P

par nulo Un número y su opuesto, que sumados dan 0.

zero pair A number and its opposite, which add to 0.

18 y −18

par ordenado Par de números que sirven para ubicar un punto en un plano cartesiano.

ordered pair A pair of numbers that can be used to locate a point on a coordinate plane. (p. 319)

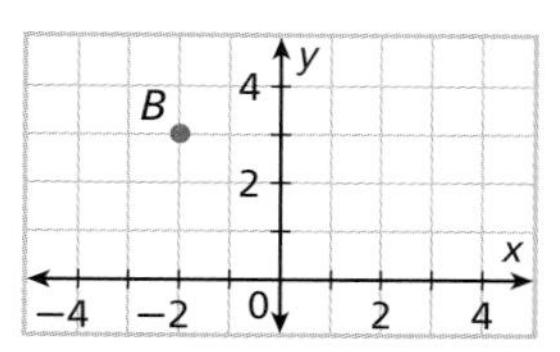

Las coordenadas de B son (−2, 3).

paralelogramo Cuadrilátero con dos pares de lados paralelos.

parallelogram A quadrilateral with two pairs of parallel sides. (p. 442)

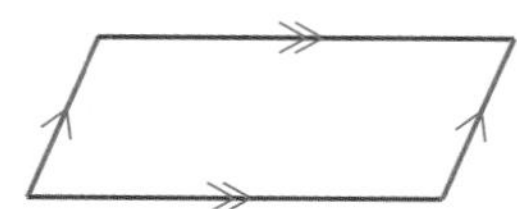

pentágono Polígono de cinco lados.

pentagon A five-sided polygon.

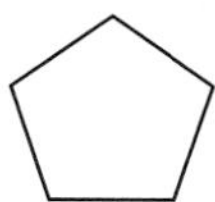

ESPAÑOL	INGLÉS	EJEMPLOS
perímetro Distancia alrededor de un polígono.	**perimeter** The distance around a polygon. (p. 514)	18 pies 6 pies Perímetro = 48 pies
permutación Arreglo de objetos o sucesos en el que el orden es importante.	**permutation** An arrangement of items or events in which order is important.	Para los objetos *A*, *B* y *C*, hay 6 permutaciones diferentes: *ABC, ACB, BAC, BCA, CAB, CBA.*
pi (π) Razón de la circunferencia de un círculo a la longitud de su diámetro; $\pi \approx 3.14$ ó $\frac{22}{7}$	**pi** (π) The ratio of the circumference of a circle to the length of its diameter; $\pi \approx 3.14$ or $\frac{22}{7}$. (p. 520)	
pirámide Poliedro cuya base es un polígono; tiene caras triangulares que se juntan en un vértice común.	**pyramid** A polyhedron with a polygon base and triangular sides that all meet at a common vertex. (p. 567)	
plano Superficie plana que se extiende de manera indefinida en todas direcciones.	**plane** A flat surface that extends forever. (p. 416)	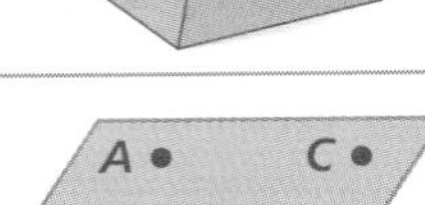 plano *R* o plano *ABC*
plano cartesiano Plano formado por la intersección de una recta numérica horizontal llamada eje *x* y otra vertical llamada eje *y*.	**coordinate plane** A plane formed by the intersection of a horizontal number line called the *x*-axis and a vertical number line called the *y*-axis. (p. 610)	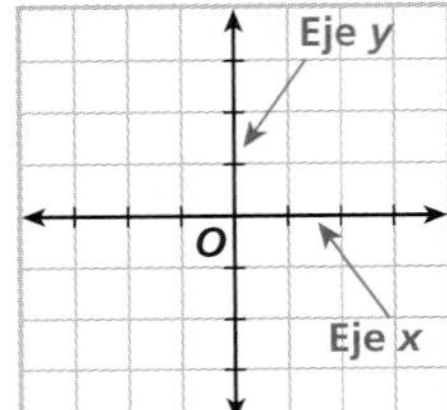
plantilla Arreglo de figuras bidimensionales que se doblan para formar un poliedro.	**net** An arrangement of two-dimensional figures that can be folded to form a polyhedron. (p. 582)	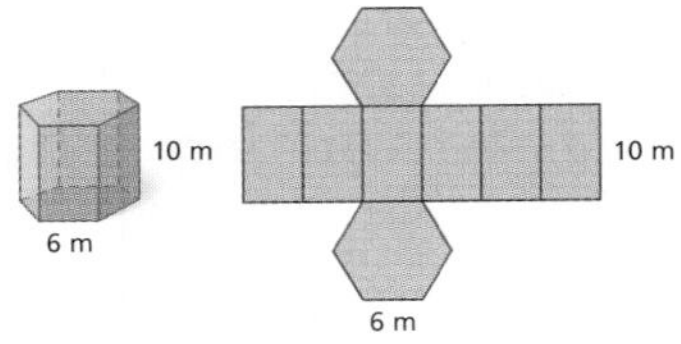
población El grupo completo que es objeto de estudio.	**population** The whole group being surveyed. (p. 694)	En una encuesta sobre los hábitos alimenticios de estudiantes de escuela intermedia, la población son todos los estudiantes de escuela intermedia.
poliedro Figura tridimensional cuyas superficies o caras tienen forma de polígonos.	**polyhedron** A three-dimensional figure in which all the surfaces or faces are polygons. (p. 566)	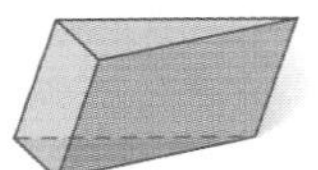
polígono Figura plana cerrada, formada por tres o más segmentos de recta que se intersecan sólo en sus extremos.	**polygon** A closed plane figure formed by three or more line segments that intersect only at their endpoints. (p. 446)	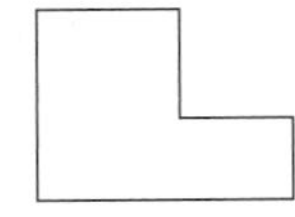
polígono regular Polígono con lados y ángulos congruentes.	**regular polygon** A polygon with congruent sides and angles. (p. 446)	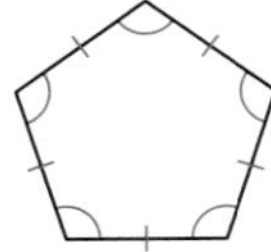

ESPAÑOL	INGLÉS	EJEMPLOS
porcentaje Razón que compara un número con el número 100.	**percent** A ratio comparing a number to 100. (p. 381)	$45\% = \frac{45}{100}$
potencia Número que resulta al elevar una base a un exponente.	**power** A number produced by raising a base to an exponent.	$2^3 = 8$; por lo tanto, 2 a la 3ra potencia es 8.
predicción Pronóstico sobre algo que puede ocurrir en el futuro.	**prediction** A guess about something that will happen in the future. (p. 694)	
prisma Poliedro con dos bases congruentes con forma de polígono y caras con forma de rectángulos.	**prism** A polyhedron that has two congruent, polygon-shaped bases and other faces that are all rectangles. (p. 566)	
prisma rectangular Poliedro cuyas bases son rectángulos y cuyas caras tienen forma de rectángulos.	**rectangular prism** A polyhedron whose bases are rectangles and whose other faces are rectangles.	
prisma triangular Poliedro cuyas bases son triángulos y cuyas demás caras tienen forma de rectángulos.	**triangular prism** A polyhedron whose bases are triangles and whose other faces are rectangles.	
probabilidad Un número entre 0 y 1 (ó 0% y 100%) que describe qué tan probable es un suceso.	**probability** A number from 0 to 1 (or 0% to 100%) that describes how likely an event is to occur. (p. 668)	En una bolsa hay 3 canicas rojas y 4 azules. La probabilidad de elegir al azar una canica roja es de $\frac{3}{7}$.
probabilidad experimental Razón del número de veces que ocurre un suceso al número total de pruebas o al número de veces que se realiza el experimento.	**experimental probability** The ratio of the number of times an event occurs to the total number of trials, or times that the activity is performed. (p. 672)	Kendra hizo 27 lanzamientos libres y anotó 16. La probabilidad experimental de anotar un lanzamiento libre es $\frac{\text{cantidad de aciertos}}{\text{cantidad de intentos}} = \frac{16}{27} \approx 0.59$.
probabilidad teórica Razón del número de resultados igualmente probables en un suceso al número total de resultados posibles.	**theoretical probability** The ratio of the number of equally likely outcomes in an event to the total number of possible outcomes. (p. 682)	Cuando se lanza un dado, la probabilidad teórica de que caiga en 4 es $\frac{1}{6}$.
producto Resultado de multiplicar dos o más números.	**product** The result when two or more numbers are multiplied.	El producto de 4 y 8 es 32.
producto cruzado El producto de los números multiplicados en diagonal cuando se comparan dos razones.	**cross product** The product of numbers on the diagonal when comparing two ratios. (p. 363)	En la proporción $\frac{2}{3} = \frac{4}{6}$, los productos cruzados son $2 \cdot 6 = 12$ y $3 \cdot 4 = 12$.
promedio La suma de los elementos de un conjunto de datos dividida entre el número de elementos del conjunto. También se le llama *media*.	**average** The sum of the items in a set of data divided by the number of items in the set; also called *mean*.	Conjunto de datos: 4, 6, 7, 8, 10 Promedio: $\frac{4+6+7+8+10}{5} = \frac{35}{5} = 7$

ESPAÑOL	INGLÉS	EJEMPLOS
Propiedad asociativa de la multiplicación Propiedad que establece que agrupar tres o más números en cualquier orden siempre da como resultado el mismo producto.	**Associative Property of Multiplication** The property that states that for three or more numbers, their product is always the same, regardless of their grouping. (p. 26)	$2 \cdot 3 \cdot 8 = (2 \cdot 3) \cdot 8 = 2 \cdot (3 \cdot 8)$
Propiedad asociativa de la suma Propiedad que establece que agrupar tres o más números en cualquier orden siempre da como resultado la misma suma.	**Associative Property of Addition** The property that states that for three or more numbers, their sum is always the same, regardless of their grouping. (p. 26)	$2 + 3 + 8 = (2 + 3) + 8 = 2 + (3 + 8)$
Propiedad conmutativa de la multiplicación Propiedad que establece que multiplicar dos o más números en cualquier orden no altera el producto.	**Commutative Property of Multiplication** The property that states that two or more numbers can be multiplied in any order without changing the product. (p. 26)	$6 \cdot 12 = 12 \cdot 6$
Propiedad conmutativa de la suma Propiedad que establece que sumar dos o más números en cualquier orden no altera la suma.	**Commutative Property of Addition** The property that states that two or more numbers can be added in any order without changing the sum. (p. 26)	$8 + 20 = 20 + 8$
Propiedad de identidad del cero Propiedad que establece que la suma de cero y cualquier número es ese número.	**Identity Property of Zero** The property that states the sum of zero and any number is that number.	$7 + 0 = 7$ $-9 + 0 = -9$
Propiedad de identidad del uno Propiedad que establece que el producto de 1 y cualquier número es ese número.	**Identity Property of One** The property that states that the product of 1 and any number is that number.	$5 \times 1 = 5$ $-8 \times 1 = -8$
Propiedad de multiplicación del cero Propiedad que establece que el producto de cualquier número y 0 es 0.	**Multiplication Property of Zero** The property that states that the product of any number and 0 is 0.	$6 \times 0 = 0$ $-5 \times 0 = 0$
Propiedad de la suma de los opuestos Propiedad que establece que la suma de un número y su opuesto es cero.	**Addition Property of Opposites** The property that states that the sum of a number and its opposite equals zero.	$12 + (-12) = 0$
Propiedad distributiva Propiedad que establece que, si multiplicas una suma por un número, obtendrás el mismo resultado que si multiplicas cada sumando por ese número y luego sumas los productos.	**Distributive Property** The property that states if you multiply a sum by a number, you will get the same result if you multiply each addend by that number and then add the products. (p. 27)	$5(20 + 1) = 5 \cdot 20 + 5 \cdot 1$

ESPAÑOL	INGLÉS	EJEMPLOS
propina Cantidad que se agrega al total de una factura por servicios. Por lo general, es un porcentaje del total de la factura.	**tip** The amount of money added to a bill for service; usually a percent of the bill. (p. 394)	
proporción Ecuación que establece que dos razones son equivalentes.	**proportion** An equation that states that two ratios are equivalent. (p. 362)	$\frac{2}{3} = \frac{4}{6}$
punto Ubicación exacta en el espacio.	**point** An exact location in space. (p. 416)	*P* • punto *P*
punto medio El punto que divide un segmento de recta en dos segmentos de recta congruentes.	**midpoint** The point that divides a line segment into two congruent line segments.	*A* *B* *C* — *B* es el punto medio de $\overline{AC}$.

R

ESPAÑOL	INGLÉS	EJEMPLOS
radio Segmento de recta con un extremo en el centro de un círculo y el otro en la circunferencia, o bien la longitud de ese segmento.	**radius** A line segment with one endpoint at the center of a circle and the other endpoint on the circle, or the length of that segment. (p. 520)	
raíz cuadrada Uno de los dos factores iguales de un número.	**square root** One of the two equal factors of a number. (p. 645)	$16 = 4 \cdot 4$ y $16 = -4 \cdot -4$; por lo tanto, 4 y −4 son raíces cuadradas de 16.
rango (en estadística) Diferencia entre los valores máximo y mínimo de un conjunto de datos.	**range (in statistics)** The difference between the greatest and least values in a data set. (p. 299)	Conjunto de datos: 3, 5, 7, 7, 12 Rango: $12 - 3 = 9$
rayo Parte de una línea que comienza en un extremo y se extiende de manera indefinida.	**ray** A part of a line that starts at one endpoint and extends forever. (p. 417)	*D*
razón Comparación de dos cantidades mediante una división.	**ratio** A comparison of two quantities by division. (p. 352)	12 a 25, 12:25, $\frac{12}{25}$
razones equivalentes Razones que representan la misma comparación.	**equivalent ratios** Ratios that name the same comparison. (p. 352)	$\frac{1}{2}$ y $\frac{2}{4}$ son razones equivalentes.
recíproco Uno de dos números cuyo producto es igual a 1.	**reciprocal** One of two numbers whose product is 1. (p. 270)	El recíproco de $\frac{2}{3}$ es $\frac{3}{2}$.
rectángulo Paralelogramo con cuatro ángulos rectos.	**rectangle** A parallelogram with four right angles. (p. 442)	
redondear Sustituir un número por una estimación de ese número hasta cierto valor posicional.	**rounding** Replacing a number with an estimate of that number to a given place value.	2,354 redondeado al millar más cercano es 2,000; 2,354 redondeado a la centena más cercana es 2,400.

ESPAÑOL	INGLÉS	EJEMPLOS
reflexión Transformación que ocurre cuando se invierte una figura sobre una línea.	**reflection** A transformation of a figure that flips the figure across a line. (p. 459)	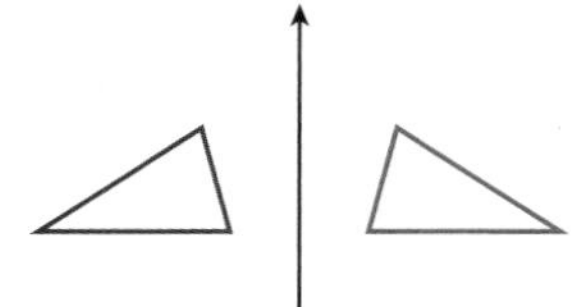
resolver Hallar una respuesta o solución.	**solve** To find an answer or a solution.	
resultado Posible resultado de un experimento de probabilidad.	**outcome** A possible result of a probability experiment. (p. 672)	Cuando se lanza un dado, los resultados posibles son 1, 2, 3, 4, 5 y 6.
rombo Paralelogramo en el que todos los lados son congruentes.	**rhombus** A parallelogram with all sides congruent. (p. 442)	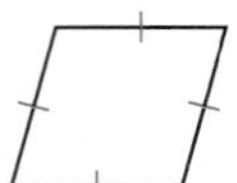
rotación Transformación que ocurre cuando una figura gira alrededor de un punto.	**rotation** A transformation in which a figure is turned around a point. (p. 459)	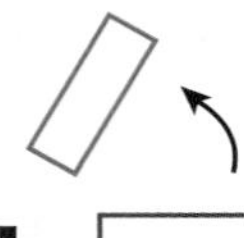

ESPAÑOL	INGLÉS	EJEMPLOS
segmento Parte de una línea entre dos extremos.	**segment** A part of a line between two endpoints.	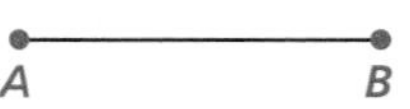
segmento de recta Parte de una línea con dos extremos.	**line segment** A part of a line between two endpoints. (p. 417)	
seguro (probabilidad) Que con seguridad sucederá. Representa una probabilidad de 1.	**certain (probability)** Sure to happen; having a probability of 1. (p. 668)	
semejantes Figuras que tienen la misma forma, pero no necesariamente el mismo tamaño.	**similar** Figures with the same shape but not necessarily the same size are similar. (p. 366)	
simetría axial Una figura tiene simetría axial si una de sus mitades es la imagen reflejada de la otra.	**line symmetry** A figure has line symmetry if one half is a mirror-image of the other half. (p. 464)	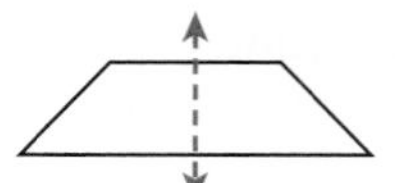
simplificar Escribir una fracción o expresión numérica en su mínima expresión.	**simplify** To write a fraction or expression in simplest form.	
simulación Representación de un experimento, por lo regular de uno cuya realización sería demasiado difícil o llevaría mucho tiempo.	**simulation** A model of an experiment, often one that would be too difficult or too time-consuming to actually perform. (p. 676)	

ESPAÑOL	INGLÉS	EJEMPLOS
sistema métrico Sistema decimal de pesos y medidas empleado universalmente en las ciencias y por lo general en todo el mundo.	**metric system** A decimal system of weights and measures that is used universally in science and commonly throughout the world. (p. 492)	centímetros, metros, kilómetros, gramos, kilogramos, mililitros, litros
sistema usual de medidas El sistema de medidas que se usa comúnmente en Estados Unidos.	**customary system** The measurement system often used in the United States. (p. 488)	pulgadas, pies, millas, onzas, libras, toneladas, tazas, cuartos de galón, galones
solución de una desigualdad Valor o valores que hacen verdadera una desigualdad.	**solution of an inequality** A value or values that make an inequality true. (p. 90)	Desigualdad: $x + 3 \geq 10$ Solución: $x \geq 7$
solución de una ecuación Valor o valores que hacen verdadera una ecuación.	**solution of an equation** A value or values that make an equation true. (p. 70)	Ecuación: $x + 2 = 6$ Solución: $x = 4$
subconjunto Conjunto que pertenece a otro conjunto.	**subset** A set contained within another set. (p. 213)	
sucesión Lista ordenada de números.	**sequence** An ordered list of numbers. (p. 33)	2, 4, 6, 8, 10, . . .
sucesión aritmética Una sucesión en la que los términos cambian la misma cantidad cada vez.	**arithmetic sequence** A sequence in which the terms change by the same amount each time. (p. 33)	La sucesión 2, 5, 8, 11, 14... es una sucesión aritmética.
suceso Un resultado o una serie de resultados de un experimento o una situación.	**event** An outcome or set of outcomes of an experiment or situation.	
suceso compuesto Suceso que consta de dos o más sucesos simples.	**compound event** An event made up of two or more simple events. (p. 688)	Cuando se lanzan una moneda y un dado, el suceso de que la moneda caiga cara y el dado caiga en 3 es un suceso compuesto.
sucesos dependientes Dos sucesos son dependientes si el resultado de uno afecta la probabilidad del otro.	**dependent events** Events for which the outcome of one event affects the probability of the other. (p. 700)	En una bolsa hay 3 canicas rojas y 2 azules. Sacar una canica roja y luego una azul sin reponer la primera canica es un ejemplo de sucesos dependientes.
sucesos independientes Dos sucesos son independientes si el resultado de uno no afecta la probabilidad del otro.	**independent events** Events for which the outcome of one event does not affect the probability of the other. (p. 700)	En una bolsa hay 3 canicas rojas y 2 azules. Sacar una canica roja, reponerla y luego sacar una canica azul es un ejemplo de sucesos independientes.
suma Resultado de sumar dos o más números.	**sum** The result when two or more numbers are added.	
sumando Número que se suma a uno o más números para formar una suma.	**addend** A number added to one or more other numbers to form a sum.	En la expresión $4 + 6 + 7$, los números 4, 6 y 7 son sumandos.

ESPAÑOL	INGLÉS	EJEMPLOS
superficie lateral En un cilindro, superficie curva que une las bases circulares; en un cono, la superficie curva que no es la base.	**lateral surface** In a cylinder, the curved surface connecting the circular bases; in a cone, the curved surface that is not a base.	
sustituir Reemplazar una variable por un número u otra expresión en una expresión algebraica.	**substitute** To replace a variable with a number or another expression in an algebraic expression.	

T

ESPAÑOL	INGLÉS	EJEMPLOS
tabla de función Tabla de pares ordenados que representan soluciones de una función.	**function table** A table of ordered pairs that represent solutions of a function. (p. 640)	*x*: 3, 4, 5, 6; *y*: 7, 9, 11, 13
tabla de frecuencia Una tabla en la que se organizan los datos de acuerdo con el número de veces que aparece cada valor (o la frecuencia).	**frequency table** A table that lists items together according to the number of times, or frequency, that the items occur. (p. 314)	Conjunto de datos: 1, 1, 2, 2, 3, 4, 5, 5, 5, 6, 6 Tabla de frecuencia: (see table below)
tasa Una razón que compara dos cantidades medidas en diferentes unidades.	**rate** A ratio that compares two quantities measured in different units. (p. 353)	El límite de velocidad es 55 millas por hora, ó 55 mi/h.
tasa de interés Porcentaje que se cobra por una cantidad de dinero prestada o que se gana por una cantidad de dinero ahorrada; ver *interés simple.*	**rate of interest** The percent charged or earned on an amount of money; see *simple interest.* (p. 400)	
tasa unitaria Una tasa en la que la segunda cantidad de la comparación es una unidad.	**unit rate** A rate in which the second quantity in the comparison is one unit. (p. 353)	10 cm por minuto
Teorema de la suma del triángulo Teorema que establece que las medidas de los ángulos de un triángulo suman 180°.	**Triangle Sum Theorem** The theorem that states that the measures of the angles in a triangle add to 180°.	
término (en una sucesión) Elemento o número de una sucesión.	**term (in a sequence)** An element or number in a sequence. (p. 33)	5 es el tercer término en la sucesión 1, 3, 5, 7, 9, . . .
teselado Patrón repetido de figuras planas que cubren totalmente un plano sin superponerse ni dejar huecos.	**tessellation** A repeating pattern of plane figures that completely cover a plane with no gaps or overlaps. (p. 468)	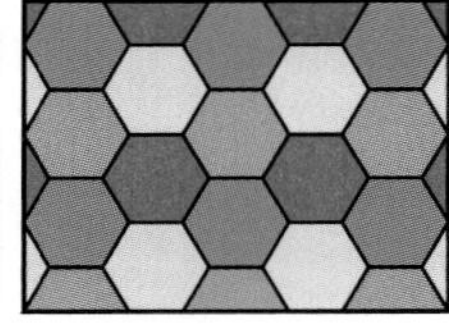

Function table example:

x	3	4	5	6
y	7	9	11	13

Frequency table example:

Datos	Frecuencia
1	2
2	2
3	1
4	1
5	3
6	2

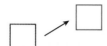

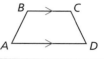

ESPAÑOL	INGLÉS	EJEMPLOS
transformación Cambio en el tamaño o la posición de una figura.	**transformation** A change in the size or position of a figure. (p. 459)	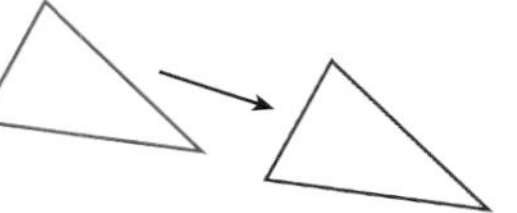
transportador Instrumento para medir ángulos.	**protractor** A tool for measuring angles.	
trapecio Cuadrilátero con un par de lados paralelos.	**trapezoid** A quadrilateral with exactly one pair of parallel sides. (p. 442)	
traslación Desplazamiento de una figura a lo largo de una línea recta.	**translation** A movement (slide) of a figure along a straight line. (p. 459)	
trazar una bisectriz Dividir en dos partes congruentes.	**bisect** To divide into two congruent parts.	
triángulo Polígono de tres lados.	**triangle** A three-sided polygon.	
triángulo acutángulo Triángulo en el que todos los ángulos miden menos de 90°.	**acute triangle** A triangle with all angles measuring less than 90°. (p. 437)	
triángulo equilátero Triángulo con tres lados congruentes.	**equilateral triangle** A triangle with three congruent sides. (p. 438)	
triángulo escaleno Triángulo que no tiene lados congruentes.	**scalene triangle** A triangle with no congruent sides. (p. 438)	
triángulo isósceles Triángulo que tiene al menos dos lados congruentes.	**isosceles triangle** A triangle with at least two congruent sides. (p. 438)	
triángulo obtusángulo Triángulo que tiene un ángulo obtuso.	**obtuse triangle** A triangle containing one obtuse angle. (p. 437)	
triángulo rectángulo Triángulo que tiene un ángulo recto.	**right triangle** A triangle containing a right angle. (p. 437)	

ESPAÑOL	INGLÉS	EJEMPLOS
unión El conjunto de todos los elementos que pertenecen a dos o más conjuntos.	**union** The set of all elements that belong to two or more sets. (p. 212)	

ESPAÑOL	INGLÉS	EJEMPLOS
valor absoluto Distancia a la que está un número de 0 en una recta numérica. El símbolo del valor absoluto es | |.	**absolute value** The distance of a number from zero on a number line; shown by | |. (p. 762)	$\lvert -5 \rvert = 5$
valor extremo Un valor mucho mayor o menor que los demás valores de un conjunto de datos.	**outlier** A value much greater or much less than the others in a data set. (p. 302)	Mayoría de datos; Media; Valor extremo
valor de entrada Valor que se usa para sustituir una variable en una expresión o función.	**input** The value substituted into an expression or function. (p. 640)	Para la regla $y = 6x$, el valor de entrada 4 produce un valor de salida de 24.
valor de salida Valor que resulta después de sustituir un valor de entrada determinado en una expresión o función.	**output** The value that results from the substitution of a given input into an expression or function. (p. 640)	Para la regla $y = 6x$, el valor de entrada 4 produce un valor de salida de 24.
variable Símbolo que representa una cantidad que puede cambiar.	**variable** A symbol used to represent a quantity that can change. (p. 54)	En la expresión $2x + 3$, x es la variable.
vértice En un ángulo o polígono, el punto de intersección de dos lados.	**vertex** On an angle or polygon, the point where two sides intersect. (p. 566)	C, A, B A es el vértice de $\angle CAB$.
volumen Número de unidades cúbicas que se necesitan para llenar un espacio.	**volume** The number of cubic units needed to fill a given space. (p. 572)	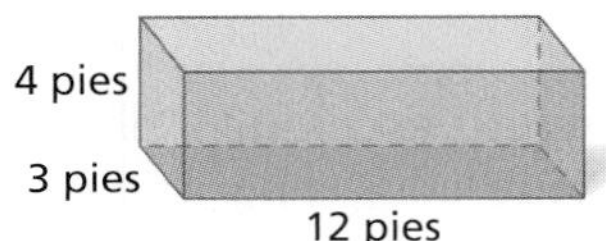 Volumen = $3 \cdot 4 \cdot 12 = 144$ pies^3

Índice

A

Índice

D

E

Índice

G

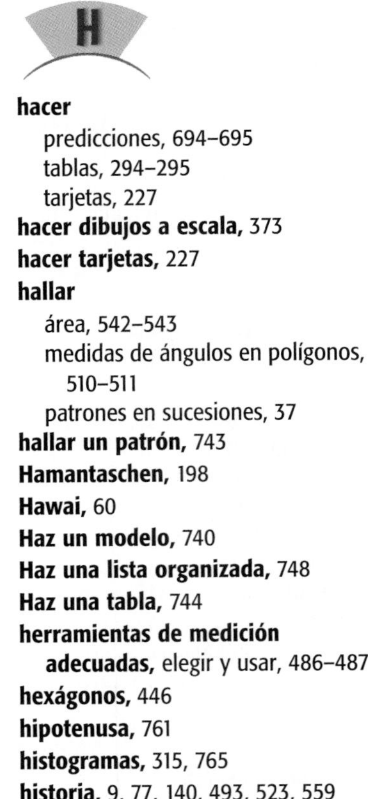

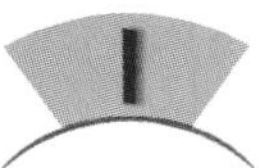

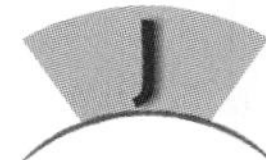

N

O

P

Q

R

S

Créditos

Equipo

Bruce Albrecht, Lorraine Cooper, Marc Cooper, Jennifer Craycraft, Martize Cross, Nina Degollado, Lydia Doty, Sam Dudgeon, Kelli R. Flanagan, Ronald Fowler, Mary Fraser, Stephanie Friedman, Jeff Galvez, José Garza, Diannia Green, Jennifer Gribble, Liz Huckestein, Jevara Jackson, Kadonna Knape, Cathy Kuhles, Jill M. Lawson, Peter Leighton, Christine MacInnis, Rosalyn K. Mack, Jessika Maier, Jonathan Martindill, Virginia Messler, Susan Mussey, Kim Nguyen, Matthew Osment, Manda Reid, Patrick Ricci, Michael Rinella, Michelle Rumpf-Dike, Beth Sample, Annette Saunders, John Saxe, Katie Seawell, Kay Selke, Robyn Setzen, Patricia Sinnott, Victoria Smith, Jeannie Taylor, Ken Whiteside, Sherri Whitmarsh, Aimee F. Wiley

Fotografía

Abbreviations used: (t) top, (c) center, (b) bottom, (l) left, (r) right, (bkgd) background

Cover (all), Pronk & Associates.

Title page (all), Pronk & Associates, cover and ii, Arcaid/Alamy

Master icons—teens (All): Sam Dudgeon/HRW.

Author photos by Sam Dudgeon/HRW; Jan Scheer photo by Ron Shipper

Front Matter: C2 AP Photo/NASA; vi ©Gary Randall/Getty Images/FPG International; vii ©Christian Michaels/Getty Images/FPG International; ix Peter Van Steen/HRW; x Peter Van Steen/HRW; xi Charles W. Campbell; xii Ralph A. Clevenger/CORBIS; xiii Art by Jane Dixon/HRW; xiv Sam Dudgeon/HRW; xv Florian Monheim/age fotostock; xvi Ernest Manewal/SuperStock; xvii SuperStock; xviii CORBIS/Brandon D. Cole; xix (t), Anna Clopet/CORBIS; xix (tr), ©corbisimages.com; xix (bl), Frank Siteman/Getty Images/Stone; xix (cl), Sam Dudgeon/HRW; xix (cr), Sam Dudgeon/HRW; xix (br), Carl and Ann Purcell/Index Stock Imagery, Inc.; xxii (tr), Bryan Berg; xxii (bl), Sam Dudgeon/HRW

Chapter One: 02 (br), Jeff Greenberg/MR/Photo Researchers, Inc.; 06; 06 (tc), Steve Ewert Photography; 06 (tr), Steve Ewert Photography; 06 (tr), Steve Ewert Photography; 06 (tr), Steve Ewert Photography; 06 (tr), Steve Ewert Photography; 09 (tl), ©Image Source/elektraVision/PictureQuest; 10 (t),; 11 (cr), Iowa State Fair; 13 (tr), James L. Amos/National Geographic Image Collection; 14 (tr), CORBIS/Bettmann; 17 (tr), CORBIS/Lester V. Bergman; 19 (br), Michael Dunning/Getty Images/FPG International; 23 (b), Sam Dudgeon/HRW; 23 Sam Dudgeon/HRW; 23 Sam Dudgeon/HRW; 23 Sam Dudgeon/HRW; 23 Sam Dudgeon/HRW; 25 (tr), Kenneth Garrett/National Geographic Image Collection; 25 (tc), Kenneth Garrett/National Geographic Image Collection; 26 DINODIA/Art Directors & TRIP Photo Library; 29 (c), Sam Dudgeon/HRW; 29 (r), PhotoDisc-Digital Image copyright © 2004 PhotoDisc; 29 (tl), C.K. Lorenz/Photo Researchers; 30 (tr), NASA; 33 Victoria Smith/HRW; 39 (t), AP Photo/Amy Sancetta; 39 (b), Getty Images; 40 (br), Jenny Thomas/HRW; 41 (b), HRW. **Chapter 2:** 50 (br), Peter Yang/HRW Photo; 50–51 (bkgd), Christian Michaels/Getty Images/FPG International; 57 (tl), Sam Dudgeon/HRW; 61 (tr), AP Photo/NASA; 61 (all patches), NASA; 65 Adam Woolfitt/CORBIS; 69 (bl), David A. Northcott/CORBIS; 71 (r), CORBIS/Brandon D. Cole; 74 (tr), Franklin Jay Viola/Viola's Photo Visions; 77 (tl), Peter Yang/HRW; 78 (tl), Library of Congress; 78 (tr), AP Photo; 78 (bkgd), Corbis Images; 81 (tr), Bianca Lavies/National Geographic Image Collection; 84 (tr), Darwin Dale/Photo Researchers, Inc.; 85 (c), Eric Kamp/Index Stock Imagery/PictureQuest; 85 (tr), Takeshi Takahara/Photo Researchers, Inc.; 89 (tl), ©NorthWind/NorthWind Picture Archives; 93 HRW. **Chapter 3:** 102 (br), Peter Yang/HRW Photo; 102 (bkgd), AP/Wide World Photos; 109 (cr), Jerry Schad/Photo Researchers, Inc.; 112 (tr), Cheryl Maeder/Getty Images/Stone; 115 Mark Tomalty/Masterfile; 118 AP Photo/John Russell; 121 (tl), Frank Siteman/Getty Images/Stone; 123 (bc), Peter Van Steen/HRW; 123 (bl), Peter Van Steen/HRW; 127 (tl), George Hall/Check Six; 130 (tr), NASA/Photo Researchers, Inc.; 133 (tr), CORBIS; 133 (br), Bettmann/CORBIS; 134 HRW; 136 (br), Victoria Smith/HRW; 137 (tr), Mark Gibson/Gibson Stock Photography; 140 (tl), Larry Stevens/Nawrocki Stock Photo; 141 (tr), Peter Yang/HRW; 144 (tr), CORBIS/Richard Hamilton Smith; 147 (tr), SuperStock; 149 (br), Stockbyte Platinum/Alamy; 150 (cr), Jenny Thomas/HRW; 151 HRW. **Chapter 4:** 160 (bkgd), Peter Van Steen/HRW; 160 (br), Digital Image copyright © 2004 PhotoDisc; 164 (tr), Darren Carroll/HRW; 167 (tl), Mike Norton/Animals Animals/Earth Scenes; 172 (tr), Frans Lanting/Minden Pictures; 172 (t), Frans Lanting/Minden Pictures; 174 (tr), PhotoEdit; 176 (tl), Frans Lanting/Minden Pictures; 179 (b), Digital Image copyright © 2004 PhotoDisc; 181 (tr), Getty Images; 184 (cr), Pat Lanza/FIELD/Bruce Coleman, Inc.; 189 (tr), Bob Krist/CORBIS; 189 (br), Wendell Metzen/Bruce Coleman, Inc.; 190 (t), Peter Van Steen/HRW; 191 (egg), PhotoDisc-Digital Image copyright © 2004 PhotoDisc; 191 (shamrock), PhotoDisc-Digital Image copyright © 2004 PhotoDisc; 191 (acorn), PhotoDisc-Digital Image copyright © 2004 PhotoDisc; 191 (shell), PhotoDisc-Digital Image copyright © 2004 PhotoDisc; 191 (rock), PhotoDisc-Digital Image copyright © 2004 PhotoDisc; 191 (key), EyeWire-Digital Image copyright © 2005 EyeWire; 191 (penny), EyeWire-Digital Image copyright © 2005 EyeWire; 191 (cicada), Artville-Digital Image copyright © 2005 Artville; 192 (tr), Sam Dudgeon/HRW; 195 (tl), Science Photo Library/Photo Researchers, Inc.; 195 (cr), Sam Dudgeon/HRW Photo; 196 (tr), Peter French/Bruce Coleman, Inc.; 197 (bl), Tom Brakefield/CORBIS; 201 (tl), Peter Van Steen/HRW; 202 (tr), Mike Norton/Animals Animals/Earth Scenes; 202 (tc), Peter Van Steen/HRW; 205 (tl), Gary Meszaros/Bruce Coleman, Inc.; 206 Daryl Benson; 206 (tr), Carl Yarbrough; 206 (c), Beverly Barrett/HRW; 206 (b), Beverly Barrett/HRW; 207 (cr), SuperStock; 209 (tl), SuperStock; 209 (tr), Raymond A. Mendez/Animals Animals/Earth Scenes; 209 (tc), Mark Moffett/Minden Pictures; 214 Randall Hyman/HRW; 215 HRW; 222 (b) Mike Williams/Ohio Department of Natural Resources; 222 (cr), Richard Baumer; 222 (bc) Mike Williams/Ohio Department of Natural Resources; 223 (tr), Stimac/The Image Finders; 223 AP Photo/The Plain Dealer, Chris Stephens); 223 (br), Adam Jones/Visuals Unlimited. **Chapter 5:** 224 (bkgd), Peter Van Steen/HRW; 224 (br), Digital Image copyright © 2004 PhotoDisc; 228 (tr), Carl Yarbrough; 228 (c), Beverly Barrett/HRW; 228 (b), Beverly Barrett/HRW; 237 (tr), SuperStock; 237 (br), Gerry Ellis/Minden Pictures; 237 (cr), Paul Chesley/National Geographic Image Collection; 237 (bl), Eric Hosking/CORBIS; 238 (tr), Frans Lanting/Minden Pictures; 239 (c), Frans Lanting/Minden Pictures; 241 (tl), Gerry Ellis/Minden Pictures; 248 (tr), Private Collection/Edmond Von Hoorick/SuperStock; 249 (cr), Alan Pitcairn/Grant Heilman Photography; 253 (br), Maximilian Stock Ltd./FoodPix; 257 (tr), Jeff Foott/Discovery Communications, Inc.; 263 (tl), Merlin D. Tuttle/Bat Conservation International; 264 (tr), Ken Karp/HRW; 265 (bkgd), Beverly Barrett/HRW; 270 Victoria Smith/HRW; 273 (tr), Allen Blake Sheldon/Animals Animals/Earth Scenes; 274 Lori Grinker/Contact Press Images/PictureQuest; 275 (cl), Beverly Barrett/HRW; 275 (tr), Beverly Barrett/HRW; 277 (tl), Frans Lanting/Minden Pictures; 279 Jell Kelly; 280 (br), Ken Karp/HRW; 281 HRW. **Chapter 6:** 290 (br), CORBIS; 290–91 (bkgd), Charles W. Campbell; 294 (tr), Reuters NewMedia Inc./CORBIS; 294 (bl), Carl and Ann Purcell/Index Stock Imagery, Inc.; 298 (tr), Jenny Thomas Photography/HRW; 301 Stockdisc Classic/Alamy; 302 (tr), Trent Nelson/The Salt Lake Tribune; 302 (cl), AFP PHOTO/George FREY/Getty Images; 305 (tr), NASA/Science Photo Library/Photo Researchers, Inc.; 307 (bc), Victoria & Albert Museum/Art Resource, NY; 307 (br), U.S. Department of the Interior, National Park Service, Edison National Historic Site; 307 (bl), Index Stock/Alamy Photos; 307 (l), Pintail Pictures/Alamy Photos; 308 Tim Davis/Photo Researchers, Inc.; 308 Dr. Eckart Pott/Bruce Coleman, Inc.; 308 SuperStock; 308 Sharon Smith/Bruce Coleman, Inc.; 314 (l), Leonard Lessin/Peter Arnold; 314 (c), Federal Bureau of Investigation; 314 (r), Archive Photos; 317 (l), Roland Seitre/Peter Arnold, Inc.; 322 Bettmann/CORBIS; 325 GK Hart/Vikki Hart/Getty Images; 326 (cr), Shane Young/AP/Wide World Photos; 326 BrandX Pictures; 326 David Madison/Bruce Coleman, Inc.; 329 (tr), John Bavosi/Science Photo Library/Photo Researchers, Inc.; 329 (c), John Bavosi/Science Photo Library/Photo Researchers, Inc.; 329 (r), John Bavosi/Science Photo Library/Photo Researchers, Inc.; 330 (tr), Bryan Berg; 337 (bl), Travel Line/Alamy; 338 (br), Randall Hyman/HRW; 339 HRW; 346 (cr), Digital Vision; 346 (bl), Swerve/Alamy; 347 (br), Steve Lewis/The Image Bank/Getty Images; 347 (l), Jim Merli/Visuals Unlimited. **Chapter 7:** 348 (br), Beth Davidow; 348 (bkgd), Ralph A. Clevenger/CORBIS; 352 (tr), Reuters NewMedia Inc./CORBIS; 356 AP Photo/Big Lots, Rene Macura; 359 Bettmann/CORBIS; 365 (tr), Ronald Zak/AP/Wide World Photos; 365 (tl), Imapress/Jean Claude N'Diaye/The Image Works; 365 (cr), AFP/CORBIS; 365 (cl), Jon Bower/Alamy Photos; 367 (tr), Mary Cassatt, The Boating Party, Chester Dale Collection, Photograph © 2002 Board of Trustees, National Gallery of Art, Washington. 1893/1894, oil on canvas; 368 Jenny Thomas/HRW; 370 (tr), Sharon McNeill/Bethel Area Chamber of Commerce;

371 (tl), Thinkstock/Getty Images; 374 (l), Ngs Cartographic Division/National Geographic Image Collection; 374 (tr), Kerrick James/Getty Images/Stone; 374 (cr), W. Perry Conway/CORBIS; 376 (b), E. R. Degginger/Bruce Coleman, Inc.; 381 Jenny Thomas/HRW Photo; 384 (tr), Michelle Bridwell/PhotoEdit; 388 Bettman/CORBIS; 390 Sam Dudgeon/HRW; 393 (tl), Lucy Schaly/Beaver County Times/AP/Wide World Photos; 394 (t), Peter Van Steen/HRW; 394 (tl), J. & P. Wegner/Animals Animals/ Earth Scenes; 397 (cl), Sam Dudgeon/HRW; 399 (tl), foodfolio/Alamy; 401 (tl), foodfolio/ Alamy; 402 (br), Ken Karp/HRW; 402 (c), Mimmo Jodice/CORBIS; 402 (cl), Massimo Listri/CORBIS; 402 (cr), Gianni Dagli Orti/CORBIS; 403 (b), HRW. **Chapter 8:** 412 (br), ©Zhi Xiong China Tourism Press/Getty Images/The Image Bank; 412–13 (bkgd), Art by Jane Dixon/HRW; 420 Courtesy of Icon Health Fitness; 424 (cl), Michael Kelley/Getty Images/Stone; 424 (b), TempSport/CORBIS; 426 (tl), Peter Van Steen/HRW; 426 (tr), Peter Van Steen/HRW; 426 (cl), Werner Forman Archive/Piers Morris Collection/Art Resource, NY; 426 (cr), P. W. Grace/Photo Researchers, Inc.; 426 (tc), Peter Van Steen/HRW; 428 (t), Walter Bibikow/Index Stock Imagery/PictureQuest; 429 (tl), Emmanuel Faure/SuperStock; 429 (tr), Peter Van Steen/HRW; 429 (cl), ImageState/Alamy Photos; 429 (cr), Peter Van Steen/HRW; 437 (br), Bob Krist/CORBIS; 437 Peter Van Steen/HRW; 437 Peter Van Steen/HRW; 440 (tl), Peter Newark's Western Americana; 442 Digital Image (c) The Museum of Modern Art/Licensed by SCALA/Art Resource, NY; 445 (tl), David Forbert/SuperStock; 446 (cl), PhotoDisc-Digital Image copyright © 2004 PhotoDisc; 446 (bl), PhotoDisc-Digital Image copyright © 2004 PhotoDisc; 446 (t), Index Stock/Alamy; 447 PhotoDisc-Digital Image copyright © 2004 PhotoDisc; 448 (tl), Beverly Barrett/ HRW; 448 (tc), Peter Van Steen/HRW; 448 (tr), Peter Van Steen/HRW; 448 (bl), Eric Grave/Science Source/Photo Researchers, Inc.; 448 (bc), M. Abbey/Photo Researchers, Inc.; 448 (br), Kim Taylor/Bruce Coleman; 450 Lowe Art Museum, The University of Miami/SuperStock; 451 (cr), Peter Van Steen/HRW; 451 (bl), Peter Van Steen/HRW; 452 (c), Peter Van Steen/HRW; 453 (tr), Steve Vidler/SuperStock; 455 Michael Boys/CORBIS; 456 Ken Karp/HRW Photo; 458 (l), Original Artwork © "Sunflowers" by Mary Backer/Sam Dudgeon/HRW Photo; 458 (cl), "Sunflowers" by Mary Backer/Sam Dudgeon/HRW Photo; 458 (cr), "Sunflowers" by Mary Backer/ Sam Dudgeon/HRW Photo; 458 (r), "Sunflowers" by Mary Backer/Sam Dudgeon/ HRW Photo; 462 (l), Sam Dudgeon/HRW; 462 (cl), Sam Dudgeon/HRW; 464 John Greim/Index Stock Imagery/PictureQuest; 467 (cr), corbisimages.com; 467 (t), Anna Clopet/CORBIS; 471 (tl), Victoria Smith/HRW; 471 (b), Digital Vision/Getty Images; 473 (b), HRW; 473 (bc), HRW; 480 (cl), Catherine Karnow/CORBIS; 480 (tr), Catherine Karnow/CORBIS; 480 (bl), Westend61/Alamy; 480 (br), Westend61/Alamy; 481 (t), The Image Bank/Getty Images; 481 (b), Christie's Images/CORBIS. **Chapter 9:** 482 (bkgd), Sam Dudgeon/HRW; 482 V. C. L./Getty Images/FPG International; 489 HRW; 490 (t), HRW; 490 (b), HRW; 491 (l), Winchester Cathedral, Hampshire, UK, / Bridgeman Art Library; 493 HRW; 494 (t), Photonica/Getty Images; 494 (b), Siede Preis/Getty Images; 495 Stephanie Friedman/HRW Photo; 496 Michael Steele/Getty Images; 499 Pierre Gleizes/Still Pictures; 500 AP Photo/ Alessandro Trovati; 503 (tr), Robert Harding Picture Library Ltd/Alamy; 503 (tl), Taxi/ Getty Images; 504 Alan Copson City Pictures/Alamy; 507 (cr), Alan Schein Photography/CORBIS; 507 (tr), Michael S. Yamashita/CORBIS; 507 (br), Lonely Planet Images/Getty Images; 507 (t), Travel-Shots/Alamy; 509 Nic Hamilton/Alamy; 510 Royalty-Free/Corbis; 513 AP Photo/Fabio Muzzi; 514 (tr), Courtesy of Sigma Tau Pharmaceuticals, Inc.; 514 (b), Victoria Smith/HRW; 516 (tr), Barry L. Runk/Grant Heilman Photography; 516 (br), PhotoDisc-Digital Image copyright © 2004 PhotoDisc; 520 (c), Masterfile; 520 (tr), Masterfile; 523 Mark Mckeown/The Paris News/AP/WideWorld Photos; 527 (tl), Stone/Getty Images; 527 (b), Jean Carter/AGE FotoStock; 528 (br), Tim Davis/HRW Photo; 529 HRW **Chapter 10:** 538 Sam Dudgeon/HRW Photo; 538–9 Florian Monheim/age fotostock; 541 HRW; 542 (tr), Larry Lefever/Grant Heilman Photography; 545 (tr), William Hamilton/SuperStock; 545 (c), NASA/Science Source/Photo Researchers, Inc.; 546 Raymond Patrick/ Taxi/Getty Images; 549 Shirley Richards/SuperStock; 554 (tr), Kwame Zikomo/ SuperStock; 555 Steve Satushek/Getty Images/The Image Bank; 555 (tr), Steve Satushek/Getty Images/The Image Bank; 558 (tr), Getty Images; 561 (r), William Sallez/Duomo/CORBIS; 561 (l), David Parker/Photo Researchers, Inc.; 563 (bl), Omni Photo Communications Inc./Index Stock Imagery/PictureQuest; 566 (t) © 2006 The Isamu Noguchi Foundation and Garden Museum, New York Artists Rights Society (ARS), New York/Corbis; 567 (c), Sam Dudgeon/HRW; 567 (b), Peter Van Steen/HRW; 568 (cl), Barry L. Runk/Grant Heilman Photography; 568 (c), Charles D. Winters/Photo Researchers, Inc.; 568 (cr), Charles D. Winters/Photo Researchers, Inc.; 569 (l), Richard Cummins/CORBIS; 569 (c), Joseph Sohm; ChromoSohm Inc./CORBIS; 569 (r), Hisham Ibrahim/CORBIS; 572 HRW; 572 HRW; 573 (cl), Sam Dudgeon/HRW; 573 (bl), Sam Dudgeon/HRW; 573 (cr), Sam Dudgeon/HRW; 573 (br), Sam Dudgeon/HRW; 573 (t), Sam Dudgeon/HRW; 575 (tr), TEK Image/ Science Photo Library/Photo Researchers, Inc.; 575 (c), Runk/Schoenberger/Grant Heilman Photography; 575 (br), Charles D. Winters/Photo Researchers, Inc.; 576 (r), U.S. Department of the Interior, National Park Service, Edison National Historic Site; 576 (tr), LOC/Science Source/Photo Researchers, Inc.; 585 (r), Peter Van Steen/HRW; 585 (l), Mark C. Burnett/Phot Researcher Inc.; 587 (l), NASA; 587 (r), CORBIS 588 (c), Tim Davis/HRW Photo; 589 (b), HRW; 596 (cr), Eyecon Images/Alamy; 596 (b), Andre Jenny/Alamy; 597 (t), Photri/ W. Kulik; 597 (cr), Photri/ W. Kulik. **Chapter 11:** 598 (br), Peter Yang/HRW; 598–9 (bkgd), Ernest Manewal/SuperStock; 602 (tl), CORBIS/Bill Ross; 602 (tr), Patrick J. Endres/ AlaskaPhotographics.com; 605 (l), Emory Kristof/National Geographic Image Collection; 606 (tr), Getty Images/AFP; 607 Chris Trotman/Duomo Photography; 615 (br), AFP/Getty Images; 617 CORBIS/Douglas Peebles; 620 Robert Emmett Bright/Photo Researchers; 625 Dennis Degnan/CORBIS; 628 (t) AP Photo/News Ltd.; 631 (cr), Francisco Marquez; 631 (tr), Jacana/Photo Researchers, Inc; 633 Garry Black/Masterfile; 639 (l), Robert Frerck/Odyssey/Chicago; 640 (tr),; 646 (tr), Ken Karp/HRW; 649 (tr), Simon Fraser/MRC Unit, Newcastle General Hospital/Science Photo Library/Photo Researchers, Inc.; 651 (tl), Dorling Kindersley; 651 (b), The Image Bank/Getty Images; 654 (br), Jenny Thomas/HRW; 655 (b), HRW **Chapter 12:** 664 (br), Bill Varie/CORBIS; 664–5 (bkgd), SuperStock; 671 (tr), TEK Image/Science Photo Library/Photo Researchers, Inc.; 672 (cl), EyeWire-Digital Image copyright © 2004 EyeWire; 672 (cr), EyeWire-Digital Image copyright © 2004 EyeWire; 674 (cl), EyeWire-Digital Image copyright © 2004 EyeWire; 674 (c), EyeWire-Digital Image copyright © 2004 EyeWire; 674 (cr), Sam Dudgeon/HRW; 674 (l), Sam Dudgeon/HRW; 683 Peter Van Steen/HRW; 685 CORBIS; 687 Jason Hawkes/Getty Images/Stone; 688 Dynamic Graphics Group/i2i/Alamy; 689 (tl), Digital Image copyright © 2004 EyeWire; 691 Pat Doyle/CORBIS; 694 The Old Farmer's Almanac* and Design Mark* are used with permission of Yankee Publishing Inc., Dublin, New Hampshire; 697 (tr), Jeff Curtes/CORBIS; 697 (tl), Yvette Cardozo/Index Stock Imagery/PictureQuest; 697 (t), Richard T. Nowitz/CORBIS; 697 (tr), Reuters NewMedia Inc./CORBIS; 699 (t), Stockdisc/Superstock; 699 (b), Gail Mooney/Masterfile; 702 (b), Ken Karp/HRW; 703 (b), HRW; 706 (tl), Digital Image copyright © 2004 EyeWire; 706 (tr), Digital Image copyright © 2004 EyeWire; 706 (cr), Digital Image copyright © 2004 EyeWire; 707 Stockbyte-four food images; frame-Victoria Smith/HRW; 710 (c), Herb Segars-gotosnapshot.com; 710 (b), Steve Shott/Dorling Kindersley; 711 (r), Index Stock Imagery; 711 (t), Photo courtesy of Historic Cold Spring Village, an Early American Living History Museum, Cape May, New Jersey.

Back Matter: 712 Sam Dudgeon/HRW; 712 John Langford/HRW; 713 John Langford/HRW; 713 Sam Dudgeon/HRW; 739 ©Pictor/Alamy Photos; 740 (c), Victoria Smith/HRW; 740 (br), Sam Dudgeon/HRW; 740 (bl), Sam Dudgeon/HRW; 741 (tr), ©Charles Gupton/CORBIS; 742 (tr), Victoria Smith/HRW; 743 (tr), Victoria Smith/HRW; 743 (tr), Victoria Smith/HRW; 743 (tr), Victoria Smith/HRW; 745 Cleo Freelance Photography/Painet Inc.; 746 (tr), Sam Dudgeon/HRW; 746 (cl), Victoria Smith/HRW; 746 (bl), Victoria Smith/HRW

Tabla de medidas

SISTEMA MÉTRICO

Longitud

1 kilómetro (km) = 1,000 metros (m)
1 metro = 100 decímetros (dm)
1 metro = 100 centímetros (cm)
1 metro = 1,000 milímetros (mm)
1 centímetro = 1 milímetro

Capacidad

1 litro (L) = 1,000 mililitros (mL)

Masa y peso

1 kilogramo (kg) = 1,000 gramos (g)
1 gramo = 1,000 miligramos (mg)

SISTEMA USUAL DE MEDIDAS

Longitud

1 milla (mi) = 1,760 yardas (yd)
1 milla = 5,280 pies
1 yarda = 3 pies
1 yarda = 36 pulgadas (pulg)
1 pie = 12 pulgadas

Capacidad

1 galón (gal) = 4 cuartos (ct)
1 galón = 16 tazas (tz)
1 galón = 128 onzas líquidas (oz líq)
1 cuarto = 2 pintas (pt)
1 cuarto = 4 tazas
1 pinta = 2 tazas
1 taza = 8 onzas líquidas

Masa y peso

1 tonelada (T) = 2,000 libras (lb)
1 libra = 16 onzas (oz)

TIEMPO

1 año = 365 días
1 año = 12 meses
1 año = 52 semanas
1 semana = 7 días
1 día = 24 horas (h)
1 hora = 60 minutos (min)
1 minuto = 60 segundos (s)

centímetros
0 1 2 3 4 5 6 7 8 9 10 11 12 13 14 15 16 17 18 19 20

Halla cada valor que falta.

9. 3, 5, 7, 9, ▒; media: 7

10. 15, 17, ▒, 28, 30; media: 23

11. 10, 9, ▒, 4, 8, 8, 4, 7; moda: 4

12. 7, 2, ▒, 15, 20, 8, 14, 29; mediana: 13

13. 50, 100, 75, 60, ▒, 25, 105, 40; mediana: 65

14. 14, 8, 17, 21, ▒, 11, 3, 13; rango: 20

15. **Razonamiento crítico** Halla el conjunto de 5 elementos que tiene un rango de 9, una media de 11, una mediana de 12 y una moda de 15.

16. **¿Dónde está el error?** Joey dice que la media de este conjunto de datos es 23.5. Describe el error de Joey.

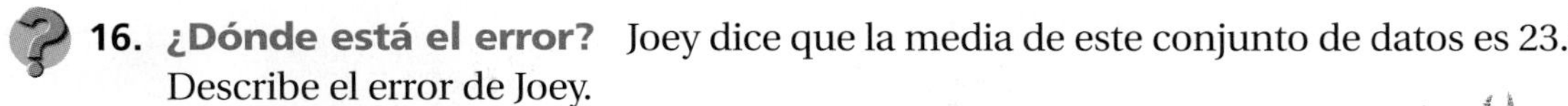

Número de flores en cada ramo	25	20	21	22	25	25

17. **¿Cuál es la pregunta?** En un examen, tres estudiantes obtuvieron 75 de calificación, cuatro obtuvieron 82, tres obtuvieron 88, cuatro obtuvieron 93 y uno obtuvo 99. Si la respuesta es 88, ¿cuál es la pregunta?

18. **Desafío** En los Super Bowls de 1997 a 2002, el equipo triunfador ganó por una media de $12\frac{1}{6}$ puntos. ¿Por cuántos puntos ganaron los Packers de Green Bay en 1997?

Año	Campeón del Super Bowl	Puntos de diferencia
2002	Patriotas de Nueva Inglaterra	3
2001	Cuervos de Baltimore	27
2000	Carneros de San Luis	7
1999	Broncos de Denver	15
1998	Broncos de Denver	7
1997	Packers de Green Bay	▒

Preparación Para El Examen y repaso en espiral

19. **Opción múltiple** En 5 días Pedro corrió 6.5 millas, 5 millas, 2 millas, 2 millas y 4.5 millas. Halla la distancia media que corrió Pedro.

Ⓐ 2 millas Ⓑ 3.5 millas Ⓒ 4 millas Ⓓ 4.75 millas

20. **Opción múltiple** ¿Qué valor NO siempre es un número del conjunto de datos que representa?

Ⓕ Moda Ⓖ Media Ⓗ Valor mínimo Ⓙ Valor máximo

21. **Respuesta gráfica** La media de 12, 15, 20 y x es 18. Halla el valor de x.

Indica si cada número es divisible entre 2, 3 ó 5. (Lección 4-1)

22. 155 **23.** 14 **24.** 99 **25.** 2,345

26. Haz una tabla en la que muestres el número de días de cada mes en un año no bisiesto. (Lección 6-1)

6-3 Datos adicionales y valores extremos

Aprender el efecto de los datos adicionales y los valores extremos

La media, la mediana y la moda pueden cambiar si agregas datos a un conjunto.

El estadounidense Jim Shea en la prueba de trineo masculino de los Juegos Olímpicos de invierno 2002

Vocabulario

valor extremo

EJEMPLO 1 *Aplicación a los deportes*

A **Halla la media, la mediana y la moda de los datos de la tabla.**

Medallas ganadas por EE.UU. en los juegos de invierno								
Año	2002	1998	1994	1992	1988	1984	1980	1976
Medallas	34	13	13	11	6	8	12	10

media = 13.375 moda = 13 mediana = 11.5

B **Estados Unidos también ganó 8 medallas en 1972 y 5 en 1968. Agrega estos datos a los de la tabla y halla la media, la mediana y la moda.**

media = 12 *La media desciende 1.375.*
modas = 8, 13 *Hay una moda adicional.*
mediana = 10.5 *La mediana desciende 1.*

Un **valor extremo** es un valor muy diferente de los otros del conjunto.

EJEMPLO 2 *Aplicación a los estudios sociales*

En 2001, Sherman Bull, de 64 años, se convirtió en la persona de más edad en alcanzar la cumbre del monte Everest. Los otros escaladores que llegaron a la cima ese día tenían 33, 31, 31, 32, 33 y 28 años. Halla la media, la mediana y la moda con y sin la edad de Bull. Explica los cambios.

Datos sin la edad de Bull: media ≈ 31.3 modas = 31, 33 mediana = 31.5

Datos con la edad de Bull: media = 36 modas = 31, 33 mediana = 32

Con la edad de Bull la media aumenta 4.7, las modas siguen iguales y la mediana aumenta 0.5. La media es la más afectada por el valor extremo.

Pista útil

La edad de Sherman Bull es un valor extremo porque él es mucho mayor que los demás integrantes del grupo.